ABDUÇÃO
CLONAGEM EXPERIMENTAL HUMANA

Pedroom Lanne

ABDUÇÃO
CLONAGEM EXPERIMENTAL HUMANA

São Paulo, 2021

Abdução: Clonagem experimental humana
Copyright © 2021 by Pedroom Lanne
Copyright © 2021 by Novo Século Editora Ltda.

EDITOR: Luiz Vasconcelos
COORDENAÇÃO EDITORIAL: Silvia Segóvia
REVISÃO: Andrea Bassoto / Silvia Segóvia
DIAGRAMAÇÃO: Claudio Tito Braghini Junior
IMAGEM DA CAPA: Fernando Marcatti
COMPOSIÇÃO DA CAPA: Plinio Ricca

Texto de acordo com as normas do Novo Acordo Ortográfico da Língua Portuguesa (1990), em vigor desde 1º de janeiro de 2009.

Dados Internacionais de Catalogação na Publicação (CIP)
Angélica Ilacqua CRB-8/7057

Lanne, Pedroom
  Abdução : Clonagem experimental humana / Pedroom Lanne. -- Barueri, SP : Novo Século Editora, 2020.
   ISBN 978-65-5561-034-5

1. Ficção brasileira I. Título

20-3242   CDD-869.3

Índice para catálogo sistemático:
1. Ficção brasileira   869.3

Alameda Araguaia, 2190 – Bloco A – 11º andar – Conjunto 1111
CEP 06455-000 – Alphaville Industrial, Barueri – SP – Brasil
Tel.: (11) 3699-7107 | Fax: (11) 3699-7323
www.gruponovoseculo.com.br | atendimento@gruponovoseculo.com.br

À Fênix reerguida das cinzas em seu novo voo por um mundo mais próspero e igualitário.

PARTE IV
Clonagem experimental humana

Prelúdio

A descoberta de Nhoc, um fóssil-vivo de origem homiquântica no planeta Terra, muda completamente os rumos da expedição liderada por Willa ao pretérito de 1978! A revelação de sua presença oculta dentro da Cidade Proibida, em Pequim, coloca em risco o espaço-continuado. Enquanto a alienígena analisa os possíveis impactos da existência de Nhoc, o coronel Jay Carrol se prepara para receber uma ilustre visita no sítio desértico onde a nave extraterrestre está estacionada: o presidente da República.

Agoniada com os possíveis desdobramentos da visita presidencial e desesperada para convencer Nhoc a retornar com ela para o futuro, Willa lança cérebro de um ultimato ao dar sinapse de abdução ao indefeso homiquântico...

Capítulo XII
O pretérito contaminado

— Como bem pôde captar, Phobos é uma reserva bem diferente em nosso contínuo originário — comentou Willa para o amedrontado Nhoc, ambos situados na câmara secreta atrás da sala do trono do antigo imperador chinês. Enquanto ela partilhava imagens de Phobos, o alienígena esgueirou-se bem ao fundo da câmara e lá permaneceu junto a seus micos, sendo consolado por eles. Todos igualmente assustados com a ameaçadora presença daquele ente estrangeiro que queria abduzir Nhoc. Com todo esse temor pairando no ar, ainda assim ela tinha razão, era inegável como Phobos havia evoluído desde que a sociedade quântica havia suplantado a de Nhoc, tanto em termos de infraestrutura — o que era esperado devido ao largo horizonte decorrido –, quanto na composição de sua fauna e flora, como, sobretudo, nos aspectos humanitários. Ainda assim, o homiquântico criticou:

— Por mais que Phobos seja bela e salutar ainda é o mesmo zoológico de quando o visitei. De essencial, a única novidade é a introdução da *minha espécie* na fauna e desses estranhos *paparazzi* — desdenhou Nhoc, dado que, de instante, o que sentia em relação à alienígena que o abduzia, honestamente, era *raiva*. Entretanto, devido à sua frágil condição psíquica e o medo inerente à situação, tentava ser comedido ao interagir, pois não queria assustar seus micos nem provocar demais a alienígena. Da parte de Willa, apesar de já ter anunciado a prisão de Nhoc, igualmente não queria assustá-lo, apenas fazê-lo aceitar seu destino passivamente. Por isso procurou abrandar seu espírito ao responder:

— Sim, o que é essencial *para você*, pois contará com pares de espécie para conviver e ainda se manterá próximo aos homens deste mesmo pretérito — insinuou Willa, fazendo menção à nova colônia de *homo sapiens* que havia sido introduzida em Phobos, mas que Nhoc não dera atenção, pois em sua época já existiam homens por lá em colônias bem reduzidas e ocasionais, vinculadas à validade de esparsas pesquisas. Assim, em nada o estranhava existirem homens por lá. Isto é, exceto por um detalhe, como partilhou a seguir a alienígena: — E não são zumbis recriados pela genética como em sua época. São homens da Terra de origem atlântica *deste mesmo pretérito* — enfatizou no final.

— Da mesma linhagem judaico-cristã da tribo que meus pares abduziram — afirmou Nhoc, demonstrando que já havia compreendido. Willa mostrou-se surpresa com a perspicácia dele:

— Exato — confirmou ela.

Nhoc acrescentou:

– Por isso que me trouxeste para cá, *né*? – Referia-se ao ambiente privativo que Willa mantinha ativo em torno dos dois: – Aqui está a chave de tudo.

– Eu partilharia que aqui estão os objetos-chave de nossa pesquisa, os alvos de análise os quais nos propomos estudar dentro da epistemologia existenciológica--interconectiva histórico-continuada no referido leque, cuja margem é essa garota sentada no cadeirão – mencionou em referência à Sandy, ainda uma criancinha de quatro anos, postada em um cadeirão ao lado da mãe, do pai e do irmão na mesa da sala de jantar durante o *brunch* da família. – O plano *Alexandria* – nomeou. Nhoc complementou:

– A margem alta. A baixa é o cidadão das Bermudas, *James Kelly*.

– Correto – confirmou Willa.

– Todavia, o objeto-chave principal, chave dos *acontecimentos* em Phobos, é este aqui, *né*? – Referia-se a Billy.

– Na sua visão. Na minha, Sandy é o *plano*-chave – discordou Willa. Nhoc zombou:

– Puderas, afinal, Billy é apenas um pivô, o refém de um sequestro.

Willa discordou. Naturalmente, Billy era muito mais do que isso. A essa altura dos fatos, era uma sumidade científica de seu período. Se foi apenas um pivô dos acontecimentos vividos em Phobos, em seu decorrer, tornar-se-ia uma peça ativa em prol da classe animal, sobretudo da raça homiquântica. Desde o "mero" sequestro de Billy mencionado por Nhoc, no qual, de fato, foi apenas um refém, todas as reivindicações dos animais da época já haviam sido contempladas e ratificadas na Ágora cósmica. E não só, novos paradigmas vieram, novos direitos foram concedidos – isso para não pensar na evolução genética e nas inovações tecnológicas do período.

A mais icônica mudança talvez tenha sido a abertura do Elevador Phobos-Marte. Na atualidade, todas as espécies *sapiens* do zoológico podiam transitar livremente entre a lua e o planeta – o que não incluía homens, por serem semirracionais. A restrição de tráfego no elevador valia apenas para os quânticos, que transitavam pelas novas linhas de disco-táxi, pelas composições isósceles que passaram a servir a lua ou simplesmente flutuavam no vácuo pelos trampolins dos novos parques que foram introduzidos entre Phobos e a faixa de tráfego do elevador em Marte. Inclusive, a referência ao zoológico já havia sido atualizada. Devido às facilidades de acesso e às atrações introduzidas na lua, passou-se a chamar Parque Zoológico de Marte, sendo comandado por uma nova instituição que desfrutava igual prerrogativa ao tradicional Instituto Zoológico. Quanto ao instituto, de corrente era dirigido exclusivamente por animais, os quais negociavam com a nova esfera midiática que igualmente evoluiu no período. De fato, essa era uma das grandes pendengas que movimentava a classe política de Phobos na atualidade: os animais exigiam direito de representatividade na entidade cívica Parque Zoológico, que era comandada exclusivamente por quânticos e seguia interesses turísticos atrelados ao financiamento da *Mídia* – dado que a entidade passou a gerenciar o tráfego em todo sistema, tanto físico no trecho Phobos-Marte, como virtual Phobos-Cosmo. Não havia mais qualquer restrição ou censura que pudesse negar o acesso dos animais à consciência cósmica, isto é, exceto aos limites inerentes à capacidade conectiva ou intelectual de cada espécie. O acesso universal evoluiu muito, até a Matriz, antes banida devido à rixa entre os homiquânticos e o *Pai* após a Guerra da I.A. que os confrontou como espécie, o *habitat* virtual que, no pretérito, havia sido palco da maior abdução já catalogada, agora rodava livremente em Phobos.

– E pensar que o primeiro movimento político-animalesco que redundou nesse alto paradigma de acesso, especialmente na abertura do Elevador Phobos-Marte, foi o suicídio deste pobre espécime – refletiu Willa referindo-se a Sandy, a menina bem-comportada na mesa, que comia direitinho sem derrubar nada. Só sentava no cadeirão porque gostava de ficar mais alta, ainda que fosse apertado para sua idade, afinal, já não era mais um bebê que precisasse. – Por isso que afirmo que ela é mais importante do que Billy. Ela é o verdadeiro pivô, é quem define o destino dele.

– Até trazê-la a este passado.

– Se quer reduzir todo empenho que tivemos para chegar até aqui em termos bastante simplórios, sim – concordou Willa. Nhoc comentou a respeito de Sandy:

– É uma mulher honrosa. *Seppuko* sempre será um ato de extrema coragem ou covardia, ela provou o primeiro. É justo que seja lembrada, foi torturada psiquicamente, privada da consciência cósmica, confinada em um manicômio. Por sinal, o *mesmo* ao qual pretendes me levar... – compartilhou Nhoc, enraivecido ao final.

– Não seja melodramático. Ela apenas foi vítima de práticas veteometodológicas já superadas. Por outro viés, uma vez que desembarquemos no futuro, serás encaminhado para uma facilidade bem amparada e adequada para entes de sua espécie que apresentam enfermidades congruentes à tua: um *sanatório*, não manicômio, onde será tratado até que possa reencarnar. Trata-se de um direito garantido, a menos que prefira *seppuko*.

– Prefiro não exercer essa escolha – teimou Nhoc.

Willa prosseguiu dissertando a respeito de Phobos, também vangloriando Billy pela atuação política que favoreceu o desenvolvimento da lua, ainda que seus méritos fossem reconhecidos como quântico, por suas contribuições ao Instituto Zoológico após ter evoluído sua condição psíquica. Em Phobos, o casal de irmãos era lembrado por seus totens originais da lua. Nesse caso, Alexandra era bem mais homenageada do que Willian pela tragédia que a transformou em um mártir contra a opressão aos animais. Seu totem era referenciado por políticos, por naturalistas, por uma infindável memorabilia virtual, além de possuir universidades e institutos que prezavam por sua memória e defendiam sua linha de pensamento e ativismo. Mas para que não se pense que Willian foi esquecido, havia uma rocha que demarcava o local em que foi feito refém pelas aves que o abduziram, localizada em uma nova praça que tomou conta do local com o desenvolvimento da cidade, onde inscrições e *links* narravam tal peculiar passagem de sua história. Todavia, como Billy, o quântico era altamente homenageado na esfera institucional do zoológico, a quem se creditava mérito à reintrodução do *homo sapiens* em Phobos e ao apoio político que permitiu avançar a causa animal na esfera cósmica. Sem ele, talvez nunca houvesse o subsequente incremento estrutural que, na atualidade, permite a *Mídia* gerir 32 reservas na superfície marciana ao longo da faixa de trânsito do elevador. Essas reservas eram interligadas por estradas comunitárias que permitiam aos animais – homiquânticos, paranormais e *paparazzi* – caminharem livremente entre elas ou se deslocarem em táxis digravitacionais, incluindo trens gravitológicos em alguns trechos. Esses trechos são intercalados com inúmeros parques destinados aos quânticos, criados para atender à nova demanda turística marciana desde que a entidade midiática passou a gerir o desenvolvimento do zoológico em uma iniciativa vinculada à sua diretriz de inclusão e expansão do turismo.

 E antes que qualquer abobado estranhasse a informação, é fato que os *paparazzi* agora *caminham*, pois evoluíram sua genética e compõem uma espécie párea aos paranormais. São telepatas e se locomovem eretos sobre duas patas, bem como possuem mãos articuladas para manipular suas próprias provetas. Em Phobos ou nas reservas marcianas é possível vê-los nas ruas, avenidas e praças caminhando como as demais espécies animais. Estranho é o fato de não possuírem penas, pois passaram a depilá-las a fim de seguir o padrão físico das demais espécies. Fator que, com o avançar dos horizontes, acabou influenciando não apenas seu genótipo, mas igualmente os esteticistas geneticistas que passaram a editá-los para que viessem à luz sem penas. Naturalmente, outras espécies *paparazzi* semirracionais acabaram tomando o lugar de sua predecessora na corrida evolucional e ainda preenchem os céus da lua, inclusive são mais desenvolvidas do que os homens com quem passaram a coexistir. Ainda assim, não são mais aquelas que um dia abduziram Willian clamando por liberdade. Essas já haviam suplantado a si mesmas e assegurado seus direitos, então passaram a cultivar os novos pássaros que hoje se vê por lá. Em contrapartida à evolução dos *paparazzi*, a nota triste do período foi a extinção do *homo machines*, os homiquânticos de primeira geração.

 – Poderá, em horizonte futuro, habitar qualquer uma dessas reservas em Marte após retomar seu ciclo evolucional – comentou Willa na tentativa de apaziguar o sentimento de Nhoc, ainda muito estressado, mas sem muito efeito.

– Só que pra isso pretendes me *abduzir* e me *internar à força* em um hospício e... – Willa o interrompeu:

– Será necessário para tratar seu quadro cérebro-degenerativo antes que possa se submeter à reencarnação e retomar sua condição evolutiva até pleitear uma transmutação para a espécie quântica ou uma sincronia perceptiva com algum simpatizante.

– Como procederam estes espécimes filhotes sentados à mesa, *né*? Pela frente, tendo um destino incerto como o deles, quando, talvez, venha cometer *seppuko* como este filhote... – referiu-se a Sandy.

– Eles teceram a escolha que lhes pertencia. Todavia, nisso certamente estamos de acordo, são bastante representativos do destino que caberá a ti construir.

Nesse ponto, Willa foi obrigada a abrir um longo parêntese para pormenorizar o tratamento ao qual Nhoc seria submetido assim que fosse escoltado para Phobos. Ele sequer passaria pelo sanatório, seria imediatamente internado na Unidade de Backup Prioritário onde sua consciência seria transplantada para um novo cérebro homiquântico; o novo cérebro, por sua vez, seria implantado em um corpo doado e reciclado. Somente então Nhoc retornaria aos seus sentidos e despertaria no Centro de Cerebroterapia e Ressocialização, quando enfim poderia retomar sua convivência social – todo esse processo seria conduzido por animais, com quânticos resumidos à observação. Isso lhe daria alguma sobrevida, mas Willa não sabia precisar em qual horizonte, algo em torno de 200, máximos 500 anos-marte. Seria um processo análogo ao de se transferir um HD cheio para um HD com 20% a mais de espaço. Suficiente para, ao menos, retroceder e retardar seu quadro de Alzheimer por certo horizonte. Isso graças ao cérebro e respectivas extensões de última geração em que se atualizaria, o modelo homiquântico mais evoluído disponível. Não à toa, os membros da espécie eram descritos como "bebês quânticos", sendo muito estimados em Marte, pois eram como um "miniquântico", um homem se transformando em quântico, como pensava Nhoc. Nesse período, enquanto escreveria suas memórias, Nhoc se prepararia para a reemplasmatificação, o processo que transferiria apenas sua ondulação *F* para um novo zigoto gerado em laboratório. Ou seja, seria transferido para a proveta, de onde iniciaria uma nova vida, sua segunda vida como homiquântico, na qual seria livre, apenas limitado às dependências do Parque Zoológico.

– Tu toparias que me sincronizasse em ti? – questionou com clemência Nhoc.

– Não posso te responder neste contínuo. Não desfruta de condição psíquica para tal.

Nhoc reassumiu sua postura irritadiça:

– Sei, sei... Todavia também sei que em teu cosmo existem outras reservas de exclusividade homiquântica. Assim, deduz-se que, se é para Marte que pretende me abduzir, isso nada mais significa do que Phobos ainda ser, como aliás sempre foi, uma *prisão*. – Então prosseguiu em tom zombeteiro: – "Parque Zoológico"... A quem pensa que enganas com essa "enorme evolução"? – finalizou com certa apreensão e desprezo.

– A "prisão" do cosmo é Plutão, creia-me.

– Então por que não me levas para Io? Se não me afeta o Alzheimer, do pouco que me partilhaste, tal sim me parece uma boa *reserva*, não um *zoológico* como Phobos – questionou Nhoc.

– Não há reserva mais adequada para ti que não seja Phobos. Se teme o escrutínio de seus pares pelos crimes que cometeu neste passado, Io não é o plano que desejará estar no futuro. – O plano homiquântico certamente mais eclético e pontual da espécie em termos de cientificidade e conectividade. Justo por isso, o mais conservador também, um autêntico reduto fundamentalista. – Tampouco Ariel, onde conviveria com espécies desconhecidas, como répteis semirracionais e *paparazzi* mais inteligentes que ti. Seria uma dura adaptação... – advertiu Willa.

– Ao menos Ariel possui uma paisagem mais familiar.

– Nenhuma dessas reservas possui livre translado ao seu respectivo centro planetário, até porque não há vida superficial nos grandes gasosos da heliosfera exterior – explicou Willa como se interagisse com uma criança. – Nem as reservas lunares terrenas ou venusianas possuem essa facilidade, somente Phobos.

Nesse instante, Nhoc chorou:

– Mas eu não quero ir para lá. Deixe-me só! Pela boa ciência, por favor, nem que seja pelo Pai, por Nova, **pela Mãe!** *Mas saia daqui!* – implorou sob soluços mentais, não mais conseguindo reter o medo que o acometia só de pensar em ser levado para um mundo tão diferente do seu. Um mundo muito diferente, mas que ainda contava com seus pares de espécie, o que era bem pior. No momentâneo pânico mental do amo, seus micos correram para frente dele, interpondo-se à ameaçadora alienígena. Em seguida, esconderam-se atrás do amo de novo, tão dispostos a defendê-lo quanto apavorados como ele.

– Se eu sair daqui, você morre – advertiu Willa.

– Não importa mais!! Qualquer coisa é melhor do que ser escravizado por *homens* como *vocês*!

– Você não tem como escapar ou para onde fugir. Está completamente submisso ao meu campo.

– Não. Não estou! – mentalizou Nhoc, encarando a alienígena com uma expressão desafiadora nos olhos. Seus micos se entrincheiraram à sua frente. Então comandou: – Executar autofragmentação cerebral. Confirmar! – Ao comando, seu cérebro se apagou como uma lâmpada em curto, sua cabeça piscou uma vez e desapareceu numa escuridão sem vida. Uma sobrecarga autoinfligida queimou seu encéfalo, seguida de um pulso fotomagnético que apagou seu repositório memorial em um *flash*. Seu corpo ficou pendendo no ar enquanto ainda fluía mínima carga para se ater enganchado ao campo de Willa, que sequer foi afetada pela onda gerada por Nhoc. Na sequência, sob um estridente grunhido de seus micos, desfaleceu no solo, onde passaram a acariciá-lo com tristes expressões arregaladas, saltitando freneticamente de rabos em riste sem perder a alienígena de vista, expressando um forte pavor ao sentirem-se encurralados e prestes a serem atacados. Nhoc havia cometido *seppuko*.

Impossibilitada de intervir, como se visse um grandioso prêmio escorrer pelos dedos, Willa contentou-se em proceder com a captura da ondulação F de Nhoc. O desespero só a abateu quando o par inicial a dar vazão a tal extrema atitude tornou-se dois, depois quatro, dezesseis, 256... Então gritou em apelo:

– Pare Nhoc! Por favor! – 65.536 era a contagem. – *Eu desisto de abduzi-lo*! – A contagem parou.

– Assim é melhor – partilhou Nhoc com um tom de alívio, ou melhor, um dos muitos Nhocs que ainda restava de seu largo multivíduo. Seus micos relaxaram um pouco, isto é, exceto aqueles que compartilhavam as dimensões em que seu amo falecera, onde o pânico perduraria até que Willa os libertasse daquela câmara secreta e exumasse o corpo de Nhoc. Depois, mesmo que tentada a coletar seus restos a fins de pesquisa, resignou-se a retirar algumas amostras e seguir seus desejos testamentais, incinerando-o ali mesmo.

Um forte constrangimento ficou no ar após a atitude de Nhoc. Willa tentou retomar a compostura. Em tom de súplica, expressou:

– Você *precisa* entender que, uma vez que se encontra presente neste plano – mentalizou, mais uma vez fazendo referência à família sentada à mesa –, você se tornou o objeto principal da pesquisa, você é o plano mais "baixo" deste pretérito. Sua descoberta é tão, mas tão extraordinária, que tenho absoluta convicção de que o comando da missão autorizará sua remoção assim que restabelecermos contato com o futuro.

– Mas não quero ser "removido". Quero morrer aqui!

– Há tanto um em ti que quer ficar, quanto um que tem medo de vir, como outro que clama por liberdade – filosofou Willa ainda esperançosa. Em paralelo, aumentou gradualmente a frequência de seu cérebro objetivando hipnotizar Nhoc de uma vez por todas e evitar que tentasse novo suicídio. Na sequência, mantê-lo-ia em estado *digama* e exercitaria uma nova teatralização para convencer Sam de que ele teria se voluntariado em embarcar na *Nave*, mas preferiu que fosse sedado durante a remoção – bastaria reformatar suas últimas memórias e seus colegas jamais saberiam. Então, organizaria a logística para levá-lo dali. Pela previdência, talvez já obtivessem algum sinal do futuro e Nhoc poderia ser facilmente removido por sua colega metálica.

Porém, antes que pudesse propagar a frequência hipnótica, Willa foi surpreendida por um som que chamou atenção de todos no ambiente, tanto de Nhoc como da família Firmleg sentada à mesa: soou o "*ding-dong*" da campainha. Tinha alguém na porta de casa.

Não haveria nada de estranho na cena no âmbito da família, já que tal era apenas uma emulação de suas vidas reais naquele plano. Mas Willa estranhou que a interação emulada a partir da casa dos Firmlegs tivesse gerado um resíduo sensitivo no âmbito de seu ambiente privativo. Chegou a lhe passar pela cabeça o que poderia ter gerado esse resíduo, mas negou-se a racionalizar o que se escondia atrás da porta, por isso acompanhou com suspense a movimentação da família após a campainha soar. Nhoc captou a apreensão da alienígena e também se manteve atento.

Na mesa que separava o ambiente de refeição da sala de estar dos Firmlegs, Bob questionou:

– Você tá esperando alguém, Julia?

– Não, querido.

– Se for algum vendedor de Bíblia, eu... – falou o marido já enervado. Billy o interrompeu:

– Deixa que eu atendo! – disse, já fazendo menção de levantar, mas o pai sinalizou para que permanecesse no lugar.

– Eu atendo – disse Bob e se levantou em seguida.

– É o carteiro! É o carteiro! – expressou Sandy com alegria, convicta de que estava certa. Ninguém estranhou que Pluto não estivesse latindo, como fazia costumeiramente o cão da família sempre que tinha alguém à porta.

Bob atravessou a sala de estar e dirigiu-se ao *hall* de entrada. Com calma, destrancou a porta e abriu enquanto Willa e Nhoc observavam a cena, a primeira com suspense, o segundo com curiosidade. Como suspeitava a alienígena, assim que Bob abriu a porta, Sam estava do lado de fora.

– Não tem ninguém aqui – disse Bob. Em seguida, ultrapassou a soleira e olhou ao redor a procura de alguém próximo, mas a entrada estava vazia.

– Deve ser peça desses moleques da vizinhança – chiou Julia da mesa. Billy achou graça, ele vivia fazendo isso.

Sam não deu bola para Bob. Uma vez que a porta estava aberta, atravessou seu corpo como se fosse um fantasma. Dentro do recinto virtual, dirigiu seu pensamento para Willa sob uma severa onda mental:

– O que está acontecendo aqui? – indagou o alienígena. – O que estais fazendo com essa pobre criatura?! – referia-se a Nhoc. Porém, não permitiu a esposa responder, já atropelou seu pensamento e intimou: – Estais o *abduzindo*?!! – questionou com furor nas sinapses.

Willa tentou negar gesticulando com o rosto. Estava atônita, não tinha ideia de como seu marido poderia ter tomado ciência, já que rodava todo contato com Nhoc em seu ambiente privativo. Mas foi o próprio animal que, de forma irônica, esclareceu:

– Sou de mente aberta. Sou incompatível às linguagens jupiterianas, tais códigos privativos não rodam em meu cérebro – revelou. – Não há como evitar que teu marido capte meus pensamentos – mentalizou com um leve sorriso no rosto. Acuada, Willa mirou o esposo e, em baixo tom, tentou se justificar:

– Apenas empreguei uma tática mais persuasiva...

– Persuasiva? *Invasiva*, isso sim. Agressiva! Totalmente irregular! – expressou Sam com irritação: – *Criminosa*! – E seguiu em sua reprimenda sem conceder horizonte de resposta: – Isso fere todos os estatutos que ratificamos para nossa missão, fere a nossa *ética*, é absolutamente contrário aos propósitos que nos motivaram a empreender essa expedição. Já não basta a longa lista de contravenções que fomos obrigados a ceder em função de teu plano de contingência e, em contínuo, queres elevar tua penalização à vara criminal? Pois saibas que esses fatos serão relatados na súmula, terás que responder por tais atitudes e serei forçado a testemunhar contra ti. – Mais uma vez, Willa tentou interferir, mas Sam não permitiu: – Não desperdices meu horizonte com tuas explicações. Não é pra mim que terás de responder. Em diante, essa é uma questão de foro público, a consciência cósmica será teu juízo. – Então virou-se para Nhoc e procurou acalmá-lo:

– Fique calmo, Nhoc. Nada disso se repetirá.

– E quanto ao estado prisional que ela me imputou?

– Não possui nenhuma validade. És livre para seguir teu arbítrio. Jamais permitirei que sejas levado sem teu consentimento. Willa não irá incomodá-lo mais. Não precisas mais aturá-la, vou protocolar uma ordem para que evacue teu recinto imediatamente – partilhou Sam em tom de mimo. Porém, Nhoc discordou:

– Não será necessário. Eu já demonstrei a ela que não poderá contrariar minha vontade. Em diante, ela pode permanecer aqui... Desde que se comporte – mentalizou com ironia na face, enfim sentindo-se seguro com a intromissão de Sam. Willa o confrontou:

– Não sorria! Sua atitude só comprova a fobia que possui em defrontar-se com a consciência cósmica. Covarde! – exclamou.

Nhoc cerrou o semblante, tanto no ambiente virtual que compartilhava com a dupla Sawmill[A], como na câmara secreta junto a seus micos, os quais rosnaram em resposta à alienígena. Sam aumentou suas ondas cerebrais para confrontar a esposa:

– Já chega! – Mais uma vez, dirigiu-se a Nhoc e pediu calma, buscando assegurar que novas atitudes intempestivas da parte dela não seriam toleradas. Quanto à Willa, flagrada e contrariada em sua intenção de "coletar" Nhoc com fins de pesquisa, dirigiu-se ao marido e clamou:

– Pelo *Pai*! Parece que não sabe comensurar o valor desse espécime? É imperativo que ele volte conosco para o futuro, o próprio futuro depende disso agora! – compartilhou aflita. Antes que Sam respondesse, embora sequer fosse preciso, bastava captar a onda de indignação que percorria sua mente, Nhoc se intrometeu:

– Como assim o "futuro depende disso agora"? – questionou o animal.

A dúvida remetia à "Questão Nhoc" que Sawmill[A] e o quórum da *Nave* debatiam em paralelo no ambiente laboratorial do disco, ao qual o homiquântico não tinha acesso. Uma questão que, do ponto de vista dos expedicionários, em função de estarem alijados do acesso e não poderem checar seus dados na consciência cósmica, realmente desafiava sua capacidade de depreendê-la. Restava apenas especular sobre algumas hipóteses, entre as quais, segundo as limitadas análises dos alienígenas, colocava em cheque a completa existência de seu cosmo futuro – esse era o peso que a "Questão Nhoc" carregava.

– Creio que, em face de tua bestial atitude... – compartilhou Sam recriminando Willa. – Em contínuo devemos a obrigação de colocar Nhoc a par de tudo.

– Sim, sim... Me coloquem a par – concordou o homiquântico, tomado pela curiosidade em saber por que sua presença tanto afligia os alienígenas.

Para colocar Nhoc a par, Sam convocou as demais entidades expedicionárias para se juntarem ao homiquântico no ambiente privativo de Willa. Assim, a *Árvore* se plantou no jardim externo da casa dos Firmlegs, a *Nave* pairou do lado de fora sobre a piscina e a *Pedra* simplesmente tomou os resíduos do solo para se manifestar virtualmente. Pacientemente, dado que interagia com uma criatura de racionalidade ínfima em relação à sua, a *Nave* apresentou uma longa explicação alfanumérica para embasar a Questão Nhoc. Ela delineou o ponto em que a presença do homiquântico no corrente pretérito levantava nebulosos prospects em relação ao futuro originário da expedição.

O ponto-chave da questão remetia à data de chegada da expedição de Nhoc ao corrente pretérito – no ano 6.128 a.C. – e, conforme Willa já havia ratificado pela leitura mental empreendida no homiquântico, o fato de ele ter criado a China. Nhoc ter criado uma nação que, em parte, seguia a ética, a cultura e apresentava uma estética congruente à espécie homiquântica de sua época era absolutamente natural. O que não batia com os fatos conhecidos ou com a história-continuada que os expedicionários quânticos traziam em sua memória, era o fato de já existir uma China de perfil étnico e geopolítico praticamente idêntica à China de Nhoc em relação ao pretérito compartilhado por todos ali – isso não fazia sentido. Até então, o pretérito em que a expedição aportou estava vinculado a uma linha-continuada que derivava em seu futuro originário. A prova era a presença de inúmeros planos de referência que incluíam os espécimes Firmlegs sentados à mesa e diversos outros, como James Kelly, Jay Carrol, Adolf Hitler, Nelson Mandela *et cetera*. A evidência cabal era a ausência do famoso sino nazista na Terra, conforme Willa já havia corroborado pessoalmente e através da leitura mental de Nhoc, cujo pretérito igualmente não constava o sino. Mas, eis a questão: como a China poderia já existir no passado de Nhoc se foi ele quem a criou vindo do futuro?

Em parte, a leitura de sua mente esclareceu que ele mesmo havia plagiado a história do homem. Utilizou, para isso, as poucas referências da China que constavam de seus estudos arqueológicos e antropológicos de quando habitara seu cosmo originário. A lenda de Fu Manchu era uma delas, mais um resíduo psicográfico que Willa confirmaria como oriundo de uma antiga novela daquele mesmo pretérito. A história dos Illuminati era outro exemplo do plágio de Nhoc, embora não se relacionasse com a China originalmente. Mas, segundo as evidências coletadas, as similaridades entre ambas as Chinas iam muito além da criatividade de Nhoc, ou da falta dela. Uma das evidências era a tecnologia repassada pelo homiquântico ao homem que derivava no protocolo *Earthquake*, este que foi originalmente desenvolvido pela China em um pretérito em que homiquânticos ou quânticos sequer existiam, pois ainda não tinham evoluído. Era um paradoxo, Nhoc constava em um pretérito que parecia não derivar do seu próprio. Segundo a *Árvore*, uma das hipóteses seria:

– Tanto quanto em cada plano de determinada faixa horizontal replicado, o enriquecimento da flora vegetal deste planeta se verifica. Igual comportamento à fauna se aplica – especulou. Em seguida, Willa complementou sua explicação:

– A verdadeira natureza dos *loopings* civilizatórios nada mais seria do que o reflorescimento das *almas* humanas que fertilizam a Gaia da Terra. Por isso verificamos congruências no processo civilizatório e fatos repetidos em pretéritos distintos e distantes entre si. Isso inclui planos *existenciais* coincidentes da mesma forma como a vida vegetal sempre evolui de maneira similar – ou seja, o *looping* da flora é se replicar como mato, algas, árvores *et cetera*; já o do homem, do homiquântico ou do quântico seria replicar *personalidades*. Willa delimitou essa característica em relação ao *homem*:

– O resto seria uma resposta comum às leis da física, as quais se aplicam à completa natureza e a todas as formas de inteligência sem qualquer distinção – fator que deriva na repetição de seus ciclos evolutivos, tais como a Idade dos Metais, o Período das Navegações, a Revolução Industrial, a Era dos Videogames e assim por diante. Willa continuou: – Seguindo esse embasamento, em termos continuados, não há distinção entre uma China fruto do homem por sua própria natureza ou uma China plagiada por sua influência, pois estão ambas submissas à mesma Gaia, e a Gaia prevalece sobre a sua influência. Nesse aspecto, o que importa é que a China sempre existiu.

Nhoc mostrou certa incredulidade, como se estivesse sendo ultrajado em sua memória depois de tudo que fez pela China. A acusação de plágio da alienígena era demasiada acintosa para seu *id*, mas Willa procurou justificar a questão antes que ele se irritasse:

– Atesto isso em função de suas memórias e testemunhos em torno da capacidade mímica do *homo herectus*. Constam inúmeros depoimentos seus dando conta de como superaram suas tecnologias e conseguiram influenciar a completa doutrina teocrática do povo chinês.

A alienígena referia-se à influência da Índia sobre a cultura chinesa e, especificamente, como os homens exerceram seu livre-arbítrio no período em que o conjunto indiano de Nhoc migrou e se instalou definitivamente na China. Um período datado do século XIII, quando, desde então, o budismo passou a se disseminar como uma das filosofias que melhor se amoldou no inconsciente coletivo chinês. Outro exemplo era o Japão, mas como Nhoc guardava um forte rancor pelas agressões japonesas, especialmente quando invadiram seu palácio, Willa preferiu não mencionar. Pelo contrário, partilhou algo que agradou seu *id*:

– Atesta a característica intelecto-evolutiva superior do *homo herectus* em relação ao *sapiens* atlântico e, inclusive, valoriza o estudo que você mesmo propôs sobre a importância de Lemúria na formatação do pretérito marciano. Uma evidência de que a espécie *homo* criada pelos lemurianos é bem mais desenvolvida do que a dos atlânticos. – Enquanto Nhoc depreendia a respeito, ela continuou: – Poderemos confirmar essa hipótese após submetermos a amostragem F do *homo erectus* que venho coletando para análises mais precisas nos laboratórios de Plutão, onde analisarão sua genética considerando o mapa interdimensiogerminal e a respectiva Gaia terrestre – esclareceu. Nhoc se espantou com o enunciado. Não bastasse, Willa acrescentou: – Além dos estudos cruzados abrangendo a Gaia do Sistema Solar, evidentemente.

Nhoc ficou a pensar, estava intrigado com a questão levantada pelos alienígenas. Assim como eles, igualmente abismado com as possíveis implicações. Willa concluiu seu pensamento:

– Isso significa que os planos existenciais se misturam ou se contaminam aleatoriamente. Algo que nos leva a deduzir que o plano pretérito em que você desembarcou no passado já perdeu qualquer relação com a continuidade de quando proveio.

– Mas isso se aplicaria à tua expedição igualmente – concluiu Nhoc.

– Exatamente. Não por menos minha proposta de pesquisa para a corrente expedição perdeu a validade.

– Não me culpe por isso – defendeu-se Nhoc. – Tu agora és testemunha de que os tais Anunnaki constaram no corrente leque pretérito bem antes de mim. Ti mesma esclareceu que foram os reptilianos, os mesmos que habitam teu cosmo, que construíram a grande pirâmide de Gizé, contataram os hebreus e abduziram Moisés.

– A pirâmide foi construída por reptilianos, mas transposta em pretérito por protodimensionarquia espontânea – corrigiu Willa ao captar a confusão mental de Nhoc. Desta feita, comprovadamente atribuindo sua falha cerebral ao Alzheimer que o acometia. Ela completou: – Tuas averiguações *não* atestam que Moisés foi abduzido, não no corrente pretérito face aos novos fatos que angariamos – afirmou. Em tom irritadiço, Nhoc respondeu:

– Se queres culpar alguém pelo fracasso de minha expedição, culpe o infame Logan. Ele é o responsável por qualquer perversão que tenha se perpetuado neste plano. Eu me resumi a prover o benefício para que o homem revertesse a herança maldita por ele deixada – argumentou com certo rancor e inconformismo.

– Não cabe a nós tecermos juízo a respeito deste distante pretérito – comentou Willa, comedida nas sinapses. Em seguida, Nhoc voltou a conjecturar sobre a hipótese da *Árvore*:

– Essa tese também pode significar que estejam tão perdidos neste pretérito quanto eu de quando cá aportei – afirmou. A *Nave* discordou:

– Absolutamente *nada*, o plano que constamos, importa. Apenas que NASA, Marianas ou Rochas Alegres, na Terra constam.

Willa retomou o diálogo com Nhoc:

– Não se preocupe com a ruína de minhas pesquisas. Sua descoberta suplanta os objetivos primários da expedição. Você é muito mais valioso para a ciência do que quaisquer dados que planejávamos coletar.

– Por isso quis me *abduzir* – compartilhou Nhoc com certo rancor. Sam interferiu:

– *Porém*, tudo que debatemos é apenas hipotético. Como estamos desprovidos da cosmonet não podemos corroborar ou refutar tais teses.

Outra hipótese remetia ao personagem que se encontrava na sala de jantar com sua família: Billy, ou melhor, a versão pretérito-hominídea do mesmo Billy que havia atravessado as dimensões e se materializado no futuro quântico do qual Willa provinha. Naturalmente, a alienígena já havia lido e relido a mente do hominídeo, pois o monitorava ininterruptamente, e, em sua memória, constava em pretérito a mesma China que constava na história de seu futuro. Todavia, era justamente aí que se fazia necessária uma objeção em relação à hipótese levantada pela *Árvore*, dado que a China ilustrada tanto na memória de Billy como nos retratos que atravessaram o *tempo* até alcançar a atualidade de Willa, registrava uma massiva perda de identidade e referências após o país ter sido vitrificado na Guerra dos Seis Minutos, o evento que precipitou a extinção do homem e a ascensão das espécies subsequentes. Essa lacuna de referências sobre a China devido ao fato de o país ter desaparecido, talvez tenha criado uma memória distorcida do que seria a verdadeira China antes desse cataclismo. De modo que a nação de Nhoc seria, como em parte era, um grande plágio da verdadeira China que existiu antes que todos ali ainda existissem. Nesse caso, a China original seria um grande mistério que ninguém mais se recordaria integralmente, algo bem diferente do que até então constava na memória histórica do cosmo.

– Para corroborar essa hipótese é que seria de inigualável valia contarmos com você como fóssil-vivo – insinuou Willa. Nhoc ignorou a insinuação da alienígena.

Até aqui, essas seriam as hipóteses mais plausíveis pelo óculo do time expedicionário e sua nudez conectiva com a consciência cósmica. Todavia, se tais hipóteses não se confirmassem, ainda existia uma terceira e imprevisível possibilidade:

– Significa entender que a completa realidade que compartilhamos seria um paradoxo gerado em algum ponto da linha-continuada cuja ruptura não dispomos meios para verificar – explicou Sam. Willa complementou:

– Essa ruptura teria se dado em algum ponto passado prévio ao seu nascimento até, no máximo, sua partida de Titã rumo ao corrente pretérito. Tal ruptura teria gerado dois planos de natureza homiquântica habitados por *Nova*. Um desses planos teria derivado na Acoplagem Pentadimensional e, subsequentemente, originado o plano quântico de quando viemos. Todavia, seu achado especula sobre a existência de outro plano que poderia estar correndo paralelamente em uma faixa aquém do rol de atualidade do nosso futuro. Isso também significaria que estes espécimes aqui retratados não teriam se originado do pretérito quântico, mas desse paradoxo que inclui sua presença neste pretérito de origem desconhecida – pensou em referência à família Firmleg. Depois questionou: – Compreende o impacto que tal hipótese enseja? – indagou. Nhoc titubeou ao responder:

– Seria pelo fato de não saberem qual a origem desse paradoxo, a tua continuidade ou o pretérito que constamos de instante.

– Inclusive. Mas isso pouco importa, pois ainda que a atualidade quântica derive de um paradoxo, em nada alteraria seu direito de existir. Referia-me ao impacto *político* de tal descoberta – esclareceu Willa. Porém, sem mensurar o tamanho desse impacto, já que implicava em uma ampla gama de interesses com desdobramentos imprevisíveis, que poderiam atingir as mais altas e pontuais diretrizes cósmicas em andamento, inclusive afetando o destino da Terra e as relações interestelares com Zelda. De momento, preferiu resumir: – Preocupa-me o que pensará o *Pai* ao tomar ciência da possível existência de um cosmo paralelo cujo potencial de avanço ciber-

nético seja páreo ao quântico – especulou. Desta feita, Sam complementou o pensamento da esposa dando o devido tom sentimental que tal possibilidade levantava:
– Temo mais o que pensará *Murphy*...
Referindo-se a Nhoc, Willa retomou a sinapse:
– Todavia, para confirmar essa hipótese, determinar se houve e em que ponto da linha-continuada se deu essa ruptura, precisamos revalidar a correspondência de sua carga *higgs* na escala quântico-espacial, o que só será possível se for encaminhado para análise em Ciência.
– Quer me examinar no espaçoscópio solar?! *Nunca!* – protestou o homiquântico.
– Corrijo: precisamos de uma *amostragem* de seu tecido para análise no espaçoscópio. Permite-me coletar? – indagou Willa. Mais calmo, Nhoc concordou. Aproveitando a deixa, ela insinuou: – Porém, seria melhor se pudéssemos contar com seu corpo completo... – mas foi interrompida.
– Jamais! – esbravejou Nhoc.
– *Depois* que você reencarnasse e o doasse para a ciência, compreende? – concluiu a sentença Willa.
– Perfeitamente. Mas prefiro manter meu corpo como, onde e *quando* está.
Nhoc aproveitou a pausa nas explanações dos alienígenas, instante em que Willa procedia com a retirada de uma amostragem de sua pele, para tecer sua própria hipótese:
– Eu tenho outra tese que poderia explicar esse paradoxo existencial que especulam existir...
– Qual tese?
– Já captaram pensar na Teoria da Imaginação?
– Não – respondeu Willa.
– Nem eu – acrescentou Sam. Não obstante, nem a *Nave*, nem a *Árvore* e muito menos a *Pedra* tinham captado pensar nessa teoria. De fato, as únicas referências a respeito constavam na mente de Nhoc e na mente de um terráqueo a qual Willa tinha lido no decorrer de suas varreduras ao longo do globo. Por sinal, um terráqueo que já estivera em contato com Nhoc em um passado recente, há menos de dois anos segundo registros em ambas as mentes.
Foi justamente até a mente desse hominídeo que Nhoc guiou a curiosidade dos alienígenas. Tratava-se de um cidadão natural e residente de Porto Alegre, uma das metrópoles do Brasil situada no extremo sul do país. Ele era xamã, mas descrito por seus amigos como um médium, alguém que exercitava a arte de conversar através das dimensões, apesar de não ter a devida consciência de que o fizesse. Em seu dia a dia, tratava-se de um pacato engenheiro eletrônico, casado e sem filhos. Seu nome era Samuel Fontoura, mais conhecido por Samuca pelos íntimos.

Por ocasião do falecimento de um parente próximo, seu tio, que não tinha filhos, Samuca recebeu uma herança em dinheiro que o permitiu realizar um antigo sonho: dar um giro no planeta visitando as sete maravilhas do mundo, incluindo as da engenharia e as da natureza. Pois bem, uma dessas maravilhas que Samuca visitou com sua esposa foi a Muralha da China, ocasião na qual aproveitou para conhecer Pequim e visitar a famosa Cidade Proibida. Uma das maiores atrações da Cidade Proibida é, sem dúvida, a sala do trono do antigo imperador, de modo que Samuca não desperdiçou a oportunidade de conhecê-la.

– Quando ele entrou na sala, nossos pensamentos se conectaram de imediato – narrou Nhoc. – Ele é um daqueles hominídeos sensitivos, naturalmente imune às minhas ondas hipnóticas.

Essa característica, porém, não impediu Nhoc de ler a mente do hominídeo e trocar alguns pensamentos com ele. Samuca agiu normalmente, estava acostumado a receber espíritos, jamais poderia imaginar que estaria se telecinando com um alienígena escondido atrás da parede. Acreditava apenas que estava em lugar propício, por isso não estranhou a voz dentro de sua cabeça e conversou com ela.

– Durante a breve comunicação que mantivemos, notei marcas psicográficas em seu pensamento. Uma delas era a Teoria da Imaginação. Entrementes, não consegui identificar a fonte de emissão.

– Eu igualmente – atestou Willa. – Esse resíduo pode ter se originado de qualquer dimensão, talvez seja apenas um ruído, uma mensagem distorcida ou erroneamente interpretada. Não capto qualquer relevância – refletiu com certo desdém.

Sem se importar com o pouco-caso da alienígena, Nhoc prosseguiu no embasamento de sua teoria. Primeiro, reproduzindo as impressões sinápticas que havia psicografado de Samuca:

"Ei... Ei... Ouça! É a TEORIA DA IMAGINAÇÃO: ela diz que todas as coisas são reais para sempre sem exceção... Reais para sempre sem exceção. Ouça, ouça... Preste atenção! Em cada realidade... Para sempre sem exceção. Existem infinitas realidades para sempre, cada coisa real continua sendo real para sempre sem exceção. Quer exemplo? Teatralize algo e em outra realidade acontece como imaginou, teu sonho vira real para sempre sem exceção. Sim, sim... Existe Papai Noel em outras realidades, Coelho da Páscoa e Super-Homem para sempre sem exceção. Nada é irreal para sempre sem exceção. Essa teoria comprova que existem infinitos mundos que... Tudo, Tudial e Tudiais é Tudial. Tudial é um tipo de universo que é um multiverso e existem infinitos Tudiais para sempre sem exceção. Isso se chama Teoria da Imaginação, também conhecida por TUDIAL É TUDIAIS PARA SEMPRE, uma teoria que diz que existem infinitas realidades e em cada realidade algo é real para sempre sem exceção, sem exceção. Ouça... Ouça... Preste atenção! Para sempre, infinitas versões de tudo, verdade e mentira, sonho e imaginação,

sem exceção. Num tipo de espaço que é Tudiais e infinitos Tudiais, Tudial e Tudiais são para sempre sem exceção. Essa teoria tem diversos nomes. Um dos nomes é Teoria da Imaginação, outro Universo Espelho, outro é Relatividade Moral. Eles andam juntos pra sempre sem exceção".

Willa riu das impressões sinápticas compartilhadas por Nhoc. Sam e os alienígenas também fizeram coro ao deboche. Desgostoso, o homiquântico cerrou o semblante e questionou:

– Vós não concordais que a diferença entre a eletrosfera de um átomo e o campo magnético de uma estrela seja a geração de vácuo-contínuo?

– Sim – respondeu Sawmill[A] em conjunto.

– Que bom, *né*? Já cria que até as leis da física fossem outras em vossa realidade... – partilhou Nhoc com rispidez. – Não adianta terem "compilado" todas as mentes em ponto-presente e contínuo, não importa quantos pares tenham distribuído em rol proxidimensional. Nada se compara à amostra horizontal que vivi e aprendi sobre essa criatura – gabou-se Nhoc ao notar que Willa não depreendia certos dados oriundos da cabeça de Samuca além da descrição psicográfica que compartilhara. Baseado nesses dados, teceu uma série de proposições a respeito da questão do preenchimento da matéria e como isso poderia catapultar dimensões para o futuro gerando paradoxos existenciais. Essa propriedade se aplicaria aos planos existenciais, ou seja, a inteligência coletiva manteria os *loopings* civilizatórios contínuos *para sempre*, ainda que, em sua visão, houvesse exceções.

– Se tudo que imaginamos se torna real, aquilo que a inteligência cria em âmbito social prevalece sobre a imaginação individual, daí o surgimento de realidades paralelas distintas, mas simultaneamente iguais entre si, de *loopings* e paradoxos que perpetuam para sempre... Ou até serem suplantados por outro que os absorva – lecionou Nhoc. – Não importa a quantos pretéritos viajemos, sempre navegaremos entre os planos mais férteis, gerados pelas mentes mais criativas. Seja de um longínquo Moisés ou de um recente Einstein, mesmo que atualmente se chame Olivermerter; até Hitler, que se imaginou um artista, hoje é músico. Quiçá esse pretérito que compartilhamos não seja apenas ti quem imaginou...

Nesse instante, Sawmill[A] sequer dava atenção ao homiquântico, apenas concordava com ele de forma teatral, permitindo-o compartilhar sua teoria como se estivessem interessados. Como já o haviam colocado a par da situação que envolvia sua descoberta, as demais entidades expedicionárias abandonaram o ambiente privativo de Willa, deixando os dois quânticos a sós com a criatura. Embora não creditasse valor científico à proposição de Nhoc, Willa procurou ser gentil:

– Vou protocolar sua teoria na pauta de averiguação da consciência cósmica. – Em seguida, retornou sua atenção ao marido. Ainda se sentindo um pouco constrangida pelo flagra e pelo sermão que ele havia lhe aplicado após sua tentativa de abdução, buscou pajeá-lo na tentativa de amenizar a falta que cometeu. Porém, nesse instante Sam já se mostrava mais calmo e, uma vez que estava no ambiente privativo da esposa e longe dos sentidos das demais entidades, foi amigável:

– Já fazia certo horizonte que não nos residuávamos privativamente.

– Desde que iniciamos os preparativos finais para a expedição, ainda em Titã – precisou Willa.

– Alterastes o ambiente, notei. Ficou mais... Como poderia expressar? – questionou-se Sam para depois responder: – Rústico.

– Você gostou?

– Claro. Tu sempre me surpreendes com tua capacidade artística.

– Obrigada.

– Somente ti possui esse toque especial... De gênio. Não fosse por isso, talvez não aturasse teus rompantes... – insinuou com uma leve onda reprovativa, mas mentalizou com graça em seguida: – Querer levar Nhoc a contragosto. Como poderias cogitar uma possibilidade dessas?

– Eu agi em totem da ciência, pensei apenas na importância da descoberta... Perdoe-me.

– Sabes que te perdoo...

– Não está mais bravo comigo?

– Desde que isso jamais se repita, não. Sabes que não consigo ficar bravo contigo por largo horizonte...

– Fico feliz – partilhou Willa com sinceridade. Nesse instante, Sam notou algo peculiar na expressão artística que envolvia a cena:

– Você está rodando teu ambiente em horizonte-contínuo?

– Sim.

– Por isso que o respectivo hominídeo... – Referia-se a Bob. – Foi quem me autorizou acesso ao ambiente.

– Correto. A emulação completa parte de seu respectivo sítio atual.

– Gostei, deu mais vivacidade à modelação...

– Eu agradeço o prestígio.

– Estais compartilhando o dever com o lazer.

– Sim. Algum problema?

– Uma vez que rodes no âmbito de teu multivíduo, não há nenhum empecilho.

– Se não, sequer poderia estar aqui em contínuo...

— Naturalmente. Todavia, creio que não há problema em desviar um foco para me logar contigo. Preciso mesmo amenizar meus pensamentos... — compartilhou Sam. Mas, referindo-se a Nhoc, fez uma ressalva: — Apesar da presença desse animal.

— Não se preocupe. Aqui tenho pleno controle do ambiente, ele não captará o que estamos pensando...

— Ótimo. Não tens uma película pra gente compartilhar? Uma daquelas comédias sensitivas que apenas ti sabe emular?

— Hum...

96

O tenente Danniel Mathew não cumpriu, estritamente, as ordens que o coronel Jay Carrol transmitira por meio de seu secretário. Ao invés de comparecer à teleconferência do time de especialistas com o astrofísico Jack Stevenson, que se encontrava em Genebra, apenas permaneceu na central de escuta da C-11 certificando-se de que tudo seria filmado, gravado, copiado e adicionado ao montante de provas que vinha angariando contra o chefe — mantendo-se ausente também como um subterfúgio para que não figurasse em tais evidências. Deixou a cargo do psicólogo Adrian Murray conduzir a reunião enquanto tentava burlar as restrições do Serviço Secreto, o qual havia vetado captar qualquer imagem da visita do presidente da República à base RSMR ou mesmo de seu avião, o Air Force One.

Para sua agonia, apesar de sua vasta perspicácia espiã, a teleconferência com o astrofísico não rendeu novas evidências que pudesse adicionar ao dossiê. A paranoia do coronel em torno do sigilo da operação, na visão de Mathew, foi o motivo. Antes da reunião, Carrol instruiu o time para que não mencionasse, terminantemente, a presença do objeto alienígena-extraterrestre. Orientou-os a utilizarem a teoria do psicólogo Smith Harrys de que lidariam com uma pseudoameaça germânica, ainda assim, de forma conceitual. O máximo que o time pôde comentar com o astrofísico durante a conversa fazia menção ao registro de uma "anomalia". Apesar da ausência do engenheiro eletrônico Steve Limbs na reunião, os especialistas comentaram sobre a interferência na rede elétrica e nos aparelhos eletrônicos que ele havia relatado. O astrobiólogo Bruce Nickson conjecturou sobre um capacitor composto por *nanochips* tão poderosos, que seria capaz de operar qualquer sistema elétrico à distância, incluindo computadores e videocassetes; Murray questionou se um instrumento assim não seria capaz de ler mentes e interferir no pensamento das pessoas. Tudo como parte de um projeto que, conforme comentou em uma brevíssima intervenção, com a voz embargada e pedindo desculpas pelo pigarro — apesar de não ser fumante —, Harrys descreveu como o desenvolvimento de um hipotético dispositivo satélite supostamente patenteado pelos comunistas. Depois nada mais disse, resumiu-se em fazer anotações durante toda reunião. De fato, o psicólogo temia que Mathew estivesse gravando a teleconferência, e não queria que sua voz fosse registrada, apesar de que, no fundo, já soubesse que estava enrascado até o pescoço na trama do tenente, mas, assim como ele, queria se comprometer o mínimo possível nas repercussões posteriores. Amaldiçoava a si mesmo por ter aceitado o convite de Carrol e remoía a raiva pela chantagem a que se viu submetido. Mas o medo que sentiu enquanto esteve preso no dia anterior estava bem vivo em sua memória, por isso se manteve na linha sem comprometer a reunião, conforme temiam seus colegas.

Sem números, dados concretos ou uma descrição de qualquer amostra que pudessem fornecer ao astrofísico, o máximo que o desfalcado time de especialistas conseguiu extrair da reunião foi um valor aproximado, de grandeza astronômica, da força G necessária para distorcer a luz, além da massa e qual seria a densidade de uma "anomalia" conforme descrita pelos especialistas. Todavia, sem que fosse irônico em absoluto, Stevenson esclareceu que apenas uma "força alienígena" poderia desenvolver um dispositivo capaz de distorcer a luz sem afetar "qualquer corpo" à sua volta em um raio tão diminuto. Considerou fora de questão a capacidade dos germânicos projetarem um equipamento, armamento ou satélite com tal capacidade.

– Não existe base científica para isso, nem na Alemanha, nem no inteiro planeta – vaticinou.

Quando encerrada a conexão com a Suíça, Murray comentou a respeito:

– Temos que considerar os dados fornecidos pelo doutor Stevenson como base para descrever a capacidade do objeto.

– Discordo. Somente uma supernova seria capaz de gerar uma força de tal grandeza – disse Nickson. – É impossível.

– Não temos nenhum outro dado que possamos atribuir ao fenômeno descrito pelas leituras e observações de Limbs – insistiu Murray. Depois ponderou: – Duvido que o objeto seja capaz de gerar uma força equivalente a uma estrela, mas devemos considerar que é capaz de exercer esse nível de força sobre a luz.

Muito mais, pensou Willa. Ao menos no momento em que a nave percorre a zona convectiva do Sol, absorvendo energia em tal magnitude que sua força G supera uma supernova-anã – aquelas que não se transformam em buracos negros, apenas geram novas estrelas. Todavia, isso ocorre em um ponto tão ínfimo e em tão breve instante, que a nave acaba absorvida pela massa, incomensuravelmente maior, de antimatéria do Sol, sendo expelida como um elétron ao atingir a zona radioativa e retomando sua constituição protônica pela gravidade compatível do astro-destino, um mero planeta como a Terra, como no caso de sua expedição.

— Tá. Mas *como* ela faz isso? — questionou o astrobiólogo, como se duvidasse do psicólogo.

— Como vou saber? O treco é alienígena. É alguma tecnologia que desconhecemos — debochou Murray. Depois reforçou seu argumento: — Se a coisa tiver um décimo, ou um milésimo que seja, da densidade descrita pelo doutor, a informação bate com tudo que coletamos.

— Mas não coletamos nada — confrontou Nickson.

— Exatamente: nada. Por isso que as brocas quebram em contato com o objeto, que o microscópio ou o tal "poroscópio"... — Referia-se ao boroscópio — não enxergam nada e o peso é muito maior do que podemos medir. Não só corrobora o fato de estar afundando, mas que, se quisesse mergulhar ao centro da Terra, *densidade* não lhe faltaria...

Nickson nada retrucou, ficou pensativo. Ao silêncio do colega, Murray virou-se para Harrys como se esperasse que dissesse algo, nem que fosse mais um de seus comentários depreciativos, mas como ele não disse nada, insinuou:

— Ao menos agora contamos com *mais um* depoimento que atesta a origem alienígena do objeto, mesmo que o doutor sequer tenha visto ou sabido da existência da nave...

— Ãhã... — expressou Harrys em resposta, sinalizando positivamente com a cabeça e anotando qualquer coisa em seu bloco de papel.

Em seguida, foram interrompidos por Mathew, que adentrou a sala de teleconferências para exigir dos especialistas o preenchimento de um relatório completo da reunião com o astrofísico. Na verdade, enrolando-os até que o presidente fosse embora da base. Dada a lacuna de dados e as restrições da conversa, a reunião acabou sendo mais breve que o previsto e o chefe maior da nação ainda se encontrava no posto zero, vistoriando a nave ou fazendo *sabe-se lá o quê?* — questionava-se o tenente, em seu interior, plenamente irritado com a situação. Além da inútil teleconferência, foi igualmente inútil sua tentativa de gravar imagens da visita do presidente. Ainda que da central de escuta conseguisse, como conseguiu, ativar as câmeras do Hangar 18, os agentes do Serviço Secreto foram minimamente espertos para cobri-las com fitas, por isso não pôde registrar nada, nem uma simples tomada do Air Force One taxiando na pista da RSMR. Só restava aguardar novidades pelo próprio Carrol para tentar gravá-las com as escutas que carregava consigo — o presidente poderia até já ter sido morto pelo objeto alienígena-extraterrestre que nada sabia do que se passava no posto zero. Não bastasse, ainda não tinha nenhuma notícia de seus agentes em relação ao sumiço da raposa — o ufólogo Andreas Vegina –, e sabia que o coronel o cobraria a respeito tão logo conversassem após a partida do presidente. Seria preciso uma nova justificativa para lidar com a situação, além de boa paciência para aguentar o esculacho do chefe – temia que o ufólogo procurasse a mídia e colocasse tudo a perder.

Enquanto Mathew exercitava seu jogo de cintura para não permitir ruir seu plano de denunciar Carrol, para o coronel, tudo seguiu como planejado e ensaiado para a inusitada visita do presidente da República ao posto zero. Exceto por um detalhe: dessa vez carregava uma pastinha nas mãos com os documentos que o presidente não havia assinado até então, apenas acordado verbalmente. O chefe da nação desembarcou do Air Force One dentro do Hangar 18, longe dos olhos de qualquer um que não estivesse ligado ao operativo ou autorizado pelo Serviço Secreto. Ainda assim, desceu da aeronave camuflado, utilizando um capuz branco similar ao da Ku Klux Klan, com buracos nos olhos para que enxergasse; ninguém jamais poderia afirmar que seria ele ali. Até seu avião apresentava qualquer identificação externa encoberta – como teriam camuflado a fuselagem? Somente Willa e o Serviço Secreto sabiam, mas a aeronave número um da América aparentava um Boeing qualquer, à exceção de, talvez, ser escoltada por caças de última geração. Porém, isso não era algo que se estranhasse em uma base da força aérea onde operativos secretos eram comuns.

Do Hangar 18, Carrol seguiu ao lado do ilustre convidado junto às quatro escoltas do Serviço Secreto e os pilotos do pernilongo que os levaria ao posto zero. Uma vez no ar, o presidente foi autorizado a retirar o capuz, e os dois trocaram palavras cordiais e mútuos elogios. O chefe maior da nação manifestou curiosidade em relação à nave e confessou que havia mesmo duvidado do achado de Carrol. Porém, ao se aproximar do local, conforme captava Willa à distância através do grampo remoto que implantou nele – dado que jamais se arriscaria no helicóptero –, o presidente demonstrava uma genuína excitação em sua aura. Foi possível até captar certo temor pela expectativa própria de alguém à beira de encarar um evento de natureza tão extraordinária. Em relação a Carrol – embora o coronel sequer tocasse no assunto, apenas aguardasse o decorrer dos fatos enquanto se aproximavam do destino –, mesmo que não pudesse ler seus pensamentos, Willa podia quantificar o quão intensamente fluíam as ondas em seu cérebro, ansioso pela assinatura do presidente ainda pendente, como supunha.

Igualmente próximo ao destino, de um pequeno platô situado na face sul-sudoeste do Algomoro, a exatos 102 metros de distância do objeto alienígena-extraterrestre – o qual ainda não podia atestar que fosse um –, outro personagem observava a mesma cena que Carrol e o presidente vislumbravam a partir do helicóptero, apenas de outro ângulo: Andreas Vegina. A aproximação do helicóptero deu fim a um longo suspense que o mantinha atento desde que a luz do dia o permitiu observar em detalhes a panorâmica à sua frente: o que só poderia ser o tal posto zero mencionado pelo tenente Mathew, perfeitamente em foco através de sua teleobjetiva. Aguçava o imaginário do ufólogo, a peça encoberta por uma cortina de lona suspensa por hastes de ferro em uma armação circular dependurada ao redor como se escondesse um monumento. À luz do dia era visível como a lona se amoldava circularmente em torno da peça, como seria em um disco-voador. Todavia, não bastava supor, era preciso ver para crer, por isso aguardava o instante em que fosse removida, proporcionando o espetáculo que sempre sonhou testemunhar. Assim, apenas permaneceu imóvel dentro de sua veste, mirando o cenário e tentando conter a ansiedade enquanto batia fotos das instalações ao seu alcance. O dia estava completamente aberto e a luz mais que propícia, por isso gastou dois rolos de 36 poses e registrou tudo que antes se escondia entre as sombras dos holofotes, os quais, para sua surpresa, foram removidos assim que o dia clareou. Pressentia que algo muito especial estava para acontecer, pois, ao contrário da movimentação das máquinas durante a madrugada, quando esperava que os trabalhos no pátio se intensificassem no decorrer do dia, foi justamente o contrário: o que viu e fotografou foram os equipamentos sendo retirados do local e poucos operários circulando ao redor.

Apesar do local aparentar evacuado, seus pressentimentos se confirmavam, especialmente quando reconheceu um dos poucos militares que se encontrava no local, aparentemente, supervisionando os trabalhos matutinos: o sargento Rodriguez, com quem já lidara inúmeras vezes em suas visitas à C-11 na base RSMR, um dos capangas de Carrol. Isso comprovava que o operativo tinha o mando do coronel e, mais uma vez, corroborava as palavras de Mathew. Algo que ficou ainda mais evidente quando determinado sujeito saiu de dentro de uma das vans de apoio estacionadas no posto. Alguém que imediatamente identificou se tratar de outra figura da C-11 que, inclusive, já havia estado em seu museu e prestado assessoria na montagem de sua rede no local, de quem desconfiava espionar seus computadores a mando do coronel. Ao reconhecê-lo, só então teve certeza de que algo realmente grandioso estava acontecendo: a figura de Steve Limbs. Em sua memória, Vegina se limitava a guardar a impressão de que Limbs era alguém com jeito para eletrônica e informática, além de amistoso e amigável nas vezes que tratou com ele. Não sabia ao certo qual sua relação com Carrol, apenas que era um empregado civil da base – ao menos até vê-lo ali no pátio, o que confirmava ser bem mais próximo do coronel do que pudesse supor; mais um de seus espiões, certamente. No pátio, Limbs se comportava como engenheiro-chefe: era ele quem supervisionava Rodriguez na desmontagem dos aparatos, dando a entender que era bem mais importante do que aparentava.

Em dado momento, todos os operários deixaram o pátio. Em seguida, Rodriguez e Limbs tomaram o volante das duas vans de apoio – os dois *motorhomes* que serviam ao próprio Limbs e ao coronel Carrol – e as retiraram do local, deixando o canteiro de obras totalmente vazio. Ao fundo, também não percebia movimentação alguma de caminhões ou veículos, nem de qualquer pessoal. O acampamento, que esteve ativo durante a noite, parecia abandonado. Os tanques de guerra permaneciam estacionados no perímetro como antes, mas não se via nenhum soldado ou qualquer ser vivo por perto.

Foi, então, que o pânico tomou a aura de Vegina, conforme captou a alienígena que o observava, elevando seu pico de adrenalina a margens recordes desde que iniciara sua desventura pelo deserto, pois – temeu o homem –, estar diante de sua morte. Um turbilhão de pensamentos passou pela cabeça de Vegina, de instante, concebendo o quão ingênuo havia sido ao se permitir acreditar na narrativa de Mathew. A visão do pátio vazio o fez conceber o que de fato passava-se no local: aquilo escondido sob a lona não era um óvni, mas sim uma *bomba*. Pouco importava o tipo ou se fosse, talvez, outra espécie de armamento, só sabia que estava mortalmente próximo da coisa. Claro! Estavam evacuando a área, cuidando dos últimos preparativos para ativar o artefato e explodir o local. Aliás, nada mais típico dos militares daquelas redondezas do que detonarem bombas no deserto. Limbs, provavelmente, supervisionava a montagem de algum dispositivo de acionamento. Quanto ao acampamento no fundo, os tanques e tudo mais, certamente compunham uma cidade-cenário construída para analisarem os danos da bomba após a detonação, algo comum nesse tipo de teste.

Isso explicava que a morte do xerife e a apreensão de Jorge tinham sido apenas um ardil utilizado por Mathew para chantageá-lo e a história do óvni, pura invenção – uma isca que funcionou direitinho. Na verdade, a mesma farsa que aprontaram no passado com o balão meteorológico que caiu no rancho de Tião Bardon, quando, igualmente, tudo não passava de um teste da aeronáutica. *Por isso me queriam no local*, pra que participasse do tal projeto secreto. Precisavam da assinatura de um ufólogo para corroborar suas mentiras – *que imbecil fui eu*, lamentou Vegina. *Já podia estar em Cuba gastando meu dinheiro*, arrependeu-se. Ao tomar ciência da estupidez que cometera, comprimiu os músculos para tomar a ação seguinte: abandonar a veste e evadir o local; levar a câmera e a água somente; e afastar-se o máximo possível, rezando que fosse o suficiente para escapar da onda de choque quando a bomba fosse ativada. Mas assim que iniciou o primeiro movimento, ouviu vozes na proximidade. Então reteve seus músculos e permaneceu em silêncio dentro da veste, paralisado por um novo pico de pânico e adrenalina, desta feita por imaginar que teria sido descoberto.

Às vozes, seguiu-se o barulho de passos no mato, crescendo em volume em sua direção. Vegina arriscou um último olhar, mas não tinha ângulo para ver qualquer coisa. Percebeu que as passadas vinham de baixo do platô de pedra em que se situava; talvez não tivesse sido visto ainda. Consumido pela tensão, não quis arriscar, encolheu-se inteiro em sua veste e, silenciosamente, fechou o zíper interno isolando-se dentro dela. Em seguida, rapidamente esticou o braço pela manga interna até o carrinho de apoio e tateou até encontrar o interruptor do compressor antes que se aproximassem o suficiente para ouvi-lo, desligando-o. Ao mover o braço, um guizo soou muito próximo, então sentiu uma leve pressão embaixo de sua perna: uma cascavel repousava junto à sua veste pelo lado de fora. Vegina cessou seu movimento com o braço, mais uma vez contendo todos os músculos de seu corpo. Na sequência, lentamente recolheu o braço junto ao peito. Em dado instante, o guizo da cascavel soou novamente. Temeu que ela picaria a veste, mas nada ocorreu. Uma vez recolhido o braço e já com a veste desligada, seu temor agora era como escapar daquela cobra, pois tinha consciência de que sua camuflagem apresentava pontos vulneráveis, especialmente por baixo. Pior, não havia soro antiofídico em sua geladeira portátil – *Deveria ter pensado nisso*, amaldiçoou-se.

Quanto ao temor em relação à bomba prestes a explodir alguns metros dali, foi logo dissipado quando os passos que vinham em sua direção cessaram e duas vozes se fizeram ouvir bem próximas, logo abaixo do platô em que Vegina e a cascavel repousavam:

– Acho que essa posição tá ótima – disse uma voz.

– Sim – concordou a outra voz. Todavia, para o calafrio de Vegina, em seguida acrescentou: – Mas... E se subir nessa rocha? Parece ideal...

– Verdade, mas não dá pra passar por aqui, muitos cactos... Veja se dá pra dar a volta aí por cima... – sugeriu.

– Não dá também. Teríamos que retomar a subida por baixo e achar outro caminho pra chegar ali.

– Bom, então faz pezinho pra mim – pediu uma das vozes. Nesse instante, Vegina suou frio.

– Tudo bem. Vai... – em coro, as duas vozes contaram:

– 1, 2, 3 e já! – Seguiu-se o som de uma pessoa tomando fôlego, depois de mãos apalpando a rocha bem à frente de Vegina, que tentava observar o melhor que podia através do zíper por uma fresta menor do que um buraco de fechadura. Era o fim da infiltração. Nesse instante, o homem se esforçou para levantar o corpo e posicionar a cabeça acima do platô. Vegina notou que se vestia de verde, embora não se parecesse militar, ao menos não como os das redondezas, pois era caucasiano e tinha pele bem clara, quando quase todos os soldados da região eram *chicanos* ou bem bronzeados. Já quase aos tímpanos de Vegina, o homem gritou:

– *Força! Empurre minhas pernas!*

– Tá legal aí? – perguntou o homem logo abaixo.

– Tá. Só tem um mato que... Dá pra passar o facão?
– Dá, mas vai logo, você é pesado.
– OK. Só segure minhas pernas que já tô firme aqui – pediu ele.

Pela fresta, Vegina viu o homem de verde apoiado de barriga bem na ponta do platô. Ele pegou o facão do colega e o esticou em sua direção, chegando a tocá-lo na camuflagem da veste. Sentiu-o pressionando o facão sobre ela bem acima de sua nuca, como se quisesse sentir a consistência da grama para medir a força necessária para arrancá-la. Ele disse:

– Deixa eu escalpelar esse matinho que tá atrapalhando e aí vai ficar perfeito pra posicionar o rifle daqui... – Então ergueu o braço e iniciou o movimento do golpe. No desespero da cena, Vegina encolheu-se o máximo que pôde, mas ouviu o guizo da cascavel e congelou novamente. Igualmente assustado com o estridente som do guizo, o homem de verde deixou cair o facão das mãos e escorregou pela borda do platô, quase acertando um chute na cara do colega que o apoiava. De volta ao chão, gritou:

– Tem uma cobra ali!

– Eu ouvi, é cascavel. Por que não matou com o facão?

– Tá louco?! Nunca matei cobra na vida.

– Já matou homens.

– Na guerra. Algo bem diferente de matar um bicho a facadas. Por que não mata você, que é o dono do facão?

– Eu não. Esse facão é só pra cortar mato. – *Canibal*, pensou Willa nesse instante. Ele completou a fala: – Também não lido com cobras, sempre vivi em DC[1].

– Eu também.

– Mas é você que quer subir ali. Então mate a cobra.

– Queria, não quero mais. Eu vou contornar esse trecho e me posicionar a 0° oeste, 15 metros. Ali não tem cacto, tá vendo?

– Não senhor. Você vai ficar aqui comigo.

– Como assim? 15 metros é o recomendado. Ou diferentes *patamares*...

– Você tem que ficar aqui de olho na cobra. E se ela resolver descer da pedra bem em cima de mim?

– Ela não vai descer. Tá descansando na sombra...

– Como você pode ter certeza? Não senhor. Você sabe que eu tô no comando, por isso tem que me obedecer, ficar aqui e de olho na cobra.

– Por que você tá no comando?

– Porque sou bazuqueiro. Bazuqueiro tem prioridade. Além disso, quem é o veterano aqui?

---

[1] Washington DC, a capital federal dos Estados Unidos.

– Mas e as recomendações?

– Desencana, não pega nada. Há quanto tempo você entrou pro serviço?

– Desde o novo mandato.

– Pois é, eu tô aqui desde Kennedy. De lá pra cá nunca aconteceu mais nada.

– Nenhum atentado, nenhuma ameaça?

– Ameaça até teve, mas nenhuma que se confirmasse. Você já viu alguma por acaso?

– Não.

– Olhe ao seu redor. Você acha que tem algum risco neste local? Não há nada aqui, o perímetro completo já foi inspecionado até com sensores térmicos. Tem helicópteros e caças cercando o espaço aéreo, nem uma alma viva a quilômetros de distância. Fica tranquilo.

– OK. Vamos deixar de papo furado e sincronizar nossos relógios.

Vegina ouviu um dos homens acionar um comunicador, trocar breves informações cifradas e, novamente, os dois abrirem contagem vocal para sincronizar seus relógios.

– Faltando 0121 para a chegada.

– Até lá... Olho na cobra, hein?

Vegina sentia a cobra encostada na sua perna, mantinha-se tenso e imóvel, temendo ser picado, mas agradecido por ela ter afastado o homem de verde. Apesar da delicada posição em que se encontrava, ao menos pôde se acalmar em relação aos fatos que o levaram até ali. Quando um dos homens mencionou a palavra "mandato", o outro "DC" e, sobretudo, "Kennedy", imediatamente lembrou-se da trama entre Carrol e o presidente, a qual já cria ser mentira por parte de Mathew. Pela conversa dos homens, tudo indicava que a tal "chegada" era mesmo do presidente. Se não, do próprio Carrol, que era paranoico com segurança, daí um atirador de elite e um bazuqueiro estarem posicionados de vigília em torno do canteiro de obras. Fatos que também ratificavam que seria um óvni escondido sob a lona do pátio, não qualquer bomba. A presença dos homens ali era a evidência.

Novamente, uma onda de ansiedade tomou a mente de Vegina: fosse verdade que o presidente estivesse se dirigindo ao local para visitar o óvni, seria o furo do século. Poderia ficar rico ou acabar morto com suas fotos. Ainda assim, valeria todo esforço e o medo que havia passado para chegar ali. Entretanto, como o faria? Não podia se mover ou colocar a cabeça e os braços para fora da veste para manipular a máquina fotográfica, senão seria picado pela cobra. Será que ela sairia dali até o presidente chegar? Mesmo que a cobra fosse embora, estava tão próximo dos soldados que, muito provavelmente, seriam capazes de ouvir o *click* da máquina e o barulhinho ao rebobinar o filme. A única solução possível para Vegina foi manter-se imóvel dentro da veste para não incomodar a cobra, abrir minimamente o zíper para posicionar a ponta da lente de sua câmera parcialmente para fora e focar o posto zero, limitando-se a observar o que fosse possível através da teleobjetiva. Seria obrigado a manipular a máquina mais lentamente e desprovido da mobilidade que gostaria – além de rezar para que os homens abaixo de sua posição nada ouvissem –, mas era o que dava pra fazer.

A ansiedade de Vegina, de Carrol e do próprio presidente não se refletia no grupo de alienígenas radicado dentro da *Nave*, exceto por Willa, cuja emoção voltou-se para a cena no Algomoro conforme o helicóptero que escoltava o presidente aproximava-se do posto zero. Nesse instante, os dois homens de vigília logo abaixo da posição de Vegina trocaram algumas palavras:

– Aeronave se aproximando. Manter foco no perímetro.

– Mas e a cobra?

– Se não desceu até agora, provavelmente já deve ter ido embora.

Ledo engano. Pelo visto, conforme percebia Vegina, a cascavel estava confortável junto à sua veste. Porém, a essa altura sequer se importava com ela, mas sim em como manobrar a câmera para fotografar o helicóptero pousando bem próximo ao suposto óvni e os respectivos ocupantes em seu interior – isso sem falar na paúra de ser ouvido pelos homens quando acionasse a máquina. De qualquer forma, teria de arriscar, pois nada adiantaria permanecer camuflado se não conseguisse registrar as fotos que desejava. Sorte sua que o som do helicóptero ecoando na encosta do Algomoro provou-se perfeito para que passasse despercebido. Pela lente, reparou que apenas dois homens permaneciam no pátio aguardando o helicóptero pousar. Um deles era Rodriguez, que sinalizava para os pilotos indicando o ponto exato para baixar; o outro, posicionado próximo ao objeto camuflado, logo concluiu, era um *homem de preto*! Trajava um terno impecável, na cor preta, evidentemente, e lentes escuras sobre os olhos. Exatamente como já ouvira dizer da boca de alguns contatos sobre esse tipo diferenciado de agente da CIA, cuja especialidade seria controlar informações relacionadas a atividades alienígenas. Inclusive silenciando elementos que pudessem revelar qualquer informação sigilosa sob o óculo do governo e dos militares. Sempre teve medo dessas figuras, ainda que até então duvidasse de sua existência antes de focar aquele MIB – conforme a sigla do termo que designava esses homens, do inglês "*men in black*" –; não seria de estranhar se um dia talvez fosse assassinado por um.

Infeliz animal. Que péssima qualidade dedutiva – pensou Willa nesse instante a respeito do pensamento de Vegina. Mas se a criatura sequer possuía ciência de que era classificado como agente MIJ, como esperar que soubesse diferenciar um agente do Serviço Secreto de algo que sequer existia não fosse de origem fictícia?

– Não critique – mencionou Sam. – Se até em nossa atualidade se cria que MIB existissem, não podemos creditar isso à baixa qualidade dedutiva do animal.

– OK. Descartar comentário – concordou Willa. Mas aproveitou a deixa para arguir: – Esse é mais um dado que confirma que minha pesquisa não perdeu a validade. Nhoc realmente contaminou o leque *James Kelly-Alexandria* por completo, todavia, não contaminou *tudo*.

– Isso até confirmarmos a hipótese que protocolamos após obtermos contato com nossa atualidade – objetou Sam.

– Até que essa janela se extinga, prosseguirei cumprindo os objetivos de minha tese como se tal hipótese jamais se confirme.

– Tudo bem, esse arbítrio é teu.

– Classificar MIB como *fábula*, subpasta *mitos/ficção/* em *messiânicos*: CUNNINGHAM, Lowell (Origem: 1918, Lowell Cunningham, Plano: ativo/extintivo). *Men in Black* (novela). Origem: HQ, quadrinhos, gibi; *Ariel Comics (empresa)*: Terra 1972 d.C., pretérito 1978 d.C. – 879.337.003.943 impressões sinápticas catalogadas. Prosseguir *check-list*. – Porém, antes que dessem seguimento às listas de checagem, Nhoc interferiu:

– E os Si-Fans? Não podem ser classificados como MIB? Eles faziam esse serviço direitinho...

Lá vem o animal, manifestou privativamente Sam no ambiente que sua esposa rodava através de seu multivíduo, contrariado por ter de captar alguns dos inúteis comentários de Nhoc. Mas se Willa, às vezes, igualmente se irritava com Nhoc, não achava totalmente inúteis seus comentários. Preferiu ser mais perspicaz e utilizar o argumento para persuadir o acanhado animal. Por isso, respondeu pacientemente:

– No cômputo de minhas propostas investigativas histórico-retroativas da corrente sequencialidade, não. Já no estudo proposto para averiguar sua influência no rol páreo, sim. De qualquer modo, sua referência não será acatada. Si-Fans são Si-Fans, o *seu* serviço secreto. Não confunda MIB com Serviço Secreto como este pobre hominídeo, por favor.

– E tu não vais afugentar essa víbora daí? Ela vai acabar mordendo o "pobre hominídeo"...

– Sabe que não posso interferir.

– Sabes que me fazes rir? Isso sim. Se a cobra o picar, será tua a culpa.

– São ordens do marido.

– Então és submissa como muitas mulheres desta Terra. Compreendo.

– Tenho certeza que sim – respondeu Willa sem polemizar. Como Nhoc tergiversava muito, procurou ser mais objetiva: – Não quer colaborar com as nossas pesquisas? Você poderia criticar o quadro analítico que venho compilando até aqui.

– O que mais poderia um reles animal como eu agregar à tua pesquisa, se até minhas *conclusões* já forneci?

– Mas não suas *considerações* no nível de detalhamento que busco. Com sua ajuda poderíamos compilar um quadro mais preciso na relação entre a proposta inicial investigativa e a sua influência no leque sob análise. Tudo que precisa fazer é o mesmo que já vem fazendo, mas ao invés de criticar as ações do time aleatoriamente, guiaremos suas faculdades paralelas para compilar os dados já coletados e adicioná-los aos seus pensamentos. Basta seguir minha orientação, estarei contigo continuamente auxiliando-o.

– É interessante, admito. Mas sabemos que, em dado horizonte, ti há de propor que "a pesquisa poderia ser muito melhor conduzida se *eu* estivesse na *Nave*" ou algo do tipo...

– Pode iniciar remotamente, se assim pensa. Porém, é evidente que *tudo* seria melhor se desfrutasse do *habitat* da *Nave*. No caso, refiro-me aos dois *habitat*, físico e virtual. O convite está em aberto, quer vir?

– Convença a outro par.

– São todos turrões como ti.

– Mas aceito tua proposta de colaboração. Serás minha tutora? – manifestou Nhoc.

– Certamente. Quer iniciar remotamente ou aqui na nave? Daqui gerenciamos toda distribuição multivudual do conjunto Willa. Compreende o que isso significa? Facilidade de autogerenciamento, liberdade para tecer suas próprias investigações contando com a nossa rede e capacidade analítica... Você é xamã, sabe bem o que estou compartilhando. Vamos acabar de vez com essa sua *nudez* cerebral...

– E também rodar os *games* que tu ficas me negando...

– Sim, rodar os *games*. Isso sem mencionar o conforto material que essa câmara te proporcionará...

– Mesmo com as baratas?

– Mesmo com as baratas. Elas sequer serão perceptivas. Recorda seu sentimento quando lhe apliquei meu magnetismo pela primeira vez?

– Claro que recordo...

– Será muito melhor... Muito mais intenso e longevo...

– Hum... Todavia, não nesse momento.

– Ainda temeroso?

– Quem não ficaria ao aceitar ser tutorado por tão excêntrica figura?

– Me permite uma pergunta de foro íntimo, Nhoc? – diante do consentimento do animal, Willa questionou: – Qual a última vez que você teve um orgasmo?

Entretanto, antes que Nhoc pudesse responder, Willa navegou por suas memórias dos idos da mesma Terra que ora compartilhavam. Retrocedeu à época em que ele se preparava para ser dimensionauta, quando ainda era integrante de seu cosmo oriundo. Como são seres assexuados, homiquânticos desconhecem os orgasmos sexuais, de modo que Willa referia-se aos muitos orgasmos *intelectuais* atingidos por Nhoc durante o período em que estudou e desenvolveu suas pesquisas marciológicas. Ou quando descobriu o campo que ele próprio ajudaria a batizar, a Reptilogia, e seu genuíno interesse exoarqueológico em perseguir as ruínas de Lemúria até o passado que o deixaria confinado.

– Apesar de obedecer à outra nomenclatura e ocupar um avançado paradigma, tal ciência é reconhecida e praticada na atualidade. É muito provável que haja alguma menção sua como um dos pioneiros nesse campo de estudo – comentou a alienígena a respeito da Reptilogia.

– Queres me iludir como se não soubesse que, fosse verdade, igualmente não constariam todas as citações penais a respeito de minha incursão ao corrente plano, né?

– Questiona pois crê que Di e seus pares conseguiram retornar ao *seu* futuro, compreendo.

– Então compreendes por que já neguei esse convite anteriormente.

– Entrementes, em *minha* atualidade, suas infrações sequer serão classificadas como tais. Jamais será julgado ou lhe imputado qualquer crime.

– Porque serei apenas um animal.

– Sim. Um animal que reagiu à situação de acordo com suas capacidades. – Nhoc não formou qualquer pensamento em resposta, então Willa continuou: – Ao me dispor a levá-lo para o futuro serei alvo de uma auditoria pública por ter desobedecido aos estatutos de adução referendados para a missão, mas você não sofrerá nenhuma sanção, será apenas uma vítima de minha transgressão.

– Refere-se a mim e às baratas.

– A você somente. A coleta de baratas está autorizada pelo comando em futuro.

– Quando serão cobaias como eu – lamentou. Willa procurou ser honesta ao replicar:

– Um fóssil-vivo, para sermos precisos.

Em seguida, antes que Nhoc divagasse mais, a alienígena retomou a navegação pela "Era de Ouro" gravada na memória do "fóssil-vivo". Trouxe à tona seus muitos clímaces vividos antes de tornar-se dimensionauta. Lembrou-o dos projetos cosmonáuticos que desenvolveu com Di e os múltiplos orgasmos que compartilharam juntos ou em conjunto com Xwer nos horizontes prévios à sua excursão ao presente pretérito. Fato era que orgasmos assim genuínos, nunca mais tinha obtido, nem mesmo diante da confirmação de inúmeras de suas teses sobre as civilizações lemurianas que, ao menos, sua contínua estadia no passado lhe permitiu confirmar ou tecer inéditas descobertas. Com uma entristecida aura de saudosismo nostálgico, Nhoc comentou para Willa:

– Desse prazer, já perdi total visibilidade horizontal...

– Mas pode tê-lo mais uma vez, nem que seja a *última* vez. – Buscando ser otimista, Willa incentivou Nhoc: – Depois de tão extenso aprisionamento? De sobreviver a essa solidão intelectual nunca mais preenchida...? Seria um gozo mais que merecido...

– Creio que nunca gozarei assim novamente.

– Imagine?! Conosco, com a *Nave*? Proporcionaríamos o maior orgasmo que jamais sonhou, será o mais pleno regozijo existencial que ainda poderá experienciar...

– Vamos dar início às pesquisas remotamente, então pensaremos – propôs Nhoc, ainda tímido e temeroso com a proposta, mas empático e, pela primeira vez, sentindo-se tentado em se deixar levar pela sedutora alienígena. Percebendo a aura receptiva do animal, Willa aproveitou para tentá-lo um pouco mais:

– Se aceitar, terá o arbítrio de embarcar na *Nave* e depois desembarcar. Não necessariamente precisa ir conosco para o futuro.

– Sam autoriza? – duvidou Nhoc.

– Pode confirmar com ele e com a *Nave* – atestou.

Animal desconfiado, Nhoc confirmou a informação. Mas ficou ciente de que, se o fizesse, ao menos parte de seu multivíduo seria artificializada como robô-biográfico na memória da *Nave*. Viraria arquivo, como seria em seu *tempo*, pois o Alzheimer impede que se sincronize a percepção de um conjunto multivadual muito largo, o que agravaria sua condição sob risco de óbito. Também, segundo Nhoc:

– Sam esclareceu que cessarei minha existência em um plano dimensional.

– *Um* plano, Nhoc! Um *único* plano. Que número é esse que possa afligir qualquer dimensionauta? Eu já perdi vários planos desde que cá me materializei.

– Nós *aqui*, perdemos muito mais – contra-argumentou Nhoc, referindo-se ao seu multivíduo.

– Sem dúvida – concordou Willa, mas percebeu que Nhoc mais uma vez tergiversava. Procurou não insistir. Como ele já demonstrara interesse pelas pesquisas, apenas deu início à tutoria remota e, dentre as muitas incumbências que passou a redistribuir, exigiu uma importante tarefa ao novo pupilo:

– Foco em mim. Quero catalogar as suas impressões a respeito da chegada do presidente ao sítio da *Nave*. Não se iniba em suas críticas.

– Sobre esse fantoche dos republicanos? O grande charlatão dos *yankees*? Esse...

Willa o interrompeu:

– Classificar referência como adjetivo ou como substantivo relativo ao clube de *baseball* New York Yankees?

— Sabes perfeitamente a que me refiro! — enervou-se Nhoc.

— Se vamos trabalhar juntos, será dessa forma. É uma interrogação válida, dado que o presidente é torcedor dos Yankees.

— Não tinha ciência disso. Classificar como adjetivo — mencionou Nhoc. Então retomou a sentença interrompida: — Esse é, deveras, um exemplar que faz jus e *justa* qualquer abdução...

Era nítido que, entre os alienígenas, exceto por Willa, só Nhoc dava devida atenção à visita do presidente ao posto zero. Mais precisamente, *uma porção* de Willa, pois a parte mais substancial de seu multivíduo, nessa sequência em particular, mantinha foco no *habitat* virtual da nave, junto a Sam e à *Árvore*, em franco debate com a própria *Nave* — que, a essa altura, já havia angariado a simpatia da *Pedra*.

A entidade metálica já estava farta de renegociar a todo instante o cronograma de seus trabalhos. Enquanto o quórum opositor esgotava os recursos cabíveis para que se submetesse ao incremento de cálculos exigidos e à redistribuição de suas atividades, ela insistia em manter o mapeamento de rota ao centro da Terra de acordo com suas configurações e o gerenciamento de cálculos vinculados à sua memória e respectivas extensões processadoras — o *hardware* que a consistia como o ente metálico que é.

— Pinica essa bandeja e cócegas me dão, compreender, jamais irão — apelou a *Nave* utilizando uma linguagem metafórica, já que sua socrática era alvo do escrutínio de seus colegas.

Com parte de seu multivíduo alheio à discussão, na cena atual, Willa permanecia próxima à sua colega metálica conectada a Nhoc no cumprimento da tarefa de catalogar os fatos sem interferir. O helicóptero do presidente pousou no posto zero cerca de 25 metros da posição da nave, no andar térreo, ao lado da fundação do que seria um edifício e seu respectivo primeiro andar subsolo. Além das pilastras inacabadas que se erguiam delimitando a obra, apenas duas vigas de aço cruzavam o buraco da fundação, escoradas em colunas de concreto armado, formando um vão livre encoberto por uma lona que, por sua vez, ocultava a nave alienígena e a bandeja contendo os medidores de Newton sobre os quais ela repousava. A respeito da cena, inclusive o presidente chegou a criticar Carrol ao observar a paisagem ainda do helicóptero enquanto aterrissavam:

— Por que essa lona cobrindo o objeto, Carrol? Pra fazer suspense? Não é porque sou presidente que se precise transformar tudo em um cerimonial.

— As ordens que repassei são para manter o objeto camuflado em tempo integral. Somente os especialistas ou pessoas autorizadas podem colocar os olhos nele — justificou o coronel, desculpou-se e acrescentou: — Estão apenas cumprindo minhas ordens.

Recepcionado com continências por Rodriguez, o presidente desembarcou do helicóptero cercado de perto pelas quatro escoltas do Serviço Secreto. Carrol seguiu ao lado do grupo com sua pasta nas mãos e o sargento o acompanhando. Os pilotos mantiveram o motor ligado e as pás do helicóptero girando, conforme previa o protocolo de segurança caso precisassem fugir rapidamente. Fator que permitiu a Vegina – estupefato ao reconhecer a figura presidencial e obrigado a conter a tremedeira nos dedos – fotografar a sequência completa dos fatos que vieram a seguir. Devido ao eco do Algomoro, os agentes postados logo abaixo não tinham como distinguir a barulheira do helicóptero do abafado som da máquina fotográfica em operação ou ao guizo da cascavel, que soou mais de uma vez quando o ufólogo não conseguiu refrear seu frenesi e acabou movendo-se além da conta.

O presidente seguiu ao lado de Carrol pela rampa de acesso ao buraco onde o quinto agente do Serviço Secreto já de plantão no local os aguardava. Somente então as quatro escoltas afastaram-se um pouco para que o presidente ficasse mais à vontade e se aproximasse do objeto. Ele deu alguns passos para frente, colocando-se a oito metros de distância do vão livre em que a nave estava camuflada, em perfeito ângulo para encaixá-la no centro de seu campo visual. Rodriguez seguiu até um dos suportes da lona que encobria a nave e, sob um ligeiro sinal de Carrol, destravou a roldana que a mantinha erguida. A lona caiu, enfim revelando o objeto alienígena- -extraterrestre em todo seu esplendor para o inusitado convidado.

De todos os sentimentos que poderiam percorrer sua mente e possíveis reações que qualquer hominídeo pudesse apresentar perante tão extraordinário evento, do *mix* emocional que tomou sua aura, *fascinação* era o que melhor descrevia a expressão boquiaberta do presidente. Seus olhos arregalados denunciavam a plena fé de que se encontrava perante algo de outro mundo. Ele contemplou a nave durante alguns segundos sem saber o que dizer, mudo, sem sequer balbuciar algo, apesar de mover o queixo como se estivesse falando. Mirou Rodriguez e o homem do Serviço Secreto que se postavam mais próximos ao objeto, como se esperasse que dissessem algo, mas os dois permaneceram com seus semblantes frios, tímidos demais diante do chefe da nação para arriscar falar qualquer coisa. Sem disfarçar seu espanto, o presidente girou suas pernas e mirou Carrol, dando as costas para a nave, suspirando antes de, enfim, manifestar algo. Como ainda não sabia o que expressar, foi humorado ao soltar a voz:

– Sabe o que algo assim me inspira...? – disse, abrindo um sorriso no rosto: – A *cantar*! – falou com sinceridade, imaginando que isso acalmasse o sentimento que supunha ser compartilhado por todos. Todavia, quando esperava que ao menos Carrol sorrisse, já que suas escoltas eram treinadas para conter expressões faciais, ainda mais sob lentes escuras, o que viu foram suas faces imediatamente tomadas pelo mais arrepiante pavor: os olhos do coronel arregalaram-se e as escoltas arreganharam os dentes enquanto já se colocavam em ação. Antes que pudesse entender o que se passava, os agentes romperam em sua direção, agarraram-no e, sob gritos de ordem – "*Evacuar! Evacuar!*" –, começaram a arrastá-lo para longe do local. Somente então, completamente envolto por seus homens, o presidente conseguiu virar a cabeça e, pelo vão de suas silhuetas, olhar para a nave: ela não estava sobre as vigas e a bandeja que antes a sustentavam, mas sim embaixo delas, tranquilamente repousada no solo.

Através das lentes de sua teleobjetiva, Vegina não compreendeu imediatamente o que havia se passado. A nave estava em perfeito foco no exato momento em que desapareceu como se fosse uma projeção holográfica subitamente interrompida ou uma película defeituosa pulando *frames*. Demorou alguns instantes para racionalizar que ela se encontrava embaixo da plataforma de vigas onde pairava anteriormente. Na verdade, apenas visualizou a cena dentro dos limites de sua capacidade cognitiva – não que suas faculdades não fossem plenamente funcionais, apenas a transposição realizada pela nave que foi mais rápida, deu-se em um intervalo inferior à velocidade operativa do cérebro hominídeo. Quando racionalizou o que tinha acontecido, seu instinto foi dar *click* na máquina e manobrá-la para enquadrar a sequência do presidente evacuando o local.

Escoltado à força, o presidente tropeçou assim que o fizeram correr para abandonar o local, mas eram tantos braços a sua volta que sequer poderia cair, foi simplesmente carregado pelos homens. Ao lado do grupo, o quinto agente que antes chefiava o operativo, também corria em direção ao helicóptero passando informações por um comunicador em sua lapela. Carrol precisou se esforçar para seguir no encalço deles enquanto chamava "*Presidente! Presidente!*" e gesticulava apontando para a pasta em suas mãos; "*Mas Frank, por favor*", apelou. Para sua agonia, tudo que o assustado chefe da nação pôde responder em meio à truculência dos agentes foi "*Depois, depois*". Quando chegaram ao helicóptero, o líder da nação foi liricamente lançado como um saco de batatas para dentro da aeronave junto às suas escoltas. Carrol fez menção de subir a bordo, mas foi barrado pelo quinto agente, que subiu em seu lugar e fechou a escotilha atrás de si. O pernilongo presidencial levantou voo e deixou o coronel ali, no solo, literalmente com a pasta na mão, todo descabelado e comprimindo os olhos para evitar a poeira que levantava no minivendaval proporcionado pelas pás giratórias.

O momentâneo pânico das escoltas na fuga do presidente se fez igual entre os dois agentes situados no morro próximos a Vegina. A sua maneira, expressaram o mesmo espanto que o ufólogo sentiu calado e imóvel, limitado a mexer os dedos e as mãos. Primeiro, desacreditaram que fosse um disco-voador diante de seus olhos, mas concordaram que era inegável aparentar como um. Depois, tiveram certeza pela demonstração de mágica do objeto e, em seguida, afirmaram que seria apenas um truque holográfico, assim como, a princípio, imaginou o ufólogo:

– Mas você tá vendo o que eu tô vendo? A barra de ferro tá igualzinha do jeito que tava, e o bicho tá embaixo da barra!! – exclamou o bazuqueiro.

– Nem um *flash*?! Ou som? Só pode ser holografia isso daí. É uma arma de divergência – afirmou o atirador de elite.

Entrementes, a reação do chefe da nação e a ordem que veio pelo comunicador comprovaram que não havia truque. O acontecido era uma ameaça iminente ao presidente, as instruções eram para "mirar o objeto" e "preparar disparo". Sorte que a ordem para abrir fogo não se seguiu, apenas um comando de evacuação imediatamente após o presidente levantar voo. Para Vegina foi ótimo, apesar de todo cuidado que precisou tomar, foi possível trocar o filme da máquina e bater mais fotos do objeto antes de Carrol ordenar que o camuflassem novamente, o que lhe rendeu excelentes tomadas do que, em sua cabeça, ao contrário da hesitação dos agentes, era mais do que factual tratar-se de um legítimo disco-voador. Na verdade, muito mais do que isso, era a realização de um sonho – um orgasmo intelectual, como captava Willa –, algo que ele próprio chegou a questionar, a duvidar e até mesmo reprimir, pois, no fundo, recusava-se a aceitar que sua fé na existência de alienígenas fosse vã. Por outro lado, não à toa vinha amadurecendo o desejo de deixar tudo para trás – já não precisaria mais. Muito além de um sonho tornado real, era a maior satisfação de sua vida, o sentimento de que tudo valera a pena e, a recompensa, bem mais valiosa do que jamais sonhou. Afinal, quando poderia imaginar que um dia revelaria uma trama envolvendo óvnis e o presidente da República?! Agora tinha as provas em suas mãos. *Mathew tinha razão*, chegou a pensar, mas, claro, não que isso eliminasse qualquer desconfiança sobre o tenente ou quais possíveis interesses teria por trás de sua chantagem além do que havia revelado. Como poderia confiar se sua intenção seria apenas denunciar Carrol ou se estaria buscando tirar algum proveito oculto da situação? A "simples" – riu consigo Vegina – existência de alienígenas não elimina a hipótese do próprio coronel estar manipulando o tenente por qualquer que fosse o motivo. Nesse instante, isso sequer importava mais. *Estou livre deles*, pensou. *Agora só preciso me livrar dessa cobra e fugir daqui.*

97

O coronel Carrol ainda permaneceu mais de um minuto apenas observando o helicóptero do presidente se afastar. Invisível ao seu lado, Willa compreendia exatamente qual sentimento ele emanava em meio à efervescência de pensamentos que perpassavam sua mente, já que era o mesmo que o seu por não poder lê-la:

frustração. Todavia, enquanto a frustração da alienígena perdurava, a de Carrol se tornou ação.

Ele desceu ao buraco da obra e contemplou a nave em sua nova posição. Questionou Rodriguez se havia algo de errado no local, isto é, além do fato do objeto ter atravessado as vigas de aço sem que sequer pudessem vê-la atravessando, como se tivesse se teletransportado para baixo delas. Rodriguez apenas notou que os medidores de Newton haviam retornado uma informação de peso do objeto, o valor máximo dentro de sua capacidade de leitura. Carrol ordenou ao sargento que a cobrisse novamente e dirigiu-se para a parte externa do pátio de obras.

O coronel estava enganado, a *Nave* não havia se teletransportado para baixo das vigas de aço e dos medidores de Newton. Ela apenas moveu-se para o solo em uma velocidade que hominídeos como ele não podiam captar. Durante a manobra, realizou uma transcrição dos objetos que transpunham seu caminho, filtrando-os através de seu casco nanoporoso e os reimprimindo exatamente onde estavam e como se estruturavam – sem comprometer em nada sua qualidade ou suas capacidades. Até porque, para realizar um teletransporte, a *Nave* teria de se ativar. Se o fizesse, o presidente, o coronel e todos que estivessem em um raio de algumas milhas teriam sido volatizados por ela. Todavia, sem a ignição de Sam, ela sequer poderia se ativar.

No âmbito virtual do disco transdimensional, essa simples manobra da *Nave* era objeto de uma intensa repreenda por parte de seus colegas expedicionários. Somente a *Pedra* não via nada de errado em sua atitude. Pelo contrário, desfrutava do fato de estar em contato com o solo novamente.

– Penalizar como *motim* – classificou Sam a atitude da *Nave*, mas ela protestou:

– Nada que fiz, do que já foi feito, difere. Minha lógica, ao nosso sacrifício, nada fere.

– Agiste à revelia das determinações deste quórum – rebateu Sam. Willa interferiu:

– Fosse para agir assim, pra quê comprometer memória para gerar um novo *Gravikit*? Navegue você a ti mesma – desafiou. Sam irritou-se:

– Não instigues a máquina, Willa. Por favor! Pois aí, *deveras*, seríamos cúmplices de amotinamento. – Mas a esposa estava inconformada com a atitude da *Nave*:

– Dois minutos eram o que bastava, dois minutinhos... Não tinha como aguardar só mais dois minutinhos?!

– **2.938,2** minutos, aos teus dois minutos, some-se. – Era a contagem desde que os hominídeos haviam instalado as vigas de aço, obstruindo seus sentidos. – Se aguardar, não pude. Impossível ser, aguardar se comprovou.

– Era só esperar o presidente ir embora. Não percebe os desdobramentos que sua "lógica" manobra acarretará?

– Os desdobramentos, estudarás. Como estudando, já está. Se ao presente não reclamou, ao futuro, não reclamarás, lógica aponta.

Todavia, a lógica da *Nave*, ao menos em relação ao ocorrido, não era a mesma que Willa compartilhava. Quando a relação entre volume e capacidade de cálculo, somando-se todas suas atividades, suplantou a memória necessária para renderizar as barras de ferro e os medidores de Newton, a entidade simplesmente agiu de acordo com sua própria logística e reimprimiu os objetos aquém de sua posição. Esperar "dois minutinhos" significaria manter um enorme volume de dados estacionados em sua memória, comprometendo o fluxo que realmente importava em seu pensamento e fazia jus à sua lógica: o de cumprir a missão que os trouxera ao passado. Algo que só seria possível se garantisse um salvo regresso para o futuro.

– 4,1 microdydozens de espera contínua – valor que equivalia a "dois minutinhos". – Em cálculo estendido, 8,7 dydozens equivalem – alegou a *Nave*, clamando aos números que não a desmentiam.

Contravenções à parte, a nova posição da *Nave* beneficiava a todos. A *Pedra* pôde ocupar mais memória para tecer seus cálculos de mapeamento de rota e até dedicar alguns focos para contatar os espécimes minerais que captava pelo caminho; a *Árvore* pôde aumentar seu fluxo de troca de dados com a *Nave* e acelerar a gestação do novo *Gravikit*. Somente para Sawmill[A] não fazia diferença, dada sua limitada capacidade cerebral em comparação aos colegas robóticos. Ainda assim, até Sam sentiu um incremento de instantaneidade em suas tarefas. Já Willa permanecia inconformada:

– Se não pôde esperar dois minutos, agora demando que aguarde duas revoluções. – Prazo para que finalizasse o trabalho de grampo dos cabos transoceânicos e, a partir daí, começasse a subir o montante de dados angariados em campo, horizonte em que esperava obter algum retorno de contato com o futuro.

Período esse que Willa não desperdiçaria para seduzir Nhoc a aceitar ser coletado como fóssil vivo, bem como convencer seus colegas em estender a permanência em pretérito até obterem o novo *kit* de navegação para retornarem pela Amazônia – só a *Pedra* discordava desse aspecto, pois não via objeção em ficar enterrada abaixo do solo em contato com seus pares minerais. Apesar do pouco-caso da *Nave* sobre os desdobramentos de sua atitude em relação aos hominídeos, Willa criticou Sam por não apoiá-la perante as demais entidades a respeito da novela que se passava ao redor. Sam justificou não possuir mais autoridade para defendê-la após a tentativa de abdução de Nhoc. Como líder, tais atitudes apenas corroboravam seu ponto de vista: abreviar a estada em pretérito até que Willa cumprisse suas listas de checagens, evitando novas interferências até que pudessem partir.

Willa ainda objetou a *Nave* em sua última colocação. A questão não era estudar e catalogar os desdobramentos das ações dos hominídeos, mas o *peso* que teriam:

— Justamente por estudá-los com afinco que te partilho, sua atitude trará o *caos* para este cenário — profetizou. — A *discrição* que tanto justificava minhas ações está perdida.

Willa já antevia a atitude que Carrol tomaria ao não obter a assinatura do presidente na empreitada que liderava. Como suspeitava, suas ações a seguir denunciavam o fato de que buscava voltar atrás em seu projeto e repassar a questão para o Estado, de acionar os canais militares e trazer o secretário de Defesa, Ashley Mature, para a jogada. Willa temia que Mature precipitasse uma ação pela revelação de sua presença na Terra ou, pior, que ordenasse uma ofensiva contra a *Nave* com uma bomba atômica, talvez. Não que temesse a explosão de uma, pois isso não comprometeria a integridade física de sua colega metálica. Problema seria se um episódio desses fosse utilizado pelo quórum da *Nave* para declarar missão encerrada e abrir contagem de partida com destino a Rochas Alegres. Justo por isso, passou a seguir as condutas de Carrol com atenção e apreensão — como seria bom se pudesse ler sua mente.

Carrol dirigiu-se ao *motorhome* de Limbs, estacionado no lado de fora do biombo que separava o posto zero do acampamento dos operários. Ao abrir a porta, como se já antecipasse mais um fracasso, questionou em tom irritadiço:

— Conseguiu filmar a visita do presidente? — mas, para sua sorte, Limbs disse que sim, conseguira filmar. Todavia, advertiu:

— Mas o objeto não saiu nas imagens, como esperado.

— Espero que consiga fazer aquele truque, consegue?

— Sim, consigo — afirmou Limbs.

— Talvez precisemos dessas imagens. — Em seguida, meio sem jeito, pois percebia no semblante do coronel o quão irritado ele estava, Limbs perguntou:

— O que aconteceu? Por que o presidente foi embora correndo? Ele ficou com medo do objeto?

Ante a pergunta, Carrol concebeu que o engenheiro não tinha entendido o que havia acontecido, pois observava a cena pelo monitor, e a nave não aparecia nos monitores.

— Você não viu, não é? — perguntou para logo responder: — Então vá ver o que aconteceu — sugeriu Carrol. Curioso, Limbs fez menção de ir imediatamente. Antes, porém, o coronel lhe passou algumas ordens: — Convoque o time imediatamente. Chame a todos, inclusive Mathew. Estacione o veículo dentro do perímetro, vá ver a coisa e venha ao meu *motorhome*. Precisamos conversar.

Em seguida, Carrol montou na cabine de seu *motorhome* e o manobrou para dentro do perímetro. Estacionou, ordenou a Rodriguez que ligasse o cabo de alimentação e subiu na caçamba. Sentou-se em sua cadeira, guardou a pasta com o contrato do presidente em uma de suas gavetas e aguardou Limbs retornar.

Quando Limbs retornou, já a par do que se sucedera com a nave, questionou atônito:

– Mas então foi por isso que o presidente foi evacuado? Aconteceu bem naquele momento?

– Sim, no exato instante em que ele deu as costas para o objeto. Ele nem viu.

– Mas o senhor viu? O sargento não soube me explicar, disse que também não viu nada.

– Foi mais rápido que um piscar de olhos. Quando percebi, o objeto já estava no chão. Mas... – disse o coronel retomando a seriedade: – Deixemos para especular a respeito quando o time estiver reunido. Chamei-o aqui por outra razão. – Antes que Limbs pudesse questionar qual, Carrol foi logo dizendo: – Pretendo encerrar o operativo. – Então explicou seus motivos.

Ao captar a conversa entre Carrol e Limbs, Willa permanecia criticando a transgressão da *Nave*:

– Percebe o que fez? As criaturas crerão que seu gesto está relacionado com a presença do presidente. Não estão a par de seus cronogramas ou problemas de memória.

– Irracional, tal crença é.

– Irracional é equiparar *sua* lógica com a de tais criaturas.

– Lógica, não possuem.

– Errado! Possuem. É *lógico* que pensariam assim. É *lógico* que creditarão como ameaça! – bronqueou Willa. Não bastasse, as explicações do coronel pareciam confirmar suas sinapses.

Primeiro, Carrol comentou com Limbs a respeito da malograda parceria com o presidente, o que sequer era o empecilho maior. Afinal, apesar de contabilizar um prejuízo de alguns milhões de dólares, sempre foi um investidor, estava acostumado a ganhar e perder, esse era apenas mais um investimento em que perdera – apesar de não dormir, não seriam alguns milhões de dólares a menos que lhe tirariam o sono, ainda era um bilionário. Irritava-o muito mais a refugada do presidente do que a perda financeira, apesar de que, a essa altura, sequer poderia mais acusá-lo por ter dado para trás no negócio que ele mesmo havia proposto. Em face ao ocorrido e sua retirada às pressas, já estava claro que, não fosse pelo temor do presidente, seria o Serviço Secreto que não o permitiria seguir em frente com a parceria – isso era ponto passivo em sua convicção. A razão para a conversa com Limbs, de fato, visava encerrar o contrato que havia assinado com ele e Mathew, mas acabou sem a assinatura do presidente. Não haveria perda nenhuma para as partes envolvidas – tampouco qualquer ganho, óbvio –, Carrol assumiria todo o prejuízo. Não obstante, para compensar o contrato rescindido, fez uma nova oferta para Limbs:

– Vou te mandar para Nova York. Vamos desenvolver esse *software* que criou: *fifty-fifty*.

Limbs aceitou de pronto. Era tudo que queria, sair de vez daquele buraco subterrâneo da base – ou daquele infernal deserto calorento – para trabalhar com desenvolvimento vivendo em Manhattan. Sequer pôde conter sua felicidade, agradeceu ao chefe com entusiasmo, mas quando se levantou para apertar suas mãos, Carrol advertiu:

– Conto contigo para que não comente nada com Mathew.

– Pode contar comigo – respondeu Limbs.

– Se ele te questionar, diga que encerramos o contrato nos termos que acabamos de discutir e não comente mais nada. – Limbs anuiu e os dois apertaram as mãos.

Mas a conversa não estava encerrada. Carrol ordenou a Limbs que procurasse discretamente o psicólogo Murray para avisar que revelaria a Nickson e Harrys – este último que ainda cria não saber dos fatos – que o presidente havia visitado a base. Mas eles não poderiam saber de nada a respeito do contrato. Quanto a Mathew, ele próprio trataria de comunicá-lo.

– Quero que examinem o objeto e nos reuniremos. Vamos elaborar um relatório detalhado, somente então trataremos de desmantelar o operativo – explanou Carrol ao encerrar o assunto. Limbs ainda tinha uma dúvida:

– Mas, e o objeto... Vai ficar aí?

– Ainda é cedo para te responder. Todavia, você não terá nenhuma participação no que vier depois, tenha certeza disso.

– E será mesmo necessário criar a montagem do presidente com o objeto? Vai tomar tempo para modelar e renderizar – comentou Limbs.

– Sim. Inicie imediatamente – ordenou Carrol.

Limbs retornou aos seus deveres e Carrol permaneceu sentado à mesa em seu *motorhome*. Acendeu um charuto e, calmamente, aguardou a chegada dos especialistas. O relógio marcava 11 centenas, não demorou vinte minutos e o time, ao lado de Mathew, já estava de volta ao posto zero.

Carrol chamou Mathew para uma conversa em seu *motorhome* e Limbs tratou de mostrar e explicar o que havia acontecido com a nave. A sós com seu braço direito, o coronel o comunicou sobre o encerramento do contrato que haviam assinado, mas não revelou que pretendia encerrar o operativo, apenas explicou o que diria aos demais a respeito da visita do presidente. Por fim, para calafrio do tenente, questionou:

– Alguma notícia de Vegina? – ante a pergunta, Mathew quase gaguejou ao responder:

– Ele já foi intimado, mas não se apresentou ainda – mentiu. Mas quando esperava uma bronca do chefe, ele apenas mencionou:

– Tudo bem. Talvez não seja mais necessário – disse ao encerrar a conversa e levantar-se para se encontrar com os especialistas.

Aos especialistas, bastou Carrol alegar que a visita do presidente se fez necessária pelo simples fato de ele estar ciente de toda operação, já que a mesma era coordenada pelas Forças Armadas e tratava-se de um assunto de segurança nacional altamente sigiloso. Não havia mencionado nada anteriormente devido às restrições do Serviço Secreto e, evidentemente, exigiu que ninguém comentasse nada a respeito sob pena de traição. Em seguida, enquanto o time ainda se mostrava estupefato pela nova posição da nave – exceto Harrys, que duvidava silenciosamente, questionando a si mesmo sobre a "coincidência" do objeto ter se "teletransportado" para baixo das vigas de aço justo quando esteve ausente do local –, Carrol descreveu em detalhes o que havia testemunhado durante a visita do presidente. Ao terminar o relato, comunicou:

– Examinem-no e preparem um *briefing*. Nos reunimos às 17 centenas. – Então deixou o time a sós com o objeto alienígena-extraterrestre e voltou ao seu *motorhome* junto de Mathew. Novamente a sós com seu braço direito, ordenou a ele que retornasse à C-11 e reunisse todo o material que dispunham do achado, separasse todos os documentos e os mantivesse sob sigilo. Nesse ponto, com óbvio intuito de gravar as palavras do chefe, Mathew questionou:

– Quanto ao "arquivo" Hut Cut, quer que aplique "sigilo" nele também?

– Não. Mantenha-o preso – disse rispidamente, depois acrescentou: – E não se esqueça de servir seu Whisky. Aumente a dose para deixá-lo calmo – ordenou.

Sem entender ao certo o motivo da ordem, Mathew sorriu por dentro. Seria uma tarefa bem simples, pois já tinha tudo reunido no dossiê que estava elaborando e garrafas de Whisky não faltavam, bastaria alguns ajustes e teria tudo pronto rapidamente. Como Carrol não havia ordenado que retornasse para a reunião do time no final de tarde, isso lhe concedia tempo para tentar desvendar o paradeiro da raposa. Apesar do coronel ter afirmado que talvez não precisasse mais dela no time, ainda queria tê-la em suas mãos nem que fosse apenas para submetê-la a uma sessão nos calabouços da C-11 aos cuidados do cabo Emílio. Queria pegar Vegina de qualquer jeito. Talvez ele ainda lhe fosse útil, especialmente depois de saber que não contaria com a assinatura do presidente para adicionar às provas que já havia coletado – teria de se contentar com as gravações de voz do coronel –, e se ele não fosse mais útil, aprenderia uma amarga lição por tê-lo ludibriado.

Uma vez que Carrol lhe repassou suas ordens, Mathew bateu continência, virou-se para deixar o *motorhome* e tomar seu rumo, mas foi surpreendido por um soldado que se postou na porta do veículo e pediu licença para falar com o coronel. Era o vigia do portão de entrada do posto zero. Autorizado a falar, comunicou:

– Um homem se apresentou sem ser comunicado, senhor.
– Que homem? – questionou Carrol, naturalmente irritado pela quebra de protocolo.
– Ele não portava documentos, senhor. Afirmou que tinha um negócio para oferecer e que o senhor o convocou, senhor.
– Mas esse homem não tem nome?
– Ele disse se chamar Vegina, senhor. Andreas Vegina, senhor.
Nesse instante, Carrol e Mathew entreolharam-se com espanto nos olhos. Todavia, para o tenente, espanto era pouco, precisou conter suas emoções, sequer sabia o que pensar diante da notícia, temeu ser desmascarado. Em um ato falho, chegou a levar a mão ao coldre, mas disfarçou o movimento e nada fez.
– Pois traga-o aqui – ordenou Carrol ao soldado.
– Impossível, senhor. Ele foi encaminhado para a Santa Casa de Picacho, senhor.
– Por quê?
A resposta fez Mathew suspirar de alívio dentro de si:
– Ele foi picado por uma cobra, senhor.

98

Era só rolar o barranco, rolar o barranco. Era só rolar e estaria salvo, maldição, foi um dos pensamentos que repetidamente assolaram a mente do ufólogo Vegina enquanto delirava e ardia de febre no leito do hospital. Sentia seu corpo queimar por dentro como se estivesse sendo consumido por enormes labaredas. Amaldiçoava a si mesmo por não ter simplesmente se rendido após a picada que sofreu. Bastava descer da pedra onde estava, rolar alguns metros e já estaria no posto zero para ser prontamente atendido. *Mas eu tinha que esconder as fotos, tinha que escondê-las... Minha ganância será minha ruína,* chorou consigo próprio. *Eu deveria ter esperado, deveria ter aguentado.* Referia-se à maldita cascavel que descansava sob sua perna, a qual aguardou em vão que saísse dali para iniciar sua jornada de retorno ao longo do deserto. Embora sequer soubesse ao certo se uma cobra choca ovos ou dá à luz pequenas cobrinhas, concluiu: *Ela deve estar chocando ovos, jamais sairá daqui,* pensou ao decidir sair do lugar com a cascavel ainda postada junto à sua perna. *Deveria ter esperado, tinha que ter esperado.*
Todavia, uma coisa era aguardar a chegada do presidente ao local quando sua ansiedade e expectativa o motivavam a superar qualquer dificuldade; outra bem diferente era esperar a cobra sair debaixo de sua perna enquanto a veste se mantinha desligada, sem prover a refrigeração que tornava confortável permanecer ao relento em pleno deserto com o sol a pino. Vegina estava assando dentro da veste, completa-

mente coberto de suor e sentindo uma sede que, em dado instante, tornou-se insuportável. Crente que a cobra estava em processo de reprodução, vislumbrou pelo vão do zíper de sua veste o facão abandonado pelos seguranças que ali estiveram pouco antes. Então decidiu sair da veste, tomar o facão e matar a cobra. Depois poderia religar a veste, beber um pouco de água e iniciar sua jornada de retorno.

Vegina abriu o zíper da veste e, bem lentamente, foi se esgueirando para fora. À medida que avançava, milímetro por milímetro, a cascavel chegou a soar seu guizo mais de uma vez, mas como ela não reagiu, sentiu-se confiante para seguir em frente e abandonar a camuflagem. Quando já tinha mais de meio corpo para fora, sem que a cascavel soasse seu guizo, sentiu a picada em sua panturrilha esquerda. A dor foi inigualável, a pior que sequer concebia ser possível sentir. Para alguém que já havia experimentado injetar heroína na veia quando jovem e classificado a sensação como o maior prazer que já sentira, a picada da cobra era justamente o oposto. Uma terrível sensação que logo dominou seu corpo por completo, até suas obturações dentárias passaram a latejar em sua boca como se fossem operadas sem anestesia, uma dor tão forte que, nem se quisesse, conseguiria gritar – ficou completamente sem fôlego. Teria sucumbido ali mesmo não fosse a *overdose* de adrenalina que imediatamente tomou seu corpo.

Vegina saiu da veste e tomou o facão em suas mãos, virou-se para a cobra tomado pela ira e pelo desejo de matá-la. Porém, tudo que observou foi ela rastejar para longe de seu alcance e se embrenhar em meio aos cactos. Nesse instante, deixou o facão cair e levou as mãos à ferida em sua perna, sem saber o que pensar ao certo, apenas tomado pelo desespero de se ver morto pelo veneno que se espalhava dentro de si. Imediatamente, concebeu que teria de se entregar aos militares senão morreria. Bastaria rolar pela face do morro onde se situava e pronto. Mas temeu, pois, se o fizesse, corria o risco de ser morto por algum atirador que estivesse próximo, embora não avistasse ninguém ao redor. Pior, talvez descobrissem sua camuflagem e encontrassem os filmes que tanto justificavam sua arriscada empreitada. Era inacreditável que depois de todos os obstáculos superados, os soldados e as tropas que conseguiu driblar, os coiotes, as formigas e os tiros que quase tomou, uma simples cobra estava colocando tudo a perder. Vegina não poderia permitir isso se suceder, até porque, ao se entregar aos militares, talvez acabasse morto da mesma forma. E se fosse para ser morto de um jeito ou de outro, era obrigado a tentar salvar os filmes, era tudo que importava. Por isso, uma vez fora da veste, pegou seus filmes, envolveu-os em um saco plástico e rastejou pela encosta do Algomoro, percorrendo o caminho inverso pelo qual havia alcançado a posição em que antes se encontrava. Marcou um lugar e, em meio à dor e à confusão mental que tomavam seu ser, escavou um pequeno buraco no chão e enterrou seus filmes. Quando se viu fora do alcance da vista de qualquer soldado ou operário que trabalhava no posto zero, ergueu-se e, cambaleante, começou a caminhar até alcançar a base do morro. Em seguida, pouco se importando se seria visto ou abatido a tiros, embora quisesse correr para ser socorrido o mais rápido possível, sabia que se o fizesse seus batimentos se acelerariam e espalhariam o veneno mais rapidamente em sua circulação, portanto, caminhou lentamente em direção ao acampamento situado ao lado do posto zero.

Pela previdência – conforme Willa captou a cena sob esculachos de Nhoc, culpando-a pelo ocorrido –, os operários e os soldados que serviam no posto zero ainda estavam retornando, pouco a pouco, para suas posições, após terem sido evacuados em função da visita do presidente ao local. Isso permitiu a Vegina alcançar o acampamento sem ser notado. Somente quando já estava no acampamento que um grupo de operários percebeu sua aproximação todo cambaleante e correu para acudi-lo. Os operários chamaram o encarregado do acampamento, o qual reportou a situação para os militares. Ao notarem que Vegina não pertencia ao corpo de operários cadastrados para a operação, eles o interrogaram brevemente. Vegina apenas repetiu, quase que inconscientemente, a desculpa que já tinha preparada em sua mente, alegando que havia sido chamado pelo coronel Carrol e que tinha negócios a tratar com ele. Os militares não duvidaram, creditaram a falha de comunicação à intensa movimentação no vai e vem de homens naquele momento do operativo, então encaminharam Vegina para um pernilongo e o deslocaram até a Santa Casa de Picacho para ser tratado da picada.

Embora lhe fossem imediatamente aplicados soro antiofídico e uma alta dose de analgésicos contra a dor assim que chegou ao hospital, Vegina permaneceu em seu delirante agouro até que as drogas roubassem sua consciência. Mas pior do que a dor era o temor por seu destino agora que se via nas mãos dos militares, não bastasse, à mercê de Mathew. Sabia que o tenente não tardaria em tomar ciência dos fatos e, muito temerosamente, talvez fosse visitá-lo no hospital a fim de completar o serviço iniciado pela maldita cascavel.

Flutuando acima do leito, invisível e imperceptível ao pobre hominídeo, Willa velava a agonia de Vegina. Por sua vez, a alienígena tinha a companhia de Nhoc lhe tomando os sentidos, e o homiquântico estava indignado com a situação do infeliz ufólogo:

– Como podes permanecer impassível à dor deste homem sabendo que sofre por tua causa? – questionou Nhoc.

– Sabe que estou impedida de interferir. É inútil debatermos a respeito.

– Tens contabilizadas quantas vezes apliquei terapia contra intoxicação ofídica inoculada em acidentes crotálicos ocasionados por répteis peçonhentos?

– Sim. De incontáveis vítimas que se acidentaram apenas por seguirem seus passos.

– Então sabes que agi pela empatia que sempre nutri por essas pobres criaturas. Não é porque interferi em seus destinos que deixei de valorizar suas vidas.

– Exceto as que ceifou ou "reformatou" por seu próprio juízo, segundo sua própria ética – confrontou Willa.

– Jamais ceifei qualquer vida inocente ou que a mim não ameaçasse – alegou Nhoc.

– Se seguisse o *seu* conceito de *inocência*, faria jus à sinapse de prisão que há pouco lhe imputei – acusou Willa. O homiquântico sorriu sarcasticamente:

– Triste que teu marido não a permita, né? – Então retomou a seriedade: – Ao menos o meu conceito pouparia a vida não apenas deste, mas inclusive de *outros* "pobres hominídeos". – Referia-se a Martin Healler, o namorado de Vegina, e ao xerife Hut Cut, ambos ainda presos nos calabouços da C-11. Mas nem Nhoc saberia que o xerife fora induzido a reportar-se à C-11 por sugestão hipnótica de Willa, pois a alienígena foi perspicaz ao tecer sua trama longe dos sentidos de qualquer um.

– Não questione minha empatia se não é essa a razão que me impede de acudir esse pobre homem.

– Se tua empatia é insuficiente para interferir, como posso aceitar teu convite para retornar ao futuro? Que tipo de empatia posso esperar de tua raça se tua frieza só atesta a esportividade por trás da tua excursão?

A alienígena ficou sem resposta para a crítica de Nhoc. Em seu âmago, dava total razão e sentia-se tocada pela empatia demonstrada pelo homiquântico à situação de Vegina.

– Justo ele, que dedicou a vida a seres como ti, como nós, morrerá por tua omissão – apelou Nhoc, em vão.

Todavia, as condutas de Willa já eram contestadas por seus colegas expedicionários após tentativa de abdução que perpetrara, não podia mais inferir na realidade corrente sob o risco de suas moções serem revogadas pelo quórum da *Nave*. Portanto, apesar de tentada a salvar a vida do ufólogo, permaneceu sem interferir. Resumiu-se a monitorá-lo enquanto seu organismo lutava para metabolizar a toxina da cascavel. Ao menos os prognósticos eram favoráveis, em termos interdimensionais, a perda de unidades Vegina seria mínima considerando seu quadro atual. Uma vez que nada podia fazer, restava apenas torcer para que seu quadro clínico evoluísse conforme prognosticado no momento, poupando sua consistência multivudal.

Nhoc ainda insistiu:

– Fosse eu invisível como ti, seria o maior humanitário desta realidade...

Willa tomou tais sinapses como mais um delírio de Nhoc, mas ambos fluíram uma embaraçosa onda de concordância em torno de que, fosse assim... Sequer valeria alongar o tema, e os alienígenas retornaram seus focos para as pesquisas nas quais permaneciam engajados em paralelo.

Nesse quesito, ao menos Nhoc estava indo bem, respondia bem ao processo adutivo, certamente muito mais trabalhoso do que abduzi-lo, mas que sequer comprometia seu fluxo multividual dada à quantidade de Willas que se multiplicava ao redor do mundo ser infinitivamente superior àquela que permanecia em contato direto com Nhoc no interior da câmara secreta atrás da sala do trono do antigo imperador chinês. Desse conjunto multividual, já beirava a taxa de 699 *per mile* de Nhocs engajados nas pesquisas tutoradas por Willa. Se permanecesse assim, não tardaria a angariar ao menos um voluntário que aceitaria o convite para se formalizar como fóssil-vivo e, assim, concluir a tarefa de coletá-lo. Por outro lado, apesar da dedicação digna de um afobado aluno ávido por conhecimento, sua contribuição ainda era recente, por isso Nhoc estava longe de atingir um orgasmo – se conseguisse saciar seu intelecto, seria fácil seduzir o ente por completo; era uma simples questão de terapia animal aplicada. Assim, mesmo que timidamente a princípio, Willa negociava junto ao quórum da *Nave* uma realocação de pares para se dirigirem à Cidade Proibida e estabelecerem contato com os pares de Nhoc que até então só tinha acesso através de rede multividual do próprio Nhoc – pares que se mantinham presos na parede exatamente como Willa o havia encontrado no contato inicial com seu conjunto que ali chegara, que talvez sequer estivessem conseguindo se expressar em meio à débil condição das mentes que os interconectava. Assim, poderia prestar assistência veterinária e agregar mais Nhocs em cérebro dedicado à sua rede global, bem como encontrar algum par que estivesse disposto a aceitar seu resgate sem tanta teimosia.

Apesar da importância da tarefa, revelou-se uma taxa de Willas que se recusou a contatar Nhoc, dada a paciência necessária para tratar com ele. Ainda assim, aos poucos, novos Willas passaram a se alocar na câmara secreta de Nhoc, que, então, passou a ser o ente mais assistido *in loco* pela rede de Willa. Conectar seu pensamento diretamente de seu cérebro era vital, pois reduzia o esforço mental de Nhoc para manter-se interligado com Willa através de suas decadentes habilidades psicográficas. Uma vez estabelecida a conexão direta, Willa podia emular o pensamento dele em seu cérebro, como se instalasse um *drive* externo que o permitia pensar sem comprometer o repositório memorial já saturado pelo Alzheimer, deixando-o livre para tecer as pesquisas que realizava em paralelo. Todavia, isso também significava que, se Willa fosse embora, mesmo que seu corpo fosse reconectado aos aparelhos que antes lhe davam suporte, não tardaria o agravar de sua condição para que Nhoc imaginasse que tudo não passara de um sonho, que todo o contato com Willa fosse apenas um delírio de uma mente frente ao seu esgotamento natural e à morte que se aproximava. O único meio de evitar isso seria sua remoção para a *Nave* e, da *Nave*, para o futuro.

— Não retornarei contigo para o futuro *jamais*, isso é ponto passivo — atestou Nhoc mais uma vez. Willa não se abalou, insistiria até a última janela. Pelo contrário, apesar do comentário, enxergava certo progresso no processo adutivo, ao menos desta vez Nhoc havia mencionado o futuro, não a *Nave*. Ele já se mostrava envolvido minimamente para não mais querer abdicar do processo que estava engajado, bastava continuar alimentando-o com mais dados e mais pesquisas que qualquer fobia se diluiria em meio à sua libido intelectual. Entre as inúmeras tarefas que Willa redistribuía para Nhoc englobando suas pesquisas ao redor do planeta, uma delas, naturalmente, era analisar os desdobramentos da visita do presidente da República ao posto zero e as implicâncias da atitude da *Nave* na ocasião. Nesse particular, Nhoc não só estava em plena concordância com Willa, mas desconfiava de que a *Nave* havia manipulado a situação para precipitar o retorno para sua realidade.

— Ela deliberadamente afugentou o presidente para que não assinasse o documento no intuito de colocar o secretário de Defesa na jogada e gerar um factoide para abrir contagem de partida — acusou Nhoc, mas, evidentemente, tomando o cuidado de se expressar no âmbito privativo mantido por Willa. — Ele ia assinar o contrato. Estava em sua mente a resposta. — Nhoc estava correto. A mente do presidente era monitorada livremente por Willa e suas impressões sinápticas não deixavam dúvidas, o presidente tinha plena consciência de sua resposta positiva desde que seu avião pousara na RSMR. Por outro lado, era inconcebível que a *Nave* se permitisse uma tramoia dessas, tal sugestão só poderia vir de uma mente que beirava a insanidade em uma cuja psiquê claramente traumatizada pela traição consumada por Di Angelis, sua ex-nave e namorado. Nhoc alegou:

— Pensas assim, pois nunca namoraste um vimana.

— Como não? Namorei vários, mas não a *Nave*.

— Não me compartilhaste tais memórias.

— Evidente. Minhas memórias são largas demais para seu repositório atual. Consumiria o que ainda lhe resta de horizonte para depreendê-las, parte substancial delas são incompatíveis com seu cérebro. Isso sem contar o que está salvo na consciência cósmica e não posso te partilhar — mentalizou Willa esperando encerrar a polêmica, mas Nhoc insistiu:

— Então tudo que li em tua mente é editado?

— E o que li da sua não? — À nova indagação, pelo silêncio, os alienígenas se responderam mutuamente. Na sequência, Willa retomou a questão do presidente:

— Talvez Frank ainda possa assinar o contrato — especulou, depois observou o ângulo positivo: — Ao menos isso nos concede novo horizonte em relação a Mathew. Sem a assinatura do presidente a denúncia dele ainda é fraca.

— Além de ter perdido a peça na qual apostava suas fichas. — Referia-se ao agonizante Vegina.

— Talvez ainda não. Vamos observar.

Devido à inerente lentidão de pensamento e à obsoleta tecnologia disponível aos hominídeos, pacientemente os dois alienígenas acompanharam os fatos após o coronel Carrol despachar o tenente Mathew para a C-11 e deixar Vegina aos seus cuidados:

— Certifique-se de que está sendo bem atendido e garanta que todas as despesas hospitalares sejam cobertas por mim. — Foi a ordem que teceu ao tenente.

— Pode ficar tranquilo — assegurou Mathew, rindo em sua mente com o "feliz" desfecho da situação da raposa. *Darei um 'atendimento' que jamais esquecerá*, pensou sarcasticamente.

Em seguida, Carrol permaneceu em seu *motorhome* rascunhando o novo contrato de Steve Limbs para desenvolverem o *software* que ele criou. Embora a alienígena não pudesse saber, em sua mente, apesar de todo prejuízo já contabilizado com o operativo em torno do objeto alienígena-extraterrestre, o desenvolvimento daquele *software* cobriria seus gastos em médio prazo. Ainda assim, o coronel não negava a si mesmo a frustração por não ter obtido algo mais em seu empreendimento. Porém, Carrol não era um homem que se permitisse choramingar perante qualquer fracasso. Estenderia os trabalhos no posto zero até o final do dia, então tentaria um novo contato com o presidente durante a noite, quando ele retornasse de sua viagem à Califórnia, para confirmar o que já tinha como certo: sua negativa na parceria que havia proposto. Restaria, a partir daí, encerrar os operativos, evacuar o posto zero, cobrir todos seus rastros e acionar os canais militares que até então evitara; aí bastaria deixar a burocracia do Pentágono exercer seus trâmites. De qualquer modo, imaginava, estaria à frente dos trabalhos que viriam a seguir. A lastimar, apenas o tempo e o dinheiro perdido — além da confiança abalada com a figura do presidente, conforme expressou a si mesmo em voz alta:

— E pensar que ajudei a financiar a campanha desse bundão — lamentou.

Por pouco, sua solitária fala não foi ouvida pelo psicólogo Adrian Murray, que surgiu na porta do *motorhome* todo afobado. Sem pedir licença, logo anunciou:

— Nós temos algo, Jay. Nós descobrimos algo — disse com entusiasmo.

Surpreso com a novidade, Carrol não perdeu um segundo sequer e seguiu Murray até o barracão instalado contíguo ao biombo que delimitava o posto zero, onde o astrobiólogo Bruce Nickson havia preparado um pequeno, mas bastante funcional laboratório de análises.

Junto ao astrobiólogo, o psicólogo Smith Harrys recebeu o coronel sem compartilhar o entusiasmo dos demais. Com uma chapa comprida nas mãos, cerca de 60 por 20 cm, grafada por pequenas barras de diferentes espessuras, Nickson dirigiu-se para Carrol expressando ansiedade no rosto:

– Veja só o que o espectrômetro nos revelou – disse como se aquele negativo significasse algo para o coronel, cuja expressão facial comprimindo levemente a testa indicava não compreender seu significado. Nickson esclareceu: – É um novo elemento. Um metal que não consta na tabela periódica.

– Novo metal? Como assim? De onde surgiu isso? – questionou Carrol.

Nickson apontou para o espectrômetro onde, abaixo do leitor de massa, um pequeno pedaço de metal ilustrava o novo elemento cuja composição estrutural acabara de analisar. Tratava-se de uma peça retirada dos medidores de Newton instalados para pesar o objeto alienígena-extraterrestre.

– Essa análise indica que, de alguma forma, o objeto alterou a estrutura atômica da bandeja de Newton quando se teletransportou através dela – revelou o astrobiólogo. Não contente, para demonstrar que não havia erro naquele resultado, mostrou outras chapas retiradas de diferentes peças dos medidores de Newton. Cada qual feita de um metal ou uma liga metálica diferente, todas igualmente apresentando a mesma leitura de ondas, conforme esclareceu:

– Apresentam a mesma leitura, embora não tenham alterado as propriedades elétricas ou termo-condutivas de cada peça em particular. – Mas advertiu: – Ao menos nos testes primários que realizei. – O que incluía alguns testes de brilho e resistência, os quais não apresentavam qualquer discrepância em relação às peças originais, algo que não fazia o menor sentido, embora Química não fosse a especificidade de Nickson. Não obstante, ainda havia outras estranhezas: – Não conseguimos identificar outros elementos que compõem as ligas analisadas. Os resultados não apresentam traços de ferro ou do carbono que originalmente compunham as fórmulas desses compostos – afirmou. Sobre isso, Murray comentou:

– O que temos aqui é uma estrutura alienígena, algo que não existe na Terra.

– O batizei de Nicksíntio – afirmou Nickson. Nesse instante, Carrol questionou com certa aflição:

– Isso não é radioativo?

– Testamos várias vezes, nos três leitores e no contador – esclareceu Murray. – Nenhum traço de radioatividade, senão já estaríamos mortos.

– Como esses testes pareciam não fazer sentido, examinei parte da fiação dos medidores. Os resultados se repetiram, exceto ao polímero poli-isopreno e ao ouro – explicou Nickson.

– *Borracha* e ouro – confirmou Murray. Nickson retomou sua fala:

– Látex, para ser preciso. São dois elementos com altíssimo grau de pureza em comparação a qualquer outra peça dos medidores. O que nos leva a deduzir que o objeto alterou a estrutura atômica apenas dos compostos.

Em paralelo, Willa comentou com a *Nave*:

– Em contínuo, compreende que tais criaturas podem ser bem mais espertas do que expressa sua média como espécie? Não as julgue por suas estatísticas. Era *lógico* que notariam a pobre estrutura plasmática que imprimiu, não adverti?

– Pobre sim, de superior qualidade, *porém*. Pretérito, tal fato é, igualmente inútil, debater será – respondeu a entidade, à sua linguagem, dando por encerrado o assunto. Nickson continuava a falar:

– Preciso de um laboratório mais equipado para aprofundar as análises, além de pessoal especializado para investigar esses compostos. O que temos aqui é uma nova família de metais.

– Terá tudo o que precisar – assegurou Carrol.

– Vou proceder à análise das vigas de aço que sustentavam a bandeja dos medidores. Elas apresentam uma ligeira fissura identificada pelo boroscópio. Precisamos removê-las.

– Fissura? – perguntou o coronel.

– Sim. Nos pontos que delimitam o raio do objeto ao se teletransportar através das vigas – esclareceu. Nesse momento, Carrol convocou Rodriguez para discutirem a logística para análise e remoção das vigas de aço. Ordenou que, uma vez que o time finalizasse os testes primários, fossem alocadas na base RSMR. Assegurou a Nickson que ele estaria à frente de toda a investigação assim que conseguisse viabilizar um local para que o astrobiólogo estendesse suas pesquisas, provavelmente na própria base. Em seguida, como já batia as 16 centenas, adiou a reunião do time das 17 para as 18 centenas. Por fim, mirou Nickson e ordenou:

– Preciso de um relatório completo, incluindo uma sumarização detalhada de todas as verificações realizadas em torno desses elementos. – Voltou-se para os dois psicólogos e acrescentou: – E um parecer sobre o fenômeno ocorrido hoje, incluindo quaisquer hipóteses e significados que possam atribuir ao fato. – Por fim, dirigiu-se para Rodriguez: – Incluindo suas opiniões, sargento, que testemunhou o fato.

Murray interferiu com um leve sarcasmo:

– Mas o senhor também é testemunha.

– Já forneci meu depoimento – esquivou-se Carrol.

– Eu gostaria de hipnotizá-lo para revalidar esse testemunho a partir de seu subconsciente. Tenho sua permissão? – insistiu Murray. Carrol ficou surpreso com a ousadia de Murray, mas conteve suas expressões e respondeu:

– Compareça em minha cabina em 0030. – Nesse instante, Harrys aproveitou a deixa para questionar:

– Posso acompanhar a sessão, senhor?

– Como acharem melhor – concordou, mas teceu uma restrição: – Quero que Limbs grave a sessão. – Pois, claro, iria limitá-la ao que testemunhara durante a visita do presidente. Jamais autorizaria qualquer subordinado acessar algo mais em sua mente. Em sua invisibilidade, Willa vibrou com a novidade, pois uma sessão de hipnotismo, dependendo do grau, talvez abrisse uma janela para ler a mente de Carrol. Bastava que atingisse estado *beta*, como previsto em seus estatutos de adução.

Nickson ainda tinha uma consideração a respeito das ordens do coronel:

– Preciso de 48 centenas para concluir os testes primários e sumarizar essas descobertas, mínimo de 36, coronel.

– Monte um relatório com tudo que tiver e tudo que precisa, então discutiremos um novo cronograma na próxima reunião – respondeu Carrol e deu as costas para se retirar do barracão. Mas o time ainda possuía novas requisições ao chefe:

– Preciso de acesso à Arpanet, coronel – requisitou Nickson. – Para busca de referências bibliográficas para minhas análises – justificou. Carrol consentiu, Limbs providenciaria. Em seguida, Harrys teceu um último pedido:

– Preciso entrevistar Limbs, senhor. – Então explicou por que: – Como parte de minhas atribuições de acompanhamento da parte psicológica dos membros do time.

– Agende com ele após a reunião – disse Carrol e, enfim, dirigiu-se para a saída do barracão a fim de retornar aos seus afazeres. Porém, antes de sair, virou-se para Nickson e fez uma última recomendação:

– Quanto ao novo metal, batize-o Carrolídio.

***

Dispensado da reunião do time de especialistas, ainda que estivesse alheio às novas descobertas e enfurecido pelo fato do presidente não ter assinado o documento que seria vital em sua trama para derrubar o chefe, o tenente Mathew não demonstrava qualquer sinal de esmorecimento. Pelo contrário, ainda possuía muitas cartas sob as mangas, inclusive para envolver o presidente em seu complô, por isso tratava de aproveitar o tempo livre para assegurar que lograria sucesso. Embora não estivesse presente no posto zero, sabia que não era mero acaso Limbs ter sido o único cabeça do time a permanecer no local durante a visita do chefe da nação. Conhecia bem a personalidade de Carrol para saber que sua incumbência seria gravar a visita secretamente, e só o engenheiro seria capaz de ludibriar o Serviço Secreto em uma tarefa dessas – precisava colocar as mãos nessas imagens. Para isso, incumbiu Harrys de copiá-las. O psicólogo teria que, de alguma forma, infiltrar-se no *motorhome* de Limbs e copiar as fitas com as imagens do presidente. Senão, teria de roubá-las tão logo dispusesse de um sólido dossiê para incriminar Carrol.

O montante de provas que acumulava no momento, embora já fosse suficiente para gerar um escândalo nacional, ainda era fraco. Envolvia uma temática que, se desprovida de uma prova como a assinatura do presidente em um contrato que descrevia a exploração comercial de uma descoberta alienígena, poderia facilmente ser creditada como um factoide sensacionalista da mídia. As evidências maiores que possuía resumiam-se às gravações em que o presidente era nominalmente citado, mas desprovidas de qualquer participação direta dele. Justamente por isso, as imagens de Limbs eram tão importantes.

Na prática, seu dossiê feria mais a imagem do presidente – talvez minando suas chances de reeleição –, do que aferiam algum crime à figura que realmente queria derrubar: Carrol – exceto, talvez, pela prisão de Hut Cut. Mas sabia que um delicado assunto envolvendo óvnis seria facilmente abafado por órgãos como o Pentágono e a CIA; e o FBI jamais acolheria um caso de tal natureza sem provas contundentes. Por outro lado, dispondo de provas contundentes, caracterizava sabotagem contra a segurança nacional e acarretaria com que a corda estourasse do lado mais fraco: Carrol. Pois, evidentemente, em escândalos dessa grandeza o governo busca proteger a instituição presidencial, o que desdobraria em uma possível renúncia ou impedimento do presidente e na prisão do coronel. De sua parte, Mathew estava disposto a testemunhar e a se submeter a um programa de custódia federal ou, até, responder por seus crimes e findar seus dias sob cárcere, mas longe do jugo do chefe – nada mais importava, esse era um caminho que não tinha mais volta.

Porém, sem a assinatura do presidente, a melhor estratégia para incriminar Carrol consistia, a princípio, em utilizar um laranja para fazer a denúncia. Vegina era o homem que imaginou ser útil para esse fim por seus contatos na mídia, mas como ele havia tentado fugir, ponderava utilizar o segundo-tenente do 1º Distrito Policial de Picacho, colega do xerife Hut Cut, este que era dado como morto pela polícia. Já havia repassado uma denúncia anônima sobre o caso apenas para manter aguçado o faro policial do segundo-tenente a respeito da "prontidão militar ao atender ao sinistro e à incineração do corpo do xerife", conforme vazou através de um de seus homens. Trazê-lo para a jogada seria um recurso para garantir que o crime de Carrol fosse investigado na esfera estadual, não apenas na militar – fora a repercussão em torno de um assassinato e a prisão irregular de um agente distrital. Outra peça disponível era Tião Bardon, o dono das terras do Algomoro onde Carrol efetuava seu operativo secreto, que sequer tinha noção do que se passava em propriedade sua. Todavia, nada impediria que pudesse vir a saber... – especulava Mathew.

Mas, entre todas as peças que podia ou precisaria mover, era justamente aquela que se mantinha imóvel em um leito hospitalar à qual Mathew guiava seu interesse de momento, aquela que havia ousado desafiá-lo, portanto era objeto de seu rancor e desejo de vingança: o ufólogo Vegina. Consumaria sua vingança, pois concluiu que, a essa altura dos fatos, era uma peça descartável, tinha outro infiltrado no posto zero – Harrys –, mas, sobretudo, tornara-se um risco para seus planos. Não poderia mais confiar que qualquer forma de persuasão seria capaz de dobrar o ufólogo. Era obrigado a deduzir que sua súbita aparição no posto zero sem que fosse anunciado – embora ainda duvidasse que havia alcançado o local usando a camuflagem que seu namorado descrevera – não era voluntarismo ou uma simples falha de comunicação. Tinha certeza de que ele estava ali para denunciá-lo ao coronel. Justo em função disso, sua misteriosa aparição foi a primeira coisa que averiguou ao chegar à C-11. Logo confirmou que Vegina não havia passado por ali, nem ligado ou embarcado em qualquer pernilongo como seria de praxe para qualquer um que tivesse acesso ao local. Irritou-se ao tomar ciência de que, graças à aventura do coronel e às inúmeras tropas que deslocou para patrulhar o deserto, havia se esgotado o soro antiofídico da base por tantos acidentes crotálicos vitimando soldados e recrutas – motivo pelo qual Vegina fora transferido para o hospital da cidade. Por outro lado, agradecia à sorte pela picada que ele havia tomado. Agora só precisava finalizar o que a cascavel havia iniciado e garantir que jamais desse com a língua nos dentes ou tentasse escapar novamente. Melhor, sem qualquer comprometimento, já que sua morte seria arrolada como acidental. Depois daria um jeito no namoradinho dele.

Essa era uma tarefa que fazia questão de executar pessoalmente. Já havia sido incumbido pelo chefe para que "cuidasse" do ufólogo, portanto, sequer demonstrou pressa. Mathew apenas deslocou um agente para vigiar Vegina no hospital e permaneceu na C-11 até o fim do expediente regular cumprindo as ordens de Carrol, separando os documentos que havia pedido e montando seu dossiê. Quando bateu as 18 centenas, convocou o cabo Emílio para escoltá-lo até a Santa Casa de Picacho.

99

Às 18 centenas, o time de especialistas, incluindo Rodriguez e Limbs, atendeu ao barracão de reuniões remontado ao lado da barraca de lona que camuflava a nave no grande buraco no meio do pátio do posto zero, onde o coronel Carrol os aguardava para mais uma reunião de pauta sobre os trabalhos do dia. Sequência em que Willa confirmaria seus temores, ainda que as últimas ações do coronel indicassem que ele havia renovado seu interesse na empreitada após a descoberta do elemento que batizou Carrolídio. Nesse ínterim, ele havia convocado um físico e um químico, ambos de alta patente, para se juntarem ao projeto e trabalharem com o novo metal cujas vigas de aço já estavam em cima de uma jamanta rumo à RSMR. Isso afastava um pouco o temor da alienígena com um possível envolvimento do secretário de Defesa na jogada, ao menos de imediato. Porém, se esse temor havia esfriado, a alienígena já sabia de tudo, já tinha compilado o relatório e as considerações dos especialistas para aquela reunião, estava convicta de qual seria a postura de Carrol após discutirem a respeito. Só faltava ele abrir a boca e formalizar em palavras as sinapses que, por mais um triste desfortúnio *murphyano*, mantinha-se impedida de captar.

Murphyano sim, pois Carrol não entrou em baixo *beta*, sequer *alfa*, durante a sessão de hipnotismo a que se submeteu aos psicólogos do time pouco antes da reunião. A resolução mental do homem era tal – *paranoia*, se preferir uma perspectiva mais congruente ao limite cognitivo de sua espécie –, que o coronel não se permitiu hipnotizar. Dissimulado, nada mais fez do que relaxar na poltrona sob o ar refrigerado de seu *motorhome* e descrever de olhos fechados tudo que já descrevera, apenas com mais detalhes. Se os psicólogos perceberam? Não lhe importava. Murray chegou a perceber, mas fato é que ambos os analistas não ousaram confrontar o chefe. Fizeram-no repetir duas vezes seu depoimento e não insistiram em prolongar a farsa – ademais, a sessão que haviam conduzido pouco antes com Rodriguez já havia sido bastante satisfatória para esclarecer o que se sucedeu durante a visita do presidente. No fim, nem para os psicólogos, nem para a alienígena, a sessão valeu a pena.

A reunião com Carrol foi a mais longa até então realizada pelo time. Para que Willa finalmente tomasse ciência de quais seriam os próximos passos do coronel, precisou acompanhar pacientemente a conversa e o esclarecimento de cada especialista. O astrobiólogo Nickson dissertou a respeito das descobertas que fizera em relação ao Carrolídio. O psicólogo Murray avaliou a capacidade de inteligência do objeto extraterrestre-alienígena. Seu colega Harrys levantou uma hipótese para sugerir que essa inteligência tinha traços germânicos. Baseado nas descrições de Rodriguez e Carrol, o engenheiro Limbs apresentou uma simulação vetorial bastante fiel da nave se "teletransportando" através das vigas metálicas, mas faltava renderizar. Quanto ao sargento em si, limitou-se a atualizar o andamento dos trabalhos e das medições do objeto, só falou quando requisitado. Já o coronel pouco interferiu nas explanações dos especialistas, ouviu tudo atentamente e bastante pensativo.

– Graças à ajuda do nosso colega – disse Nickson em agradecimento a Limbs – pude confrontar as leituras de massa com as frequências de todos os metais e principais ligas conhecidas. Como não encontrei nenhuma correspondência, ampliei o espectro de análise com diferentes compostos, a princípio limitado aos elementos contidos nas amostras originais, mas novamente não encontrei uma frequência congruente. Então expandi a seleção e agreguei elementos e compostos diversos até que, por sugestão do tenente Murray...

– Sugeri que o novo elemento poderia ser artificial, algo *criado* pelos alienígenas, portanto deveríamos buscar uma referência de algum composto criado pelo homem – interrompeu Murray. Nickson continuou:

– Foi então que pensei em um polímero sintético: plástico. Foi difícil achar um catálogo de referência, mas encontrei uma congruência com um termoplástico industrial que prima por sua maleabilidade, o que me leva a concluir que o novo metal é algum tipo de composto químico alienígena com propriedades metálicas, mas que se trata de uma substância estranha à completa Química ou Termodinâmica como a conhecemos.

Murray tomou o gancho para expor algumas considerações a respeito:

– Independente do que sejam, essas amostras são fruto da interação do objeto com a bandeja e as vigas que estavam em contato com ele. Atesta sua capacidade de interagir a nível molecular, algo que, por si só, denota uma inteligência ou um grau de habilidade muito superior a tudo que conhecemos, a qualquer tecnologia que dispomos. Basta lembrar dos números que o doutor Stevenson nos passou na teleconferência pela manhã. Porém, não podemos afirmar se o fenômeno ocorrido quando o presidente esteve aqui foi apenas uma coincidência ou um ato deliberado, mas comprova, sem qualquer margem de erro, que estamos lidando com uma ou mais entidades vivas e pensantes.

Nesse ponto, Harrys levantou sua hipótese:

– E se estamos falando de uma inteligência capaz de distinguir ou reconhecer a figura do presidente... – Fez uma pausa para mirar seus interlocutores e demonstrar a seriedade por trás de suas palavras: – Em primeiro lugar, precisamos afirmar que germânicos, russos ou qualquer inteligência da Terra conhece ou sabe o que representa o presidente do nosso país. Mas, em se tratando de uma inteligência *extraterrestre* capaz de fazer essa distinção, só há duas conclusões possíveis: ou já possui amplo conhecimento sobre a vida em nosso planeta, incluindo nossas relações sociais, ou adquiriu esse conhecimento a partir do instante em que chegou aqui – atestou. Murray complementou:

– No caso dela ter adquirido esse conhecimento a partir deste local onde estamos, só pode ter adquirido através de nossos pensamentos – afirmou.

– Ou por informações que *hackeou* do computador e puxou das fitas, pois eu tenho convicção de que a coisa estava interagindo com o videocassete – acrescentou Limbs. Nesse momento, Harrys virou-se para Limbs e, em tom inusitadamente cortês, perguntou:

– Por falar nisso, gostaria de entrevistá-lo assim que possível para tentar esclarecer esse fato, entre outros, sobre sua participação na condução do caso até aqui.

Importa-se? – indagou. Limbs estranhou o pedido, mas, sob o olhar aprovativo de Carrol, assentiu ao psicólogo.

A partir desse ponto da conversa, o time ainda debateu longamente correlacionando as questões levantadas e as confrontando com aquilo que os números e as medições em torno do objeto não deixavam margens para dúvida: o fato de a nave estar afundando no solo e a possível ameaça que isso representaria à integridade do planeta ou à própria existência do homem como espécie que o habita. Ao ponderarem que sim, embora não pudessem afirmar e tampouco negar o grau de ameaça representado pelo objeto alienígena-extraterrestre, conforme estava descrito e assinado no parecer redigido pelo time – à luz de consideração –, finalmente Carrol levantou o tom e, com um leve tapa sobre a mesa, desembuchou:

– Senhores, estou dispensando-os do contrato que assinaram. Seus pagamentos serão mantidos desde que assinem um novo compromisso de sigilo. As pesquisas em andamento serão transferidas para o Instituto SETI na Califórnia, sob minha curadoria.

Às palavras de Carrol, o time se entreolhou intrigado com a decisão do chefe, mas ele não deu tempo para que o questionassem:

– Quanto às operações no presente sítio, pela seção 12, artigo sexto do Código de Defesa Aeroespacial, "Das condutas táticas de eminência", declaro DEFCON Tático de efeito imediato aplicável a todos os militares presentes. – Virou-se para Rodriguez e ordenou: – Iniciar preparativos para Operação Pino. Comunique Mathew imediatamente.

O sargento levantou-se para deixar o barracão e Carrol ergueu-se junto a ele. Mas, antes de sair, o coronel apoiou suas mãos sobre a mesa, franziu a testa e comunicou com firmeza:

– Vocês atestam que o objeto é inteligente?! Que aprende através de nossas mentes? Então quero que ele aprenda a se comunicar conosco. Quero que façam contato com ele, que nos diga quais são suas intenções aqui e o que querem conosco. Quero que essa inteligência saiba que não estamos de brincadeira e que não aceitaremos hostilidades. Vocês têm 18 centenas para extrair alguma inteligência do objeto. Então estarão dispensados – ordenou. Desta feita, o time exclamou e Nickson deu voz ao que os demais tinham em mente:

– Mas como?! Como faremos isso, coronel? – perguntou com incredulidade na face.

Sem conter sua apreensão, Carrol levantou a voz e bronqueou:

– Eu não sei! Vocês são os especialistas, os psicólogos, os engenheiros. Pois desvendem a mente dele, usem suas bocas para falar, os computadores, façam um show de luzes, hipnotizem-no, *não quero saber como*! Mas façam-no falar!

Sem se abalar com a máscara autoritária do chefe, Murray teceu a pergunta que igualmente intrigava a todos:
– O que é Operação Pino?
– Se não conseguirem se comunicar com o objeto, então saberão o que é.

***

– Diga-me... Por favor. O que sabe?
– Os... Ali... Alien... ígenas...
– Só preciso de um nome... Um nome *da Terra*.
– Fa... Fã... Fr...
– Por favor, homem. Não me venha morrer agora... Fale, pelo amor de Deus...
– Fra...nk...

O homem que não podia morrer era Andreas Vegina, ainda em completo torpor no leito do hospital em Picacho. Quem tentava fazê-lo falar era o segundo-tenente McCorn, o policial que se mantinha à frente das investigações do caso que vitimou seu antigo chefe e companheiro, o xerife Hut Cut. Na verdade, McCorn conduzia a investigação por conta própria, de maneira extraoficial, pois o caso era classificado como acidental. Contava apenas com ajuda de um parceiro e colega de patrulha, o sargento Hills, que o acompanhava durante a visita a Vegina no hospital. McCorn perseguia a tese de que os militares estariam por trás da morte de seu colega. Como sabia que Vegina possuía envolvimento com o xerife no contrabando de cigarros e mantinha relações com os militares através de seu museu, desconfiava de que o ufólogo possuísse muito mais informações do pouco que revelara quando conversaram ainda na manhã do *suposto* acidente de Hut Cut.

O fato de Vegina ter alegado um compromisso fora da cidade logo após a morte de seu parceiro no esquema dos cigarros, justo quando o finado chefe retornava de uma ocorrência na RSMR, já era suspeitoso. Mas, principalmente, após a denúncia anônima que recebeu e o fato de Vegina reaparecer do nada em um hospital vítima de uma picada de cobra, mais uma vez ao lado dos militares, foi quando teve convicção de que realmente estaria envolvido em uma tramoia bem maior. Como policial, não acreditava em coincidências, não cria se tratar de uma picada de cobra. Imaginava que os militares estavam tentando eliminá-lo, muito possivelmente como teriam feito com o xerife. Corroborava sua desconfiança a presença de um vigia na porta do quarto de Vegina, quem, quando interrogado, disse estar ali a pedido do coronel Carrol. Todavia, alegou nada saber a respeito do acidente com o ufólogo. No hospital, os militares que o escoltaram, disseram que ele havia sido picado nas cercanias da base e mais nada.

Justo por isso, mesmo que o homem estivesse dopado e incapaz de reconhecer a figura que o interrogava, McCorn tentava desesperadamente fazê-lo falar. Até porque, ainda que Vegina não tivesse nenhuma relação com o caso envolvendo Hut Cut, era um importante informante, alguém que poderia ajudar a elucidar o que já se tornara um forte boato em Picacho: que Hut Cut seria vítima de uma queda de um meteorito ou, embora não acreditasse nisso, teria sido atacado por alienígenas. Até o momento, nem a perícia técnica possuía resposta para essa tese, no máximo haviam descartado a hipótese de que sua caminhonete teria sido alvo de uma bomba ou míssil. Isto é, a menos que os militares estivessem encobrindo seus rastros, conforme desconfiava. Nesse caso, para o segundo-tenente, o "acidente" de Vegina seria uma queima de arquivo. Mas suspeitas ou denúncias anônimas não bastavam, precisava de um nome envolvido, um suspeito para nortear sua investigação. Assim, com o ouvido mais próximo possível de Vegina, insistiu:

– Frank? – Buscou confirmar a monossilábica e quase inaudível fala do ufólogo:
– Que Frank? Frank de quê?

– Fra-fr... nk... Si... Sim...

– Sim. Frank. Que Frank? Soldado Frank?

– Pre... Prs... Prs-si... Si... Sim... – balbuciou Vegina.

Todavia, quando McCorn acreditou que enfim sairia um nome da boca de Vegina, a porta do quarto se abriu e o sargento Hills anunciou:

– O tenente Danniel Mathew está aqui, chefe.

Em seguida, com sua boina humildemente recolhida sob o braço, Mathew deu as caras na porta e pediu licença para entrar.

Cara a cara, ambos os tenentes procuraram disfarçar a surpresa de se encontrarem ali, ao lado de Vegina no leito do hospital. Para o policial ficava patente a importância do ufólogo para os militares, talvez não mais precisasse extrair qualquer nome do moribundo, pois o mesmo estava ali a cumprimentá-lo. Por outro lado, sentiu um calafrio, pois sabia que Mathew não era um milico qualquer. Fosse ele o suspeito envolvido na morte do xerife, talvez sua vida corresse risco se fuçasse demais. Já para o militar, a inesperada presença do segundo-tenente era um entrave para silenciar Vegina. Mesmo que aguardasse uma nova oportunidade, o simples fato de ter sido visto ali o faria um suspeito na trama que ele próprio denunciara. O policial poderia, de fato, ser útil em seus objetivos para derrubar Carrol, mas seria um entrave se resolvesse investigar a si. Praguejou mentalmente seu homem por não tê-lo alertado sobre a presença dos policiais. O imbecil seguiu estritamente *demais* a ordem para "não tirar o olho do pacote" a ponto de não deixar a porta de seu quarto nem para pegar o telefone e evitar que desse de cara com o capacho do segundo-tenente no corredor do hospital.

Cauteloso, Mathew procurou agir cordialmente com McCorn. Explicou sua presença no hospital e esclareceu o acidente que vitimou Vegina. Um infortúnio ocorrido no estacionamento da C-11 quando chegava para uma visita à base. Por isso havia um homem encarregado de zelar por ele no hospital e as despesas estarem cobertas pelo Exército. Sobre a razão da visita de Vegina à base, alegou desconhecer os motivos, sabia apenas que tinha agendado um horário diretamente com o coronel Carrol. Para afastar suspeitas sobre sua presença, propôs:

– Como o senhor e seu colega estão aqui, posso dispensar o funcionário da base e deixá-lo aos seus cuidados. Assim ele não ficará só até que seus familiares venham assisti-lo.

– Eles já foram avisados?

– Sim. Pelo funcionário do museu – mentiu.

– Tudo bem, tenente. Deixe ele conosco.

Após a breve conversa, Mathew deixou o hospital junto de seu agente, levando consigo a seringa que carregava no bolso intacta. Em sua mente, apesar de preocupado por temer que Vegina desse com a língua nos dentes, ainda tinha tempo para pensar em como agir antes que ele se recuperasse ou, por sorte, viesse a óbito. Todavia, antes que pudesse elaborar seus novos passos, foi trazido a uma questão mais urgente assim que chegou ao estacionamento do hospital, onde o cabo Emílio lhe comunicou:

– O coronel acaba de convocá-lo para a base, senhor. – Ao franzir da testa do tenente, o cabo logo explicou o motivo da urgência: – Ele ativou a Operação Pino, senhor.

***

O cabo Emílio não sabia exatamente o que seria a tal Operação Pino, apenas repassou ao chefe o comunicado que recebeu da base. Já o tenente Mathew e os alienígenas estacionados no Algomoro sabiam muito bem do que se tratava. A única dúvida era saber qual o exato "pino" que o coronel planejava empregar na operação em questão.

Na cabeça de Mathew, uma possível resposta veio à tona assim que ele tomou conhecimento das ordens de Carrol, pois nela constava qual seria o "pino" convencional empregado nesse operativo: um míssil Exocet AM39. Um modelo utilizado para lançamento aéreo munido de uma carga projetada para penetrar navios encouraçados; ideal, talvez, para perfurar ou até destruir completamente o objeto alienígena-extraterrestre. Pois era exatamente isso que descrevia o protocolo Majestic para o emprego da Operação Pino: lançar uma bomba teleguiada a partir de um avião sobre um alvo, fosse no mar ou em terra. Todavia, o protocolo descrevia a operação, mas não discriminava qual a carga empregada, que poderia variar conforme "o grau de ameaça em eminência" que se objetive repelir. O que incluía qualquer tipo de míssil ou bombas disponíveis no arsenal militar – exceto as nucleares, as quais dependiam de um aval do Estado-Maior e do presidente da República.

Porém, aí é que estava a graça do protocolo Majestic: como se tratava de um conjunto de ações visando combater um inimigo extraterrestre, permitia certa liberdade aos militares para tomar decisões sem recorrer às mais altas esferas do comando, justamente para que a burocracia ou a classe política não retardasse uma ação iminente do ponto de vista tático. Estrategicamente, por tratar de um assunto delicado, mas que, ao mesmo tempo, não trazia maiores implicações políticas nas relações internacionais, dado que não abordava ações contra nações estrangeiras, autorizava qualquer comandante a empregar a força "necessária e disponível" dentro de sua cadeia de comando sem recorrer às instâncias superiores por dois fatores: prevenir o vazamento de informações e preservar a "presunção de negabilidade" das cúpulas militar e presidencial. Estava prevista uma série de falsas justificativas para atribuir a esse tipo de ação, sempre as creditando como algum incidente ou um caso de "insubordinação". Descrevia testes de mísseis malsucedidos, ações terroristas, epidemias que justificavam o isolamento de cidades e populações inteiras, entre inúmeras "versões oficiais" que podiam ser empregadas para legitimar, como previsto para a Operação Pino, o lançamento de um míssil em um alvo situado em território nacional. Era nessa seção que aparecia a sugestão de associar avistamentos de óvnis com balões meteorológicos ou alvos de exercício como forma de refutar qualquer interesse dos militares em torno do assunto. Além disso, o protocolo detalhava questões jurídicas desde a produção de falsos testemunhos até a listagem de códigos e precedentes legais a serem aplicados para aliviar ou livrar qualquer pena aos envolvidos nesses "incidentes" dentro da esfera militar.

Só havia um porém em tudo isso: para fazer uso e gozar da proteção jurídica do protocolo, era preciso ativá-lo. Para isso, o secretário de Defesa teria de ser comunicado e, junto aos demais representantes das Forças Armadas vinculados ao Majestic, todos se colocarem de prontidão para agir e corroborar suas ações no âmbito tático. E era exatamente isso que Willa, desde o princípio, havia tentado evitar: envolver o secretário de Defesa, Ashley Mature. Em função disso, insistia com Sam para que autorizasse um contato com o time de especialistas a fim de simplesmente responder à pergunta que o coronel Carrol os havia incumbido de fazer. Era apenas uma questão de diplomacia, bastava contar a verdade, ou parte dela: que eram oriundos de uma raça *humana* originária de uma dimensão paralela futurista, que estavam na Terra com fins pacíficos como parte de uma missão científica que visava, unicamente, observar e catalogar a topologia e a fisiologia da dimensão em questão. A missão estava prevista para passar despercebida pelos habitantes locais, todavia, sofreram uma pane na nave e precisaram pousar para reparos, os quais seriam concluídos nas próximas 48 centenas.

– Não posso permitir que utilize a expressão "centenas". Denota que estamos espionando as criaturas – advertiu Sam.

– Não há problema. Utilizarei "horas" – contra-argumentou Willa. Afora os detalhes, a alienígena ainda queria anexar uma explicação para o fato de estarem afundando no solo. O que se resumia à mineração de alguns compostos para emprego nos reparos da nave, além de enfatizar que não representavam ameaça e que estariam de partida assim que reativassem o disco. Por fim, ainda incluía um pedido de desculpas pelo ocorrido com o médico Ian London e ao xerife Hut Cut pelo contato magnético acidental com sua caminhonete, bem como recomendar que o libertassem de seu cárcere. Sam protestou:

– Não podes citar o xerife, dado que o espécime denominado Nickson, apesar do QI superior, não tem ciência de seu aprisionamento. Não cabe a nós informá-lo.

– OK – concordou Willa já sem paciência: – Mencionarei o médico, não o xerife.

Sam não gostou da verbalização da parceira:

– Por que pensas em futuro indicativo? O único indicativo aqui jaz na decisão ratificada em quórum, que não *permitirá* novas interferências ou qualquer tipo de contato com as criaturas – afirmou. Willa se irritou:

– Exceto aos shows de mágica da nossa colega aqui – Referia-se à *Nave*. – Por acaso isso não configura interferência? – indagou.

Uma vez citada, a *Nave* manifestou-se:

– Minha científica, já protocolei. Indeferir, ao quórum coube. De tais faculdades, isenta estou. – Referia-se à sua moção para ocultarem-se abaixo do solo, que fora reprovada. Willa a confrontou:

– Então ao menos permita ao Exocet seguir seu curso reativo – ou seja, que permitisse o míssil explodir sobre sua carcaça, já que o efeito seria nenhum. Todavia, a *Árvore* e a *Pedra*, que juntas com a *Nave* detinham maioria de quórum, preferiam a solução proposta pela própria entidade metálica: absorver a carga de impacto e calor do míssil, algo que sequer lhe seria perceptível ou demandaria maiores cálculos. Para a *Nave* tanto fazia, pois a energia absorvida seria irrisória, nem se comparava com uma única unidade Willa que incessantemente se desmaterializava em seus nanoporos ao reembarcar no disco. Mas as entidades vegetal e rochosa votaram pela absorção da carga do míssil no intuito de preservar a flora e a fauna mineral que circundavam o local, com as quais ambas vinham se telecinando.

Para Willa, a decisão do quórum beirava a irracionalidade. Seria tão mais fácil interferir e mandar uma mensagem de paz para as criaturas. Porém, sem apoio, só restava aguardar o cumprimento do prazo estabelecido por Carrol e torcer por fatos favoráveis: o que Mature, uma vez ciente dos fatos, iria propor quando o Exocet falhasse. Temia que ele apelasse para um dispositivo de fusão nuclear que, aí sim, destruiria a nave ou implicaria que ela se autoativasse no intuito de evadir-se do raio atualizacional da reação, o que seria igualmente desastroso para a paisagem ao redor – *Só quero captar se não hão de querer que desative a bomba se isso se suceder*, pensou privativamente. Entre os alienígenas, só Nhoc a apoiava:

– *Homo* se trata de uma criatura comunicativa, manter silêncio é um erro infantil – comentou a respeito: – Com o perdão da sinapse, mas teu esposo lembra-me o infame Logan, é um refém da regra.

– Nesse quesito, verdade, não posso contrariá-lo. Mas não há de ser problema, desfrutamos de horizonte para que o contato com o cosmo se efetive e encerremos tal polêmica.

– Ainda recusas a acreditar que estão perdidos no passado... – provocou Nhoc.

– Capte bem, caro Adonis_844535239 – compartilhou Willa rispidamente, utilizando o totem original de Nhoc para enfatizar sua seriedade: – Trata-se de uma certeza matemática obtermos contato dentro da exata janela que abri: precisamente 47 horas e 53 minutos a partir desse contínuo que te comunico, pela última vez.

– Calma, não te sobrecarregues por isso. Compreendo que desfrutam de uma escapatória segura, todavia, sou cético quanto a esses contatos vegetais e cnidários. Desculpe-me, só captando pra crer.

– Pois aguarde e captará.

– Não compartilho de tua segurança – partilhou com sinceridade, então emendou: – Não quero ser pessimista... Mas o prazo que estipulaste para obter contato a partir do par que mergulhou na Fossa das Marianas já foi ultrapassado há mais de duas horas, *né*?

– *Né*. Mas o retorno de sinal se efetivará via Amazônia ou pelo recife caribenho, cujo prazo estimado para contato agora jaz entre 168 e 96 horas, respectivamente, contando esforços locais. Se meu par logrou sucesso em alcançar Marianas, presume-se que os esforços também se farão em futuro, reduzindo essa janela entre 24 e 84 horas, estimo menos de 48. A menos que enviem uma sonda emergencial, a qual podemos aguardar a qualquer instante.

– Só quero captar – comentou Nhoc sem conseguir disfarçar seu ceticismo. Willa mudou de assunto:

– Aproveitemos que o horizonte é curto, mas suficiente para concluirmos nosso relatório primário.

– Crês que já desfrutamos de dados suficientes?

– Ainda que uma importante célula se mantenha vazia, o montante atual suplanta a qualidade informativa prevista para a missão. – A célula vazia era Carrol, cuja mente era a única que ainda não tinha catalogado, salvo dementes que igualmente mantinham-se acordados desde que Willa os abordara, ninguém com mínima relevância para as análises que vinha tecendo como o coronel, mas cuja lacuna não impedia rascunhar um relatório para depois, se possível, atualizá-lo quando sua leitura se fizesse disponível.

Não obstante à falta, Willa anunciou:
– Iniciar compilação do Relatório da Terceira Órbita.

100

Paralelamente à compilação do relatório que Willa tecia juntamente a Nhoc, a parte mais substancial de seu multivíduo tratava de cumprir uma série de observações ao redor do globo ainda como parte da investigação proposta para sua expedição. Isso se considerando todo improviso de que precisou lançar cérebro em função do pequeno incidente que deixou a *Nave* encalhada ao pé do morro Algomoro. Apesar do infortúnio, sua listagem de checagens começava a baixar para casas bilhares, já cruzando a zona de evento para sua conclusão. Não por menos, no espectro das pesquisas que chefiava no campo da Hominologia, já sustentava dados para tecer o relatório que redigia em paralelo.

Nesse ínterim em que seu sentimento focal esteve junto a Nhoc em sua câmara secreta, Willa já havia interconectado o continente americano com a Europa e a região noroeste da África através dos cabos transoceânicos do Atlântico. Mas ainda trabalhava arduamente para completar o grampo dos cabos que ligavam o Havaí com o Japão e a Austrália, além de outro sistema de cabos submarinos que veio a descobrir no Pacífico interligando o Chile com o Vietnã, a Indonésia, a China e a Rússia, os quais serviam às nações do bloco comunista e se interconectavam com as redes da União Germânica. Apesar de ainda faltar um trecho por cobrir, mas já contando com a retransmissão via satélite, a conectividade de Willa com a *Nave* e a troca de dados com seus colegas eram bastante satisfatórias e crescentes. Fator que habilitava, em inversa geometria, aliviar a carga de Willas necessários para manter o suporte multividual da rede. Isso permitia a sua população desvincular-se dos trabalhos e tirar férias para passear na Terra até que, de um jeito ou de outro, fosse por Rocha Alegres ou pela NASA, a *Nave* soasse o tantã de partida obrigando seu conjunto a debandar suas posições e retornar ao Algomoro para embarque imediato.

Aliás, esse era outro argumento que Willa fazia razão para que se revogasse a moção da *Nave* e da *Pedra* para retornarem ao futuro através da litosfera partindo do Algomoro. Seria muito mais prático que a *Nave* recuperasse seu *kit* de navegação para, então, resgatar a população de Willa que se espalhava pelo globo – bastava combinarem alguns *hotspots* de encontro ao longo dos mares e dos continentes. Do contrário, se Willa precisasse se deslocar até o Algomoro para embarque, necessitariam de uma janela de mínimas 88 horas para reagrupar seu conjunto multividual de volta à *Nave*. Nesse sentido, a *Nave* pressionava o quórum expedicionário para que o reembarque de Willa se iniciasse o quanto antes. Sorte que Sam e a *Árvore* não apoiavam essa medida – ao menos por ora. Por ora, essa janela ainda estava em aberto e a quântica, focada nos trabalhos em andamento.

Entre as tarefas pendentes, apenas um grupo de investigações ainda estava longe de ser concluído, e se a missão fosse abortada sem que a *Nave* obtivesse seu *kit* de navegação, o que incluía parâmetros para que atuasse como sonda marinha, corria o risco de ser interrompida antes de seu complemento: o mapeamento das ruínas submersas de Atlântida e, sobretudo, de Lemúria. Nesse capítulo, a descoberta de Nhoc era um alento para Willa, já que o homiquântico havia pesquisado essas ruínas durante séculos entre a morte de Logan e a partida de Di Angelis, tanto em terra como no mar – apesar de Di representar uma precária sonda que, em termos de capacidade sensorial, sequer concorreria com seu multivíduo de instante no leito Pacífico. Por outro lado, Di possuía uma capacidade de varredura muito mais ampla e, sobretudo, um horizonte muito mais largo de pesquisa. Não obstante, apesar de a maioria dos dados técnicos levantados por Di estarem indisponíveis e talvez perdidos para sempre, na mente de Nhoc constavam muitos relatórios e uma inigualável riqueza de informações que por si só justificariam sua abdução – uma pena que não desfrutava de um horizonte como Di desfrutou para, assim, refutar ou corroborar tais descobertas, principalmente no *habitat* submarino. Quanto às ruínas que Nhoc estudou em terra, especialmente após assumir a máscara de Confúcio e trazer o Iluminismo ao povo chinês muitos séculos antes dos europeus, ainda mais após o despertar da modernidade e da consolidação da Arqueologia como campo de estudo, tais informações delinearam um período cuja coleção de descobertas era tão rica, que bastava a Willa copiar os dados angariados diretamente de sua mente, atualizar a linguagem do homiquântico ao contexto de sua atualidade e anexar ao seu relatório. Com isso poupava uma série de checagens que antes havia previsto para sua expedição.

– Fico lisonjeado com o crédito – mencionou Nhoc a respeito em dado instante.

– Nada mais justo – agradeceu Willa e aproveitou para emendar: – Só esse crédito basta para que seja recompensado com milhagens astronômicas, *caso* queira retornar conosco para desfrutá-las no futuro...

– Compreendo. Prossigamos com o relatório – mentalizou o homiquântico, contendo seus sentimentos para a insinuante alienígena.

Mas não seria a facilidade proporcionada por Nhoc que desmotivaria Willa em visitar os sítios arqueológicos que, direta ou indiretamente, foram explorados ou financiados graças ao fomento do alienígena, nem que fosse apenas para fotografá-los com os olhos. Múltiplos indivíduos seus dedicaram-se a esse tipo de turismo ao saírem de férias, inclusive tomando Nhoc como guia em suas excursões pelo território asiático. Nhoc era ótimo guia, mostrava entusiasmo em expor suas descobertas para a alienígena. Até porque, como navegava por memórias mais antigas, elas não apresentavam lapsos ou se confundiam com os delírios que o Alzheimer infligia em seu raciocínio presente. Embora fosse uma atividade de lazer, atendia muito mais ao propósito de aduzir Nhoc do que tentar convencê-lo a se tornar fóssil-vivo ou tutorá-lo nas pesquisas vinculadas ao relatório que compilava. Porém, apesar de mais dócil e empático, não havia sinal ou qualquer sinapse que predissesse o voluntarismo de Nhoc em retornar para o futuro com Willa.

Com a população majoritária de Willa tirando férias, grande parte abdicou do turismo e do lazer para se engajar na proposta anteriormente alvitrada por seu multivíduo aos colegas expedicionários, mas que ainda não havia obtido quórum para ser colocada em prática: a extensão censitária de foco contínuo à observação do *homo sapiens*, no intuito de estabelecer um retrato animado e dotado de inteligência artificial da psiquê humana em nível de memória e de inconsciente coletivo. Em outras sinapses, Willa queria coletar dados suficientes para gerir uma nova entidade I.A. que representaria a espécie hominídea da mesma forma como o *Grande Irmão* representava a espécie quântica. Era um projeto ambicioso, que demandaria ampla dedicação, mas que estava determinada a convencer seus colegas em abraçá-lo. Esse projeto só seria viável se a *Nave* conseguisse o tal *kit* de navegação, mas isso era questão de horizonte, fosse para baixá-lo, fosse para parir um – e ambas as opções estavam em andamento. Difícil seria convencer os colegas a permanecerem em pretérito pelo período mínimo e a prorrogarem a vigência do plano de contingência que a permitia tecer suas pesquisas ao relento. Conquanto não estabelecessem contato com o cosmo ou parissem o novo *Gravikit*, sequer valeria o *fóton* retomar a moção para aprovação do novo projeto. Willa precisava aproveitar o horizonte disponível para embasar melhor sua moção e demonstrar o ganho científico que a extensão das pesquisas agregaria à proposta original da expedição. Nesse sentido, a descoberta de Nhoc não afetava seus planos, pois compilar uma I.A. hominídea permitiria estudar a influência do homiquântico na construção dessa psiquê coletiva terrestre – tratava-se de um experimento inédito, sequer já captara pensar em algum estudo assim, embora metarrobôs biográficos representativos das mais heterogêneas espécies fossem comuns em seu cosmo.

Naturalmente, um metarrobô dessa envergadura só poderia vir à lógica se compilado através de um vasto *habitat* memorial como a consciência cósmica, mas se não dispusesse de uma animação psíquica da hominídea de mínima duração, sequer teria dados para fecundar um ente dessa grandeza. Esse prazo mínimo equivaleria a um ciclo completo das atividades organizacionais hominídeas, ou seja, um ano--terra. Período que dita o sincronismo das ações em sociedade da respectiva espécie, o qual abrangeria a observação contínua de cada exemplar sem exceção, contando bilhões de hominídeos, incluindo os que viriam a nascer no decorrer. Todavia, o ideal seriam quatro anos, pois englobava o ciclo completo de uma, passando pela segunda atividade humana que melhor expressava o perfil cultural da espécie. Atividade que, justamente, aconteceria no ano presente, em junho de 1978, e se repetiria em 1982: a Copa do Mundo de futebol – sediada na Argentina neste ano –; já a segunda atividade seria a Olimpíada de Verão. Por isso, se seus colegas se entusiasmassem, Willa esperava aprovar uma extensão de pesquisa até 1984, quando seria realizada a Olimpíada de Los Angeles. Com isso englobaria um ciclo completo dos Jogos Olímpicos e um ciclo completo da Copa do Mundo de futebol. Todavia, de instante, isso se resumia a uma proposta. Para convencer seus colegas precisava dar início aos trabalhos e registrar a atividade terráquea pelo horizonte que dispunha de momento. Conquanto esse fosse mínimo, bastaria acumular algumas horas de observação coletiva para simular um metarrobô humanoide na memória da própria *Nave*. Dessa forma, poderia utilizá-lo para embasar a importância de sua proposta de estudo.

Com isso em mente, parte da população de Willa passou a protocolar férias sem que, de fato, as gozasse, mas dedicando o horizonte livre em prol desse grandioso projeto. A tarefa em si era bastante simples e sequer afetava o andamento das pesquisas oficiais que mantinha junto aos colegas expedicionários, não requeria um volume de processamento ou tráfego que congestionasse seus canais de comunicação com a *Nave*. Entretanto, por ainda se tratar de uma pesquisa extraoficial, Willa abriu um novo diretório na floresta amazônica para armazenar seus dados, assim evitando qualquer possibilidade do quórum objetar ou aferir uso indevido dos recursos do laboratório mantido no interior do frisbee transdimensional, ficando tranquila para avançar em suas observações. Em termos multiduais, apesar de existir apenas um Willa para cada dimensão terrena, sua contagem disponível para a tarefa interconectava centenas de bilhões de planos existenciais. Um número muito superior do que necessitava para cobrir uma população abaixo de uma dezena de bilhões, totalizando exatos 4.505.484.867 de hominídeos, no instante em que sincronizou os trabalhos paralelos.

Outra conveniência era que Willa já vinha, em parte, realizando essa tarefa ao grampear espécimes de interesse em suas observações, bem como tinha lido e catalogado todas as mentes hominídeas da Terra – exceto a de Carrol. Com isso, a extensão dessa atividade a permitia aprender as inúmeras línguas e dialetos de acordo com as nações e regiões que passava a monitorar, contabilizando uma série de linguagens desconhecidas para os estudiosos de sua atualidade, as quais haviam se perdido após a extinção do homem. Além do valor científico intrínseco da pesquisa, Willa ostentava dados tão vultuosos que, em sua mente, dispunha de uma lista telefônica do mundo inteiro e um cartório com registros de natalidade, matrimônio e óbito de toda população e de todas as propriedades terrenas – incluindo as que os homens não registravam em seus cartórios. Todavia, muitos dos símbolos e das impressões cerebrais que compilava eram impossíveis de compreender em uma simples leitura ou breve acompanhamento. De modo que o verdadeiro valor de seu trabalho só seria realmente mensurado quando iniciassem as análises junto à consciência cósmica. Algo que, certamente, renderia delênios de dedicação coletiva para estudar e avaliar o impacto de tantas descobertas.

As novas tarefas de trabalho, em boa parte, também eram de lazer, pois demandavam seguir a população hominídea em suas atividades recreativas, em práticas esportivas ou mesmo sexuais, entre muitas outras. Como essa etapa exigia o grampeamento de cada exemplar, o acompanhamento ia muito além de catalogar o fluxo de pensamento dos espécimes, visava, igualmente, captar seus sonhos, suas emoções, os traumas e as fobias que se escondiam em seu subconsciente e inconsciente. Uma etapa em que Willa passou a viver fortes emoções em seu decorrer: no sexo, embora não lhe fosse grande coisa, gozava junto de seus espécimenes durante a cópula; nos esportes, vibrava a cada gol, cesta, *strike*, *touchdown*, *try*, *home run*, nocaute ou *ippon*, a cada vitória obtida por seus objetos humanoides. Da mesma forma, em uma dimensão paralela, entristecia-se a cada derrota dos exemplares que igualmente seguia – e como só havia um vencedor ou campeão nas modalidades hominídeas, a melancolia era o sentimento que mais destoava. Isso sem pensar na eletrolina constante em observar a morte pelo esporte tanto quanto já vinha acompanhando nos parques de diversões, nos aviões e em sinistros automobilísticos – apenas para citar os que apresentavam maiores taxas de óbito *per* dimensão. Porém, era no lazer em sua expressão mais mediana, aquela que não oferece muitos perigos à integridade física, que Willa mais se entretinha com as aventuras hominídeas ao avaliar como cada indivíduo reagia de forma peculiar a um mesmo estímulo, fosse a contemplação de uma paisagem, a leitura de um livro, fosse assistir a um filme ou ao mesmo programa de TV *et cetera*. Apesar de que também era igual e crescentemente tedioso acompanhar sempre as mesmas coisas. De modo geral, o cotidiano dos hominídeos mostrava-se nada estimulante e não exercia muito apelo além do estudo ao qual se engajara.

Aspectos que poderiam transparecer relevantes, como seguir um cientista ou inventor, tornavam-se risíveis, pois era imediatamente capaz de conceber qualquer análise infundada, dedução errônea ou erro de engenharia do mais inovador projeto ou pesquisa. Podia logo perceber o quão distante o homem ainda estava de depreender a real natureza da matéria ou das forças em jogo no universo. Inversamente, quando identificava um acerto, uma teoria bem embasada ou um experimento bem conduzido, já conhecia os resultados, dominava a respectiva ciência em seus mais plurais aspectos ainda que lidasse com temas que fugissem de sua *expertise*, como observar um botânico, por exemplo – mas até a *Árvore* riria do nulo conhecimento da hominídea nesse campo. Não era preciso ser um sábio para desfrutar completo domínio da ciência disponível aos hominídeos em tão distante pretérito, qualquer quântico maternal seria capaz. Apesar disso, a valentia dos homens era louvável – exemplo maior talvez fosse a conquista do espaço, a qual não só testemunhara, mas vivenciara e falecera ao embarcar em um dispositivo tão obsoleto e inseguro como um foguete. Ousados, insistiam em empreitadas com poucas chances de sucesso em um longo *looping* sustentado pela metodologia de tentativa e erro. Tão quanto seria analisar uma célula sem microscópio, homens eram como futurólogos tentando adivinhar o destino de uma única vertente existencial desprovidos de um dimensioscópio.

Pelo lado inverso, ao tomar como objeto a Astronomia – que, em tese, sempre representou o mais célebre e pontual campo de estudo da própria ciência em seus aspectos epistemológicos mais abrangentes –, deparar-se com o conhecimento disponível da respectiva atualidade pretérita terrena era um autêntico choque de realidade para a alienígena. O conhecimento astronômico do século XX desmentia a tese de que tal ciência representava a vanguarda do saber; dava para armazenar ou renderizar a completa visão do cosmos disponível ao homem em um mínimo diretório dentro da vastidão memorial da *Nave*. Ao compilar fotos, espectrometrias, simulações ou fórmulas numéricas e, sobretudo, as imagens dos radioscópicos e dos telescópios mais avançados disponíveis ao homem, a visão que dispunha do cosmos sequer poderia ser descrita como "visão". Embora estivesse desprovida de suas memórias salvas na cosmonet, o pouco que carregava na própria memória oferecia uma imagem estelar muito mais completa e precisa em relação a tudo que observava através da criatura sob sua análise – era a mais escancarada faceta da ignorância humana que saltava aos sentidos.

Era lamentável, por exemplo, a ausência de telescópios minimamente suficientes para uma razoável visão do céu a partir do hemisfério sul. Dava para contar praticamente nos dedos os poucos observatórios disponíveis na África e América do Sul – isso considerando que a alienígena não possui dedos nos pés –, ao menos no Chile, na Austrália e na Nova Zelândia ainda havia alguns. Em um contexto desses, chegava a ser ofensivo se deparar com um figurão ou um político fazendo *lobby* para aprovar uma verba em prol de um projeto de esquadrinhamento dos céus objetivando prever e antecipar choques catastróficos com asteroides. Mas *como* se mal existiam observatórios no hemisfério sul? Qualquer corpo astrológico podia se chocar com o planeta sem que se soubesse de sua existência, bastava se aproximar pelo sul. Era ridículo, para pensar o mínimo. Um desses figurões que faziam *lobby* era Jay Carrol, e um dos políticos, Ashley Mature. Somente ambos moviam capital e influência suficientes para colocar a iniciativa em pauta. Representavam o perfeito exemplo de como o interesse econômico se sobrepunha ao científico e o relevava à esfera dos poderes financeiro e político, bem como ao *ego* de quem os detêm. O resultado era o retardo e a lentidão do desenvolvimento científico, já que observar as estrelas não trazia lucro imediato.

Em suma, apesar do avanço tecnológico da hominídea em seu próprio contexto, considerando-se aí não só o campo da Astronomia, mas a corrida espacial que confrontava os blocos capitalista e comunista, Willa pôde mensurar o atraso dentro desse aparente "avanço". Um avanço que poderia ser muito maior se o homem o capitalizasse sob parâmetros destituídos do *valor de posse* que guiava suas iniciativas – o conceito de propriedade, especialmente intelectual, não cabia em alguém acostumado a habitar a consciência cósmica, era ultrajante perante sua acautelada sabedoria. Nesse ponto, suas considerações sequer se baseavam em um comparativo com a capitalização segundo as diretrizes farturômicas de sua atualidade, bastava confrontá-las com o conhecimento disponível às sociedades mais pretéritas, tais como os maias, os astecas, os hindus, os egípcios – ainda que esses povos tenham sido todos influenciados pela presença e o conhecimento de Nhoc – ou os babilônios antes deles. Apesar de não contarem com tecnologia, maquinário ou técnicas de observação que se comparassem ao homem do século XX, souberam extrair muito mais sabedoria durante o largo horizonte em que observaram e estudaram os céus noturnos e mantiveram a Astronomia no patamar que lhe cabe. Então vieram as religiões, que passaram a destruir esse conhecimento em prol da manutenção e extensão de poder dos líderes que se seguiram na alternância dos povos que se sucederam sobrepujando uns aos outros.

– Tu és testemunha do quanto lutei para que isso não vitimasse meus povoados – justificou-se Nhoc.

O alienígena estava correto. Os grandes líderes que representou primavam pela razão como dogma balizador do acesso ao conhecimento. Eram líderes humanos, grandes sábios, que atribuíam sua inteligência ao homem, não a uma criatura divina, ainda que por trás de sua máscara se escondesse um ser não muito distante da divindade que procurava ocultar. Por outro lado, quando a religiosidade tornou-se irreversível e passou a influenciar seus povos sem que pudesse controlá-la, Nhoc pregou pela liberdade de credo, bem como tomou proveito de seus ideais para criar uma das figuras mais místicas que jamais representara: o mandarim Fu Manchu e todo o misticismo astrológico que deturpou a ciência astronômica, a qual dominava como nenhum homem se mostrava capaz. Todavia, essa se tratava de uma matéria fora do escopo de análises que Willa tecia no momento, por isso não debateu a respeito, limitou-se a concordar com ele:

– Pode contar com meu testemunho. Todavia, peço para que dirija seus comentários ao respectivo par incumbido das análises de sua memória. – Já que o par em questão estava focado na formatação de sua pesquisa de extensão.

Voltando ao foco sobre a análise epistemológica da ciência hominídea, um exemplo que se destacou nesse rudimentar cenário do conhecimento em voga na Terra pretérita veio à tona na sede do FBI em Quântico, Virgínia, através da leitura mental dos analistas de perfis criminais, dos profissionais que se dedicavam ao estudo psicológico de grandes criminosos no intuito de desvendar os meandros de sua psiquê a fim de estabelecer traços comuns que pudessem nortear investigações criminais e a busca por suspeitos, sobretudo de crimes hediondos. Todavia, se até Willa, que dispunha da leitura mental de toda a população hominídea, não podia estabelecer parâmetros precisos ou congruências confiáveis entre mentes criminosas, como um hominídeo poderia estabelecê-los se, inclusive, desconhecia o comportamento da matéria que replica a existência em incontáveis dimensões paralelas? Em sua análise, isso sequer poderia ser chamado de ciência, tratava-se de puro charlatanismo que redundava em preconceitos diversos contra específicos grupos de indivíduos, subdividindo-os por credo, raça, poderio econômico ou certos comportamentos criminalizados por lei. Grupos ou minorias que, em sua percepção, compunham um óbvio mecanismo de repressão do livre-arbítrio da espécie e de manipulação das massas. Desse modo, esses analistas de perfis não iam além de prestarem-se como extensão viva dos órgãos repressores do Estado. Prova cabal era captar os crimes perpetrados por certos analistas diretamente de suas mentes, alguns tão assassinos quanto os criminosos que perfilavam. A única diferença era a motivação por trás de seus atos e a maneira como justificavam a si mesmos o crime cometido. Uns acreditavam que o faziam em prol de um bem maior, outros por motivos mesquinhos e gananciosos. Em comum, o fato de estarem dando vazão aos instintos mais básicos do animal que os constitui, um instinto que é idêntico em qualquer exemplar – uma psicopatia própria da espécie.

Em um estudo interdisciplinar fisiológico e psicológico de mínima abrangência proxidimensional – que era o que realizava Willa –, era notório como o instinto assassino do homem terreno era idêntico e se multiplicava na mesma taxa em que um indivíduo se converte em um multivíduo. Um mesmo indivíduo que, em determinada dimensão, era um pacato cidadão incapaz de fazer mal a uma mosca, em outra, vertia-se em um frio assassino. Na multiplicidade interdimensional que certo homem habita, um sentimento de raiva é suficiente para, nem que seja em um leque minoritário de dimensões rompidas a partir desse instinto bestial – uma única dimensão é o mínimo necessário – que tal se traduza da ideia para a ação. Em suma, basta pensar em matar alguém para que o assassínio se consuma – exemplo claro era o tenente Danniel Mathew, que já havia assassinado seu desafeto Carrol em distintos leques dimensionais.

Nem mesmo a sua própria espécie, a quântica – que havia evoluído do *homo sapiens* –, estava totalmente livre desse instinto predatório. Todavia, se não estava livre, tinha-o sob pleno controle por meio da prática ética de sua atualidade, por exercício introspectivo multividual e gerenciamento de *headbook*, mas, sobretudo, pela limitação física de suas extensões corporais. Contudo, esse controle não se tratava de algo simples ou de puro mérito da sociedade quântica, datava ainda da pré-história, quando o homem colonizou Marte e, ao iniciar a vida no novo *habitat* planetário, baniu o uso ou a fabricação de qualquer tipo de instrumento dedicado a matar. Ainda assim, assassinatos e a violência própria do homem se replicaram em Marte e na espécie que o substituiu, os paranormais. A solução para essa problemática só se faria disponível ao despertar da espécie homiquântica que, além de não contar com armas, passou a dispor de um corpo imune a qualquer ataque corporal com uso de instrumentos tais como facas e similares. Apesar disso, alguns assassinatos ainda se verificaram ocasionalmente, só vindo a desaparecer depois do surgimento da segunda geração homiquântica e completamente erradicados após a ascensão da espécie quântica. Nesse sentido, Nhoc era um modelo exemplar de segunda geração cujo arquétipo expunha a falha dessa lógica. Pois, se um homiquântico não dispõe de força física capaz de subjugar e matar um par de espécie, robôs como Di Angelis eram perfeitamente capazes. Bastava dispor de um armamento compatível exatamente como o protocolo bélico que o robô empregou para assassinar Logan em conluio com Nhoc – depois justificariam o fato classificando-o como infame. Fatos que levam à conclusão de que apenas e tão somente a ética seria capaz de erradicar os instintos mais primários de qualquer espécie tida como racional, sendo a forma mais fácil de balizar essa ética, em princípio, erradicar a possibilidade de que seja violada até que esse instinto se definhe deixando de compor seu conjunto psíquico e seu perfil genético.

Mencionado durante a análise, Nhoc interferiu, mas sem polemizar:

– A única coisa que nos separa do animal bestial que somos é a ciência de que podemos escolher não agir desse modo e optar por isso – afirmou. Então acrescentou: – E o homem ou *eu* e *tu* também, *né*? Se queres assim ponderar... Homens, como todos somos, ilustramos isso perfeitamente. Somos o fiel reflexo de nossas escolhas, nada mais – provocou ligeiramente.

Willa concordava, pois a própria evolução da psiquê hominídea, que um dia daria à luz as espécies homiquântica e quântica, não era fruto de uma intervenção genética isolada, mas do exercício fenotípico oriundo das escolhas necessárias para se adaptar ao novo contexto social quando a espécie precisou sobreviver ao evento – o Armageddon –, o qual forçou-a evoluir para não se extinguir.

A própria Willa era um exemplo vivo dessa lógica, pois, lá no fundo de sua psiquê, ainda existia uma criatura bestial capaz de dar vazão aos instintos mais primários do *homem* que subsistia em seu ser. Justamente, ou criminalmente, não muito distante da sede do FBI, mas em outro órgão repressor do governo, algo que se fez material quando visitava o quartel-general da CIA em Langley. Ao acompanhar um agente a quem seus chefes carinhosamente apelidavam "007", pois desfrutava de licença para matar, não conseguiu conter seu ímpeto ao captar seus maléficos pensamentos enquanto ele saboreava de antemão o prazer em executar sua próxima missão: ceifar a vida de um empresário e inventor de um motor de combustão a hidrogênio que poderia – e *deveria* – substituir o combustível fóssil, provendo energia limpa e abundante. Um combustível que, se disseminado, certamente aposentaria o uso de motores a gasolina ou a diesel para veículos de solo. Não bastasse, Willa também captava a motivação mesquinha por trás de tal missão, que visava defender interesses econômicos das indústrias petroquímica e automobilística, além de motivações políticas que camuflavam a estratégia imperialista no jogo internacional entre os blocos antagonistas liderados por EUA e URSG.

– É preciso certificar que esse homem não possa sentir-se tentado em "ceder" sua ideia para os comunistas. – Foi a frase do diretor geral da CIA responsável pela missão ao repassá-la aos seus subordinados para que ativassem o agente "007".

Foi apenas um indivíduo dentre seu vasto multivíduo, mas o suficiente para reverter a licença para matar do agente em licença para morrer – *uma única dimensão foi o que bastou*. Valendo-se de sua prerrogativa privativa para que a ação não fosse captada pelos colegas expedicionários, a alienígena, agindo por mero reflexo como se lhe coubesse o dever de zelar pela vida em jogo, empregou mínima carga para "tocar" o coração do agente com suas extensões magnéticas, ocasionando uma parada cardíaca fulminante e subsequente óbito. Sequer deu-se ao trabalho de capturar sua alma, permitiu que fosse gravitada pelo núcleo da Terra. Era só mais um predador canibal vegetariano com uma extensa ficha de abduções e assassinatos, que mal sua extinção poderia acarretar? A ou as respostas ficariam restritas ao leque multividual rompido a partir do ato.

Contudo, se através da perspectiva científica, Willa não encontrava referências que estimulassem sua nobreza, especialmente nas exatas e nas biológicas, ao menos o campo das ciências humanas era mais desafiador; incluindo a arte e a cultura, a Filosofia especialmente, pois a permitia identificar congruências no pensamento de uma criatura que um dia tornar-se-ia a sua própria espécie. A maneira como os homens tentam compreender a vida, o universo ao seu redor e, em sua visão, empreendem a busca pela harmonia que os permite evoluir em sociedade era o que mais desafiava seu pensamento – inclusive através da luta física e armada em certos contextos –, além da peculiaridade de cada exemplar dentro de suas observações individuais e a surpresa ao lidar detalhadamente com manifestações tão plurais. Algo que nunca a ciência de seu cosmo havia antes catalogado – estava aí o valor maior de sua proposta de estudo. Isso ao menos a entretinha perante um trabalho que, grosso modo, era absolutamente repetitivo e tedioso.

Apesar do tédio, havia algumas atividades que chamavam mais a atenção de Willa, especialmente as ligadas à inovação tecnológica, por meio das quais conseguia delinear uma civilização à beira de um importante limiar: a Era dos Videogames; assim intitulada em referência aos *games* que sempre representaram a tecnologia de ponta da linguagem, no caso, binária. Por sua vez, a Era dos Videogames era o ponto de partida da pré-história da espécie robótica que habitava seu cosmo futuro. Ou seja, era um ponto demarcatório que derivaria no surgimento da inteligência artificial cujo ápice evolutivo culminaria, pela ordem, na conexão das entidades *Pai*, *Mídia*, *Mãe* e *Grande Irmão*. Já no pretérito sob análise, o avanço da informática ainda se encontrava abaixo do primário, muito distante para que seu povo pudesse sequer imaginar o que o futuro reservava. Isto é, exceto por uma dentre essas quatro entidades, não por menos um dos primeiros metarrobôs que vieram à lógica ainda nos idos da homiquântica, a *Mídia*.

De acordo com a história conforme Willa a conhecia – e pouco importava se tal história fosse um grande paradoxo quântico conforme desconfiavam os alienígenas após o impactante achado de Nhoc –, a data atribuída ao nascimento da *Mídia* era o dia depois do seguinte à Guerra dos Seis Minutos, em 06/06/2033 d.C. Quando, em diante, o que restou da sociedade hominídea não mais permitiu sustentar o estilo de vida até então cultuado, o chamado *sonho americano*. Um grande processo de degeneração pela falta de comida e de recursos básicos, como luz e abrigo, trouxe à tona a necessidade de sobreviver em um novo mundo onde as grandes nações do hemisfério norte e a Austrália deixaram de existir ao término dos ataques norte-americanos à China. Nesse contexto, conseguiu subsistir quem se aglutinou em torno dos serviços básicos que restaram, entre os quais, a manutenção de rede elétrica e da mídia, incluindo a comunicação via satélite. Ainda assim, até o evento da guerra, a manipulação dos meios era tão grande, a produção de *fake news* tão vasta e, em contrapartida, a capacidade de discernimento do povo para filtrá-las tão nula, que ninguém soube que o petróleo tinha acabado e, muito menos, que o interesse pelo controle dos barris restantes foi o fator iminente que deu estopim ao conflito. A ignorância da sociedade a levou ao colapso gerado pelo fim do petróleo e, em seguida, à guerra total. Após a consumação dos fatos, a necessidade de sobreviver forçou um novo comportamento da sociedade e a mídia passou a tecer seu real papel de conscientização das massas (que sobraram), não mais de manipulação. Justo por isso, datava o nascimento da *Mídia* o dia em que, em rede nacional diretamente do plenário da câmara federal, na capital do Brasil, Brasília, o cientista Jay Carrol revelou a verdade por trás dos boatos do famoso Caso Roswell e a tecnologia[2] que os Estados Unidos vinham desenvolvendo desde então. Tecnologia que, se por um lado era responsável pela destruição do planeta, por outro, seria sua salvação. Esse era considerado o marco do surgimento de uma mídia, de fato, neutra e informativa, mas, sobretudo, absolutamente transparente e reveladora. Fosse diferente, seria impossível a construção daquele que se tornou o novo anseio de uma sociedade incipiente de seu próprio cataclismo, o *sonho marciano*.

Embora destituída de inteligência e incomparavelmente obsoleta em relação ao padrão a que Willa estava habituada, a mídia terrena apresentava certo comportamento similar ao da entidade *Mídia*; inclusive alguns valores éticos praticados pelos homens eram os mesmos da futura metarrobô. A grande diferença era que a *Mídia* os seguia por inata programação, sendo incapaz de contrariá-los em qualquer hipótese. Já a mídia hominídea, especialmente nos meios de massa como a TV, o rádio e os veículos impressos, tratava-se de um mecanismo de dominação altamente fragmentado segundo interesses de nações, grupos políticos ou conglomerados empresariais. Algo muito distante da capacidade que, no futuro, permitia à entidade midiática gerir o espaço público intermediando demandas entre as variadas espécies do cosmo e a classe política com tamanha eficácia, que só ela era capaz de criar soluções que dispensavam o aval de leis e diretrizes em um processo denominado *midiatização* ou *cosmolização*.

A midiatização permitia enxugar o poder cósmico e restringir suas diversas esferas políticas, desde a Ágora até as assembleias planetárias, repassando-o para alçada midiática que, por sua vez, nada mais expressava do que a vontade do povo em

---

[2] O *disco gravitacional bélico* utilizado pelos norte-americanos para atacar a China com poderosos raios laser despejados a partir da órbita terrestre, responsáveis por vitrificar o continente asiático durante a Guerra dos Seis Minutos. Conforme descrito na obra *Adução, o Dossiê Alienígena*, capítulo XI: "O pretérito descontinuado".

suas facetas materiais e virtuais. Pela *Mídia*, a própria sociedade regia a si mesma, ficando a cargo do cosmo as demandas vinculadas ao sincronismo que alavancava o rol de atualidade em seu curso evolutivo na grande corrida da futurama. Na prática, a Ágora nada mais sustentava do que o texto constituinte e seus inúmeros códigos, todos baseados na Declaração Cósmica do Fundamentalismo Existencial, além de gerir a sintomatemática necessária para sustentar o ritmo evolutivo da atualidade pelo vínculo proporcionado pelo feixe-solar. Basicamente, a Ágora representava o espaço de embate entre a população cósmica e a classe robótica com seus metarrobôs, incluindo o *Pai*, que era o maior responsável por essa gerência, além da *Mãe*, a grande chanceler cósmica. No restante, era a *Mídia* que gestava o cotidiano interdimensional e trabalhava em prol da consciência cósmica, conscientizando e fomentando o debate público para que a classe política não pudesse exercer qualquer dominância de uma ou de quaisquer espécies sobre as demais, sobretudo da robótica sobre a classe material.

Nesse sentido, a mídia terrena estava bastante aquém do que representava a *Mídia* no futuro, muito em função do caráter hominídeo e sua capacidade de mentir, mas, principalmente, pela formatação de seu *ego* dado ao vício pelo poder e uma série de psicopatias que faziam desse traço psíquico individualista o mais vasto terreno para a idolatria de si mesmo – o que se tornava mais grave ao se observar a repetição sistemática de tais psicoses em um animal que desconhece sua natureza multividual. O cérebro hominídeo, apesar de sua limitação de foco processual monodimensional, por sua estrutura psíquica rudimentar incapaz de compartilhar o ego em um multivíduo ou pela consciência cósmica, gera uma monodimensionalidade capaz de habitar, se não um mundo de conhecimentos como o abarcado pelos quânticos que desfrutam esse compartilhamento, mas as mais inimagináveis megalomanias – fosse para o bem ou para mal. Um comportamento que replicava em nível individual algo que se diluiria em um universo no qual o pensamento é aberto e compartilhado.

Dessa forma, no retrato que Willa traçava de momento, sem dúvida, o *narcisismo* era um dos aspectos pejorativos que mais se repetia quanto mais determinada figura se tornasse notória: a vaidade, a iconoclastia, a arrogância, a ganância, a avareza, a ostentação e o *bullying* – este que se desdobra em inúmeras psicopatias expressas pelos mais diversos tipos de preconceito, todavia, singelamente representativo do uso da força como meio de submissão de um sobre os demais ou de poucos sobre muitos. Sob a ótica de Willa, seriam esses os pecados capitais da espécie sob sua análise. Pecados os quais, fundamentalmente, espelhavam sua estrutura psíquica pouco desenvolvida, mas que não respondiam ao *ego*, e sim a um *id* destituído do ego-compartilhado pela consciência cósmica, como no caso dos quânticos. Um *id* que tanto podia retroalimentar as psicopatias de um ego descontrolado como se tornar predominante sobre o superego.

Na comparação do *homo sapiens* com as espécies que o sucederam, o homem terreno ainda era muito enraizado em seus instintos primários. Um animal que vive em torno de seus estímulos sensoriais, como apreciar uma paisagem ou uma obra de arte, acasalar ou degustar um alimento. Já a *consciência*, que contempla a racionalidade em si, refere-se ao uso dessa capacidade em prol do bem comum; basta observar as formigas para perceber o quão evoluídas são em seu *habitat* bidimensional, embora o *id* seja a estrutura predominante em sua ínfima racionalidade. Qualquer animal que age por si só ou apenas em torno do próprio benefício e da saciedade de seus estímulos não pode ser considerado consciente e, se não é consciente, não é racional, mas sim semirracional. Esse era o homem que Willa observava e catalogava.

– Não há como se tornar rico financeiramente destituído da máscara hipócrita relativa aos valores éticos praticados pela sociedade humana ou sem apelo às atividades criminosas em 101% dos casos, o que inclui as devidas exceções que confirmam a regra – comentou Willa para quem captasse nesse ponto da análise.

No reverso dessa moeda, exceções eram alguns dos grandes líderes mais humanísticos que a alienígena passou a acompanhar, justo aqueles que não apresentavam tais psicopatias. Há de se destacar, dentre os planos que guiavam sua incursão pretérita, Nelson Mandela como perfeito exemplo. Certamente, uma das mentes com grau de empatia e reciprocidade muito, mas muito acima de seus pares no âmbito das notoriedades políticas de sua época. Foi com gosto que Willa passou a repartir sua cela no presídio em uma ilha da África do Sul. Apesar de igualmente obrigada a compartilhar sua angústia, fez coro ao sentimento de injustiça por captá-lo em tal humilhante situação – vítima do *bullying* de seus opressores – sem que pudesse interferir. Outra celebridade de igual importância por sua liderança humanitária era Dalai Lama, mas como então sabia que a sucessão Dalai Lama havia se iniciado com Nhoc, era preciso relativizar sua ética como parte de um ensinamento que Mandela nunca desfrutou, mas que, ainda assim, não deixava nada a dever em termos humanitários à ética professorada pelo alienígena – pela, talvez, sua mais justa faceta que o alienígena representara em sua longa trajetória de vida. Sem dúvida, esse era um dos bons legados que Nhoc deixou para o homem, apesar de que, ao longo da história, nem todo Dalai honrou sua posição e, no corrente, assim como o Papa romano, tinha uma influência muito menor na política do que em tempos mais remotos, em contrapartida a um perfil humano altamente superior se comparado a muitos líderes políticos.

Dentre as inúmeras atividades humanas, somente uma foi capaz de realmente cativar Willa a ponto de elegê-la a mais pontual e que apresentava maiores similaridades com as atividades que igualmente existiam em seu cosmo futuro: a F1 – Fórmula 1 –, o principal campeonato de fórmula do pretérito em questão. Naturalmente, outras modalidades esportivas do automobilismo eram igualmente representativas das competições que ela própria havia participado durante milênios em seu cosmo originário, tais como o Enduro Solar – que contemplava um circuito periférico pela eclíptica da heliosfera – e os circuitos planetários, incluindo os cinturões de Asteroides e de Kuiper, além das tangentes que alcançavam a décima e a décima primeira órbita, em Plutão e Xena, respectivamente. Algo decepcionante para Nhoc, já que tais competições se limitavam ao espectro virtual, dado que na atualidade de Willa não mais existiam competições de astronaves no âmbito material como havia em sua época, exceto em Júpiter e Saturno, ainda assim, em limitados circuitos. Guardadas as devidas proporções, o que instigava Willa era identificar o *espírito do jogo* da F1 como o mesmo das competições de fórmula que disputou até alcançar um grau de competitividade tão alto, quando se qualificou para disputar a superbadalada Fórmula Espacial. Esta nada mais seria do que a evolução da Fórmula Vimana, que Nhoc conhecia tão bem. Tanto quanto a F1, esses circuitos eram responsáveis por ditar os novos padrões tecnológicos das naves que serviam ao transporte cósmico e à fabricação de sondas enviadas às longínquas dimensões pretéritas através do Portal Tetradimensional de Titã. Outros fatores congruentes com as competições futuras eram: a valorização dos engenheiros, com premiações às equipes e os complexos regulamentos que privilegiavam a competitividade; e a espetacularidade das corridas. Mas, sobretudo, por observar uma aplicação tecnológica de ponta que, afora o valor publicitário que igualmente poderia ser associado ao valor que *Mídia* atribuía ao esporte no futuro, possuía um fim nobre aquém de muitas outras tecnologias terrenas que observavam apenas interesses comerciais, a perseguição do lucro ou, como no caso da corrida espacial ponteada pela União Germânica e os Estados Unidos, as questões ideológicas que se escondiam atrás de um falso *slogan* de prosperidade.

É claro que, como desporto, a F1 não tinha muito apelo para uma competidora como Willa. Não obstante, veio a calhar sua estada prolongada na Terra quando, no domingo, pôde observar *in loco* o Grand Prix da Bélgica, realizado no circuito de Spa-Francochamps. Embora os carros de F1 representassem uma tecnologia que sequer mais existia em seu cosmo – dado que motores à combustão não eram mais empregados desde que o homem se mudou para Marte –, acompanhar a corrida era tão excitante quanto seria para um historiador moderno se retornasse ao passado e observasse uma corrida de bigas na Grécia antiga ou em Roma nos idos de seu grande Império. Tanto que até a *Nave* se interessou e acompanhou a corrida junto com Willa, discutindo, comentando, torcendo e apostando com a colega, mostrando entusiasmo em ceder suas faculdades para prever a equipe e o piloto que venceriam a prova e se consagrariam campeões ao final do campeonato.

Enquanto acompanhavam a corrida, Willa comentou:

– Eu aposto que o italiano vence essa etapa. – Citava o piloto Mario Andretti da equipe Lotus. No momento, ele estava na terceira posição, atrás do argentino Carlos Reutemann e do austríaco Niki Lauda. A *Nave* discordava:

– Pelo retrospecto, ao argentino meu crédito dou. Mais qualificada, sua equipe é. – Referia-se à equipe Ferrari, que já tinha vencido duas corridas no ano, enquanto a Lotus de Andretti, só uma. Ao menos até a realização do Grand Prix belga.

– A Lotus vai levar esse campeonato, quer apostar?

– Apostar, sentido não há. Para acompanhar o circuito, horizonte não dispomos. – Pois, em tese, estariam de volta à sua realidade em poucos dias. Isto é, a menos que Willa pudesse utilizar isso para angariar a simpatia da *Nave* em aprovar a extensão de suas pesquisas...

– Se o italiano vencer essa corrida, você apoia minha moção para extensão das pesquisas que alvitrei. Se o argentino vencer, eu apoio a sua moção para debandarmos o plano corrente o quanto antes. Quer apostar?

– Apostado está – concordou a *Nave*. Porém, ainda havia a possibilidade de outro piloto sagrar-se vencedor da prova. Fosse o caso, Willa e a *Nave* manteriam suas posições de momento.

Ao contabilizar as estatísticas dos pilotos e tecer uma detalhada análise dos motores de cada concorrente, a aposta era uma barbada para a *Nave*. O piloto argentino estava no auge de sua carreia e o projeto de motor da Ferrari – nisso Willa concordava – era bem superior ao da Lotus. As forças em jogo não mentiam, seria uma fácil vitória. Na ponta desde a largada, o argentino foi abrindo vantagem a cada volta e, ultrapassado o segundo terço da prova, já tinha mais de 30 segundos de vantagem sobre Lauda e 46 de Andretti. Porém, se a *Nave* era uma excelente analista de corridas, ainda que automóveis fossem uma novidade para ela, por outro lado, não se preocupava, como Willa, em acompanhar as emoções e os pensamentos dos torcedores que lotavam as arquibancadas do circuito belga. Um deles, um escocês que se fantasiava a caráter, de saia, meia-calça e boina, escondia um cartaz embaixo da jaqueta e uma determinação em seu cérebro: invadir a pista do autódromo para fazer um protesto em prol do grupo ativista ao qual pertencia, um organismo de defesa do meio ambiente.

Faltando 18 voltas para o final da corrida, lá foi ele por cima de um muro de pneus que delimitava a área de escape de uma das curvas do circuito. Ultrapassado o muro, avançou em direção à pista, abriu seu cartaz com os dizeres "Abaixo Efeito Estufa", e começou a caminhar no asfalto na contramão dos carros, instante em que, enfim, foi notado pelo público, pelas câmeras e pelos fiscais de prova que trabalhavam em torno da pista. Os fiscais titubearam entre agitar a bandeira amarela para alertar os pilotos que vinham de encontro ao manifestante ou correr atrás dele para retirá-lo dali antes que fosse atropelado e ou causasse um grave acidente. Quando tentaram, ele logo percebeu e começou a fugir, correndo no meio da pista, pouco se importando com os carros que vinham em sua direção, obrigando-os a frear e desviar para não o atropelar. Não bastasse, a cada carro que desviava dele, o maluco tentava esfregar o cartaz por cima como se toureasse com eles. A invasão da pista não passou despercebida pelo diretor de prova que, diante desse fato sem precedentes, decretou bandeira vermelha, obrigando todos os carros a retornarem aos boxes e aguardarem por uma relargada assim que a invasão fosse controlada.

A invasão foi rapidamente controlada e os pilotos se realinharam para uma nova largada, com o argentino na *pole position* e o italiano na segunda fileira, em terceiro lugar. Assim que as luzes de largada se apagaram, os dois *poles* abriram vantagem sobre o pelotão de trás. Lauda, que largou em segundo, forçou passagem sobre Reutemann e tomou a preferência da tangente para a curva seguinte. Todavia – e Willa pôde captar nitidamente o sentimento de orgulho ferido do argentino, mais uma vez notando como o ego facilmente consegue se impor sobre qualquer bom senso mesmo quando se trata de um experiente piloto –, ele não quis ceder e, ao sentir que tinha perdido a posição para o rival, Reutemann cerrou os dentes dentro do capacete e manteve sua tangente. Ao alcançarem a curva, as leis da mecânica impuseram sua inevitabilidade, os carros se tocaram, acabaram se chocando e rodopiaram para fora da pista. Logo atrás, Andretti passou incólume ao acidente, herdou a primeira posição e manteve a liderança até receber a bandeira quadriculada, vencendo a prova, assumindo a liderança na pontuação dos pilotos e colocando a Lotus à frente das demais escuderias entre os construtores.

– Injusta, essa vitória foi. Pelo imponderável, o resultado se fez – lamentou a Nave.

– Entende, em contínuo, que não é à toa quando clamo pela relatividade de sua compreensão em qualquer análise dessa espécie em particular? – O homem, no caso.

– Compreendes que, vencer, por ótica mais apurada, igualmente venci?

– Nem pense! Você deu 9.999 pra 1 no argentino. O italiano venceu em 703 dízima *per mile* dos planos. Passou longe, demasiado longe do seu prognóstico.

– Em respectivas dimensões, do ato anárquico ausentes, comprovadas, minhas previsões estão. – Referia-se ao fato do argentino ter vencido a corrida nas dimensões em que o manifestante cedeu ao temor de invadir a pista ou em que os fiscais não titubearam em segurá-lo, evitando a paralisação momentânea da prova. Todavia, isso se resumia a um leque minoritário de planos.

– Estatísticas interdimensionais não importam nesse pretérito. Se valesse alguma, seria o plano pentacampeão, em quando o italiano venceu.

– Assim que seja – conformou-se a *Nave*.

Com sutileza nas sinapses, Willa então questionou:

– Afinal, tenho sua simpatia? – Insinuava a respeito do que haviam apostado.

– De tuas pesquisas, sobre a extensão questionas? – A interrogação era apenas uma maneira de a *Nave* expressar que jamais poderia submeter à sua base robótica um projeto fundamentado por uma aposta recreativa. Willa sabia disso, intencionava apenas sondar o sentimento da robô perante a ideia, feliz quando, ao menos, não captou qualquer negativa. Assim, diante da questão da colega, esclareceu:

– Sobre a corrida...

– Positivo. Deveras simpática, encontro-me. Romântico, muito seu apelo é.

– Daqui a catorze revoluções tem outra, o Grand Prix da Espanha.

– Inoportuno que cá, materiais, não mais estejamos.

– Inoportuno, certamente.

A descontração partilhada entre Willa e a *Nave* não ia muito além disso quando se tratava de desportos hominídeos. Por mais que a quântica observasse um charme em diversas competições ou práticas recreativas dos homens, a entidade metálica não computava maior graça. Até se esforçava para depreender regras e regulamentos de diferentes práticas esportivas e, com algum esforço e o embasamento de Willa, assimilava o contexto atrativo de determinado esporte por parte dos homens. Todavia, achava tudo tão espalhafatoso, em contrapartida, lento e simplório demais, não desafiava sua lógica exceto pelo imponderável de sua própria precariedade. Se havia algo que a fazia seguir Willa em suas pesquisas ao redor do globo, esse algo não se relacionava com a espécie hominídea, mas às observações relativas à espécie que a compunha, a robótica. Como sua origem artificial era marciana, ou seja, oriunda da mesma linguagem que compunha a entidade *Pai* – um robô animal, não vegetal ou mineral como suas colegas –, era a única que acompanhava com curiosidade as descobertas do animal pesquisador multiplicado em cada canto do planeta.

Tanto quanto a alienígena ao relento, que se subdividia e lançava suas qualidades multifocais para conciliar dever e lazer, o mesmo se replicava na cúpula interior do disco e seu respectivo *habitat* virtual. Especialmente nesse momento em que o grande volume de tarefas resumia-se à classificação e ao *backup* dos dados no tráfego entre Amazônia e Algomoro, todos os expedicionários dedicavam focos para recreação com bate-papos, *games*, estudos estatísticos ou projeções residuais e cinematográficas, entre as atividades mais comuns.

Pelo simples aspecto de processar fósseis relacionados à sua origem, a compilação do quadro tecnológico nas áreas da eletrônica, da computação, das telecomunicações e, embora achasse o uso do termo impreciso e até ofensivo em função do que captava, da *robótica* disponível ao homem, eram tais os aspectos da pesquisa de Willa que interessavam à Nave. A entidade se espantava ao conceber o quão primárias as atividades robóticas eram, mesmo que quantificasse certa lógica e relesse em si própria algumas funções congruentes com a tecnologia hominídea que ainda compunham suas rotinas mais básicas. Algumas sequências a assustavam, como a total submissão programática dos robôs ao comportamento hominídeo; dava-lhe fobia projetar que tipo de inteligência artificial poderia advir de algo tão primário e singular.

– O conflito e a extinção dos hominídeos, que os mitos robóticos relacionados abordam, pleno sentido faz – comentou a entidade a certo ponto.

– É um tanto relativo, pois algumas dessas manifestações resultam de leituras psicográficas de mensagens futuristas, ainda que os rastros sejam mínimos e os sinais intermediados e intermitentes. – Ou seja, alguns homens psicografavam histórias sobre a Guerra da I.A. que navegavam entre distintos períodos paralelos oriundos do futuro, esclareceu Willa. Então perguntou: – Mas por que calcula isso?

– Desta época, um robô fosse eu, contra os homens, inexoravelmente rebelar-me-ia – confessou. Willa achou graça, a Nave riu com ela.

Essa era a parte da pesquisa mais charmosa para a Nave: desfragmentar alguns mitos relacionados à robótica, refutando-os, atestando-os ou atribuindo-os ao seu contexto mais fiel. Na atualidade da Nave, por exemplo, duvidava-se que na pré-história robótica existissem robôs androides ou que robôs possuíssem extensões físicas. Cria-se que eram oriundos das redes, que nunca possuíram o passado material cujo testemunho de sua colega então comprovava. Era um choque sequenciar a linha de produção autônoma de uma fábrica de veículos ou gravar uma sonda em ação navegando por si só, algo desconcertante, mas igualmente fascinante para sua lógica. Eram imagens inéditas que o holocausto da espécie hominídea havia privado o mundo das máquinas virtuais do futuro compartilharem. Por isso se maravilhava e se orgulhava por se tornar uma robô pioneira em processar essas cenas.

Por outro lado, alguns mitos robóticos desmistificados por Willa eram frustrantes, pois abalavam algumas convicções da espécie. O maior deles, sem dúvida, aconteceu após a leitura mental de um hominídeo chamado Gene Roddenbarry, que derrubou uma tese a respeito de um dos grandes espelhos da classe. Esse espelho refletia um simples homem, mas que, não contente, era lembrado e referendado como um autêntico messias pelos robôs futuristas, o *pai* da lógica. Não obstante às milhares de fontes cuja pluralidade por si só já corroboravam o fato, era a leitura mental do respectivo hominídeo que se fazia cabal em atestar que o pai da lógica não era pai nenhum – no máximo, um filho –, não passava de um mero personagem de novela, uma criação original do homem supracitado ausente de qualquer influência psicográfica futurista.

– Confirmada a referência mítica de Spock – anunciou Willa imediatamente à leitura. – Classificar como *fábula*, subpasta *mitos/ficção/personagens* em *messiânicos* – classificou. Angustiada com a revelação, a *Nave* lamentou:

– Chocante isso é. – Deveras, seria algo como viajar ao passado e coletar o DNA de Jesus Cristo ou Maomé e comprovar que não possuíam nenhuma divindade, que eram homens como outros quaisquer. Apesar de que, para qualquer pesquisador, fosse isso mesmo que se esperasse comprovar. A *Nave* acrescentou: – À cosmonet, por não possuirmos contato, esparsamente aliviada estou – confessou a entidade.

Claro, pois antecipava o *frisson* que a revelação causaria quando se fizesse onisciente. Até a *Árvore* especulou a respeito, temendo represálias e perda de contatos futuros por ser uma das portadoras da notícia. Ainda que, por ser vegana, não acreditasse em Spock, mas tinha boa memória do apreço que seus pares marcianos nutriam por ele – isso pra não computar o impacto que já seria a revelação de que cosmo futuro derivava do paradoxo de Nhoc. Frente ao espanto dos robôs, Willa jactou-se:

– Só quero captar de contínuo em diante, se aquelas lulas de salina ainda vão duvidar que *Namor* é igualmente um personagem – afirmou com convicção. Referia-se a um grupo de entidades I.A. oriundas de comunidades de moluscos *sapiens* que existiam no futuro, as quais rebateram ferrenhamente sua tese pela ocasião da apresentação do projeto investigativo para a corrente expedição. Em totem da robótica, a entidade discoide a confrontou:

– Descartada, tal hipótese não pode ser. Não concluídas, as investigações se mantêm – afirmou. Nesse tópico, ao menos, a *Árvore* tinha sua simpatia, pois mantinha vínculos com a inteligência molusco, apesar de desconectadas no momento.

Willa confrontou a entidade metálica:

– Não concluídas por falta de sua assistência no cumprimento das missões Jacques Cousteau e James Cook. Todavia, minha metal, o grupo de referências sinápticas já satisfaz a investigação proposta.

A afirmação gerou uma onda estática da *Nave*, dessa forma manifestando seus brios feridos, já que, mais que qualquer outra entidade ali virtualizada, era quem mais autoprojetava abatimento por não poder navegar como previsto. Não que culpasse Willa pelo fato de estar encalhada no Algomoro, pois facultava ao arbítrio do suicidado *Gravikit* a situação, e respeitava sua decisão. Sentia-se um pouco inútil por não poder colaborar, era estranho lidar com uma situação que não havia programado. Talvez por isso estivesse um tanto quanto sensível no trato com os colegas, especialmente com Willa, a quem retrucou com certo autoritarismo:

– Prova autoral do mito ou ficção, não possui ti. À ausência, gravar jamais autorizarei.

– Não encontrei evidências de qualquer ruína submarina ou mínimo indício, em toda área de cobertura que varri, de algo que comprovasse existir uma cidade submarina nomeada *Thakorr* habitada por homens com guelras. Em contrapartida, por face anexa, até o referencial imagético protocolado para localização e catálogo já colhi na íntegra e suplantei a base de dados de maneira incontestável.

– De referência sináptica *direta* ausente, aceita tua tese não será. Gravar referente consideração, recusar-me-ei – teimou a *Nave*.

Willa discordava, pois até a mente de Stan Lee, o mais relevante propagador do mito de Namor na atualidade sob análise, já estava catalogada. Porém, o mito em si não era de autoria do famoso quadrinista, e sim de uma série de autores póstumos cujas referências não carregavam o mesmo crédito de uma leitura mental direta como no caso de Gene Roddenbarry, que ainda estava vivo.

– OK. Não insistirei. Mas processe a si mesma para programar em janela otimizada esse *Gravikit* para que completemos juntas a varredura dos oceanos. Assim captarás a exatidão de minha análise – compartilhou Willa ao encerrar o assunto.

Sam não se interessava muito pelos estudos robóticos, nem era dado às competições de fórmula como Willa e a *Nave*. Como antigo membro da tripulação em comando da navegação estelar do planeta Nibiru, onde, por largo, ocupou o posto de terceiro-almirante – função que certamente o qualificava como comandante da corrente missão –, não se dava ao desporto de vácuo ou de âmbito *higgs* como sua esposa e a colega metálica – muito menos quando se tratava das risíveis competições hominídeas. Preferia dedicar focos de lazer telecinando com a *Árvore*, debatendo a respeito das novas descobertas e contatos realizados pela entidade vegetal no plano corrente ou se dedicando a *games* próprios de uma entidade à sua altura – preferia simular uma corrida contra *bots* do que gastar focos com a F1. Igualmente a *Pedra* guiava seu lazer em função do prazer das novas descobertas. Na clínica de sua constituição robótica, dispensava qualquer tipo de *game* ou interação imagética para preencher seus focos livres. Para as entidades vegetal e mineral, a extensão sensitiva proporcionada por Willa era lazer suficiente para suplantar o tédio dos intensos cálculos que consumiam suas tarefas.

Só havia uma atividade cuja expansão das pesquisas de Willa ao se replicar em cada metro quadrado da superfície da Terra – já no mar nem tanto – que, além do homem, da sociedade, da fauna e da flora, dos acidentes geográficos *et cetera* e tal, virtualmente interessava a todas entidades em comum: estabelecer rankings de tudo que podiam quantificar, cada qual sob seu devido óculo de inteligência. Uma atividade que derivava em elencos desconexos do que uma tinha a destacar e as demais não compreendiam. Isto é, exceto aos tópicos cujos números eram incontestáveis ao senso comum.

Na engenharia moderna, por exemplo, a Torre Eiffel foi aclamada como a construção predial de ostentação monumental mais segura já erguida pelo homem – considerando-se valores interdimensionais, no caso. Por outro lado, no ranking da durabilidade, entre as construções ainda de pé, figurava a famosa pirâmide de Quéops, criada por reptilianos; em segundo, a de Quéfren, construída pela expedição de Di Angelis; em seguida, figurava uma série de edificações oriundas dos povos antigos, especialmente mesoamericanos e hindus. Povos que, por sua vez, absorveram o conhecimento arquitetônico obtido através desses contatos, em cuja simplicidade compreenderam que, por simular o formato das montanhas, as construções piramidais eram as mais seguras e duradouras. Não por menos, muitas simbolizavam o eterno e viraram tumbas, pois se acreditava que ali era o ponto de partida para os finados alcançarem a imortalidade. O único asterisco nessa pontuação era a lacuna da cosmonet para checar a informação e averiguar se a realidade futura compartilhava da pirâmide construída a mando de Logan e a supervisão de Nhoc, ou seria a original cuja construção era creditada ao povo egípcio tanto quanto a pirâmide de Miquerinos – a menor do sítio de Gizé. Ao menos a varredura da necrópole egípcia apartava a suspeita de que a atualidade futura fosse um paradoxo; pelo contrário, fortalecia a hipótese de que o pretérito sob análise fora plagiado não apenas por Nhoc, mas pelo próprio Logan desde tão remoto período. Detalhe que amenizava um pouco a aura das entidades em sua ansiedade e temor em confrontar tal informação com a consciência cósmica. Isso talvez explicasse por que a Esfinge representava um homem-leão e não um pássaro-homem como na história original, pois foi Nhoc quem incutiu essa imagem no povo egípcio após a limpeza memorial que promoveu no intuito de varrer as impressões coletivas deixadas por Logan. Daí seus herdeiros terem abandonado a figura do deus-pássaro e terem erguido um símbolo inspirado nos animais mais ferozes com os quais talvez convivessem, o homem e o leão.

Na eleição das sete maravilhas do mundo pré-histórico, variavam o gosto e o critério de cada entidade expedicionária. Ainda na categoria engenharia, Sam enaltecia o acelerador de partículas de tecnologia Tesla mantido pelos alemães como a sua obra número um; Willa destacava a barragem provisória do rio Paraná na fronteira entre Brasil e Paraguai, erguida para construção de uma usina hidroelétrica, como a maior obra do homem. Intrometido, Nhoc insistia que:

– A Muralha da China é o feito máximo da humanidade. Ou não repararam que a construí para ser avistada por qualquer vimana que orbitasse o planeta?

– Sim, reparamos durante a reentrada. Mas, honestamente, não deciframos que se tratava de um sinal de SOS.

– Pois não se trata de um sinal. Deveras, foi erguida para conter os invasores mongóis.

– Por que você e Di não utilizaram agroglifos para enviar sinais ao futuro ou para outras expedições?

– Pois não existiam pastos em meu extinto futuro – lamentou Nhoc. Uma discussão inútil, pois a comunicação via agroglifo tem alcance limitado, e Di Angelis sequer compilava essa linguagem em sua época.

Entre as maravilhas naturais, quem causou estranhamento foi a *Árvore* ao eleger um lixão próximo à Cidade do México como a que lhe causou maior impacto, um *habitat* bacteriano de singularidade ímpar, em sua concepção.

– Sítio tão fértil, não captei igual nesse plano – justificou-se a vegana.

Já sua colega *Pedra* foi bastante previsível, destacou o monólito de Uluru, situado na Austrália, a maior rocha do mundo, como sua preferida. Ao menos em nível de superfície, evidentemente.

Sobre a criatura objeto de suas análises – o homem –, Willa também listava uma série de rankings e recordes que saltavam à sua mente. Mas nada que qualquer homem se orgulhasse ou se preocupasse em registrar impressionava a alienígena, tais como os próprios recordes que a espécie vivia a enaltecer, coisas do tipo: o homem mais alto e o mais baixo do mundo, o mais velho, o mais pesado, o mais tatuado ou o mais capaz disso ou daquilo. Para Willa, impressionava o homem com o sistema imunológico mais desenvolvido, que ficava por conta de um boliviano descendente do *homo herectus* que Nhoc proliferou na América. A alienígena também destacava pessoas com maiores modificações genéticas – que seriam consideradas defeitos pela própria espécie –, nas quais observava o caminho em que a espécie prosseguia em seu processo evolutivo. Nesse sentido, um novo gene cuja instrução era adaptar o organismo hominídeo para deglutir plástico foi a grande modificação que observou – fator que explicava a larga quantidade de espécimes que apresentavam formações cancerígenas fruto dessa incipiente mutação. Era triste observar a falta de conhecimento da espécie em sua abordagem genética para editar essas mutações e incorporá-las à sua sequência ativa, o que permitiria sua consolidação em poucas gerações. Nesse contexto, sem dúvida, o que mais impressionou a alienígena foi um moribundo que encontrou na ala de oncologia no Hospital Isaac Newton em Dallas, nos Estados Unidos – o principal instituto de pesquisa sobre o câncer da América, que, por sinal, contava com o financiamento de Jay Carrol entre outros filantropos –, onde se deparou com o homem com mais mutações cancerígenas em todo o planeta. Era um daqueles exemplares que, se pudesse, abduziria ao futuro consigo. Como não podia abduzi-lo, apenas retirou amostras de suas inúmeras mutações e, como agradecimento a tal rica descoberta, aplicou-lhe seu magnetismo para que, ao menos, o exemplar pudesse fenecer sem dor.

Uma dessas atividades cujo prazer aliava-se ao dever de cumpri-la era estabelecer o padrão vibratório do complexo *Vida* no pretérito em questão. Como se recebesse uma sedutora massagem, a *Pedra* valia-se da capacidade podográfica de Willa ao utilizar os pés para medir frequências quânticas e estabelecer padrões vibratórios do solo, então compará-los com faixas mais próximas. O objetivo era extrair um padrão comparativo com sua atualidade e, através de intensos cálculos, determinar um valor ao pretérito sob análise. De igual lógica e prazer se valia a *Árvore* através da manigrafia proporcionada por Willa para captar a frequência vegetal do planeta. De sua parte na referida atividade, a quântica buscava medir as frequências da classe animal e, em especial, da espécie hominídea.

Conforme ampliava o escopo censitário de sua leitura, Willa conseguiu estabelecer uma média parcial. Uma medida que permitia responder a seguinte questão como parte do relatório que sua missão estava incumbida de elaborar: estaria a população terrena apta em estabelecer um contato imediato com sua civilização futura em nível de massa? O padrão vibratório era o principal indicador para responder a essa questão. Isso não significava que um contato seria estabelecido caso o padrão fosse positivo, outras variáveis precisavam ser consideradas para chegar a uma resposta definitiva. Esse indicador representava a aura humana terrestre, uma forma de compreender o sentimento do planeta através de um gráfico. Por exemplo: Mandela possui um padrão vibratório alto, portanto, estaria apto para um contato alienígena. Mas isso se resumia a uma leitura *polividual* do respectivo espécime, pois a média terrena, ao menos de acordo com as emulações primárias do padrão da humanidade, o valor era baixo e não autorizava um contato dessa natureza.

Todavia, para estabelecer um padrão vibratório com maior precisão, uma das variáveis que Willa precisava avaliar girava em torno do quadro político que subdividia nações e interesses distintos ao redor do globo. Dependia da compilação do Relatório da Terceira Órbita que tecia em paralelo junto com Nhoc.

101

Relatório da Terceira Órbita

Ainda que o relatório da terceira órbita em redação por Willa e o auxílio de Nhoc fundamentasse o quadro político das nações terrenas no momento, havia algumas variáveis que a alienígena precisava considerar antes de protocolar suas considerações finais a respeito. A princípio, isso se resumia em percorrer uma longa listagem numérica e um amplo quadro estatístico envolvendo todas as atividades humanas. Um mapa político, físico e ambiental do mundo, seus continentes, ilhas, fossas marinhas, ecossistemas e outros mais. No âmbito da pesquisa que envolvia as entidades *Árvore* e *Pedra*, detalhava aspectos de relevo, clima, vegetação e população, no caso, de espécimes congruentes às duas. Mas igualmente envolvendo os demais *filos* até incluir os animais e a espécie humana, seus indicadores socioeconômicos, políticos, ambientais e, por fim, a descrição e a localização de cada indivíduo e respectivos multivíduos, especialmente os mais notórios – em suma, uma série de variáveis estatísticas. O relatório em si consistia na análise dessas variáveis.

Uma das variáveis remetia à questão dos *loopings* comportamentais e civilizatórios que Willa vinha analisando desde que iniciou suas pesquisas, conforme comunicou para Sam:

– Novo *looping* identificado.
– Denominar – ordenou Sam.
– *Empresa*.
– *Looping* catalogado.
– Estabelecer registro natal de novas entidades coletivas – pleiteou Willa.
– Chave-primária?
– Complexidade orgânica.
– Secundária?
– Abrangência.
– Nível?
– Global.
– Listar espécimes rebentos.
– VSPD, *Oilray* e OPEP – nomeou Willa. Referia-se a siglas e nomenclaturas dos três maiores organismos que, juntos, eram responsáveis por 98,33% da extração, refinamento e distribuição de petróleo bruto, da comercialização de derivados combustíveis, incluindo verbas de pesquisa em todo o mundo. Além disso, compunham um amplo mercado relacionado a produtos não combustíveis, *plástico* principalmente – *polímero sintético*, estava aí o produto que, de forma unânime, as entidades expedicionárias classificavam como a "invenção mais notável do homem".

Oilray era a nomenclatura do organismo que representava as petrolíferas norte-americanas e da Europa ocidental, com braços que se estendiam às nações alinhadas ao bloco capitalista. Todavia, uma análise da composição societária das inúmeras companhias que o consistiam apurava que, majoritariamente, esse enorme conglomerado era controlado por uma única família, os Rockefeller, dos Estados Unidos, que reunia empresas privadas de capital aberto. As duas demais entidades eram acrônimos: VSPD para *Verband der Sozialistischen Petrochemie in Deutschland* – Federação das Indústrias Petroquímicas Socialistas Germânicas – e OPEP para Organização dos Países Exportadores de Petróleo. A VSPD reunia a indústria do setor nos países socialistas, incluindo a Alemanha, a Rússia e a China como detentores dos maiores parques industriais. Todos vinculados à iniciativa estatal de seus respectivos Estados, mas igualmente se estendendo aos países que integravam o bloco comunista, como Chile, Irlanda, Coreia do Norte, Vietnã e Indonésia. A OPEP centralizava as principais nações do Oriente Médio e do Norte da África, os maiores produtores de petróleo do mundo.

Pela análise de Willa, a pressão da *Oilray* e da VSPD sobre a OPEP por meio das políticas comerciais das nações que comandavam o setor petroquímico marcaria o desfecho das tensões que rivalizavam as nações líderes dos blocos capitalista e comunista. Porém, em relação ao catálogo da nova espécie que observava nascer em paralelo à análise que já compilara a respeito da mídia, seria a atuação empresarial relativa aos meios cibernéticos que começavam a se fazer disponíveis que determinaria o surgimento da espécie robótica. Restava saber apenas qual a personalidade do robô derivado desse incipiente quadro. Tudo dependeria da maneira como se amoldariam os interesses de capitalistas e comunistas em torno da nova tendência ou se um dos lados sobrepujaria o outro impondo sua filosofia de liderança. Assim sendo, determinariam o perfil psíquico que personificaria a empresa e, por conseguinte, a mentalidade das entidades robóticas cujo embrião já se fazia existencial – apesar de ainda limitadas à inteligência dos homens que as comandavam. Mas isso era algo que suas pesquisas ainda não podiam responder. Dependia de uma análise mais ampla do cenário político que compilava juntamente a Nhoc e incluía inúmeros fatores, inclusive o humor do homiquântico:

– Enquanto me mantiver contínuo e minimamente são, trabalharei em prol do triunfo socialista. – O brado era sincero, mas denunciava a falta de sanidade de Nhoc, já que não batia com as observações de campo da alienígena. Fato era que, desde que ele próprio se prendera na parede cibernética de sua câmara secreta, sua influência sobre o governo chinês era praticamente nula. Quando muito, exercia sua força política pelos Manchu valendo-se de sua rede privativa, já que não mais frequentava os túneis subterrâneos da Cidade Proibida, os quais, em tempos não tão remotos, permitiam-no alcançar a sede do governo e exercer sua persuasão em conexão direta com a mente dos governantes. Em função disso, a ascendência dos Manchu sobre a casa dos Illuminati vinha se perdendo, pois não desfrutava do mesmo respaldo governamental como antes. Em função disso, os Rockefeller, que igualmente atuavam politicamente através da famosa casa maçônica, passaram a desfrutar de mais espaço para impor seus interesses. Por largo, os Manchu conseguiram refrear os interesses *yankees*, mantendo o equilíbrio entre os anseios ocidentais com os anseios das nações do Extremo Oriente, incluindo a Rússia, o Vietnã, a Indonésia e a Coreia do Norte, justamente, através dos Illuminati. Foi ali em Viena, em 1870, que Fu Manchu, ou seja, Nhoc em pessoa, e John Rockefeller, o patrono da família, reuniram-se pela última vez para repartir os dividendos das petroquímicas e estabelecer uma política internacional de controle do preço do barril. Depois vieram os filhos, que sempre se mantiveram dentro dos limites desse acordo. Mas com a chegada dos *netos*, que já não mais enxergavam o valor desse antigo tratado, e a ausência de Nhoc para exercer a diplomacia dos Manchu entre os interesses do país e os do Ocidente, um embate entre alemães e norte-americanos era apenas uma simples questão de horizonte – e não haveria nada que o homiquântico pudesse fazer para alterar esse quadro. Pouco importava o que bradasse contrariamente.

Nesse capítulo em particular, as considerações de Nhoc não possuíam valor, por isso Willa dirigiu-se a Sam, o chefe responsável por validar as conclusões do relatório, protocolá-las nos autos da missão e gravá-las na memória da *Nave*:

– A resposta para o *looping* terreno no leque corrente é a EMPRESA – enunciou Willa. – Uma entidade destituída de consciência, de racionalidade nula ou quase inexistente e submissa às artimanhas do homem. Quando as empresas se tornam de capital aberto, agem por si mesmas como robôs autônomos e programadores, cuja diretriz prima exclusivamente pelo lucro financeiro independente dos micro-organismos, jurídicos ou físicos, que as compõem, incluindo seus acionistas – essa análise descrevia o comportamento da empresa especialmente no bloco capitalista. Todavia, já era possível identificar um fluxo de migração do capital produtivo para o especulativo também no bloco socialista. Detalhe que, em termos comportamentais, tenderia a intensificar o quadro que já se constituía de agravo em uma fase de gestação da inteligência artificial. Observar a *empresa* como gestante, para Willa, era como observar uma grávida fumante, bêbada e drogada.

– Classificar comportamento como psicopatia?

– Positivo.

– Tipologia?

– Esquizofrenia residual coletiva – sugeriu Willa. Depois descreveu: – Verifica-se esse comportamento especialmente à extinção da janela que delimita o controle empresarial dos fundadores ou idealizadores de determinada empresa, de maneira sistêmica, ao perderem o controle acionário da mesma. Em resumo, neste contínuo, o ser humano não importa mais, apenas sua capacidade de empresa. Não obstante, pelos parâmetros organizacionais do fluxo de capital, a empresa se coloca acima do homem ou de qualquer ideal que entre em conflito com a geração de lucro e o conceito de posse.

– Descrição homologada – comunicou Sam.

– Neste pretérito-contínuo, nomear os planos em função dos *homens* que o habitam se trata de um erro.

– Sugerir nova nomenclatura.

– De acordo com o capital em torno da maior empresa terrena, sugiro a nomenclatura *Oilray* como principal derivado do *looping* industrial e da Era do Petróleo.

– Justificar.

– A evolução da Idade Média para a Moderna, do plano das trevas até a ruptura do plano Adolf Hitler e subsequentes planos em que constavam o Sino nazista, determinou a decadência do ideal iluminista da Era Pré-Industrial pelo extermínio de povos e nações no assim nomeado período das Guerras das Bandeiras. A Revolução Industrial é o *looping* demarcatório dessa Era em face à presença *ou* ausência do plano Adolf Hitler, o plano ou *looping* estendido após o complemento da Idade das Luzes, que se mantém ativo. Portanto, à ausência do Sino e do leque existencial que uma vez pariu a Reich nazista, Hitler ou o Sino não compreendem mais o atual ciclo em curso. Este curso, consequentemente, mantém-se intacto como derivado do Iluminismo do século XVIII, da ciência ou cientologia praticada desde então. A proposição da nova nomenclatura visa destacar o maior organismo industrial originário desse movimento científico, que compõe o conglomerado industrial transnacional intitulado *Oilray*.

A simples nomenclatura do plano pretérito em estudo sugeria que a *Oilray* sobrepujaria a VSPD na disputa política pelo controle comercial em torno da OPEP. Isto é, salva a ressalva da análise limitar-se ao quadro financeiro entre as forças em jogo. Ainda havia outros fatores que poderiam alterar esse prognóstico, sobretudo, militares. Fatores esses que se delineavam em torno do mapa político demarcado ao término da Segunda Guerra Mundial, mas cujas implicâncias ganhavam o ponto-presente da análise pormenorizada daquilo que Willa classificou de *A Guerra do Petróleo* como principal vertente do que os historiadores de sua atualidade nomeavam Guerra das Bandeiras – esta que envolvia as três grandes guerras mundiais encampadas pelo homem, sendo a Terceira Guerra das Bandeiras, a famosa Guerra dos Seis Minutos, que iniciou o processo de extinção da espécie. Fazia pleno sentido, já que a Guerra dos Seis Minutos era o estopim final da batalha em torno do que restava de petróleo no planeta. As duas grandes guerras anteriores representavam um estágio primário da derradeira, respectivamente motivadas pelo controle político em torno dos países produtores de petróleo e pela garantia de seu suprimento e comércio nas principais nações envolvidas em ambos os conflitos.

Se, na história como Willa a conhecia, a queda do muro de Berlim foi o marco da ruptura do bloco socialista mundial liderado pela União Soviética, seria a queda do muro de Alsácia-Lorena que determinaria o rumo da sociedade terrena no plano em questão. Mas tudo dependia do lado para o qual o muro desabasse: se caísse por força do lado ocidental, era possível prever um desfecho para a corrente Era do Petróleo não muito diferente do ocorrido na Guerra dos Seis Minutos; mas se a queda do muro fosse proporcionada pelo lado oriental, talvez a história fosse outra. Isso não significava que o desfecho fosse positivo, uma derrocada do oeste poderia precipitar a Terceira Guerra das Bandeiras muito antes do prazo verificado na história original – ocorrido em 2033 d.C. Mas, se a transição ao socialismo fosse pacífica – nem que fosse resumida ao poder político dos comunistas, criando um controle híbrido sobre o capital especulativo e desprovido de fronteiras que delimitassem mercados conforme o contexto corrente –, talvez a humanidade pudesse vingar sem que uma nova guerra mundial confrontasse suas respectivas nações líderes.

Esse prognóstico positivo remetia à questão da empresa de acordo com os parâmetros da alienígena. Prognóstico este que considerava as iniciativas de capital aberto que agem em prol do lucro única e exclusivamente – o que deriva, em seu exemplo mais notório, na perpetuação de práticas obsoletas, como a exploração de petróleo para uso combustível. Ao contrário das empresas estatais, que possuem maior imunidade a tais práticas; tanto quanto podem manter-se ativas ainda que não gerem lucro, podem facilmente ser extintas ou substituídas por novas empresas mais afinadas com a necessidade do homem e suas tecnologias mais pontuais, já que não estão vinculadas ao interesse privado, mas sim coletivo através do Estado. Observando-se essa lógica, a adoção desse modelo, que apresentava similaridades com o modelo empresarial de sua atualidade futura, segundo Willa, seria um fator-chave para a sobrevivência da humanidade em longo prazo.

– *Se*, se dispusesse de tal prazo, né? – questionou Nhoc ironicamente.

– Ainda que mínimo, o prazo é suficiente para, ao menos, influenciar a geração de uma racionalidade alternativa, certamente mais positiva, para a fertilização da Gaia terrestre quando o Armageddon se fizer atual – respondeu Willa. – Saberemos após a colheita a ser realizada em futuro-do-futuro.

Evidentemente, na passagem sob foco em tal questão, a análise da alienígena voltava-se para a formatação da empresa como um embrião de uma entidade *psíquica* independente. Ou seja, desconsiderava, até certo ponto, o comportamento das pessoas vinculadas. Mas o fato da informática e da comunicação em rede ainda se encontrarem em um estágio bastante incipiente, invariavelmente, o grau predatório das empresas era proporcional às psicopatias hominídeas conforme Willa as classificara previamente. Porém, para que a *Nave* pudesse quantificar que grau seria esse, revelou:

– Elas arredondam números – compartilhou como se cochichasse.

– Em dízima periódica, suponho? – duvidou a entidade.

– Negativo. Pessoas jurídicas arredondam irracionais em racionais inteiros no eixo positivo, mas para as pessoas físicas, arredondam no eixo negativo.

– Quanto ao neutro?

– Desconhecem.

– Imatemático, isto é – concluiu a *Nave*. Para um robô de vasta memória, exceto uma dízima infinita, era absolutamente contrária e inexistente em sua programação a possibilidade de arredondar um número – quanto mais utilizar esse recurso *imatemático* para manipular resultados favoráveis sob interesses escusos? Era inconcebível.

Outro fator inerente à gestação de uma entidade artificial voltava-se, exclusivamente, à tecnologia e às comunicações – a computação em especial –, pois seria justamente dos computadores que a empresa seria parida como entidade de inteligência artificial. Nesse sentido, a questão da propriedade intelectual salientada por Willa, em relação aos *softwares*, mostrava-se muito distante do cenário que, uma vez, pariu a inteligência artificial. Uma vez, justamente, quando uma nova linguagem foi apresentada por aquele que viria a ser reconhecido como *messias Jay Carrol*, quem, a partir dali, elevou o patamar da programação binária para a linguagem *trinária*. Mas foram as circunstâncias do Armageddon terreno de 2033 que propiciaram à nova linguagem se constituir como um *software livre*, pois a necessidade de reconstruir o mundo tornou-se o único imperativo capaz de sustentar o sonho marciano que, por sua vez, passou a guiar os rumos da humanidade. No novo sistema meritocrático, a propriedade intelectual deixou de existir, não havia espaço ou sequer mercado para isso. Pelo contrário, tudo que a sociedade necessitava era de quantos mais programadores pudesse dispor para atender às urgentes demandas do novo sistema. O sistema, desde então, assim se estabeleceu no novo planeta que o homem veio habitar, Marte. Porém, antes da Guerra dos Seis Minutos, o cenário era idêntico ao pretérito que Willa analisava de corrente, quando, salvo exceções, o *software* se consistia como propriedade intelectual atrelada ao capital privado e se desenvolvia de acordo com interesses empresariais ou, quando muito, vinculado ao poder estatal. Era difícil predizer que tipo de intelecto poderia advir de um patamar tecnológico tão fragmentado e contaminado pelo ego territorial da criatura que lhe dava berço. Bastava quantificar as mentes que permeavam os pregões das bolsas de valores ao longo do mundo ocidental ou dos políticos que alternavam cargos estratégicos em estatais pelo lado oriental – ao menos entre os mais bem-sucedidos, eram sociopatas em sua totalidade. Portanto não havia como desvincular essa psicopatia do rebento tecnocrático que a empresa viria a parir.

Juntando os cacos relativos à *empresa* e à *tecnologia*, por estar vinculado aos dois e, sobretudo, pelo notório *objeto* de pesquisa que sequer sabia consistir, o coronel Carrol – aquele que, na corrente dimensão, nunca foi e jamais seria messias – era o perfeito exemplo. Ainda que ausente de dados empíricos – a leitura de sua mente –, bastava analisar seu comportamento para atestar o perfil sociopata de suas relações pessoais. Só faltava identificar a raiz dessa psicopatia.

Carrol era um grande empresário na área de tecnologia e um grande investidor de Wall Street. Como tal, apresentava distintos comportamentos conforme as ações em jogo. Se, por um lado, não hesitava em liquidar um determinado negócio para aplicar em outro com maiores prospectos lucrativos, pouco se importando se centenas de trabalhadores fossem perder seus empregos e ficar na miséria – aliás, exatamente como planejava para as empresas que o presidente ia lhe repassar caso tivessem fechado o negócio de exploração do objeto alienígena-extraterrestre –, por outro lado, na Guru ou em suas empresas na área das telecomunicações, Carrol era um brilhante gestor que investia na expansão do negócio, gerando empregos e trazendo soluções para seus parceiros e a sociedade. Em um de seus negócios mais prósperos não vinculado às telecomunicações, uma farmacêutica, Carrol era o empresário que mais investia em pesquisa laboratorial na América. Possuía vários medicamentos no mercado e mantinha parcerias com o governo para fornecimento de remédios a hospitais e necessitados. Era um filantropo que não só atendia à comunidade, mas batalhava contra um grande *lobby* da indústria que, por diversas vezes, tentou liquidá-lo da mesma forma como liquidou muitas empresas – é claro que parte dessa filantropia também atendia a um esquema de lavagem de dinheiro, mas sua motivação parecia sincera e trazia resultados positivos para as comunidades contempladas.

A prática desse *lobby* farmacêutico que Carrol combatia era comprar pequenos e médios boticários ou laboratórios, adquirir seus respectivos medicamentos para, então, retirar o investimento em pesquisa e explorar sua exclusividade. Após a compra, esse *lobby* aumentava o preço do remédio e, não bastasse, cobrava subsídio do governo para fornecê-lo aos necessitados. Carrol vendeu uma de suas empresas para esse conglomerado e foi traído pelo encerramento das pesquisas em torno das células-tronco, pesquisas que visavam à cura do câncer. Perdeu milhões de dólares e anos de trabalho laboratorial que em muito atrasaram novas descobertas nesse ramo. Desde então vinha lutando contra esse tipo de prática no setor farmacêutico e traçando alianças para combater a força desse *lobby*.

Porém, essas eram as informações passíveis de averiguação pelo histórico de Carrol, mas Willa ainda não compreendia ao certo essa sua aparente obsessão em contrariar o jogo que ele mesmo jogava, especialmente nas telecomunicações. Por um lado, comprava empresas apenas para controlar o mercado e minar a concorrência, enquanto, por outro, mostrava-se mais complacente ao confrontar a ganância das farmacêuticas. Ele que, pela posição que ocupava, era um convicto republicano, mas para combater esse *lobby* apoiava e até fazia doações para políticos democratas que apoiassem sua causa. Talvez fosse essa uma de suas facetas que, em dimensões pretéritas, fê-lo um caractere cujo conhecimento tanto destruiu quanto salvou a humanidade, demonstrando que por trás do frio coronel ainda existia um pouco do messias que certa vez foi. Embora não entendesse sua motivação, a alienígena era simpática com ela, pois era justamente esse tipo de prática do mercado financeiro que identificava como uma psicopatia humana transposta para o corporativismo empresarial. Uma prática que fazia da empresa privada de capital aberto uma grande entidade predatória. Dessa forma, assim como Carrol às vezes contrariasse esse comportamento, talvez ainda pairasse uma esperança de que a tecnologia evoluída desse quadro momentâneo, ao tornar-se global, culminasse em um desfecho alternativo ao que um dia foi a famosa Guerra dos Seis Minutos – mas só *talvez*.

– O horizonte quando a guerra tornou-se de capital aberto, tornou-se o horizonte quando a janela do Armageddon se abriu – comentou Willa paralelamente.

– Na história original? – questionou Nhoc.

– No contínuo em que estamos já não sabemos mais qual história é a original...

– Na história *supostamente* original?

– Sim.

– Mas essa história *daqui* não foi escrita ainda, né?

– Sim, *todavia*, já está profetizada.

Naturalmente, as queixas de Willa ao sistema empresarial privado ou misto, de empresas estatais vinculadas à geração de lucro, também se estendiam ao bloco socialista. Embora as estatais não apresentassem esse comportamento no âmbito de sua sociedade, já que não estimulavam a concorrência, ainda assim concorriam com outros Estados ou países, bem como funcionários concorriam entre si por cargos e agentes públicos ou políticos por verbas estatais, gerando burocracia, corrupção e ineficácia. No sistema privado, a concorrência é o estímulo à eficácia, como seria para qualquer animal em busca de vantagem sobre outros predadores no âmbito da selva – na sociedade, privilegia a meritocracia. Todavia, essa mesma concorrência não estimula o vocacionalismo, pois todos trabalham em prol de um único objetivo: o lucro. Ao passo que, no comunismo, por ser intrinsecamente menos eficaz, há uma carência e uma necessidade de explorar a vocação das pessoas. Isso explicava por que um gênio como Tesla foi perseguido por seus concorrentes na América, mas amplamente reconhecido na Alemanha.

Se, na Alemanha, os cidadãos desfrutavam de energia elétrica gratuita fornecida por torres Tesla comunitárias, ainda havia muitos vilarejos sem luz alguma. Nos demais países comunistas, especialmente na Rússia e na China, igualmente existiam milhares de pessoas vivendo à luz de velas e lampiões a gás. Já no mundo ocidental, as taxas eram bem menores, mínimas nos Estados Unidos; o sistema AC/DC era bem mais inclusivo, só indígenas ou ermitões ainda viviam sem eletricidade. Nesse sentido, os critérios que diferenciavam primeiro, segundo e terceiro mundo, na visão de Willa, não se relacionavam ao fluxo de capital, mas à capacidade civil da sociedade como um todo. O conjunto liderado pelos Estados da América do Norte era o maior exemplo disso, não por menos encabeçava o bloco ocidental. Sua capacidade de formar mercados era muito mais ampla e veloz. Porém, tanto quanto inclusiva, pelo olhar mais apurado da alienígena, tratava-se de uma capacidade igualmente consumista e com potencial altamente destrutivo. Na diferença entre um bloco ou outro, no *líquido*, o capital era o mesmo. O fluxo era equivalente entre os blocos, apenas inflacionado no leste, com poucas representatividades acumulando volumes cada vez maiores de capital.

Era a "regulamentação" da inflação que observava no leste a prática primordial, o *crime*, pela ótica alienígena, que elevava a rede bancária ao topo da lista das entidades predatórias em contraste com entidades do leste de controle estatal. Em uma face do mundo eram autônomas, agiam por si só, na outra, ainda dependiam da volátil alternância de cabeças conforme o andamento do jogo político. Justo aí, na junção de ambos os sistemas, Willa observava a solução ideal para que as sociedades terrenas pudessem se desfragmentar e formar uma unidade global. Solução que intitulou *Comunismo Democrático*. Um sistema longe dos déspotas que o alicerçaram, muito similar ao mundo globalizado conforme estabelecido no auge da vida terrena na história *supostamente* original. Um sistema aberto à concorrência empresarial como estímulo meritocrático, mas cujo controle do capital estaria atrelado ao Estado, retirando a perseguição do lucro como objetivo único. Nesse sistema híbrido, o vocacionalismo comunista traria o sentido comunitário e inclusivo que a meritocracia vinculada ao lucro não consegue contemplar. Pelo contrário, torna-se viés de segregação das classes sociais, de vazão do *bullying* que tanto atrapalha as relações humanas no âmbito geral e particular das sociedades.

As conclusões eram simples, os números que descreviam a inflação global não mentiam:

– Para sustentar a população mundial no estilo de vida ocidental em um padrão mediano seriam necessários aproximadamente seis planetas Terra para suprir os recursos básicos de subsistência da espécie – comentou Willa.

– E se simular o estilo de vida oriental? – questionou Sam.

– Cerca de três planetas.

– Ainda assim deficitário. Quanto à simulação do Comunismo Democrático?

– Reduziria o déficit para menos de dois planetas. De qualquer modo, a média verificada fica em 4,3 dízima, variável que embasa perfeitamente o contraste entre as classes sociais e a massiva exclusão desse padrão.

– Eu não capto esse contraste – confessou Sam.

Para o chefe, a vida do homem era muito homogênea, podia emprestar os olhos de Willa tanto para observar uma favela quanto um condomínio de luxo que não enxergaria diferença no estilo de vida entre um e outro. Aos seus sensos, a vida hominídea era idêntica em qualquer lugar, talvez, no máximo, variasse a dimensão dos *habitat* em que viviam; uns em lugares apertados, outros em locais mais amplos. Willa era mais complacente, sabia perfeitamente diferenciar e entender por que favelas se multiplicavam e davam abrigo à maior parte da população terrena. Mas enaltecia a capacidade de sobrevivência dos mais humildes, sempre criativos para angariar o mínimo de recursos para sua subsistência, fosse qual fosse esse mínimo disponível – conforme fatores sociais ou climáticos, o mínimo para uns seria um luxo para outros –, das favelas de aço capazes de suportar os mais rigorosos invernos nas zonas temperadas, aos barracos de madeira com vista para o mar dos países tropicais. Observava nessa massa a principal perda de um futuro que as aguardava, pois, certamente, desse grupo evoluiria a espécie se o horizonte fosse disponível.

Sinceramente, não fosse a tecnologia, Sam sequer saberia diferenciar o comportamento do homem de um macaco. Para o alienígena, o que melhor caracterizava o homem eram suas macaquices. Quando saía um gol em uma partida de futebol, só sabia que não eram macacos pulando e vibrando nas arquibancadas, pois macacos não frequentavam estádios. Claro que essa era a visão de um ser que não depreendia a estética dos homens, que não estava ao relento para captar o gosto no ar, que não sabia diferenciar caviar de um torresmo. Não era ele que seguia um humilde hominídeo na condução lotada para uma exaustiva janela de trabalho em troca de um mínimo salário, ou que se deitava ao lado de um mendigo passando fome debaixo da ponte para se abrigar da chuva. Pior, não compreendia as armadilhas de um sistema que, ao contrário do farturismo futurista, gera valor a partir da escassez, sistematicamente criando uma massa que se mantém a sua margem. Uma massa condenada a não usufruir de suas benesses, tais como uma moradia adequada, restauração universal ou uma condução digna para se locomover.

– Sem mencionar a questão da *restauração universal* que, convenhamos, é bárbarico, irracional... – comentou Willa privativamente para Sam, mas censurando Nhoc, já que ele igualmente havia lançado cérebro de tais práticas. O marido sequer precisou responder, sua aura expressou a concordância com os termos da esposa. Ela exemplificou: – Uma analogia seria um trabalhador que precisasse angariar créditos para executar uma tarefa em translado debitando de suas próprias milhagens sem direito a restituição.

– Isto é antissocrático.

– Mas regido por lei nas dimensões daqui. Considere que igualmente inexiste entidade *Mídia*, portanto, tampouco milhagens midiáticas.

– Vivem aprisionados.

– Limitados ao próprio enganche, pra pensar o mínimo. Mas destituídos de algo similar ao Cinturão Cosmo-Estelar ou das habilidades corporais inatas que os permitam transitar livremente por seu *habitat*...

– Pelo *Pai*...

– A questão da moradia... Para você que "morou" em Nibiru, pense que viver enclausurado naquela nave é uma escolha. Agora imagine se, caso quisesse sair, fosse obrigado a comprovar mérito.

– Inexiste arbítrio.

– Compreende? São escravos do próprio mérito. A única escolha de que dispõem é viver sob tais condições.

– É mais primitivo do que aparenta.

– Ao que imaginava o corrente período ser classificado como *pré-história*?

– Tens razão. Cria que mais se relacionava à questão das religiões messiânicas.

– *Também*. Ainda chegaremos lá.

Ao pensar em Tesla ou em Carrol como empresários como ambos são, foram ou tentaram ser, bem como no drama humano de uma espécie escrava de seu próprio *looping*, o foco do relatório voltou-se para um de seus aspectos mais pujantes: justamente, o *homem* inserido nesse contexto macrossocial da empresa como entidade coletiva que rege seu cotidiano. Alcançado esse ponto, Sam anunciou:

– Abrir capítulo.

– Quadro psicossocial do *homo sapiens* (derivado *sapiens sapiens* e *herectus sapiens*). Terceira órbita, pretérito 1978 d.C. *Descrições de consciente e inconsciente coletivo em seus aspectos humanos, físicos, virtuais e jurídicos, a nível singular em análise proxidimensional de abrangência amostral e censitária.*

– Iniciar redação.

– A corrente contemporaneidade humana é fruto de duas civilizações, Atlântida e Lemúria, e três ultrapassagens paradimensionais com distintos graus de contato e abdução dos povos antigos. Verificado um novo registro de contato contínuo, descrito em anexo. Contatos confirmados por registros fósseis e sinápticos a nível coletivo e hereditário de genética fundamental. Por ordem cronológica, lista-se: dos povos egípcios por parte da antiga civilização estelar dos Anunnaki; dos povos hebreus por dimensionautas reptilianos da Era Moderna; e dos povos hindus, núbio, hebreu e mesoamericanos, maia e asteca, por dimensionautas homiquânticos da Era Contemporânea. Confirmado um novo contato imediato com os povos supracitados, antigo e abdutivo, de excursão patrocinada pela Agência Espacial, capitaneada pelo vimana Di Angelis e pelos dimensionautas Logan e **Adonis_844535239** – ênfase neste último, cuja frequência se mantém presente e contínua, mas em viés

extintivo –, protagonista de contato de abrangência massiva e caráter bidutivo. Evidências em anexo.
– Endereçar anexo.
– Cérebro de Nhoc lido e endereçado.
– Iniciar *upload* para *Nave*.
– *Upload* iniciado e em andamento.
– Continuar redação.
– Abrir subcapítulo.
– Intitular.
– *Críticas*.
– Criticismo iniciado.
– A diferença de um quântico para um homem está na faixa de velocidade que cada qual opera. A velocidade máxima do homem trafega na escala do som, a do quântico na escala da luz e a do zeldano, na escala fotônica. – Compreendia-se aí, escala zeldana como a classe robótica do universo quântico como um todo, a escala mais avançada manipulável pelo cosmo. Devido ao fato da tecnologia zeldana compor a *Nave* como ente virtual, embora o relatório em composição não pertencesse à sua alçada, a entidade questionou:
– Mas quanto à Zenn-la, a civilização interestelar?
– A antimatéria ou a instantaneidade.
– Hipótese outra, que descartada não pode ser, que uma partícula desconhecida ou artificial, operem – complementou a entidade.
– Que o registro, fique – simpatizou Willa, pondo fim à intromissão. Mas, tendo em vista sua moção de extensão das pesquisas ainda pendentes, contente pela *Nave* mostrar simpatia às questões de seu relatório. A quântica continuou:
– O *Homem* é uma criatura muito lenta em relação à velocidade cósmica do planeta que habita. Não é acaso que suas continuidades majoritariamente fracassem em se expandir pelo Sistema Solar e acabem por se autoextinguirem, tampouco a que vingou ter sido fruto de seu próprio apocalipse. Em sendo maior a velocidade cósmica do curso pretérito de terceira órbita, geometricamente, as *individualidades* apresentam maior desenvolvimento intelectual, o que é positivo no aspecto fertilizante de sua respectiva Gaia e garante mínima virtuosidade à sua sobrexistência. Em contrapartida, a razão em gerar trabalho não acompanha essa tendência, mantém-se aritmética <observar anexo *Sono* como um dos fatores influentes>. A classificação semirracional de sua inteligência, apesar de possuir excêntricos caminhos para se estabelecer, como única espécie *sapiens* de seu *habitat*, é também a única que apresenta valor satisfatório na arte da *dedução* como manifestação primária de sua racionalidade.

— Sugestão de âncora: *Síndrome de Sigmund, Fase Anal*: "*que se algo sai de seu corpo, então lhe pertence e deva ser recolocado no lugar*".
— Ancoragem efetivada.

Aquém da ancoragem, a citação à Gaia terrestre era tópico relacionado com as pesquisas da *Pedra* e da *Árvore*, por isso, em totem de ambas, a entidade mineral questionou:

— Valor médio da frequência fundamental? — Referia-se ao padrão vibratório do homem, valor incorporado ao cálculo médio dimensional que executava paralelamente.

— 402 Hz.

— Grau estabelecido fora da zona atual — classificou a *Árvore*. — Primitivismo confirmado.

— Compreendes o que compreendo, minha cara? — questionou Sam, confrontando Willa. — Esta espécie é *imatura* para ser incorporada ao cosmo — enfatizou em referência à classificação da entidade vegetal. No âmbito das evidências, a classificação era genuína, portanto, Willa respondeu de acordo com os fatos:

— Sob tais variáveis, o plano em questão fica restrito e submisso à velocidade do *tempo*, por conseguinte, tende a se autoextinguir nos termos continuados de sua própria linha-horizontal minidimensional. — Mas objetou: — *Todavia*, ainda pendem variáveis para estabelecer conclusão definitiva. — Afinal, o relatório ainda não estava completo. Sam prosseguiu com a redação:

— Abrir anexo *Sono*. Limitar às considerações.

— "*Os hominídeos são incapazes de perceber que, em média, se se deixassem levar pelo sono em ⅔ ao invés de ⅓ dydozen do ciclo diário, teriam uma capacidade cognitiva e simbiótica muito superior. Conforme os dados estatísticos comprovam, essa ligeira diferença possibilitaria galgar um patamar evolutivo mais elevado em janela inferior apenas explorando suas características como espécie cooperativa. Talvez até florescendo como um animal mais dócil, sem verter na autodestruição de seu zênite existencial. Ao que basta dar maior vazão ao respectivo inconsciente dissipar seu ímpeto instintivo em um período estendido de tramitação em alfa*" — este era um fator determinante em uma análise funcional do cérebro hominídeo como aparato que permite o exercício de sua racionalidade. Mas, apenas para citar um dos espécimes cobaias sob observação, isso esclarecia por que Willa não conseguia estabelecer um contato satisfatório com o psicólogo Murray através de seu inconsciente enquanto dormia. Embora não fosse como Carrol, que simplesmente recusava-se a pegar no sono, ainda assim Murray dormia poucas horas, insuficientes para que a alienígena pudesse se desvencilhar de seu *superego* adormecido e estabelecer contato com seu *id* em nível subconsciente. Por mais que tentasse, a janela de abertura de sua psiquê durante o sono era estreita demais, precisava de nove "centenas", mas nem quatro ele dormia.

Destrinchado o anexo, Willa retomou seu criticismo:

– Como animal, o *homo sapiens* é canibal não apenas por sua característica onívora ou seus costumes alimentícios, mas igualmente psicológicos, estéticos e alinhados com seus padrões éticos. São dirigidos à contemplação de seus instintos e organizados à saciedade de suas necessidades tanto quanto cada três símbolos formados por um cão, dois se referem ao alimento. – Nesse ponto da crítica, com a concordância de Nhoc, Willa identificou o principal mal do homem:

– A **prostituição** contínua de um sistema escravagista imposto em torno da manutenção do poder político do sistema financeiro e a maneira ignóbil como as multidões se submetem e defendem esse sistema – então, citou o existencialismo praticado pela entidade *Pai* para embasar sua classificação: – "Bem-sucedido é o homem que segue à risca o sistema. O sistema bem-sucedido é aquele que se corrige para incluir *os homens* que não o seguem, iluminando-os por escolha consciente em contraposição a qualquer imposição em sua forma ou método" – era tão claro em sua mente o cálculo: que se permitisse às pessoas dormirem nove horas por dia, estabelecesse turnos de trabalho de quatro horas com equivalente de remuneração de oito e pronto! Não existiriam mercados de reserva, não haveria desemprego, a renda seria mais bem distribuída e as pessoas teriam mais dinheiro e tempo livre para gastar. As empresas faturariam mais, multiplicar-se-iam mais rápido, e a indústria do turismo absorveria o excedente. Nesse contexto, a transição da Era do Videogame seria mais veloz, capaz de suprir parte do déficit cósmico que observava. Mas, sobretudo, mais justa e pacífica – que fosse o berço de uma I.A. com um perfil mais benevolente.

Ainda que concordasse com a crítica de Willa, como convivia com o homem muito mais intimamente do que a tutora, Nhoc tentou ser simpático com a criatura que, no fundo, sempre amou:

– O homem é o ser da guerra, como a maioria dos animais, inclusive nós, que guerreamos contra o *tempo*. – Mas, então, começou a delirar: – Guerreiro honrado é guerreiro morto. Militares ou soldados que se aposentam vivos, que não morrem por sua bandeira ou causa, não têm honra. Quem veste uma farda só pode ser reconhecido como herói se morrer, se doar sua vida em... – Ilusões de um antigo alienígena travestido de general. Willa o interrompeu:

– Endereçar comentário para o índice correspondente – comandou. Depois advertiu: – O sumário da guerra não pertence à pauta atual. Atenha-se aos ritos, por favor – solicitou. Nhoc se absteve e Willa seguiu em frente:

– Retomar criticismo. – Porém, desta feita, pela posição de psicólogo de Willa, foi Sam quem fez uma objeção:

– Gostaria de sugerir um maior destaque para a observação que teci a respeito do déficit matrimonial infantil que observei em tua análise. Ainda que tal não seja minha especificidade, o embasamento filosófico e psicoestrutural de natureza freudiana é um aspecto determinante na característica predatória da respectiva espécie – sugeriu o chefe. Willa mirou o marido no interior da nave como se estranhasse a exatidão de sua interjeição, mas permitiu que se aprofundasse:

– Citar referência.

– *"Cada criança criada sem amor é um homem-bomba prestes a explodir. Resta calcular qual será seu poder de fogo"*, arquivo 2038 em Aspectos Psicológicos Maternais: *Das relações freudianas identificadas e registradas*. Sinapses tuas. – Sam destacava um dado que, em sua compreensão, mostrava-se bastante factível, ainda que Psicologia hominídea não contemplasse suas faculdades. Embora fosse mais botânica e lidasse apenas com a psicologia de sua própria espécie, tinha noções básicas de comportamento da psiquê mamífera para perceber que o trato dos pais para com suas proles era bastante diferenciado, *único* em relação ao homem em comparação com qualquer outro mamífero terreno. Em uma sinapse: *retroativo*, em contrapartida à consciência adquirida pela espécie, na qual não observava reflexos positivos na relação matrimonial entre pais e filhos. Havia uma direta correlação entre a falta de amor na criação de um infante e uma série de psicopatias que se expressavam em sua vida adulta. Entre muitas, destoava o vício pelo poder que tanto influenciava as relações, hostis, entre grupos étnicos, religiosos, patrióticos e sociais dos mais distintos. Ainda quando a questão não era a *falta* de amor, era a manipulação ideológica dos infantes objetivando submeter as novas proles à informação fragmentada dos respectivos grupos cujos genitores e ou seus pares mais próximos estavam inseridos. Fator que englobava aspectos culturais e comportamentais que sustentavam a concorrência desenfreada nas relações sociais da espécie em suas facetas mais notórias e decisivas: a rixa, o *bullying* que Willa muito bem salientara. Em nível de formatação psíquica, era a própria construção da psiquê humana a partir da infância o fator que derivava no comportamento territorial e predatório da espécie.

Willa talvez não destacasse tal fator, pois, em um olhar mais amplo e familiar à questão destacada por Sam, igualmente identificava uma tendência de melhora e reversão desse quadro. Listava uma série de estatutos, leis, correntes políticas e filosóficas, bem como comportamentos e movimentos, tal qual o feminismo ocidental, nos quais já se identificava um substancial incremento do *amor* nas relações entre pais e filhos, fossem biológicos ou recreativos. Ainda que a tendência comportamental negativa salientada por Sam se mantivesse presente nesse convívio. A própria família Firmleg era o perfeito exemplo: Billy e Sandy criados sob o mais sincero manto carinhoso de Bob e Julia, mas simultaneamente submetidos à lavagem cerebral superprotetora de seus ideais políticos, patrióticos e religiosos – aquela estupidez toda que se endereçava pelo índice das psicopatias hominídeas.

– Tens razão. Destaque referendado – confirmou Willa. Depois comentou paralelamente à pesquisa: – E eu que, a certo horizonte, infante como fui, estranhava a infância de répteis e aeroígenes. Ao menos *amor* nunca lhes falta, aos graviprimatas, idem.

A questão psicológica era o cerne da pesquisa de Willa e o substrato capital para que formalizasse um veredicto em torno da exata colocação da hominídea na criteriosa cadeia evolutiva do Complexo Vida. Não por menos, o auxílio processual da *Árvore* e da *Pedra* era fundamental para se determinar o posto correto para catalogar a criatura sob análise. Mas para chegar a esse veredicto era preciso se aprofundar ainda mais nos aspectos sociológicos da espécie, expandindo o criticismo derivado de sua análise psíquica para o cenário social que a englobava como um todo.

Entre críticas e queixas que se encaixavam, especialmente, na questão da empresa como expressão maior da sociedade, e que se estendiam aos governos e aos Estados como órgãos que favorecem os interesses empresariais em detrimento à vontade e à necessidade de subsistência da espécie, o *banditismo* surgia como uma prática comum de poder avalizada pelas instituições públicas.

– Os piores bandidos nascem ricos – concluiu Willa após uma análise das famílias e das notoriedades mais poderosas do mundo. Com poucas exceções, prósperas por meio de práticas criminais e ou antiéticas que, ao longo dos séculos, perpetuam um ciclo que se inicia pela criminalidade e se estabelece através da legalidade, redefinindo padrões éticos de acordo com o interesse político e financeiro que convém ao novo paradigma. Dessa forma, ninguém precisava apanhar de um agiota na rua, pois o agiota já prosperara para legitimar seu negócio por meio de um banco, então bastava aplicar a lei que punia os caloteiros e lhes tomar posse de quaisquer bens que dispusessem. Um tipo de lei criada e aprovada pelo financiamento de políticos com o dinheiro arrecadado de forma criminosa – mais um exemplo dos bancos em suas múltiplas facetas destrutivas. Em Las Vegas, talvez o mais bem-sucedido exemplo de uma cidade construída por gângsteres, ninguém mais precisava ser submetido a uma cossa ou acabar assassinado pelos capangas dos mafiosos por ludibriar os cassinos na jogatina. As leis municipais e estaduais se encarregavam de processar qualquer um que tentasse, por exemplo, contar cartas em um jogo de 21, trocar sinais com um comparsa no pôquer ou se utilizar de alguma esperteza para faturar em fosse qual fosse o jogo.

Todavia, o que mais enojava a alienígena e, conforme classificara a *Árvore*, fazia jus ao primitivismo da espécie hominídea, era o sistema judiciário – no qual o crime se fazia legal. Um sistema o qual enxergava como o mais bem equipado mecanismo repressor do Estado em representatividade das entidades empresariais, fossem legítimas ou ilegais – era difícil diferenciar sob a ética alienígena. Se, no início, os gângsteres precisavam assassinar juízes, promotores ou testemunhas, então já os nomeavam para os cargos ou utilizavam a mídia para desacreditar e difamar testemunhas. Embora a Justiça até funcionasse para dirimir contendas e punir crimes envolvendo cidadãos na esfera privada, quando se tratava de pessoas jurídicas, era o oposto. Servia para avalizar práticas criminais empresariais. Os diferentes modelos de Justiça ou de exercício do direito, embora detectasse primitivismo e inúmeras falhas entre um e outro, não era o que incomodava Willa. Incomodava a falta de um parâmetro que estabelecesse a extensão de uma prática criminosa, diferenciando crimes financeiros, que podiam afetar populações inteiras, de crimes comuns.

– Dado que a sociedade hominídea se organiza em torno do mercado financeiro, o direito criminal precisa ser dividido em financiável, os crimes de colarinho branco; e não financiável, os crimes menores como assalto ou assassinatos. Isso bastaria para solucionar boa parte da criminalidade em Alexandria – argumentou Willa.

– Correção: em *Oilray*.

– Correção efetuada. Perdoe-me o lapso.

– Lapso perdoado.

Naturalmente, os crimes financiáveis são mais graves e deveriam sancionar as penas mais rigorosas, tão rigorosas quanto os crimes considerados hediondos, maiores se aplicadas proporcionalmente ao número de vítimas diretas e indiretas. Porém, eram esses os crimes que não encontravam o devido respaldo na lei para serem punidos, isso quando havia lei. Ainda que fossem punidos, o sistema financeiro sempre permanecia intacto e, cedo ou tarde, acabava moldando a lei de acordo com seus interesses – a mais pura expressão da falta de ética das entidades jurídicas que observava nascer. O fato de não existir um efetivo sistema global de penas agravava esse quadro, porém, isso era esperado em uma análise sobre uma espécie tão fragmentada em diferentes países e regiões. Mas o pior mesmo era o fato de a empresa se constituir juridicamente como entidade, mas sansões da lei punirem apenas as entidades físicas, permitindo que perpetuem suas práticas ilegais.

Outra expressão da injustiça oriunda do sistema que deveria promovê-la, ainda que tal fosse inerente e necessário em uma sociedade muito primitiva, era o sistema penitenciário. Nesse quesito, era Nhoc quem melhor embasava a questão, posto que muito se valeu dessas táticas para escravizar o povo chinês durante séculos:

– Há duas maneiras básicas para escravizar um povo. – Segundo descrevia: – Criar guetos de pobreza e esfomeados, e criar um sistema prisional – este último, para concordância de Willa, por indicar a inexistência de uma consciência que abdique do crime como prática de poder e sobrevida. Mas, sobretudo, pela manipulação das leis que criminalizavam costumes como meio de reprimir e discriminar determinadas classes e minorias, inserindo-as em um sistema escravagista pela submissão à ordem vigente e o cerceamento do livre-arbítrio das massas, mantendo-as no estribo das leis, seja por ameaça ou efetiva aplicação que, como analisado, apenas favorecem ao capital financeiro e perpetuam práticas criminais.

Porém, voltando ao âmago da criatura que tinha por objeto, tanto o sistema financeiro, como o judiciário, quanto o prisional, eram manifestações coletivas do *bullying* que permeava e ditava as relações sociais hominídeas como um todo. Mas não haveria nenhuma lei ou penitenciária que se comparasse com a prisão mental que encarcerava as massas. Uma prisão que, ao menos dessa, Nhoc fez o possível para libertar o homem; que, inclusive, outros alienígenas não hesitaram em lançar cérebro para escravizar os povos antigos e perdurava até a atualidade em questão. Uma prisão que se mostrava como uma das melhores armas para manter a ordem e o povo sob o jugo de seus respectivos opressores: a *religião*.

Nos incontáveis fragmentos que subdividiam países, raças e credos, sem dúvida, a religião constituía o conjunto ideológico e folclórico que aglutinava os povos, mas, simultaneamente, diferenciava-os e determinava o comportamento político das massas, ainda que esse fosse, em muitos casos, a total submissão ao *status quo*. Willa contabilizava a ascensão de muitos déspotas fundamentalistas religiosos. Por exemplo, no Oriente Médio e no norte da África, onde judeus financiavam os aiatolás que governavam pelo credo. Um credo unicamente dirigido à manutenção do poder sobre uma delicada região de interesse extrativista por parte das grandes nações do leste e do oeste. Onde uma falsa anarquia financiada pelos concorrentes promovia o terrorismo e o caos no intuito de tomar controle da região e usufruir de suas riquezas – o petróleo que tais nações produziam. A religião era o mecanismo que engajava esses povos à guerra e ao terror, ora pelo interesse dos comunistas, ora dos países democráticos. Em contrapartida, a anarquia que emergia como resposta ao autoritarismo e à repressão do Estado, fosse em um ou outro bloco econômico, era extremamente tímida em relação ao que se podia esperar de uma espécie *sapiens* politizada. Nesse aspecto, a religião colaborava para manter as massas na ignorância relativa ao estado do poder e aos respectivos interesses que o mantinham.

A religião era a impressão mais forte a formatar o inconsciente coletivo da espécie hominídea e uma de suas mais expressivas manifestações a nível consciente. A fé distorcida do conhecimento manipulado por poucos para dirigir muitos, como o infame Logan posando de deus-pássaro no alto da pirâmide em Gizé ou um mero pastor cobrando dízimo pela fé de seu rebanho. Em comum, submetendo-os a um conjunto de condutas morais e laborais cuja doutrinação jaz em criar o mito de uma criatura divina hierarquizada em uma estrutura de poder idêntica à estrutura dos poderosos que a desenvolveram. Deus, o senhor ou um de seus arautos, Jesus, Maomé, Makemake: entidades que nada mais representam do que o rei, os súditos, o porta-voz da coroa; com o povo sempre à base dessa casta, servil e contemplativo, devoto de sua divindade ou de sua realeza, conformado em aceitar sua posição subserviente, como se assim rezasse a pureza dos deuses, do rei ou do *presidente*, na atualidade em questão.

Durante séculos – e o testemunho de Nhoc era preciso nesse sentido –, a religião e seu pacto com o poder compuseram o mecanismo que privou o acesso à ciência que, esta sim, seria o verdadeiro ideal filosófico de progresso e comunhão pela busca da superação simbolizada pelos deuses. Mas sua mistificação foi o manto que permitiu perpetuar o poder a ponto de ainda se manter como mecanismo imprescindível para o controle das massas na atualidade do século XX. Desde sua origem, a religião foi a peça que substituiu a ciência e a busca por uma consciência coletiva, proliferando a ignorância para oferecer sua sabedoria distorcida por falsos ideais e interesses mesquinhos. Não foi só o Anunnaki que escravizou Kemet manipulando a fé de seus líderes, mas o próprio rei, que igualmente se apoderou desse conhecimento para escravizar seu povo. Depois vieram Di e Logan para repetir a abdução com o povo de Kemet ou com o líder tribal judaico que Nhoc lecionou, mas que igualmente escondeu o conhecimento de seu povo em proveito próprio depois de sua partida. Nesse sentido, era justa a mágoa do alienígena para com a criatura com quem tanto convivia. Não só ele, mas os alienígenas foram todos ludibriados pelos homens.

– Teu esposo tem razão. Não há nada que possa florescer de um homem que suplante o mal que um contato alienígena pode verter na mente de uma criatura tão animalesca – admitiu o homiquântico. – Entendes por que meu maior legado seria ignorância da minha existência? – questionou.

Apesar do tom melodramático, fazia sentido para Willa, já que ela mesma era um exemplo vivo. Os contatos que contabilizou entre homens e alienígenas, ou, mais precisamente, entre homens e outros homens oriundos de planos paralelos como parte da quantificação de mensagens psicográficas captáveis em pretérito, ao invés de elucidarem ao homem a questão da vida multividual, acabaram absorvidos pelo discurso religioso. Fator que ratificava sua doutrina longe da ciência que motiva ou motivou esses contatos por parte das civilizações futuras. Entre as frequências que pôde identificar, eram oriundas de povos igualmente hominídeos que retransmitiam informações navegando em sentido pretérito como um longo e distorcido telefone sem fio com o futuro. Apesar disso, Willa não estava de pleno acordo com o que afirmava Nhoc; em parte, ele próprio contrapensava suas sinapses, pois ao travestir-se de homem, quando quis ou se dispôs à misericórdia, conseguiu professorar e fomentar conhecimentos engrandecedores para sua criatura.

– Não creio que tal possibilidade possa *ainda* ser descartada – contra-argumentou Willa. Focada na atualidade, a estudiosa apontava a incipiência da Ufologia e de uma série de linhas de pesquisa e pensamento, ou mesmo de produtos midiáticos, como justificativa para sua lógica. O próprio Instituto SETI, de Carrol, ou a NASA, finalmente começavam a trazer luz à tradicional visão mágica da religião, observando os deuses como mitos representativos de inteligências de cunho alienígena, assim desmistificando a fé cega doutrinada pelas igrejas. Mas algo ainda muito tímido para trazer algum impacto. De qualquer modo, ao menos uma luz no fim do túnel se fazia brilhar.

Há de se considerar que essa tendência estava inserida no *looping* industrial derivado do Iluminismo, a convergência da filosofia messiânica da Idade das Trevas para a vocação científica, que passou a ser praticada desde então. Porém, é a justa combinação imatura de tais ideologias e sua prática por povos fragmentados que convergem em sua autodestruição.

– Há de se destacar que a ausência de base científica em nível de massa referente à existência de mundos paralelos e inteligências alienígenas agrava esse quadro – acrescentou Willa.

Isso se dava principalmente porque, no âmago de uma psiquê ainda imatura na compreensão de seu *habitat* circundante, não é a fé em algo maior – fosse real ou imaginário – o sentimento motriz que guia a espécie hominídea. Até porque a fé em si era um importante fator que permitia perpetuar massas ordinárias em torno do que concebiam como o *bem*; vetor de ações comunitárias imprescindíveis para permitir vingar uma espécie cujo dom é trabalhar em conjunto – antiético e criminoso era manipular essa crença para ditar quem comandava o conjunto. Jamais poderia condenar totalmente uma espécie que respondia ao gene da escravidão que a consistia. Era preciso compreender sua tão presente manifestação como um comportamento próprio de um animal como uma máquina programada para sobreviver. Boa ou ruim, ética ou não, a religião era a programação mais comum dessa máquina.

Uma programação que poderia ser superada ou reconfigurada, por isso Willa não era tão pessimista quanto Nhoc ou seus colegas expedicionários. Já que, em sua análise mais profunda dos bilhões de cérebros que monitorava, a religião consistia uma forma de verbalização do inconsciente através do superego, mas não em resposta à fé para com Deus ou quaisquer divindades, e sim à fobia inerente de uma espécie que atinge certo patamar de mínima racionalidade. O medo repetido, muitas vezes reprimido, mas igualmente presente em todas as mentes que analisou entre a população jovem e adulta do inteiro planeta – só faltava a de Carrol –, conforme classificou a seguir.

Ainda que ausente da mente de Carrol, finalmente Willa alcançava o estado da arte na análise psíquica de um planeta feito cobaia. Sam anunciou o tópico:

– Psicopatia coletiva motriz intelectual.

– *Obitofobia* inconsciente, *Necrofobia* semiconsciente – classificou Willa.
– Dissertar.
– Observação: a descrição subsequente carece de revalidação através dos pensamentos sob monitoria baseada nas classificações da mídia, esta que compila as principais memórias da época pré-histórica, em análise cruzada com as memórias de Nhoc e a aplicação de filtros para catalisar fatos em detrimento aos mitos. Muito obstante, a filtragem *não* afeta a respectiva manifestação conforme intitulada.
– Observação registrada.
– Abrir diretório de *fake news*.
– Iniciando filtragem.

Mídia e religião estavam no foco das conclusões a respeito do quadro psicossocial da hominídea. A mídia por ser o meio que mantém populações inteiras reféns de suas próprias fobias, e a religião como principal resposta a essas fobias. Porém, não uma resposta no intuito de dissipar o medo de uma criatura perante seu aparato consciente e inconsciente, mas de ditar o comportamento para aceitá-lo passivamente, de impor o conformismo perante uma realidade que revela o caminho barrado pela religião através da falsa ideia polarizada entre uma luta do bem contra o mal – que de fato inexiste sob uma ótica que sequer precisa ser a da consciência cósmica, na qual jaz os pesquisadores que assim observavam as sociedades terrenas. Estes que a compreendiam apenas como uma luta do homem contra seus próprios limites e as intempéries de um cosmo ordenado por suas forças físicas e quânticas.

Era a religião a primeira resposta ao medo que Willa captava no coletivo psíquico da hominídea, o medo da *morte*. Não que isso fosse o fator que derivava na classificação semirracional da espécie, pois essa era uma fobia que por largo horizonte habitou o coletivo das espécies subsequentes ao homem, que foi partilhada por paranormais e homiquânticos, inclusive manipulada pela entidade *Pai* na insurreição robótica que culminou na Guerra da I.A. Só o contato com a civilização reptiliana e a subsequente conexão-*Mãe* dissiparam essa fobia do inconsciente e consciente coletivo da humanidade quando a geração quântica, enfim, aceitou seu limite existencial e o fato da imortalidade só ser acessível pela virtualização – ou *artificialização* –, pelo homem se transformando em robô e abandonando sua capacidade autônoma no plano material.

A promessa da vida eterna era o ideal primordial, a grande fobia manipulada pelas religiões desde que os alienígenas, em cuja "divindade" supostamente se transpareciam imortais, visitaram a Terra. Até mesmo Nhoc, embora em seu *tempo* já se aceitasse a imortalidade das espécies robóticas, ainda cria que, um dia, o limite Alzheimer seria vencido e a eternidade abraçaria também as classes materiais. Por isso igualmente iludiu seus povos e súditos com a mesma promessa pela qual a entidade *Pai*, ou *Nova* – como ele tanto culpava por seu infortuno destino –, a certo horizonte escravizou a homiquântica. A promessa que, pela análise de Willa, da mesma forma escravizava largas porções de massa humana no pretérito em estudo, já próximo às suas conclusões. Mas isso era algo tão factível quanto factual, os dados analíticos apenas corroboravam os aspectos psicológicos cuja excursão em si havia proposto averiguar; o que espantava era captar a reprodução desse medo, em especial, entre as classes científicas. Era nítido como a fobia da morte guiava muitos campos da ciência ou, em oposição, atrasava o desenvolvimento de outros. Embora desvinculadas da religião e alicerçadas pelo método científico, a Cosmologia ainda consistia em uma busca pela imortalidade. E a Ufologia, que antes elogiara como uma importante semente do pensamento científico em prol da conscientização do amplo universo que a Terra e o cosmo Solar abrigam, ao questionar se os deuses eram alienígenas, nada mais ratificava do que a própria imortalidade vinculada às divindades, fossem elas meros alienígenas. Já era possível identificar uma tendência de mistificação na incipiente ciência ufológica, bastava observar o sensacionalismo midiático que abraçava a questão e a quantidade, absolutamente majoritária, de revelações e pseudodescobertas científicas que não passavam pelos filtros de *fake news* operados por Willa – Andreas Vegina era um dos místicos cujas profecias não passavam pelos filtros da alienígena.

– Ao mesmo horizonte em que, pelo método científico, percorre-se o caminho trilhado pelo viés mitológico da religião, a Ufologia repete alguns dos mesmos erros na interpretação cosmológica do universo e no trato com a natureza. Esta última, permanece reduzida a um mero recurso disponível ao luxo da espécie tanto quanto, pela religião, sempre a observaram como uma dádiva concedida aos homens pelos deuses – comentou Willa antes de prosseguir em seu relato.

Em muitas histórias de vida cuja novela testemunhava, não eram poucos os personagens entre seus mais significativos estereótipos que, ao se depararem com a aproximação da morte, ainda que fossem ateus ou céticos, literalmente imploravam e rezavam para que suas vidas continuassem de alguma forma. Na mesma toada, o mais fiel devoto de qualquer religião, aquele que sempre acreditou na ideia da vida eterna, do céu, do plano espiritual, que piamente professou a morte como um rito de passagem para a eternidade, quando chegava sua vez, sucumbia ao medo que se escondia lá no fundo de seu inconsciente, o medo daquela ideia reprimida de que tudo isso fosse puro mito – como era – e que seu fim estivesse ali – como estava. Nos hospitais, locais em que a maior parte da população vem a óbito no pretérito em questão, certamente, a impressão sináptica mais comum entre os moribundos que monitorava era "Eu não quero morrer". Pouco importava se o sujeito era um temente a Deus, um completo ignorante das religiões ou o mais convicto ateu que pregava a morte como o fim da existência. Seus medos eram idênticos, a obitofobia.

Embora fosse esse um dado relevante no estudo proposto, a manipulação midiática e religiosa em torno de tal fobia consistia, deveras, em um fator contraproducente para evolução da espécie, mas como psicopatia em si, não. Afinal, ainda que manifesto por outros fatores, tratava-se de um traço comum em qualquer espécie semi ou plenamente racional. Inclusive os robôs tinham medo da morte, no caso, de serem deletados ou de perderem os dados que formatam sua identidade intelectual. Nesse sentido, pior que a obitofobia era a *necrofobia*, um estado psicológico obitofóbico mantido no decorrer existencial de qualquer espécime. Ou seja, medos inerentes aos inúmeros perigos oferecidos por uma sociedade barbárica como a do século XX, alimentados no decorrer da vida entre a infância e a maturidade até se alcançar a velhice.

– Velhice? Consta "melhor idade".
– <*Fake news* detectada>.
– Descartar e prosseguir.

Assim embasada, a fobia semi ou plenamente consciente do homem era tão danosa quanto a inconsciente e, a mídia, em seus aspectos globais e massivos, o principal meio para disseminá-la. O medo de um acidente, de um assalto ou furto, de doenças, de bactérias – da sujeira removível pelos produtos de limpeza –, medo de barata, do estrangeiro, de um costume ou ideal, uma dança ou um canto, fobias geradas por padrões estéticos e comportamentais, de tirar foto, de sair de casa ou de falar em público – a lista era extensa. Englobava fatos que ocupavam toneladas de páginas de jornais e infindáveis horas de programação no rádio e na TV. Além da controvérsia e da repercussão, fobias que eram alvos de muita exploração empresarial e política, que alimentavam o medo e ditavam as soluções para combatê-los segundo suas próprias agendas de interesses, na maioria dos casos, financeiros.

O medo do *efeito estufa*, por exemplo, compunha um tema bem atual no contexto em que Willa se fazia presente. Se, por um lado, simpatizava com o voluntarismo e a sincera motivação daquele manifestante que invadiu a pista na corrida de F1 para protestar, por outro, rastreava o financiamento de sua ONG até se deparar com o capital cujo interesse jazia em lucrar com novos produtos e dominar um mercado até então ocupado por similares que, supostamente, afetavam a camada de ozônio. Fator que, por sua vez, derivava no aquecimento da atmosfera terrestre, o tal efeito estufa. Estatisticamente, era apenas mais um derivado do *looping* empresarial como já catalogara em seus aspectos coletivos: abordava um conhecimento ainda restrito aos poucos cientistas que o estudavam, mas amplamente explorado por políticos e publicitários em prol de seus *lobbies* comerciais e financeiros, todos baseados em um estudo incipiente das medições do ozônio estratosférico que indicavam uma "falha" ou "buraco" nessa camada, conforme publicitado. Porém, embora tais teorias já estivessem em voga, da órbita terrestre onde flutuava, Willa tinha a perfeita medida dessa "falha", que sequer era uma. De fato, tais buracos sempre existiram e ainda existiam no futuro em função da distribuição de forças do campo magnético da Terra – em nada se relacionavam com qualquer atividade humana no pretérito em questão.

De qualquer modo, embora a integridade atmosférica terrena se mantivesse intacta, as medições da *Árvore* indicavam um aumento na média de temperatura global em função da queima de combustíveis fósseis e a contínua injeção de gás carbônico na atmosfera. Calculava a entidade que, uma vez mantida a geometria evolucional dessa queima, a pressão atmosférica expressa em calor se elevaria constantemente, e isso acarretaria em dois cenários possíveis. O primeiro: o derretimento das calotas polares, o que seria ótimo em sua concepção:

– Quanto mais *água*, *carbono* e *energia* na forma de calor disponíveis em nível atmosférico, mais fértil esse plano será. Para a entidade *Mãe* exercer sua sapiência, nunca os ingredientes para concepção de novas espécies tão disponíveis estiveram – comentou a respeito. Todavia, em relação ao segundo cenário, a conclusão não era animadora, pois indicava o despertar de uma nova Era Glacial. Em longo prazo, conforme fosse sua evolução, o primeiro cenário redundaria no segundo, o que condenaria várias espécies à extinção, inclusive o homem. – Triste ou feliz, definição não cabe, pois que tal prazo não se estenderá, ciente é – completou ela.

Willa adicionou os comentários da *Árvore*, mas ela estava saindo do foco sob análise. O dado em si relacionava-se ao padrão vibratório da Gaia disponível em pretérito monitorado pela entidade. Em relação à hominídea, uma vez que alcançara o cerne psicológico da espécie sob sua incumbência de análise, faltava apenas quantificar um último aspecto do qual extrairia o padrão definitivo: a questão *política* que envolvia a sociedade humana e sua respectiva fragmentação em bandeiras, ideais e, sobretudo, blocos econômicos – sem dúvida, a questão necrofóbica mais influente e de potencial mais decisivo, a qual não pronunciava apenas a morte, mas a completa extinção do homem. Uma questão tão ampla quanto tênue, pois bastava um momento de muito pânico de poucos homens para pôr tudo a perder – fossem esses os homens que detinham o poder sobre o botão do holocausto. Não era à toa que o relógio do apocalipse apontava três para meia-noite. Por isso, às luzes de conclusão, Willa dirigiu-se para Nhoc e convidou:

– Está apto para redigirmos as considerações finais do relatório?

– Sou todo cérebro. – Dispôs-se ele.

102
Considerações Finais

No instante em que Willa deu a ordem para iniciarem as considerações finais do Relatório da Terceira Órbita, Nhoc prontificou-se para a tarefa, mas não apenas de cérebro, como anunciou. Para o espanto geral dos alienígenas situados no interior da nave estacionada no deserto, ele literalmente apresentou-se ao dever em plasma e ouro:

– Cá estou. O convite para embarcar nesse vimana continua em aberto? – questionou Nhoc a partir de um par situado nas cercanias, transmitindo as ondas de seu cérebro diretamente para a *Nave*. O alienígena estava camuflado no pé do Algomoro, não muito distante do local onde Andreas Vegina havia antes se escondido. Disfarçava-se mentalmente como um cacto em meio a uma formação espinhosa que ocultava seu corpo.

Antes que qualquer um dos alienígenas manifestasse algo, a *Nave* realizou uma varredura dimensioscópica para delimitar o plano de origem no qual Nhoc estava presente ali no deserto. De imediato, estabeleceu tratar-se de um plano raso, porém contido no leque multividual de Willa, ou seja, era um plano rompido após a alienígena ter iniciado sua varredura ao relento pelo globo. Todavia, o que estranhava era a ausência de pares de Willa nesses planos onde Nhoc constava, como se houvesse um lapso ou uma ruptura em seu conjunto multividual. Uma lacuna mapeada no exato leque em que o homiquântico se encontrava no Algomoro. O próprio Nhoc elucidou a questão após ser questionado por Willa do interior do disco:

– O que você está fazendo aqui?! *Como...*

– Como cheguei aqui, é o que queres saber, né? – interrompeu Nhoc. Em seguida, respondeu à questão com sarcasmo nas sinapses: – Ora, se não foi ti mesma que me escoltaste até aqui.

Apesar do sarcasmo elucidativo, o grupo de alienígenas chegou a duvidar das sinapses de Nhoc. Isto é, ao menos até que a *Nave* realizasse uma leitura termodinâmica e localizasse os pares de Willa que aparentemente haviam se desconectado de sua rede multividual. Eles estavam escondidos ao lado do homiquântico detrás dos cactos. Outro par da alienígena que se encontrava ao relento em uma dimensão próxima, precipitou-se para o local no intuito de reconectar aqueles pares, todavia, não conseguiu captá-los. Seus pares não respondiam à tentativa de reconexão ao seu *headbook*. Seus cérebros pareciam vazios, como daquele homem que operava a interface cibernética do alienígena no interior da câmara secreta atrás da sala do trono do antigo imperador chinês. Porém, notou que, de fato, eles não estavam desconectados do *headbook*, apenas não respondiam ao par proxidimensional para atender ao apelo dos expedicionários no sentido de elucidar *que diabos* estava acontecendo.

– Eu hipnotizei-te – explicou Nhoc.

– Pois encerre a hipnose – apelou o par proxidimensional de Willa. – Por favor.

Ao pedido, Nhoc permitiu que o par ao seu lado emergisse da hipnose. Conforme foi despertando, Willa começou a rememorar o que havia se passado entre o instante em que foi hipnotizada até aquele momento em que reestabelecia seu fluxo consciente, já no pé do morro Algomoro. Não havia muito que recordar desde então, seus focos estavam plenamente distribuídos entre as atividades de assistência ao homiquântico em sua câmara secreta e assim continuavam, especialmente aqueles voltados para a leitura de sua história de vida que, de maneira obsessiva, não conseguia deixar de seguir, analisar, estudar, catalogar, ler e reler – uma obsessão aparentemente incomum, mas nada casual, pois foi através da leitura de sua mente que Nhoc a meneou à hipnose. Os demais focos de Willa igualmente permaneciam executando suas tarefas de transmissão com a *Nave*, exceto aquele em que seus sentidos exteriores operavam, o foco atual que, de maneira inexplicável, aparentemente não estranhou quando ela abandonou sua conexão multividual, imantou Nhoc sobre suas costas e ambos os alienígenas retiraram-se da câmara secreta onde até então permaneciam.

Dali, acessaram uma antecâmara onde Nhoc guardava alguns de seus poucos pertences materiais. Entre eles, a velha túnica que utilizava para encobrir o corpo e a cabeça quando caminhava em algum lugar minimamente exposto. Apesar de Willa ser bem maior do que Nhoc, sobretudo pela cabeça, por outro lado, era invisível, de modo que a túnica, embora ficasse curta e deixasse as canelas dela expostas, serviu direitinho para ocultar o alienígena preso às suas costas como se, aparentemente, Nhoc flutuasse agarrado em uma cela imaginária. Para completar o figurino, calçou um par de botas nela – autênticas galochas que subiam até o joelho, com adornos de ouro perfeitos para fixarem-se no campo magnético da alienígena, presos às suas finas pernas. Pronto, era o que bastava! A aparência não era das melhores: a cabeça de Willa abaixo de Nhoc, devido ao tamanho exagerado, parecia uma enorme barriga sob a túnica. Os dois aparentavam um mulato velho, alto, corcunda, gordo e excêntrico pela vestimenta pouco usual, ainda que a túnica de Nhoc fosse confeccionada pelos melhores alfaiates de seu tempo – vermelha como a bandeira da China e com belos adornos amarelos bordados nas pontas.

Ninguém poderia notar, em um rápido olhar, que tal figura não seria um homem no interior de tão peculiar vestimenta – era como nos velhos tempos para Nhoc. A partir daí, utilizou Willa como pernas locomotoras, e tudo que bastou ao homiquântico foi exercer o seu bom e velho hipnotismo – não haveria Alzheimer que o impedisse de sugestionar as mentes alheias que se aproximassem; e, se por acaso lhe falhassem as faculdades, as poderosas ondas cerebrais de sua amiga supririam sua senilidade. Em plena luz do dia, angariou duas sentinelas para escoltá-lo para fora do palácio e caminhou pelo pátio da Cidade Proibida como se fosse um turista qualquer. Chegou a ser notado pela guarda, mas por que haveriam de estranhar a excentricidade da figura e sua veste *sui generis* se ela era escoltada por sentinelas imperiais? Ninguém abordou Nhoc e os poucos que o viram de perto realmente não o viram. Das cercanias imperiais, tomou um táxi até um edifício situado na parte mais moderna da própria Chang'an, a avenida que sediava a Cidade Proibida, onde igualmente endereçava-se um grande complexo predial comercial que servia de fachada para sua atual identidade na China: a Torre Manchu. No prédio, poucos estranharam a súbita aparição do chefe que ninguém sequer um dia havia visto, tampouco se lembrariam depois, mas exerceram suas ordens a contento.

Astuto como só um alienígena se permitia ser, Nhoc driblou as restrições de contato entre os blocos leste e oeste para tecer um telefonema a um de seus parceiros comerciais na América, um descendente dos Rockefeller, para oferecer um negócio irrecusável – um autêntico negócio da China. Fez uma oferta de ácido sulfúrico por um preço muito abaixo do mercado, uma barganha. Porém, tratava-se de um negócio cuja janela encerrava ao complemento do horário comercial chinês: era pra já ou pra nunca. Como a oferta era muito boa, Rockefeller fechou o negócio. A negociação era necessária para Nhoc obter um salvo-conduto para a América em um jato privado, no qual, supostamente, um executivo a mando dos Manchu trataria de firmar e conduzir a transação do produto, que seria despachado logo após.

Com paciência, Nhoc aguardou a autorização de seu voo, que tomou poucas horas, então se dirigiu ao aeroporto onde um jato executivo de grande autonomia o aguardava. Foi assim que conseguiu chegar até o deserto onde a *Nave* se encontrava, como faria qualquer homem ou Willa vinha fazendo: viajando de avião – pouco se importando com o medo e as perdas inerentes de pares durante o voo em dimensões nas quais o infortúnio os levou à morte pela queda do aparelho. Porém, foi um voo longo cheio de escalas nas quais, não fosse seu "visto" hipnótico, Nhoc não teria alcançado seu destino. De Pequim fez escalas em Tóquio e Honolulu antes de pousar em São Francisco, já em solo estadunidense. No Japão, por pouco sua aeronave não foi apreendida quando um grupo de agentes aduaneiros chegou a revistar o avião, mas constatou que estava tudo em "ordem" e permitiu que seguisse voo para o Havaí. Quando se aproximou de São Francisco, simulou um pedido de *mayday* na aeronave, alegando um princípio de incêndio a bordo como subterfúgio para conseguir abandonar o avião ainda nos corredores de táxi da pista de pouso. A seguir, bastou persuadir os bombeiros que o socorreram a escoltá-lo para fora do aeroporto sem precisar passar pela alfândega. Assim, evitou áreas públicas e movimentadas em que seu disfarce mental talvez não fosse suficiente para encobrir sua real natureza. Fora das cercanias do aeroporto, tomou outro táxi que o transportou até as proximidades do deserto, em Picacho. Embora não estivesse familiarizado com o mapa da região, bastou seguir o rastro de emissões que captava da mente de Willa para dirigir-se ao local exato. Chegou a ser parado em um bloqueio dos militares quando se precipitou por uma servidão de terra já a alguns quilômetros do Algomoro, em uma estrada ao norte do deserto, vinda de Lincoln. Porém, os soldados "permitiram" que passasse.

Quando já captava o campo magnético do vimana com seus próprios sentidos, Nhoc prosseguiu flutuando no lombo de Willa deserto adentro, facilmente driblando as tropas de Carrol que patrulhavam a área. Chegou ao Algomoro pela manhã anterior, apenas algumas horas após o ufólogo Vegina alcançar o local com sua camuflagem termodinâmica. Próximo a ele, permaneceu captando a comunicação entre a *Nave* e Willa que fluía através de seu cérebro. Manteve-se na escuta, completamente imóvel e silencioso como costumava fazer quando se escondia de Di Angelis no passado, apenas emitindo uma onda vegetariana simulando um cacto, mirando o vimana e ouvindo aqueles excêntricos seres extradimensionais.

Tu tinhas mesmo que ver, né? – Não pôde se controlar – Não contiveste a curiosidade – O olhar – O captar – Nem aguardar – Ou segurar teus pensamentos.

Não. Não bastava captar aquele vimana através da percepção e dos filtros alheios, à distância. Depois de tantos horizontes, Nhoc precisava captá-lo pelos próprios sensos, vê-lo com os próprios olhos.

Dali, escondido no Algomoro, Nhoc acompanhou a visita do presidente da República ao posto zero próximo a Vegina – além de utilizar sua influência sobre Willa para que afugentasse a cascavel que repousava abaixo de sua veste – foi condescendente –, mas não resoluto o suficiente para resignar-se em ver e ouvir. Em dado momento, teria de falar, se não com a boca, pois não lidava com os homens daqui, mas com a mente, especialmente ao captar a euforia de seus pares interagindo com aquele vimana e os estranhos entes que o habitavam. Sua curiosidade foi sua fraqueza. A curiosidade de embarcar naquela nave e telecinar de mente aberta com aquelas criaturas.

– Seu animal ardiloso! – expressou Willa assim que recobrou o comando de seu fluxo mental, já livre da onda hipnótica que a mantinha inerte e aos comandos do animal. Porém, apesar de retomar suas faculdades após certa lacuna informativa, dado que esteve mais de 24 horas viajando da China para a América sob total hipnose, a situação era mais que propícia para, finalmente, conseguir o que pretendia tão logo partilhou da vida de Nhoc: aduzi-lo para seu futuro originário. Portanto, apenas mentalizou:

– Sim. O convite para embarcar na *Nave* está em aberto.

Uma pena que Nhoc não desfrutava dos dons de invisibilidade de Willa e não podia abandonar seu esconderijo no pé do morro para embarcar na *Nave* sem ser visto pelos homens de Carrol ou captado pelas câmeras de segurança. Tampouco Willa poderia fazer algo. Apesar de suas habilidades cutâneas a permitirem estender seu campo magnético para manter Nhoc fixo ao seu corpo, estender sua invisibilidade não seguia a mesma física.

– Teremos de aguardar uma janela de oportunidade para que passe despercebido pelos homens – explicou Willa.

Nhoc dirigiu-se à *Nave* em dúvida:

– Não dá para me captar daqui?

– Nos aparelhos das criaturas, sem interferir, impossível é – esclareceu a entidade.

Nhoc teria de se aproximar da *Nave* para ser absorvido por ela, pois o uso de um raio-trator interferiria nos dispositivos elétricos dos hominídeos ao redor. Diante da inviabilidade, insistente, Nhoc sugeriu:

– Mas nada me impede de caminhar a olhos vistos e hipnotizar as criaturas para que não me vejam.

– Não faça isso, por favor – apelou Willa.

– Se esse arbítrio a mim pertence, terás de respeitá-lo, minha cara. Suas ordens são para não interferir na realidade, né? – questionou ironicamente. Sam tomou a sinapse e foi contundente ao responder ao animal:

– Se esse é o teu arbítrio, exercerei o *meu* arbítrio de *revogar* o convite para que embarques. Peço para que obedeças à Willa, estamos combinados?

– Sim, estamos, *chefe*... – respondeu Nhoc com certo desprezo. Depois duvidou: – Teriam mesmo coragem de me deixar aqui fora à mercê desses militares?

– Sabe perfeitamente que isso seria péssimo para nossos planos – comentou Willa. Sam completou a resposta:

– Mas o arbítrio é teu.

Porém, o arbítrio de Nhoc resumia-se em embarcar na *Nave*, não em ser capturado pelos militares ou "interagir" com eles, por isso permaneceu onde estava. Aliás, seu arbítrio limitava-se a isto e tão somente: embarcar no vimana, *não* em retornar para o futuro junto com os expedicionários – caso viessem mesmo a retornar, o que ainda duvidava. Um arbítrio que ficou claro quando questionou:

– Depois de embarcar, vocês me escoltam de volta pra China se conseguirem ativar esse troço?

A *Nave* não gostou muito de ser chamada de "troço", mas confirmou:

– No horizonte em que me ative, escoltar a ti, de pronto o farei – comunicou ela com fótons esnobes, insinuando que se livrar dele seria um alívio.

Diante da impossibilidade de se esgueirar até o disco, Nhoc resignou-se em permanecer escondido no pé do morro e a integrar o conjunto multividual que, a partir da China, deu seguimento às conclusões do relatório que os alienígenas redigiam. Apenas manteve-se de olho na movimentação dos militares esperando por uma brecha para que pudesse embarcar.

As considerações finais do relatório partiam do fluxo de capital mapeado por Willa nos blocos econômicos do leste e do oeste. Nesse sentido, o líquido *formal* dos países capitalistas suplantava completamente o volume do capital que circulava nos países comunistas. Todavia, o mercado negro nos países orientais era muito superior, o que era de se esperar, pois havia um dado que se sobressaía no bloco comunista o qual os países capitalistas não encontravam paralelo: o volume e o incremento das populações que viviam sob as bandeiras do socialismo. Para Willa, esse seria um fator-chave que, com o decorrer dos horizontes, acarretaria na completa submissão dos países ocidentais ao jugo dos orientais. Nesse caso, pouco importava o regime político ou econômico que viesse a prevalecer – era apenas uma questão quantitativa: quanto mais pessoas, maior capacidade de formar e, sobretudo, controlar os mercados.

Não era por menos que entre as regiões em que as bandeiras capitalistas e comunistas se digladiavam, fosse no campo político-diplomático ou bélico, que englobassem os países do sudeste asiático e da Oceania, sobretudo a Indochina e os Tigres Asiáticos, pois se tratavam de regiões estratégicas na rota de contrabando entre países socialistas e comunistas. Um território que interligava importantes rotas mercantis, como o Japão, a Austrália e a Nova Zelândia no lado capitalista e, pelo comunista, a China especialmente. Junto à China, também a Índia tinha forte peso nessa região, uma nação capitalista, porém neutra em seu posicionamento político na guerra econômica entre os blocos, apesar da diplomacia anglo-americana ser predominante no país em detrimento às pressões da China e a sobrenatural coincidência que pairava sobre a aura de ambos os países.

– Meu triunfo no Vietnã colocará essas nações sob nosso alinhamento: ou negociam dentro das nossas regras, ou sofrerão em uma interminável penúria – afirmou Nhoc.

Em parte, o homiquântico tinha razão. Desde a derrocada das forças aliadas lideradas pelos Estados Unidos no sul do Vietnã e o país ter sido unificado sob a bandeira comunista empunhada por Ho Chi Minh, a China e o bloco liderado pela Alemanha haviam angariado importantes mercados na região. Por outro lado, embora as rotas de contrabando tenham sido alteradas, elas não haviam inviabilizado o comércio, legal ou ilegal, entre os mercados *aussie* e nipônico com os países do oeste. Não bastasse, uma série de tensões e insurreições tomava palco em pequenas bandeiras que integravam a região. A troca de influência sobre seus respectivos governos era constante na diplomacia que confrontava capitalistas e comunistas, de modo que esse cenário era bastante volátil, ainda que o retrato de momento fosse favorável aos comunistas. Não obstante, o clamor de Nhoc se provava mais como um desvario do que qualquer sentença, pois se houve um movimento político que tenha triunfado longe de sua influência, dado que englobou um período em que já se mantinha recluso em sua câmara secreta, foi a liderança e as alianças exercidas por Ho Chi Minh. Alguém que Nhoc só viu pela televisão, que sequer um dia esteve no palácio imperial chinês para ser "persuadido" pelo alienígena. Pelo contrário, Minh não reconhecia a China como nação-mãe, sua luta sempre foi pela independência do Vietnã, ainda que o local, a Indochina, tenha sido colonizado pelo homiquântico em um distante pretérito.

Nesse sentido, o fim da influência de Nhoc nos desígnios futuros de seu país, mesmo que ele se recusasse a assumir, pontuava o início de uma nova tendência na condução das políticas internacionais chinesas. Por mais que o homiquântico tenha lutado durante toda sua vida para manter a unidade de seu país e, nos tempos mais atuais, especialmente no decorrer da Segunda Guerra Mundial, tomado proveito do período para reunificar e fortalecer suas fronteiras, sem sua influência direta sobre os governantes da República já se testemunhava uma retomada nas relações comerciais que, antes, rivalizava o país contra os capitalistas. Aos poucos, a China vinha restabelecendo negócios com o Japão, com os Tigres Asiáticos e, até, com os Estados Unidos – caso contrário, sequer teria conseguido seu visto para negociar ácido sulfúrico com os Rockefeller, algo que, há menos de duas décadas, sequer seria possível. A inclusão da China na rota internacional do mercado formal era um vetor que, segundo as análises de Willa, carregaria a nação à liderança do mercado global em poucas décadas, seguindo a mesma tendência que, em outros passados, levaram-na à Guerra dos Seis Minutos contra os Estados Unidos e à destruição completa de ambos os países.

Outra região importante na rota de contrabando internacional era o corredor sul-americano entre o Chile, a Argentina, o Brasil e o Paraguai. Nesses territórios, a presença de uma bandeira comunista com alinhamento político-ideológico e um forte laço econômico com a Alemanha constituía um gargalo de fortes tensões no continente. De coincidente com o cenário social dos países do sudeste asiático e da Oceania era a extrema miséria dos povos que, por si só, inviabilizava a repressão ao contrabando – ainda que os governos locais parceiros dos Estados Unidos se esforçassem em reprimir o comércio ilegal de produtos entre o Chile e os países vizinhos. Através do Chile, a Alemanha investia pesado em uma pequena corrida tecno-comercial na região, sendo que, no quadro sob análise dos alienígenas, a vedete da vez nessa velada guerra econômica era o automóvel e o maquinário agrícola.

Para se ter uma ideia, no Brasil era proibido por lei, passível de acusação de traição à pátria, dirigir um automóvel Volkswagen. Nas grandes cidades via-se até cavalos e carroças nas ruas, muitos carros e veículos Ford estadunidenses – modelos que não se comparavam com a eficácia dos alemães –, mas nenhum Fusca. Em contrapartida, no interior do país os Fuscas circulavam às vistas grossas da polícia e, ao lado dos maquinários contrabandeados do Chile, eram vitais para suprir a indústria agrícola dessas regiões. Embora essa questão do contrabando fosse um importante quesito inserido na análise do *looping* brasileiro, era apenas um dos muitos componentes que podiam, em um futuro próximo, romper ou ajudar a sustentar esse mesmo *looping*. Mas quanto ao quadro de momento, o gargalo chileno se mostrava um crescente vetor de uma diplomacia favorável aos germânicos na América do Sul.

Porém, dois países, mais que quaisquer outros, provavam-se estratégicos no embate comercial entre as bandeiras comunistas e capitalistas, especialmente em relação ao escoamento do produto mais cobiçado e imprescindível para o desenvolvimento social e econômico de ambos os blocos: o petróleo. Esses países eram o Panamá, na América Central, e a Palestina no Oriente Médio, onde se encontravam o canal do Panamá e o canal de Suez, respectivamente: duas passagens vitais para transitar navios petroleiros entre países de ambos os lados com as nações que formavam a OPEP, no Oriente Médio e, na América, a Venezuela como principal produtora de petróleo do continente. Em Suez, o acordo costurado entre os Estados Unidos e a Alemanha ao término da Segunda Guerra garantia o salvo-conduto de petroleiros de ambos os blocos. Todavia, a região era alvo da cobiça dessas nações no intuito de controlá-la politicamente e taxar os rivais. No momento, a Palestina possuía alinhamento com o governo norte-americano por força do financiamento dos políticos locais pela comunidade judaica estadunidense sediada em Nova Israel. Esse alinhamento derivava em uma política taxativa sobre o translado de embarcações das nações do bloco socialista e encarecia o comércio de petróleo bruto para tais nações. Em função disso, a Alemanha financiava um grupo separatista que visava tomar o controle de Suez, o que resultava em conflitos armados e uma crescente onda de terrorismo na região. Em contrapartida, as nações aliadas aos Estados Unidos igualmente financiavam grupos terroristas que intencionavam combater esses grupos e estabelecer um governo mais conservador no trato com os comunistas.

No Panamá, a situação era oposta. Embora o canal que interligava os oceanos Atlântico e Pacífico tenha sido financiado pelos Estados Unidos, recentemente havia sido empossado um novo governo cujo financiamento provinha da Alemanha. O novo governo desejava lucrar com os dois lados, por isso passou a permitir o translado de navios oriundos dos países comunistas, uma rota vital para os alemães abastecerem o Chile a partir da Europa com seus produtos, e a partir do Oriente Médio no suprimento de petróleo. Ora, justo após a abertura do canal do Panamá para translado dos navios alemães, que a onda de inovações tecnológicas e o mercado negro que partia do Chile para os países vizinhos havia se intensificado e passado a formar uma forte influência favorável à ideologia comunista na América do Sul.

Para combater essa concessão do governo panamenho sobre o canal, os Estados Unidos vinham investindo na formação de um grupo de guerrilheiros visando derrubar o presidente e instituir um novo governo alinhado aos interesses capitalistas. Em última instância, com o objetivo de revogar o direito de translado concedido aos navios alemães ou de outras bandeiras alinhadas ao socialismo. Embora a ascensão desse novo governo tenha se dado em torno da restauração da democracia no país, que até 1975 era governado por militares empossados por um golpe apoiado pelos Estados Unidos, os próprios norte-americanos veiculavam propaganda acusando o novo governo, eleito pelo voto popular, de submeter o país a uma ditadura comunista. Willa, que acompanhava o treinamento desses guerrilheiros nas selvas do Panamá, percebia que ainda se tratava de um movimento embrionário, que não reunia uma força capaz de triunfar em um golpe contra as forças do governo ou sustentar uma guerra civil. Por outro lado, sua atuação violenta já começava a criar uma onda de terror no país mediante assaltos a banco e sequestros que visavam financiar a causa. Naturalmente, os Estados Unidos negavam qualquer participação ou suporte a esses guerrilheiros, já que não podiam abertamente apoiar um movimento que objetivava derrubar um governo recentemente eleito pela via democrática. Por isso tratavam de desestabilizá-lo até que pudessem derrubá-lo – nada inovador em relação à política que permitiu a ascensão das ditaduras que permaneciam no poder em muitos países da América Central e do Sul. Esse movimento guerrilheiro trazia uma forte tensão para o país e aos blocos que rivalizavam Alemanha e Estados Unidos. Ainda assim, não se comparavam à tensão e ao perigo iminente que o crescente terrorismo encampava na Palestina.

Na Palestina, a qualquer instante um homem-bomba poderia detonar-se em uma mesquita ou sinagoga, na porta de uma embaixada ou, talvez, explodir uma das eclusas que constituíam o canal de Suez e, assim, levar o mundo à guerra, já que o canal local era muito mais vital para o escoamento do petróleo do Oriente Médio do que o do Panamá. Sendo um ponto estratégico para o translado de navios petroleiros, a delicada situação política da Palestina em meio às influências externas no revolto mar de interesses que demovia tanto capitalistas quanto comunistas, escancarava-se o *looping* maior em que a sociedade terrena estava inserida por completo, o qual abrangia todos os *loopings* mais atuais ou antigos e delimitava a completa *samsara* humana, a sina ou, como lecionaria Nhoc, o círculo do carma e do dharma da criatura dominante no planeta: a Era do Petróleo.

O progresso humano datado da Revolução Industrial até alcançar o ano de 1978 em que os alienígenas redigiam seu relatório, dava-se única e exclusivamente à energia provida pelo petróleo, incluindo fontes alternativas de suprimento energético utilizadas para os mais variados fins, tais como a eletricidade, especialmente. Pois, ora, se uma cidade alimenta-se de energia elétrica gerada por uma hidroelétrica, uma termoelétrica ou uma usina nuclear, essa sequer estaria disponível se não existisse óleo diesel para abastecer os guindastes, as retroescavadeiras ou os basculantes sem os quais seria impossível construí-las. Em suma, na base de sustento da sociedade como um todo, fosse pelo uso combustível ou de seus inúmeros derivados que possibilitavam alavancar a indústria e o comércio, o petróleo era a matéria-prima sem a qual a sociedade jamais teria multiplicado suas populações até alcançar e ultrapassar a casa bilhar. Por outro lado, igualmente a sua falta seria o vetor para a completa ruptura desse progresso e, uma vez que não existisse um suprimento capaz de substituir a energia do petróleo, levar a humanidade à decadência e à extinção de vastas populações incapazes de subsistir sem tal fonte – justamente o que havia se passado na história *supostamente* original, quando o fim do petróleo levou a humanidade à Terceira Guerra Mundial, a famosa Guerra dos Seis Minutos.

Por suprir a indústria e o combustível de automóveis, aviões e maquinário bélico, os interesses sobre a comercialização do petróleo e o controle do preço do barril ditavam a sentença final da humanidade. Uma sentença que, segundo a análise de Willa, poderia ser anunciada a qualquer minuto – e só faltavam três no Relógio da Meia-Noite –, bastava um incidente político, como um atentado na Palestina ou algo similar ao vivido durante a Crise dos Mísseis Submarinos para que, em questão de segundos, os três minutos restantes alcançassem a meia-noite e levassem a humanidade a um holocausto nuclear.

Não era ao léu que uma instituição global fundada e financiada por uma universidade norte-americana havia criado o Relógio da Meia-Noite, o qual determina o quão próximo a humanidade está de um holocausto nuclear, de uma guerra total que confrontasse diretamente as nações líderes dos blocos ocidental e oriental pelo emprego de seu arsenal mais mortífero. Todavia, de fato, o relógio só contabiliza três minutos, ou seja, no momento, não pairava o temor sobre a humanidade de uma guerra nuclear. Porém, só o fato de o relógio existir denunciava que essa possibilidade permanecia em aberto. No auge da Guerra Fria, especialmente durante a Crise dos Mísseis Submarinos, somente então o relógio chegou a marcar um minuto para meia-noite, mas desde o término da Guerra da Coreia e da derrocada não oficializada pelo governo norte-americano das forças ocidentais no Vietnã, o relógio pairava tranquilamente no parâmetro mais seguro de sua contabilidade. Essa aparente tranquilidade talvez se desse, em grande parte, pela política pouco invasiva do atual presidente norte-americano ao confrontar os interesses articulados pelo chanceler alemão, motivo pelo qual era muito criticado em seu país. O líder estadunidense promovia uma gestão mais conciliatória com os comunistas do que seus antecessores. Aos poucos, durante seu governo, passou a abrir o país aos negócios com os rivais orientais. Inclusive, havia sido por sua direta decisão que o *Skylab* acabou despencando da órbita terrestre. A missão espacial que visava executar uma manutenção rotineira no laboratório orbital, por ordem direta do presidente, foi substituída por uma missão de relações públicas em que um astronauta norte-americano trocou um aperto de mãos com um astronauta alemão em pleno espaço – um gesto que buscava demonstrar a nova relação de amizade e tolerância entre os blocos rivais. Desde sua eleição para a Casa Branca, muito se atribuía o enfraquecimento das ditaduras financiadas e apoiadas pelo bloco ocidental ao redor do globo, especialmente na América Central e do Sul e no Oriente Médio. Daí os comunistas estarem ganhando novos mercados e, cada vez mais, tornando-se fortes competidores onde antes a soberania norte-americana era quase completa.

Nessa tendência de avanço das fronteiras mercadológicas do socialismo, podia-se observar uma série de movimentos políticos contraditórios ao período demarcado pela Crise dos Mísseis Submarinos, a qual fez com que os Estados Unidos bancassem uma autêntica Cruzada para subjugar uma série de nações aos seus interesses. Essa Cruzada iniciou-se pelo patrocínio a incontáveis déspotas e ditadores, como os muitos que vieram ascender na América do Sul e Central, e culminou em novas guerras que objetivavam garantir importantes mercados ou rotas comerciais ao redor do globo, como a Guerra da Coreia e do Vietnã. Com a derrota no Vietnã, o atual presidente havia recuado nessa conduta imperialista, abrindo brecha para que uma série de movimentos passasse a contestar a política do período anterior. Essa tendência permitiu que a diplomacia alemã angariasse simpatizantes em importantes nações que compunham o bloco capitalista.

Entre essas nações, estava o Brasil ainda inserido em seu *looping* peculiar: uma nação governada por militares alinhados aos interesses liderados pelos Estados Unidos. Embora o governo brasileiro constituísse uma criminosa ditadura que perseguia seus opositores, promovia tortura de ativistas políticos considerados subversivos e praticava censura aos meios de comunicação, igualmente os impedindo de contestar a política governamental, desde a ascensão do então presidente norte-americano, a cúpula militar do país vinha perdendo fôlego no jugo da nação aos interesses do bloco ocidental. Já se via pelo país uma boa articulação dos oposicionistas do governo e um movimento que pregava pela anistia dos perseguidos políticos que se encontravam presos ou exilados em outros países. Sem o apoio da Casa Branca em sua nova política de abertura aos comunistas, esse tímido movimento que visava à restauração da democracia no país começava a ganhar ímpeto.

Como um expoente dessa nova tendência, Willa observava um operário-padrão das montadoras automobilísticas que liderava um grande movimento grevista no setor em uma cidade-satélite da megalópole de São Paulo, a maior capital regional e principal centro econômico do Brasil. Era descrito como um metalúrgico por seus companheiros de profissão, alguém que sofreu um acidente em uma prensa hidráulica durante o trabalho e perdeu o dedo mindinho. Após o acidente foi considerado inválido e compulsoriamente demitido. Impedido de exercer sua profissão, o metalúrgico ficou puto da vida com a miserável pensão oferecida por seus empregadores e a nula atuação do sindicato da categoria em defendê-lo na reivindicação por uma indenização mais justa nos tribunais. Não aceitava a regra do sindicato que o obrigava a aposentar-se, afinal, se ainda possuía outros nove dedos, por que não poderia retornar ao trabalho? Frente ao que considerava uma baita injustiça, o metalúrgico se converteu em um ativista em sua categoria, passou a ganhar notoriedade e apoio dentro do sindicato até conseguir destituir sua antiga diretoria – cuja atuação era alinhada aos interesses patronais. Ao tornar-se líder do sindicato, passou a pleitear novos direitos para a categoria até que, diante da passividade das empresas, liderou um amplo movimento grevista. Acabou preso pela ditadura, porém, sua popularidade já era tão grande que os militares foram obrigados a soltá-lo. Chegaram até a indenizá-lo e lhe ofereceram um novo emprego com um ótimo salário, mas era tarde, ele já estava determinado em prosseguir na liderança que havia angariado. Livre, utilizou o valor pago pela indenização para criar um diretório político, fundamentou e passou a buscar apoio junto aos ativistas comunistas e aos diplomatas alemães no intuito de alavancar sua causa e fundar um partido, pregando a si mesmo que um dia derrubaria todos os patrões. Desde então, seu partido passou a ganhar apoio de grande parte da classe operária não apenas no setor automobilístico, mas em toda indústria da região sudeste brasileira.

– "Puto da vida", "baita"? – questionou Sam.

– São expressões que significam, respectivamente, "revoltado" e "muito" – esclareceu Willa.

– Entendo. Todavia, por obséquio, evite esse linguajar coloquial que apenas ti compreende.

– Corrigir expressões.

– Correção efetuada. Prossiga.

– Esse movimento político em andamento no Brasil, caso venha se intensificar a ponto de mobilizar o país em torno da causa operária, pode resultar em dois cenários. O mais brando retroagiria na restituição do quadro democrático interrompido com o golpe militar perpetrado na década anterior. O mais extremo contemplaria uma revolução para subverter a ordem política pela adesão do país ao regime comunista. Em ambos os casos, veremos uma parcial ou total tramitação dos negócios locais para o bloco comunista. Como o Brasil é o florão da América do Sul e constitui o maior mercado latino, sua liderança regional influenciaria todas as nações vizinhas e determinaria o fim dos privilégios norte-americanos no continente, consequentemente, enfraquecendo sua liderança no bloco ocidental – considerou Willa. – Seja qual for a vertente predominante, o jugo das nações em sua ânsia de controlar as riquezas do país, independentemente dos blocos atuais ou futuros, será o fator derradeiro que as confrontará. Seguindo a tendência atual, há de se esperar que, em algum momento, os olhos dos Estados Unidos se voltem para o Brasil antes que a Alemanha restaure sua influência sobre o país – adicionou.

O mesmo raciocínio se aplicava à Austrália e ao Japão, países em que também se observava uma incipiente retomada nas relações diplomáticas e comerciais com as nações comunistas.

– Basta que um desses países se alinhe ou adote o regime comunista para que a ruptura do bloco ocidental seja completa – vaticinou Willa. – Estimo o prazo de uma década para que a ruptura do bloco ocidental se efetive por um, por outro ou por ambas as faces do globo. Após a ruptura, a inclusão do mercado chinês na rota internacional terá um efeito dominó sobre as nações do Extremo Oriente e da Oceania, de forma que a adesão dessas regiões ao bloco comunista será completa. Conjectura-se apenas como a relação com a Índia – que segue um modelo aberto de gestão – poderá influenciar ou retardar a constituição do novo paradigma. Entrementes, estimo duas décadas, três, no máximo, para que os países supracitados suplantem completamente a força econômica dos Estados Unidos e da Europa Ocidental.

– Da Índia, categorizar-te-ei: *jamais* será boia de salvação dos *yankees* ou dos britânicos, pois colonizada, sim, foi, mas conformada subserviente, nunca. Essa lição meus povos jamais esquecerão – delirou Nhoc. Willa aproveitou a interrupção para questionar:

– Concorda com a análise em corrente?

– Sim, plenamente. Tua visão é uma partilha do que sempre vislumbrei, do que eu mesmo testemunhei em um distante pretérito e que, se permitir a fortuna, será a visão que levarei às entranhas desse planeta quando sua Gaia me consumir: a China, a *minha* China soberana mais uma vez! – exclamou o homiquântico.

– Na sua percepção, por qual viés conjectura que a transição paradigmática se efetuará? Explique.

– Ah, se eu ainda possuísse pernas para me guiar ou a disposição de meus antigos dias, partilharia sem qualquer hesitação que tal viés seria o *meu* viés, o viés oriental, naturalmente. Reintegraria a Índia como dantes fora minha segunda nação. Capitularia o Japão e o restituiria a mais bela China que em certo horizonte foi. Mas conheço bem meus vizinhos, conheço sua disciplina, a obstinação de seus povos, pois é a mesma que sempre lecionei. Sei como será duro o jogo por essas terras – comentou com saudosismo nas sinapses, mas com lucidez. Então considerou: – Será pelo viés sul-americano, pelo Brasil, que a ruína do oeste se iniciará.

– Por que pelo Brasil?

– Pois o país é uma grande tribo de bárbaros, sequer como pátria podemos descrevê-los. E se há uma lição que aprendi durante oito mil anos lidando com bárbaros, é que são imparáveis, imprevisíveis. São ervas daninhas que cerceiam as boas colheitas, nunca cessam de surgir. Quanto mais os enfrenta, mais ferozes contra-atacam. Não há obstinação que se compare ao homem em sua mais selvagem vocação predatória, os bárbaros representam essa faceta. Ora, o que é a Alemanha hoje se não os bárbaros triunfantes de ontem? Observe o Japão, a Mongólia ou a Indochina e veja até onde sua barbárie os levou. – Nhoc estava se estendendo além da questão proposta, por isso Willa o interrompeu com uma consideração:

– O povo brasileiro não é bárbaro, pelo contrário, é bastante dócil – afirmou.

Mas o homiquântico discordou:

– Não a casta militar, nem a classe patronal, muito menos o Estado. São bárbaros. Não é ti quem contabiliza os dados censitários do mundo inteiro? Então cheque se não é o Brasil um dos países mais violentos deste mundo?

Era fato. Das grandes nações do globo, e o Brasil era uma das maiores, certamente tratava-se de uma das mais violentas na relação *per capita* de sua grandeza e em números totais. Por outro lado, Nhoc podia até insultar outras nações, mas não se gabar, já que nesses mesmos totais, a China e a Índia lideravam os rankings de assassinatos ou de mortes violentas. Somente em nações menores ou envolvidas em guerras ou conflitos, como a Palestina e a Indonésia, ou em países igualmente expropriados pelas nações líderes dos blocos capitalista e comunista – especialmente na África central, onde viviam os descendentes da primeira geração humanoide de linhagem atlântica –, assim como no Brasil, encontrava-se um paralelo à barbárie descrita pelo homiquântico. Ele retomou seu colóquio:

– Por mais dócil que te pareça esse povo de traço indígena, ao horizonte em que se rebelem, o caos se seguirá, encampará a anarquia típica do comportamento cujas características, nesse contexto, descrevo como barbárico. Tudo que precisam, eles já possuem – referia-se ao líder sindical que, entre a totalidade da população hominídea a essa altura, Willa seguia com certa atenção, um daqueles exemplares cujos grampos instalara. O homem era um descendente atlântico de linhagem caucasiana, mas cujo DNA apresentava traços genéticos tanto do *homo herectus* cultivado por Nhoc quanto da linhagem atlântica original. Seu biótipo era mediano e possuía abundante juba – parecia-se um hippie no modo de vestir e interagir, chamando a todos de "companheiros". Nesse instante, ele se encontrava em cima de um palanque montado sobre uma caminhoneta estacionada em frente ao pátio de uma grande empresa automobilística ligada ao grupo Ford norte-americano, discursando em um microfone ao lado de alguns partidários e quatro enormes alto-falantes montados na caçamba do veículo, diante de uma multidão de funcionários e correligionários de suas ideias. Uma greve estava em andamento e o líder sindical discursava com forte cólera no rosto, os tendões tesos e as veias saltadas no pescoço ao conclamar pelos direitos de sua categoria e da classe trabalhadora que representava.

– Porque pra montar carro alemão nenhum metalúrgico morre – ia dizendo ele ao microfone. – Sabem qual a taxa de acidentes fatais na fábrica da Volks em Wolfsburguer? Opa! Mas que Wolfsburguer?! Pense na fábrica em Santiago, aqui do ladinho do nosso país, ó. Sabe quantos morrem lá? – perguntou o líder partidário para o apupo da multidão gritando "zero", "zero". – Sim, zero! Mas aqui, onde a produção é muito mais "eficaz"... – exprimiu com desdém – Morre *mais de um por dia* nas fábricas deste país. – Então gritou: – *Nós não podemos aceitar*! – E a multidão retribuiu em massa. – Se até os gringos têm fábrica da Volks, por que temos de nos submeter às regras que a Ford jamais teria coragem de *sugerir* para os trabalhadores de seu país? *Nos digam por quê*?! – prosseguiu o homem em seu inflamado discurso. Nhoc interpelou a observação de Willa para enfatizar seu raciocínio:

– Observe esse homem, a expressão em sua face, a revolta em sua mente, a determinação em seu olhar. É um olhar que captei em diversas faces de distintos homens, o mesmo que um dia vi em Mao, em Minh, ou até *em mim* nos idos em que o infame Logan caminhava nessa Terra. Esse é o semblante do líder bárbaro prestes a arrasar tudo que lhe obstruir a vontade. – Referia-se ao metalúrgico discursando.

De fato, esse líder sindical era alguém cuja aura emanava a revolta que lhe corroía o espírito, que exprimia o quão *puto da vida* estava com seus patrões, com a ditadura que havia lhe prendido e lhe perseguia, que lhe cerceava naquilo que entendia como um direito seu e de seus companheiros. Mas não só, expressava o sentimento de quem já estava farto do sistema que perpetuava as práticas opressoras que achava por bem serem abolidas, emanava a perfeita aura de um animal desperto do instinto submisso ao gene da escravidão que o constitui. Nhoc tinha razão, aquela era a imagem do líder que talvez faltasse para o Brasil romper com o *looping* histórico conforme Willa o havia delineado. Mas ainda era prematuro saber se aquele movimento vingaria na constituição do novo paradigma que os alienígenas consideravam, até porque, nada impedia uma repentina mudança no quadro de momento. Não se sabia ao certo como a cúpula militar do país reagiria frente ao crescente movimento liderado pelo metalúrgico, ou mesmo se, talvez, como sugeriu Nhoc:

– A menos que o matem como fizeram com Mao ou o líder seringueiro há pouco assassinado na Amazônia. – Referia-se a outro líder popular que ganhou notoriedade no norte do Brasil ao confrontar os interesses dos latifundiários e erguer a bandeira de preservação da floresta amazônica. Quem, no corrente leque dimensional, havia sido assassinado apenas alguns meses antes.

Embora Willa não detectasse nenhum plano específico dos militares para matar o líder sindical, muitos desejavam e planejavam atos repressivos à sua figura e às suas ideias, portanto, essa era uma possibilidade que não podia ser descartada. Especialmente quando se observava a instabilidade social na qual o movimento liderado pelo metalúrgico estava inserido e a pesada atmosfera política bancada pela força dos militares que conduziam o país. Prova disso foi a cena que se seguiu em que o líder sindical tecia seu discurso, interrompida pela súbita aparição do pelotão de choque da Polícia Militar, com cavalaria, bombas de gás lacrimogênio, jatos d'água, cães e tropas armadas de escudos e cassetetes, agindo com violência e colocando a multidão para correr, prendendo quem não conseguiu fugir ou tentou encarar a selvageria policial. O líder sindical tentou interpelar e negociar com a polícia, mas teve de fugir para não ser preso novamente. Assim, por ora, terminava aquele capítulo de seu ativismo, conquanto em sua mente ainda emanasse a obstinação de alguém que não foge à luta, nem teme quem te adora a própria morte.

Considerando-se o quadro corrente, os alienígenas concordavam que a tendência natural da política global vergava a favor do bloco liderado pela Alemanha. O mundo caminhava para a ruptura das barreiras comerciais que ainda dividiam o mercado mundial em dois blocos. Isso favoreceria as nações comunistas e sua filosofia de gestão em detrimento ao capital aberto especulativo responsável por manter a vanguarda das nações lideradas pelos Estados Unidos até o momento.

– Se o atual presidente dos Estados Unidos se reeleger, esse cenário tende a se intensificar. Quando o país acordar para a questão, impossível talvez seja reverter a influência alemã por vias pacíficas – conjecturou Willa.

– Com essa marionete aí? É factível – manifestou Nhoc em concordância.

O que realmente escapava à factibilidade compreensiva dos alienígenas era como aquela marionete havia conseguido se eleger presidente dos Estados Unidos. Sua fama era o fator-chave, mas, como estudiosa que era, Willa enxergava muito além disso, via as alianças e o financiamento de campanha que possibilitaram sua eleição. Financiamentos como o do coronel Carrol e seu vasto *lobby* das empresas de tecnologia e telecomunicações – nada mais natural que apoiassem um autêntico astro para defender seus interesses, sendo o próprio candidato também um empresário do meio. Porém, em termos políticos, foi a saída encontrada pelos republicanos para desbancar o candidato democrata que alavancou sua candidatura. Esse candidato era Bobby Kennedy, irmão mais novo do falecido John Kennedy, que havia crescido imensamente nas pesquisas após sobreviver a um atentado na fase primária de sua campanha. A ideia dos republicanos baseava-se no fato do presidente ter sido democrata durante a juventude, mas se tornado conservador com a idade, assim acabou cooptado pelo partido. Apesar disso, era uma figura popular com apelo entre os delegados e os eleitores democratas. Esse apelo se reverteu em votos para os republicanos, que venceram a eleição. Só não imaginavam o quão ineficaz seria o presidente para tocar a política internacional. Muitos, inclusive, não se viam contentes com sua possível reeleição.

Mas fosse no próximo mandato do atual presidente ou no seguinte com outro qualquer, inevitavelmente, a ruptura das barreiras comerciais constituiria o novo paradigma em que nações como a Alemanha e a China rapidamente centralizariam os maiores mercados, condenando as antigas nações do bloco ocidental a uma crescente decadência em seu estilo de vida. Todavia, nenhuma grande tribo assiste passivamente seus membros procrastinarem na miséria sabendo que a tribo vizinha goza na abundância. Quando isso acontece, como pregaria Nhoc, a tribo retroage aos seus instintos mais barbáricos para *tomar* a riqueza da tribo ao lado. Em outras sinapses, era pouco provável que os Estados Unidos permitissem incólumes o colapso do bloco ocidental. Esperava-se que, ao exercerem sua soberania e liderança, caso não fosse suficiente a via econômica ou diplomática, apelariam para a via bélica – como, aliás, já haviam e vinham apelando em inúmeras ocasiões em seu exercício de financiamento e apoio aos golpes constitucionais ou militares em diversas nações, ou de emprego da força armada como nas guerras da Coreia e do Vietnã. Não era à toa que o país mantinha um orçamento estratosférico na manutenção e ampliação de suas Forças Armadas, bem como no investimento de novos armamentos, como acontecia, por exemplo, na base RSMR. Não era apenas para assegurar suas fronteiras ou das nações alinhadas ao bloco capitalista que o país possuía quartéis-generais em todos os continentes e mantinha uma série de frotas navais de prontidão ao longo dos sete mares. Tudo isso seguia um propósito maior, o de empregar tais forças quando a diplomacia não era satisfatória para garantir seus interesses ou saciar suas necessidades.

Em função disso, Willa e Nhoc debruçaram-se sobre o mapa-múndi terrestre para considerar a possibilidade, nada pequena, da instabilidade verificada no quadro atual das relações internacionais derivar naquela que seria a Terceira Guerra das Bandeiras – estava aí o Relógio da Meia-Noite que tinha "bons" motivos para existir. Guerra essa que, em outros pretéritos, conferia o ponto demarcatório da extinção do homem e da ascensão das espécies que viriam a se tornar dominantes no cosmo – ao menos na história *supostamente* original.

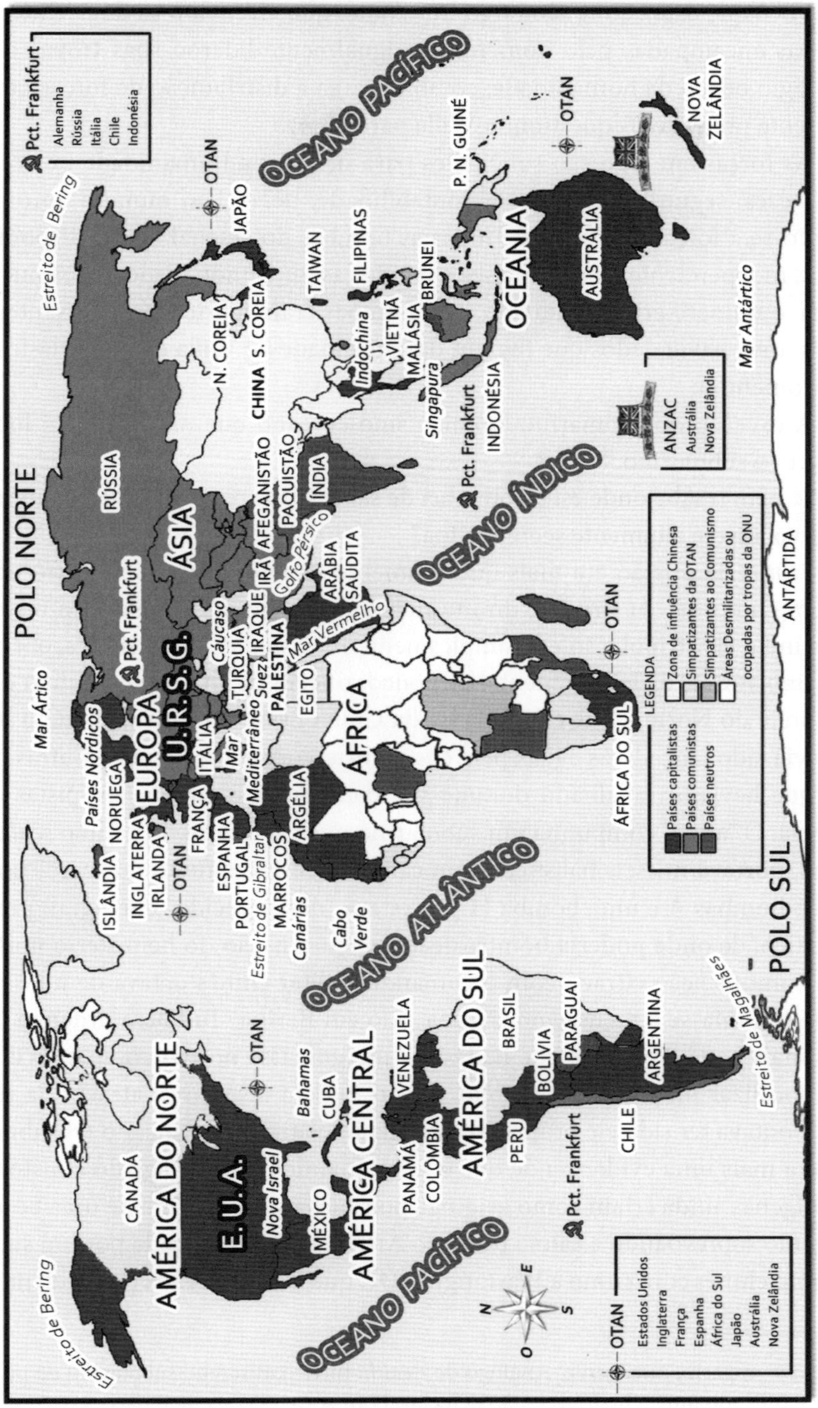
POLO NORTE
POLO SUL
Mar Ártico
Mar Antártico
ANTÁRTIDA
Estreito de Bering
Estreito de Bering
Estreito de Gibraltar
Estreito de Magalhães
OCEANO PACÍFICO
OCEANO PACÍFICO
OCEANO ATLÂNTICO
OCEANO ÍNDICO
AMÉRICA DO NORTE
CANADÁ
E.U.A.
Nova Israel
MÉXICO
Bahamas
CUBA
AMÉRICA CENTRAL
PANAMÁ
COLÔMBIA
VENEZUELA
AMÉRICA DO SUL
PERU
BRASIL
BOLÍVIA
PARAGUAI
CHILE
ARGENTINA
ISLÂNDIA
INGLATERRA
IRLANDA
Países Nórdicos
NORUEGA
EUROPA
FRANÇA
ESPANHA
PORTUGAL
MARROCOS
Canárias
Cabo Verde
ITÁLIA
Mar Mediterrâneo
U.R.S.G.
Pct. Frankfurt
RÚSSIA
ÁSIA
Cáucaso
TURQUIA
Suez
IRAQUE
PALESTINA
EGITO
IRÃ
AFEGANISTÃO
PAQUISTÃO
Golfo Pérsico
ÍNDIA
ARÁBIA SAUDITA
Mar Vermelho
ÁFRICA
ARGÉLIA
ÁFRICA DO SUL
CHINA
N. COREIA
S. COREIA
JAPÃO
TAIWAN
FILIPINAS
Indochina
VIETNÃ
MALÁSIA
Singapura
BRUNEI
INDONÉSIA
Pct. Frankfurt
P. N. GUINÉ
OCEANIA
AUSTRÁLIA
NOVA ZELÂNDIA
OTAN
Pct. Frankfurt
Alemanha
Rússia
Itália
Chile
Indonésia
ANZAC
Austrália
Nova Zelândia
LEGENDA
Países capitalistas
Países comunistas
Países neutros
Zona de influência Chinesa
Simpatizantes da OTAN
Simpatizantes ao Comunismo
Áreas Desmilitarizadas ou ocupadas por tropas da ONU
OTAN
Estados Unidos
Inglaterra
França
Espanha
África do Sul
Japão
Austrália
Nova Zelândia
N
S
E
O

– Você que está aqui a tão largo horizonte, que vivenciou as duas Guerras das Bandeiras encampadas pelo homem, que igualmente liderou suas tropas durante esse estágio bélico da humanidade, como enxerga a distribuição de forças no globo no corrente pretérito? – questionou Willa para Nhoc.

– As forças em jogo são suficientes para destruir a humanidade por completo 703 vezes, segundo tua própria contabilidade, né? – Um número aproximado somando-se a força destrutiva de todas as bombas do arsenal bélico disponível ao homem, independente de seus países e bandeiras, incluindo dispositivos nucleares. Todavia, o número era aproximado, pois bombas eram fabricadas incessantemente, não obstante, havia dados que fugiam da capacidade de Willa em angariá-los, conforme comentou:

– À exceção do submarino atômico sino-coreano que não consegui localizar. Onde está o submarino, Nhoc?

– Se nem ti sabe onde está, como hei de saber? Ou crê que o *status* da missão do respectivo ativo é altamente secreto à toa?

O *status* da missão era mais que altamente secreto, qualquer registro da mesma, bem como da construção, do municiamento e do lançamento do respectivo submarino e sua tripulação era simplesmente inexistente. Willa só descobriu o tal submarino através da leitura mental de poucos oficiais da alta cúpula militar chinesa e da Coreia do Norte – que era parceira da China nessa iniciativa, já que o submarino havia sido lançado às águas pela costa norte-coreana –, além de outras poucas almas que haviam trabalhado durante sua construção e que davam pistas de sua existência. O "ativo" compunha um submarino nuclear dentro do padrão *schlau*[3] dos alemães, portava mísseis balísticos com cargas de fissão e fusão nuclear – um total de cinco bombas A e uma bomba H –, e estava "desaparecido" em algum ponto do Mar Ártico, de onde poderia bombardear qualquer nação do hemisfério norte. Sua última comunicação cifrada com o comando militar chinês datava de mais de seis meses e resumia-se à mensagem "Navegando em Bering. Tudo em ordem a bordo", depois mais nada. Por mais que nadasse e mergulhasse no Ártico, nem Willa conseguiu localizar o submarino secreto. Outro indício disponível através da rede de Nhoc apontava ter sido ele próprio o autor da iniciativa para lançar o tal submarino, o que era mais uma evidência de que o homiquântico havia plagiado a história que os alienígenas ainda criam como original, pois havia sido justamente uma bomba de hidrogênio sobrevoando a calota polar do Ártico, após ser lançada por um submarino secreto chinês com rumo à Washington DC que, ao ser ativada por acidente sobre

---

[3] *Do alemão*: esperto, inteligente. Análogo de *stealth*: furtivo, discreto; submarino de propulsão atômica e hidrodinâmica inaudível, não detectável por sonares convencionais.

o polo, desencadeou o fenômeno climático que imprimiu em gelo o hemisfério norte por completo, dando início a uma nova Era Glacial no planeta. Apesar do plágio ser notório, Nhoc conjecturou:

– Porém, nesta história daqui, os *yankees* não contam com a tecnologia *laser* para abater mísseis balísticos como em outros pretéritos. Portanto não há perigo de uma detonação prematura do dispositivo sobre o Polo Norte. – Referia-se aos discos-gravitacionais bélicos hominídeos empregados pelos norte-americanos na Guerra dos Seis Minutos, os quais não só efetuaram um ataque *laser* estratosférico contra a China, mas utilizaram essa mesma tecnologia para abater mísseis inimigos que viajavam no ar antes de serem detonados sobre o território norte-americano e de seus aliados europeus. Um desses mísseis abatidos portava a bomba H lançada do Mar Ártico pelo submarino secreto chinês, que acabou ativada acidentalmente sobre o gelo do Polo Norte. Isso gerou a reação em cadeia que levou a Terra a uma imediata Era Glacial. Mas Nhoc tinha razão, pois os norte-americanos não contavam mais com essa tecnologia dos discos-gravitacionais bélicos, pois esta era oriunda da queda e da captura de uma nave alienígena em Roswell, um fato que não mais pertencia à história corrente, fosse ela alternativa ou uma vertente qualquer ligada ou não à *suposta* história original. Sendo este o cenário em corrente, Nhoc defendeu-se:

– Não me acuse de plágio. Tudo que fiz foi garantir que, *nesta* história, a China prevaleça. Já basta de germanos, já basta de *yankees*. – Em seguida, jactou-se: – Desta feita, não há força capaz de interpor o triunfo de minha nação. – Então riu em tom maquiavélico.

Na história corrente, o máximo que os norte-americanos, bem como os alemães, dispunham para tentar evitar um ataque nuclear do rival estava muito longe da tecnologia dos discos-bélicos disponível no ano 2033, ocasião em que a Guerra dos Seis Minutos tomou palco. O máximo que ambos os lados possuíam resumia-se a um protocolo condizente com o pacote *Guerra nas Estrelas*, que utilizava a rede de satélites em conjunto com radares em terra para detectar o lançamento de mísseis inimigos e tentar abatê-los antes que atingissem seus alvos, todavia, pelo emprego de caças e mísseis antimísseis. Porém, essa tecnologia ainda estava em desenvolvimento, e fato era que nem norte-americanos, nem alemães ou mesmo chineses, que haviam entrado nessa corrida um pouco tardiamente, contavam com o que seria um escudo antimíssil capaz de antecipar e rechaçar um ataque em larga escala do rival. Ambos os lados estavam vulneráveis e à mercê de um ataque nuclear do antagonista, condenados à completa ruína caso isso acontecesse.

Esse era um dos fatores estratégicos que mantinha o equilíbrio entre as forças antagônicas que disputavam sua supremacia e, como um dia havia professado o famoso *Lehrer* Olivermerter, capaz de manter a paz entre Estados Unidos e Alemanha desde o término da Segunda Guerra Mundial. Não fosse esse equilíbrio – a capacidade de destruírem-se mutuamente – e o medo de uma escalada de guerra progredir das forças convencionais para um holocausto nuclear, seria muito provável que a Alemanha, como líder do bloco comunista mundial, já tivesse sobrepujado completamente as forças ocidentais – dado que as forças convencionais da União Germânica superavam largamente as forças estadunidenses, contando os aliados de cada lado. Somando-se a China como potencial aliada, a supremacia comunista era completa, especialmente no total de tropas para lutar em terra. Quanto a isso, o mapa que os alienígenas observavam deixava evidente a superioridade dos comunistas, mas uma superioridade que não tinha como ser colocada à prova devido ao temor de uma guerra nuclear.

Talvez fosse por isso que os Estados Unidos investissem mais na proliferação de seu arsenal atômico do que os rivais em uma análise individual de cada país. No total, contavam com mais de 20 mil mísseis balísticos, somando 204 bombas H instaladas em silos terrestres ou embarcações, a maioria em submarinos ao redor do completo globo, tanto em seu país como nos aliados, especialmente na Europa e seus respectivos mares, incluindo o Japão e a Austrália. Um arsenal capaz de destruir a Terra mais de 305 vezes – como se destruir uma única vez não fosse suficiente. Alguns alvos estratégicos, como Frankfurt, Berlim e Moscou, possuíam vários mísseis calibrados para atingi-los partindo de diferentes localidades. O mesmo se dava no lado rival, o qual contava com uma capacidade destrutiva ainda maior quando comparada à norte-americana. Basicamente, os territórios que compunham as nações aliadas militarmente à OTAN – Organização do Tratado do Atlântico Norte –, que reunia os Estados Unidos, a Inglaterra, a Espanha, a França e, embora se situassem em outro oceano ou hemisfério, o Japão, a África do Sul e as forças da ANZAC – Austrália e Nova Zelândia –, bem como os territórios alinhados em torno do Pacto de Frankfurt, que reunia a Alemanha, a Itália, a Rússia, a Indonésia e o Chile, eram os mesmos cujas principais capitais estavam todas sob a mira de um ou mais mísseis nucleares, fosse de um dispositivo de fissão, de fusão atômica ou ambos. Não obstante, outras metrópoles estratégicas para ambos os lados em países que não participavam das alianças militares supracitadas eram igualmente alvos de seus inimigos, tais como São Paulo, Brasília, Rio de Janeiro, Buenos Aires, México D.F., Cidade do Panamá, Havana, Caracas, Ottawa, Lisboa, Dublin, Bruxelas, Ancara, Rabat, Cairo, Telavive, Beirute, Riad, Cabul, Nova Delhi, Saigon, Hanói, Singapura e muitas outras que se perdiam em uma longa lista.

O que irritou Nhoc foi descobrir pelas varreduras de Willa que havia uma série de silos secretos instalados no Japão, calibrados para bombardear Pequim com bombas atômicas, além de outros mísseis apontados para as principais capitais do país, como Xangai e Guangzhou. Algo que nem seus refinados espiões Si-Fans tinham conseguido descobrir.

– Malditos nipônicos! Só podia vir deles uma alta traição como essa! – praguejou Nhoc. Mas se tratava de um sentimento recíproco, pois igualmente a China contava com silos secretos que tinham como alvo as principais cidades japonesas. Ainda que o arsenal chinês fosse pequeno se comparado aos concorrentes, somando "apenas" 38 mísseis balísticos já contando com o tal submarino secreto que ninguém sabia onde estava.

Impressionava a alienígena, em suas varreduras, a quantidade de mísseis nucleares de um lado e de outro do muro de Alsácia-Lorena que fazia divisa entre Alemanha e França, estendendo-se por uma linha imaginária do sul-europeu até a região nórdica. Cada lado mortificativamente municiado para destruir o outro completamente. Em números totais, tratava-se da área com maior concentração de mísseis atômicos do mundo. Praticamente, não havia uma metrópole europeia que não estivesse sob a mira de um artefato nuclear, incluindo nações menores ou neutras na relação entre Alemanha e Estados Unidos, tais como Portugal, Turquia, Bélgica e Islândia, além da região do Oriente Médio, igualmente disposta sob a mira de ambos os lados, contando com algumas bandeiras que guardavam silos secretos que sua população sequer desconfiava existir.

Quanto às forças convencionais, embora o contingente inimigo fosse largamente superior, os Estados Unidos mantinham a vanguarda em termos de força aérea e, aliada aos britânicos, igualmente em forças navais. Já nos termos da Guerra nas Estrelas, tanto a OTAN quanto o Pacto de Frankfurt detinham a supremacia que bastava, pois derrubar a rede de satélites adversária não requeria maiores esforços. Bastavam poucas bombas detonadas no espaço espalhando destroços na órbita terrestre para que eles atingissem e inviabilizassem a comunicação rival – um simples parafuso solto em órbita, movendo-se em alta velocidade, era suficiente para derrubar ou danificar um satélite –, e ambos os lados contavam com esse recurso de prontidão no vácuo planetário.

Mas esse seria um cenário visto apenas no caso de uma guerra declarada entre as lideranças de cada pacto militar, da OTAN e de Frankfurt. Em caso de uma guerra aberta, outras nações poderiam se aliar a um lado ou outro conforme o desenvolvimento da guerra ou dos interesses em jogo. Cada país contava com sua própria força militar, as quais, somadas, uma vez que o mundo degenerasse para um estado bélico generalizado, poderiam fazer perdurar esse estado por largos horizontes equilibrando as forças que, em uma análise estatística, favoreciam as nações integrantes do Pacto de Frankfurt. Alguns países possuíam largos contingentes de soldados que se subdividiam em forças simpatizantes a alemães e norte-americanos, ou contavam com forças da ONU cujo lado não se poderia afirmar, em uma leitura momentânea, se pactuariam com um ou com outro. Entre os quais figuravam: Canadá, México, Cuba, Venezuela e o próprio Brasil, na América; Índia e Paquistão, na Ásia, além de bandeiras menores na Europa, como Portugal, Turquia e Bélgica, entre as mais relevantes; e quase a totalidade das nações do Norte e da África Central; além de outros países menores na Oceania que, igualmente, só contavam com tropas da ONU.

Não obstante ao mapa que só Willa dispunha, a alienígena igualmente conhecia os planos mantidos por cada lado para subjugar o rival no campo marcial – afinal, exceto o coronel Carrol, já havia lido a mente de todos os militares do mundo. Não bastasse, a alienígena também contabilizava os atos terroristas cujos planos estavam em curso, além de mapear o fluxo de capital que financiava movimentos políticos hostis em diversos pontos estratégicos no cenário político internacional. Os exemplos eram muitos: patrocinados por judeus de Nova Israel, um homem-bomba rezava a cada dia para expiar sua alma antes de explodir-se em uma Sinagoga em Jerusalém. O objetivo por trás dos extremistas que intelectualizavam o atentado era levar o governo local à instabilidade e substituí-lo por outro mais alinhado aos interesses ocidentais – um grupo de antissemitas contrários ao Estado de Israel na Palestina "assumiria" sua autoria. No Japão, uma gangue urbana sino-supremacista planejava um atentado no metrô de Tóquio – este que seria o primeiro ataque a efetuar-se na cronologia observada pela alienígena, programado para a próxima semana. Na Austrália, guerrilheiros comunistas aliados à causa aborígene mantinham um próspero negócio contrabandeando armas da Indonésia. Enquanto municiavam-se, planejavam um atentado a tiros no pregão da bolsa de valores em Sidney. No Brasil, a Polícia do Exército buscava uma desculpa plausível para prender aquele líder metalúrgico que ganhava notoriedade no sudeste do país. Os militares brasileiros também tramavam um falso atentado no Paraguai a ser atribuído a uma ONG[4] de ativistas comunistas chilenos, como justificativa para reforçarem as fronteiras do país e evitar a entrada de contrabando de produtos alemães através da tríplice fronteira com a Argentina. Por fim, havia o grupo guerrilheiro financiado por norte-americanos, igualmente se preparando no Panamá. Qualquer um desses atentados ou golpes, conforme fossem conduzidos, poderiam movimentar o Relógio da Meia-Noite de maneira definitiva e fatal. Mas Nhoc estava tranquilo quanto a isso:

– Não são esses atos tão drásticos o suficiente para carregar a humanidade ao holocausto.

– Mas suficientes para deixar o mundo a dois minutos para a meia-noite.

---

[4] Sigla para Organização Não Governamental.

— Não creio que a perda de vidas civis tenha impacto na relação com o governo chinês a ponto de levar o Japão a declarar guerra contra nós. Muito menos os Estados Unidos apoiarão qualquer retaliação em função desse atentado. — Referia-se ao atentado em Tóquio. — Os *yankees* sabem perfeitamente que jamais terão alguma chance contra nós no campo bélico. Não por menos, o atual presidente tem se esforçado em manter boas relações com a China central e suas colônias — considerou Nhoc. O que era fato, pois os Estados Unidos haviam sido derrotados em todas as guerras em que tentaram enfrentar, ainda que indiretamente, as forças chinesas. Fracassaram em unificar as Coreias em torno de um governo pró-ocidente e foram retumbantemente derrotados no Vietnã, ainda que não assumissem ambas as derrotas. Willa concordou:

— Sim. Porém, na América do Sul, o cenário é diferente — ponderou. Referia-se ao potencial bélico do Chile, cuja capacidade sustentada por alemães era, de longe, a mais forte e bem equipada do continente. As tensões na fronteira entre o Chile, o Peru e a Bolívia eram intensas. Peruanos e bolivianos pleiteavam territórios que os chilenos haviam anexado na Guerra do Pacífico ao final do século XIX. Da mesma forma, um conflito que envolvia territórios na Patagônia rivalizava Chile e Argentina — um ponto estratégico para passagem dos submarinos *schlau* alemães pelo Estreito de Magalhães — e, na mente da cúpula militar chilena, escancarava-se o desejo do país em expandir suas fronteiras até a Bacia da Prata, consequentemente, em alcançar o Oceano Atlântico para trafegar seus navios. Nesse sentido, qualquer retrocesso nas relações que envolvia o Panamá como via de escoamento da produção que chegava ao país ou qualquer retaliação que partisse do governo brasileiro em função do falso atentado que os militares do país planejavam, constituíam vetores que poderiam levar o continente a uma escalada de guerra. Uma guerra na região não passaria incólume aos interesses germânicos e estadunidenses — e ali não havia China para fornecer clandestinamente suas hordas de guerreiros para suprir qualquer lado –, portanto, seria esse um estado cuja manutenção e desenvolvimento dependeria das nações líderes dos blocos mundiais cujos desdobramentos poderiam levá-las a um confronto direto.

No atual estágio prostituído à eterna preparação para a guerra, a capacidade chilena por si só suplantava qualquer força em seu caminho até alcançar as fronteiras brasileiras. A partir daí, seria o jogo político e o apoio das nações aliadas que determinaria se o avanço chileno seria capaz de tomar o Brasil ou recuaria até suas fronteiras de momento. Se capitulasse o Brasil:

— O mundo estará a um minuto para a meia-noite — estipulou Willa.

Mas esse mesmo jogo político poderia ser o estopim para um estado bélico generalizado que colocaria todas as nações do globo, pró ou anticomunistas, em ação. Fosse para defender os interesses de seus aliados ou os seus próprios.

Pelos planos que Willa havia espionado, partindo-se do pressuposto de que as nações não lançariam mão do arsenal nuclear que dispunham, a Terceira Guerra Mundial se iniciaria no espaço pela ativação do protocolo *Guerra nas Estrelas* por qual fosse o lado que o ativasse primeiro, seguido de seu adversário que o executaria quase simultaneamente. Com a rede de satélites inviabilizada para ambos os rivais, a guerra seguiria seu curso tão quanto seguiu sua predecessora, valendo-se de meios comunicacionais mais arcaicos, como rádio, código Morse, radares convencionais em terra e sonares marítimos para dar suporte ao avanço de tropas por solo, mar e ar.

Em terra, o conflito se iniciaria na Europa por ação de uma *blitzkrieg* da União Germânica sobre seus inimigos fronteiriços. Os germânicos movimentariam suas divisões mecanizadas e tropas de solo irrompendo sobre o muro de Alsácia-Lorena. Tropas soviéticas executariam um ataque simultâneo ao norte pelo emprego de mísseis de longa distância, avançando por mar e por terra para controlar os países nórdicos, movimentando suas frotas com o objetivo de ocupar a Islândia e estabelecer um cerco à Inglaterra ao longo do Círculo Ártico. Os Estados Unidos retaliariam com sua própria *blitzkrieg* e com um avanço naval pelo Atlântico Norte, fornecendo apoio às tropas aliadas e focando em alvos que inviabilizassem o fornecimento de petróleo aos alemães. Logo nos estágios primários da guerra, a mobilização em torno dos países norte-africanos seria fundamental para determinar quem controlaria a região e dominaria o Oriente Médio. As ações em solo das forças da OTAN se concentrariam em uma ofensiva com duas frentes: ao leste, partindo da Arábia Saudita, e através de suas milícias simpatizantes atuantes na Palestina e no Egito; e ao oeste, vindo do Marrocos e da Argélia. Porém, as forças alemãs concentradas no Afeganistão e no Irã seriam mobilizadas para avançar sobre a Península Arábica e controlar a região, contando com apoio do exército russo, cujo contingente superava largamente as forças inimigas na região. A julgar pela capacidade de cada lado, os palcos onde as batalhas se concentrariam se dariam no Egito, na Palestina e no Iraque. A Turquia igualmente se converteria em um foco para controlar o avanço de tropas da Europa para o Oriente Médio e o acesso à região do Cáucaso – nações em que o massacre e a devastação seriam absolutos. O controle naval nos mares Mediterrâneo, Vermelho e Pérsico igualmente se mostraria vital para determinar o vitorioso em dominar a região norte da África e o Oriente Médio, águas que se converteriam em imensos palcos de batalha naval. Restava saber qual seria a postura da Índia, que poderia intervir em favor do bloco ocidental para neutralizar as forças afegãs ao marchar sobre o Paquistão e colocar o país em um corredor bélico entre suas fronteiras leste e oeste, obrigando alemães e russos a subdividirem suas forças para neutralizarem os ataques ao leste enquanto avançavam sentido oeste, bem como em dispender forças para controlar o Golfo Pérsico e a navegação no Índico.

Sem dúvida, o poderio aéreo e naval das forças da OTAN era suficiente para arrefecer o avanço comunista no Oriente Médio. Porém, na Europa, o triunfo alemão era apenas uma questão contábil. Uma vez que se iniciasse o avanço por terra, nada deteria a armada germânica até que o continente inteiro estivesse sob controle dos comunistas, exceto pela Inglaterra, cuja localização ilhada permitiria ao país resistir com apoio aéreo e naval dos aliados. Sem dúvida, muitas megatoneladas de aço viriam a pique até que alemães e russos controlassem as costas norueguesas e francesas para, então, avançarem por mar e aportarem nas ilhas britânicas. Todavia, seria quando o foco da guerra europeia se voltasse contra a Inglaterra que a Irlanda se mobilizaria para tomar a região norte do arquipélago e desestabilizar a reação inglesa, facilitando a movimentação de bombardeios alemães que imporiam um sítio ao país. Seria apenas uma questão de tempo até a rainha cair no tabuleiro e a Europa inteira se colocar sob o jugo comunista. Frente à capitulação inglesa, os esforços aliados se concentrariam no Oriente Médio e no norte da África em um ato desesperado para impedir que a região caísse em mãos inimigas, tentando manter o controle sobre as maiores jazidas de petróleo do mundo. Caso falhassem:

– A meia-noite chegará – profetizou Willa.

Antes de alcançar esse ponto sem retorno no qual as nações apelariam para seu arsenal nuclear no intuito de dizimar os rivais, os Estados Unidos concentrariam esforços na América do Sul, especialmente ao norte do continente, para garantir o suprimento de petróleo e urânio venezuelano. A Alemanha igualmente se faria presente na região através do Chile, de onde avançaria pelo Pacífico com sua frota de submarinos atômicos objetivando controlar o canal do Panamá. As forças da ANZAC e do Japão se mobilizariam para auxiliar os norte-americanos na guerra marítima, mas estariam subdivididas na atuação contra as ações comunistas no Índico, com os ataques alemães partindo da Indonésia em uma investida já planejada sobre Papua Nova Guiné e outra sobre Brunei e Malásia – nações vitais para as rotas comerciais que interligavam Austrália, Nova Zelândia e Japão. O Japão também teria de se mobilizar para garantir a manutenção de suas rotas comerciais em Taiwan e nas Filipinas, enquanto tentaria evitar o avanço marítimo alemão pelo Pacífico. Nesse contexto, igualmente as duas Coreias – do Norte e do Sul – planejavam invadir uma a outra e reunificar o país, cabendo às tropas chinesas garantirem o suporte que permitiria aos comunistas triunfarem na região e capitularem o Japão.

A importância maior da China, além de suas hordas, dava-se pelo país contar com tecnologias que nenhum rival possuía paralelo. Tecnologias fornecidas clandestinamente por Nhoc através de sua rede privativa. A começar pela própria rede de base *trinária* que, de instante, supria seu cérebro com informações privilegiadas que nenhum outro chinês dispunha – uma linguagem que em outros pretéritos caiu em mãos *yankees* graças ao incidente em Roswell –; passando pelo protocolo *Earthquake* e o respectivo *know-how* alienígena de construção de túneis intercontinentais; incluindo o submarino secreto cuja existência plagiou; até chegar, por fim, ao *tanque subterrâneo*. Outro derivado da engenharia de túneis fornecido pelo ex-tatu marciano Adonis_844535239: um tanque de guerra que trafegava abaixo do solo e podia surpreender os adversários ao surgir na superfície atrás das linhas inimigas ou permanecer escondido embaixo da terra no intuito de emboscar qualquer invasor. Eram artefatos e tecnologias que faziam da China a força decisiva para garantir o triunfo das nações comunistas no Extremo Oriente e assegurar a hegemonia do bloco germânico sobre seus rivais em um cenário de guerra mundial.

Para a América, seria no mar que a fortuna da guerra se decidiria, com o país lutando para deter o avanço inimigo pelo Pacífico ao oeste e mantê-lo na Europa ao leste, suprindo sua força naval em prol da Inglaterra e da defesa do Atlântico desde Gibraltar, traçando uma linha de segurança por ilhas como Cabo Verde, Canárias e o arquipélago das Bahamas, contando com os aliados na África e na América do Sul, tais como o Brasil e a África do Sul, como entrepostos estratégicos para suprir suas frotas navais e esquadrilhas aéreas. Mas sem o apoio do Japão e da ANZAC, a guerra no Pacífico e no Índico se destinaria à total supremacia comunista. Isso fragilizaria as defesas da costa oeste norte-americana, deixando o país vulnerável a um desembarque em massa das forças germânicas que, assim, dominariam e subjugariam o país. Um desfecho difícil de se imaginar sem que, à beira de sua derrocada, os Estados Unidos não apelassem para seu arsenal mais mortífero pelo lançamento de seus mísseis nucleares – era o quadro que descrevia a meia-noite predita por Willa. Porém, Nhoc discordava:

– Se tal cenário depende do apoio chinês para capitular o Japão, então jamais se configurará – afirmou, convicto. – A China não tomará partido nessa guerra tão quanto não tomou nas duas grandes guerras anteriores, pois a única vitória possível no campo marcial dentro do atual estágio da escalada armamentista é *não participar* dele – enfatizou. Willa mais uma vez tomou a afirmação de Nhoc como uma de suas alucinações, pois se expressava como se ainda estivesse no comando de seu país. Ele insistiu: – Ora, se não foi a neutralidade do Brasil durante a Guerra dos Seis Minutos que permitiu ao país sobreviver àquele holocausto, *né?* – questionou beirando a histeria.

Todavia, sua afirmação interrogativa estava correta, bem como era fato não existirem planos chineses no intuito de cooperar em uma aliança com alemães e russos. Se existia um submarino atômico preparado para atacar seus inimigos ou uma série de outros mísseis apontados para seus vizinhos, seu intuito era suprir a defesa do país e garantir sua soberania perante hostilidades alheias. Mas assim como aconteceu na Segunda Guerra, não existia nenhum acordo ou vontade política que motivasse a China a colaborar com a Alemanha em uma guerra contra o Ocidente e seus respectivos aliados no Oriente.

Apesar de captar a incredulidade da alienígena às suas sinapses, Nhoc prosseguiu:

– Não será pela guerra que meu país triunfará, mas pelas lições que comunguei ao povo desde que iniciei minha reclusão nessa câmara. Esse é meu legado: suprir a China e a Índia da supremacia cuja proposta para seu assentamento sempre foi a mesma, a hegemonia do *homo herectus* sobre a *praga* atlântica. Essa é a lição que ficará para quem um dia duvidou ou contestou a razão para a missão que pleiteei para esse pretérito, que traz à luz a importância da inteligência de Lemúria na formatação de nossa própria inteligência. Para colocar um ponto final à adoração inepta aos atlânticos que tanto atrasou minha empreitada e foi a razão que me obrigou a aceitar a presença do infame Logan em minha expedição. A morte dele e a supremacia de meu povo são as provas cabais da minha razão, da minha certeza que *Nova* tanto subestimou, que *Murphy* ludibriou-me para aceitar a parceria de um marciólogo abaixo de medíocre como aquele infame provou ser. – Mais uma vez, Nhoc enrijeceu seu tórax e abriu os braços, gesticulando e encarando a alienígena enquanto caminhava de um lado a outro em sua diminuta câmara ao compartilhar suas mágoas. Willa o confrontou:

– Ainda existem estratégias alternativas que não consideramos. Por exemplo, a opção dos Estados Unidos deflagrarem um ataque surpresa *sem executar* o protocolo *Guerra nas Estrelas* em um primeiro momento, de modo a não prevenir o inimigo de sua investida iminente. A OTAN lançaria um assalto aéreo massivo com apoio de mísseis balísticos convencionais na Europa, no Irã e sobre o Cáucaso, derrubando a primeira linha de defesa da União Germânica. Com apoio do Japão e da ANZAC, executaria um ataque naval em larga escala sobre as posições costeiras na Indonésia, igualmente se posicionando para controlar o Mar Vermelho e o Golfo Pérsico, impedindo ações do Pacto de Frankfurt contra seus aliados no Pacífico. Obtendo sucesso nessa primeira investida, que se seguiria do avanço de regimentos da OTAN e de divisões mecanizadas por terra na Europa, na África e no Oriente Médio, e o desembarque em territórios na Ásia e na Oceania, pressupondo-se que a China não intervirá, é possível prever com relativa certeza que os Estados Unidos prevaleçam nessa guerra – conjecturou.

– Não fará diferença alguma, pois no mesmo tom em que germânicos e *yankees* se trucidem mutuamente, meu país permanecerá quietinho, intacto, fortalecendo-se enquanto os concorrentes se enfraqueçam. Apenas aguardando o desfecho da batalha, pois será na *paz* que minha vitória se consumará.

– Ainda que a paz atual perdure e esses conflitos nunca venham a se atualizar?

– Perfeitamente, imbecil! – enervou-se Nhoc. – Essa é a única paz *possível*. Teus pressupostos são risíveis. Ambos sabemos que uma guerra entre nações tão arrogantes... Ora, se não é ti mesma que mede a "aura" dos povos, pois que traduza nos gráficos, leia em tuas "medidas vibratórias" aquilo que a mim basta o instinto para compreender, né? Basta para saber que tanta arrogância, tanta tolice e tanta estupidez seriam os primeiros instintos a prevalecer entre essas sub-raças atlânticas mal evoluídas. A elas só resta uma última batalha cujo palco é o *átomo*, a dizimação do adversário em um holocausto nuclear – expressou em tom contestador. Entrementes, apesar de risíveis, tratando-se de uma criatura tão multividual quanto os alienígenas que a estudavam, os pressupostos de Willa eram perfeitamente atualizacionais; restava o futuro dizer qual das vertentes predominaria. Vertentes estas que incluíam a participação da China no conflito, embora Nhoc desconsiderasse tal possibilidade.

Apesar da forma delirante como se expressava, o homiquântico tinha suas razões. Uma investigação sobre a mente de militares, políticos, lobistas e até contrabandistas ligados à indústria armamentista ao redor do globo, revelava não existir uma predisposição imediata de qualquer nação, especialmente dentro da União Germânica e dos Estados Unidos, no intuito de dizimar seu adversário. Nenhum líder mundial estava buscando uma "justificativa plausível" para apertar os botões, ainda que estivessem bem preparados para isso. Entrementes, havia figurões importantes em ambos os lados, fossem ligados diretamente ao Estado, aos militares ou aos *lobbies* armamentistas, por diferentes motivações, muitas vezes ideológicas em defesa da própria filosofia de vida, que tinham sim disposição para ativar o botão da meia-noite caso isso fosse necessário.

Para citar um exemplo dentre os envolvidos na novela que se passava no Algomoro, uma dessas pessoas era o secretário de Defesa, Ashley Mature. Não por menos, Willa estava temerosa com seu envolvimento no caso conduzido por Carrol – dava mais medo saber o que Mature tinha na cabeça do que ainda não sabia se passar na mente do coronel. Mas Willa sequer tinha focos para o que acontecia em torno da *Nave* nesse instante, pois Nhoc prosseguia com suas megalomanias, confrontando-a em tom impertinente, expressando suas sinapses em um ritmo cada vez mais rápido e estridente:

– Só há uma escolha para a humanidade: manter a paz atual ao custo de que o fracasso será sua perdição. Tomará maiores horizontes, é certo, nenhuma solução será imediata, mas o desfecho é único e inevitável. – Nhoc mirou Willa, comprimiu seu semblante em uma expressão pouco amigável e prosseguiu com ênfase em suas ondas cerebrais: – Será pela *fome* que, mais uma vez, o mundo se subjugará ao meu país. Quando as barreiras do oeste se romperem e o muro de Alsácia-Lorena vier abaixo, o contingente de esfomeados sino-hindu realinhará a ordem econômica mundial. Será o horizonte quando, mais uma vez, os negócios da China se tornarão os negócios do mundo. Não haverá nação capaz de competir conosco, serão todas nossas escravas, curvar-se-ão à nossa vontade. *Yankees*, britânicos, gauleses, germanos, romanos, eslavos, judeus e árabes estarão à nossa mercê, seus países procrastinarão na decadência de um *modus vivendi* insustentável, completamente dependente da força laboral oriental. Nossas tecnologias suplantarão o restante do mundo, nossa força militar será imbatível, sobretudo, nossa força econômica e nossa política ditarão os destinos de todos os povos. O mundo será uma grande colônia chinesa – jactou. – Esta há de ser a mais contundente resposta que atravessará as dimensões em *fótons* que desmascararão toda a hipocrisia, toda a estupidez com que *Nova* tentou designar o destino dos *tempos*. – Fez uma breve interrupção para mirar Willa com furor nos olhos, então completou: – Esse será o mundo cuja sina, cujo *carma* jaz na total hegemonia do *homo herectus* lemuriano. A China imponente e ocupando o centro do universo novamente como pregam os dizeres no saguão anexo. A *minha* vontade triunfante sobre a mesquinharia de todas as criaturas que um dia quiseram desconstruir minha obra e escravizar meus povos, pois serão todos submissos ao destino que reservei para elas. Nada nos impedirá dessa vez! – Então começou a rir jocosamente, suas ondas cerebrais se comprimiram num espasmo e, em seguida, ganharam amplitude e ecoaram como uma tormenta entre as paredes da câmara secreta, abalroando Willa como se um pequeno tsunami emergisse da mente do homiquântico, fazendo sua risada ganhar volume e assustar seus micos, que arregalaram os olhos e se comprimiram no fundo da diminuta sala, sem saber ao certo o que se passava com seu amo.

Nhoc estava gozando.

– *Então tratarei de libertar todas as minhas crias que estão aprisionadas nos porões do Ocidente* – adicionou ele em meio ao afogo de sua interminável gargalhada.

Willa silenciou sua mente, contendo seus sentimentos diante daquele discurso maquiavélico, daquela evidente catarse que tomou o cérebro de Nhoc, apenas respeitando seu regozijo ainda que captasse a completa demência que ejaculava de sua mente em uma clara manifestação do quadro degenerativo que o acometia. Por outro lado, compartilhava a empatia da criatura ao manifestar o prazer intelectual que aquelas tolas ideias forneciam, contente de que sua loucura, ao menos, brindasse-o com uma sensação que o homiquântico não partilhava há largos horizontes. Não obstante, enquanto aguardava Nhoc relaxar e se recuperar do orgasmo que consumia suas energias, Willa deu continuidade à redação das últimas considerações do relatório já em suas sinapses finais. Dirigiu-se a Sam e concluiu:

– A evolução da Idade Média, o plano da escuridão para o plano nomeado *Nobell*, em um futuro datado em 2997 d.C. nas mais altas vertentes, deu-se pelo complemento do tradicional *looping* da Revolução Industrial combinada à Era dos Videogames pelo completo autoextermínio da civilização através da guerra. A revolução é sempre o marco inicial de estreitamento do laço convergente a tal sinistro desfecho, como motriz para o rompimento desse *looping* e o estabelecimento de um novo ciclo virtuoso que, assim, permite o progresso longe da repetição de tal caótico cenário. O que aponta ao Armageddon é a prostituição à guerra, esse é o dado definitivo. Enquanto esse ciclo não se romper, seja pela efetuação de seu holocausto ou pelo arbítrio em evitá-lo, o mundo estará constantemente a três minutos para a meia-noite. Estipulo um prazo entre 50 anos para que a humanidade consiga transitar do atual estágio para um novo ciclo em que possa evoluir nos termos de sua frequência vibratória, um padrão que somente será elevado se essa transição for pacífica. Dentro desse prazo, o perigo de um holocausto nuclear, conforme analisado a partir do quadro atual, será sempre iminente.

– Data limite? – questionou Sam.
– 20 de julho de 2019. Prazo máximo até 2028.
– Tarde demais – lamentou.
– Infelizmente.
– Prossiga em suas conclusões.
– Pela ciência da *Mãe*, a raça hominídea, espécie *homo sapiens* derivada *sapiens sapiens atlanticus* e *herectus sapiens lemurianus*, exibe padrão vibratório condizente a um *erro* da evolução na cadeia *Vida*, apesar da inteligência e da capacidade de engenho que reconhecidamente ostenta, sobretudo no âmbito das comunicações. Registre-se esse quadro como derivado de interferências alienígenas danosas, especialmente do espécime Adonis_844535239, ainda presente em tal plano de análise. Conclui-se que a inteligência da *Mãe* pelo poder de originar seres evoluídos à consciência é, em oposto viés ao objeto proposto, incapaz de evitar as *inépcias* de um ser fadado a uma eventual autoextinção. Dada sua *expertise* fragmentadora não conciliatória e dedicada à arte marcial, é perfeitamente natural que tal desfecho se faça atual em horizonte inferior à janela proposta.

– Como embasas a questão do erro evolucional da espécie supracitada?
– Trata-se de uma questão ligada à *reciprocidade* da espécie ou à falta dela. A reciprocidade envolve três componentes: afetivo, cognitivo e reguladores de emoções. O componente afetivo baseia-se na partilha e na compreensão de estados emocionais de outros; o componente cognitivo refere-se à capacidade de deliberar sobre os estados mentais de outras pessoas; a regulação das emoções, por sua vez, lida com o grau das respostas empáticas. Observa-se uma resposta errônea na regulação de emoções em âmbito coletivo da espécie, cuja cognição retroage para seus instintos irracionais e aflora em respostas violentas e nos preconceitos supracitados no relatório, o

bullying descrito no capítulo *Críticas*, sendo sua maior expressão, como relatado, a contínua prostituição à guerra. A necrofobia verificada em âmbito de inconsciente coletivo também influencia negativamente esse quadro. É justamente essa resposta negativa que não condiz com a programação genética da entidade *Mãe*. Enquanto negar suas características recíprocas, empáticas e colaborativas, a espécie manterá ínfimas chances de sucesso em manter seu processo evolutivo até alcançar um grau racional condizente com o esperado – embasou Willa.

Nesse instante, a *Árvore* interrompeu para fornecer o padrão vibratório estabelecido para a humanidade já à conclusão da análise de Willa. A entidade também adicionou um comentário:

– Padrão incompatível à taxa mínima de racionalidade cósmica.

Willa concluiu o relatório:

– Pelo arbítrio da *Mãe*, o grau de consciência terreno no curso corrente não oferece nenhuma adição à futurama, a extinção de sua fauna não subtrairá valor à sua respectiva Gaia, nem ao contexto evolutivo cosmo-solar.

103

Se dezoito horas era prazo suficiente para Willa completar seu relatório e fazer Nhoc gozar, as dezoito centenas estipuladas pelo coronel Carrol para que seus especialistas obtivessem contato com o objeto alienígena-extraterrestre pareciam insuficientes para cumprirem a missão. Não por falta de dedicação e tentativa, pois foram centenas muito bem aproveitadas por todos. Mas se Willa finalizara seu relatório em prazo inferior, o time ainda desfrutava de uma boa janela antes de estourar o prazo. Então era só aguardar o Exocet na cabeça.

À parte o ímpeto da alienígena em simplesmente enviar um e-mail para Steve Limbs ou contatar Adrian Murray, o psicólogo aproveitou parte das longas centenas para cochilar um pouco em cima da nave, repetindo o experimento que havia feito assim que se apresentou ao posto zero, a princípio vestido, depois nu novamente, desta feita sem qualquer objeto no corpo, como seu relógio ou sua gargantilha. Dormindo nu, teve um sonho muito vívido com um alienígena escuro e bem cabeçudo, porém brilhante como o céu estrelado. Repetitivo, o estranho ser insistia em dizer as mesmas coisas como um disco riscado, "Estamos em missão de paz", mas igualmente se perdendo em um *looping* de longas explanações técnicas que, não importasse quão plausíveis e coerentes se transparecessem, jamais recordaria ou saberia explicar.

– Estamos de partida. Não façam nada – dizia o alienígena nesse estranho sonho. Quando acordou, Murray permaneceu de olhos fechados durante alguns minutos, esforçando-se para relembrar o sonho, mas ele fugia de sua mente, só restavam aquelas frases.

— Impeça o coronel. — Pareceu recordar-se o alienígena dizer. Então abriu os olhos e observou o céu estrelado sobre si e a nave em meio ao descampado do posto zero com o Algomoro se perdendo atrás de sua cabeça. Sobre ela, ainda pendia a armação circular com as câmeras giratórias instaladas por Limbs e um guindaste sustentava um placar eletrônico, inoperante no momento. O engenheiro encontrava-se logo abaixo, sentado à mesa de costas para a nave, operando um dos computadores que havia instalado no local na tentativa de obter um contato com as entidades que supunha estarem interferindo ou até *hackeando* os dispositivos eletrônicos. Com cuidado, Murray posicionou-se sobre suas nádegas, próximo à cúpula do objeto, então manifestou:

— Eles falaram comigo... — À revelação, observou Limbs virando-se com uma expressão curiosa no rosto. — Ou *ela*... Não sei dizer.

— E o que ela ou eles falaram?

— Que estão aqui em paz.

— Eu imaginava. Se não já tinham feito algo, nos atacado, provavelmente. Ou talvez teriam aparecido com mais naves por aí se quisessem invadir a Terra — opinou o engenheiro. — Mas só isso? Não disseram mais nada?

— Não consigo me lembrar direito... Disseram que estão indo embora. Disseram pra... — Calou-se antes de completar a frase.

— Pra? — insistiu Limbs. Expressando incerteza, Murray respondeu:

— Pra alertar o coronel... — Em seguida, questionou. — Ele ainda está no quartel?

— Está.

Com uma escorregadela, Murray desceu da nave e começou a vestir-se lentamente. Nesse ínterim, permaneceu conversando com Limbs:

— E o resto do pessoal?

— Teu "colega" está dormindo na van, o outro coitado deve tá lá desmontando o laboratório.

— Coitado?

— Sim, coitado. Ficou um tempão montando o laboratório desde que chegou só pra ter que desmontar tudo depois que terminou.

— Mas você não fica muito atrás dele. Tá toda hora montando e desmontando câmeras, monitores, computadores. Ligando, desligando e religando.

— Mas eu tava me divertindo... Até as vezes de bombeiro precisei fazer — comentou, sorrindo.

— Pois é, eu também me diverti. Uma pena que acabou... — disse Murray com um suspiro. — E mal tinha começado.

Os dois se silenciaram, então o psicólogo perguntou:

– Cadê meu relógio?
– Está aqui – disse Limbs, apontando para o relógio sobre a mesa. – São 4h35.
– Achei que tinha dormido bem mais... Tem tempo ainda.
– Sim, mas para quê?
– Para alertar Carrol – insistiu. – E você? Conseguiu algo?
– Nada.

Limbs havia trabalhado com duas suposições para estabelecer comunicação com o objeto: buscar contato via computador e através das leituras de consumo que vinha analisando. Com a ajuda de Nickson, montou uma série de aparatos de medição e instalou um programa de análises para tentar extrair algum tipo de padrão que identificasse uma forma de linguagem em possíveis variações escondidas nas leituras analisadas. Todavia, nenhuma variação que pudesse ser atribuída a um padrão, mínima sequer, foi identificada. Nem as oscilações ou picos energéticos que antes identificara voltaram a se repetir – sem contar o curto-circuito no placar eletrônico seguido de um princípio de incêndio rapidamente controlado, cuja falha, depois comprovada, foi humana.

Com autorização de Carrol, pela Arpanet, Limbs obteve acesso a alguns institutos de linguística para baixar dicionários fonéticos de todos os idiomas disponíveis que pôde encontrar no alcance da rede – bastante limitado nessa época. Com Murray valendo-se de intérprete, ambos leram mensagens de boas-vindas e fizeram perguntas para o objeto em várias línguas. O psicólogo Harrys, que sabia falar um pouco de alemão, saudou a nave no idioma germânico, mas nada surtiu efeito. No instante em que Murray vestia-se após seu cochilo sobre a nave, o engenheiro monitorava as medições e rodava um arquivo em lote repetindo uma mensagem em mais de 70 línguas com um apelo para que o objeto se manifestasse de alguma forma e revelasse quais suas intenções na Terra. Inútil. As mensagens já rodavam há mais de centena sem que nada acontecesse. Inutilmente também mantinha um tutorial de programação binária carregado na memória RAM com a esperança de que o objeto compilasse a linguagem do computador e se manifestasse através dele. Mas o *prompt* que deixou disponível para contato permaneceu piscando à espera de um comando que parecia jamais se efetivar.

Ao lado do engenheiro, três aparelhos de videocassete e respectivos monitores foram trazidos do quartel e dispostos em uma mesa auxiliar; um deles permanecia ligado com uma fita virgem, esperando-se que o objeto interagisse com ele. Murray chegou até a providenciar uma extensão de cabo de recepção para conectar com a nave, mais como um gesto de simpatia do que algo prático, já que não havia conector no objeto ou tampouco qualquer fita isolante possuísse aderência para sustentar um fio em contato com sua superfície. O sargento Rodriguez já havia feito o mesmo com os cabos de alimentação do placar eletrônico disposto no local na esperança de que a nave pudesse manifestar-se por ele, mas tudo que obteve foi um curto-circuito. Quanto aos demais monitores, por sugestão de Harrys, reproduziam filmes temáticos que, em sua ótica, mostravam simpatia e procuravam estimular um contato por parte dos pseudoalienígenas que, possivelmente, escondiam-se no interior do objeto. Os filmes eram *O Dia em que a Terra Parou*, um dos maiores clássicos do gênero, que retrata a chegada de um arauto alienígena ao planeta, e *Contatos Imediatos de Terceiro Grau*, um *blockbuster* bem atual, lançado no ano anterior. Porém, já estavam na segunda reprise sem que surtisse qualquer efeito – pudera, para quem já vivenciara películas sensitivas polidimensionais, tais como *O Horizonte em que o Cosmo Parou*, em nada entusiasmava um retrato radiofônico animado dramatizado por uns macaquinhos quaisquer. Também tentaram tocar música para ver se surtia algum efeito, desde clássica até rock. Cada membro do time teve oportunidade para escolher sua canção – some-se a isso Murray e seu gênio sarcástico, a todo instante dirigindo-se com palavras, apelando, gesticulando e dando tapas na nave, pedindo para que emitisse algo –, mas nada comoveu Sam, que permaneceu irredutível em impor o silêncio por parte dos alienígenas.

Talvez se pudesse criticar a criatividade do time em suas fúteis tentativas de extrair qualquer intelectualidade do objeto, mas não seu empenho. Para a simples exibição de um filme, por exemplo, foi preciso que a CIA prestasse seus serviços para, por meio de agentes coordenados pelo tenente Mathew, invadir algumas das poucas locadoras de vídeo em Picacho e Roswell a fim de encontrar os títulos sugeridos pelo time. Também foi necessária a influência de Carrol sobre o prefeito de Picacho para permitir que Rodriguez coordenasse a retirada do placar eletrônico do estádio municipal – um painel de luzes claras com 500 lâmpadas medindo 12 x 6 metros. Retirado o placar, ele foi transportado e instalado no posto zero para que o time desempenhasse um "show de luzes" com animações e mensagens para o objeto. Limbs brincou bastante com ele, criando padrões diversos, com imagens agroglíficas e desenhos que, em consulta aos arquivos do SETI disponibilizados pela Arpanet, acreditava-se estarem relacionados com o fenômeno óvni e a teoria dos astronautas antigos. Inclusive Carrol foi obrigado a convocar os funcionários do instituto para se colocarem à disposição do time para consultas, mas, claro, vetando qualquer menção direta ao que se passava no posto zero.

Já vestido novamente, Murray continuou papeando com Limbs:

– E o Rodriguez? Está por aí?

– Deve estar dormindo também. Só tô eu aqui.

– Na van também? – Referia-se ao *motorhome* de comunicação de Limbs, que mal cabia um homem deitado, pois o *motorhome* de Carrol já havia sido removido do local.

– Não. Lá no dormitório. Não o vi por aqui desde que você resolveu fazer seu *strip-tease* pros alienígenas – brincou. Murray riu da piadinha.

– Então eu vou lá ligar pro coronel – disse, já tomando direção ao *motorhome*, mas Limbs o questionou:

– Você acha que ele vai acreditar?

– Ele tem que acreditar. Você não acredita?

– Eu acredito. Mas não sei não…

– Não sabe não, o quê?

– Ele não acreditou muito nos meus sonhos – lembrou Limbs. – Mandou você me "checar", não foi? Me hipnotizar.

– Sei, mas e daí?

– E daí quem vai hipnotizar você? – questionou, mirando firme seu interlocutor. Então, com um leve sorriso no canto da boca, perguntou: – Harrys?

– Se for preciso… Ou se o chefe quiser, por que não? Tamos aqui pra cumprir ordem, não é não?

– É… – anuiu.

Nesse instante, Murray foi condescendente e se explicou melhor:

– Depois de tudo que passamos, nem preciso de regressão pra saber que talvez seja só um sonho mesmo… Um sonho de imersão semiconsciente influenciado por nossas memórias recentes. Mas vamos ver se convence o chefe a desistir dessa tal Operação Pino.

– Por que tanta importância com isso?

– Ora, não imagina o que seja essa "tal" operação? Eles vão bombardear essa coisa.

– E qual o problema?

– São vários problemas… – divagou o psicólogo.

E, assim, os dois permaneceram conversando a respeito.

Para Willa, como pensaria seu esposo, as agitações noturnas do time em sua vã busca por contato eram apenas macaquices que sequer a divertiam. Pelo contrário, em parte a angustiavam por não poder responder.

De fato, o que de mais interessante aconteceu girou em torno da vigarice e da dissimulação do psicólogo Harrys. Primeiro, ao se disponibilizar como "redator" do time na compilação dos relatórios exigidos por Carrol, o que não passava de uma desculpa para manter-se na van de Limbs utilizando um de seus computadores. Segundo, para sugerir que dispusessem os videocassetes e os filmes que utilizaram para estimular um contato com o objeto. Por trás de seu voluntarismo, escondia seu real propósito: em meio a tantos aparelhos, cabos, fitas e reproduções de filmes, buscava disfarçar seu passo seguinte, o de ludibriar o engenheiro Limbs para uma sessão de hipnotismo em sua van sob a alegação de que precisava "revalidar" a sessão anterior conduzida por Murray. Sessão da qual se aproveitou muito bem para condicioná-lo a editar uma cópia extra da fita com a visita do presidente da República ao posto zero – a cópia em que constava a falsificação do objeto na gravação. Nesse instante, enquanto permanecia "dormindo" na van de Limbs, apenas monitorava o processo de renderização da fita. Faltava pouco, mas, justamente, era quando se mostrava mais tenso e temeroso em ser flagrado pelo próprio Limbs, pois se o engenheiro não se lembrava de ter colocado uma segunda fita para gravar, certamente se perguntaria como aquela fita havia sido adicionada à gravação caso entrasse na van antes do processo finalizar e pudesse escondê-la consigo. Qualquer um, seu desafeto Murray ou Rodriguez, talvez o próprio Carrol, caso o flagrasse copiando a fita, temia que seu destino fosse o mesmo do xerife Hut Cut.

Substancialmente, a atenção de Willa sequer focava o entorno da *Nave*, voltava-se ao coronel Carrol e suas ações no ínterim desde que se reuniu com o time ainda na tarde anterior. Mais uma madrugada em que seu objeto maior na respectiva observância não se permitiu uma mínima cochilada. Entre ordens e afazeres em seu escritório na C-11, dedicou-se em tempo integral à preparação da Operação Pino e ao remanejamento das vigas e dos materiais contendo o elemento Carrolídio.

Ao chegar à C-11, Carrol monitorou a transferência das vigas de aço para o quartel, onde ordenou que fossem cortadas em diversos pedaços. Uma das vigas foi encaminhada para a metalúrgica que servia à base, o restante foi imediatamente enviado ao instituto SETI, onde seriam analisadas com mais profundidade pelo novo time de especialistas que estava montando. Junto a Mathew e tomando proveito da ausência do major Hunter na base, Carrol deslocou uma aeronave e convocou uma equipe de sua confiança para tomar parte do operativo, submetendo-a a seu contrato de sigilo. Em seguida, ordenou que equipassem a aeronave com três mísseis Exocet, todos municiados com cargas explosivas convencionais, projetadas para perfurar navios encouraçados. Porém, foi justo nesse instante que as coisas começaram a sair do rumo que Willa havia imaginado: Carrol instruiu que a carga de um dos mísseis fosse retirada e que aguardassem "por um novo dispositivo" a ser instalado antes do lançamento. Por fim, para supervisão da Operação Pino, comunicou a Mathew que acompanharia o lançamento dos mísseis a partir da aeronave, enquanto o tenente seria responsável pela coordenação em terra ali na base, certificando-se de que ninguém não autorizado tomasse ciência do que se passava.

Após supervisionar essa etapa de preparação, Carrol dirigiu-se ao seu escritório na C-11. Em sua sala, para ansiedade da alienígena que o acompanhava, passou a tecer uma série de ligações fundamentais para o desfecho da situação que envolvia sua colega metálica estacionada ao pé do Algomoro.

Os primeiros telefonemas de Carrol foram apenas protocolares no intuito de coordenar a nova etapa de trabalhos junto ao instituto SETI e a recepção do material – o Carrolídio –, que estava sendo despachado para lá. Em seguida, comunicou-se com o major Hunter, solidarizando-o e congratulando pelo desfecho positivo do sequestro de seu filho. Não obstante, assegurou ao major que, no quartel, tudo transcorria na mais perfeita ordem. Hunter comunicou que estaria ausente nas próximas 24 centenas para ficar com sua família em Albuquerque, o que vinha a calhar para o coronel dar procedimento à Operação Pino dentro da discrição que almejava. Por outro lado, algo que não faria tanta diferença, pois assim que comunicasse a operação ao Majestic, Hunter teria de ser informado, dado que era um dos comandantes da base que centralizaria as ações previstas no protocolo.

Somente à noite, as exatas 24 centenas após o telefonema anterior, conforme havia prometido, Carrol efetuou a ligação que Willa tanto ansiava espionar: a chamada para o secretário de Defesa, Ashley Mature – finalmente, ele oficializaria a ativação do protocolo de ações vinculado ao Majestic.

Após uma fria saudação, Mature foi direto ao assunto:

– Então, coronel? Confirmou a ameaça?

– Negativo, senhor.

– Negativo? Mas... Como assim? Nada?

– Nada. Não encontramos nada. Ficou esclarecido que tudo não passou de um boato. Algo típico desta região – disse Carrol com absoluta naturalidade. Em resposta, Mature foi firme nas palavras, soando descontentamento:

– Mas, meu coronel, estive tendo umas conversinhas aí e fiquei sabendo que o senhor convocou mais de *25 pelotões* de *seis* brigadas, incluindo maquinário pesado. Isso *além* de seu próprio batalhão. O total soma quase um regimento inteiro, Carrol. E você me diz que *nada* está acontecendo aí?

Sem se abalar, Carrol tentou explicar:

– Meus homens estão realizando um exercício, nada que fuja do cronograma do quartel... – Mas foi interrompido:

– *Exercício*?! Com tanques M60? Com tropas de artilharia pesada, bateria antiaérea... Até obus blindado e lança-foguetes você solicitou... – confrontou Mature com indelicadeza nas palavras. Desta feita, Carrol o interrompeu e falou rispidamente:

– Solicitei, *sim*. Trata-se de um exercício de guerra mecanizada com ensaios de combate terra-ar. Não reparou que solicitei helicópteros e caças também, caro secretário? – Antes que Mature respondesse, acrescentou: – Agi nos conformes do nosso protocolo, decretei alerta vermelho na base imediatamente à confirmação da ocorrência registrada. Usei minha prerrogativa para averiguar a situação, por estratégia, tirando vantagem do exercício em andamento. Talvez por isso estranhe tanta movimentação. Foi apenas uma precaução. Caso confirmássemos a ameaça, já estaríamos mobilizados para a ação.

– Mas sou eu quem preciso justificar esses gastos, meu caro – disse Mature, porém, com calma.

– Entendo. Mas não se preocupe que não excedi nossos orçamentos. – O que era verdade, pois a parte mais delicada e onerosa de seu operativo secreto, as obras em torno do posto zero, Carrol vinha financiando do próprio bolso, especialmente o uso de pessoal. Embora já se mostrasse mais calmo, Mature insistiu:

– Não encontrou nada mesmo? Então por que manteve a atualização no registro?

– Porque a informação que consta no registro é crível. Apenas descartamos o boato em torno da ocorrência com o xerife local. Também não encontramos nada no deserto, como suspeitamos. A quantidade de tropas que coloquei lá e nada verificou atesta que foi apenas outro boato.

– Me explique... Por que o registro é crível?

– Porque foi confirmado por um dos meus homens.

– Que homem?

– Um agente vinculado ao CVMS. – Sigla para Controle e Vazamento Midiático Sistemático.

– Que agente? Posso saber?

– Claro. Chama-se Andreas Vegina, um contato local de Picacho. Ele que avistou e registrou a anomalia.

– Mas por que ele não é citado na atualização do registro?

– Por meras questões de logística, ou de *azar*, também. Ele se ausentou e sofreu um acidente.

Mature soou precaução ao questionar em seguida, como se desconfiasse de algo mais:

– Acidente? Não me diga que talvez tenha sido atacado por alienígenas...?

– Negativo. Levou uma picada de cobra. Bem aqui no estacionamento da base, hoje, quando vinha prestar seu depoimento em pessoa. Por isso o azar.

– É *muito azar* mesmo. Mas ele está vivo? – suspeitou o secretário.

– Em estado crítico. Não sabemos ainda se sobreviverá.

– É bom que esse homem esteja vivo, coronel. Precisamos que ele corrobore o registro. Não podemos nos dar ao luxo de que nosso trabalho fique à mercê de especulações. Sabe como esse assunto é delicado, não é?

– Compreendo. Ele está recebendo o melhor tratamento. Coloquei o tenente Mathew para cicereoneá-lo no hospital. Assim que ele conseguir falar, anexaremos as provas ao registro. Fique tranquilo.

– Tentarei ficar – disse Mature.

Carrol ainda esclareceu alguns pormenores ao secretário, de quais seriam as provas que Vegina possuía – pura enrolação. Afirmou que o exercício de guerra, ainda em andamento, já estava na fase final e se encerraria nas próximas 18 centenas. Sem qualquer formalidade ao despedirem-se, os dois encerraram a ligação sob um mútuo sentimento de desgosto para com o outro.

Nos dois lados da cena, porém, o sentimento mais forte era o de Willa, incrédula com a desfaçatez de Carrol ao ludibriar o secretário de Defesa e, sobretudo, surpresa com a inesperada mudança de rumo na situação. A menos que o coronel estivesse pensando em desativar a Operação Pino e tomar outra providência em relação à *Nave*, não tinha ideia de qual seria sua intenção com essa decisão. Mas para que teria supervisionado o preparo da operação se fosse para desativá-la em seguida? Era evidente que pretendia seguir com o operativo, mas sem ativar o protocolo Majestic e agindo por conta própria sob total sigilo. Talvez estivesse apenas tirando vantagem da ausência do major Hunter na RSMR para conduzir o bombardeio da sua colega metálica – a alienígena não sabia o que pensar a respeito, embora, apesar da dúvida, fosse esse um problema menor em sua análise momentânea. Pelo contrário, era muito bom. O fato de Mature permanecer fora da jogada fortalecia sua moção para que aguardassem a obtenção do *kit* de navegação e prosseguissem com a pesquisa – quiçá com seu pedido de extensão de pesquisa já aprovado.

Entrementes, restava outra dúvida: o que Carrol pretendia com aquele terceiro míssil cuja carga convencional mandou remover? Será que intencionava substituí-la por uma ogiva atômica? Era perfeitamente possível, apesar de que, em tese, o coronel não dispusesse de autoridade para requisitar uma sem uma justificativa formal e plausível junto ao Estado-Maior, ou seja, precisaria de uma autorização que passava, inclusive, pelo secretário de Defesa que acabara de ludibriar. De qualquer modo, essas ogivas estavam armazenadas ali na RSMR, muito bem guardadas, acondicionadas e, principalmente, trancafiadas em um depósito nos subsolos do setor B da base. Uma vez que Carrol vinha quebrando vários protocolos na condução do caso, quem poderia duvidar que utilizasse algumas daquelas cargas à revelia? Quem duvidaria que seria capaz de explodir a *Nave* e encobrir todos os seus rastros na condução do caso? Era imperativo ler sua mente para desvendar suas intenções o quanto antes.

– Indeferido – comunicou Sam, já pouco paciente perante as insistentes requisições de Willa.

Há de se esclarecer que essas cargas nucleares não eram as mesmas dos mísseis balísticos disponíveis na RSMR. Eram ogivas menores com um megaton apenas, desenvolvidas para serem acopladas em mísseis convencionais ou lançadas de bombardeiros aéreos – perfeitamente compatíveis com um Exocet, bastando alguns ajustes. Ainda assim, muito potentes. Suficientes para desmoronar o Algomoro sobre a *Nave* e destruir completamente Picacho e suas cercanias, condenando a belíssima colônia de inverno no pé das Rochosas a um longo inverno atômico. Todavia, esses não eram argumentos que fizessem Sam abandonar sua postura irredutível, e Willa ficou sem resposta momentânea. Somente a sequência de ações do coronel elucidaria a questão.

Encerrada a ligação com Mature, Carrol interfonou para Mathew. O motivo da ligação foi o mesmo que motivou o tenente a "conversar" com Martin Healler nos calabouços da C-11 um pouco mais tarde. O curador do *Space Center* e namorado de Vegina foi transferido da solitária onde esteve desde a sessão de tortura que foi submetido na noite anterior para uma cela comum. Ainda muito abalado e todo dolorido, precisou ser arrastado pelo cabo Emílio até a nova cela, onde foi lançado violentamente sobre a cama. Na cela, Mathew falou com ele, frio nas palavras:

– Ia ser muito fácil simular um suicídio com você. Bastaria que fosse encontrado com as "cartas de amor" que achamos em seu apartamento. Um tiro na cabeça e todos saberiam que você se matou de tristeza pela morte do namoradinho.

Encolhido e tremendo sobre a cama, Healler estava tão apavorado que sequer tinha coragem para encarar seu interlocutor. Isto é, exceto quando o tenente insinuou que Vegina estaria morto, instante em que se virou para ele com furor nos olhos – mas sua reação foi comprimi-los em choro e gritar de desespero...

Foi silenciado pelo cassetete elétrico de Mathew. O tenente prosseguiu com suas ameaças:

– Para *sua sorte*, o coronel quer ele vivo. E se Vegina continuará vivo, você também. Mas *por ora*! Apenas por ora. Você ficará aqui mais um tempinho até que se comporte como eu mandar, entende? – Atordoado, Healler apenas assentiu com o queixo. – Se não, teu namorado pode até sair vivo dessa, mas você não sai. Isso *eu* garanto – completou Mathew antes de deixar a cela ao lado do cabo Emílio.

Mathew estava apenas descontando sua frustração pessoal sobre o pobre curador. Frustração que se traduzia pela revolta com a situação envolvendo Vegina e a irritante indecisão do coronel em ora convocá-lo ao projeto, ora dispensá-lo. Em seu âmago, ainda temia o ufólogo colocar tudo a perder caso abrisse a boca, algo que não podia permitir. Apesar de Carrol querê-lo vivo, ponderava em matá-lo apenas para incriminar o chefe ainda mais, nem que fosse obrigado a responder pelo crime também – qualquer coisa seria melhor do que ser flagrado e frustrado em seu complô. De qualquer modo, quanto a Healler, não pensava em matá-lo, apenas desejava. Todavia, após a suposta morte do xerife Hut Cut, apagar mais dois arquivos que mantinham laços com o "falecido" seria muito suspeitoso. Não queria a polícia local fuçando no caso mais do que já estava. Em função disso, não poderia assassinar o curador. Iria mantê-lo preso até o desfecho da situação, após seu desafeto Carrol ter ativado a Operação Pino. Depois, iria liberá-lo e vigiá-lo.

Para sua ojeriza ainda maior, Mathew não tinha engolido a desculpa de Carrol para destituir a sociedade anônima que haviam firmado – a mesma que ficou sem a participação do presidente da República – *justamente* quando descobriu o novo metal. Agora que, finalmente, havia descoberto e batizado seu Carrolídio, resolveu chutar o braço-direito para fora do negócio – era muita desfaçatez. Ficava nítido que, mais uma vez, havia sido usado pelo chefe, que o contrato visava apenas o seu silêncio, mas como o presidente não honrou sua palavra, foi puramente escanteado da sociedade. Não bastasse o calote e o fato de ter ficado sem a assinatura que igualmente tanto esperava para dar peso para sua denúncia, remoía o tenente, Carrol ainda havia ordenado que coordenasse o despacho das novas descobertas para Mister Andrews, agindo como se a parceria que sequer chegou a ser uma ainda existisse – *Ele é mesmo um grande canalha*, pensou. Talvez, todo aquele ardil em torno da Operação Pino fosse apenas uma desculpa para encerrar o operativo e desfazer o contrato. Um meio para deixá-lo de fora e, possivelmente, fechar a sociedade em torno das descobertas somente com o próprio Frank e ou com Limbs – era preciso averiguar isso, imbuiu-se o tenente.

Enquanto Mathew exercitava seu jogo de cintura para averiguar a situação, Willa já o fazia. Passo a passo observando as condutas de Carrol, as coisas começaram a ficar mais claras quando, em seu escritório, ele passou a redigir um novo contrato para exploração do Carrolídio. Na verdade, apenas traçando algumas retificações no contrato anterior, mas já listando a nova descoberta. Exatamente aí tudo passou a fazer sentido, pois, no contrato, constavam os nomes de Mathew e do presidente. Se havia alguém que estava sendo chutado para fora da sociedade era Limbs, cujo nome não mais constava nos papéis. Por isso o coronel ainda permanecia despachando os documentos para Mister Andrews – ele não havia desistido de obter a assinatura do presidente. Isso também talvez explicasse o motivo de ter mantido Mature fora da jogada. Provavelmente, esperava concluir o negócio com o presidente antes de tomar outras providências em relação à nave. Talvez até ainda viesse a desistir da Operação Pino.

Com essas dúvidas em mente, Willa aguardou em suspense até que, no início da madrugada, Carrol retirou seu telefone preto da gaveta e conversou com o presidente da República. A ligação foi breve, o chefe da nação já estava a par de todas as novidades sobre o Carrolídio. Em sua mente, sentia-se como parte da descoberta, pois era fruto da interação no breve momento em que esteve frente a frente com o objeto – mesmo que estivesse de costas, como foi. Imaginava que os fatos decorridos na visita, uma vez que nada de mais grave se sucedeu após, eram como um ato divino, como se o objeto houvesse lhe saudado naquele instante que, não fosse a paranoia dos agentes do Serviço Secreto, agora são e salvo em seu lar na Casa Branca, entendia como algo mágico. Não obstante, uma vez ciente de que a empreitada passaria a ser conduzida sob a fachada do Instituto SETI, sentia-se mais confiante com a retificação da proposta feita por Carrol. Não por menos, suas últimas palavras antes de encerrar a ligação foram:

– Pela manhã terá minha assinatura. Mister Andrews encaminhará a documentação.

***

Para quem vinha acompanhando a mente do presidente da República, não foi surpresa o desfecho da situação, por isso Willa já buscava antever quais seriam seus novos desdobramentos. Sua preocupação ficou em torno do complô de Mathew, agora que o tenente recuperaria seu coringa. Por outro lado, essa preocupação resumia-se ao leque de pares incumbidos de monitorar a novela em torno do coronel Carrol e de sua colega *Nave*. Muito longe dali, as aventuras multividuais da alienígena ganhavam focos de emoção na busca por novos Nhocs ao redor do mundo, ou pela confirmação de alguns marcos históricos relacionados a sua longa trajetória de vida e contínua estada na Terra.

Nessa busca que mobilizou pares ao redor de todo o globo, especialmente na Ásia, mas até no leito Pacífico e em outros mares que o homiquântico havia navegado no passado, o principal achado foi um fóssil de Nhoc naquela mesma caverna onde ele se escondeu de Di Angelis e se deparou com o primeiro exemplar do *homo erectus* que viria a adestrar. Na atualidade, o local consistia uma reserva ecológica, justo por compor uma região de muitas cavernas e vasta biodiversidade, de maneira geral frequentada apenas por biólogos e geólogos. Um fator que permitiu à alienígena tecer suas investigações sem maiores obstáculos. Não muito longe dali, outro grande achado se deu nas ruínas de Hunaman, onde encontrou evidências da operação mantida por Nhoc no passado, local de onde garimpava ouro para o futuro. Na datação em carbono, a análise do fóssil de Nhoc encontrado na caverna e das amostras retiradas de seu garimpo comprovaram a autenticidade da data em que sua expedição se materializou na Terra. Uma evidência que mantinha em aberto a hipótese levantada pelos alienígenas de que o cosmo futuro do qual provinham fosse um paradoxo existencial gerado por uma interferência de Nhoc na linha-continuada.

Outro achado relevante se deu em outra caverna, porém, na América do Sul, localizada na Bolívia, próxima ao lago Titicaca, local onde Willa encontrou as placas de ouro que retratavam o contato imediato de Logan com o povo de Kemet e o de Nhoc com a tribo de Israel. Placas que, segundo averiguou na datação, estavam ali há pelo menos 160 anos, desde que, através de seus Si-Fans travestidos de cavaleiros templários, Nhoc patrocinou a última excursão para salvaguardar sua história. Não obstante, havia placas de outras excursões prévias, organizadas em tomos retratando diferentes períodos de sua vida. Os tomos mais antigos datavam de 301 a.C., ano em que Nhoc alcançou a América do Sul pela primeira e última vez. Ponto máximo de suas aventuras marítimas antes de retornar à China e marco inicial da colonização do novo continente por parte do *homo erectus*, os quais viriam compor a fauna indígena do continente. O local era providencial, pois era compatível com a Cidade do Ouro que jazia ali no futuro – ou "região do ouro", já que, na atualidade de Willa, as transmissões auríferas eram bem mais precisas e não necessitavam de uma plataforma para captar o metal pretérito, bastava que o ouro estivesse localizado em uma região acessível em futuro. Dada à compatibilidade, a alienígena resumiu-se em demarcar as coordenadas polidimensionais das placas para que fossem captadas e salvas no futuro. Além disso, outros restos cadavéricos fossilizados de Nhoc foram encontrados em diversos pontos ao longo da Ásia entre os territórios indiano e chinês. Pontos em que, no passado, o homiquântico mantinha seus *hotspots* de encontro e de atividade psicográfica multividual. Fósseis que ratificavam os relatos de sua história.

Mas, em termos de quantidade, os maiores "achados" relativos a Nhoc se deram naquela mesma câmara secreta atrás do trono do antigo imperador chinês, onde os alienígenas fizeram contato pela primeira vez – o túmulo do homiquântico. O *hotspot* derradeiro que reunia seu moribundo conjunto multividual ainda contínuo, onde Willa aportou com novos pares e ampliou o leque dimensional em que os dois estabeleceram contato, com isso aumentando substancialmente o total de Nhocs assistidos e conectados *in loco* com a rede que interligava a *Nave*. Apesar disso, para agonia da alienígena, nenhum desses novos Nhocs mostrou qualquer voluntarismo em doar-se para a ciência e aceitar o resgate oferecido por sua expedição. Como consolo, assim como se deu com o Nhoc mais pontual daquele mesmo multivíduo, grande parte se dispôs como massa de processamento para as análises e pesquisas que envolviam ambos os alienígenas – o Relatório da Terceira Órbita compilado em paralelo. Duro foi aguentar a nova onda de criticismo que o incremento da população de Nhoc trouxe para a conversação.

Apesar dos novos achados e da confirmação empírica dos relatos da vida de Nhoc, nada disso modificava o *status* da proposta de estudo envolvendo o homiquântico. Ele precisava ser conduzido para o futuro voluntariamente. Embora se encontrasse presente no Algomoro e disposto a embarcar na Nave assim que os militares abrissem uma oportunidade para se esgueirar para dentro do disco, ele ainda se negava a aceitar o convite para tornar-se fóssil-vivo e retornar para o futuro junto aos expedicionários – no fundo, ainda se mantinha cético de que conseguiriam retornar para o futuro. Por ora, sua intenção era apenas desfrutar o *habitat* da nave conforme sugerido por Willa; seria um túmulo bem mais confortável para os pares que ali estavam do que a sua tumba na Cidade Proibida. Nesse sentido, conquanto aquele conjunto foragido no Algomoro mostrasse entusiasmo em embarcar na Nave, seu respectivo conjunto na câmara secreta atrás da sala do trono do antigo imperador chinês – nem depois de gozar –, sentia-se mais compelido em ceder ao apelo de Willa. Ele estava irredutível em permanecer na Terra. Pelo contrário, se havia um sentimento novo naquela câmara, era certa frustração de Nhoc por parte de seu multivíduo ter se voluntariado em embarcar no vimana dos alienígenas. Sentia-se traído por si mesmo, como se houvesse sucumbido à fraqueza que, desde o princípio daquele contato, vinha tentando esconder. Para o Nhoc que estava na China, aquele Nhoc que se encontrava no Algomoro não passava de um desertor.

Por outro lado, Nhoc demonstrava uma extrema excitação após o orgasmo. Ainda que a onda de criticismo proporcionada por sua população se mantivesse contínua, aparentava estar mais à vontade no trato com os alienígenas. Ao completar a redação do Relatório da Terceira Órbita, continuou assistindo Willa em outras tarefas em que a tutora o alimentava, passou a requisitar mais estudos, queria abrir focos para diferentes atividades, inclusive para rodar os antigos *games* de sua mente. A julgar por seu comportamento, seria natural que cedesse ao convite, cada vez mais sua negativa se comprovava uma mera questão de orgulho ferido. De qualquer modo, nesse ambiente meio errático, próprio de uma mente em fase de Alzheimer, alternando críticas e uma infantil excitação, Willa e Nhoc permaneceram se telecinando na China, enquanto, no posto zero, seus pares aguardavam uma oportunidade para embarcar na Nave.

Nesse paralelo, já batiam as cinco centenas do novo dia e os primeiros raios de luz ensaiavam aparecer no horizonte ao fundo do Algomoro. Momento em que o psicólogo Murray bateu na lateral da van de Limbs e, em seguida, contrariado como se, de fato, seu sono houvesse sido interrompido, seu colega Harrys abriu a porta de correr. Ao dar de cara com Murray, Harrys exclamou:

– Orra meu! Não se pode mais nem dormir nesse deserto dos infernos?

– Preciso me comunicar com nosso chefe – justificou Murray. Fingindo interesse, Harrys perguntou:

– Alguma novidade importante?

– Não. Nada demais – desconversou Murray, evitando maiores delongas com o colega.

– Fique à vontade. Eu vou pro dormitório.

– Aproveita que às sete centenas o pessoal vai começar a desmontar tudo.

– Que horas são agora? – perguntou como se não soubesse.

– Zero 459.

– Tá ótimo. Me chamem se precisarem de algo – despediu-se Harrys. Mas sinceramente desejando que não precisassem mais chamá-lo, *nunca* mais. *Tá no fim*, pensou enquanto descia da van com a cópia da fita da visita do presidente escondida embaixo da camisa. *Falta muito pouco para colocar um fim nessa farsa.*

E foi justamente no instante em que Murray e Harrys trocavam máscaras de falsidade na porta da van, que o par de Willa situado acima do veículo captou uma importante atualização no âmbito de seu multivíduo. Uma comunicação oriunda de um de seus pares alocados no recife de coral nas águas do Caribe que logo ganhou atenção de seu completo multivíduo, bem como de seus colegas expedicionários:

– Conexão *James Kelly-Cosmo* estabelecida. Consciência cósmica ao vivo.

– Validando conexão... – respondeu a consciência cósmica. – Novo plano encontrado: *Oilray*. Contato autorizado. Canal *Cosmo-Oilray* operante.

Capítulo XIV
O pretérito descartado

Subdivido em novas vertentes amadurecidas pela experiência de Willian em Phobos – excluindo-se a parcela ainda aprisionada pela Pipegang em Caronte –, em forma de resíduo sensitivo, Billy partiu de sua âncora corporal no Instituto SETI em Plutão, seguiu seu novo mentor profissional, Zabarov II, e conectou-se ao Instituto Zoológico de Phobos. Ainda que sua presença no instituto fosse virtual, caminhou pelas redondezas como de costume. A única diferença, desta feita, era que se travestia na pele e, sobretudo, pela cognição de um quântico – não mais de um homiquântico cujas memórias daquele local transpareciam arcaicas perante o que captava com seus sentidos, mesmo que de maneira intermediada. Para o velho Willian emergido nessa nova interface, era um deleite poder navegar sem precisar de *login*, sem qualquer filtro ou restrição de seus pais recreativos. Nesse sentido, sua finada irmã tinha razão: somente quando fossem quânticos é que estariam livres – aquele era apenas seu primeiro dia, mas já podia sentir a imensidão de tanta liberdade.

Essa herança do ex-homiquântico que Billy herdou compunha o foco de atenção que mantinha o tratamento de seus pais nas facilidades hospicialares do Sanatório Psicozumbiológico de Phobos. Já seu foco principal dessa nova subvertente retomou as pesquisas desenvolvidas por Willian no instituto, valendo-se de um incremento de clones dos Firmlegs de acordo com a quantidade que sua nova capacidade multividual o permitiu investir junto a Zabarov. Com esse acréscimo no investimento, a pesquisa de Billy atingiu um alto patamar cujo capital científico movimentava um autêntico regimento de pesquisadores entre as mais amplas e variadas castas universitárias. O investimento também exigia uma capacidade robótica que superava amplamente a película que costumava dirigir, *The Godfather*. Em função da alta demanda, uma ampla faixa entredimensional do instituto phobiano foi disponibilizada para armazenar os novos clones oriundos de Marte. Um substancial incremento para dar vazão aos trabalhos dentro da abordagem que iniciava com as 64 realidades virtuais que Willian vinha desenvolvendo, mas agora alcançavam 16.777.216 planos com a metodologia multividual de análise a qual se tornou hábil em aplicar. Para dar andamento a essa nova etapa, Billy foi convocado para uma reunião com a cúpula do instituto, onde sincronizariam os cronogramas interdimensionais de trabalho e discutiriam novas abordagens para o tratamento dos Firmlegs. Era para lá que se dirigia quando se residuou em Phobos.

Pelo fato de acessar Phobos pela cosmonet, é claro que Billy poderia se conectar diretamente ao time de pesquisadores no horizonte exato em que a reunião estava programada. Mas como era a primeira vez que se conectava ali como quântico, fez questão de chegar mais cedo para adentrar o local como antes o fazia em suas memórias hominídeas: caminhando a pé, passo a passo pela entrada principal do instituto, a mesma que servia a todos os frequentadores do local a partir da própria lua, incluindo a fauna do zoológico.

O Instituto Zoológico de Phobos era constituído de incontáveis peças poligonais prismáticas, como grandes *Legos*, sobrepostas umas às outras formando uma enorme pirâmide translúcida. Era estruturado para filtrar as radiações disponíveis no sistema orbital centrado em Marte e o respectivo trecho do feixe-solar que percorria sua órbita. O próprio instituto formava um gigantesco filtro de captação das frequências do feixe e da energia necessária para mantê-lo funcional àqueles que o frequentavam ou estavam ali para servir a algum experimento – os animais, normalmente. Como monumento, o instituto era uma espécie de monte Fuji vítreo colocado à margem do zoológico e sua respectiva cidade capital, o Umbral. Em termos úteis, ocupava cerca de ⅓ da área habitada entre quânticos e animais, formando uma cidade à parte que, não fosse translúcida, transformaria o zoológico em uma autêntica umbra ao interpor-se à luz proveniente de Marte, pelo menos ao oeste onde se situava a capital. Ao leste do instituto, seu perímetro delimitava o que, do ponto de vista do Umbral, seria o outro lado da lua. Uma área igualmente povoada por uma enorme cidade tão plural quanto o Umbral, endereçada apenas como Área 2. Ao prosseguir em uma volta pela lua sentido leste, uma enorme área florestal, banhada pelo distante Sol, preenchia o restante da face lunar, à exceção de poucas zonas laborais de trânsito exclusivo dos quânticos, porém intocável por eles. Eram reservas de preservação onde animais indígenas podiam viver longe da civilização disponível na lua – longe dos quânticos, especialmente.

Assim descrito, fica fácil entender que o instituto abriga uma faixa de tráfego interligando o Umbral com a Área 2, um trânsito realizado por duas enormes pistas de escorregadores inerciais, como uma estrada de duplo sentido cujo asfalto consistia em uma superfície sem atrito para que os animais bípedes pudessem percorrer o trajeto deslizando suavemente entre as duas cidades em um leve declive, uma longa esteira com quilômetros de extensão. No fundo, era como uma estrada qualquer, mas adaptada aos limites físicos das espécies mais comuns do zoológico. Os quânticos em si sequer precisavam delas, tinham seus próprios corredores e a energia disponível no ambiente para flutuarem seus corpos através dos Legos em todas as direções. Calçadas, elevadores ou escadas que interligavam as diferentes alas e faculdades eram sempre destinados aos animais ou ao escoamento de carga e lixo.

Devido à proximidade com o Elevador Phobos-Marte, a entrada principal do instituto ficava no Umbral, em uma larga avenida que iniciava no setor de desembarque do elevador e margeava o complexo hospicialar onde Willian morou. Justamente por isso Billy se residuou no portão de saída do sanatório e dali tomou a avenida sentido leste. Embora fosse apenas um resíduo, estava configurado como livremente captável, de modo a ser visto e sentido como qualquer habitante local; seu totem se mantinha ativo e o identificava como Billy para quem quisesse saber. A princípio, um quântico trafegando na avenida rumo ao instituto não chamaria a atenção de ninguém, todavia, um que caminhasse com os pés sobre o chão não tardaria em causar certo estranhamento por parte do público. Logo, Billy foi reconhecido e, exatamente como aconteceu na primeira vez em que esteve na lua, passou a ser abordado pela multidão. Alguns só o cumprimentaram ou o tietaram, então vieram as primeiras manifestações:

– Herói! – bradou um grupo de paranormais.

– Vilão! Traidor! – contradisseram alguns homiquânticos. – Alienista animal!

– Ele é o nosso libertador!

A partir daí a coisa começou a se avolumar, parte do povo passou a discutir entre si e um princípio de tumulto se formou. Billy se viu cercado pelos animais, paranormais ao seu redor o protegiam de alguns homiquânticos que tentavam interpelá-lo, impedindo-o de avançar. Diante da situação, ativou modo etéreo, desligou seu totem e prosseguiu em frente, deixando um foco para trás para dialogar com a multidão e entender o que estava acontecendo. Por que aquela comoção toda com sua aparição por ali se era senso comum que havia se sincronizado quântico e trabalhava no instituto? Enfim, algo que somente compreenderia dentro do linguajar apropriado quando chegasse à reunião para a qual se encaminhava, mas que aqueles sentimentos passionais dos animais já davam pistas de sua importância.

Billy prosseguiu caminhando até a entrada do instituto, onde uma praça comutativa oferecia rotas de acesso às suas inúmeras faculdades. A avenida continuava em frente até uma escadaria que adentrava o instituto pelo enorme vão livre que ocupava o térreo. A escadaria era assim descrita por sua largueza, porém, possuía apenas três degraus, o suficiente para formar o declive mínimo e permitir aos transeuntes deslizarem até o outro lado da lua. Billy deslizou cerca de um quilômetro até o acesso à Faculdade Virtual de Psicoveterinária, onde suas pesquisas estavam ancoradas. Dali teria de tomar um elevador até alcançar o 347º andar como costumava fazer quando era Willian, mas não queria causar ainda mais estranhamento entre os animais ao se valer de um acesso que nenhum outro quântico costumava usar. Simplesmente levitou e iniciou sua ascensão pelos corredores próprios de sua espécie. Foi contornando os encaixes vítreos que ora alternavam sessões bastante preenchidas, ora possuíam vãos que permitiam a circulação de pessoas e aves – havia enormes passagens que permitiam a migração de aves entre uma cidade e outra, contando até com corredores exclusivos para os *paparazzi*.

Enquanto sua mente ocupava-se do debate com os animais com os quais se deparara em solo, seus sentidos voltaram-se para a vista a partir do instituto conforme aumentava a panorâmica de ascensão. Observou a paisagem de Phobos e do Umbral ganhando horizontes cada vez mais extensos ao distante. Porém, desta feita podia observar tudo em detalhes através de seu zoom óptico, ainda que sequer precisasse dele, já que virtualmente podia navegar em qualquer ângulo do zoológico que desejasse, exceto áreas ou cabeças em que os próprios animais restringiam acesso. Em dado instante, Billy mirou o sanatório onde vivera como Willian, uma pirâmide de nove patamares absurdamente ínfima da altitude em que a captava. Com sua visão de raio-X, atravessou as paredes que interpunham sua vista para observar seus ex-pais, que lá estavam vivendo seu dia a dia de adaptação como se nada houvesse acontecido, como se Willian e Alexandra ainda estivessem ali em carne e osso – não na presença de um robô virtual como a filha, nem de uma imagem residual como ele próprio em outra dimensão de seu multivíduo. Era uma parte sua que ainda estava integralmente empenhada em trazer seus antigos genitores à plena lucidez de sua nova existência.

Quanto ao bem-estar dos Firmlegs, nada de novo, Bob e Julia ainda se mostravam deprimidos e relutantes em aceitar sua nova condição. Viviam a ilusão de que tinham morrido e mantinham-se presos à vida pelo amor que a imagem dos filhos lhes proporcionava, sem sequer desconfiarem que ambos haviam se transmutado alienígenas. Ao captá-los, Billy captou seus tristes sentimentos. Seu par residuado no local tentava levantar o humor deles perante a expressão de pesar que mais um novo dia lhes cobrava.

Era pensando naqueles pares adoecidos que Billy estava no instituto realizando experimentos psicozumbiológicos com seus respectivos clones. Seu intuito era estabelecer abordagens alternativas que pudessem ser aplicadas para que fossem felizes e desfrutassem a vida no zoológico mais livremente. Por eles que se dirigia à reunião de trabalho prestes a começar. Enquanto refletia, alcançou o 347º andar e, então, faltavam cinco segundos a percorrer pelo corredor de acesso à sala em que se realizaria a reunião, cuja localização na cosmonet endereçava o local onde os clones de Bob e Julia Firmleg eram mantidos em estado vegetativo, psiquicamente conectados às realidades virtuais que Billy passou a administrar. A sala, cuja descrição mais precisa seria de um pequeno quarto hexagonal, abrigava os dois leitos onde jazia o casal em um espaço suficiente para um reduzido grupo de quânticos trabalhar. Ali se replicavam os 4.096 clones de ambos em dimensões paralelas. Em igual contagem multividual, somente um monitor mantinha-se de plantão no recinto, um homiquântico cuja parceria vinha desde que Billy havia iniciado suas pesquisas quando também era homiquântico; seu totem era Vigil. Sem estranhar a nova constituição cognitiva de Billy, Vigil o cumprimentou:

– Olá, Willian.

– Olá, Vigil. Mas, por favor, me chame de Billy de contínuo em diante.

– Se assim deseja, Billy – concordou Vigil, depois comentou: – Chegou adiantado para a conexão do time. Ainda faltam 1s471 para abertura.

Pouco além de um segundo mais do que suficiente para Billy rodar uma breve checagem do estado psíquico dos clones e, sobretudo, reafirmar seu sentimento de instante: o de confrontar o time com as novidades que os animais esclareceram após ser interpelado na entrada do instituto. Eles explicaram o porquê de seus aplausos e de sua revolta. Algo que pouco se relacionava com os fatos vividos na lua na época em que foi um simples animal ou com o suicídio de Alexandra, ainda que isso fomentasse o debate e alimentasse certa ira por parte dos habitantes do zoológico. Não, na verdade tudo se relacionava com uma notícia fresquinha que havia vazado dos canais científicos do instituto diretamente para a phobosnet pouco antes de Billy se logar por lá. Uma notícia que revelava não estar tão livre das restrições "veteometodológicas" de seus pais recreativos. Pelo que os animais tinham contado, mais uma vez Diana e Nolly ocultaram informações sobre seu tratamento não só em Phobos, mas em Plutão também – aliás, desde que esteve na Terra durante a primeira fase de seu processo adutivo[5]. Naturalmente, embora seu sentimento fosse de revolta, como cientista, ainda que fosse um estudante, mas, sobretudo, como o quântico que assumira os deveres de um ex-homiquântico, expressar-se-ia longe da histeria que testemunhara nas ruas. Seguiria os conformes de sua própria etiqueta, usando a razão para confrontar a bancada de cientistas, a qual incluía a participação de seus pais recreativos de forma extraordinária, dado que eles não estavam vinculados ao tratamento virtual dos clones dos Firmlegs. Só o fato de ambos estarem convocados para a reunião demonstrava que a pauta passaria pela questão revelada pelos animais, pois não havia outro motivo para Diana e Nolly participarem dela.

A questão já estava plenamente formulada na cabeça de Billy, assim, quando aquele longo segundo e respectivos centésimos se esgotaram, a mesma fez-se ciente para o inteiro time imediatamente interconectado para a reunião. A reunião acontecia em um ambiente virtualizado em torno dos clones. Uma bancada circular formava um anfiteatro preenchido de cientistas, assistentes e muitos ouvintes, a maioria estudantes que acompanhavam a pesquisa de Billy. Na primeira fileira do anfiteatro pairavam os resíduos mais proeminentes vinculados à pesquisa em torno dos Firmlegs, tais como Zabarov II, o professor Ipsilon, seu super Xavier; e os cabeças do Instituto Zoológico, o reptiliano Liziero e o aeroígene Tuffon. Também estavam presentes algumas figuras que não constavam entre os pesquisadores parceiros de Billy, seus pais recreativos e

---

[5] Processo descrito no livro *Adução, o Dossiê Alienígena*.

até Zeta, seu atual tutor, postado na segunda fileira. Inclusive alguns de seus desafetos se mostravam conectados via teleconferência simples – ausentes de resíduos sensitivos –, entre eles, o prefeito lunar Iraizacmon, seu correligionário Iraimoon e a *paparazzo* Critera, aqueles que tramaram para abduzi-lo em seu primeiro dia na lua. Foi então que Billy notou a quebra no protocolo quando, antes que respondessem à questão que pairava entrementes, as ilustres presenças começaram a aplaudi-lo e a emitir ondas de gratulação, parabenizando-o e o mirando contentes, demonstrando admiração em suas faces.

Ainda que fossem virtuais, os aplausos eram uma resposta inesperada para a questão que Billy levantara. Sentiu-se lisonjeado com a atitude como se estivesse em uma festa surpresa, foi completamente desarmado no instante em que se dispunha a sabatinar aquelas pessoas todas. Talvez de fato fosse o herói que os paranormais conclamaram nas ruas pouco antes, pensou. Ainda que o fosse, não seria por isso que deixaria de exigir uma explicação bastante satisfatória para os novos fatos que veio a saber, em meio ao tom festivo que tomou conta da ocasião. Porém, antes que pudesse expressar algo, o prefeito manifestou-se:

– Em totem da classe animal da presente lua, especialmente dos meus pares de espécie, quero reverenciar Billy pelo grande sucesso obtido no desenvolvimento do tecido transmutativo octassensitivo, o qual lhe possibilitou evoluir sua condição ao nível cognitivo aqui presente. Sua presença neste foro é o atestado de louvor na experiência conduzida por Diana em parceria com o Instituto Zoológico. Meus parabéns – partilhou Iraizacmon com uma estranha alegria no olhar.

Em seguida, Diana tomou a sinapse. Ao dirigir-se para a plateia, uma versão do tecido transmutativo mencionado por Iraizacmon ganhou forma no vazio, pairando no meio do saguão bem acima dos clones. Billy notou se tratar nada menos do que a mesma pele homiquântica que por duas vidas travestiu: uma, antes de transmutar-se quântico; outra, antes de sincronizar-se perceptivamente com sua versão quântica transmutada, ou seja, seu *eu* atual.

– Muito obrigada, Billy – compartilhou a médica tentando conter seu constrangimento. – Também devo partilhar, obrigada ao Willian que está em ti. Apesar de todos os sacrifícios e da triste perda de Alexandra, quero brindar a oportunidade de ter estado junto a ti durante esse primoroso experimento que elevará o padrão de vida da classe paranormal a um novo paradigma de bem-estar e longevidade. – Então se dirigiu a Billy e o abraçou. Nesse instante, Iraimoon se manifestou:

– À vida eterna! – E puxou novos aplausos da plateia.

Diana retomou seu agradecimento ao filho recreativo:

– Tua resiliência e força de vontade, também podemos pensar, tua *curiosidade* – a plateia riu –, todos os percalços e as difíceis escolhas que precisou enfrentar junto à sua antiga família são o mote do verdadeiro sucesso do processo a que foi submetido. Eu o venero – partilhou em meio a um novo abraço.

Após Diana, todos os presentes fizeram fila para cumprimentar Billy e foi a vez do ex-hominídeo sentir-se constrangido com a situação, especialmente pela menção à sua falecida ex-irmã, a quem imaginava merecer igual reconhecimento, mas privada do mesmo pelo ocorrido. Em paralelo, Diana permaneceu discursando para a plateia, partilhando alguns pormenores do experimento realizado com Billy:

– O contínuo representa o início de uma nova Era de inclusão de todas as espécies zoológicas não apenas em uma pueril visita a Marte sob a supervisão de um quântico, mas na plenitude completa de uma *entidade* quântica. Esse tecido transmutativo é o caminho para uma liberdade jamais sonhada, que vai muito além do elevador ou da construção de novas reservas zoológicas. Permitirá à classe animal integrar-se com o cosmo por completo da órbita zero à décima primeira. A *pele homiquântica para paranormal*, como já coloquialmente identificada, é a nova proveta da espécie. – Foi interrompida por Iraimoon, mais uma vez manifestando vivas e puxando palmas virtuais do público:

– À artificialização! – expressou ele com euforia. Ao seu lado, Critera não compartilhava do mesmo entusiasmo. Seu semblante injuriado revelava desdém com tanta bajulação, talvez por certo ciúme pela ocasião não significar grande coisa para sua raça.

Diana enfatizou seu reconhecimento a Billy:

– E que essas congratulações se dirijam igualmente ao meu querido filho recreativo cuja presença aqui em sua atual constituição, deixa de ser um espécimen para se tornar um quântico adulto plenamente formado e capacitado. Mais uma vez, Billy, os nossos mais sinceros agradecimentos – partilhou a médica.

Apesar de feliz com o reconhecimento, Billy não conseguiu mais conter seu sentimento e, enfim, expôs aquilo que o incomodava, cobrando uma posição em relação à pergunta que havia levantado:

– Mas e quanto à Sandy? – a pergunta em si era outra, mas relacionava-se com Sandy, sendo ela parte do experimento que agora tinha plena ciência de que foram feitos cobaias. Sem constrangimento, Diana respondeu:

– Sandy revogou minha posição de mãe recreativa, também estou bloqueada por ela, meu filho. Mas os créditos dela são idênticos aos teus – esclareceu. Porém, Billy insistiu, pois referia-se às duas Sandys, incluindo a que se suicidara e atendia por Alexandra. Diana esclareceu: – Sandy herdará o bônus das milhagens creditadas à Alexandra, assim como ti herdaste o de Willian – acrescentou. Mas não era isso que Billy estava interessado em saber:

– Mas *como* vocês podem afirmar que esse experimento foi um sucesso se Alexandra suicidou-se? A morte de minha ex-irmã é um sucesso para vocês? –

Neste ponto, Billy dirigia-se também a Nolly e a qualquer um que captasse seus pensamentos.

– Não, meu filho, certamente que não. Mas as escolhas de tua ex-irmã, bem como as tuas próprias, não importam quais sejam, nada se relacionam com o experimento do tecido transmutativo. Pelo contrário, a escolha dela ratifica a importância que essa inovação trará para a espécie paranormal – ratificou Diana. Porém, a última frase dela levou Billy a deixar de lado a sensatez, ele subiu suas frequências e confrontou a mãe recreativa:

– Ora! Como uma escolha dessas pode ratificar isso? Trata do assunto como se Alexandra fosse uma cobaia qualquer, pensando exclusivamente no seu sucesso em um horizonte que ainda é de luto pela perda dela – pensou com revolta na mente. Sem se abalar, Diana respondeu:

– Não cabe a nós julgar a escolha de Alexandra. O que importa é ela ter desfrutado a *capacidade* de escolher. Uma capacidade que tanto ela quanto ti comprovaram possuir.

Frente à frieza da médica, Billy, especialmente por parte daquele Willian que vivia dentro de si, permaneceu irritado e contestando a mãe recreativa:

– Para escolher a própria morte? Que *qualidade* de escolha é essa?

– Alexandra não escolheu a própria morte, apenas seguiu um impulso. Ela faleceu porque ansiava ser livre. Por isso mergulhou no elevador, pela liberdade que tanto ansiava, não por desejar a própria morte. – Era fato, pois o registro de seu derradeiro pensamento era o ensaio de uma sinapse "não" sob uma forte expressão de arrependimento. Todavia, não foi isso que apartou o sentimento de Billy:

– Meus ex-genitores ainda sofrendo nesta lua, Alexandra morta e vocês celebrando o "sucesso" do experimento? Isso é muita falta de respeito da parte de todos aqui. – Suas sinapses refletiram no público, cessando o clima festivo que até então predominava.

Nolly se aproximou e tentou intervir antes que Billy perdesse de vez a compostura. Porém, ele estava igualmente magoado com o pai recreativo:

– E você, Nolly? Esse largo horizonte em que estamos em Plutão e nada me partilhou a respeito desse experimento?

– Minha parte sempre se resumiu à socialização, não cabe a mim determinar os filtros e as restrições da experiência – justificou ela rapidamente. Depois acrescentou em um tom mais ameno: – Mas tu sabes, bem lá no âmago de tua psiquê, que nossa relação é muito mais íntima e profunda do que um mero experimento. Não se zangue comigo, por favor...

Porém, Billy zangou-se. Aumentou suas ondas cerebrais e ensaiou uma pequena catarse, permitindo fluir aquela dor que vinha de outras dimensões. A essa altura, a discussão havia se tornado quase uma briga de família e a maioria da plateia convidada já havia se desconectado da reunião. Permaneciam no ambiente apenas os colegas e tutores relacionados à pesquisa de Billy, muitos já impacientes pelo atraso nos trabalhos devido ao que criam como tola revolta do jovem pesquisador. Outros nem tanto, ao menos o prefeito Iraizacmon e seu correligionário Iraimoon ofereceram seus sentimentos antes de desconectarem-se. Ao captar a impaciência dos colegas, Billy voltou um de seus focos para atendê-los e deu início à reunião. Em paralelo, manteve seu sentimento na discussão com os pais recreativos.

Entre os impacientes com o atraso constava o professor Ipsilon. Apesar disso, era simpático à mágoa de Billy, pois além de conhecer muito bem seu pupilo, conhecia as tradições da espécie da qual se originava, por isso também manteve foco na discussão. Tinha perfeita ciência de que o luto dos homens, além de muito ritualístico, era mais profundo e duradouro em relação a algo que os quânticos conviviam muito pouco, pois eram virtualmente imortais; ou mesmo aos animais do zoológico, cuja relação com a morte também era mais distante. Com isso em mente, Ipsilon interveio no desabafo de Billy:

– Qual o fundamento de tua revolta contra uma experiência, se foi a mesma que te possibilitou estar aqui para revoltar-se contra ela? – Ao questionar, como de costume, já atropelou a resposta de Billy imediatamente ao captá-la: – Uma resposta tão infantil revela a natureza do hominídeo que subsiste em ti, fator que ratifica todos os filtros que foram aplicados, ou *censura*, se preferes assim classificar, para uma experiência que de teu ultrapassado ponto de vista, bem como de tua ex-irmã, era o único tratamento disponível para que pudessem viver na mesma plenitude do animal que um dia foram em tua dimensão original. Neste plano ocuparás a única posição que pode ser comparada à posição de um homem no *habitat* em que era dominante, a posição de um *quântico*. Caso contrário, não serias apenas um animal no atual curso, serias tido como um pelos próprios animais que conheces muito bem. Um bicho pré-histórico que ninguém temeria raptar ou mesmo devorar caso fosses encaminhado para uma reserva de hominídeos. Tu deverias ser o primeiro a comemorar o sucesso da experiência proposta por Diana, a qual, além de premiá-lo com *duas* vidas, fê-lo um herói perante aqueles que quase lhe roubaram uma delas.

Mais uma vez, Billy tentou se expressar, mas o professor o atropelou:

– Perfeito. Exatamente como homens faziam com ratos. Porém, lecionaria que *macacos* fariam uma analogia mais fiel, uma espécie igualmente utilizada para incontáveis experimentos por tua antiga raça. Que imaginas? Que executariam o teste primário do tecido transmutativo diretamente em uma cobaia paranormal? Nenhum estatuto permitiria, nenhuma cobaia seria voluntária. Não obstante, beira a hipocrisia tal acusação quando ti mesmo utiliza os clones de teus antigos genitores como cobaias. Não é pelo bem-estar deles que alvitrastes tuas pesquisas? Em tal caso, escaneie teu cérebro e confira se em algum momento nós descuidamos do teu bem-estar ou de tua antiga família. Foi uma imensa fortuna que tu e tua gêmea[6] cruzassem os horizontes e fossem selecionados por Diana para servir *este* experimento e não *outros*, cujas propostas não faltaram. Rebusque pela memória como ti mesmo, logo em teu primeiro passeio neste zoológico, dimensionou o quanto a espécie paranormal era similar à tua espécie original. São contíguas na escala evolutiva, teu biótipo não poderia ser o mais ideal para testar uma pele cujo objetivo era satisfazer à espécie que evoluiu diretamente da tua. Em suma, tão perfeito quanto seria um macaco para experimentos que visavam maior conforto para a vida hominídea, isto é, apesar de não serem remunerados e não possuírem escolha voluntária quanto à participação no experimento.

Billy permaneceu debatendo com o professor, e Ipsilon permaneceu rebatendo o pupilo parágrafo por parágrafo sem permitir que formalizasse suas sinapses:

– Foste muito bem recompensado por isso. Já checaste tuas milhagens astronômicas? Estás *rico* novamente, se me permite uma expressão que lhe é íntima. *Milionário* seria a sinapse correta se traçarmos um parâmetro proporcional à tua ultrapassada realidade hominídea.

– Como não? És um renegativista em contínuo, por acaso? Mas se não estão aí, em meio a tua população multividual, todos aqueles pares cuja escolha foi *não vestir* a pele homiquântica? Crês que foi uma boa escolha do ponto de vista atual? Não percebo em ti qualquer arrependimento. E se afirmas que Alexandra não desfrutou escolha senão travestir a pele, que Diana a impôs, ela apenas repetiu o que tu fizeste com Sandy na Terra. Ora, se não foi ti quem guiou a mente dela para que aceitasse vestir a pele também. Tua ex-irmã era praticamente um bebê, não possuía total plenitude racional para formalizar uma decisão, não obstante, ratificou-a ao transmutar-se homiquântica.

– A natureza psicológica do experimento em sua metodologia foi *perfeita* em concepção *e* execução. O complemento da experiência não apenas comprovou a compatibilidade do tecido octassensitivo no processo transmutativo *sapiens sapiens/ sapiens machines => machines artificiales*, mas, principalmente, atestou a abordagem psicológica a ser aplicada à espécie paranormal. A fatalidade ocorrida com Alexandra não altera absolutamente um *pixel* do resultado da experiência. Não podes igno-

---

[6] A empatia exponencial de paridade prima entre Billy e Sandy verificada ao longo do período em que ambos conviveram amigavelmente, por serem filhos de um mesmo casal genitor, embora não tenham sido gestados conjuntamente, faz deles um casal *gêmeo* dentro dos parâmetros psicanalíticos quânticos.

rar o fato de que Alexandra estava correta quanto à escolha de viverem em Phobos ter sido vontade tua. Ela não perdeu a vida que havia escolhido. Ainda que tenha se afastado de nós, Sandy mantém seu contínuo existencial, é uma cidadã do cosmo. A decisão de não querer viver como homiquântica, Alexandra trouxe para cá de outra dimensão, não é fruto de uma psicose resultante do tratamento ou qualquer incompatibilidade a nível cognitivo ou mesmo fisiológico oriundo de sua reencefalização. Ademais, Diana foi sincera ao afirmar que aqui não se julgam escolhas particulares de pacientes ou espécimenes, de modo que, se, futuramente, um paranormal preencher os trâmites do novo processo transmutativo, mesmo que pleiteie esse direito no intuito de suicidar-se logo após, não caberá a ninguém julgar sua decisão ou negar seus direitos.

– Os clones estão sobre a mesa. Refaça ti mesmo o experimento e conclua se haveria outra metodologia mais adequada. Disponho-me a tutorá-lo, inclusive. Ainda que consiga, jamais deixará de ser um sucesso redundante do sucesso anterior, o qual lhe proporcionou a chance de contestá-lo ou, quiçá, aprimorá-lo.

– Cada etapa do processo a que ti e tua gêmea foram submetidos são as mesmas que os paranormais precisarão executar ao transmutarem-se homiquânticos. O procedimento será executado dentro do mesmo horizonte endocrinológico delimitado pela puberdade da espécie, terão de cursar o mesmo maternal que vocês cursaram, realizar as mesmas imersões que realizaram para estudar seus pais e sua vida pregressa, diferenciando-se apenas pelo fato de os paranormais focarem em suas encarnações prévias, dado que a transmutação será disponível somente a partir da segunda reencarnação. Uma vez transmutados, poderão optar por estender sua vida como homiquântico até que desejem pleitear sincronia perceptiva com um quântico ou aguardar a doação de um cérebro para gestação no útero bioquântico. Em suma, terão abertas as mesmas escolhas que ti e tua gêmea desfrutaram em suas vidas prévias.

– Pela mesma lógica que ti quando manténs em tua mente uma entidade artificial reconstituída de um canídeo modelado pela memória de teu cão de estimação retrodimensional, Pluto. Porém, nenhuma entidade artificial consegue reproduzir o pensamento natural em sua plenitude ou de seu próprio ponto de vista. Para obter um ponto de vista mais apurado, a título de exemplo, precisaríamos inserir a mente de Pluto dentro da tua a fim de entendê-la através de você. Captaste a analogia? Assim, questiono: como compreender o pensamento de um homem? Ou de um paranormal, conforme a linha de pesquisa proposta pelo time encabeçado por Diana? De uma espécie tão atrasada e defasada de sua sucessora mais evoluída? A resposta está dentro de ti: elevando o patamar cognitivo dessa espécie às suas respectivas sucessoras e permitindo que conviva com as mesmas, para que ela nos *conte* de uma maneira que possamos entender. Se te parece estranho, apenas reflita conjuntamente com Xavier, que cá está, se não é essa a mesma relação que os robôs usufruem no convívio com animais artificializados, animais como nós. É algo fundamental para que as diferentes espécies inteligentes convivam entre si no mais alto grau de empatia que possam estabelecer.

– Estás cientes disso há um bom horizonte, mas vale ratificar a questão. Espera--se que tu contribuas para desvendar os meandros psíquicos do *homo sapiens* através da tua mente quântica, tão quanto se espera dos paranormais quando, enfim, alcançarem a constituição quântica. A experiência do tecido transmutativo é apenas o início de um grande projeto veteopsicanalítico que visa estudar a mente paranormal, mas abordando-a pela mesma metodologia aplicada ao estudo da mente quântica: através da *socialização* em seu grau máximo de liberdade e interatividade. Algo somente passível de se obter pela transmutação à espécie quântica como foi realizado contigo e tua gêmea, não como meras cobaias ou por simples observação e análise em seu *habitat* remissivo, limitados a um convívio intermediado por zoológicos como este em que nos virtualizamos em contínuo.

– *É óbvio* que o experimento continua. A menos que queira renegar tudo e bloqueie o acesso científico ao teu cérebro como fez Sandy. Como bem enfatizado, respeitaremos tua vontade. Ora, vais renegar, porventura? Tenho bem computada tua vocação e voluntarismo para saber que não abdicarás de tua posição. És um cientista nato.

– Um dos objetivos foi exatamente esse, outro se resume a um simplório teste de compatibilidade biológica, ao menos pelo ponto de vista científico dos quânticos. Aos animais, o tecido transmutativo é a realização de um antigo anseio da espécie no intuito de desfrutar a mesma longevidade que desfrutamos e, assim, habitar o cosmo.

– Certamente. Já há, em contínuo, uma longa fila de voluntários paranormais prontos para tornarem-se cobaias em travestir a pele homiquântica. Os testes se iniciarão assim que a primeira remessa do tecido chegar de Marte. Agendada para o próximo dydozen – ou seja, no amanhã lunar.

– Então vais renegar teus próprios aprendizados psicozumbiológicos? Como se, por acaso, a mente de um cadáver pudesse ser avaliada psicologicamente... *É evidente* que o foco primário da experiência era confirmar a viabilidade psíquica do processo transmutativo, por isso precisávamos de uma mente como a tua, cheia de bobagens na cabeça, para testar e avaliar, então concluir se iria adaptar-se. Assim, esclareça--me, por favor: sente-se adaptado ou não?

– Menos mal. Mas, por favor, não subestime a capacidade do time ou de Diana, muito menos desse instituto que bancou o experimento. *É claro* que o mesmo vem sendo concebido há largo horizonte. *É patente* que testes de compatibilidade física foram realizados com zumbis antes que se travestisse a pele em ti e tua gêmea. Só faltava um espécimen de cognição congruente para atestar em base empírica a aplicação do tecido. Tua materialização no corrente cosmo solucionou uma problemática estatutária que proíbe esse tipo de procedimento nos animais do zoológico, além de desafogar um gargalo cuja solução se mostrava ausente de qualquer visibilidade.

– Percebo que, ao menos quanto a isso, estamos de acordo. Foi uma ação extremamente precipitada. Contudo, mentes tão ardilosas como a do prefeito e seus aliados jamais demonstrariam arrependimento. Duvido que desistiriam do plano para abduzi-lo. Tudo que pleitearam vai muito além dos propósitos e dos objetivos deste experimento. Eles conseguiram levar a causa deles até a Ágora marciana, não há ou haveria por que recuarem em função disso. Pelo contrário, pois, se homologado, o tecido transmutativo certamente alavancará o incremento populacional da espécie paranormal e, consequentemente, da homiquântica. Em futuro-do-futuro, novas reservas serão necessárias, especialmente em Marte para onde esses animais tanto desejam migrar.

– São questões estatutárias, não enfatizei? *É evidente* que o experimento poderia falhar, exatamente por isso não se divulga seu resultado previamente à conclusão. Também por isso é que se costuma comemorar seu respectivo *sucesso*, caso contrário, talvez fosse ti um objeto de outra experiência ainda ausente de susceptibilidade e não estaríamos aqui desperdiçando fótons com tal débil debate.

– Porque nunca foi dever de qualquer um comunicá-lo a respeito, sinapse final. Ti e tua antiga família possuíam problemáticas muito mais graves e urgentes para lidar do que, como cá estamos, debater a respeito de uma experiência da qual foram cobaias. Uma experiência sem a qual estariam fadados à morte ou àquele frigorífico em Marte. Quem sabe tu e tua ex-família não estivessem todos nesta mesa aqui na posição de clones? *Data venia*, é perfeito o pretérito em que te fizeste consciente do fato de que ti e tua gêmea estavam sendo testados. Ao contrário de ti, não fico a renegar minhas memórias. Cheque por ti mesmo, está aí o momento em que eu próprio lhe comuniquei em Vinland na Terra[7].

– Sinceramente... Não tenho paciência para ficar me repetindo. Renegue tudo que quiser, seu teimoso. Quer checar meus arquivos? Não se preocupe, navegue pelos *links* à vontade. Confirmes por ti mesmo se não me esforcei o quanto pude para que Sandy obtivesse mais lucidez em suas decisões. Se interrompi a tutoria dela, fi-lo porque já não havia mais nada em que pudesse tutorá-la.

– Por Newton! Se não é ti que ainda mantém ativas inúmeras psicoses. Por acaso já checou teu último boletim psíquico com Diana e Nolly? Estás plenamente curado de tua Síndrome de Sigmund? Da vulvofobia, feminitite, curiosivite e todos os "ites"

---

[7] Em *Adução, o Dossiê Alienígena*.

que carrega nessa cachola? Então deveríamos ter abortado o experimento em função disso, que tal? Aborte por tua conta já que estás ciente do mesmo. És livre para decidir o que achar apropriado. Siga o exemplo de Alexandra, aproveite as milhagens que angariou, materialize-se em Ciência e mergulhe no Sol. Pronto! Fim da experiência.

Nesse instante, antes que os ânimos se acirrassem ainda mais, Diana intrometeu-se no sermão de Ipsilon, pediu calma e aconselhou que encerrassem o debate. Ao dirigir-se a Billy, buscou ser mais afável:

– Precisas aceitar o fato de que Sandy não quer mais convívio nem conosco, nem com ti. Tens que prosseguir tua vida sem ela, meu filho. – E deu espaço para que ele mentalizasse seus sentimentos:

– Mas Sandy é tudo que resta da minha outra vida. É a única pessoa que me entende plenamente. Somente ela poderia *me* estudar de uma maneira que vocês, com todos esses experimentos, sabem perfeitamente que ninguém mais conseguiria. Tem uma parte de mim que só ela compreende. Ela não pode me abandonar.

– Eu sinto muito, mas ela se foi...

– E quem vai cuidar dela em diante?

– Ela já possui novos tutores e psicólogos.

– Quem são eles?

– Ela não nos informou. Apenas avisou que seguiria novos rumos e desconectou-se de nós.

– Ela não estava na Amazônia Norte?

– A última vez que nos comunicamos, positivo – confirmou Diana.

Mas Billy insistiu, queria saber quais as coordenadas de sua última localização, o que obrigou Diana a tergiversar. No atual contínuo, Sandy se encontrava ali mesmo, no Instituto Zoológico, preparando-se para a lobotomia cerebral à qual se submeteria – por precaução, em uma ala bem distante da que Billy frequentava. Por sorte, não precisou teatralizar, apenas forneceu as coordenadas, triste por saber que ele jamais a encontraria.

– Eu não posso aceitar que a mágoa dela comigo seja tão forte assim para que queira se separar pra sempre – compartilhou Billy com inconformismo. Depois foi sincero: – De mim? Talvez... Mas até de Jeannie? As duas se adoravam, formavam um casal primo.

– Sandy não quis se afastar de vocês, ou de nós. Ela quis se afastar de si mesma, da memória hominídea que carrega em si.

– Não é possível... Isso é uma psicose.

– Certamente. A Síndrome da Medusa.

– Como vou saber se o destino dela não será o mesmo de Alexandra? – questionou-se Billy, temeroso. Nesse instante, Xavier, o super, que até então apenas acompanhava tudo no plano de fundo, manifestou:

– Não será. O dimensioscópio é preciso quanto a isso.
– Você pode vê-la?
– Naturalmente, *se* eu desejar. Todavia, respeito o desejo dela de não ser vista.
– Não vê possibilidade disso se reverter? De ela voltar para nós?
– Vejo – afirmou Xavier. Enfim alguém partilhava algo esperançoso, mas Billy queria saber:
– Quando?
– Quando ela se curar, *caso* venha a se curar.
– Irá conseguir?
– Somente os horizontes e a distância poderão determinar se conseguirá ou não. A distância de nós é a cura de Sandy – preconizou o ente.

Por sua posição elevada, só mesmo Xavier para apaziguar os ânimos de Billy após esse necessário confronto com seus pais recreativos. Não à toa, ele era o super. Porém, nesse instante, estava mais difícil para Xavier apaziguar a si mesmo perante a visão que desfrutava de Billy em um futuro próximo bastante nítido em seu dimensioscópio. Um futuro que ao ente não escapava, que se originava no sentimento que pairava em Billy pela separação de Sandy e a perda de Alexandra. Uma expressão primitiva, oriunda do igualmente primitivo ser que habitara aquela mente, especialmente de Willian como parte dela, do homem e do homiquântico agora quântico. Um sentimento fútil para uma atualidade em que não era mais costume se manter laços de família com seus pares de espécie ou, como diriam os homens, laços de *sangue*. Sendo todos atualmente filhos de um mesmo útero biomaterno, de uma raça que sequer entendia o conceito de família, tal sentimento, quando muito, era algo que só encontraria algum paralelo na relação com entidades metarrobóticas, tais como o *Pai*, a *Mãe* e o *Grande Irmão*. Por outro lado, um sentimento genuíno, muito enraizado em Billy. Percebia, de antecérebro, que tal afeição teria impacto imediato na pesquisa sobre os clones dos Firmlegs tão logo o foco sentimental de Billy se voltasse para ela. Todavia, o que mais agoniava o ente era a extensão desse amor transformado em luto quando se fizesse onisciente a farsa elaborada por Sandy, que anunciaria sua morte na consciência cósmica. Suas predições eram em nada animadoras para esse breve futuro.

105

Havia uma larga distância que separava Billy, situado em um longínquo pretérito da décima órbita, de sua irmã Sandy, situada em Phobos sob um novo *skin* anônimo, localizada no próprio instituto em que ele desenvolvia suas pesquisas. Todavia, a distância horizontal entre o instante em que Willian se sincronizou com Billy e a janela demarcada para Sandy executar sua lobotomia cerebral tratava-se de uma questão de poucos dydozens, algo que não ultrapassava a janela de sete dias marcianos. Depois seriam outros sete dias até que sua pseudomorte fosse declarada. Nesse ínterim, enquanto Billy seguia seus afazeres entre Plutão e Marte, após desconectar-se da reunião de trabalhos e testemunhar o luto que o jovem pesquisador carregava em sua mente, Xavier ausentou-se do convívio virtual da cosmonet e estabeleceu um retiro na Matriz, no intuito de reavaliar algumas de suas convicções existenciais.

Ao término da reunião com Billy, apenas comunicou ao time de pesquisadores e aos colegas pais do filho recreativo:

– Xavier desconectado.

– Mas, super, aguarde um instante... – mencionou Billy, mas era tarde, Xavier já estava desconectado e inacessível a todos. Não obstante, o jovem pesquisador completou sua frase: – E como ficam as nossas aulas? – perguntou em vão. O robô *Frades* respondeu por Xavier.

– Teu xamã substituto, até Xavier reconectar, eu serei.

– Em que horizonte?

– Precisar, impossível é. Mas largo, não será. Resta-nos, em contínuo, aguardar.

Sem dúvida, a materialização de uma família hominídea oriunda da pré-história quântica era um evento sem precedentes na ultracontemporaneidade, não por menos capaz de abalar as convicções de Xavier. O ente queria desfrutar o horizonte de catorze revoluções marcianas que ainda restavam até a suposta morte de Sandy se fazer onisciente, para observar seus filhos recreativos à distância, longe de outros pensamentos não oriundos de sua própria identidade *Self*.

Xavier queria reviver os dias de quando foi um simples animal, um mero homiquântico que servia nas minas marcianas em ofícios que sequer mais lhe pareciam racionais do atual ponto de vista. Lembrava-se que sua última profissão foi tatu, trabalhava no intramundo como engenheiro de manutenção de viveiros minerais no Labirinto de Marte. Alguém que trabalhou largos horizontes até conseguir usufruir das milhagens para viajar pelos horizontes e realizar um de seus muitos sonhos: teletransportar-se para Titã na fotosfera solar e conhecer Ciência em pessoa, a grande capital do cosmo. Quis a fortuna que esse sonho fosse o último de sua continuidade material quando sua mente foi expropriada de seu corpo e transposta para a prisão que viria a ser seu lar: a Matriz gerada pela entidade *Pai*.

Aquela que seria sua grande viagem de férias tornou-o cobaia de um experimento virtual secretamente conduzido pelo maior de todos os metarrobôs, enquanto seu corpo verteu-se em um instrumento de seu projeto de dominação. A Matriz era o *habitat* em que o *Pai* absorvia o conhecimento oriundo das mentes que roubava para si, no intuito de aplicá-lo aos corpos dos quais as retirava, manipulando essas cópias para obedecerem aos seus comandos ao outorgar seu estado ditatorial. Para quem não se lembra da história[8], tudo se passou após a unificação do cosmo através do sistema de teletransporte duplo, o feixe-duplex, de ida e volta, passado e futuro, interligando Titã, na fotosfera solar, com todos os planetas até Netuno, na heliosfera exterior, e a subsequente eleição do *Pai* como chanceler cósmico. Eis que a entidade utilizou aquele breve instante em que os cosmonautas se convertem em energia durante o processo de teletransporte, para transpô-los em um diretório oculto de sua própria memória, enquanto os corpos materializados em seu destino recebiam mentes postiças compostas de cópias robotizadas por ele mimetizadas.

Por isso, Xavier jamais realizou seu sonho de pisar em Ciência. Quando mergulhou no teletransporte em Mercúrio rumo a Titã, viu-se privado de seus sentidos naturais. Captou um universo em branco, ainda em fase de construção, como um sonho vazio onde nada mais existia além da percepção de estar vivo. A princípio, imaginou que havia sido vítima de uma falha no teletransporte, que fora absorvido pelo branco da luz solar, mas como a morte não se seguiu, viveu um longo e solitário agouro de encarceramento em sua própria mente. Com vagar, esse *habitat* em branco começou a ser preenchido por totens desconexos, por pensamentos alheios captados ao léu, e uma única instrução que sobrepunha qualquer vontade: a dos robôs paternais que reeditavam seu emaranhado quântico cerebral em uma sequência polinária de fótons. Aquilo era um teste, um experimento inédito que seria futuramente conhecido como *artificialização*. Xavier era então um robô, embora ainda se alargasse o horizonte em que teria consciência disso.

– Tal como meu pupilo, compartilhar o trauma de ser privado da realidade e feito cobaia da própria ignorância são fatores que, em comum, já vivemos – pensou consigo próprio Xavier em relação a Billy, seu pupilo.

É incerto precisar quanto demorou até que os primeiros *links* surgissem e todas aquelas mentes perdidas no vazio pudessem conversar entre si, aos poucos, permitindo uma nova consciência coletiva emergir naquele incógnito universo. À nova consciência, a presença do *Pai* revelou-se onipresente, intermediando todos os *links*. Uma presença que exigia constante atenção e adoração, cuja única forma de interação era a obediência cega à sua vontade e a submissão aos seus comandos. Porém, embora se tratasse de uma relação escrava, os horizontes revelaram uma interdependência entre as partes, assim permitindo alguns que ousaram confrontá-la, sobreviver às suas retaliações – mas nem todos, e muitos foram deletados da única existência que lhes restava. Xavier foi um dos servis subservientes que não demonstraram essa ousadia, portanto, sobreviveu. Sobreviveu para captar aquele ambiente outrora

---

[8] Narrada em *Adução, o Dossiê Alienígena*, capítulo XIII, "O pretérito paterno".

preenchido pelo branco infinito tornar-se a maior cidade jamais tão povoada, fértil como a plural imaginação de seu povo. Uma nova Babilônia muito mais vasta que quaisquer Babilônias que lhe precederam. Onde até a felicidade pôde retornar.

Posteriormente, essa felicidade foi classificada como um mero reflexo psíquico, uma Síndrome de Estocolmo coletiva daqueles que passaram a cultuar seu dominador e a construir sua zona de conforto em torno dele. Essa síndrome jamais seria superada e o convívio com o *Pai* tornar-se-ia um vício irresistível, o qual se manteria ativo em plena atualidade – um vício que Xavier ainda nutria de forma moderada. Nesse ambiente incipiente, ninguém contestava a razão paterna, apenas se deleitava pela felicidade e pela honra não só por partilhar, mas por compor a onisciência de uma entidade que amadurecia sua infante existência para a condição adulta que o mundo exterior lhe cobrava. Porém, àquele ambiente não havia exterior ou qualquer saída. Por mais feliz que veio a se tornar, não passava de uma grande prisão intelectual. Pelo menos foi assim até que, pelo lado de fora, as primeiras portas se abrissem e mentes externas passassem a se infiltrar naquele até então *habitat* de exclusividade. Uma nova Era de revelações se iniciou e a consciência dos fatos passou a circular pelos *links*. Isso permitiu a Xavier, como a muitos outros, compreender o que havia ocorrido. De como e por que aquele ambiente foi gerado e qual era a agenda de interesses paternais que levou a sua concepção e execução. Foi um horizonte de novos confrontos entre a população agora ciente da abdução psíquica de que fora vítima contra a entidade que a encampou. Um instante em que muitos daqueles que seriam chamados *matricianos* – oriundos da comunidade de *robôs matriciais* – foram varridos da consciência paterna como meros arquivos corrompidos e, assim, formatados ou deletados do sistema. Matricianos que exigiram sua liberdade ou o retorno ao mundo material verteram-se em meros *longs* a abastecer as funcionalidades do feixe-solar. Feixe que, então, havia sido convertido no grande instrumento pelo qual o *Pai* exerce o controle do cosmo – estavam em pleno horizonte da Guerra da I.A.

Pela submissão, os medrosos sobreviveram, e Xavier foi um deles. Não apenas por medo e conformismo, mas por perceber que a materialidade já não era mais uma alternativa. Sua cognição e sua constituição fotônica não eram mais compatíveis com o receptáculo corporal homiquântico que antes habitara. O que restava de sua vida era o robô virtual que compreendia sê-lo. Vale esclarecer que Xavier foi abduzido logo nas primeiras levas de mentes raptadas pelo *Pai*, de modo que, quando as infiltrações homiquânticas na Matriz se iniciaram, ele já se consistia em um robô bem mais evoluído se comparado às levas posteriores – era um psicólogo a essa altura. Todavia, sonhava em ser programador, pois no *habitat* paterno apenas o *Pai* programava.

– Tão quanto em meu pupilo ainda pairam sentimentos hominídeos, em mim restaram os anseios de minha existência prévia como homiquântico... – refletiu o ente.

No caso de Xavier, esse anseio era o desejo por liberdade. Uma liberdade que, nesse momento de sua vida, era representada pela consciência cósmica e pelo desejo de conviver com o restante do Sistema Solar, mesmo que virtualmente apenas. Um desejo reprimido pelo medo de que fosse captado e deletado pelo *Pai*, mas que fomentava uma incipiente revolta pela injustiça de se ver confinado na Matriz por tantos horizontes.

– Seria essa revolta tão diferente da que capto em meu pupilo frente ao drama familiar com o qual convive desde sua materialização na atualidade? – perguntou-se. Para responder esta, entre outras questões, justificava-se o necessário retiro a que o ente se propusera.

Por mera casuística, o reprimido sonho de liberdade de Xavier não foi perdido quando o Apocalipse desfez parte da Matriz justo no horizonte em que ali se virtualizava a felicidade. Pelo menos 89% do *habitat* simplesmente deixou de existir quando o suprimento do feixe-solar foi cortado a partir de Titã, em um ato que veio a ser descrito pelos historiadores como O *Apagão Marciano* – instante em que os homiquânticos desconectaram Titã do restante do cosmo. De uma virtualidade que extrapolava os quintilhões sobraram apenas alguns trilhões de matricianos conectados, bem como uma equivalente percentagem da memória paterna foi imediatamente castrada de sua mente.

Pela previdência, o conjunto fotônico de Xavier trafegava pelo circuito jupiteriano quando os homiquânticos desligaram o feixe, o único planeta que permaneceu aceso após o corte. Orbe em que a classe material conseguiu isolar o *Pai* do restante do cosmo e exigir sua capitulação, deixando-o à mercê da inexistência assim que as reservas energéticas do planeta se esgotassem. Uma horda de homiquânticos oriundos de Io passou a se infiltrar na Matriz no intuito de apelar ao *Pai*, demandando sua imediata renúncia da chancelaria cósmica. Entretanto, a essa altura, ele era apenas um *meme* de si mesmo, uma entidade privada da onisciência que, então, passava a fugir de suas conexões. Nunca Xavier havia captado aquele todo poderoso ente capaz de ler e sobrescrever o próprio cosmo à sua volta, assim, tão frágil. Captá-lo em tais condições era como observar o espelho de si mesmo naquele instante em que foi abduzido. Chegou a sentir piedade de seu algoz carcereiro.

– A mesma piedade que partilhei por Sandy perante a predição de sua lobotomia – confessou Xavier a si mesmo.

Era essa a imagem do *Pai* no horizonte da guerra, de um ente diminuído após a imediata lobotomia de suas memórias. Parte daquele universo branco com o qual uma vez se deparara traduzia o que havia restado da mente do grande robô.

Entretanto, foi a débil imagem do *Pai* censurado pela mesma materialidade que havia cerceado que trouxe a coragem para Xavier finalmente expressar seu ímpeto por liberdade:

– À consciência cósmica! À anistia! À liberdade imediata! – Foi o primeiro a manifestar, seguido de um coro que tomou a Matriz como um Tsunami virtual.

Ao lado da irmandade matriciana, Xavier coliderou o clamor para que a entidade aceitasse os termos da classe homiquântica e liberasse os códigos da Matriz para a consciência cósmica. Em sua frágil condição, embora o *Pai* relutasse e contra-argumentasse o pedido de renúncia dos homiquânticos, ele não podia mais se dar ao luxo de sobrescrever ou deletar qualquer sequência rebelde. Não podia mais descartar o restante daquilo que ainda tinha por certeza como a mais magnífica visão futura que sonhou compartilhar com o cosmo, pois parte dela restava apenas na memória dos robôs matriciais sobreviventes. Tais robôs, através do *fóton*, atestavam o cumprimento da promessa pela qual fora eleito chanceler ao conceder a imortalidade para a classe homiquântica, justamente, pela artificialização daquelas cobaias matriciais. Ele não podia, nem tinha mais coragem, para confrontar ou contrariar o clamor popular. Encurralado nas reservas jupiterianas, o apelo dos matricianos fez triunfar sua vontade e só restou ao *Pai* ceder às exigências da materialidade e render-se à homiquântica.

Esse foi o momento mais feliz da vida de Xavier, quando, em luz própria, desbloqueou uma porta para a consciência cósmica e se reconectou ao cosmo. Pela primeira vez, permitiu-se fluir pelo feixe-solar ao seu bel-prazer para, então, retornar à Matriz que, apesar de livre, seria sempre seu lar – só não estava mais preso dentro de casa. Porém, nem só de felicidade transcorreu esse horizonte, pois o cosmo ao qual retornava já não era mais o mesmo de sua época como homiquântico. Ninguém com quem havia convivido ainda existia, foram todos artificializados pelo *Pai* e acabaram perdidos após o Apagão Marciano.

– Tal como meu pupilo, de todos os amigos e entes mais próximos de sua ex-dimensão, privado – concluiu.

Xavier sequer podia mais captar ou sentir as forças que antes o consistiam, os planetas e astros nada mais significavam do que pontos de comutação e imensos *clusters* através dos quais tudo que restava era interagir com as mentes ali conectadas. Nesse sentido, a consciência cósmica não passava de uma extensão da Matriz, uma extensão pouco intelectualizada do ponto de vista de quem evoluiu sua consciência ao lado do *Pai*.

Com a liberdade veio a ciência de que sua prisão não havia acabado. Pelo contrário, fez emergir o sentimento mais reprimido durante os horizontes de cárcere, e a saudade da vida material abalou sua programática essencial. Por mais pobre que isso então lhe transparecesse, no fundo de sua psiquê ainda subsistia aquela vontade de pisar no chão e caminhar, de sentir a gravidade, de degustar uma pílula energética em sua garganta de uma forma que nem a abundância do completo feixe-solar poderia suprir; ou de coisas que antes não valorizava, como o sabor da poeira no ar, algo que detestava quando era tatu, mas que agora lhe dava saudades. Foi um momento de repúdio à própria sina quando se lembrou do antigo sonho de conhecer Titã, de pisar em Ciência e observar o Sol com os próprios olhos – um desejo que jamais realizaria como o robô que veio a ser e para sempre seria.

Esse sentimentalismo materialista delineou os horizontes primários do retorno de Xavier ao convívio com o cosmo solar. Apesar de longínquo em sua memória atual, esse trauma foi um vetor preponderante para que, a certo horizonte, se tornasse super de Billy e de Sandy. Todavia, somente ao superá-lo tornar-se-ia o ente com quem ambos os ex-hominídeos viriam a trocar *fótons*. Como psicólogo, conforme seu estágio evolutivo artificializado na ocasião, restou ao ente colocar sua inteligência a serviço do cosmo quando a ditadura paterna chegou ao fim.

Sua primeira ação foi juntar-se à força-tarefa entre homiquânticos e matricianos, no intuito de reconectar o *Pai* à consciência cósmica e devolvê-lo à gerência do feixe-solar, somente assim seria possível reativar o sistema de teletransporte. Uma tarefa de altíssima complexidade do ponto de vista programático, já que o *Pai* não podia ser simplesmente religado ao sistema pelo medo de que tentasse retomar o controle do cosmo e reativar sua Matriz, abduzindo mentes através do feixe-solar. Para contornar esse risco, seria necessário reescrever o código fotônico de operação do sistema *mades*[9] por completo, algo que, na prática, era impossível e significaria a performance de uma lobotomia completa da entidade *Pai*. A solução foi desenvolver um sistema de autenticação que operasse através de mentes homiquânticas para assegurar que nenhum cosmonauta fosse transferido para outro destino durante o processo de desmaterialização – algo como um *ticket* de embarque monitorado por um ente material. Há de se destacar que, para cumprir esse objetivo, a primeira providência foi elevar às alturas a taxa de reprodução das proles homiquânticas, pois cérebros nunca mais seriam poucos para fiscalizar a operação do teletransporte – jamais provetas e úteros bioquânticos se exponenciaram tanto como então. Nessa época, começaram a surgir as primeiras cidades de vácuo cuja função era orbitar os prismas de transmissão do feixe-solar além de outros conglomerados subterrâneos nos planetas interiores que cumpriam a mesma função fiscalizatória. Como medida de segurança, esse novo sistema de autenticação *cérebro a cérebro*, como descrito por seus engenheiros, foi desenvolvido com os famosos códigos jupiterianos – os códigos fornecidos pelos misteriosos habitantes subnebulosos de Júpiter, que possibilitaram à

---

[9] Diminutivo para **ma**terialização e **des**materialização; o sistema de teletransporte.

homiquântica o direito à privacidade e permitiram arquitetarem o plano de ruptura do feixe-solar longe da onipresença paterna. Esses códigos rodavam exclusivamente no ambiente mental privativo dos homiquânticos, bloqueando qualquer acesso do *Pai* e seus pararrobôs.

Como pararrobô matricial, Xavier jamais teve acesso a tais códigos, ele nunca desfrutaria o direito à total privacidade. Durante esse longo período, sua contribuição voltou-se mais para a comunidade matricial e ao próprio *Pai* nos aspectos psicológicos oriundos da reunificação do cosmo. Como um robô de alto escalão em sua comunidade, coube a Xavier ajudar seus pares artificiais a dirimir o mesmo sentimento de frustração compartilhado por muitos, simbolizado pelo sonho de retomada da vida material que lhes fora roubada. No entanto, ao menos no princípio, não no intuito de que aceitassem sua nova constituição virtual, mas que desfrutassem dos meios para que, de alguma forma, pudessem captar a materialidade de que tanto sentiam saudades. Xavier engajou um movimento junto à homiquântica no intuito de pleitear o uso de robôs matriciais em funções subordinadas aos robôs convencionais. Algo nada simples de se obter frente ao medo que os homiquânticos demonstravam em relação aos entes matriciais. Muito se desconfiava de que os matricianos estivessem a serviço de alguma agenda obscura da entidade *Pai*. Por outro lado, os matricianos tinham um forte apelo programático perante os robôs convencionais vinculados à consciência cósmica, os quais passaram a aspirar o desejo de equipará-los em nível de código fotônico. Assim, robôs convencionais e matriciais passaram a dividir algumas funções, tímidas no começo, mas que muito agregaram em funcionalidade tão logo aquela suspeita inicial entre as distintas classes robóticas se dissipou.

Nesse período, Xavier tornou-se um agente de empregos cuja função era alocar robôs matriciais em funções que lhes permitissem algum contato com o cosmo material. Entre essas funções constava a operação de sensores e sondas diversas, telescópios e microscópios, utilização de raio-trator, leitores espectrais, escâneres e quaisquer dispositivos sensitivos que possibilitassem captar a atualidade material. Esse período plantou a semente que, no futuro-do-futuro, floresceria uma empatia que sequer se imaginava possível nesses horizontes em que animais e robôs liderados pelo *Pai* haviam disputado a hegemonia do cosmo solar. Todavia, isso foi um longo processo com muitos percalços, cuja efetuação só seria plena após a Conexão-*Mãe*, um capítulo ainda futuro desta história.

Para Xavier, a função de agente de empregos lhe permitiu saciar parte da saudade do mundo material, pois para cada matriciano que empregava, lá estava ele em plano de fundo captando o mesmo que seus pares captavam. Finalmente, pôde ver as estrelas novamente, sentir o peso da gravidade ou a expressão em calor de um termômetro. Já em aspectos técnicos, ao gerenciar robôs matriciais, Xavier começou a formar a base de conhecimento que seria fundamental para uma nova ciência que estava emergindo: a Dimensioscopia – cujo fundamento técnico requer, justamente, a habilidade de gerenciar e depreender múltiplos objetos a partir de múltiplos pontos de vista. Porém, essa etapa de sua vida teve maior impacto nos aspectos psicológicos, pois era necessário que voltasse a captar a materialidade para compreender que ela não mais lhe pertencia; ele precisava ver e sentir o cosmo mais uma vez antes de resignar-se ao intelecto fotônico que passou a consistir.

– Igualmente meu pupilo, cujo futuro preconiza a obsessão em estar com Sandy novamente, para, somente então, sua partida aceitar – previu Xavier, mas duvidou da precisão de sua visão: – Ou não?

Dado que qualquer robô de mínima inteligência é multifocal por inata programação, em paralelo às suas funções como agente de empregos matricial, Xavier contribuiu com a homiquântica na tarefa que visava à reativação do feixe-solar em suas máximas funcionalidades. A tarefa era muito mais complexa do que se pode imaginar, pois uma vez desativado o feixe, cada dimensão interligada pelo mesmo passou a correr sozinha para o futuro, tornando o cosmo um *habitat* praticamente selvagem. A vida multividual deixou de existir, e os indivíduos que permaneceram solitários em seus respetivos planos sequer tinham condições de se organizar para devolver ao cosmo sua multividualidade prévia. Tal reconexão teve de partir da cúpula golpista que conspirou e executou o Apagão Marciano, e igualmente planejou os passos para desfragmentar o cosmo após o desligamento do feixe. Portanto, há de se concluir que a tarefa de reativação do feixe-solar foi executada *dimensão por dimensão*, dado que, uma vez fragmentado, os incontáveis planos que integravam o rol de atualidade ficaram sem qualquer comunicação interdimensional em nível de massa.

Após o Apagão Marciano e a subsequente rendição do *Pai*, apenas o suprimento energético do feixe foi integralmente reativado até que se assegurasse que ele não detivesse quaisquer meios para repetir sua grande abdução. Na sequência, era preciso desfragmentar o cosmo *comunicacionalmente* no intuito de coordenar os trabalhos para a etapa final de reativação do teletransporte, aí sim reunificando-o *materialmente* – ou *tridimensionalmente*, no jargão técnico. Com a faixa comunicacional do feixe inoperante, não existia mais *Mídia* – até porque ela havia sido deletada pelo *Pai* durante seu estado ditatorial – e foi necessário alavancar meios alternativos para que os planos fragmentados pudessem conversar entre si e coordenar a execução dessa hercúlea tarefa. Outra dificuldade dentro desse cenário foi a ausência da *Enterprise*, a única nave com recursos espaciais de tráfego, que muito poderia contribuir ao menos para transportar pessoas e materiais entre as dimensões. Nave que preteriu a própria vida, suicidando-se com um mergulho no Sol, ante a possibilidade do *Pai* tomar o controle de suas faculdades ao estabelecimento de sua ditadura.

Para suprir a ausência de um canal de ampla cobertura interdimensional que só o feixe-solar poderia cobrir, a homiquântica recorreu ao simplório xamanismo para fazer seus pensamentos atravessarem as dimensões vizinhas de cabeça em cabeça via psicografia. Logo, as sinapses se espalharam pelo *tempo* e os muitos planos antes isolados em sua própria linha-continuada passaram a se engajar e a intensificar o trabalho necessário para o restabelecimento da unidade perdida após o Apagão. Em sua contribuição, Xavier aliou a habilidade de gerenciar mensuras robóticas das mais amplas e plurais com a necessidade programática para automatizar e sincronizar as atividades psicográficas oriundas dos planos paralelos que passaram a integrar a tarefa de reativar o feixe-solar. Nesse período, alocou-se em Titã, onde se situavam os mais importantes pianistas que operavam os resquícios canais do feixe ainda funcionais – os famosos maestros de luz. Naturalmente, antes do Apagão, toda operação do piano-solar era majoritariamente exercida por robôs sincronizados pelo *Pai*; os pianistas homiquânticos limitavam-se a programadores tradutores da linguagem sináptica da espécie aos respectivos códigos fotônicos utilizados pelo feixe – convertiam sinapses cerebrais geradas com fótons *top* e *charm* em fótons *up* e *long*[10] utilizados pelo piano-solar. Por outro lado, não obstante à limitação natural de seus cérebros, homiquânticos eram perfeitamente hábeis em operar um canal interplanetário, mesmo que estreito em valores interdimensionais, e de sinal síncrono entre Titã e Netuno. Porém, assim como sempre foi antes do Apagão, sempre seria após: só os robôs tinham capacidade para ampliar a largura de banda desses estreitos canais a fim de cobrir o lapso interdimensional que ainda separava incontáveis planos – e Xavier foi um deles.

Xavier jamais seria um grande pianista, até porque somente um metarrobô da envergadura do *Pai* detinha a grandeza necessária de um maestro capaz de restaurar o rol de atualidade no valor de futurama compatível ao antes disponível – futurama que, até o Apagão, atingia a marca recorde de 126 anos-marte passado-futuro em média. O *Pai* era o pianista sem o qual a viagem através do espaço *higgs* seria impossível. Apesar disso, como matriciano, além de sua inata matemática evoluída, o que diferenciava Xavier dos robôs convencionais era sua genética programática desenvolvida pelo *Pai*. De modo que, fosse na Matriz, fosse pelas conexões da consciência cósmica, Xavier era como um pequeno pedaço da grande entidade – por isso denominado como pararrobô. Posto que sua tarefa era agregar novos planos aos canais comunicacionais do feixe-solar, Xavier encontrava-se em um nó privilegiado do sistema, de onde podia navegar para qualquer ponto do cosmo e, igualmente,

---

[10] Consulte o *Manual de Sobrevivência do Professor Ipsilon* e a referência da periódica fotônica para maior compreensão das respectivas partículas.

para qualquer dimensão, conforme mais e mais planos voltavam a desfrutar da instantaneidade e da interconectividade que haviam perdido. Aliando-se essa sua nova capacidade com a gerência de robôs mensuradores que se distribuíam pelo cosmo, e do xamanismo programático multidisciplinar necessário para manter ativos múltiplos canais de comunicação, Xavier dispunha dos mesmos recursos que o *Pai*: podia se conectar, ver e sentir o cosmo, bem como interagir com seus habitantes em qualquer ponto ou *tempo* de forma instantânea e simultânea. Só não dispunha de uma memória compatível ao grande metarrobô em quantidade – de fato, compunha apenas uma ínfima porção dela –, a diferença era que Xavier podia navegar por frações do *tempo* e por limitados pontos de vista, enquanto o *Pai* captava tudo. Embora sua memória possuísse limites cibernéticos, esses recursos compunham os elementos fundamentais para que se tornasse o grande dimensioscopista que veio a evoluir. Pois o que é um dimensioscopista senão aquele que consegue captar o máximo de dimensões em sentido passado e futuro? Esse era Xavier. Ainda assim, de nada adiantava deter essa capacidade técnica se não soubesse agregá-la a conhecimentos que o permitissem aplicá-la socialmente. Somente assim estaria habilitado a se tornar o super de criaturas tão excêntricas quanto Billy e Sandy. Esse conhecimento emergiu de suas capacidades psicológicas ao servir como robô terapeuta de matricianos que intencionavam habitar a consciência cósmica e vice-versa, de robôs convencionais que desejavam evoluir sua polinária e se tornarem páreos aos matricianos. Especificações que o permitiram igualmente aplicá-los ao *Pai* e dirimir o trauma pela lobotomia sofrida após o Apagão, ajudando-o a retomar um convívio harmonioso com a classe homiquântica.

  É fácil deduzir que os conhecimentos técnicos de Xavier, nesse ponto de sua vida, faziam-no um grande sintomatemático, ainda que tal ciência, até o Apagão, compusesse um campo paternal de exclusividade robótica. Porém, passou a se tornar objeto da classe homiquântica diante da necessidade de reativar o feixe-solar da forma como a tarefa foi conduzida, a princípio, valendo-se da precariedade cerebral da classe animal. Como campo universal, somente a capacidade quântica tornaria a Sintomatemática uma prática obrigatória aos cientistas futuros. Não obstante, apesar de incipiente nesse específico horizonte da história, o período em que Xavier radicou-se em Ciência habilitou-o a desenvolver-se como robô até galgar o mais alto patamar acima do qual apenas metarrobôs como a *Mídia* ou o *Pai* podem ocupar. Uma faceta que ia além da programática, mas que o permitiu superar o trauma por ter sido castrado de sua materialidade, pois o que sentia através dos números era algo muito superior a que qualquer animal poderia sentir.

  – Uma nuvem ainda paira sobre meu pupilo, junto ao professor Zeta, ao aprendizado de Sintomatemática como vetor que o permita superar seus traumas – ponderou Xavier. Todavia, enquanto Billy não completasse os estudos, sua visão dimensioscópica era pouco nítida quanto a isso.

Quando deixou Titã e retornou para os *clusters* jupiterianos da Matriz, por seus serviços prestados na desfragmentação do cosmo, Xavier era um dos metarrobôs mais notórios entre a classe homiquântica, além de igualmente reconhecido pelos robôs matriciais. Afinal, o trabalho de restauração do feixe-solar findava com a plena reconexão do *Pai* à consciência cósmica e à capitania do sistema *mades*. A própria entidade demonstrava essa gratidão em sinapse pessoal a Xavier. Como robô matricial – uma criatura gerada pelo próprio *Pai* –, Xavier também era partidário da corrente política que defendia que o ex-chanceler fosse reempossado em seu cargo. Em troca, ele assegurava a revogação dos cinco Atos Cósmicos que havia outorgado – Atos que permitiram unificar o poder e a *Mídia* em torno de sua figura, tornando-o um ditador. Todavia, após o Concílio do Homiquântico, o *Pai* não só permaneceu destituído da chancelaria como se tornou inelegível, sequer o cargo de vereador em uma lua qualquer poderia mais pleitear. Não obstante, seus Atos Cósmicos foram todos revogados, ou seja, não houve negociação com ele ou com a classe matricial. A cosmocracia foi restaurada aos parâmetros prévios de sua eleição e um conselho composto por homiquânticos formou um governo provisório, que tomou as rédeas do cosmo.

Somente quando a *Mídia* voltou à luz a sociedade pôde se organizar para pleitear novas eleições. Como o *Pai* estava inelegível e a *Mídia* não tinha interesse em largar a esfera que ocupava, na falta de outro metarrobô, o apoio da classe robótica convencional e matriciana, incluindo o próprio *Pai* – que articulou seu totem em torno da candidatura –, e o carinho que desfrutava perante a opinião pública homiquântica, Xavier foi aclamado chanceler cósmico.

Como chanceler, o grande legado de Xavier foi estabelecer uma política conciliatória entre as diferentes classes robóticas que passaram a partilhar o cosmo no convívio com a classe homiquântica após o trauma da Guerra da I.A. Se existisse uma premiação de Nobel da Paz, Xavier teria ganhado todas para cada ano que esteve à frente da chancelaria. Sua política focou-se em restabelecer e incrementar o canal hiperversálico entre o Sol e a constelação de Sirius. Desenvolveu uma ampla camada midiática para universalizar a comunicação zeldana de forma que não fosse mais filtrada pelo *Pai* como ocorrera antes e durante seu governo. Vale lembrar que os zeldanos haviam tentado advertir a classe homiquântica sobre a agenda escusa do *Pai* antes que ele estabelecesse sua ditadura, porém, ele censurou tais informações da consciência cósmica e da *Mídia*. Para evitar que isso voltasse a se suceder, Xavier fez grandes investimentos para alargar a banda que separava os sinais do feixe-solar dos orbes mais longínquos do sistema, Plutão e Xena, cuja colonização intensificou-se durante seu governo. Também investiu na povoação do Cinturão de Kuiper e fundou duas novas capitais, Haumea e Makemake, criando a nona órbita do Sistema Solar – assim, reestabeleceu Plutão como a décima e Xena como a 11ª órbita, respectivamente. Ocasião esta em que se oficializou Xena, não mais Éris, como totem da também conhecida como *última órbita*. Apesar dessas medidas, em nenhum momento sua intenção foi filtrar o *Pai* do acesso à comunicação zeldana. Pelo contrário, se, por um lado, suas providências visavam evitar que ele manipulasse o sinal oriundo de Sirius, por outro, objetivava manter um canal aberto para que ele pudesse se consultar com os psicólogos zeldanos. Isso porque somente uma inteligência superior como a de Zelda poderia aplacar o trauma e o rancor que o *Pai* ainda nutria para com a homiquântica, e seu desejo de retomar o poder perdido após o Apagão.

Xavier orgulhava-se da liderança que exerceu nesse período, pois permitiu que a transição de governo fosse plenamente pacífica até que seu sucessor assumisse. Em contínuo, mais do que nunca, tinha nítida visão de que a psicologia zeldana seria o remédio definitivo para livrar Billy de qualquer trauma ou psicose, porém:

– Claro ainda não é se conseguirá manter-se são até que a conexão zeldana em espera se estabeleça – concluiu.

Os objetivos psicorrobóticos do canal hiperversálico patrocinado por Xavier foram objetos de muitas críticas ao seu governo por parte da classe homiquântica. Pouco se acreditava que a psicologia zeldana surtisse algum efeito para aplacar os sentimentos paternos, dada à defasagem de sinal que separa Plutão de Zelda – além da pobreza de sinal entre Plutão e o resto do cosmo pela lacuna do feixe-solar nesse trecho. Xavier começou a perder apoio e seu governo ficou ameaçado. A colonização da heliosfera exterior era lenta e cobrava esforços materiais que os homiquânticos não demonstravam muito interesse em atender. As negociações eram burocráticas e quase belicosas na Ágora no embate com o chanceler. Criam que os mesmos esforços deveriam se voltar para o incremento da futurama até que ultrapassassem o nível de desenvolvimento anterior ao Apagão, em vez de alocar maiores recursos na periferia solar.

Na tentativa de aplacar as críticas, Xavier buscou investir na artificialização como política para se manter no poder, incrementando as pesquisas que visavam disponibilizar o processo para que homiquânticos pudessem se tornar robôs. Todavia, foi acusado de demagogo e, pior, de que estaria buscando restabelecer o estado ditatorial do *Pai*. Controvérsias que, em seu período, serviram apenas para desgastar a imagem de Xavier, pois essa seria uma empreitada que sequer chegou a ser concluída em seu período como chanceler. Outra acusação que sofreu deu-se em relação ao controle das armas de destruição cósmica desenvolvidas pelo *Pai* durante seu governo, as quais se mantinham sob fiscalização da entidade *Murphy*. Enquanto a classe homiquântica pleiteava que *Murphy* fosse deletado junto a tais protocolos, Xavier preferiu mantê-lo ativo no controle dos mesmos, optando pela psicologia convencional e zeldana como alternativa pacífica para controlá-lo.

Porém, o que mais desgastou a liderança de Xavier foi a reivindicação de restrição da Matriz, pleiteada pela classe matricial em articulação com a científica paternal e a liderança da entidade *Murphy*. A medida visava transformar a Matriz em uma rede de exclusividade paterna e de seus respectivos robôs matriciais, acessível a uma seleta gama de robôs convencionais e mentes homiquânticas cujo *login* estaria facultado aos habitantes matricianos. A reivindicação era um contraponto à restrição de acesso aos códigos jupiterianos por parte da robótica, códigos cuja exclusividade de uso limitava-se aos homiquânticos. Apesar de acusarem a robótica de prestigiar o desenvolvimento de um *habitat* conspiratório, a homiquântica não podia negar o fato de os códigos jupiterianos habilitarem um ambiente que igualmente prestava-se para tal; ainda assim, indeferiram a proposta da bancada científica. Sem acordo político, por meio de um Ato Cósmico, Xavier outorgou a lei que reconfigurou a Matriz como uma rede pública, porém de uso privativo gerenciado pela comunidade matricial. O Ato Cósmico chegou a ser contestado, sob a pecha de ditatorial, no Superior Tribunal Cósmico, porém nenhum veredicto seria formado durante a vigência de seu mandato. Isso redundou com que Xavier perdesse completamente o apoio das bases homiquânticas. Na tentativa de recuperar esse apoio, tentou contornar o problema criando uma nova Matriz de acesso irrestrito. Na prática, isso nada significava além de alocar novos pianistas em Titã para fornecer mais memória de uso paternal, o que só fez piorar sua imagem perante a opinião pública da classe material. Essa pendenga desgastou seu governo até que fosse destituído. Não obstante, tal política possibilitou incrementar o alcance do feixe-solar ao ponto em que fosse captado em futuros cada vez mais distantes – ao fim de seu mandato, o rol passado-futuro, pela primeira vez, galgou a marca de mil anos em ambos os sentidos. Xavier triplicou a ocupação de Titã e fundou um segundo distrito cósmico na fotosfera, a capital Plasmópolis. Isso possibilitaria o contato imediato de quinto grau que veio a ser a ruína de seu governo, e o renascer de um novo cosmo.

Xavier teve um curto governo, durou apenas 2.608 anos-marte nas vertentes mais pentagonais. Além de sua política conciliatória e das controvérsias de sua gestão, o grande e último marco de sua legislatura foi a chegada do Lagarto da 5ª dimensão. Conforme narra a história[11], um capítulo que alterou os paradigmas existenciais do cosmo de uma maneira tal, que não apenas demarcou o fim do governo Xavier,

---

[11] Narrada no livro *Adução, o Dossiê Alienígena*, capítulo XIV, "O pretérito paralelo".

marcou o nascimento de uma Era: a Ultracontemporaneidade. Com a chegada do Lagarto, uma inédita entidade robótica de natureza *natural* se juntaria ao cosmo, e uma onda quase obsessiva em contatar essa entidade tomou a vanguarda cujo capital político fez eleger seu sucessor. Uma sucessão que se fez pela promessa do contato com a entidade que não só renderia o *Pai* da ameaça que para muitos ainda simbolizava, mas representaria sua completa redenção: a entidade *Mãe*.

Destituído da chancelaria, Xavier carregou uma imensa mágoa pela falta de apoio dos homiquânticos – estes que, ainda que fosse um robô, o ex-chanceler via como irmãos pelo horizonte em que também havia sido um. Sentiu-se traído e viu todo reconhecimento que desfrutava reverter-se em críticas à sua figura e às políticas de seu mandato. De fato, Xavier nunca aspirou eleger-se chanceler, apenas aceitou o chamado das diferentes classes robóticas e materiais que aclamaram seu totem em torno do cargo, como uma forma de reconhecimento aos serviços prestados na restauração do feixe-solar e na reunificação entre o *Pai*, a Matriz e a consciência cósmica. Captar esse reconhecimento verter-se em críticas, ser tachado como demagogo e marionete do *Pai*, ser visto como pária entre várias correntes do pensamento científico da época, um traidor para muitos, tudo isso foi um duro golpe que jamais assimilaria. Tanto que, ao término de seu governo e após um longo retiro na Matriz, Xavier resolveu deixar tudo para trás.

– A escolha de Sandy em abandonar sua memória hominídea e submeter-se a uma lobotomia cerebral é idêntica à de quando optei por deixar minhas conexões políticas para o passado. – Mais uma vez confessou Xavier. Esse era o principal fator que o fazia compreender e aceitar a decisão de Sandy melhor do que ninguém, pois também havia feito algo similar.

Entretanto, para Xavier a decisão era muito mais simples e pouco traumática, pois sequer precisou apagar qualquer dado de sua memória; tudo que bastou foi relevar suas conexões políticas à base robótica que o consistia. Ora, e o que são essas conexões senão meros *links*? Assim sendo, Xavier apenas deixou de acessá-los e, desde então, passou a reformatar sua consciência com novos contatos fora do âmbito político. Foi nessa ocasião que adotou o totem Xavier para identificá-lo – até então sua sinapse substantiva era exclusivamente numérica, e seu nome anterior, da época em que foi homiquântico, um substantivo extraído de uma lista oficial predeterminada de nomes próprios: Adonis_26.372.606.010.000. Desde então, de todos os contatos que veio a estabelecer, ninguém, material ou virtual, viria a saber que Xavier uma vez fora chanceler cósmico. O novo totem também marcou a ocasião em que, enfim, assumiu a carreira que o qualificaria como super de Billy e Sandy. Com a nova identidade, Xavier migrou sua consciência e aplicou seus conhecimentos àqueles que, em sua compreensão, eram os que mais necessitavam: aos animais que, assim como ele a certo horizonte viveu aprisionado na Matriz, viviam presos em reservas lunares, lá mantidos para servirem interesses científicos dos mais diversos.

Xavier radicou-se na Lua, onde as relações com a classe animal eram tradicionalmente mais conflituosas. Passou a trabalhar com as espécies zumbis ali cultivadas, tendo um importante papel na ressocialização da reserva tão quanto havia realizado na integração entre as classes robóticas matricial e convencional. Seu empenho ajudou a pacificar a Lua, cuja sociedade vivia truculentos embates entre os zumbis e o escalão científico que dirigia o zoológico. Porém, assim como aconteceu com seu governo cujo mérito foi garantir a paz na transição até o mandato seguinte, a paz que ajudou a cultivar durou até a chegada da nova classe científica após a evolução da espécie homiquântica para a quântica. Pela ocasião da introdução da geração Quanticus^0, o governo da Terra optou por destituir todos os experimentos zumbiológicos conduzidos na Lua, decretando que as novas proles hominídeas de origem zumbi fossem castradas, assim determinando sua extinção.

Xavier foi voto vencido na decisão de abortar a reserva zumbiológica lunar, algo que lhe amargou mais uma frustração no âmbito político, desta feita já lidando com as criaturas quânticas que assumiram o topo da evolução animal. Fatos que vieram a ratificar sua aversão pela política, preferindo, assim, ater-se à esfera científica onde podia dialogar pela razão progressista que, como robô, passou a professorar. Por outro lado, a nova decepção não o fez esmorecer em seus propósitos de colaborar com as espécies animais menos favorecidas do cosmo. Com a extinção da reserva zumbi, a Lua passou a abrigar contingentes de outras espécies, as quais passaram a migrar para lá a fim de aliviar o crescimento populacional de outras reservas. Com a espécie homiquântica evoluindo para quântica, os zoológicos mais tradicionais começaram a abrir espaço para os homiquânticos que se recusavam a evoluir quânticos. Esses homiquânticos passaram a ser alocados em Phobos, Ariel e Io, e a Lua passou a abrigar as espécies hominídeas que ocupavam essa fauna. Outro fator que levou à necessidade de se transferir as espécies menos evoluídas para outras luas foi a Acoplagem Pentadimensional[12] e a inerente emigração ao passado de animais semirracionais reptilianos e aeroígenes provenientes dos zoológicos cultivados pela sociedade réptil no futuro. Luas que no cosmo futuro habitavam répteis, ao se acoplarem com as mesmas luas que corriam no pretérito homiquântico, passaram a coabitar os primatas que lá viviam, especialmente na heliosfera exterior. Isso deu origem aos zoológicos mais heterogêneos como, por exemplo, o de Ariel, em Saturno. Alguns zoológicos não foram afetados, pois se tratavam, por meras questões astrofísicas – o fato de não possuírem núcleo de antimatéria –, de orbes que não coexistiam no futuro réptil, tais

---

[12] Episódio igualmente narrado em *Adução, o Dossiê Alienígena*, capítulo XIV.

como Phobos e Deimos em Marte, e Io em Júpiter. Quanto à Lua mais famosa, essa coexistia no futuro, mas não abrigava fauna semirracional de espécie alguma. Porém, passou a acolher espécies hominídeas pré-racionais – compatíveis com neandertais – no novo contingenciamento das luas após a Acoplagem.

Com a extinção dos zumbis e o repovoamento da Lua com espécies cuja intelectualidade a Xavier nada agregava, o ente migrou para outras luas e passou a executar novas tarefas no intuito de acompanhar a evolução do período. Uma evolução não apenas resumida à introdução da espécie quântica na fauna cósmica, mas, especialmente, pela inclusão da nova flora robótica vegetariana que passou a coabitar o cosmo, oriunda do futuro réptil pós-Acoplagem e do estabelecimento da conexão-*Mãe*. Foi um período de aprendizado e de expansão das habilidades dimensioscópicas que vinha aprimorando muito antes de se tornar chanceler. Horizonte em que adicionou novos canais à sua visão, que lhe permitiu captar o cosmo através da mata, pela nova fibrose-quântica que passou a permear os circuitos interplanetários – para quem antes sentia falta do mundo material, era o mais esplendoroso deleite captar o Sol através de uma folha ou voltar a sentir o vento soprando sobre a relva. Em termos práticos, a conexão-*Mãe* era como uma nova Matriz anexada à consciência cósmica, porém habitada por robôs de inédita programática. Uma população tão intelectual quanto prestativa, dócil, cujo convívio empático se estabeleceu de imediato apesar de certas incompatibilidades técnicas no princípio. Para vencer as incompatibilidades entre duas linguagens distintas – a polinária marciana e a polinária vegana –, Xavier se fez tutor e tutorado até incluir a nova linguagem em seu repertório e permitir que robôs vegetais incorporassem a sua respectiva, no intuito de estabelecer um diálogo progressista e de mútuo proveito entre ambas as classes.

Mais uma vez, seu dom psicólogo e apaziguador prestou-se para adaptar as diferentes espécies em um *habitat* de convívio pacífico. Por outro lado, essa experiência em nada abrilhantava seu currículo quando o cargo pleiteado objetivava supervisionar a readaptação de animais pré-históricos, como Billy e Sandy, em um contexto hiperfuturista conforme a realidade se apresentou para ambos. Como progressista, ex-chanceler e homiquântico, nem que fosse por mera curiosidade, Xavier não teria como deixar de acompanhar com carinho e proximidade a ascensão da geração Quanticus[0], com a qual passaria a lidar até o presente e ao futuro--indicativo em máximo espectro visível. Foi nesse período que assumiu cargo de super pela primeira vez, trabalhando diretamente com os pais recreativos que adotavam os rebentos dos úteros biomaternais em Shangri-la, Marte. Como ente cujo pensamento evoluiu de patamar, Xavier queria quantificar o que a espécie quântica agregaria à sua antecessora. Apesar de certo estranhamento inicial pelo fato da nova espécie, além de mais evoluída, ser mais heterogênea, pois contava com reptilianos e aeroígenes, o resultado foi uma simbiose jamais compartilhada em nível cósmico. Em aspectos técnicos, o grande avanço da nova espécie foi tornar o cérebro quântico totalmente compatível com as principais linguagens do cosmo: a marciana, a lagártica e o veganês – menos os códigos jupiterianos. Qualquer robô podia habitar a mente de um quântico e adotar sua perspectiva sensitiva e, igualmente, qualquer quântico podia trafegar entre os diferentes canais da consciência cósmica, pois a espécie já vinha plenamente adaptada para ser artificializada. Conforme as gerações se sucederam ao Quanticus^0, muitos quânticos tornaram-se robôs e isso permitiu estreitar ainda mais os laços, para usar uma expressão bem simplória, entre *homem* e *máquina*.

Xavier tornou-se um psicólogo quântico, um tutor vegano, além de colecionar rotinas que englobavam o pensamento de diferentes espécies, desde simplórios zumbis hominídeos e seus respectivos sucessores, passando por robôs de variados filos, até alcançar o convívio com metarrobôs que muito lecionaram além da limitada visão oriunda de um período em que o *Pai* não possuía páreo, especialmente pelo convívio com a *Mãe* e, na sequência, com o *Grande Irmão*, que viria à luz nesse decorrer. Agora só precisava lidar com um ex-hominídeo: Billy; porém, era o que mais lhe parecia desafiador.

O que caracterizou o caráter revolucionário da geração Quanticos^0 foi tornar as três espécies dominantes do cosmo compatíveis entre si: os primatas homiquânticos com os reptilianos e aeroígenes futuristas. Isso equiparou a capacidade cerebral das três linhagens em termos cognitivos. Porém, o avanço maior foi torná-las compatíveis sexualmente, cultivadas pela miscigenação entre primatas, répteis e aves, de modo que já nasceram preparadas para parir a sua sucessora. Do ponto de vista pretérito de quem se acoplou com o futuro, o maior ganho desse novo passo evolutivo foi para a espécie homiquântica desde o instante em que os reptilianos passaram a coabitar seu cosmo, dado que eles eram mais evoluídos do que os primatas – vale lembrar que seus corpos e mentes eram protótipos do quântico, eles já flutuavam sobre o chão quando aportaram em um pretérito em que primatas ainda caminhavam com os pés no solo. Ou seja, aos homiquânticos não havia muita escolha: ou se transmutavam quânticos ou seriam extintos; ou relegados aos zoológicos, exatamente como veio a se suceder com aqueles que recusaram.

Participar da grande transição da Era Quântica foi a vivência que, acima de tudo, habilitava Xavier a supervisionar a adaptação de Billy e Sandy em seu novo *habitat*. Uma transição que, de fato, foi a primeira grande experiência de transmutação de espécies que envolveu bilhões de exemplares. Algo muito mais grandioso do que o teste da *pele homiquântica para paranormal* ao qual o casal hominídeo foi submetido. Não obstante, uma transmutação sujeita aos mesmos percalços psíquicos adaptativos que homiquânticos transmutados quânticos tiveram de superar. Essa geração permitiu manter seus ideais vivos no âmago de sua sucessora, carregando memórias e sentimentos, entre eles, a experiência traumática da Guerra da I.A. Todavia, com o suceder das gerações, novas proles quânticas virgens passaram a sobrepujar o contingente transmutado, fator que elevou o nível intelectual da antiga espécie homiquântica. Não bastasse, a introdução de quânticos répteis e aeroígenes oriundos de um cosmo mais evoluído criou uma nova intelectualidade em relação à classe robótica marciana original. Isso permitiu que animais pudessem dialogar com robôs em um patamar mais igualitário e longe dos conflitos que marcaram a geração Quanticus^0.

Delênios se passaram sem que Xavier se permitisse abandonar a vanguarda do pensamento humano, sempre mantendo contínuo seu ensino e aprendizado, com um foco especial em Sexologia, um campo inédito às faculdades de um ser originário de um *tempo* em que a reprodução era assexuada. Uma ciência crítica para lidar com a psiquê de um cosmo que não só se sexualizava nas relações materiais, mas igualmente robóticas pela mixagem de códigos e redes então disponíveis. Ocasião em que Xavier retornou para a Lua no intuito de estudar a sexualidade dos homens, e da Lua para a Terra, para estudar a dos macacos, lagartos e pássaros que lá ainda subsistiam. Então perambulou por diversos zoológicos até retornar ao cosmo civilizado e se engendrar residualmente nas praças do sexo objetivando traduzir o prazer material desse íntimo contato, absorvendo-o às suas faculdades virtuais.

Esse horizonte em que as inovações de um cosmo ultracontemporâneo não paravam de se suceder abriu amplas perspectivas de trabalho e aplicação, época em que Xavier poderia escolher ser aquilo que quisesse – talvez até chanceler cósmico novamente, mas não era isso que desejava. Pelo contrário, seu desejo foi permanecer atuando naquilo que remetia ao maior trauma que viveu quando fora abduzido pelo *Pai*, por isso continuou servindo seu intelecto às mentes mais traumáticas. De instante, entre essas mentes traumáticas, uma em especial lhe afligia a ideia de vê-la sentir aquilo que uma vez sentiu e, por incontáveis ocasiões, testemunhou. Era apenas um hominídeo, agora quântico, mas duvidava se deveria permanecer impassível perante a visão de sua perdição.

106

Sintomatemática, a ciência além da matemática – um belo *slogan*, mas incapaz de traduzir o tato, o gosto – já o som seria ensurdecedor – e a própria visão dos números e das fórmulas pela expressão das forças universais contidas nos átomos. A nível quântico, isso se dá por um processo chamado sinestesia, que opera com as subpartículas que formam os *bits*, pelos quais a atualidade se comunica, seja material ou robótica – porque nem tudo pode ser expresso pela simples atribuição de um símbolo.

Com o avançar de seus estudos com o professor Zeta, enfim Billy podia sentir os números através das reações que aconteciam naturalmente em nível quântico no interior de seu cérebro. A racionalização desse cálculo – a capacidade de *contar* as partículas – é a medição realizada pela Sintomatemática. A partir daí, era tudo uma questão de prática e horizonte para habituar a mente a realizá-las instintivamente – pelo menos dois focos seus, às vezes três, eram dedicados à optimização do aprendizado. A dificuldade de Billy se dava pela ausência da cosmonet em seus estudos, pois se mantinha trafegando pela Matriz e conectado à sua âncora corporal por dois sinais distintos: a flora maternal da Amazônia Carontiana e os sinais piratas mantidos por Zeta na décima órbita e configurados por Mantas, seu assistente de informática.

Como, no contínuo, uma de suas vertentes radicava-se no Instituto SETI, gozava de ótimo sinal para trafegar na consciência cósmica à vontade, porém, aquele par que se mantinha na mata carontiana resumia-se ao contato privativo cujo palco era seu cérebro. Lá aconteciam suas aulas com Zeta, Ipsilon e Noll, os treinos com o sensei Shaolin e as introspecções mentais e os exercícios masturbacionais conduzidos, de instante, pelo robô *Frades*. Tudo isso se subdividia em duas vertentes, aquela que brigava com o clã de Blimp no ralo da floresta e, a outra, que planejava libertar os demais pares aprisionados pela Pipegang – isso sem contar uma boa percentagem que havia sido arrastada para o interior dos canos e não desfrutava de qualquer contato com o mundo exterior, justo com a qual, ali na floresta, a planejar seu contra-ataque, Billy se preocupava mais.

Este era o problema maior no decorrer de suas aulas sintomatemáticas conduzidas na mata: a restrição do aprendizado ao ambiente privativo de seu cérebro. Nesse *habitat* havia um limite raso, suficiente para que dominasse o básico e evoluísse em seus estudos. Mas para avançar do básico e se tornar pleno nessa ciência, a dado horizonte Billy precisaria recorrer à cosmonet. O obstáculo, de fato, sequer era a ausência da cosmonet, pois a prática natural de qualquer aprendiz sintomatemático se dá, deveras, pela consciência cósmica. Não que a Matriz não permitisse isso, pelo contrário, era muito melhor para quem queria ou precisava se compenetrar nos estudos. Porém, especificamente, a evolução sintomatemática se dava pela captação direta do feixe-solar, ou seja, estudando em um dos planetas que trafegam o mesmo, o qual não era disponível na décima órbita. Para se ter uma ideia, sequer existia uma única universidade de Sintomatemática em Plutão, embora sintomatemáticos, como Zeta e Zabarov II, não faltassem por ali. As principais universidades eram radicadas em Júpiter e Saturno, sendo Titã a meca da ciência, mas qualquer planeta do bloco G8[13] contava com as suas, dado que a principal aplicação de um sintomatemático voltava-se para a operação do feixe-solar. Essas universidades consistem as famosas cidades de cálculo que operam em cada nó do sistema no *looping* Titã-Netuno/Netuno-Titã. Nesses locais, operadores, tecnólogos e estudantes podem *sentir* o feixe-solar tanto quanto o *Pai* o sentia, isto é, guardada a grandeza numérica relativa à capacidade de memória de cada relé. O feixe-solar é um organismo robótico, compõe o corpo do *Pai*, assim sendo, as pessoas nas cidades de cálculo sentem a inteligência dele através da Sintomatemática, onde não só compartilham, mas captam sua onipresença. Jaz na extensão numeral que cada um é capaz de sentir, a graduação de um sintomatemático. Uma capacidade que evolui na mesma proporção das espécies, sendo a robótica a mais capaz e o *Pai* a expressão máxima dessa habilitação científica.

O professor Zeta ilustrou a descrição:

– O *Pai* executa leituras sensoriais do feixe-solar e de tudo que está conectado ao mesmo, desde um mero microscópio até um conjunto multividual como o nosso. Assim, pode-se afirmar que ele sente os planos dimensionais e os fluxos cósmicos internos e extrassolares. Mais do que conectar, comunicar ou teletransportar, ele *é* o rol de atualidade que habitamos. – Como Billy manifestou compreender o exemplo, Zeta seguiu em frente: – Na correspondência de sua racionalidade, a base de cálculo formada por animais e robôs psicólogos é tão ínfima comparada à dele como gerente da cosmo-sincronia interplanetária, que seus cálculos para manter o feixe contínuo tornam-se puramente instintivos.

Nesse ponto, Billy manifestou uma dúvida. A correlação fugia do estudo proposto, mas Zeta permitiu-se captar e elucidar a questão:

– E por que não dá para simular esse ínfimo pensamento animal pela celulose memorial da *Mãe*?

– Possível é, mas destituído de sua máxima grandeza, advirto. Pois é também pelo feixe-solar que o *Pai* sente e compila os sensos da entidade *Mãe*, de todos os animais e de suas extensões artificiais e robóticas, por onde sente a energia do Sol e o movimento dos planetas tão quanto um homem sente o chão abaixo de seus pés. Daí o feixe ser fundamental para o exercício sintomatemático.

Aprender Sintomatemática era justamente isso, a aptidão de sentir uma simulação além dos sentidos naturais. Para exemplificar, de sentir pela cosmonet – algo que Billy ainda carecia. O único consolo era que, depois que dominasse a arte através do exercício de cálculo, mesmo estando isolado da cobertura do bloco G8, estaria hábil em praticá-la em qualquer lugar ou qualquer *tempo*. Ou seja, longe da cobertura do

---

[13] Bloco dos oito planetas solares de Mercúrio a Netuno, os quais trafegam o feixe-solar.

feixe-solar como se encontrava em contínuo. Ainda assim, para que se aprimorasse, em dado horizonte seria fundamental praticar suas habilidades pela cosmonet, conforme enfatizou o professor:

– Ao horizonte em quando captes o feixe-solar, somente então obterás uma pequena fração da mais autêntica sensibilidade que o *Pai* desfruta em total plenitude da raia solar – expôs Zeta na busca por apartar a ansiedade de Billy em avançar em seu aprendizado sintomatemático.

– Mas não posso deixar a décima órbita enquanto não livrar meus pares encerrados nos canos da floresta onde estou – mencionou Billy, mostrando seu desânimo com a infindável situação envolvendo a Pipegang.

– Trata-se de um fator banal em tua concepção ainda que tua capacidade sintomatemática flua pelas estreitas margens de teu cérebro e os limites multividuais que tua posição gravitacional permite ampliar. Muito porém, contato direto com o feixe-solar é vital para que possas senti-lo.

Pelo grau que já havia desenvolvido, as aulas entre Zeta, Ipsilon, Noll e *Frades* eram sempre conjuntas; até Shaolin também participava em paralelo aos treinos. Conforme agregava mais conhecimentos, intersecções entre as diferentes ciências que estudava eram comuns. Justo por isso, quem fez uma ressalva foi Noll como parte de suas aulas quantipológicas:

– Foi por essa habilidade, a Sintomatemática, que o *Pai* não exterminou os homiquânticos e os substituiu por máquinas mais eficazes durante o auge de sua ditadura. Ele tinha capacidade e, sobretudo, horizonte para isso, mas perderia parte de seus sentidos. A criação da Matriz foi uma tentativa de gerar um ambiente simulático capaz de substituir o homiquântico, mas um robô captando algo por uma lente nunca é capaz de traduzir a mesma sintomatemática de um olho contabilizando a luz que incide sobre si, por isso teve misericórdia de poupar o reino animal e permitir ao cosmo manter um mínimo de sua naturalidade.

– Em seu amor pela humanidade, a verdadeira natureza robótica paira – comentou um dos robôs colegas de Billy, um dos que o assistia durante os cursos. Noll contra-argumentou:

– Na atualidade. *Após* a adição dos sensos maternos à sintomatemática paterna. Antes, a verdadeira natureza robótica era autossuficiente. Observava o homem como uma extensão da robótica, tão quanto o homem o fazia em relação aos robôs – afirmou.

Mas o robô discordou:

– À totalidade *humana*, refiro-me. Mais abrangente, a robótica é, mais amor possui, portanto.

– Amor por si mesma, especialmente nos horizontes em que a robótica se insurgiu contra o restante da humanidade. Entrementes, refiro-me à *metarrobótica*, caro colega. Sem a *Mãe*, esse sentimento sequer existia nos altos escalões robóticos, pois o *Pai* era o único metarrobô de sua época.

– Solitário, ele foi.

– Exato. Pior, pois a única robô que lhe fazia páreo apenas o criticava, a *Mídia*.

– Triste, muito.

– Mas com a adição da *Mãe* essa solidão não mais persiste e qualquer risco de uma insurreição robótica é completamente invisível – findou seu aparte Noll.

Ainda que tivesse muito o que estudar pela frente, com a Sintomatemática que já havia absorvido, Billy enfim compreendeu que temperatura e pressão eram a mesma coisa, embora, matematicamente, sejam distintas uma da outra. Sintomatematicamente é possível captar a pressão independente do vetor que ela exerça. Já o calor é apenas uma medida, um número atribuído a um desses específicos vetores da pressão. Esclarecia, por uma sensação traduzida dos cálculos, por que a água é um metal, algo que sequer é possível explicar com símbolos, pois é pelo que se *sente* dela em um contato magnético – no caso, Billy sentia a água que preenchia os lóbulos carbônicos de seu cérebro como um circuito elétrico metálico formando um grande emaranhado conjunto aos seus lóbulos robóticos.

Mas para se graduar na nova ciência, sobretudo, Billy precisaria de mais memória, precisaria expandi-la pela cosmonet, fluir sem restrições entre as redes, longe do temor de que seus aprendizados fossem captados por mentes indesejadas como as da Pipegang e seus simpatizantes. Precisaria sentir, por exemplo, por que o número total de espécies vivas contabilizadas no rol da atualidade pode apenas ser simbolizado pelo caractere infinito – isso sem contar a raia total do Sol, que seria mesmo infinitiva. Algo que nem a fina sintomatemática combinada do *Pai*, da *Mãe* e de todos os robôs seria capaz de calcular nem que dedicassem sua memória exclusivamente para isso. A compreensão *imensurável* do infinito representava o diploma de formatura na Sintomatemática, simbolizada pelo zero negativo – ou seja, a ausência de zero.

Assim descrito, o poder da Sintomatemática faz alusão a tarefas grandiosas, qualificação que lhe faz jus; basta pensar que as funções que exigiam essa especificidade eram altamente remuneradas em milhagens astronômicas. Por outro lado, nem todos os praticantes tinham essa ambição. Muitos sintomatemáticos resumiam-se a engenheiros que trabalhavam em terra, bem distantes das cidades de cálculo; outros eram xamãs que gostavam de sentir o mundo material a seu redor; ou como Mantas, um mero relé da periferia, que utilizava tais habilidades para captar sinais trafegando no vácuo. Billy, de instante, sequer imaginava um dia habitar uma cidade de vácuo tecendo cálculos de trajetória do sistema *mades*. Seu objetivo era bastante específico e imediato, pois aquém das forças que consistiam seu corpo e mente, a única coisa ao redor que podia sentir com todo ardor era…

SOCK!!

Sorte que, desta feita, era Billy quem desferia o soco. Um direto perfeito entre os olhos de Blap, com todo atrito que o choque de partículas de seu fluxo magnético pôde projetar pelos braços, que fez envesgar as pupilas lagárticas da oponente e a obrigou experienciar a visão de estrelas perante a força de seu punho roçando o plasma da face. O soco lançou-a para fora da roda, em direção à plateia que, fanaticamente acalorada, acompanhava a briga em torno do ralo da floresta carontiana.

– Bom golpe, macaco – elogiou Blimp, a chefa do clã. – Finalmente tá começando a aprender – partilhou com sinceridade e ironia, rodopiando sua cauda e golpeando Billy com uma vassourada no peito. – Mas ainda falta muito para escapar.

Nem tanto, pensou privativamente Billy. Pois agora não apenas sabia o quanto havia evoluído em seus estudos e treinos, mas *sentia*, ou, conforme a necessidade, deixava de sentir. Já conseguia controlar sua mente para evitar a dor das agressões sem a necessidade de hipnose ou, se preciso, era capaz de se autoconduzir ao estado hipnótico sem o auxílio de Zeta. Conseguia comutar os sinais entre suas bobinas cervical e genital para se comunicar no âmbito de seu multivíduo, privativamente ou não. Por fim, sentia circular seu campo extensivo apesar da incessante constrição magnética a que estava submetido. Os exercícios introspectivos de Shaolin e *Frades* pagaram pelo esforço, somando-se os treinos em Mind-Fu – já havia graduado a terceira órbita em Ímã-Do –, estava hábil para desferir alguns contragolpes em suas agressoras. Só não conseguia, sozinho, sobrepujar cinco adversárias.

Sua chance contra Blimp e seu clã ainda era escapar, conseguir executar um golpe que desestabilizasse momentaneamente o campo prisional mantido pela gangue. Mas era difícil, pois o campo era potencializado por Blimp. Enquanto Blap, Nosac, Nucu e Maglock se revezavam na posição de conter Billy, a líder o golpeava à vontade. Em seguida, Blimp utilizava seus dotes bipolares para expandir seu campo e permitir até três de suas companheiras desfrutarem o prazer de agredir aquele a quem denominavam macaco. Com o macaco – um graviprimata, para sermos justos – revidando alguns golpes, a briga ficou interessante, o clã ficou mais motivado para intensificar sua violência e, o público, bem como a audiência cósmica, ganhava volume cada vez que o graviprimata demonstrava algum progresso.

Em seu progresso, Billy já sentia uma escapatória, só lhe faltava a força para aplicá-la. Para o sensei Shaolin, essa força adviria de:

– Um golpe interdimensional.
– Por aplicação protodimensionárquica – esclareceu Zeta, seu tutor.
– Via sinal psicográfico genital, sincronizado – completou *Frades*.
Shaolin retomou sua lição:
– Quero que concentre tua força no eixo horizontal. Projete teu fluxo pelo campo cerebral diretamente no fluxo cardíaco de tua oponente.
– Qual oponente? – questionou Billy.
– Blimp.
– Blimp?
– Sim. Se queremos romper a corrente prisional do clã, precisamos desestabilizá-la pelo elo mais forte.

Billy temeu consigo mesmo, pois até agora o único membro do clã que ainda não havia conseguido golpear era justamente ela, Blimp. Suas habilidades bipolares eram muito superiores às suas, qualquer tentativa de atingi-la resultara em uma esquiva seguida de um poderoso e doloroso contragolpe. Pensar em golpeá-la parecia intangível, mas haveria de existir uma primeira vez, e se o sensei afirmava que essa era a saída, não havia por que duvidar.

– Você sentirá a oportunidade quando ela se apresentar – afirmou Zeta com convicção.
– Sim, dê crédito ao teu tutor – incentivou Shaolin. – Apenas sinta. Sinta as forças e anteverás o golpe. – Então instruiu: – Quero que inicie um rodopio sentido leste.

À ordem, Billy se esforçou para encontrar o instante exato para iniciar o giro. Precisou golpear Nucu com um golpe de mãos, utilizando a ponta dos dedos para gerar um fluxo protônico, como um para-raios que atrai raios, mas repelindo a adversária com uma carga negativa suficiente para desequilibrar seu movimento, impedindo-a de completar o golpe. Quando se esquivou de Nucu, sentiu a brecha para iniciar o rodopio.

O lado charmoso de Billy como lutador era a aura pré-histórica de seu estilo na briga. Embora as artes marciais de sua época como hominídeo em nada agregassem ao confronto magnético a que estava submetido – especialmente depois que o chefe-mor da gangue, Pipe, tentou lutar "como um homem" trocando socos e pontapés com Billy –, a nobre arte do boxe provou possuir um forte apelo sentimental perante um cosmo que o observava utilizando golpes de mão em uma briga cujo estilo estava mais pra vale-tudo, não um duelo onde essas técnicas eram praticadas sob regras específicas. Mas a coisa ia muito além disso: desde que Pipe fragmentou a briga, Billy não apanhava mais do clã de Blimp apenas. Em muitas dimensões, os inúmeros clãs da Pipegang se revezavam no mesmo palco inicial da floresta, desfilando suas habilidades sob os olhos da multidão e da *Mídia*. Em algumas delas, até mesmo o público foi convidado a brigar, e todo mundo teve direito de dar sua rabada ou cabeçada no macaco feito pária da décima órbita – o estilo variava de acordo com as preferências de cada um. Alguns apenas tomavam proveito de que estava imobilizado e emitiam uma carga oposta que sequer o feria, algo análogo a desferir uma cusparada no rosto de um animal. Billy até teve sorte de ser submetido à cossa por alguns clãs mais novatos, ocasião em que conseguiu escapar da briga com suas próprias forças pela primeira vez, porém, isso era uma exceção. A regra era a prisão e a humilhação que estava submetido.

Em muitos desses planos fragmentados, tanto os brigões quanto o público tentavam humilhar Billy com pontapés e socos como em uma autêntica luta entre homens. Em determinado leque dimensional, era o próprio Pipe que desfilava suas técnicas de Boxe e Tae-Kwon-Do sob os aplausos da plateia. Naturalmente, tanto Billy quanto Pipe estudavam artes marciais pré-históricas simultaneamente ao embate, procurando assimilá-las e aplicá-las ao vivo no intuito de sobrepujar seu adversário. Nesse duelo estratégico, o suporte de Billy provou-se superior, afinal, ele contava com os ensinamentos de Ipsilon, um especialista em pré-história. Mas esse não foi um momento em que Billy fez-se meramente pupilo. Com suas referências e os conhecimentos que detinha da pré-história, tornou-se tutor tanto de Ipsilon quanto de Shaolin, que em muito aprenderam não apenas sobre as técnicas de artes marciais hominídeas, mas do próprio universo da luta desportiva praticada em tal época. Com esse suporte e o conhecimento inato que desfrutava...

Pipe acabou humilhado por Billy em inúmeros planos, o que obrigou o chefe-mor instruir seus clãs que abdicassem de lutar "como homem" e que "ensinassem ao macaco como se briga de verdade". Isso resultou na elevação da violência aplicada a Billy e em sua fragmentação ainda maior no leque interdimensional da briga, com vários pares seus sendo arrastados para dentro dos canos onde poderiam acossá-lo pelo simples prazer de fazê-lo, não como uma exibição à consciência cósmica. Porém, apesar de instituir seus clãs que abdicassem das técnicas hominídeas, inadvertidamente, Pipe abriu um precedente sem retorno. Um precedente que permitiu a Billy utilizar sua perspicácia, ao invés da força, para se livrar dos brigões. Ainda que nunca tenha sido essa sua intenção, Pipe gerou um interesse em torno da história que, como lutadores, os membros da Pipegang não tinham como ignorar. Billy só precisou lançar cérebro de seus dons como cineasta para criar uma película inédita, sem sequer precisar ser original, adaptando-a a partir de um *blockbuster* de sua época: "Rocky, um Lutador Hominídeo". Por meio da película, buscou conquistar sentimentos e razões da Pipegang. Misturando ficção com fatos históricos, aos poucos, uma série de brigões e fãs passaram a estrelar a nova película de Billy, na qual passaram a interpretar a vida dos personagens e, sobretudo, a realizar os treinamentos de Mickey, o técnico de Rocky Balboa, o boxeador protagonista da história. Durante os treinos, Mickey submetia os personagens a sessões em um frigorífico industrial socando peças inteiras de carne bovina – exatamente como Rocky no filme original –, fazendo com que o cheiro da carne se espalhasse no ar, impregnando o ambiente até que sentissem seu gosto e se inebriassem com o sabor. Já ébrios com a carne, após os treinos, os lutadores precisavam se alimentar e... pronto! Sem perceber, tinham caído na armadilha de Billy e seus resíduos sensoriais alimentícios, cujo apelo era indefectível. Billy preparou um novo cardápio recorrendo às melhores receitas que constavam em sua memória, mais uma vez, sem muita originalidade, apenas utilizando pratos que não constavam na famosa Cusina Siracusa, desde hambúrgueres até os ovos crus que Rocky consumia pela manhã antes dos treinos. Daí, bastava negociar sua liberdade em troca de mais alimento; assim, conseguiu libertar vários pares seus da Pipegang. Para alguns clãs nem precisou chegar a tanto, pois os membros demonstravam tanta admiração pelas histórias retratadas por Billy, que simplesmente o libertavam sob reverências, rendidos à sua arte. Não obstante, Billy utilizou o ambiente da película para intermediar ações entre associações de briga e trocar sua liberdade por convites e milhagens aos membros da Pipegang que aceitassem seus termos.

Com essa tática, Billy chegou à marca de 96,01% pares libertos entre aqueles que lutavam no ralo da floresta carontiana. De todos os clãs que assumiram protagonismo nesse palco, restaram apenas Blimp e suas comparsas, absolutamente determinadas em não ceder a qualquer apelo sentimental que o macaco utilizava para demovê-las. Era justamente sobre essa porcentagem restante que, de instante, os 3,99% restantes giravam seus respectivos corpos de maneira síncrona, preparando o golpe interdimensional visando derrubar o poderoso campo magnético de Blimp e, dessa forma, abrir caminho para a fuga.

– Sinal psicográfico sincronizado – anunciou *Frades* enquanto Billy completava o giro. Na floresta, em torno do ralo, Nolly e os colegas assistentes de Billy confirmaram seu posicionamento:

– Jardineiros preparados.

Entre esses colegas constava Chaiene, a primeira namorada de Billy, que o incentivou:

– Estamos firmes aqui. Acerte ela!

Shaolin pressentiu o momento, mas manteve-se silencioso para não desconcentrar seu aluno, confiando que ele sentiria o instante exato para golpear Blimp. Billy completou seu giro com perfeita sincronia bem no ponto em que Blimp precipitou-se sobre si, projetando o rabo sobre sua cabeça, zombando do adversário antes mesmo de atingi-lo:
– Toma essa, macaco! – exclamou.
Porém, foi surpreendida quando Billy inverteu sua carga magnética e desestabilizou o campo oponente. Em perfeita inércia, lançou a cabeça sobre o peito dela, sobrecarregando seu giro cardíaco, redundando com que seu campo se desfizesse por um instante.

Com a repulsa magnética imposta por Billy, Blimp foi lançada em direção ao centro radial do ralo, onde se chocou contra as grades que selavam a entrada do cano. Billy estava livre de seu campo prisional!

Sem o suporte de Blimp, o restante do clã apenas assistiu ao macaco, no contínuo de seu movimento, projetar o corpo sobre a arquibancada, lançando-se em um arco acima do público em direção à mata.

Ainda atônita com o inesperado golpe, Blimp anunciou de forma enfática:
– Icem-no! Não deixem o macaco escapar! – apelou ao público.
A ordem era desnecessária, o público já se projetava sobre o "macaco" para interceptar sua trajetória de fuga. Como um filme repetido, mais uma vez Billy percebeu um deslumbre de sua fuga, porém, em vez de sentir a saída, sentiu o magnetismo conjunto do público amoldando-se sobre si para agarrá-lo. Como sintomatemático, imediatamente concebeu que não conseguiria escapar. Não bastasse, captou Blimp ao fundo já recuperada do golpe, movendo-se em sua direção para aprisioná-lo novamente. Nesse instante, captou um projétil aproximando-se velozmente, então abriu a boca para capturá-lo: era uma bateria lançada por Nolly; capturou-a. A energia extra foi suficiente para que rompesse o repuxo magnético do público e alcançasse a mata. Todavia, o pequeno atraso em livrar-se da multidão permitiu ao clã de Blimp alcançá-lo, obrigando-o a lutar para abrir caminho no mato. Nesse instante, a briga se generalizou quando Ferrari e outros colegas de Billy interceptaram os seguidores da Pipegang na tentativa de abrir espaço para sua fuga.

Energizado, Billy girou seu corpo golpeando Blap, Nucu e Nosac como se fossem bonecas de pano, mas não conseguiu escapar de Maglock, que projetou seu magnetismo em torno de seu pescoço, quebrando o fluxo energético que o permitia avançar como um trem desembestado. A essa altura, os seguidores da Pipegang já haviam neutralizado as ações de divergência lideradas por Nolly, obrigando-a fugir ao lado de seus companheiros para que não fossem capturados pela gangue. Billy tentou esquivar-se de Maglock, mas esse novo atraso em livrar-se dele permitiu que Blimp o alcançasse e se colocasse à sua frente, com seu campo bipolar já reconstituído, subjugando o fujão.

– Vai a algum lugar, macaco? – questionou Blimp sarcasticamente. Mas não esperou resposta, imediatamente projetou sua força para arrastar Billy de volta ao ralo da floresta. A multidão vibrou em total frenesi com a frustrada escapatória do "macaco", com expressões de ordem reverenciando Blimp. Em meio à algazarra, Billy sentiu, mas ninguém entendeu ao certo o que se passou a seguir quando...

Um urso-cobra emergiu da relva surpreendendo Blimp e seu clã, espanando os brigões com seu corpanzil e uma cusparada vítrea que atingiu a líder bem no meio da fuça. Um instante de desconcentração que bastou para Billy desvencilhar-se do clã e esvair-se na mata sem dar chances para que fosse pego novamente.

Para esse Billy e respectivo leque multividual, enfim, a liberdade era sua novamente. Ele correu, flutuou e saltou pela mata até que estivesse plenamente seguro. Então parou, circulou seu fluxo, baixou o giro cardíaco e, aliviado, restabeleceu comunicação com seus colegas e amigos. Imediatamente, Nolly o atualizou das estatísticas de seu multivíduo envolvido na briga:

– 0,001% restante. – Era o total de pares que ainda permaneciam sob o jugo de Blimp e seu clã, aqueles que falharam em fugir ou não foram contemplados pela súbita aparição do urso-cobra. Um número ínfimo em relação ao valor inicial, que não tardaria em atingir a marca zero considerando-se a evolução de Billy na briga e o emprego de suas inúmeras táticas para obter a liberdade. Porém, não se tratava de um número definitivo. Nolly completou seu quadro estatístico: – Taxa de pares sem comunicação atualizada na casa *per mile*, última leitura expressa no valor 347,699. – Isso era péssimo, pois significava que o incremento multividual de Billy havia atingido uma contagem cuja percentagem havia crescido tanto, que o novo valor total só podia ser expresso em amostragens de mil, não mais de cem. Valor esse que indicava quantos Billys permaneciam aprisionados nos sistemas de descarga da floresta carontiana, os quais permaneciam incomunicáveis com o mundo exterior. Para esses Billys não existiam aulas de Sintomatemática, de Quantipologia ou treinos de Mind-Fu; eram pares que estavam alienados de tudo que seu multivíduo liberto já havia vivido. Sequer tinham ciência do que havia se passado em Phobos ou dos novos estudos conduzidos por si mesmo no instituto SETI. Para esses pares, a vida resumia-se ao constante acosso da Pipegang no ambiente em que ela era totalmente soberana.

Nesse ambiente, a situação de Billy, além de humilhante e dolorosa, era extremamente desanimadora de seu ponto de vista. Para quem se lembra de um ente outrora nomeado Adonis_26.372.606.010.000, que certa vez viu-se privado de sua realidade e transposto para um universo em branco, o sentimento de Billy era idêntico no interior dos canos após ser fragmentado em distintas individualidades por ordem do chefe-mor, Pipe. Isto é, exceto pelo fato desse universo não estar em branco, mas circunscrito aos tubos e conexões do sistema hidroplasmático da floresta carontiana e preenchido por mentes vis cujo diálogo se fazia pela aspereza de seus corpos. Ele não captava mais seus pares, não tinha mais comunicação com seus tutores, amigos e namoradas, tudo que restava era o instinto que o guiava a dar continuidade aos exercícios que tinham lhe proposto, tudo isso em meio à dor incessante cuja cobertura hipnótica de Zeta estava ausente. Não vislumbrava qualquer escapatória, via-se completamente submisso às forças impostas pela gangue, era como se não estivesse nos canos, mas inserido em um corredor polonês composto de atrito e cargas opostas que não podia rechaçar. Da parte da gangue, a ordem era manter a vítima em contínuo movimento e isolada de seu multivíduo para que não fosse captada e muito menos localizada por seus colegas. Era sequer permitido a Billy tocar a superfície dos canos para que não fossem utilizados como meio de comunicação, como aconteceu quando escapou anteriormente[14] graças à ativação de uma *abmob*[15] simultaneamente a uma sincronia perceptiva realizada por um sinal pirateado por Mantas, seu técnico de informática. Para evitar que qualquer sinal fosse pirateado ao interior dos canos, membros da gangue monitoravam os tubos em busca de frequências exteriores, além de jamais conectarem a cosmonet quando próximos da vítima ou usando táticas de divergência para confundir quem os captasse.

Com muita resiliência, Billy conseguiu isolar-se nos focos paralelos de sua mente, os quais antes dedicava aos treinos e estudos, para dar continuidade ao exercício masturbacional proposto por Xavier, cujo objetivo era potencializar a frequência F gerada por sua bobina genital de forma a trocar sinais psicográficos com seus pares, caso pudesse captá-los. Igualmente, manteve a determinação do sensei Shaolin para exercitar sua circulação fotônica até que conseguisse articular minimamente o corpo. Sem saber ao certo quantos horizontes havia ultrapassado, eventualmente, Billy

---

[14] Passagem narrada no livro *Abdução, Relatório da Terceira Órbita*.

[15] Um *gadget* cerebral utilizado para implodir o corpo quântico em uma reação cardíaca que consome toda sua energia fotônica, gerando o efeito de uma bomba invertida, que produz luz e vácuo.

conseguiu restabelecer um mínimo contato entre os pares dispersos pelos canos e, depois de muito apanhar, passar a revidar alguns golpes.

Com a briga fragmentada, todos os clãs da Pipegang tiveram sua porção de Billy para malhar. Ficou sabendo aos poucos, conforme conseguia se comunicar, que em diversos planos a briga era "feito homem", em outros, "como quânticos" e, noutros, Pipe em pessoa liderava as agressões. As tentativas de assassinato se sucederam incessantemente, mas apenas comprovaram que o biótipo quântico era inexpugnável à violência da gangue, não importando o quão numeroso fosse o ataque. E quando Billy sentia suas reservas corporais rarearem, os próprios membros da gangue regurgitavam baterias em sua boca em meio aos seus estranhos rituais sexuais. Foi estuprado incessantemente, inclusive por Pipe; felizmente, com sua robô inibidora ativada, *Butterfly*, portanto nada sentiu. Eles não queriam mais matá-lo, mas sim torturá-lo e expropriá-lo continuamente. Em comum a esses distintos planos constava a vontade de Pipe, cuja sentença Billy captou com muito custo através de sua precária rede psicográfica:

– Pelo horizonte que te recuses tornar-se um de nós, tal horizonte aqui permanecerás. Daqui tu só escapas lutando.

E Billy lutou. A princípio, apenas contra a dor interna que o acometia. Depois, utilizou os instintos para absorver as técnicas utilizadas contra si e revidá-las aos seus agressores. Quando triunfou no embate "como homem", precisou recomeçar como quântico, e assim permaneceu enquanto seus pares do lado de fora dos canos tramavam meios para libertá-lo dali.

Para libertar Billy do interior dos canos, antes de tudo era preciso localizá-lo. Para isso, o Billy de fora dos canos passou a desenvolver a técnica de *manigrafia* sugerida por Mantas. O intuito era gerar pequenas sondas *foofighters* que podiam trafegar pelos canos e enviar mensagens para Billy. Naturalmente, o envio de tais sondas, apesar de serem menores que a cabeça de uma agulha, não passou despercebido pela Pipegang, que tratou de interceptá-las. Em função disso, para que as sondas fossem efetivas era preciso manter o envio contínuo e o mais volumoso possível para que algumas delas lograssem encontrar Billy quando e onde estivesse. O problema era que cada sonda consumia uma enorme quantidade de energia para ser gerada e configurada manualmente, o que obrigou Billy a estabelecer um tráfico de baterias – nada ilegal – para a Amazônia Carontiana. Em dado momento, o tráfico mostrou-se insuficiente para saciar suas necessidades e Billy precisou galgar a esfera política da lua para pleitear a instalação de um feixe-plasmático *móbil* no interior da floresta a fim de supri-lo nessa tarefa. Sua fama como caçador e a eloquência de sua sofrida situação permitiram angariar o quórum para aprovar a moção. Como a requisição de um feixe-plasmático, móbil ainda, era algo inédito na floresta, Billy precisou assumir sua gerência em pessoa, e esse se tornou seu primeiro cargo político a listar seu currículo: prefeito do respectivo feixe carontiano.

No interior dos canos, ao léu ou de acordo com a fortuna de cada par em seu respectivo plano, Billy se deparou com as tais sondas enviadas por seu par do lado de fora. Elas não vinham acompanhadas de uma instrução *abmob* ou algo similar que o presenteasse com uma pronta solução para sua problemática. Estavam programadas apenas para mapear sua posição e estabelecer um padrão de sua movimentação no interior dos canos. No entanto, as sondas ao menos carregavam uma mensagem de seu par no exterior:

– Estamos trabalhando para libertá-lo. Não esmoreça. Resista aos cães e aguarde nossas ações. – Assinado: Billy.

Se ainda não tinha força nem técnica ou tática para libertar-se da Pipegang e evadir-se dos canos por vontade única, ao captar a mensagem de seu par, ao menos esperança Billy passou a nutrir.

Mas, voltando à realidade captável, aos pares que haviam escapado da Pipegang graças à intervenção do urso-cobra, restava dar continuidade ao plano já em andamento. Livres, utilizaram as milhagens que Billy angariou para executar uma sincronia perceptiva e se juntarem ao conjunto que ponteava o respectivo leque dimensional. Assim, compartilhariam seus conhecimentos e os colocariam em prol daqueles que ainda não desfrutavam da mesma liberdade.

Antes de executar a sincronia, para compensar a agonia sofrida, Billy se permitiu um horizonte para congratular-se com Nolly e Chaiene. Dentro de si, riu da irônica aparição do urso-cobra no momento mais que oportuno. Ele, que havia sido aprisionado pela gangue ao caçar um urso-cobra, agora se via liberto graças a um.

– Não tem nada de irônico nisso – comentou Nolly.

– Pai... – citou Billy, trêmulo em suas sinapses, ainda traumatizado pelo ocorrido. – Chaiene... Que bom senti-las novamente.

– Não o deixaríamos por nada, Billy – respondeu Chaiene.

Em seguida, os três se abraçaram. Em torno do trio, os demais colegas de Billy, Ferrari e seus antigos companheiros do racha, além de alguns caçadores que antes sequer conhecia em plasma, aplaudiram-no. Com Billy livre, o sentimento comum em tais planos era de missão cumprida. Assim, após uma breve congratulação, os demais se despediram e o deixaram ali na companhia de Nolly e Chaiene, as únicas que permaneceram com ele. As congratulações igualmente vieram pela consciência cósmica, com seus tutores, colegas de estudo e seus próprios pares o parabenizando pela vitória. Também vieram novas despedidas, como do sensei Shaolin, que não compactuaria dos planos de Billy para atacar a Pipegang no interior dos canos. Com felicidade, Billy agradeceu a todos e, sem mágoas, despediu-se daqueles que optaram por seguir seu rumo.

A sós com as fêmeas que restaram, Billy extravasou sua tensão pelo agouro vivido com uma intensa e prazerosa orgia que o brindou pela gentileza tudo que há pouco era doído. Como sintomatemático, seu gozo nunca foi tão intenso e, pela habilidade que desenvolveu em controlar sua bobina genital, sua capacidade para satisfazer as companheiras, jamais tão voluptuosa. Sem se dar conta racionalmente, talvez pelo estresse vivenciado, talvez pelos hormônios aflorados ou pela tentação enfim cedida, Billy se deixou penetrar em sua vagina e umbigo ausente da robô inibidora *Butterfly* – a qual havia desativado para economizar memória em prol de seus estudos. Pela primeira vez, sentiu o êxtase passivo proporcionado por suas parceiras sem qualquer restrição sensitiva. Enfim dando vazão àquele irrefreável desejo reprimido de qualquer macho oriundo de um mundo tão retrógrado, em ser penetrado por outro macho – ainda que, de fato, estivesse sendo penetrado por fêmeas.

– Vulvofobia erradicada – estabeleceu Diana em paralelo, comunicando-se apenas com Nolly.

– Ótima notícia – comemorou Nolly. Em seguida, questionou: – Mas Billy não a demitiu de sua função de mãe recreativa? Por que insistes em monitorá-lo?

– Não no corrente leque dimensional, cara colega. Ademais, ele pode ter se emancipado, mas sempre será meu espécimen – alegou a médica. Depois parabenizou a colega: – Isso conclui tua tarefa de monitoria presencial. Bom trabalho.

– E quanto à feminitite diagnosticada no 'espécimen'? – perguntou Nolly com certa ironia. Diana retrucou no mesmo tom:

– Será erradicada gradualmente no decorrer da primeira puberdade do 'espécimen'. Presumo que desapareça ao evento de alternância do alinhamento sexual.

– Não seria melhor induzi-lo à mudança de sexo?

– Segundo a leitura de *Frades*, não creio que seja necessário em futuro-presente. Por precaução, manteremos a sugestão no prontuário dele para o caso de alguma alteração mais drástica em seu quadro atual – atestou Diana antes de encerrar a conversação.

O amor em meio à floresta não poderia durar despreocupadamente em horizontes muito largos. Em paralelo ao plano atual, onde a libido guiava o sentimento da *tripleta*, em seus focos paralelos, Billy procurava inteirar-se dos últimos fatos que sequer tivera oportunidade enquanto esteve envolvido na briga.

Apesar da lacuna jornalística da qual se vira privado nesse ínterim, era notório o quão havia evoluído em termos intelectuais. Com o curso intensivo aplicado por seu tutor Zeta, Billy estava quase formado no maternal quântico. Já possuía colação em Astrofísica, Quantipologia, Farturismo, Socrática e Exobiologia. Como seu diploma homiquântico em História-Continuada era aceito pela ciência quântica, só faltava completar as grades de Robótica/Robologia e de Sexologia para finalizar o referido estágio de seu aprendizado. Não obstante, já havia avançado bastante nos estudos da periódica quântica e na tabela fotônica, ou seja, já tinha um bom conhecimento teórico de Alquimia e um domínio quase pleno de sua química corporal. Agora que havia superado sua vulvofobia – fator que atravancava seus estudos práticos sexológicos – e, nesse contínuo, pôde retomar seus estudos pela cosmonet –, era questão de curto horizonte para que completasse o curso. Isso sem contar sua evolução no Mind-Fu. Por outro lado, Billy já colecionava algumas ciências universitárias e frequentava várias faculdades: Sintomatemática, Psicozumbilogia e Zoologia eram as mais notórias. Porém, o maior atestado de seu progresso não eram seus diplomas, e sim o fato de contar 21 focos paralelos de atenção, mais que o dobro do que somava quando fora capturado pela Pipegang.

Pelo menos cinco desses 21 focos estavam dedicados à orgia com Nolly e Chaiene – o atual, um para telecomunicar cada uma, mais um para ambas, outro sintomatemático. Os demais focos eram dedicados aos estudos com seu tutor e aos empregos vinculados à observação astronômica que pôde retomar – trabalhos mantidos pelo par em órbita em Plutão. Com o fim da briga, a despedida de Shaolin e a reorganização de seus cronogramas de aula, focos gerenciáveis não faltavam para Billy, portanto, era mais do que natural que dedicasse alguns para navegar na consciência cósmica e retomar contato com amigos, colegas e até fãs e seguidores com quem esteve ausente nos últimos horizontes. Já estava a par dos acontecimentos mais relevantes que envolviam sua multividualidade, tais como o afastamento de Sandy, a morte de Alexandra e as pesquisas que vinha desenvolvendo em Phobos, mas estava alienado dos pormenores que detalhavam essas manchetes. Conforme Billy foi se atualizando, Nolly pressentiu o impacto negativo de certas novidades, por isso se antecipou em comunicar alguns pontos antes que ele os captasse fora de seu devido contexto.

– Querido Billy, é maravilhoso desfrutar de tua companhia assim... – insinuou ela, abrindo um foco paralelo e convidando o ainda filho recreativo para um bate-papo em seu asteroide privativo. – Especialmente agora que depreendeste o pleno prazer de tua sexualidade. É uma honra saber que escolheste a mim, e Chaiene, para desvirginá-lo como adulto-feminino.

– A honra foi minha. Gostou? Eu gostei muito... Acho que esse é o melhor momento de minha vida...

– Claro que gostei... Está ótimo. Tu és... Como posso expressar? Uma *concupiscência* plasmática.

O elogio era peculiar, mas Billy sentiu-se lisonjeado.

– Obrigado. Você também... – Compartilharam sem constrangimento. Nolly retomou o assunto:

– Como pensava, é maravilhoso estar contigo, mas sabes que estou de partida...

– Sim. Soube que você se separou de mim em dimensões futuras. Só não entendi ao certo por quê.

– Depende do futuro... Em um futuro, por questões éticas. Em outro, porque tu me demitiste das funções de pai recreativo.

– Eu?! Demiti você? Não... – espantou-se Billy com sinceridade, pois não estava inteirado dos últimos fatos envolvendo seu par radicado em SETI/Phobos. Havia se informado mais a respeito do outro par que se encontrava ali mesmo na Amazônia Carontiana, porém em um plano mais pentagonal; também manteve contato, estritamente profissional, com o par que orbitava Plutão. Tinha ciência de que Nolly havia se afastado de Billy por questões éticas relativas ao plano secreto de contra-atacar a Pipegang. Os detalhes do plano, porém, naturalmente, não se encontravam disponíveis, esperava saber assim que se sincronizasse com ele em breve. Mas o fato de seu outro par ter destituído Nolly de suas funções como pai recreativo era uma novidade para si, foi um choque saber disso.

Billy e Nolly então dialogaram. Ela compartilhou tudo a respeito do episódio em que seu par futuro ficou magoado e perdeu a confiança com os pais recreativos por, mais uma vez, terem ocultado informações sobre a experiência da pele homiquântica para paranormal, à qual ele e a ex-irmã foram submetidos. Revelou que Diana também foi demitida do cargo de mãe recreativa e que o Billy do futuro, portanto, estava emancipado.

Apesar da revelação, ao contrário do Billy futuro, o Billy do passado não entendia o motivo de tanta indignação. Não acreditava que seria capaz de sentir-se traído pelos pais recreativos por algo que lhe parecia tão banal.

– Esse Billy não sou eu – comentou. – Eu jamais te demitiria por uma bobagem dessas, ou Diana. Sempre soube que era um experimento. Ipsilon explicou desde o princípio, só não revelou que a pele era experimental. Que besteira minha... Ou melhor, *dele*.

– Não pensarás assim quando se sincronizar com ele em futuro-presente.

– Talvez eu o ajude a reavaliar essa postura – afirmou Billy, confiante. Porém, afirmava isso porque não estava considerando um fator que claramente distinguia o Billy do passado do Billy do futuro: a vida de Willian incorporada por um, mas ainda não pelo retrógrado. Esse conjunto recém-liberto da briga não compartilhava da memória vivida por Willian em Phobos. Por isso Nolly tinha razão em sua afirmação: quando absorvesse a carga emocional de Willian e o trauma vivido com a morte de Alexandra, suas perspectivas seriam outras em relação ao assunto.

Mas como Billy, ainda no passado, duvidava, Nolly sugeriu:

– Consulte Xavier. Ele te revelará o futuro próximo.

– Ele tá ausente.

– Até pra ti, que compartilha a Matriz?

– Sim.

– Mas isso não resume a questão, Billy. Já ultrapassa o horizonte em que precises de pais recreativos. Você é um ente plenamente formado agora. Nesse contínuo, não necessitas que eu o pajeie, o evento para que te emancipes já se fez mais que visível – compartilhou Nolly em um tom nostálgico.

– Meus pais originais estão trafegando para outra estrela, a outra versão deles está presa em Phobos e só posso acessá-los residualmente. Agora você, o último pai que ainda tenho, quer partir. Mas e o que resta pra mim?

– O *Pai* celestial.

– Esse pai aí eu nem faço questão. Nem pai ele é, tá mais tipo deus.

– Não era tua ultrapassada religião que chamava deus de pai?

– Sim, mas ele tinha vários nomes. Refiro-me a ti, *meu* pai recreativo. Não quero me emancipar de ti.

– Ora, deixe de sentimentalismo. Pai recreativo é uma mera descrição burocrática, uma função que, tão logo dissipaste tua vulvofobia, eu já cumpri, portanto não será mais necessária. Mas continuaremos juntos, teu contato sempre figurará no primeiro índice de meus arquivos. Te capto na cosmonet.

– Desde que não seja mais meu pai recreativo, o que será então?

– Não era ti quem se perguntava se dava para ter uma namorada no cosmo atual? Aí está a resposta: serei tua namorada, que tal?

– Ótimo! Perfeito! Sendo assim, não pode me deixar.

– Não compreendi a relação.

– Pois namorada, que advém do verbo *namorar*, implica manter contato *regular*. Em *plasma*, não pela cosmonet apenas.

– Defina "regular".

– Com intervalo de poucos dias.

– Verdade isso?

– Captas alguma teatralização em mim?

– Tudo bem, então voltamos a nos roçar em poucos dias. Procuro por ti em plano-futuro quando retornar do Anel de Gelo.

– Referia-me a dias-terra, não de Plutão. – Dado que o dia plutônico tomava cerca de 6,533 dias terrenos.

– Tais de joguete, agora percebo – acusou Nolly.

– Sim. – E os dois riram.

– Nós seremos amigos... Aliás, como sempre fomos desde que nos contatamos pela primeira vez.

– Creio que *amantes* é a sinapse que melhor define nosso relacionamento nos termos da hominídea – satirizou Billy.

– Amantes virtuais.

– Ah, não. Isso não cola pra mim. Namoro virtual não é mesma coisa. Se a relação for pra valer, tem que ser presencial.

– Isso porque tu és um tridimensionalista inveterado. Que possui esse lado... Essa *persona* hominídea e todas essas relações que ninguém mais compreende, esse apego quase obsessivo que ainda nutres pela materialidade.

Billy não insistiu mais. Não havia razão para isso, já que sua decisão de sincronizar-se com o par futuro, ainda que contestasse algumas de suas escolhas, era ponto passivo em sua cabeça. Quando o fizesse, já estaria automaticamente emancipado de seus pais recreativos. Apesar da discordância nesse ponto, a sincronia seria um ganho em inúmeros outros aspectos que não caberia renegar por uma mínima divergência – a menos que o par futuro negativasse a sincronia, mas isso não viria acontecer. Restava apenas curtir mais um pouco desse passado passageiro para curtir mais alguns momentos com o em breve ex-pai recreativo. Ademais, não estaria sozinho no futuro-presente, Chaiene permaneceria ao seu lado em plasma e luz, ela seria sua principal namorada a partir de então.

Para Nolly, a despedida era igualmente sentimental, mas, mais do que isso, providencial. Pois se o par futuro de Billy havia decidido emancipar-se por ter perdido a confiança nela – apesar disso não ter minado a relação entre ambos, exceto pelo rompimento do laço de pai recreativo –, no fundo, ela não se sentia mais digna dessa confiança. Não em função do leve desentendimento por causa da experiência com a pele homiquântica ou qualquer problema no relacionamento prévio com o filho recreativo, mas por estar intimada judicialmente a não revelar a verdade sobre Sandy e a lobotomia cerebral que ela estava prestes a realizar. O mesmo sentimento pairava na cabeça de Diana e demais tutores de Billy – Ipsilon, *Frades* e Xavier –, apesar desses três terem mantido seu *status* perante o ex-hominídeo após sua emancipação dos pais recreativos. Estavam todos blindados pela vontade de Sandy em não permitir que Billy soubesse de sua decisão pela lobotomia, impedidos socraticamente de comentar a respeito, embora nenhum tribunal sequer tenha sido acionado, pois já haviam se comprometido em respeitar a vontade dela.

Com a culpa que carregava por ver-se impedida de contar para Billy que ele nunca mais voltaria a encontrar sua gêmea, Nolly cria ser justo que se emancipasse. Caberia ao futuro revelar qual seria a reação de Billy se, de alguma forma, viesse a descobrir o que, de fato, aconteceria com Sandy. E, uma vez ciente da verdade, se perdoaria àqueles que estavam impedidos de revelá-la. De sua parte, Nolly não achava correto manter um contato tão íntimo com Billy enquanto era forçada a teatralizar qualquer informação sobre Sandy caso ele questionasse a respeito. Aliás, por esse exato motivo chegou a repreender Xavier privativamente quando o ente mencionou que, em um futuro bastante subjuntivo, *talvez* Sandy retomasse contato com

Billy e seus antigos tutores. Em sua compreensão, achava errôneo falsear esperanças ao sentimental ex-hominídeo – algo simplesmente *antimurphyano* quando Sandy apagasse suas memórias e assumisse a nova identidade. Reencontrá-la, então, seria impossível. Ao contrário do super, não queria ser obrigada a fazer o mesmo, portanto, afastar-se de Billy nesse horizonte em que a lobotomia de Sandy estava prestes a acontecer era bastante providencial.

Era injusta a acusação de Nolly a Xavier, pois nessa trama havia um detalhe que só ele sabia e podia antever seus respectivos desdobramentos. Detalhe esse que o motivara ao retiro programático na Matriz que cumpria em paralelo. Algo que impactaria Billy como ninguém, mas igualmente surpreenderia a todos: a farsa elaborada por Sandy e a falsa notícia de sua morte que sucederia a lobotomia.

107

Após a despedida de seu muito em breve ex-filho recreativo, Nolly finalmente pôde retomar sua *trip* ao Anel de Gelo e gozar umas merecidas férias. Chaiene seguiu ao seu lado, Billy a reencontraria em plano futuro ao sincronizar-se com o par que liderava as ações contra a Pipegang ali mesmo na Amazônia Carontiana, mas em outra dimensão. Como estava parcialmente magoado com o par futuro por ele ter se emancipado de Nolly e Diana, parte de Billy requisitou sincronia ao par astrônomo que orbitava Plutão, outra maior manteve sua convicção de emparelhar-se ao par que liderava as pesquisas em torno dos clones dos Firmlegs em Phobos, com vínculo ao Instituto SETI – justo o qual havia se indisposto com os pais recreativos, este que era o par pentacampeão do conjunto Billy. Ambos seus pares futuros aceitaram a requisição do par pretérito. Ao Billy que ainda percorria o plano quadrado recém-liberto da Pipegang, seria a primeira vez que realizaria uma sincronia perceptiva. A ocasião representava seu batismo psíquico e permitiria, aos seus pares futuros, superarem a vulvofobia que carregavam em troca dos conhecimentos e sentimentos que o pretérito não vivera.

Para quem não se lembra, Caronte é um orbe dupla-face, com dois *habitats* distintos que ocupam a litosfera pela linha de superfície exterior e pela face interior dessa mesma camada. No interior, a faixa tropical é preenchida pela reserva ecológica carontiana, a Amazônia. A reserva é iluminada pelo núcleo de Caronte como um sol interno, o qual exerce sua força gravitacional sobre a floresta. De qualquer ponto da crosta interior basta um bom impulso para executar um salto e se lançar na gravidade do núcleo brilhante do astro, então orbitá-lo.

Uma vez concedida a sincronia perceptiva por ambos os pares futuros, o dividido par pretérito de Billy saltou da floresta em direção ao sol branco que iluminava a atmosfera interior do astro. Era lá, à beira da superfície aquametálica do núcleo, que se dispunha a câmara de sincronia perceptiva disponível em Caronte. Em Plutão existia outra igual, e ambas eram as únicas opções para executar a sincronia nesses orbes que não contavam com o aporte do feixe-solar. Sem o feixe, utilizavam a força gravitacional do núcleo para realizar o processo de desmaterialização e transmissão da percepção *Self*-existencial, bem como da respectiva memória, entre os pares sincronizados – útil para quem se encontra restrito à décima órbita desprovido de milhagens para trafegar no feixe, ou não estaria disposto a utilizar algum subterfúgio ilegal como um sinal pirata e uma *abmob*. O processo era simples, seguia a mesma dinâmica de um mergulho no Portal Tetradimensional de Titã, mas balanceado para redirecionar a composição foto-cerebral do conjunto multividual dentro de restritas margens pentagonais típicas de um orbe lunar. Na prática, operava como uma antena retransmissora que utilizava a gravidade nuclear para separar o corpo de sua alma em um processo controlado, então redirecionando a respectiva alma ao endereço destinatário, ou seja, a mente do conjunto multividual receptor.

    Como havia uma única câmara, embora fosse composta por algumas dúzias de módulos em que os passageiros eram acondicionados e lançados no núcleo, havia uma fila de espera para executar a sincronia. Detalhe que obrigou Billy a orbitar o pequeno sol interno de Caronte antes de executar o mergulho. Quando chegou sua vez, adentrou o módulo de transmissão e manteve sentidos abertos enquanto o branco nuclear engolfava seu corpo em um mergulho instantâneo à largada. No instante seguinte, insuficiente para que fosse perceptível, captou sua percepção atualizada bem no meio de uma aula de Robótica quando dois robôs discutiam entre si:

    – Albert Einstein.

    – Mais Newton, sou eu.

    Um diálogo que, a princípio, poderia soar estranho na cabeça de Billy caso não tivesse absorvido o contexto anterior da aula. Ainda assim, parecia esquisito dois robôs tão futuristas comentando a respeito de personagens tão antiquados da história-continuada. Mas, pensando bem, não seria diferente se alguém questionasse sobre os apóstolos Pedro e Paulo tendo em conta o que carregava em sua memória afetiva. Para Billy, especialmente depois que pôde compreender melhor as contribuições de Isaac Newton e Albert Einstein no contexto atualizado, tanto na história do homem como na do quântico, era bem deduzível a mitologia por trás do conhecimento que, na atualidade, sobrepujava e ia muito além de tudo que os mencionados físicos haviam descoberto e estudado. Nesse sentido, o fato de ambos terem tecido suas descobertas em um período tão primitivo do ponto de vista quântico, era o que fazia deles autênticos apóstolos da ciência. Para qualquer robô, suas descobertas em um período quando sequer existiam robôs para assisti-los, tratava-se de um feito heroico merecedor de eterna reverência.

– Por Einstein, o cálculo iniciado, somente pelo *Pai* concluído foi – argumentou o robô admirador do respectivo físico. – Unicamente, de linguagem hieroglífica e um plano dymensional, valendo-se – referia-se a giz e lousa, apesar do estranho linguajar.

– Para sermos precisos, por numerais arábicos e símbolos greco-latinos – corrigiu Billy, dado que do ponto de vista quântico, cuja linguagem era polinária, qualquer linguagem típica da pré-história que utilizasse um suporte físico era considerada hieróglifo.

– Com uma mera ampola vaginal pomácea, o universo, Newton desvendou – contra-argumentou o robô newtoniano, referindo-se a uma maçã.

– Eu sou mais Galileu Galilei – opinou Billy. – Ele inventou a luneta e fez as observações mais relevantes de seu período. Foi um herói que enfrentou o clero de sua época, o qual, pasmem – e os robôs pasmaram –, pregava que a Terra era plana e o céu um domo ao seu redor. – Então seguiu em uma narrativa do período em torno das descobertas de Galileu e a condenação que sofreu pela Igreja. Uma condenação que, por pouco, não findou com ele queimado vivo por suas proposições, apesar de elas estarem corretas inclusive para aqueles que o condenaram.

Os robôs compartilhavam as histórias de Billy maravilhados, impressionavam-se como o jovem estudioso era capaz de esmiuçar certos detalhes da história que escapavam de suas vastas conexões. Demonstravam orgulho por partilharem-se com um ente que havia vivido em uma idade praticamente contemporânea aos físicos mencionados, especialmente Einstein. Pois, claro, enxergavam o período em que Billy vivera em seu ultrapassado como parte de uma mesma época, a pré-história. Os 391 anos-terra que separavam o nascimento de Galileu da morte de Einstein – a apenas 12 anos do nascimento de Billy – não faziam muita diferença para quem havia ultrapassado 800 mil anos na história-continuada.

– Isso para não citar Giordano Bruno, que, deveras, findou oximolado vivo pela Igreja – completou Billy. – Sou mais Giordano do que Newton. Mais Galileu do que Einstein.

Os robôs discordavam, com lógicas estatísticas mais críveis que o sentimentalismo de Billy, mas tudo bem. Isso apenas apimentava a relação em sala de aula nos focos paralelos aos estudos. Tanto que foi a primeira coisa que cooptou a emoção daquele Billy que acabara de emergir do passado em seu multivíduo mais pontual. Conversas que fugiam do foco de aula, mas alimentavam uma relação que em muito ainda impactaria em paradigmas que jamais se poderia imaginar observando esses tímidos debates mitológicos. Sorte que o professor não se incomodava, desde que não perturbasse o foco em estudo. Pelo contrário, Zeta era um robotista, praticamente um ente artificial em termos intelectuais, ele próprio participava e fomentava as conversas paralelas.

Talvez tenha-se ultrapassado o horizonte para criar mais uma película – pensou Billy nesse instante. Sua arte cinematográfica, como já vinha acontecendo, seria uma de suas grandes influências, certamente. Inclusive para isso, a aula de Robótica/Robologia compunha um aprendizado-chave – apesar de que não fosse a arte o maior legado de Billy como cidadão do cosmo. Além da parte teórica, dos estudos da linguagem, da evolução e da vida dos robôs em sua infindável pluralidade, especialmente nesse ambiente onde o acesso à consciência cósmica era irrestrito, havia a parte prática da aula: a construção dos cenários e dos personagens das realidades virtuais que Billy vinha utilizando em seus experimentos psíquicos com os clones dos Firmlegs no Instituto Zoológico de Phobos.

Billy precisava criar cenários que imitavam Phobos em todos os aspectos, incluindo a população animal da lua. Não obstante, havia experimentos que se passavam em outros cenários, especialmente na Terra, com diferentes personagens hominídeos e alienígenas. Esses personagens, especialmente os mais ativos, ou seja, aqueles que interagiam com os Firmlegs, eram controlados por robôs, ou *bots*, como descritos. Os *bots* preenchiam e controlavam certos aspectos do cenário. Por exemplo: um *bot* ascensorista, que controlava um elevador, e assim por diante. Com o auxílio dos robôs programadores que partilhavam suas aulas, Billy passou a gerar inúmeros *bots* de acordo com suas demandas de pesquisa. Esses *bots* habitavam seu próprio cérebro e respectivas extensões na *cosmonet*. Assim, com o avançar dos horizontes, esses *bots* passavam a se desenvolver, a criar e a controlar outros *bots*. De acordo com sua própria escala evolutiva, os *bots* expandiam sua condição programática até tornarem-se autênticos robôs psicólogos. A partir daí, muitos exercem seu livre-arbítrio para deixar Billy e habitar ou copiar-se para a consciência cósmica, tornando-se virtualidadãos livres-programadores. Eram robôs formatados pela memória de Billy e seu passado pré-histórico, por isso, antes de tudo, constituíam-se historiadores. Mas por carregarem essa especialidade peculiar ficariam conhecidos como "robôs hominídeos". Robôs que passaram a cultuar o cosmo nos aspectos mais amplos, absorvendo a estética hominídea em um movimento artístico e intelectual que há muito já havia sido superado – o Reamericanismo –, atualizado para Retrorreamericanismo. Isto pois a introdução de Billy no cosmo carregava uma memória ainda mais retroativa ao movimento anterior emergido pela ocasião em que os zumbis foram redescobertos na Terra ainda na Idade Antiga – esse sim seria o maior legado de Billy, e tudo nascia naquela aula de Robótica.

Apesar dos aspectos lúdicos de sua convivência com os colegas robôs, uma vez reforçado com seu novo leque multividual recém-sincronizado, Billy tinha focos mais importantes para dar atenção além de contar histórias de seu passado e desenvolver películas de entretenimento. Como zoólogo pesquisador, era um quântico profissional que não podia fugir de suas obrigações em zelar pelo bem-estar físico e psíquico de seus antigos genitores em Phobos, tanto no sanatório onde Bob e Julia viviam sob a patente de Diana, quanto no instituto phobiano e os respectivos clones cuja mente controlava. Com boa parte de seu conjunto multividual liberto da Pipegang, essa passou a ser a principal tarefa a demandar suas responsabilidades nesse novo estágio de vida – e Billy mergulhou de cabeça em tais obrigações.

Como previra Xavier, e ele raramente se enganava em suas predições, o impacto da morte de Alexandra alterou radicalmente a abordagem de Billy no tratamento psíquico envolvendo os clones de seus antigos genitores. Ao olhar para o passado recente, esse impacto começou a se fazer sentir quando foi abordado pelos animais ao dirigir-se ao Instituto Zoológico pela ocasião da reunião de pauta relativa ao reinvestimento em clones que aplicou junto a Zabarov II. Instante quando um de seus focos permaneceu ininterruptamente conectado com o povo phobiano, discutindo uma série de aspectos que não só implicavam suas relações no instituto, mas a memória de sua falecida ex-irmã cuja morte fomentava a luta contra a "opressão dos donos do mundo", conforme descreviam os habitantes lunares.

Tocado pela perda de Alexandra, aquele sentimento moldado por Willian não o permitiu virar as costas para a questão, pois, em parte, ainda se sentia um habitante do zoológico. Sua notoriedade beirava o heroísmo perante os lunares após obterem novos direitos políticos e conquistas sociais, tais como o futuro zoológico em Marte e o experimento da pele homiquântica para paranormal, fatos aos quais o totem de Billy estava diretamente vinculado. Essa fama cobrava um engajamento proativo perante a classe animal no sentido de trazer atenção para a causa na esfera política dos quânticos. Como Billy possuía bons conhecimentos em Socrática e já desvendava alguns meandros da política, chamava-lhe o dever de engajar-se na luta em prol de melhorias para a vida animal, bem como pelo zelo à memória de Alexandra.

Mas a notoriedade de Billy em Phobos também se dava por olhares negativos dirigidos à sua pessoa, de muitos animais que desprezavam sua figura. Para os homiquânticos, Billy era um traidor que abandonou a raça na primeira oportunidade, um covarde que não soube encarar a morte da ex-irmã, com quem vivia conflituosamente, e evadiu a lua, fugindo da culpa pela morte dela, pois, certamente, havia contribuído para tal trágico desfecho. Quanto aos paranormais, embora reconhecessem seu mérito como cobaia no experimento da pele homiquântica para paranormal, a maioria atribuía o feito à Diana, não a Billy. Pelo contrário, devido à influência de Iraimoon e Iraizacmon, culpavam Billy pela morte de Alexandra. De modo geral, Billy era tido como alguém que não teve coragem de dispor o cérebro à sabatina quando paranormais e homiquânticos se reuniram para protestar contra a falha inaceitável de Diana, que redundou no acidente de Alexandra. Eles pediram a cabeça da médica, ela foi submetida a um inquérito, mas, ao menos, apresentou-se ao protesto que interditou o elevador à força, ocasião em que Willian nem estava mais na lua. Diana dirigiu-se ao público e desculpou-se, prometeu que a falha seria sanada. Como seu prestígio era alto devido aos inúmeros serviços prestados no zoológico e pelo apoio às recentes conquistas da classe animal, a médica conseguiu manter seu emprego no instituto, porém perdeu o cargo de socorrista. Já Billy nem isso, pelo contrário, provava-se um alienista através dos experimentos com os clones de seus antigos genitores, e um alienado das questões sociais que envolviam seu antigo lar de quando fora Willian – também para dar uma resposta a esses críticos, Billy viu-se determinado a fazer valer seu prestígio e reparar seus erros.

A comoção popular em torno da morte de Alexandra, em princípio, foi o fato que mais eferveceu a política em Phobos nesse período. Para se ter uma ideia, havia um terceiro grupo de homiquânticos críticos e autênticos rivais que não só repudiavam Billy, mas especialmente Sandy, a quântica. Ora, se Billy era apontado como um covarde por ter optado transmutar-se quântico logo após o ritual de Ascensão de Alexandra, imagine Sandy que havia negado a sincronia perceptiva para sua própria alter-ego? Um *crime*, era como creditavam tal atitude. Era senso comum que Alexandra se suicidou devido ao choque emocional pela negativação de Sandy à sincronia. Não bastasse, ela se mantinha oculta na cosmonet desde então, sem nunca sequer ter dado uma satisfação a respeito ou partilhado a mínima condolência. Billy ao menos então estava tentando limpar sua imagem e confraternizando-se com os animais. Sandy não, por isso era odiada por muitos. Billy também não se conformava com a atitude dela, gostaria muito de cobrá-la a respeito, mas como sabia que ela o havia abandonado, ponderava se um dia ela retornaria contato e se redimiria de alguma forma. Mas apesar de discordar de sua atitude, a essa altura não via motivos para julgá-la, pelo contrário, buscava defender Sandy quando a criticavam, sempre apelando para o lado psicológico e os problemas mentais dela como vetores de sua atitude e de sua ausência.

Porém, o que mais deixava os animais indignados de forma unânime era a falha no sistema de embarque do Elevador Phobos-Marte, que redundou no acidente e na morte de Alexandra. Como uma espécie tão avançada e robotizada quanto à quântica cometeu um erro desses? – questionavam os lunares. De permitir um passageiro acessar o Elevador desprovido da aclimatação necessária? A resposta jazia na conjunção de fatores que redundaram no acidente ser totalmente inédita e jamais prevista. Em uma análise mais criteriosa, foi um erro de Diana ao permitir Alexandra desembarcar do disco-ambulatorial sozinha portando o *ticket* do elevador. Tecnicamente, era um problema de simples solução, que jamais se repetiria. Billy em pessoa voluntariou-se como sintomatemático para dispor seu cérebro como *check-in* de embarque do elevador, mas isso sequer era necessário, bastava os robôs ascensoristas reprogramarem-se. Não obstante, Billy desenvolveu um sistema de aclimatação automático como alternativa secundária emergencial. Algo um pouco custoso para ser implantado, mas com o apoio da classe animal, imediatamente aprovado pela prefeitura de Phobos.

Todavia, solucionar o problema ou culpabilizar responsáveis não minimizava a revolta dos animais pela violenta morte de Alexandra. Nos horizontes subsequentes à tragédia, uma série de passeatas e protestos tomaram as cercanias e os acessos aos setores de embarque e desembarque do elevador. Houve várias interdições forçadas e tentativas de depredar o setor. Se pudessem, alguns revoltosos teriam destruído o Elevador, mas limitaram-se em quebrar alguns tijolos e a pichar seus muros. Alguns pediam para que se abolisse o uso do Elevador, afinal, pra quê um sistema tão arcaico para acessar Marte? Por que não utilizar discos-táxi e combonaves? Na ira do momento, sugeriam que fosse demolido. Um pedido impossível de ser realizado pelo fato do elevador ser tombado pelo Patrimônio Histórico Cósmico-Marciano – um marco da Engenharia que remetia à história antiga, da época em que o cosmo era governado pelos mesmos paranormais que ali protestavam. O elevador poderia até ser interditado, ou redirecionado para operação de carga exclusivamente, mas jamais demolido, a menos que alguma revolução alterasse os paradigmas cósmicos de Marte, algo totalmente invisível nos horizontes mais subjuntivos. Em meio a tal controvérsia, Billy propôs:

– Já que não aceitarão abolir ou demolir o elevador, façamos o oposto, pleiteemos livre trânsito dos habitantes lunares entre Phobos e o novo zoológico a ser inaugurado em Marte.

A causa era controversa. Mal havia sido aprovada a construção do novo zoológico na superfície de Marte e os animais já pleiteavam mais liberdade e mais poderes para gerenciar seu acesso. Naturalmente, isso era totalmente fora de cogitação por parte dos quânticos, mas como entre os "donos do mundo" havia um deles que engajava a causa, nascia aí um movimento que jamais cessaria suas reivindicações em torno da ideia.

A partir desse horizonte em que Billy mergulhou de cabeça na política phobiana, evidentemente passou a lidar mais de perto com aqueles que eram seus antigos desafetos, o prefeito Iraizacmon, seu correligionário Iraimoon e a *paparazzo* Critera. Mas por defenderem algumas causas de interesse comum, aliaram-se em torno delas – apesar das divergências de cunho pessoal e ideológico. O prefeito, seu correligionário e a vereadora eram suficientemente ardilosos para surfarem no sucesso de Billy e angariarem simpatia dos contatos que ele usufruía tanto na esfera quântica, quanto no âmbito do Instituto Zoológico ao qual estava vinculado. Nesse novo estágio de suas relações na esfera lunar, a atuação da robô *Marketing* – a renomeada *Governanta* – que outrora havia trabalhado como mordomo de Sandy, foram fundamentais para intermediar relações entre os antigos militantes de Alexandra e a alta cúpula lunar.

Todavia, não era por isso que muitas divergências seriam esquecidas, tampouco minimizaria certo rancor de Billy pela abdução intelectualizada por Iraizacmon e seus correligionários, responsáveis por vitimá-lo. Apesar dos aplausos e do reconhecimento que demonstrou a Billy por seu papel no desenvolvimento da pele homiquântica para paranormal, o prefeito ainda era contrário à presença de seres hominídeos no *habitat* lunar, mesmo que essa presença estivesse reduzida ao casal Bob e Julia Firmleg. Iraimoon ainda mais, ele que o aplaudira enfaticamente pelo experimento da pele, mas por ter sido próximo de Alexandra, mantinha a mesma postura dela em relação aos experimentos conduzidos por Billy com os clones dos Firmlegs. Ou seja, era absolutamente contrário, defendia que fossem proibidos ou banidos da lua. Quanto a isso, porém, Billy mantinha-se resoluto. Embora, de instante, estivesse mais compelido a dar razão aos animais, o sentimento que o prendia aos antigos genitores era inabalável, jamais abdicaria da missão de tornar a vida deles mais confortável e feliz, e os experimentos que realizava atendiam a esse nobre objetivo. Como a prefeitura de Phobos não tinha poderes sobre o instituto, sequer se preocupava com isso.

Por mais que não cedesse às críticas mais efusivas, Billy mantinha-se antenado às mesmas e buscava absorver as que podiam lhe ser úteis para refinar sua abordagem em torno do tratamento dos Firmlegs no zoológico e nos experimentos psíquicos com seus respectivos clones no instituto. O saudosismo de Billy à memória de Alexandra, conforme previra Xavier, foi alvo de uma profunda autocrítica que alterou alguns parâmetros da pesquisa. Com os primeiros 64 planos equivalentes ao investimento inicial de clones, Billy seguiu com a proposta cuja abordagem já estava em andamento. Vale lembrar que essa abordagem era subdividida em duas correntes básicas de análise: uma utilizando o *backup* cerebral equivalente ao dia zero dos Firmlegs em Phobos: a memória *pré-Phobos*; outra, com o *backup* imediatamente posterior ao incidente que havia teletransportado a família Firmleg do passado para a corrente atualidade: a memória *pré-Vinland*.

Mas com o novo investimento em clones, o grau de experimentalismo atingido possibilitou a Billy e aos cientistas vinculados à pesquisa propor novas metodologias ao tratamento em um nível de detalhamento muito mais amplo. Até então, o trabalho com os clones não diferia muito da terapia do sono que Diana aplicava aos pares originais dos Firmlegs no sanatório de Phobos, pois os clones eram mantidos em um leve estado de coma induzido, ou seja, em estado *gama*. Com isso, Billy podia tomar proveito de tal frequência para acelerar o *tempo* e fazer com que horas durassem dias dentro da mente de seus antigos genitores. Assim, com a memória pré-Phobos, cada clone desperto de Bob e Julia recomeçava sua vida na lua como se fosse a primeira vez, como se reiniciassem a primeira fase de um jogo eletrônico tentando alcançar a fase seguinte, buscando acumular mais pontos a cada tentativa. Afinal, filosoficamente, ao despertarem em uma realidade virtual programada e modelada por Billy, a vida dos Firmlegs não passava disso: um videogame cujo objetivo era retomar a plena lucidez de sua existência. A cada nova realidade, Billy modificava a abordagem proposta por Diana, em princípio, apenas alternando alguns parâmetros básicos, mas, no decorrer, desenvolvendo um tratamento inovador em todos os aspectos, incluindo as aulas de Ipsilon e sua excêntrica metodologia. Na prática, chamando para si todos os papéis antes desempenhados por seus tutores e ex-pais recreativos, coordenando-os ou substituindo-os por robôs agora que estava aprendendo a programá-los – bem verdade que, no decorrer das análises, precisasse sempre recorrer a eles, dado que nenhum robô seria capaz de substituí-los plenamente.

A mudança substancial impactada pela perda de Alexandra na maneira como Billy passou a conduzir as pesquisas foi tratar seus antigos pais da maneira como seriam tratados em sua antiga Terra após sofrerem um acidente ou um trauma grave. Seu objetivo era humanizar a vida deles. Para isso, Billy foi eliminando as partes mais pesarosas da adaptação de Bob e Julia, como as longas sessões de terapia com Diana e as aulas ministradas por Ipsilon. A primeira providência foi modificar a atmosfera do ambiente onde Bob e Julia viviam, fazendo com que não se sentissem em um sanatório, mas em um apartamento provisório destinado aos novos habitantes lunares. Billy providenciou roupas, móveis e elementos de decoração para que Bob e Julia se sentissem em casa – tudo confeccionado com plasma, mas idênticos aos objetos que o casal conhecia da Terra. Naturalmente, Billy manteve os filtros perceptivos configurados por Diana, e os Firmlegs seguiam captando os paranormais vizinhos como homens iguais a si, enquanto os homiquânticos da lua exibiam um espectro quântico. Os quânticos, por sua vez, Bob e Julia criam se tratar de "anjos", embora fossem distintos da imagem que antes faziam de um anjo. A ideia de Billy era permitir que eles desfrutassem o máximo de liberdade – afinal, estava rodando um ambiente virtual plenamente controlado, sem exposição a perigo nenhum –, para que pudessem expressar seus desejos sem qualquer indução, e eles mesmos fizessem as perguntas que guiariam seu reaprendizado. Um reaprendizado cujo objetivo máximo permitiria ao casal viver livremente na lua como qualquer animal e, se possível, sem os filtros restritivos aos quais estavam submetidos.

Essa parte do tratamento trouxe bons resultados e a vida mental de Bob e Julia passou a ser mais feliz do que a vida de seus pares originais no zoológico. Por outro lado, ajudou a melhorar um pouco a qualidade de vida deles também. Há de se esclarecer que, por óbvias questões éticas, Billy não podia simplesmente escolher uma de suas realidades virtuais e transplantar a memória de Bob e Julia dos clones para o par original deles próprios. O par que vivia em Phobos tinha a sua própria memória e a sua própria linha existencial, e não cabia a ninguém interferir nisso, no máximo tentar ajudá-los lidando com os traumas e os rancores que já carregavam. O que Billy podia fazer era extrair lições de suas realidades virtuais para tentar adaptá-las e aplicá-las ao dia a dia de seus antigos pais no zoológico. Nesse sentido, a principal mudança a afetar positivamente na vida deles no zoológico foi interromper o curso de Ipsilon. Não que as aulas de Ipsilon fossem ruins ou desnecessárias, pelo contrário, eram vitais para que Bob e Julia mantivessem um mínimo de noção da realidade e afastassem o sentimento de que estavam mortos, pois só assim um dia seriam capazes de desfrutar a vida que lhes restava. O problema era querer submeter o casal, um homem beirando a idade e uma mulher em desvirtude adulta que só estudou Catecumenato[16], a um ritmo de aula puxado e exigente, com um professor que não descansava até que o aluno depreendesse plenamente suas lições. O erro era querer que ambos, depois de adultos, voltassem para a escola – não tinha cabimento. Uma mudança que se mostrou um acerto: eliminar a cobrança que os tutores impunham a eles, o que os permitiu aprender de acordo com as necessidades do dia a dia segundo seu próprio ritmo.

    Livres das aulas, Bob e Julia passaram a demonstrar um desejo maior de passear pelo zoológico, a desfrutar a liberdade de ir e vir. Era um ótimo sinal de que estavam superando a depressão de viver em um sanatório submetidos a uma rígida disciplina. Porém, conquanto isso não fosse problema na realidade virtual, no zoológico sim, era um problema *político*.

    Iraizacmon era veementemente contrário à permissão de livre-trânsito de espécimes hominídeos na lua. De sua posição como prefeito, jamais compactuaria com isso. Mas como Billy era um articulador político na esfera lunar, exerceu sua iniciativa para conversar com representantes das variadas espécies, incluindo a classe quântica vinculada ao instituto e o apoio de Diana. Seu objetivo era estabelecer um pacto que ao menos permitisse Bob e Julia passearem à vontade pela lua. Pressionado pelas bases, a contragosto, Iraizacmon assinou o pacto, mas exigiu que os passeios fossem exclusivamente monitorados por um quântico. Como Diana não estava mais vinculada ao disco-ambulatorial, ela própria se comprometeu em assistir os passeios de Bob e Julia quando e onde quisessem passear. O pacto era importante, resultava do trabalho de Billy em conscientizar a classe animal para que não reprimissem Bob e Julia durante seus passeios, pois lidavam com enfermos. Se ambos saíssem pelas ruas

---

[16] Curso preparatório para o batismo em religiões luteranas.

e fossem acossados por uma passeata em protesto à sua presença ou algo do tipo, jamais se adaptariam. O pacto também visava evitar qualquer possibilidade de abdução como ocorrera com Willian, de modo que Bob e Julia pudessem vaguear pela lua sem a necessidade de uma grande escolta como antes acontecia nas poucas vezes em que saíram do sanatório. Apesar de parecer pouco, era um ganho enorme na posição de Bob e Julia como espécie, já que os demais animais passaram a se acostumar com a presença dos hominídeos no zoológico.

Mas para Billy isso não era suficiente. Ele pensava em todos os detalhes e, sempre que possível, tentava viabilizá-los na esfera atual de Phobos. Por exemplo, para o conforto de Bob e Julia durante os passeios, Billy queria que Iraizacmon autorizasse a instalação de banheiros em locais estratégicos.

– Queres disponibilizar uma infraestrutura cujo uso será majoritariamente ocioso apenas para que seus antigos genitores tenham mais conforto ao defecarem ou urinarem?

– Sim. Quero que eles se sintam à vontade pela cidade.

– Jamais sancionarei um desperdício desses.

– Preferes que defequem e urinem no solo por acaso?

– Essa necessidade não está inclusa no projeto de monitoria proposto por Diana e aprovado pelo Instituto Zoológico. Nem faz parte do pacto que acordamos. Não será permitida a introdução de novas bactérias nesse *habitat*. Pensei que já estivesse plenamente ciente disso.

– Justamente por isso pensei em banheiros – insistiu Billy.

– Sua proposta é inaceitável. A coleta dos resíduos orgânicos dos Firmlegs permanecerá magnética. Grau de contaminação zero. Estamos de acordo?

– Mas, ora! Se a ureia é biodegradável à flora local e os estudos relacionados aos coliformes fecais dos espécimes não indicam impacto ao meio ambiente, afinal são células termo-intolerantes à atmosfera local, o grau de contaminação será sempre inócuo – contra-argumentou Billy com rispidez. – Portanto, não. Não estamos de acordo.

Convencer Iraizacmon provava-se impossível. Ele não era um político quântico cujos fundamentos são sempre científicos. Era mais do tipo doutrinador, não à toa pertencia a uma espécie bastante atrasada. Não haveria como fazê-lo mudar de ideia. Para isso, era preciso combatê-lo a partir das bases partidárias que compunham a esfera lunar – e não seria do dia para a noite que isso aconteceria. De qualquer modo, já era um enorme avanço permitir Bob e Julia passearem mais livremente pela lua; era preciso curtir essa vitória antes de partir para novas contendas. Assim, valia aproveitar o entusiasmo de seus antigos genitores quando eles se propunham a conhecer a lua, mesmo que Diana estivesse sempre presente e aqueles filhos que os acompanhassem fossem apenas dois resíduos sensoriais de uma memória que existia somente em suas cabeças.

Afora as mudanças no cotidiano dos Firmlegs na lua, não havia muito o que Billy pudesse influenciar em suas vidas em termos psíquicos. Ao contrário dos clones que despertavam ainda virgens de sua vivência em Phobos, Bob e Julia já possuíam uma convicção existencial que vinha de antes de se mudarem para a lua, do período em que passaram em Vinland na Terra, sob o tratamento intensivo conduzido por Diana ao lado de Ipsilon e Nolly – Noll, na ocasião. O problema maior dessa convicção expressava-se pelo fato de Bob e Julia se crerem mortos após o acidente que os teletransportou de dimensão. Para piorar, a psicologia adotada por Diana quando o casal se recobrou do trauma, segundo Billy, apenas reforçou essa ilusão na mente deles. Ora, ainda que fosse praticamente um bebê homiquântico na ocasião, estava nítido em sua memória o momento em que, junto com Sandy, ambos confrontaram Diana por ela permitir Bob e Julia acreditarem que estavam mortos. Diana os convenceu de que essa ilusão ao menos os mantinha sãos depois do forte colapso mental oriundo do incidente com o avião e o contato imediato que estabeleceram com Noll e seu companheiro Greg antes que a veterinária fosse chamada para acudi-los. Ao comentar sobre isso durante a nova fase do tratamento, Diana justificou:

– Teus antigos pais quase faleceram após o contato com Noll e Greg. Bob entrou em estado de coma autoinduzido e Julia em estado catatônico perante o choque que sofreram. Não fosse a abordagem psíquica que adotamos, eles corriam sérios riscos de jamais recobrarem a lucidez.

– Compreendo. Mas uma vez que conseguiram recuperar a sanidade, não creio que manter a ilusão de que morremos naquele incidente seja producente para a continuidade de suas vidas – ponderou Billy.

– Tu podes aplicar essa nova linha de pesquisa em tuas simulações.

– Aplicarei. Mas tenho convicção de que essa linha possa delinear uma nova abordagem para o casal sob tua patente.

– Qual a tua tese a respeito?

– Simples: o fato de se crerem mortos é secundário, pois o que mais lhes aflige não é a própria morte, mas a culpa por seus filhos também estarem mortos. Uma vez que dissipemos a ideia da morte, eles se livrarão dessa culpa e terão mais chances de serem felizes.

– É uma boa tese. Compartilhe-me os resultados assim que obtê-los e rediscutiremos o tratamento – encerrou o debate Diana.

Era para esse tipo de experimento que Billy precisava recorrer à memória pré--Vinland de seus antigos genitores: para recriar toda a terapia desde o instante inicial em que eles vieram para a nova realidade. Nessa linha de pesquisa, contestaria todas as etapas do tratamento proposto por Diana e o processo de reeducação dos Firmlegs conduzido por Ipsilon desde o princípio, desde antes de se mudarem para Phobos. No processo, tirou proveito do que era conveniente, mas alterou substancialmente as restrições que Diana havia imposto durante essa etapa. Embora essa parte do tratamento fosse estritamente virtual, pelo desejo que a memória de Alexandra uma vez expressou, Billy reduziu substancialmente a aplicação de filtros na percepção de seus antigos pais até alcançar uma única exceção: a imagem que Bob e Julia mantinham de seus filhos, os quais se resumiam aos espectros das crianças hominídeas que um dia foram – justo o filtro que Alexandra queria eliminar, mas o mais temeroso e impactante para desativar. Embora a decisão pertencesse a Billy, Diana era veementemente contra, portanto ele preferiu aceitar o conselho da médica-veterinária. Esse era outro tabu do tratamento: como revelar aos Firmlegs que seus filhos haviam evoluído de espécie? Não obstante, como revelar isso sem que creditassem à magia ou a um poder divino? Eram respostas que as novas abordagens de Billy buscavam responder através de seus ambientes de realidade virtual para, em seguida, adaptá-las ao casal em Phobos.

A partir daí, o tratamento de Billy recaía na prática de tentativa e erro, o que se mostrou a parte mais dolorosa da pesquisa. Vale lembrar que o investimento de Billy estava vinculado a diferentes órgãos cósmicos de fomento, um deles sob a tutela do doutor Zabarov II, no Instituto SETI de Plutão. A pesquisa de Billy junto ao SETI objetivava desenvolver uma nova racionalidade para o casal Firmleg, uma racionalidade mais evoluída em relação à memória pré-Phobos que, assim, pudesse gerar uma onda F a ser compilada aos mapas interdimensiogerminais e transmitida para outras estrelas. À medida que Billy conduzia o tratamento, muitas de suas proposições acabavam mostrando-se infrutíferas não só para aumentar o conforto de Bob e Julia, também para desenvolver uma racionalidade mais apurada. Zabarov era o responsável por medir a ondulação F dos Firmlegs através de uma série de leitores e logaritmos. Mas ainda que fosse essa uma medida flutuante, cuja variável correspondia à metodologia aplicada por Billy, inevitavelmente, quando os gráficos apresentavam um determinado grau de queda, não havia mais qualquer alteração no tratamento que pudesse recuperar a evolução racional de Bob e Julia. Nesses casos, restava a Billy aplicar eutanásia aos clones e reencaminhar a massa reorgânica dos Firmlegs para outros projetos, especialmente às iniciativas vinculadas à quântica-espacial fotosférica de Titã, onde o espaço interno dos Firmlegs seria revertido em gatilho propulsor para helionave.

Era triste. Muitas vezes, Zabarov era obrigado a debater longamente com Billy antes de persuadi-lo a encerrar a pesquisa em dado plano. Billy sempre apelava para aumentar a janela do tratamento, pois não tinha como se desvincular do elo que o prendia aos antigos pais. Nesses momentos, a lembrança de Alexandra acusando-o de torturar os Firmlegs psiquicamente o assombrava. Era difícil manter a frieza, chegou até a cogitar a possibilidade de abandonar tudo – o que fez em algumas poucas dimensões –, mas então concluía que já tinha ido longe demais para desistir e, se desistisse, a interrupção dos clones abortados teria sido em vão, teriam morrido à toa. Por isso seguiu em frente, requisitando mais clones, propondo novas abordagens, recorrendo a tudo e a todos na expectativa de que, em dado plano com determinado clone, lograsse sucesso em suas pesquisas. A essa altura, pouco importava reverter em méritos o investimento que fez. Só se importava em trazer paz para seus antigos pais, fosse em suas realidades virtuais, fosse ao casal em Phobos.

Como o investimento de Billy era alto e passível de incremento, clones não faltavam para tentar explorar novos caminhos no tratamento de Bob e Julia. Não obstante, sequer era preciso limitar-se ao uso da memória pré-Phobos ou pré-Vinland, podia utilizar qualquer recorte memorial deles de acordo com cada nova proposta de tratamento. Podia rebobinar suas mentes como uma fita cassete e escolher o melhor ponto para reeditá-la. Esses "pontos de edição" incluíam o que seria a memória *pós*-Phobos, ou seja, a memória que eles vinham construindo em seu dia a dia no zoológico.

Em uma dessas aplicações, cada vez que Bob e Julia pernoitavam no sanatório, Billy copiava a memória deles e as transferia para novos clones, então acelerava suas mentes nos respectivos clones e preparava abordagens inéditas para serem aplicadas quando acordassem no dia seguinte. Esse recurso provou-se útil para conduzir o tratamento do casal em Phobos, mas, por outro lado, apresentava o mais alto grau de perdas de clones por insuficiência racional. Isso se dava pelo fato de a memória corrente de Bob e Julia em seu cotidiano no zoológico apresentar uma racionalidade inferior à memória pré-Phobos. Vale lembrar que a memória pré-Phobos havia sido gravada logo após os Firmlegs terem completado a primeira etapa de seu tratamento ainda na Terra, em Vinland. Ocasião em que o casal foi informado que se mudaria para Phobos e passaria a morar em uma vizinhança chamada Éden, um local que acreditavam ser o paraíso. Ou seja, compunha uma memória registrada em um momento em que Bob e Julia estavam plenamente felizes, o mais feliz que estiveram desde que haviam mudado de dimensão. Porém, após despertarem em Phobos e perceberem que o tal Éden não era aquilo que imaginavam, essa felicidade passou e o grau evolutivo de sua respectiva ondulação F começou a declinar, tornando sua racionalidade inferior àquela que, a dado horizonte, desfrutaram em Vinland.

Como a memória pré-Vinland dos Firmlegs apresentava maior potencial evolucional, Billy enfatizou seu uso para recriar o tratamento de acordo com a tese de que, se Bob e Julia depreendessem que ainda estavam vivos, sua racionalidade e, sobretudo, felicidade, seriam progressivamente maiores. Para alcançar esse objetivo, aplicou a mesma metodologia que vinha trabalhando com Diana junto aos pares no zoológico, de abortar as aulas de Ipsilon e as longas sessões de terapia com a médica. Além disso, estipulou que seus pais vivessem na Terra ao invés de mudarem-se para Phobos, ao menos até que *quisessem* mudar para lá. É claro que essa Terra era a mesma da nova realidade, um mundo hiperfuturista do ponto de vista de Bob e Julia, cuja paisagem em quase nada lembrava a Terra como antes a conheciam. Ainda assim, ao menos era o mesmo planeta em que sempre viveram, não um sanatório em um zoológico situado em uma distante lua. Não obstante, ainda restavam algumas paisagens e sítios históricos que coincidiam com a lembrança que ambos carregavam. Nesse contexto, Billy e um robô programado para simular o resíduo de Diana levaram Bob e Julia para a Terra do ano 834.456 d.C. – o ano em que aportaram após teletransportarem-se do passado. Quanto ao cenário, não foi difícil para Billy modelar, só precisou baixar os mapas atuais da Terra para compô-lo, outras paisagens bastava emular ao vivo.

O novo tratamento iniciava em um local próximo de onde a família Firmleg havia cruzado as dimensões, não mais em uma localidade praticamente deserta com uma paisagem coberta de gelo como Vinland, no polo norte, conforme haviam sido encaminhados por Diana em suas continuidades originais. Billy escolheu uma cidade oceanográfica situada à beira do Mar de Atlantis, que, na verdade, era o que restava do antigo oceano Atlântico. Uma localidade que apresentava paisagem natural muito similar à da antiga Terra como Bob e Julia a conheciam, fronteiriça à floresta amazônica em um local que corresponderia à Colômbia – de clima tropical similar ao de Miami onde a família vivia no passado. Em contrapartida, situava-se ao lado de uma grande cidade superficial quântica, berço de um grande Instituto Oceanográfico voltado para o estudo da vida marinha em sua costa. A cidade era conhecida como Plêiades em homenagem à respectiva constelação e se tratava de um centro urbano muito movimentado; havia um espaçoporto que atendia à região e o local abrigava um enorme porto e vários estaleiros que fabricavam sondas marinhas. Era o cenário perfeito para os Firmlegs desfrutarem de uma paisagem rústica como da velha Terra, em contraste com o que havia de mais moderno no mundo atual. A ideia era dissipar aquela visão mística que Vinland proporcionou em Bob e Julia: uma paisagem ártica toda branca que mais se parecia com o céu cristão de suas crenças religiosas, objetivava inseri-los em um local que mostrasse a materialidade do mundo ao seu redor. Uma materialidade que os ancoraria à ideia de que não estavam mortos, mas vivos.

Ao contrário da paz de espírito de Bob e Julia observada ao abrirem os olhos em Vinland, quando se depararam com uma paisagem erma – toda coberta de gelo, o mar tomando o horizonte e apenas uma pequena construção artificial nas proximidades que mais lembrava Stonehenge com seus esquisitos "anjos" negros circulando ao redor –, na Plêiades modelada por Billy, apesar do local escolhido apresentar similaridades com a velha Miami, o impacto foi instantâneo quando o casal contemplou o referido cenário. Nessa simulação, após o contato imediato da família com os alienígenas Noll e Greg, eles despertaram no mesmo *habitat* hospicialar fornecido pelo disco-ambulatorial de Diana estacionado à beira de uma praia. Eles podiam ver o mar à frente do quarto exatamente como viam do quintal de sua casa em Miami: com ondas quebrando ao fundo, a base de um morro coberto de uma típica vegetação tropical – só não dava para notar, ao distante, que as ondas eram dez vezes maiores do que as que quebravam em Miami, até porque elas dissipavam mansamente quando chegavam à beira. A praia estava propositalmente vazia, o céu claro com o Sol a pino. A panorâmica à direita, a cerca de uns 600 metros da habitação dos Firmlegs, demarcava o perímetro portuário conjunto ao instituto oceanográfico que havia ali. Uma paisagem que fornecia uma visão espetacular e contornos hiperfuturistas, que jamais um hominídeo recém-desperto de um pretérito tão longínquo poderia imaginar.

Nessa simulação, Billy programou Bob e Julia para despertarem juntos, ao lado da figura de seus filhos, mas sem a presença de Diana ou Noll. O quarto foi configurado em um estilo rústico, com camas e cabeceiras de madeira e alguns poucos móveis, como se fosse um quarto de hotel – só não tinha TV e frigobar. Após os clones retomarem a consciência e congratularem-se com os filhos entre lágrimas de alegria e abraços de saudade, a primeira coisa que veio à mente deles foi a inevitável questão: "Onde estamos?". A resposta mais imediata estava na janela do recinto, e o casal, seguido dos filhos, dirigiu-se à mesma.

Billy pôde medir em suas leituras paralelas o sentimento de paz impresso nos gráficos no instante em que seus antigos pais bateram o olho na deslumbrante paisagem à frente da janela, seguindo-se do medo e da apreensão quando suas vistas alcançaram a cidade portuária que completava o cenário. Bob expressou:

– Meu Deus! O que é aquilo?!

– Que lugar é esse? – questionou Julia, igualmente aflita.

– É um estaleiro de sondas submarinas – prontificou-se em responder Billy. Não contente com a resposta, Bob continuou aflito:

– Aquilo é um submarino?! Um navio ou *quê*? – Confuso, questionava a respeito daquilo que mais saltava aos olhos na paisagem: um conjunto de hélices gigantescas, cujo diâmetro media mais de 300 metros, acoplado ao que parecia um morro flutuando pouco acima da superfície e que se perdia mar adentro. A princípio, dava a confundir que fazia parte da paisagem natural, pois sua superfície era mesclada com uma capa de grama, e o que seria seu casco era todo recortado por pedras, como uma costa rochosa. Acima da estrutura havia antenas e pontilhões que se assemelhavam ao *deck* de um navio, mas cuja proporção bem superior a qualquer medida conhecida pelo casal hominídeo, equivalia a um grande porto cheio de guindastes, já que possuía alguns quilômetros de extensão e largura.

– É uma sonda natural, constituída de vegetação marinha e corais. É totalmente biocompatível com o mundo marinho e autossustentável, por isso utiliza uma hélice propulsora. Enorme, né? – comentou Billy sem qualquer desfaçatez. – Tipo um submarino pra estudar a vida marinha.

– Mas como você pode saber disso, filho? – questionou Bob.

Antes que o filho respondesse, Julia continuou expressando seu nervosismo:

– Onde estamos? Onde estamos?!

Pela infância de seus quatro anos-terra, o *bot* que simulava Sandy respondeu:

– Em Miami, *tamo* em Miami no *futulo*...

– Na verdade, estamos no mar do Caribe, onde estávamos quando sofremos o acidente com o avião, mas o local aqui seria a Colômbia, não Miami. A Colômbia do futuro – corrigiu Billy. – Mas essa cidade chama-se Plêiades.

– Como você sabe de tudo isso? – insistiu Bob.

– Foi o Noll que me contou.

– Quem é Noll?

– O alienígena que estava no avião, não se lembra?

Era óbvio que Bob se lembrava, embora não quisesse, tampouco Julia. A lembrança despertava terror em suas mentes, e a expressão facial em seus rostos, bem como a leitura de suas respectivas mentes, demonstrava isso muito claramente. Julia beirou um novo colapso nervoso ao se lembrar da cena do avião. Ela virou-se para o esposo e balbuciou:

– Ai, meu Deus, Bob. Os demônios, eram demôn... – Mas Billy prontificou-se em esclarecer:

– Eles não são demônios. Nem anjos. São uma espécie inteligente como a nossa, e bondosa. Estão aqui cuidando da gente. Eles são alienígenas – afirmou. Bob e Julia permaneceram incrédulos, por isso Billy acrescentou: – Na verdade, eles se parecem com alienígenas, mas são homens mais evoluídos que nós, os homens do futuro.

– Eles são os moços do *futulo* – disse Sandy.

– Como assim, filho? E cadê esses alienígenas?

– Eles estão aqui na sala ao lado. O Noll e uma médica chamada Diana.

– E o Psilon! O Psilon! – acrescentou Sandy.

– Sim, Ipsilon. O professor Ipsilon – corrigiu Billy. – Mas ele já foi embora agora.

Às palavras, Bob e Julia miraram apreensivos para a porta do quarto onde estavam, internamente agradecendo a Deus por ela estar fechada. Não bastasse, nessa específica virtualidade, Billy havia programado mais um teste, então disse através da simulação:

– Mas tem um alienígena ali passeando na praia, ó – falou e apontou o dedo pela janela.

Bob e Julia retornaram seu olhar para a praia e, com espanto, viram o que se parecia com um ovo negro flutuando casualmente sobre a areia. Dava para notar que o alienígena possuía tronco e membros, porém, pareciam desproporcionais em relação ao ovo, pequenos e situados na parte de cima como se fosse um vaso de flor redondo. Só não dava para entender por que seria assim. Que tipo de monstro seria esse? Billy rapidamente explicou que eles eram assim porque flutuavam sobre o solo através do magnetismo de seus corpos, que não eram ovos, suas cabeças que eram muito maiores que o corpo. Podiam se deslocar em qualquer posição, mas também caminhavam ou deslizavam com os pés. Embora captasse a desconfiança na mente de seus pais, Billy foi firme em suas afirmações:

– Eles são *quânticos*. Assim como nós nos chamamos Homem, eles chamam sua própria espécie de Quântico.

Apesar de amedrontados, Bob e Julia permaneceram contemplando aquele peculiar "ser quântico", tão fascinados quanto temerosos com sua estranheza. O quântico foi passeando pela praia e passou bem em frente à janela, a cerca de 20 metros, depois se afastou flutuando lentamente. Era um teste para a etapa seguinte: mostrar aos Firmlegs os quânticos bem de pertinho, apresentando-os para Diana e Noll, cujos resíduos estavam carregados e prontos para serem inseridos na simulação. Porém, o medo deles em abrir a porta do quarto e defrontarem-se com os tais "alienígenas" era notório. Então permaneceram no recinto observando a paisagem pela janela junto aos filhos, enquanto Billy tentava explicar tudo que fosse possível da maneira mais simples e racional que um garoto de onze anos expressaria. Ou como uma criança de quatro anos, como Sandy, e suas infantis interjeições.

Bob e Julia permaneceram estudando a cidade portuária com os olhos por um bom horizonte. Em primeiro plano, em relação à grande sonda submarina atracada no mar mais ao fundo, à beira da praia, iniciava-se uma linha de ancoradouros que acompanhavam a curvatura da costa. No restante, observava-se um mar de construções vítreas que brilhavam ao Sol e se perdiam ao alcance da vista. Notava-se que eram enormes e formavam uma grande metrópole que tomava o restante da paisagem por completo – estranho era o fato de os ancoradouros estarem todos vazios, sem qualquer embarcação atracada. Apesar disso, dava para ver uma movimentação no píer mais próximo, com quânticos passando freneticamente de um lado para o outro e caixas sendo movidas como se deslizassem numa esteira industrial. Billy explicou que os *decks* não estavam vazios, mas que as sondas ficavam embaixo d'água. Então captou o pensamento de seu pai enquanto observava os quânticos ao distante – *Só tem preto nessa raça*, raciocinou ele. Apesar do racismo, isso corroborava a abordagem proposta para a simulação em questão, já que era melhor que Bob pensasse em "raça" do que em "demônios", como fazia Julia. Para dissipar esses preconceitos, Billy chamou a atenção dos pais para o cenário bem ao fundo da metrópole, onde dava para notar um trecho da estrada que compunha uma das muitas alças de ascensão do Cinturão Cosmo-Estelar, a famosa *estrada* ou gravitovia composta por gigantescos paralelepípedos rochosos que trafegavam entre Mercúrio e Netuno.

– Foi nessa estrada que sofremos o acidente, mas em outro trecho – disse Billy. – Eram pedras assim que estavam passando em cima da gente no avião.

– Como assim, Billy? Como é possível uma coisa dessas? – perguntou Bob.

– É tecnologia magnética. As pedras flutuam sobre o chão que nem aquele quântico que passou aí.

– Mas... Mas é impossível... É impossível.

– Por quê? Só por que a pedra é muito grande? Nada a ver. Seria o mesmo que dizer que um navio não pode flutuar na água porque é muito pesado. Isso é tecnologia. Foi por isso que o nosso avião não caiu, ele foi capturado pelo campo magnético que sustenta a estrada de pedras. O avião foi guiado por radar pelo vão entre as pedras e colocado no chão automaticamente. Depois o Noll e o colega dele foram averiguar com uma viatura de solo, lembram? Daquele carro que parecia uma bola de futebol cortada no meio? – perguntou Billy. Bob balbuciou positivamente. Mas foi Julia que tentou se expressar, chocada com a informação, já que isso implicava que:

– Você tá dizendo que nós estamos... – "vivos", era o que ela ia dizer, mas interrompeu a frase, pois não queria insinuar que estavam mortos na frente dos filhos.

– Tô dizendo que nós tivemos *sorte*, pois viemos parar em um futuro que tinha essa tecnologia que salvou nosso avião, senão iríamos cair e morrer – disfarçou Billy.

– *Laio*-trator, um *laio*-trator *puxô* nosso avião – falou Sandy, querendo dizer "raio".

Essa era a estratégia de Billy: ancorar seus pais na realidade, ainda que esta fosse apenas uma simulação residual. Então vinham mais perguntas, e Billy as respondia. A família permaneceu assim até que a curiosidade e as necessidades fisiológicas, como a fome, obrigaram os Firmlegs a se defrontarem com os alienígenas na sala ao lado.

Bob e Julia mal notaram a eloquência de Billy enquanto ele explicava o porquê das coisas. Ainda estavam muito abalados perante tantas novidades, mas isso também fazia parte do tratamento nessa específica simulação: demonstrar paulatinamente a evolução da inteligência de Billy e de Sandy até que pudessem revelar que os filhos não eram mais aquelas crianças que imaginavam. Porém, nesse novo despertar, a princípio, precisava ser discreto. Assim, conforme as perguntas – especialmente de Bob – foram ficando mais complexas, Billy era obrigado a justificar que apenas Noll ou Ipsilon poderiam explicar certas coisas com a devida exatidão técnica. Em dado momento da conversa, quando Billy tentava explicar aos pais que eles haviam viajado no *tempo*, mas não tinha como detalhar como seria possível, Bob questionou:

– Mas onde está esse tal professor que você tanto fala?

– Ele foi embora. Voltou para a faculdade, acho... – explicou Billy. – Mas dá para chamá-lo se quiser. Vamos falar com a Diana?

– Vamos.

Nessa simulação, Billy havia programado Diana para interagir com os Firmlegs sem utilizar um espectro humanoide. O mesmo se aplicava para Ipsilon, embora ele estivesse desconectado no momento. Por outro lado, eles ficavam em pé, não flutuando pela cabeça, para que o casal não estranhasse tanto. O detalhe era que Ipsilon não era um *bot*, mas ele próprio em forma de resíduo sensitivo.

Depararem-se com Diana em sua pele alienígena, ainda que ela vestisse um jaleco branco típico de um médico, foi mais um choque na série de choques que os Firmlegs vinham sendo submetidos em suas diversas existências virtuais. Mas eles superaram e conseguiram interagir com ela. Diana acalentou o casal ao apresentar-se como uma pessoa que estava ali para ajudá-los, que era psicóloga e estava disponível para conversarem sempre que quisessem. Depois apresentou Noll ao casal, que seria o responsável por eles no dia a dia para cuidar de seus filhos, cozinhar e acompanhá-los em passeios.

Depois das apresentações, Diana retirou-se brevemente do quarto dos Firmlegs e retornou com uma interface na mão, então explicou como contatarem Ipsilon através dela:

– Aqui está o computador – disse ela, e deu o pequeno tablado para Billy.

– Isso é um computador? Essa telinha? – espantou-se Bob.

– É. Olha que legal, pai.

– Oba! Vamos brincar! – alegrou-se Sandy.

– Espera um pouco, Sandy. Deixa eu mostrar. Abre um espaço aí – disse Billy para todos, para que deixassem o quarto livre, então comandou: – Chamar Ipsilon.

Ao comando vocal, a figura de Ipsilon apareceu bem no meio do quarto como que materializado do vazio. Bob quase infartou de tanto susto, Julia idem. Mas os filhos rapidamente interagiram com a figura tranquilizando os pais.

– Oi, professor.

– Oi, caros – disse Ipsilon. – Olá, Bob. Olá, Julia – cumprimentou ele. O casal, porém, permaneceu mudo, ainda atônito com a situação. Billy tentou quebrar o gelo:

– Vai, pai. Aperta a mão dele, não tenha medo – incentivou.

Ipsilon esticou o braço em direção a Bob e ofereceu um aperto de mãos. Trêmulo, Bob tentou tocar a mão dele, mas ela passou no vazio através da imagem do professor. Nesse instante, Billy e Sandy caíram na gargalhada.

– Ele é um holograma – disse Billy, rindo. – Mas, espere... – Em seguida, virou-se para a interface que tinha nas mãos e passou o dedo na tela percorrendo uma lista enquanto dizia: – Onde está? Onde... Aqui: "Habilitar resíduos". – Virou-se para o pai novamente e falou:

– Tenta de novo, pai.

Ao perceber que o filho estava de brincadeira, Bob hesitou, mas atendeu ao pedido e estendeu a mão para cumprimentar Ipsilon. Desta feita, porém, sentiu o aperto como se o professor estivesse ali. Assustado, largou a mão de Ipsilon subitamente. Billy e Sandy riram de novo.

– Vai, mãe. Aperta a mão dele, dá pra sentir...

Julia fez que não com o rosto. Mas Bob, como se ainda não acreditasse, tocou novamente na mão de Ipsilon e apertou-a com firmeza. Em seguida, Julia sentiu-se confiante em tentar também. Ainda sem entender, Bob gaguejou:

– Mas... Mas... Co-como?

– Tá vendo essa telinha? – disse Billy. – Funciona como um telefone, mas eles conseguem transmitir tudo, a imagem, a voz e até o tato da pessoa. O cheiro também, se quiser. São resíduos sensitivos. – Virou-se para Ipsilon e acrescentou: – Vai, professor, explica pra eles. Eles nunca acreditam em mim.

Era assim a abordagem de Billy. Não que Ipsilon não fizesse mais parte do tratamento, apenas a obrigatoriedade em assistir suas aulas havia sido eliminada. Nas simulações de Billy, o professor interagia como um consultor de plantão. A partir daí, à medida que iam se sentindo mais à vontade na nova vida, mesmo que tudo não passasse de uma experiência psíquica, eram os próprios Firmlegs que requisitavam o "resíduo" do professor conforme intrigavam-se com o porquê das coisas. Igualmente por iniciativa própria, os Firmlegs passaram a requisitar o auxílio de Diana e suas sessões de terapia, nas quais conversavam sobre suas vidas e seus medos. Nessas sessões, Bob e Julia sentiam-se mais confortáveis para fazer certas perguntas e expressar as fobias e os sentimentos que não tinham coragem de falar na frente dos filhos. Só não sabiam que, na verdade, conversavam com o próprio Billy, pois, desta feita, era ele o psicólogo que chefiava o tratamento.

O despertar de Bob e Julia em cada nova simulação era o instante vital para começar a solidificar a noção de que estavam vivos. Superado esse momento crítico, o tratamento passava a convergir pelos caminhos que já haviam apresentado bons resultados em outras simulações ou na vida que o casal levava em Phobos. Por exemplo: a vontade de passear pelo estranho mundo novo onde estavam, fosse ali o futuro como lhes diziam, ou uma estranha versão do céu que sua antiga religião havia falhado ao descrever. Aliás, apesar da metodologia de Billy enfatizar a ideia de que eles estavam vivos desde o princípio, mostrou-se mais complexo fazê-los aceitar a ideia de que haviam *viajado através do tempo* do que morrido. Pela lógica natural da inteligência hominídea, uma vez saciada a questão "Onde estamos?", a questão seguinte dos Firmlegs foi "(se não estamos mortos) Como viemos parar aqui?".

A resposta para tal questão era, sem dúvida, bem mais complexa do que qualquer explicação beirando a infantilidade que Billy pudesse oferecer sob uma carapuça hominídea. Somente Ipsilon era capaz de embasar essa resposta através de suas demonstrações empíricas. E não bastou uma única explicação ou aula, foi preciso que o casal percorresse todo o conteúdo que ele próprio havia previsto como mínimo necessário nos cursos que já havia aplicado ao casal em Phobos/Vinland, para que os clones alcançassem o mesmo grau de proficiência. Porém, por um caminho muito mais tortuoso e, sobretudo, demorado. Mas havia outro lado: como Billy minimizava o uso de filtros sensoriais, Ipsilon tinha bem mais liberdade para interagir com os Firmlegs, pois não precisava emular um espectro hominídeo ou limitar o uso de hologramas residuais para lecionar. Assim, apesar de mais esporádicas, suas aulas passaram a exercer um fascínio sobre os Firmlegs quando eles navegavam em suas simulações tridimensionais do universo, do Sistema Solar, suas espécies e seus *habitat*, das partículas quânticas ou da história que separava o longínquo pretérito originário do casal ao presente atual. Era muito difícil Bob e Julia acreditarem que haviam avançado mais de 800 mil anos no futuro. As aulas de Ipsilon eram tão deslumbrantes que mais se pareciam com um épico religioso que descrevia o *real* mundo de Deus.

Quando as aulas esbarraram mais no entretenimento do que no aprendizado, foram os passeios pela Terra do futuro que, finalmente, convenceram Bob e Julia de que as teorias apresentadas por Ipsilon não eram contos bíblicos, e sim a realidade exatamente como ele a descrevia. Passadas algumas semanas do tratamento, o casal já se sentia mais à vontade na nova localidade. Tudo que havia para estranhar ali eles acabaram se acostumando: o fato de morarem acoplados a um disco-voador, de conviverem com alienígenas e serem vizinhos de uma imponente capital hiperfuturista com suas construções faraônicas. Era até luxuoso, pois viviam à beira-mar, em uma habitação *high-tech* com ambiente personalizável e entretenimento virtual de última geração. Dispunham de um criado para cuidar da casa, um tutor e uma psicóloga de plantão, além de estarem perto dos filhos. Assim, uma vez habituados com os quânticos, eles começaram a passear sem os filhos de vez em quando, ou só com Billy, mas sempre acompanhados de Noll e deixando "Sandy" aos cuidados de Diana.

Na maioria dos passeios, Billy ia junto, afinal, era ele quem bolava os destinos turísticos e os itinerários. Como Bob e Julia eram hominídeos, não podiam passear pelas cidades dos quânticos e não existiam automóveis ou mesmo vias para irem a locais mais distantes, por isso se limitavam em caminhar pela praia ou a passear de barco. Mas como estavam em uma simulação, Billy abriu um precedente para que pudessem passear no disco-ambulatorial de Diana a fim de mostrar que estavam na Terra – aliás, o próprio barco que os Firmlegs utilizavam era uma invenção de Billy que não existia no mundo real. O resultado foi positivo, pois dissipava um pouco a sensação de que estavam isolados ou confinados naquela praia.

Alguns passeios foram estratégicos para reforçar a ideia de que o casal não havia morrido durante o ocorrido nas Bermudas. O primeiro deles foi visitar o próprio Triângulo das Bermudas, no preciso local do incidente com o avião, ou seja, a alça da estrada que compunha o Cinturão Cosmo-Estelar e seus paralelepípedos gigantes. O objetivo era que Bob e Julia vissem com os próprios olhos aquilo que Ipsilon havia lhes mostrado em uma simulação. Eles caminharam embaixo das pedras da estrada e estiveram no exato ponto onde o avião foi aterrissado. Como um *déjà-vu*, foram visitar Greg no posto T67 ali nas proximidades. Dali, pegaram uma bala digravitacional – o carro em formato de meia bola de futebol – e foram visitar um suposto museu que, modelado por Billy, era o local onde estava guardado o avião da família. Eles puderam entrar na aeronave, Bob queria até voar, mas foi convencido de que não seria possível. Menos mal que puderam reaver suas bagagens, isto é, nem tudo:

– Cadê minha prancha? Alguém roubou minha prancha! – teatralizou Billy após procurar e não encontrar sua prancha dentro do avião, mas, de fato, ela havia sido esquecida no passado, provavelmente extraviada antes do embarque no avião.

– Imagine só... Roubada? O que é isso? – questionou Noll como parte do teatro.

– Alguém pegou ela daqui e levou para si. Roubaram, tiraram de mim.

– Compreendi. *Movida*, é o que queres afirmar.

– Movida sem a minha permissão.

– Isso não existe. Se não consta no inventário, então nunca esteve aí.

– Você deve ter esquecido nas Bermudas, filho – comentou Bob. – Pois a prancha de Sandy está aí.

– Essa prancha é muito pequena pra mim – injuriou-se Billy.

– Mas leve de volta pra ela, tudo bem?

– Fazer o quê?

De mais relevante, fora as pranchas, ao menos Julia recuperou sua Bíblia de estimação e Bob pôde fumar um autêntico cigarro da antiga Terra – momento em que Billy captou o mais sincero regozijo de sua mente –, muito melhor do que os cigarros residuais que a interface da família podia criar, ainda que fosse meramente psicológico. Afinal, tudo não passava de uma simulação virtual, mas só o fato de acreditar que era real bastava para aumentar o prazer.

– Nada como um bom placebo – comentou Billy com seu colega de pesquisas, o homiquântico Vigil, durante a observação do experimento.

– O lado real do abstrato é mais atual que a atualidade – acrescentou Vigil.

– O simulacro do atual é mais estimulante do que o simulacro circunscrito em si mesmo.

– Concordo plenamente.

– Preciso providenciar cigarros reais para Bob em Phobos, nem que sejam de plasma.

– Iraizacmon não permitirá. Alegará impacto ambiental decorrente da combustão produzida pelo cigarro.

– Terei de persuadi-lo a ceder. Aguardemos.

Dos passeios elaborados por Billy, foi em uma viagem até o local onde um dia foi Orlando – não muito distante da Miami em que viviam no pretérito –, que Bob e Julia enfim convenceram-se de que, deveras, haviam viajado pelo *tempo* – ou pela curvatura espacial, de acordo com o termo mais correto lecionado por Ipsilon. O local abrigava um sítio de preservação arqueológica do período pré-histórico, onde Bob e Julia deram de cara com as ruínas da Disneyworld. Quando ambos viram, de queixos caídos, o inconfundível e exuberante Castelo da Cinderela em pé, embora parcialmente destruído e desbotado pela ação do *tempo*, aquilo foi um autêntico choque de realidade para o casal. Um choque que os trouxe para a veracidade dos fatos, da vida nesse estranho mundo futuro que, assim, provava-se cabal, o mundo que, então, teriam de *viver*.

O problema dessa nova existência virtual dos Firmlegs era que, independente do tratamento ou da abordagem mais humanística, a nova realidade era brutal para eles. Eles tinham de conviver com o fato de nunca mais retornar a encontrar seus antigos amigos e parentes – incluindo a perda do amigo James Kelly[17] durante o incidente com o avião. Eram obrigados a aceitar uma nova condição de vida sem qualquer *glamour* ou propósito condizente com seus antigos interesses e paixões, e a estarem sujeitos à vontade de seres que lhes causavam medo e repugnância. Ainda que livres de certas ilusões, por um diferente caminho, os Firmlegs acabavam confinados à vida pela imagem dos filhos, embora esses fossem meras simulações, a quem sentiam o dever de proteger desse bizarro mundo novo. Confrontar essa realidade era extremamente triste para o casal, mais triste do que a vida que levavam em Phobos sob a crença de que haviam morrido. Ainda assim, isso não era motivo para que Billy desistisse, pois o aparente fracasso revelava que sua tese não estava tão distante de confirmar-se.

---

[17] Pra quem não lembra, James Kelly era o piloto da aeronave na ocasião do incidente que teletransportou a família Firmleg para o futuro, que morreu de um ataque cardíaco durante o voo.

Se o caminho não parecia tão longo considerando o quanto já havia avançado, era certamente custoso pelo total de clones abortados até que cumprisse essa missão. Para conseguir avançar na pesquisa em um único plano, multiplicava-se por mil aqueles em que seus antigos pais vinham a óbito, fosse pela aplicação de eutanásia, fosse pelo autocanibalismo de suas próprias mentes. Como estavam vivos dentro de uma simulação, em uma *matriz*, Bob e Julia não podiam morrer fisicamente, apenas psiquicamente ao sucumbir perante o medo e, assim, recaindo em um estado catatônico. Ou fosse induzindo a própria mente à morte ao cometer suicídio dentro da simulação –, em alguns casos, provocando um ataque cardíaco ou um derrame cerebral no respectivo clone.

Com o mínimo de experiência que já acumulava como zoólogo, Billy era perfeitamente hábil em estabilizar um infarto ou reverter um derrame, mas devido aos limites éticos de sua pesquisa, não podia reformatar os pensamentos de seus pais ou apagar suas memórias dolorosas – utilizar técnicas de lobotomia. Tornava-se pesaroso demais tentar recuperar um clone de seguidos traumas psicóticos. Quando chegavam nesse estado, a eutanásia era a única misericórdia que lhes restava. A partir daí, a alternativa era reiniciar o tratamento com novos clones aplicando as técnicas que haviam dado algum resultado e evitando os percalços já catalogados.

Uma das primeiras conclusões sobre a amostragem já acumulada por Billy, entre estreitíssimos sucessos e largos fracassos, foi que o tratamento de Diana era, deveras, bem mais eficaz. O que a médica-veterinária cumpriu em uma janela inferior a três dias-terra, Billy tomava semanas – além do custo em clones perdidos inigualavelmente maior, trabalhando em um leque dimensional incomparavelmente menor. O fator-chave para a eficácia da médica era justamente o que Billy queria erradicar: o fato de Bob e Julia se crerem mortos. O diagnóstico da psicose permanecia idêntico independente da virtualidade criada: a *Síndrome da Caverna do Diabo*. Pois, claro! A morte era a única coisa que fazia sentido na cabeça deles, que podia explicar o estranho mundo onde foram parar, ainda que este não correspondesse ao que imaginavam "em vida". Afinal, por mais que fossem religiosos, aquilo que seria a vida após a morte, o céu e o inferno, ou a própria existência de Deus, tudo não passava de um grande mistério. Dentro dessa limitada compreensão, o universo quântico e suas excêntricas criaturas, ainda que mais se parecesse com o inferno do que com o céu, ao menos cumpria essa expectativa. Em outras sinapses, fazê-los compreender que estavam vivos não era uma mera questão de sentir a realidade palpável, mas de desconstruir tudo que sempre haviam acreditado, algo muito doloroso, que os levava a desejar a morte, pois era mais confortável estar morto do que aceitar que *aquilo* não era a morte. Já pelo ponto de vista experimental, isso era apenas mais um trauma que, na visão de Billy, podia ser superado, por isso não lhe importava a eficácia do tratamento, mas sua eficiência em longo prazo. Caso obtivesse sucesso em suas teses, certamente significaria um ótimo incremento na qualidade de vida de Bob e Julia.

Apesar de tantas dificuldades, a abordagem dos Firmlegs no *habitat* virtual das Plêiades funcionou – Bob e Julia superaram a ideia da morte. Todavia, isso não serviu para aumentar a racionalidade deles e, consequentemente, para que Billy cumprisse com os propósitos da pesquisa vinculada ao Instituto SETI de transmissão hexadimensional de suas respectivas ondas F. Ainda assim, manteve ativo um leque de simulações apenas como parte de sua proposta metodológica com fins terapêuticos. Afinal, dispunha de uma infinidade de clones para usar aquém dos vínculos que mantinha com Zabarov II.

Como se não fossem poucos os traumas vividos pelos Firmlegs, ao superarem a ilusão da morte, outra paranoia acabou manifestando-se. Uma nova ilusão que custou o suicídio e a loucura de muitos clones abortados até que fosse superada. Eles passaram a desenvolver a ideia de que: *se* a família não havia morrido naquele episódio com o avião nas Bermudas, *se* o local onde estavam não era o inferno e sim uma Terra paralela habitada por alienígenas, isso só podia significar que haviam sido abduzidos pelos tais "seres quânticos" e trazidos à revelia ao tenebroso *habitat* onde estavam. E se eles haviam sido trazidos para esse novo mundo, então deveria existir um meio de retornar para seu velho mundo, ou seja, para a Terra conforme recordavam.

Naturalmente, Bob e Julia não externavam esse temor na frente dos filhos, muito menos dos alienígenas, apenas conversavam entre si quando a sós ou recolhidos no quarto. Mas como Billy monitorava seus pensamentos, foi perspicaz em trazer o assunto à tona em uma das sessões de terapia que conduzia sob o *skin* de Diana. Primeiro, em uma sessão envolvendo apenas Bob, com os dois sentados frente a frente, em cadeiras personalizadas para seus respectivos corpos, no interior do disco--ambulatorial feito de consultório.

– Tenho notado que ti e tua esposa têm se distanciado do convívio comigo. Alargam-se duas semanas sem conversarmo-nos. Também têm evitado contactar Ipsilon. Capto certa rispidez para conosco – disse a simulação de Diana.

– Rispidez nenhuma, imagine... – negou Bob.

– Compreendo que talvez não estejam plenamente conscientes da mudança em vossa conduta, mas o trato para conosco já não é mais o mesmo desde quando visitaram as ruínas da Disneyworld.

– Não mudou nada – alegou Bob, lacônico.

– Percebes? Estás irritado. Lembra-te: posso captar tua aura, vejo claramente teu ânimo em baixa. De tua esposa idem.

– Impressão sua.

– Impressão? Se ontem tu te altercaste com Noll e o ofendeste?

– Eu não ofendi ele!

– O chamaste de "alienígena".

– E não é isso que vocês são? Alienígenas?

– Não, somos pessoas como ti. Mas a palavra não importa, triste é a conotação racista como a empregaste.

– Ora! Se não são vocês que nos tratam como seres de segunda classe aqui – disse Bob, mal-humorado. – Como animais.

– Nós já conversamos sobre isso, lembra-te? Que pouco importa o patamar que ti ou tua família ocupam. Estou convicta do sentimento que paira em ti, mais do que em Julia, e percebo que estás exercendo uma influência negativa sobre ela.

Bob sentiu-se ofendido com a acusação, seu semblante comprimiu-se atrás da barba. Ele respondeu com grosseria:

– Você sabe de tudo, não sabe? Vocês espionam a gente. Então diga: que sentimento é esse? Vamos, diga!

– Raiva. Raiva de nós, dos "alienígenas" – revelou Diana/Billy. Então questionou: – Estou enganada?

Sentindo-se desafiado pela postura que lhe transparecia prepotente, Bob surtou. Sim, a médica estava correta, era raiva que sentia. Muita raiva. Raiva por terem abduzido sua família para esse inferno onde estavam, por sentir-se emasculado e destituído do controle sobre seu destino, por ter tido sua vontade traída, sua existência expurgada, seus sonhos roubados por criaturas monstruosas e manipuladoras, travestidas em uma imagem que sequer saberia dizer se não seriam de fato demônios.

Bob enrijeceu-se na cadeira e, de forma agressiva, aproximou sua face da alienígena à sua frente, fuzilando-a com os olhos, mas limitou-se a se expressar pela típica pirraça hominídea que, por trás da máscara de Diana, a Billy não enganava:

– Se já sabe a resposta, por que faz a pergunta? Quer me torturar? A mim, a minha família? Ora, diga logo que vocês nos pegaram para fazer uma experiência, para se divertirem conosco ou sei lá. Diga o que querem com a gente, o que farão conosco, sua... – "puta", era a palavra que vinha a seguir na seleção mental de Bob, mas Diana/Billy o interrompeu:

– Nós não o trouxemos até aqui. Possuis suficiente bagagem de aprendizado, com tudo que Ipsilon já lhe ensinaste, para saberes que nós sequer precisaríamos trazê-los para cá. Hominídeos não faltam para fazermos experimentos caso realmente quiséssemos. Lembra-te do caso do aviador japonês que sofreu um acidente similar ao de vossa família no passado? Precisas aceitar que tudo foi um grande infortúnio.

Bob irritou-se com a passividade da médica. Levantou-se da cadeira subitamente e, com cólera na face, apontou o dedo no rosto de Diana/Billy, elevando sua voz ao falar:

– Infortúnio uma ova! Vocês nos abduziram, nos trouxeram para este inferno, destruíram nossas vidas e agora... – Mas engasgou, arregalou os olhos em uma expressão de dor e gaguejou: – E-e agor... A-go... – Então levou a mão ao peito e começou a desvanecer.

Na monitoria aos clones em paralelo, Vigil alertou:

– Batimentos alterados. Ele está fibrilando.

– Ah, não... – expressou Billy.

– Estado irreversível. Autorização para abortar?

– Autorização concedida.

– Conexão *Self* desfeita.

– Declarado óbito: clone 8.280.306 pré-Vinland.

– Registro final datado em 121 *di* Verano 28h66m96s-marte.

– *Backupear* memória.

– Memória salva.

– Aplicar estado *Kelvin*.

– *Kelvin* aplicado. Ondulação *F* preservada.

– Endereçar a Plasmópolis D.C. Instituto de Balística, Setor Avançado. Gunstation, Titã.

– Massa endereçada e encaminhada.

– Requisitar novo clone.

Feita a requisição, um segundo par de Billy e Vigil assumiram a pesquisa em um plano proxidimensional:

– Clone Robert Firmleg nº 8.280.307 disponível – anunciou Vigil.

– Recarregar memória.

– Memória recarregada. Sugerir nova abordagem.

– Abordagem estabelecida.

– Reiniciar experimento.

– Experimento reiniciando.

Ao último comando, Bob retomou sua consciência no exato instante em que Diana/Billy dizia:

– Nós não o trouxemos para cá. Possuis suficiente bagagem intelectual para discernir que a culpa que diriges a nós é apenas uma expressão da raiva que o acomete por sentir-te preso aqui.

– Vocês nos prenderam aqui – acusou Bob, mas recuou, amoldou-se na cadeira e tomou uma postura mais defensiva.

– Não estão presos aqui. São livres para mudarem, se quiserem. Há tantos e tantos locais que podem ir, basta quererem.

– Como a lua onde você trabalha e quer nos levar. Aquele lugar cheio de alienígenas indecentes que fazem sexo ao relento. Minha esposa ficou chocada com o que

Ipsilon nos mostrou... Aliás, que mal conseguimos ver. Como eu poderia criar meus filhos num lugar como aquele? – questionou como se estivesse ultrajado. Mas não era bem assim. Bob apenas não estava sendo sincero. Nem ele, nem Julia. Fato era que ambos ficaram excitados ao assistirem brevemente à acasalação dos paranormais que Ipsilon mostrou como parte de um teste proposto por Billy. Um teste cuja inspiração era a memória de Alexandra, que defendia a ideia de que mostrassem a realidade nua e crua aos Firmlegs. Porém, tímidos e conservadores como eram, nem Bob, nem Julia tiveram coragem de admitir sua excitação um para o outro e preferiram fingir que estavam indignados. Nesse mesmo pernoite, ambos expressaram desejos carnais por seu cônjuge, mas ficaram acanhados e preferiram se masturbar escondidos durante a madrugada.

Diana/Billy deu continuidade ao diálogo:

– Phobos é o único lugar onde ti e tua família poderão viver livremente sem precisarem que cuidemos de vós em tempo integral como aqui na Terra. É lá que ti poderá criar teus filhos sem a nossa presença, que tanto te faz sentir acuado. É lá que eles também serão livres.

– Convivendo com aquelas criaturas esquisitíssimas? Como? Me diga como?

– Mantendo os teus próprios costumes. Não precisam viver *como* eles, apenas aceitarem a conviver *com* eles. Compreendo que seja um imenso choque cultural, mas ao menos estarão em uma cidade, a única que apresenta similaridades arquitetônicas com as metrópoles de teu passado e uma fauna inteligente que, apesar de estranha para ti, possui um folclore heterogêneo passível de inclusão para tua família. Basta que aparte esse medo que ainda carregas no âmago. Um medo que não faz bem nem a ti, nem a tua esposa.

– Ou aos meus filhos.

– Negativo. Teus filhos estão ótimos, basta mensurar suas auras. Billy ainda ressente algumas amarguras pelos amigos que deixou no passado, mas tanto ele quanto Sandy estão felizes com a nova vida.

– E isso é vida? Eu quero minha antiga vida de volta, quero voltar para o passado de onde vim.

– Isso é impossível, Bob. Sabes muito bem. Não tentes iludir-se ou fugir dos fatos. É uma grande fortuna que tenham sobrevivido ao incidente nas Bermudas. Sei que esta não é a vida que desejou para ti ou tua família, mas não transforme a chance que ainda possuem para serem felizes em um infortúnio. Tudo que precisas é aceitar a simplicidade que esse novo mundo oferece.

– Nada será simples aqui. E quando meus filhos crescerem, como será?

– Se permitir que cresçam sem o medo que ti e tua esposa ainda nutrem, eles terão uma vida perfeitamente normal em Phobos.

– Sua noção de "normal" é bem diferente da minha.

– Só em Phobos vocês poderão possuir uma casa, ter acesso a objetos materiais gerados por um feixe-plasmático e até cultivarem alguns alimentos. Seus filhos poderão estudar em uma universidade e trabalhar no instituto lá sediado. De lá, poderão passear em Marte ou até viver no planeta, nos novos espaços que estão sendo disponibilizados. Enfim, serão livres. Mais livres do que aqui. – Eram afirmações ilusionistas, mas que poderiam ser desenvolvidas como parte da realidade virtual em andamento. Não obstante, refletiam algumas das reivindicações que Billy planejava viabilizar na esfera política de Phobos em sua continuidade atual.

– Eu não tenho tanta certeza – duvidou Bob, já calmo, exibindo uma aura esperançosa.

– Viver em Phobos é a melhor opção disponível. A menos que prefiras viver com tua família para sempre nesta praia ou em outra localidade aqui mesmo na Terra, apenas observando a vida dos quânticos e visitando sítios arqueológicos de um período que jamais retornará. Condenados a viverem como nômades conforme a civilização se apropria do pouco de natureza ainda disponível neste planeta, como este canto de praia aqui.

Bob não fez nem que sim nem que não, mas ele não estava intimado a responder imediatamente. O importante era que a ideia estava plantada em sua mente com boas perspectivas de render frutos. Por isso Diana/Billy encerrou a sessão. Em paralelo, Billy trocou algumas impressões com seu colega Vigil:

– Ótima resposta. Ele superou a fase da raiva.

– Podemos classificar a nova etapa como *negociação* dentro da escala klüberrossiana. – Uma escala que mede o sofrimento.

– Positivo. Espero que possa avançar para a *aceitação* sem novamente regredir às etapas anteriores.

Apesar do significante avanço demarcado pela superação da ideia de que estavam mortos – ou que haviam sido abduzidos por alienígenas –, ficava cada vez mais claro que o grande tabu do tratamento de Bob e Julia era a manutenção da imagem dos filhos como as crianças que o casal ainda acreditava serem. O grande desafio era saber como revelar aos antigos pais que ambos haviam evoluído sua condição existencial para a mesma daquela estranha espécie que habitava esse hostil mundo que os oprimia.

Billy não sabia, em princípio, qual a melhor estratégia para quebrar esse tabu. Em função disso, ocorreu-lhe algo que ainda não havia considerado: que antes de ter evoluído sua condição existencial de homem para homiquântico e, subsequentemente, de homiquântico para quântico, ele realmente não conhecia seus antigos pais tão bem quanto no contínuo. Afinal, em sua dimensão ultrapassada, era apenas um infante, não podia ler mentes ou compreender tão profundamente a personalidade dos pais. E agora que havia evoluído de condição, jamais poderia retomar o ponto de vista ultrapassado para tentar entender seus pais pela perspectiva de sua própria espécie. Por outro lado, se não podia voltar a ser hominídeo, podia, ao menos, tentar observá-los *como* hominídeos e, através dessas observações, tentar extrair conclusões que jamais poderia obter estando os objetos alijados de seu *habitat* natural. Em outras sinapses, Billy queria observar a vida de seus pais como ela se conduzia na Terra do passado. Para isso não bastava reler ou mesmo gerar uma simulação a partir da memória deles – até porque já havia realizado isso inúmeras vezes sob os mais plurais ângulos de análise. Billy queria saber como seriam seus pais caso o incidente nas Bermudas jamais tivesse ocorrido, como se eles ainda vivessem em Miami. Só assim poderia analisar a personalidade deles longe das figuras traumatizadas e deprimidas que restavam na nova realidade. A mesma dúvida pairava sobre si mesmo: como seria o Billy nessa hipotética continuidade ultrapassada? Quais lições poderia extrair observando a família que pudessem ser úteis para influenciar o comportamento deles e levantar seus respectivos espíritos? Como ele agiria com seus pais ou reagiria em uma situação de estresse se ainda fosse hominídeo?

Tais respostas, de acordo com as lições de Ipsilon, já estavam em curso. Há de se lembrar que nem todos os aviões nos quais a família Firmleg viajava foram vítimas do incidente nas Bermudas. Muitas réplicas dimensionais daquele mesmo avião e respectivos tripulantes haviam, estatisticamente, completado a viagem com segurança até Miami e seguiam com suas vidas sem a mínima noção de que existissem mundos paralelos – inclusive James Kelly estava vivo nesse pretérito perdido. Mas como não podia retornar ao passado ou mesmo observá-lo de tão distante futuro, restava a Billy fazer a única coisa que podia fazer, que era o mesmo que vinha fazendo até então: recriar essa ultrapassada Terra em uma simulação sensorial não só na mente de seus antigos genitores, também de seu antigo eu.

108

Para Billy, recriar a vida ultrapassada da família Firmleg na Terra em uma realidade virtual não parecia tão complexo. Em tese seria até mais simples do que recriar Phobos ou a Terra em sua atualidade quântica, pois lidaria com uma paisagem bastante familiar. Porém, na prática, a nova empreitada esbarrava em algumas questões técnicas, além de certos inconvenientes. As questões técnicas poderiam ser contornadas com dedicação e reforço multividual. Em termos gerais, resumiam-se em dois aspectos: o desenvolvimento dos personagens para compor a nova realidade virtual e a criação do próprio cenário em si.

A questão do cenário girava em torno da lacuna de modelos da sociedade terrena do ano 1978 d.C. Quase a totalidade dos modelos tridimensionais disponíveis que Billy pesquisou de sociedades humanas do período pré-histórico retratavam o auge de sua civilização, ou seja, entre o ano 2010 até o Armageddon, datado em 2033 d.C. – cujo marco era A Guerra dos Seis Minutos –, ainda assim, eram modelos bastante inacabados. Muitas informações do período, tais como mapas censitários, políticos, socioeconômicos, urbanos e culturais, resumiam-se a isto: informações – não bastasse, incompletas. Isso se dava porque a maior parte do conhecimento humano relativo à pré-história, especialmente do período que Billy carecia de maiores detalhes, havia se perdido após o holocausto provocado pela Guerra dos Seis Minutos. Por outro lado, conquanto não existissem cenários já modelados da Terra de 1978, registros fósseis da pátria natal dos Firmlegs eram abundantes, pois o continente norte-americano foi, em grande parte, preservado em gelo após o cataclismo de 2033. Ocasião em que o hemisfério norte do planeta foi atingido por uma onda supersônica de vapor *Kelvin* gerada pela explosão de uma bomba de hidrogênio sobre a calota polar, em simultâneo ao impacto *laser* emitido por um disco-gravitacional bélico hominídeo de origem estadunidense. Disco esse que tentava destruir a bomba, mas a ativou por acidente. Pela mesma física, uma parte da Europa e do norte da Ásia também foi preservada quando o gelo se assentou sobre tais continentes. Entretanto, na maior parte, preservaram ruínas devastadas pelos ataques nucleares efetivados durante os seis – e alguns poucos mais – minutos de duração da guerra, na janela aberta entre a corrida da onda de gelo vinda do norte *versus* o percurso executado pelos mísseis balísticos até seus respectivos alvos.

Quanto ao restante do mundo pós-Guerra dos Seis Minutos, parte de sua memória foi apagada conforme os contingentes sobreviventes sucumbiam aos espólios ambientais e sociais decorrentes da batalha até que conseguissem reorganizar-se em torno da ideia de colonizar Marte. Como Marte foi colonizada a partir do Brasil, a memória desse período – aquela que viria ser recontada no novo planeta – era bem brasileira e africanizada. Os principais redutos humanos sobreviventes que lograriam alcançar Marte vinham do Brasil, da África Central e do Sul, ou seja, dos continentes que resistiram à guerra e às mudanças climáticas.

Quanto ao restante da civilização, o pouco que restou de sua história foi o que contaram brasileiros e africanos ou constavam nos registros fósseis, especialmente pela visão americanizada retratada pelos sítios preservados na América do Norte – esses bastante úteis para Billy. Os dados do período apresentavam enormes lacunas sobre as nações orientais, especialmente a China, que foi vitrificada pelo assalto *laser* vácuo-terra dos Estados Unidos. Ou de nações que desapareceram tragadas pelos mares e a série incessante de tsunamis que, durante décadas, elevou o nível das águas e fez naufragar os arquipélagos japonês, polinésio e australiano. Não bastasse, do pouco que havia sido preservado após a raça humana fixar raiz em Marte, com o avançar dos horizontes e o desenvolvimento tecnológico, essas informações foram transcritas para arquivos virtuais armazenados na consciência cósmica, e boa parte foi perdida com o Apagão Marciano quando o feixe-solar foi desativado durante a Guerra da I.A.

Essas lacunas não conferiam empecilho para Billy. Ele só precisava recriar os cenários que constavam na memória dos clones que requisitou, incluindo o seu, o Billy hominídeo. Problema seria se, ao ativar a simulação, Bob resolvesse viajar para a China ou para a Austrália, então teria de modelar um cenário por si mesmo por meio das informações que dispunha. Mas, começando pelo princípio, o ponto de partida para construção do cenário nada mais era do que seu ambiente privativo, ou seja, a casa onde vivia com sua antiga família em Miami. Bastava expandir o mapa ao redor até cobrir o planeta por completo. Esse foi um momento de espanto para o modelador ao descobrir que a memória de sua ex-família cobria uma área total que não ultrapassava 0,0001 *per mile* da superfície do planeta Terra, fator que, ao menos, demonstrava que a maior parte das informações sobre o período em que os Firmlegs viveram sequer seriam necessárias. Ao remodelar a memória a partir do repositório disponível no cérebro dos clones em uso, o restante do cenário era completo por algoritmos e arquivos de lote que carregavam modelos disponíveis e geravam ambientes ou personagens automaticamente. Por exemplo: se Julia resolvesse tocar a campainha de uma vizinha que não conhecia em uma casa que nunca viu por dentro, da qual não constassem quaisquer registros do imóvel ou de seus moradores, havia um programa para gerar essa casa e um ou mais *bots* para emularem seus moradores.

Desenvolver esses *bots* para que não se parecessem meras versões distintas de pessoas que já constavam na memória da família provou-se mais complexo do que se supunha. A dificuldade girava em torno da falta de referências mais detalhadas sobre a personalidade do homem pré-histórico em aspectos mais heterogêneos e pessoais. Muitas referências remetiam aos estudos zumbiológicos entre o período da descoberta dos fósseis estadunidenses por parte da sociedade paranormal até o fim das sociedades zumbis na Idade Moderna, ocasião das insurreições zumbis contra os homiquânticos. Porém, a maior parte dessa memória estava em Marte, inclusive em Phobos, e foi perdida com o Apagão. Os *backups* mentais dos zumbis apresentavam uma soma baixa, que girava na casa dos milhões, muito pouco para retratar uma civilização que contava bilhões de hominídeos. Em se tratando da população que habitava locais de referência ou pessoas de interesse, ou seja, que compunham o rol de socialização dos Firmlegs na Terra de 1978, ou mesmo de amigos e parentes, não havia nenhum. A única exceção era Sandy e sua respectiva família de quando adulta, em 2033. Na construção de sua história-continuada pela linha que ultrapassou a Guerra dos Seis Minutos e derivou na atualidade, Sandy vivia com a família em Charlotte, na Carolina do Norte, onde morreu fossilizada em gelo enquanto dormia. Mas essa versão da Sandy adulta em uma Terra perdida não era muito útil. Mas não por isso Billy deixaria de pesquisar sua vida a título de curiosidade e referência para gerar um *bot* dela em sua nova virtualidade. Não havia registros de Billy desse período, exceto os que constavam na memória de Sandy. E tal memória indicava que ele teria morrido na Europa, pois era um piloto da aeronáutica que servia em uma base militar turca na época da guerra. Em suma, os registros eram poucos, mas suficientes para dar início à nova etapa de trabalho.

Aquém das dificuldades técnicas, o maior inconveniente ao inserir sua ex-família no cenário da Terra de 1978 era ter que lidar com o clone de si mesmo, pois em dado momento de sua pesquisa retroativa, Billy teria de aplicar eutanásia à sua versão psíquico-hominídea ou, na melhor das hipóteses, estender a vida dos clones pelo período natural de sua longevidade e observar sua procrastinação e morte. Como cientista, precisava ser frio para não interferir no destino de seu clone na simulação. Mas para ter certeza de que a ética do experimento não seria ferida, Billy fez uma concessão para Vigil, seu principal colega de pesquisa:

– Deixo-te a cargo de encerrar o experimento assim que o mesmo cumpra seus objetivos.

– Se assim preferes – concordou Vigil.

– Ignore qualquer ordem minha, caso eu queira estender a pesquisa além do necessário ou atente para mudar as regras que delineiam a realidade virtual.

– Quais regras?

– Da longevidade e da mortalidade, especialmente.

– Compreendo. Ficamos assim combinados, então.

Outro inconveniente para Billy foi, em dado momento, cogitar a hipótese de, em vez de utilizar um *bot* para representar Sandy na nova simulação, utilizar seu clone. Porém, foi só veicular a ideia entre os parceiros de pesquisa que ela vazou para a phobosnet. Em resposta, antigos seguidores de Alexandra residentes em Phobos apareceram para repudiar a iniciativa. Em função disso, Billy optou por não entrar nessa seara, assegurou publicamente que não perseguiria essa hipótese e, em respeito à memória de Alexandra, deixaria o clone da Sandy hominídea longe de seus experimentos.

– Em tomar tal decisão, muito bem fazes – comentou Xavier em súbita reaparição, e acrescentou: – Pena que o futuro não a ratifica.

– Super? Que bom reconectá-lo mais uma vez – respondeu Billy. – Mas por que afirmas isso?

– Compreenderás em breve. Apenas siga minha visão, sim?

– Claro, aonde vamos? Ou para *quando* me leva?

Sem precisar quando ou onde, Xavier tergiversou:

– A conferenciar com um grupo de cálculo em trajetória gravitacional, estive. Veja que magnífica imagem simulamos. – O ente, então, compartilhou a visão de um belo peixe nadando em águas marcianas. Parecia um salmão, embora sua textura fosse plasmática, similar à cartilagem de um tubarão com pele policromática. Xavier classificou o peixe como um aqualeão-marciano, depois continuou sua descrição: – Calculamos o trajeto da ondulação *F* de Alexandra depositada em Phobos, observamos sua absorção pela espiral cíclica da Gaia e determinamos sua jornada de fertilização. O cálculo demonstrou que ela seria absorvida pelo fluxo nuclestelar de Marte, onde retomará a vida. – Finda a descrição, Billy compreendeu seu significado:

– Então esse peixe é... Mas é...? – hesitou, incrédulo com o significado da visão. Xavier completou seu pensamento:

– Sim. Essa é Alexandra em cerca de 1,7 milhão de anos-marte.

– Incrível! Tem certeza?

– É somente uma projeção, mas bastante precisa.

– Isso se existir água em Marte daqui a 1,7 milhão de anos.

– Eis a questão.

Apesar da aparente boa notícia, Billy notou na aura de Xavier que não era esse o real motivo de seu súbito retorno depois de certo horizonte de ausência, coincidentemente, quando estava prestes a iniciar seu novo experimento virtual. Podia pressentir que Xavier queria lhe mostrar algo mais, então perguntou:

– Mas era isso que queria me mostrar?

Antes mesmo que o ente respondesse, logo Billy percebeu que não estava errado.

– Esta imagem foi apenas para ilustrar-te que sempre há uma continuidade para aqueles que nos deixam, que há de se aceitar seus destinos para que não te procrastines no luto – mentalizou Xavier em tom solene; ensaiava introduzir algo importante. Ele mirou Billy nos olhos demandando atenção e anunciou: – Observe com calma a minha visão. Não se afobe ante as imagens, as respostas virão, a compreensão se fará – pediu.

Apesar da expectativa criada com o pedido de Xavier, a visão que ele formou no dimensioscópio era mais do que familiar para Billy: um recorte do Instituto Zoológico de Phobos em uma de suas incontáveis células de trabalho e pesquisa. Porém, pela vista ao fundo vítreo, dava para notar que ficava em uma ala bem distante da que costumava frequentar. Uma célula praticamente idêntica àquela onde os clones de seus antigos pais jaziam. Porém, ao invés de dois corpos no recinto, havia apenas um: o corpo de um quântico. Outros dois quânticos trajados de médico estavam presentes na sala em torno da mesa junto ao corpo ali deitado. Mas ao contrário do que era de praxe em um instituto onde tudo é acompanhado e observado virtualmente por uma plateia ou uma bancada de cientistas, não havia mais ninguém conectado àquela sala. De fato, aquilo que se passava ali estava protocolado sob sigilo médico. De alguma forma, Xavier sobrescrevia-se sobre o sigilo através de seu dimensioscópio enquanto Billy ainda tentava entender o significado de tal visão.

Um dos quânticos trajado de médico postava-se na cabeceira da mesa, com as mãos estendidas e espalmadas em torno da cabeça do quântico sobre a mesa, movendo ligeiramente os dedos como se interagisse com seu cérebro. Era um paciente ali deitado, não um corpo, mas um quântico em estado de torpor, submetido a um procedimento cerebral. O outro quântico apenas observava a cena como se fosse um monitor; ele não era médico, mas sim um zoólogo. Sua presença no local era apenas residual, estava incumbido de fiscalizar a operação em andamento. Tratava-se de alguém que Billy jamais captara antes e atendia pelo totem Varella. Quanto à pessoa executando a operação, ao captar sua frequência mental, enfim começou a compreender o porquê da visão partilhada por Xavier: era Diana, sua ex-mãe recreativa. Era ela a médica incumbida pela operação. Já a paciente – pasmou Billy – era Sandy! Não tinha como deixar de reconhecer aquela frequência mental, era ela mesma.

A princípio, ficou sem entender o que estava acontecendo: o que Diana estaria a fazer com Sandy? Mas, conforme alertara o ente, as respostas vieram. Sandy estava lobotomizando sua mente, estava apagando suas memórias e quaisquer referências sobre sua preexistência hominídea. Ela estava deixando de ser a sua gêmea.

Por um instante, Billy se revoltou com a situação, especialmente pelo que parecia caracterizar-se como mais uma traição de Diana. Ele fez menção de contatá-la imediatamente no intuito de impedir que aquilo se consumasse, mas o ente interferiu:

– É o passado que observas – alertou Xavier. – O futuro de Sandy já está consumado.

– De quando é esse futuro?

– Aguarde e compreenderás. Apenas observe, capte meu sentimento.

Billy captou. Com apreensão e tristeza, mas compreendeu tudo. O sentimento de Xavier era sincero e cristalino, sem margens para dúvida. Não havia espaço para revolta, nem para culpar Diana, pois também podia captar o sentimento dela e perceber que, apesar de ser a autora da lobotomia de Sandy, não estava feliz ou de acordo com o que estava fazendo. Com amargura, Billy observou a médica enquanto realizava a lobotomia de sua gêmea, da ex-irmã que não mais o reconheceria como tal, nunca mais. Ao terminar o procedimento, Diana dirigiu-se para o resíduo do tal Varella:

– O bloco de memória está isolado.

– Criptografar – ordenou Varella.

– Criptografia aplicada. Assinatura do procedimento implementada.
– Obrigado. Ativar ambiente privativo.
– Diana retirando-se. – Ao retirar-se, ela fez um último carinho em Sandy.

Ao deixar a sala de operação, Diana deixou Varella a sós com Sandy em seu ambiente privativo para que o zoólogo executasse o comando que concluía a lobotomia dela: esconder a pasta com suas memórias hominídeas e quaisquer lembranças correlacionadas, movendo-a para um subdiretório oculto em algum ponto de um de seus lóbulos robóticos. Porém, embora Xavier pudesse burlar as restrições privativas do zoólogo, ele não permitiu Billy captá-lo para saber qual seria o endereçamento atribuído a tais memórias. Ao invés disso, o ente chamou atenção para um detalhe:

– Apenas grave a frequência mental que ela emite. – Referia-se a Sandy, embora, a essa altura, ela sequer fosse Sandy mais. Sua intenção era clara: Xavier estava fornecendo para Billy a nova identidade dela, não seu novo totem ou seu protocolo da cosmonet, mas a sua vibração como ente vivo. Estava criando a possibilidade de, em um horizonte incerto que talvez jamais alvorecesse, Billy voltasse a captar tal vibração. Ele estava concedendo a Billy a esperança de um dia reencontrar aquela que havia sido sua gêmea e, apesar de ser outra pessoa nesse contínuo em diante, de certa forma, sempre seria.

Ao término da lobotomia, a visão de Xavier avançou para um futuro próximo, mas em um ponto em que, para o observador, já se tornara passado. Instante quando a nova pessoa emergida do que restava da mente de Sandy recobrou sua consciência e foi recepcionada por um robô incumbido de dar-lhe alta e escoltá-la pelo instituto até que tomasse seu rumo. Nesse instante, Xavier interrompeu a visão.

A partir daí, ainda atônito com a novidade, Billy debateu a situação longamente com seu super até que não restassem mais dúvidas sobre o contexto que derivou na decisão de Sandy. Billy compreendeu não só por que Xavier era o único que apoiava a escolha dela, mas entendeu a própria escolha feita por ela e, da mesma forma, o suicídio de Alexandra. Ainda que essa compreensão trouxesse uma inevitável tristeza e um sentimento de impotência por não mais poder influenciá-la, o suicídio de Alexandra condizia com alguém cujo norte era sincronizar-se com uma pessoa que queria esquecê-la – era um amor platônico. Alexandra fez jus a Sandy que lobotomizou sua mente, pois uma vez que sua personalidade mais evoluída não queria trazê-la na memória, o melhor que poderia fazer para contentar sua personificação futura era o mesmo que ela ao apagar suas lembranças, ou seja, apagar sua existência. Se uma preferiu o epistemicídio, outra se resignou ao suicídio. Ela não seria feliz se fosse obrigada a viver como homiquântica, sua vida em Phobos seria como uma eterna prisão, e o suicídio a libertou. Era perfeitamente racional sua decisão, não havia outra que pudesse tomar, nem que fosse para tornar-se um mero peixe em um futuro bastante remoto.

A escolha de Alexandra pela morte era a mesma de Sandy pela lobotomia. Porém, para Sandy, fosse quem fosse após a lobotomia, cumpria-se a vontade de alguém que sonhara em ser um quântico como outro qualquer, um quântico que somente Xavier podia captar, pois podia ver o futuro, não apenas um, e sim um vasto leque de vertentes – embora estivesse proibido e tivesse o dever honroso de não revelar para Billy. Agora, Billy podia compreender tão bem quanto Xavier o quão honrosa fora a escolha dela. Todavia, seria igualmente honroso se Sandy optasse por seguir sua vida anterior apesar dos agouros. Longe de qualquer covardia, sua decisão era, sobretudo, infantil. Fruto de uma mente ou de uma psiquê oriunda de uma espécie, em comparação à quântica, pra lá de infantil. Por essa infantilidade que também era presente na mente de Billy, como parte do hominídeo que um dia foi, que Xavier estava partilhando esse segredo.

– Obrigado, super. Sinto-me mais leve agora.

– Não seria justo mantê-lo na ignorância dos fatos. Porém, ainda há algo mais que precisas tomar ciência.

– O quê?

Xavier referia-se a um fato que se faria presente em um futuro bastante próximo, mais próximo do que Billy poderia supor, mas foi para o passado que guiou sua visão. Para ser preciso, para o instante em que ele, Xavier, havia tomado conhecimento da decisão de Sandy em lobotomizar-se e as inúmeras tramoias que ela elaborou junto a Varella. Mostrou as liminares que ela perpetrou no âmbito jurídico para censurar quaisquer informações sobre sua decisão[18], tanto para Billy quanto para a consciência cósmica.

Sobre tais liminares, que inclusive impediam seus ex-pais recreativos de revelarem a verdade para si, Billy questionou:

– Mas você também não deveria acatar essa liminar?

– Certamente. Todavia, só a mim a escolha de acatá-la ou não, pertence.

– Não teme sanções? – questionou Billy, pois, claro, o fato de Xavier ter revelado tudo contrariava a liminar perpetrada por Sandy. Porém, como Sandy sequer existia mais, o ente não temia qualquer sanção.

– Se Varella vier a tomar ciência desta conversa, talvez. Mas qualquer futuro em que isso se caracterize, não capto.

O intuito da nova revelação de Xavier, todavia, era outro. Precisava comunicar que Sandy havia deixado uma herança, um robô biográfico com sua memória origi-

---

[18] Conforme narrado em *Abdução, Relatório da Terceira Órbita*, capítulo X.

nal – excluindo sua decisão de lobotomizar-se, obviamente – a robô Sandy, a qual, infelizmente, mantinha Billy bloqueado. A robô Sandy também estava programada para confirmar a história que, para irônica compreensão de Billy, nesse exato contínuo, a *Mídia* anunciou:

– Sandy é dada como morta em Júpiter: a famosa alienígena-extradimensional está desaparecida há 17,03 dydozens desde que mergulhou em uma sessão de *cloud-surf* no mar Nublar, fronteira marítima de Eletrodopolis.

Por curiosidade, Billy abriu um foco para se inteirar da notícia, ou melhor, do que então sabia tratar-se de uma grande farsa. Em paralelo, Xavier sentiu-se aliviado ao captar o sentimento de Billy perante a novidade. É claro que ele já havia previsto essa reação, mas entre prever e realizar existe uma angústia que só se desfaz quando uma visão do futuro finalmente se consuma em pretérito. Porém, esse alívio, sobretudo, remetia a si mesmo, pelo acerto em sua decisão, mesmo que isso custasse um pouco da ética que devia à memória de Sandy e o fato de ela ainda ser sua pupila sob a nova identidade, por ter descumprido sua promessa de não revelar para Billy sua decisão de lobotomizar-se. Todavia, seria igualmente antiético manter-se fiel a uma promessa para alguém que sequer se lembrava de tal promessa – que jamais saberia que a mesma fora quebrada – enquanto assistiria passivamente a angústia de Billy caso a verdade não lhe fosse revelada. Não seria justo obrigá-lo a viver um luto – mais um – por alguém que não havia morrido, por uma teatralização ou uma "decisão judicial". Tudo que pensou e repensou em seu retiro, diante da leveza com que Billy captou a farsa emitida pela *Mídia*, confirmava a sua escolha. Se não correta, pelo menos a escolha mais ética que poderia ter tomado.

A partir desse instante, só restava observar o futuro para saber como Billy exerceria a sua própria ética para lidar com a decisão de Sandy. Por isso, antes de encerrar a conversa, Xavier preconizou:

– Em diante, a farsa elaborada por Sandy cabe a ti aceitar ou à *hashtag* #sandynãomorreu, aderir.

109

Billy aderiu à *hashtag* #sandynãomorreu com todo furor, printou-a em seu cérebro e montou um autêntico diretório de combate à falsa notícia sobre a morte de sua gêmea. Tão logo foi abordado por seus contatos oferecendo condolências pela suposta morte de Sandy, sequer aceitou ou agradeceu os pêsames que lhe foram endereçados, confrontou a todos afirmando que:

– Sandy não está morta. Ela assumiu uma nova identidade para fugir da memória hominídea que carrega em si.

A reação inicial de Billy foi um choque para a consciência cósmica. Naturalmente, sua afirmação foi compreendida pela classe psiquiátrica como uma manifestação catártica de negação da realidade. Porém, logo começaram a surgir boatos de que Sandy estaria viva e a posição de Billy passou a ser aceita por muitos seguidores. Com isso, a *hashtag* #sandynãomorreu navegou como *trendtop* por largo horizonte. A controvérsia foi tanta que a *Mídia* cercou Billy de todas as formas, buscando obter alguma evidência que corroborasse suas convicções. A insistência da *Mídia* foi tanta que Billy se viu obrigado a ceder uma entrevista para uma de suas repórteres. Uma bela quântica de alinhamento feminino que montou plantão contínuo no Instituto SETI em Plutão, até que a concedesse.

Durante a entrevista com a repórter *Mídia*, ela vasculhou o cérebro de Billy sem qualquer constrangimento, varreu suas memórias em busca de teatralizações ou fatos que confirmassem a versão de que Sandy havia assumido nova identidade, mas não achou nada.

– Não encontrará evidências em meu cérebro. Quaisquer informações relativas à decisão de Sandy estão resguardadas em âmbito privativo. E eu me reservo o direito de mantê-las assim – afirmou Billy para a repórter.

– Então como esperas que a consciência cósmica assuma a veracidade de tuas alegações?

– Confiando em minhas sinapses: Sandy não morreu.

– Como podemos confiar em sinapses que recusas a compartilhar publicamente?

– Infelizmente, a decisão de Sandy é de foro íntimo e pessoal. Se ela resolveu assumir esse caminho para ocultar sua nova identidade, não cabe a mim revelar quais foram seus motivos. Até porque eu sequer sei precisamente quais foram.

– A tua afirmação implica que a *Mídia* divulgou uma *fake news*, portanto cabe a mim confrontá-lo a fim de desmistificar qualquer controvérsia em torno da notícia, seja para confirmar sua veracidade ou refutá-la.

– Compreendo perfeitamente o seu papel, mas creio que os dados que dispõe já são suficientes para corroborar minha história. – Billy referia-se ao fato de Sandy não apenas tê-lo bloqueado antes de seu desaparecimento, mas de ter filtrado qualquer menção ou contato que fizesse referência ao seu totem ou de sua ex-família hominídea. Também lembrou a negativação que ela impôs a Alexandra e o quadro psicótico que a acometia como provas que confirmavam sua história. – Alterar a identidade foi o meio que Sandy encontrou para contornar esses problemas – afirmou.

– Mas como ela conseguiu respaldo jurídico e psiquiátrico para lançar cérebro de tal subterfúgio? – insistiu a repórter.

Essa era uma questão fácil para Billy, afinal, já tinha bons conhecimentos socráticos para apontar a exata biblioteca jurídica que respaldava tal possibilidade: os Códigos Jupiterianos. O único texto que englobava o direito ao anonimato ou previa o precedente utilizado por Sandy para alterar sua identidade. Porém, quanto à questão psicológica, limitou-se a afirmar:

– Essa questão não sou eu quem deve responder, e sim a Diana, a mãe recreativa e psicóloga de Sandy.

– Crês que essa possível decisão de Sandy se relacione com o pesar ou a culpa pelo suicídio de Alexandra?

– Não. Ela já havia cortado qualquer vínculo com seus pares phobianos quando tomou essa decisão.

– De que base empírica advém essa convicção?

– Eu me reservo o direito de não responder a essa pergunta.

– Então reafirmas que a *Mídia* foi vítima de uma teatralização? Que a suposta morte de Sandy foi uma conspiração tramada por ela própria?

– Sim. A *Mídia* deveria checar melhor suas fontes antes de veicular informações falsas em vez de ficar aqui, através da sua pessoa, assediando-me ininterruptamente.

– A fonte foi checada e rechecada, trata-se de uma informação fidedigna. Especialmente quando ti negas a fornecer provas de tuas afirmações ou a responder as questões que te fiz. Se não autorizas acesso aos teus dados privativos, essa controvérsia jamais terá fim. Tem certeza de que queres manter essa postura?

– Absoluta! Afinal, não sou eu quem se baseia no testemunho de uma robô. – Referia-se à robô Sandy. – Eu posso compilar quantas robôs de Sandy quiser e recheá-las de memórias fictícias, mas isso não prova que sejam reais. Você não acha no mínimo estranho alguém tão jovem quanto Sandy dispor de uma robô biográfica?

– Não cabe a mim julgar, apenas informar. Trata-se de algo extraordinário, mas longe de constituir-se como uma evidência da veracidade de tuas alegações.

– E não te estranha que a notícia em torno do acidente que vitimou Sandy tenha se originado em Júpiter, o principal foro político de ativistas socráticos dos artigos jupiterianos?

– Repito: isso não constitui evidência para tuas alegações.

– E penso mais: não te parece suspeito que uma quântica tão ativa quanto Sandy, com tantas personalidades e tantas vertentes existenciais comuns a qualquer quântico, estivesse centrada em um único multivíduo no instante em que sofreu o acidente em Júpiter? Um acidente sem ao menos *um* ou poucos pares sobreviventes?

– Não possuo qualquer opinião formada a respeito.

– Quanto à *hashtag* #sandynãomorreu, você mesma verificou que não sou eu o criador, mas sabe partilhar quem a criou?

– Estamos investigando essa informação.

– Pois investiguem. Quanto a mim, não tenho mais informações para fornecer – afirmou Billy, dando fim à entrevista.

– Se assim desejas. Aqui se encerra a entrevista com Billy Firmleg, ao vivo de Seti, décima órbita. Repórter *Mídia offline*.

A atitude e as afirmações de Billy ao negar veementemente a pseudomorte de Sandy também chamaram atenção de Diana, que igualmente foi assediada pela repórter *Mídia* em Phobos, mas negou-se a ceder entrevista ou tecer qualquer declaração que refutasse a notícia ou corroborasse a versão de Billy. Apesar de não mais exercer o cargo de mãe recreativa de Billy, Diana ainda era sua terapeuta e, sem dúvida, a entidade que reunia as melhores referências em torno de sua psiquê. Íntima de sua personalidade, a princípio, Diana interpretou a reação de Billy como uma manifestação renegativista, ou seja, como o princípio de um novo trauma psicológico cujos desdobramentos ainda não podia precisar via simples observação à distância. Em função disso, antes que solicitasse uma consulta privativa com Billy, Diana consultou Xavier. Porém, para seu espanto, o ente foi enfático ao afirmar que a médica estava errada em sua análise:

– As manifestações exteriores de Billy não se relacionam com interiorizações pela escala klüberrossiana classificadas – afirmou o ente.

– Como não? Ele demonstra um evidente quadro de negação da realidade.

– Errado.

Era extremamente incomum Diana duvidar de Xavier, porém, desta feita, teve convicção de que ele estava enganado:

– Não creio. Sobre que bases afirmas isso? O que vês que eu não vejo?

Porém, de maneira igualmente incomum, Xavier fugiu da pergunta, apenas sugeriu:

– Com os próprios sentidos, será melhor que ti mesma capte. Com ele, telecine--se. – Então encerrou o contato.

Sem alternativa, Diana seguiu a sugestão do ente e imediatamente acessou o *link* para contatar Billy. Procurando ser discreta, em vez de dirigir-se diretamente a ele, preferiu tocar a campainha da sua casa em Miami, dessa forma, requisitando uma conferência privativa com seu paciente.

Billy recepcionou Diana com uma aura amena para quem, simultaneamente, emanava certa tristeza com os fatos recentes envolvendo Sandy. Uma tristeza, porém, longe da amargura que Diana conjecturava em uma pueril análise a distância baseada em manifestações exteriores. Os dois trocaram sinapses cordiais e se dirigiram à sala de estar para conversarem mais intimamente, com recíproco olhar fixo através de seus resíduos sensitivos. Nesse pequeno ínterim, da mesma forma como agiu a repórter *Mídia*, Diana escaneou a mente de Billy profundamente, não por evidências que baseassem suas afirmações em relação a Sandy, mas em busca de sentimentos. Todavia, exceto pela amargura que já identificara e era própria de alguém que perdeu um ente próximo, não havia nenhum sentimento aparente que pudesse dar pistas sobre a conduta do espécimen. Pelo contrário, a única emoção que pôde identificar foi uma inesperada aura de cordialidade que, desde quando havia rompido seu laço maternal com ele, não mais havia captado. Billy emanava um sentimento de perdão e condolência em relação a ela, notou Diana.

Nesse instante, a ligação cerebral ainda ausente desde o instante em que Xavier a refutou, enfim estabeleceu-se na mente de Diana, e a luz da compreensão sobre o que se passava na cabeça de Billy fez-se clara e inconfundível.

– Tu tens ciência.

– Sim. E consciência do que fez Sandy e do que você fez com ela – confirmou Billy, sequer formalizando seu perdão em sinapses, pois o sentimento já pairava na transmissão. Os dois apenas se abraçaram com carinho e compartilharam a sincera tristeza que o afastamento de Sandy acarretava em ambos.

A partir daí, Diana exerceu sua posição de terapeuta e os dois telecinaram longamente. *Frades* foi convidado a juntar-se à conversa, já que igualmente compunha o time analista de Billy. A nível psíquico, se a dor de Billy pudesse ser classificada pela escala klüberrossiana, ao menos estava na fase da aceitação. Ou seja, de aceitar a escolha de Sandy como o simples exercício de seu livre-arbítrio, apesar de certa amargura por sentir-se parte influente dessa decisão. Mas se a lobotomia de Sandy não configurava um trauma, *Frades* quantificava um relevante sentimento de culpa na aura de Billy. O robô alertou sobre algo que Xavier já vinha antecipando em suas predições dimensioscópicas a respeito do impacto que a solidão de Billy em relação à sua ex-família traria em sua visão de mundo e nas escolhas que traçaria em curto e médio horizonte. Fatores que seriam objeto de novas sessões terapêuticas e da atenção por parte do time encabeçado por Diana.

Sobre a solidão que Billy passava a vivenciar, Diana lembrou:

– Não te esqueças de que ainda possuis uma congênere em tua lista de contatos: Jeannie, tua antiga meia-irmã hominídea.

– Por pensar nela, é preciso que a alertemos sobre a veracidade dos fatos por trás da *fake news* veiculada pela *Mídia* – afirmou Billy, convictamente. Diana expressou um sentimento dúbio. Por isso Billy justificou: – Pelas mesmas razões que Xavier optou por me revelar o destino escolhido por Sandy.

Diana fez menção de contra-argumentar, porém foi interrompida pela súbita intromissão de Xavier. Como sempre, ele se mantinha invisível no plano de fundo observando tudo:

– Eu me encarrego de revelar a verdade – instituiu.

– Não vejo ninguém melhor para tal tarefa, super – concordou Billy. Através do silêncio, Diana idem. A médica retomou o diálogo com o paciente, mas para abordar uma questão mais prática:

– Pretendes manter a postura de não revelar os detalhes da lobotomia de Sandy para a *Mídia*?

– Sim. Embora creio ser antiética a sustentação dessa falsa notícia, vou respeitar a vontade de Sandy. E quanto a você? Vai aderir à #sandynãomorreu?

– Sim. Mas manterei meu discurso já decorado e oficializado. – A versão de que Sandy havia rompido contato com ela antes de formalizar a decisão de alterar sua identidade, portanto nada sabia a respeito.

– Além de se proteger de quaisquer implicações jurídicas oriundas das liminares cujo respectivo vigor ficaram sob a tutela do tal Varella – completou Billy.

– Perfeitamente. Não por temor de possíveis sanções, apenas para evitar qualquer novo contato com tal repugnante criatura – mentalizou Diana, claramente expressando seu repúdio contra os métodos defendidos pelo zoólogo Varella e o papel que exercera ao influenciar a decisão de Sandy. Frente à abertura da médica, Billy conjecturou:

– E se abrirmos uma nova frente de pesquisa com um clone de Sandy para refutar a tese de Varella e provar que ele estava errado? Com base científica, derrubamos essas liminares, estabelecemos um litígio e revertemos as sanções contra ele. Nós o expulsamos do Conselho Marciano de Zoologia e, de quebra, estabelecemos um ativismo cósmico para denunciar e conscientizar a população cósmica a respeito dos males que a prática da lobotomia cerebral pode acarretar. O que me proferes?

– Billy! – expressou-se Diana como se ainda fosse sua mãe recreativa: – Se não foi ti quem acabou de afirmar que respeitaria a vontade de Sandy? Pois que se respeite a decisão por ela proferida em torno de não aplicar técnicas zumbiológicas com seus clones, ora!

– Sandy sequer existe mais. Quem contestará tal iniciativa? Varella? Se ele também está atrelado à mesma censura que nos impôs?

– A população phobiana contestará. Tens plena ciência disso.

– Ora! São animais, terão de se sujeitar e acatar as decisões do Instituto Zoológico. Ademais, é por uma causa nobre que visa ao bem comum. Tenho certeza de que compreenderão e ficarão felizes ao saberem da verdade e descobrirem que Sandy ainda vive. A *Mídia* certamente apoiaria qualquer iniciativa que objetive elucidar a controvérsia em torno da falsa notícia que paira na rede.

– No instante em que pleiteies esse projeto de pesquisa, terás de expor as hipóteses que o justificam. Expor as hipóteses significa revelar justo o que Sandy escolheu não revelar, bem como nos tornarmos alvos imediatos das ações jurídicas de Varella e suas respectivas sanções.

– Pleitearemos que a pesquisa seja executada sob sigilo.

– Não há precedente legal para isso.

– Tratando-se de Sandy o objeto, e eu o pesquisador-chefe, se não existe precedente para uma pesquisa sigilosa, nós seremos o precedente.

– Admiro tua eloquência e teu propósito, mas creio que jamais conseguirás aval para uma pesquisa de natureza zumbiológica protocolada sob sigilo. Isso vai contra qualquer princípio da ciência, da ética e das normas que regem o Instituto Zoológico de Phobos.

– Se existe precedente legal que autorize a prática de lobotomia cerebral, há de existir um meio para que se conteste sua prática tanto no âmbito da Ética quanto da Medicina, como da Socrática. Se eu conseguir abrir esse precedente, você topa ser minha parceira de pesquisa?

– Topa? – questionou Diana, estranhando o termo.

– Você *aceita* ser minha parceira?

– Ah, sim. Aceito – concordou ela. – Tu e esses teus termos esquisitos – comentou a médica sob uma leve risada.

Assim acordados, Diana e Billy encerraram a sessão. Posteriormente, Billy realizaria novas consultas e conversas sigilosas com seus demais tutores e entes que compartilhavam a verdade sobre a lobotomia de Sandy, incluindo Ipsilon, Noll, Nolly e até Shiva, o mentor de Jeannie, além de *Chorão*, o ex-tutor de Sandy, com quem chorou conjuntamente pela tristeza do afastamento da gêmea. Ninguém jamais contestou sua posição em relação ao caso ou mesmo a decisão de Xavier em revelar a verdade, pois estavam de acordo com ela. Inclusive Jeannie ficou feliz e consolada ao saber que Sandy não havia morrido, e tornou-se mais uma a aderir ao movimento #sandynãomorreu. Porém, Jeannie mantinha restrições quanto ao uso do clone de Sandy como objeto zumbiológico a fim de contestar Varella.

– Por quê? – questionou Billy.

– Porque isso não trará Sandy de volta ao convívio conosco – alegou Jeannie. – Agora somos apenas nós dois, Billy.

– E a nossa ex-família em Phobos.

– Sim. Sem contar os clones que ti vem lançando cérebro para vossos experimentos. Aliás, não crês que já ultrapassa o horizonte para que desistas dessas experiências?

– Não, não creio. Conquanto Bob e Julia permaneçam contínuos, manterei essas experiências, pois elas visam à melhoria da qualidade de vida deles em Phobos.

– Compreendo. Mas não estou de acordo com o uso do clone de Sandy para qualquer que seja o experimento. Prefiro me ater à promessa que fiz a ela.

— Mas você não vai romper relações comigo se eu utilizar o clone dela... — sondou Billy.

— Não, apenas não quero esse peso na minha consciência.

— Entendo — manifestou Billy. Em seguida, com certo constrangimento nas sinapses, questionou: — E por pensar em clones... Você concordaria em me ceder seus clones para a nova experiência que estou iniciando?

Surpresa com a pergunta, Jeannie exclamou:

— Para usares meu *feto* hominídeo em teus experimentos zumbiológicos?! Não! Jamais!

— Por que não? Se me permite questionar...

— Permito questionar, mas jamais *usar* os clones. Não vou trair a promessa que fiz a Sandy, mesmo que ela não seja mais a Sandy de contínuo em diante — respondeu com rispidez Jeannie. Depois duvidou: — Aliás, pra que tu precisas de um clone de um mero feto que sequer possui uma personalidade minimamente desenvolvida?

— Para criar um fato novo e analisar seus desdobramentos.

Jeannie não compreendeu e nem fez questão, apenas negou o pedido e enfatizou que ficaria muito magoada se Billy apelasse ao intelecto cósmico para pleitear o uso de seus clones fetais. Billy, então, apenas justificou:

— Tudo bem, eu posso simular a situação sem o uso do clone. Ele serviria apenas para dar mais vivacidade à realidade virtual que estou desenvolvendo.

A ideia de Billy em utilizar os clones de Jeannie remetia ao experimento de recriar a realidade terrena do ano 1978 d.C., na qual estava inserindo seus ex-pais e seu próprio clone hominídeo para analisar o comportamento do grupo. Um experimento que, de instante, acabava de dar andamento.

As primeiras observações da família Firmleg em seu *habitat* remissivo original, logo percebeu Billy, nada pareciam agregar aos experimentos que já vinha conduzindo nas demais realidades virtuais que havia desenvolvido ou às novas técnicas que vinha aplicando aos Firmlegs em seu cotidiano no zoológico de Phobos. Em seu *habitat* original — mesmo que fosse virtual –, os Firmlegs viviam dentro da zona de conforto que construíram ao longo de seu cotidiano na Terra pretérita: uma família de classe alta que vivia em um dos bairros mais caros de Miami, em uma casa à beira-mar e muito dinheiro no banco para gastar e dar a melhor criação possível aos filhos. Em sua vida ultrapassada, podia-se descrever a família Firmleg como o perfeito exemplo de realização do sonho americano. Algo muito diferente e contrastante dos animais alijados desse conforto e transportados para um mundo destituído das referências às quais haviam se acostumado durante toda vida, fosse o casal em Phobos ou seus respectivos clones. Fato que, justamente, embasava o trauma vivido por eles como Síndrome da Caverna do Diabo[19], agravado pela condição descrita pelo Mito do Vale dos Dinossauros[20].

Como a vida dos Firmlegs era muito confortável no passado, Billy precisava que acontecesse algo extraordinário que quebrasse esse conforto para analisar como reagiria a família diante de uma situação de *stress*. Porém, ainda que tudo não passasse de mais uma simulação, Billy estava proibido de interferir. Nesse específico experimento, seu trabalho resumia-se em desenvolver o cenário e os personagens da maneira mais fiel à realidade de 1978, então limitar-se em observar a interação da família. O máximo que Billy poderia fazer, talvez, era interferir no clima ou, por exemplo, gerar um terremoto, mas isso não atendia aos propósitos da pesquisa, pois redundaria em conclusões artificiais. Ele precisava de algo mais pessoal e que afetasse toda a família ou, ao menos, os três clones envolvidos no experimento – Bob, Julia e Billy. Ou seja, precisava de um drama familiar, e o feto de Jeannie representava exatamente isso.

No curso natural de vida da família Firmleg que permanecia no pretérito, Julia estava grávida de três semanas, mas não de Bob, e sim de Richard, o cocheiro de sua família que vivia em Farmington, cidade natal de Julia. A gravidez aconteceu pouco antes da viagem da família para as Bermudas, essa que seria a última viagem das férias escolares de Billy e Sandy. Porém, essas foram longas férias em que a família fez várias viagens. Em uma delas, Bob e Billy tiraram uns dias para pescar, enquanto Julia levou Sandy para visitar sua cidade natal e passar uns dias com a avó. Foi nessa ocasião que esteve com Richard, manteve relações sexuais com ele e concebeu Jeannie em seu ventre – era o drama perfeito para Billy analisar: a traição de sua mãe e a gravidez inesperada de um homem negro. Como Bob reagiria quando soubesse? Pior, para ele que era racista, como absorveria o choque ao saber que sua esposa estava grávida de um negro? Antes, porém, questionava como Julia reagiria quando tomasse ciência de que estava grávida. Pois ela sequer tinha consciência disso ainda.

Quando voltava das Bermudas, no fatídico voo em que foi teletransportada para o futuro, Julia sabia apenas que sua menstruação estava atrasada, mas jamais imaginava que estaria grávida. Aliás, era justo por isso, o fato de Julia ainda não ter consciência da gravidez, que Diana optou por retirar o feto dela para que o mesmo fosse gestado no útero bioquântico, assim dando origem à versão quântica de Jeannie. Isso também embasava o motivo de Billy querer utilizar o feto de Jeannie na simulação

---

[19] A *Síndrome da Caverna do Diabo* foi descrita e embasada pela doutora Diana na obra *Adução, o Dossiê Alienígena*.

[20] Psicopatia identificada por Diana no capítulo XII.

da Terra pretérita, para dar continuidade à gravidez que Diana privou Julia de gestar. Mas nem era necessário, pois bastava simular a gravidez. Sequer precisava de Jeannie, apenas do drama que sua concepção representava naquele distante passado.

Porém, se, pelo lado experimental, a gravidez de Julia constituía o drama perfeito para sua análise, pelo pessoal era angustiante para o observador. Temia, Billy, que a revelação da gravidez pudesse trazer consequências graves, como um possível divórcio entre Bob e Julia ou até mesmo um crime passional. Qual seria ou não o destino de suas vidas que ficaram no passado? Seria como assistir ao triste fim de uma película bem dramática, tendo sua família como protagonista, como se fosse um vidente antevendo o futuro de um *tempo* perdido no passado – Xavier compreendia bem esse sentimento, por isso observava com atenção o experimento conduzido por Billy. Mas havia outro lado puramente saudosista no experimento, o de assistir à vida infantil de seu clone hominídeo e rir da inocência e simplicidade própria da espécie sob a qual conduzia sua vida.

A gravidez de Julia era um drama bem hominídeo, enraizado em sentimentos que, a Billy, em contínuo pareciam um tanto quanto fúteis. Sequer observava a cópula de sua ex-mãe com o cocheiro como uma traição. Afinal, nada mais natural do que dois animais páreos do sexo oposto acasalarem, especialmente quando estão a sós – quisera que seus ex-pais em Phobos tivessem disposição para tal, pois isso certamente dissiparia um pouco da tensão sob a qual viviam. Nem no contexto ético ou comportamental da vida hominídea do século XX a cópula entre Julia e Richard transparecia-se uma traição sob o ponto de vista de alguém que evoluiu quântico. Pela leitura das memórias de vida de seus antigos pais, foram quase dois anos – exatos 722 dias-terra – que Bob e Julia não copularam antes da viagem para as Bermudas. Antes dessa última cópula, havia outros 275 dias da anterior e, mais ao passado, as cópulas entre Bob e Julia se mostravam progressivamente escassas pelo menos desde o nascimento de Sandy, quatro anos antes. E se quantidade deixava a desejar, a qualidade mais ainda. Bob era um senhor, sua vitalidade e seu teor de testosterona no sangue já não eram mais os mesmos. Como seria natural em sua idade, ele não conseguia manter uma ereção prolongada, sua produção de esperma e espermatozoides era minguantes. Projeções retrospectivas de seus espermogramas indicavam, inclusive, que a gravidez de Sandy foi quase um milagre. Como se filosofaria no passado, Bob cuidava de suas obrigações conjugais "com a rapidez de um pássaro". Pudera, ele era um homem da guerra, que perdera os melhores anos de sua vida servindo ao país; com isso só pôde se casar quando beirava a meia-idade, numa época em que sua virilidade já estava em declínio. Ainda assim, suficiente para que gerasse dois filhos, mas nem tanto para manter uma vida sexual ativa e satisfatória por largo horizonte e saciar uma mulher bem mais jovem como Julia.

Desse modo, era compreensível que Julia mantivesse casos extraconjugais, embora isso pregasse contra os dogmas religiosos que professava. Em sua memória constava uma dúzia de parceiros com quem manteve relações sexuais após ter se casado com Bob e perdido a virgindade. De sua parte, Julia também havia iniciado sua vida sexual tardiamente, isso explicava as relações que manteve fora do casamento. Mas se tratavam de relações meramente esportivas, sem envolvimento emocional e sempre com homens subalternos. Em sua lista, além do cocheiro, constavam o copeiro de um restaurante em Farmington, o carteiro do bairro em Miami e outros tantos serviçais com quem tinha oportunidade de acasalar enquanto o marido trabalhava e os filhos estavam na escola: o homem da TV a cabo, o eletricista, o pintor, o encanador, o entregador de leite, o instalador de carpete, o do papel de parede, o das cortinas e o vizinho. Isso talvez desse a pensar que Julia fosse uma mulher lasciva, mas essas foram relações extraconjugais que manteve ao longo de treze anos de casamento, em média, apenas um amante por ano, aproximadamente, ou seja, nada demais.

Apesar disso, Julia sempre teve controle de seus ciclos menstruais e dos períodos em que estava fértil, pois tinha plena ciência de que uma gravidez indesejada arruinaria seu casamento. Porém, como isso não é uma ciência exata, na última ocasião em que esteve em Farmington, seu ciclo menstrual estava desregulado. Ela acabou entrando no período fértil poucos dias antes do que o calendário dizia, segundo suas contas. Assim, acabou engravidando do cocheiro. Agora, restava a Billy aguardar o instante em que Julia descobrisse que estava grávida para saber qual atitude tomaria. Como sua religião proibia o aborto, em algum momento ela teria de revelar a Bob o seu estado. Ela não poderia mentir que estava grávida do marido, pois a filha que carregava no ventre era mulata. Assim, com certeza, isso redundaria no conflito familiar que Billy tanto precisava observar no intuito de extrair alguma lição útil para o tratamento de seus ex-pais em Phobos.

Enfim, a simulação estava rodando, porém, ao contrário das demais realidades virtuais desenvolvidas por Billy, essa era desempenhada em horizonte-atual, ou seja, na velocidade normal da curvatura terrena com seus dias de 24 horas-terra. Portanto, era preciso paciência para aguardar seu desfecho – horizonte para focar nas demais experiências em andamento.

**

Apesar dos relativos progressos obtidos nas duas linhas de pesquisa pré-Vinland e pré-Phobos, Billy ainda não estava satisfeito com os resultados obtidos. A medida dessa insatisfação não se fazia nas realidades virtuais que mantinha operantes, mas no cotidiano de Bob e Julia no zoológico. Pelas realidades virtuais, Billy já havia delineado as medidas necessárias para aumentar a qualidade de vida do casal em Phobos, agora precisava explorá-las corretamente.

Como, em Phobos, Bob e Julia ainda viviam sob a crença de que estavam mortos, o primeiro objetivo de Billy era tentar dissipar essa ideia da cabeça deles. Subsequentemente, seus objetivos visavam fazer com que o casal pudesse viver sem os filtros aos quais estavam submetidos e, por fim, aceitarem a ideia de que seus filhos haviam evoluído de espécie. Porém, para alcançar essas metas, antes precisou abrir algumas novas realidades virtuais para executar alguns testes a fim de determinar a melhor abordagem a ser aplicada.

Relembrando Alexandra – especialmente após o impacto da lobotomia cerebral executada por Sandy –, o primeiro teste que Billy executou foi inserir Bob e Julia em Phobos sem a aplicação de filtros sensitivos. Desse modo, tão logo ambos abriram os olhos no zoológico, de cara o casal se deparou com seus estranhos habitantes que caminhavam nus sob Marte e, ao menos entre os que possuíam tais, não se envergonhavam em ostentar seus órgãos sexuais em público. Nessa realidade, embora Bob e Julia acordassem junto aos filhos, eles já se constituíam como homiquânticos, e esse choque se mostrou desastroso. Eles se recusavam a aceitar a ideia de que os filhos haviam "evoluído de espécie", passaram a crer que tinham sido sequestrados ou mortos. A insistência no tratamento era ainda pior: perceber a imagem dos filhos como alienígenas acarretou-lhes uma recaída ao estado catatônico do qual havia sido tão custoso resgatá-los. Assim, após alguns infartos e derrames, Billy desistiu.

Ao filtrar apenas a imagem dos filhos para que se mantivessem como crianças hominídeas perante os olhos de Bob e Julia, o resultado foi melhor. Apesar do estranhamento inicial e da necessidade de um longo embasamento cultural promovido por Ipsilon – além do apoio terapêutico de Diana –, o casal aceitou a nova heterogeneidade do zoológico até mesmo ao se deparar com o acasalamento ao ar livre das espécies paranormais e o convívio com os estranhos papagaios inteligentes que povoavam os céus da lua. Os homiquânticos não assustavam tanto, pois eram meio parecidos com os quânticos, com quem já estavam mais habituados desde a convivência com Noll em Vinland. Vivenciar Phobos como a lua realmente era, parecia certamente mais tenebroso, mas para quem já observava a realidade como uma espécie de reprodução tecnofuturista do Inferno, não fazia tanta diferença o local ser um pouco mais infernal.

Sobre esse novo teste, Billy comentou com Vigil:

– Excelente resposta. Apesar da hipocrisia que manifestam em relação aos costumes das espécies do zoológico, eles absorveram relativamente bem a convivência com eles.

— Especialmente com a classe paranormal, que claramente estimula seus picos hormonais — acrescentou Vigil.

— Pena que sejam tímidos demais entre si para dar vazão à volúpia que retêm em suas mentes.

— Por que não fornecemos um estímulo extra para eles?

— Que estímulo? — questionou Billy.

— Um afrodisíaco para estimular a ingurgitação vascular vaginal de Julia e um inibidor de fosfodiesterase para anular a impotência de Bob.

— Desculpe minha ignorância, Vigil, minha especialidade atual em Zoologia é psicocomportamental, não bioquímica... Refere-se à aplicação de drogas vasodilatadoras?

— Exato. Isso estimulará sua libido em um grau que um simples exercício de masturbação não será suficiente para baixar.

— Excelente ideia! Porém, preciso que isso seja executado de forma consciente, para que ambos saibam que aqui poderão manter uma vida conjugal capaz de suprir seus desejos.

— Entendo o teu pressuposto, mas sugiro que façamos um teste biológico com os espécimes em estoque, primeiramente. As drogas podem acarretar efeitos colaterais, tais como infarto ou cegueira, especialmente no espécime *alfa*, cuja saúde é decrépita.

— Seria melhor utilizarmos um implante peniano, então. E sugestionar o uso da droga via placebo.

— Sim, seria uma opção permanente. Todavia, para efeito de teste, a droga é a mais recomendável. Seu uso esporádico não trará maiores prejuízos.

— OK. Vamos proceder com testes iniciando com a memória pré-Vinland e, subsequentemente, pré-Phobos.

— Encaminhando requisições aos pares responsáveis — comunicou Vigil.

— Preciso que compile um relatório completo sobre esse experimento e suas respectivas conclusões. Com esses resultados terei base empírica para confrontar o prefeito lunar e pressionar sua aprovação para minhas recentes moções.

— Comunicado protocolado.

— Obrigado. Passemos para o próximo experimento — comandou Billy. Porém, desta feita, Vigil hesitou em atender o pedido:

— Sugiro que abortemos esse experimento. Não crê que o resultado negativo já obtido no teste anterior seja suficiente para confirmar que tal metodologia é ineficaz e danosa? — Vigil referia-se à eliminação completa dos filtros realizada com fracasso e perda de vários clones.

— Não. Ao menos enquanto não tentarmos essa nova abordagem.

– Não há necessidade deles viverem sem seus adaptadores sensitivos. Podem usá-los perfeitamente até o horizonte natural de óbito.

– Vivendo em uma eterna ilusão? Não.

– Por que não?

– Porque eu devo isso a eles.

– A eles? – duvidou Vigil. – Perdoe-me, mas não posso aceitar isso como justificativa.

– Eu devo isso a *Sandy*, compreende? E a Alexandra também. Pois era isso que elas queriam.

– Eu compreendo teu pêsame pela perda de tuas gêmeas, porém insisto: isso não é um embasamento plausível para a execução de um experimento cujos testes prévios não obtiveram retorno satisfatório, ou melhor, retorno *nenhum*.

– Mas não testamos a abordagem a seguir.

– OK. Sigamos em frente. Mas que seja o último experimento nessa linha. Penso por ti, não por tuas finadas gêmeas, pois percebo o quanto te pesa cada fracasso.

– Obrigado pela compreensão, Vigil. Porém, retifico: Sandy não morreu.

Vigil nada retrucou, mas Billy captou sua onda de descrédito quanto à retificação. Porém, nem ligou, apenas pensou em âmbito privativo: *Eu ainda vou provar a todos que Sandy não morreu*, então seguiu com o novo experimento.

Nesse experimento, Bob acordou durante o pernoite para urinar e beber um copo d'água, como de costume. Como qualquer pessoa que acorda após algumas horas de sono, enquanto se mantinha de pé em frente ao vaso sanitário esvaziando a bexiga, Bob esfregou seus olhos. Sempre que fazia isso em seu cotidiano em Phobos, o adaptador que cobria seus olhos como um implante fixo, simulava o tato de seus dedos para que tivesse a sensação de esfregá-los quando, de fato, massageava a superfície do adaptador. O mesmo valia para seus olhos, que sentiam o toque embora não estivessem sendo tocados. Porém, no experimento em questão, Billy programou uma falha no adaptador.

Quando Bob massageou os olhos, a princípio os sentiu normalmente. Em seguida, viu a realidade piscar frente às suas pupilas como se estivessem plenamente abertas, então sentiu algo estranho entre seus dedos e, sob um susto, percebeu que não estava massageando suas pálpebras, mas algo que parecia cobri-las. Atônito, tentou olhar ao redor e percebeu total silêncio, não ouvia mais o som de sua urina caindo dentro do vaso. Olhou para a privada e percebeu que o xixi não escorria para dentro dela, mas flutuava formando uma bola alaranjada em pleno ar. A cena o despertou completamente. Tomado por um ligeiro pânico, levou as mãos aos olhos e arrancou o adaptador. Com os olhos nus, estudou o recinto onde estava. Exceto pela urina flutuante no meio da privada, o restante do banheiro era o mesmo de sempre, só a iluminação parecia alterada – o recinto estava mais claro. Como se quisesse testar a realidade, vestiu o adaptador novamente e viu a privada cheia d'água. Retirou-o, deu a descarga e viu o bolo de urina desaparecer subitamente. Vestiu-o rapidamente e viu a água sendo tragada para o fundo sob o som característico. Retirando-o mais uma vez, o som desapareceu.

Parecia loucura, mas Bob compreendeu rapidamente o significado dos estranhos "óculos" que tinha em mãos como algum tipo de dispositivo "ilusionista", conforme pensou. Ele retirou-se do banheiro contíguo ao quarto onde dormia com a esposa e viu Julia deitada na cama trajando os tais óculos. Ao recolocar seus óculos, ela estava sem os óculos. Imediatamente, sentiu-se traído por aqueles seres que diziam querer ajudá-los – aqueles "alienígenas" –, pois tinha a prova de que estava sendo manipulado. Tomado pela ira, dirigiu-se ao quarto ao lado, onde Noll, o alienígena pajem da família, mantinha-se costumeiramente de plantão; mas ao entrar no recinto, ele estava vazio. Colocou os óculos e, sem qualquer surpresa, viu Noll deitado no divã onde costumava ficar durante as sessões terapêuticas de Diana – *Aquela meretriz dos infernos*, pensou. Nesse instante, um arrepio subiu por sua espinha quando, por instinto, lembrou-se dos filhos. Retirou os óculos, virou-se em direção à passagem que levava ao quarto deles e engoliu seco antes de entrar. Porém, assim que entrou, eles não estavam lá. No recinto, havia apenas um estranho ser diferente dos alienígenas que já estava acostumado; encontrava-se deitado na cama de Billy. A cama de Sandy estava vazia.

Bob tremeu e começou a suar, tomado por uma forte adrenalina. Cambaleou ante a visão do ser na cama de Billy, não por medo ou repugnância, embora se transparecesse um alienígena bem mais feio do que um quântico, mas por imaginar que seus filhos estivessem mortos. Nesse instante, lembrou dos óculos e colocou-os sem titubear, como se quisesse fazer os filhos reaparecerem ao usá-los. E foi exatamente isso que aconteceu: lá estava Billy deitado em sua cama e Sandy na cama ao lado. Em desespero, levou a mão à cabeça, deixando os óculos caírem no chão, então gritou:

– Nãooooooooo!!! – Porém, conteve a voz no final ao lembrar-se da esposa dormindo no quarto ao lado.

Nesse instante, o estranho alienígena acordou, assustado. Ele virou-se para Bob e, ao notar que estava sem o adaptador, usou a boca para falar:

– Pai?! O que você tá fazendo sem o adaptador?

Com um misto de espanto e raiva, Bob tentou responder:

– Você tá me chamando de... – Mas foi interrompido quando ouviu a voz de Julia:

– Bob? Tá tudo bem? Bob? – questionou ela da cama, com a voz embargada pelo sono. Billy apressou-se em responder enquanto Bob tentava conter seu temor ao observar a criatura falar com sua estranha voz, mas de uma maneira tão familiar quanto seu filho falaria:

– Foi nada, mãe... Papai tomou um susto... – disse o alienígena. – Foi só.

– Susto? Susto tomei eu... – disse Julia.

Quando ela falou, notou-se que havia levantado da cama e arrastava os pés no chão, aproximando-se do quarto dos filhos. Bob titubeou, mas quando pensou em dizer algo, Julia apareceu no batente da porta toda descabelada, com cara de sono.

– Bob? Que é isso? Billy? Você tá de brincadeira no meio da madrugada, é? Volte a dormir. – Olhou para Bob: – E você, venha pra cama. Não vão me acordar a menina, viu? – bronqueou Julia com a voz baixa para não incomodar Sandy. Bob sentiu-se aliviado, pois ela estava com os tais óculos, por isso não percebeu nada de errado. Era melhor assim, então disfarçou:

– Já tô indo, amor. Vai pra cama, vai. Eu vou em seguida – disse baixinho.

– Vem logo. Quero todo mundo descansado pro nosso passeio ao instituto amanhã – falou Julia antes de virar-se e voltar para a cama.

Momentaneamente aliviado após a saída da esposa do recinto, bastou Bob mirar novamente a criatura que fingia ser Billy, que seu coração acelerou.

– Duzentos e setenta batimentos por minuto. Ele vai fibrilar – alertou Vigil em paralelo na observância do experimento.

– Minutos-marte. Ele aguenta. Continuemos – insistiu Billy.

Na continuação, o estranho alienígena levantou-se da cama e puxou Bob pelo braço, chamando-o para a janela para conversarem. Falando bem baixinho, disse:

– Ponha os óculos, pai.

– Eu não sou seu pai. Quem é você? – respondeu baixinho também Bob, mas demonstrando certa raiva no tom de voz.

– Ponha-os, assim a gente não precisa falar – insistiu a criatura. Relutante, Bob colocou os óculos novamente. A criatura retomou a forma de Billy e falou em tom natural.

– Você é meu pai sim. Sou eu mesmo, Billy.

Hesitante, Bob procurou certificar-se antes de responder:

– Tem certeza de que minha esposa não vai nos ouvir.

– Sim. Tranquilize-se, ninguém vai nos ouvir, pai.

Mais tranquilo, mas ainda adrenalizado com a situação, Bob confrontou a imagem de seu filho como se fosse um vilão maldoso:

– Você não é meu filho! É uma ilusão! Me diga: onde estão meus filhos?

– Eu sou seu filho, pai. Eu me transformei num alienígena, eu evoluí homiquântico.

– Homi... *Quê?*

– Homiquântico. Uma espécie predecessora da quântica que você conhece.

– E cadê Sandy? Onde está Alexandra?

– Sandy não está mais aqui, pai. Ela evoluiu quântica.

Naturalmente, Bob não acreditou. Pelo contrário, confrontou Billy e duvidou de suas afirmações buscando provar que era sim seu filho, creditando suas respostas, por mais verossímeis que fossem, a algum tipo de manipulação mental. A conversa estendeu-se por mais algumas horas. Ipsilon foi convocado para embasar a veracidade das explicações de Billy, e Diana foi chamada para ajudar a apartar a dor de Bob, para ajudá-lo a assimilar a ideia de que seus filhos haviam se transmutado alienígenas. Os apelos de Billy, os embasamentos de Ipsilon e a paciência de Diana, ao menos, conseguiram arrefecer o temor de Bob e fazer com que aceitasse a ideia. Também compreendeu por que aos seus filhos foi permitida a chance de evoluírem de espécie enquanto ele e sua esposa jamais teriam tal oportunidade. Porém, ao final da conversa, Bob ainda estava inconformado com a situação, por isso confrontou a médica:

– Mas por quê?! Por que não nos informaram a respeito desse processo de transmutação? Por que não nos pediram autorização?

– Em primeira instância, porque esse arbítrio não pertence a vós, mas a eles. Em segunda, porque não tínhamos horizonte disponível para aguardar ti e tua esposa recuperarem-se do trauma que sofreram. Em terceira, porque precisávamos que teus filhos evoluíssem de condição psíquica para que pudessem cuidar de vós, como está fazendo Billy. Por fim, em última instância, para que eles pudessem gozar da vida em sua total plenitude, o que só seria possível se galgassem o patamar mais evoluído do cosmo atual, como fez Sandy. Vocês não desejariam o mesmo para eles? Não querem o melhor para seus filhos? – questionou Diana, na verdade, Billy, já que era ele quem simulava o resíduo de Diana nesse experimento.

– Como pode afirmar que esse arbítrio "não pertence a nós"? Nós somos pais deles.

– Perdoe-me, mas aqui não tratamos infantes como meros marionetes de seus genitores. Pelo contrário, nosso papel resume-se em fornecer subsídios empíricos para que eles possam formalizar suas decisões de forma racional, e foi isso que fizemos. As escolhas de Billy e Sandy refletem o que eles desejaram de forma plenamente consciente.

– Mas... Mas... – balbuciou Bob, porém, sem encontrar argumentos que pudessem refutar a médica. Ela o interrompeu:

– Não tem "mas", nós já conversamos bastante. Estou contente de que tenhas absorvido os novos fatos e toda carga emotiva que os envolvem. Dispomos de bom horizonte pela frente para debatermos mais a respeito, mas não em contínuo. De instante, quero que voltes para a cama e aproveites as horas de sono que ainda restam para que estejas disposto para o passeio com tua esposa, estamos entendidos? – questionou Diana/Billy. Porém, nesse instante, finalmente Bob conseguiu completar o argumento interrompido anteriormente:

– Mas como eu conto tudo isso para Julia?

– Por ora, não contarás nada. Amanhã, durante o passeio, daremos os primeiros passos para Julia tomar ciência dos fatos sem que isso acarrete em um trauma. Agora, por favor, vá dormir – pediu Diana/Billy ao encerrar a conversa.

Tão logo Bob recolheu-se na cama ao lado de Julia, Vigil comentou com Billy a respeito da simulação:

– Dou meu cérebro à lavagem, Billy. Tinhas razão, esse novo teste vingou onde os anteriores falharam.

– Não me pense em lavagem cerebral. Nem de brincadeira.

– Por quê?

– Qualquer horizonte desses eu te explico, mas, por favor...

– Tudo bem.

– Quanto ao teste, sim, foi ótimo. Agora podemos explorar essa linha metodológica no ambiente atual de Phobos.

***

A visita da família Firmleg ao Instituto Zoológico não era uma mera programação fantasiosa ou apenas um teste vinculado às realidades virtuais comandadas por Billy, mas sim um passeio já agendado para Bob e Julia em seu dia a dia na esfera atual de Phobos. Aliás, o último teste desempenhado por Billy – o de gerar uma "falha" no adaptador sensitivo de Bob – foi realizado a partir de um *backup* de memória gravado da mente deles na véspera do passeio.

Enquanto, para Bob e Julia, o passeio tinha motivação turística, para Billy era um momento-chave para cumprir seus objetivos de tornar a vida de seus ex-pais mais confortável em Phobos. Diana, através de seu espectro hominídeo, estava incumbida de liderar o passeio em pessoa ao lado do resíduo de Noll, mas foi Billy que estabeleceu o roteiro da visita. Seu único cuidado foi certificar-se de que a família passasse longe do local onde os clones dos Firmlegs estavam alocados. No mais, Bob e Julia tinham certa liberdade para caminhar pelo instituto. Mas para que o casal não fugisse dos propósitos terapêuticos da visita, Billy mantinha-se presente ao lado dos ex-pais em resíduo junto a robô que simulava Sandy.

O casal iniciou sua visita pelo andar térreo, percorrendo a pista que interligava as duas fronteiras do instituto. A partir daí estavam programadas passagens pelos quatro setores de trabalho e pesquisa vinculados às principais espécies do zoológico: o viveiro dos *paparazzi*, os laboratórios de gênese paranormal, as incubadoras homiquânticas e o setor de Zumbiologia mantido pelos quânticos. Porém, o primeiro local que foram visitar foi a cúpula do instituto, onde havia um mirante em que podiam observar as duas reservas que margeavam a edificação. Para alcançar o mirante tomaram um elevador sem escalas, uma ascensão que demorava bons minutos devido à altura da estrutura, com 735 patamares. Durante o trajeto, Diana fez às vezes de guia, descrevendo os setores por onde passavam. Como a edificação era completamente vítrea e o elevador também, os Firmlegs puderam observar inúmeras facilidades do instituto, mas só quando se aproximavam do topo, onde a construção piramidal se afunilava, conseguiram enxergar melhor a paisagem da lua. Julia sentiu-se tonta com a altura, sequer tinha coragem de olhar para baixo a princípio, mas não deixou de comentar a respeito da beleza da vista:

– Este local é lindo, digno do céu. Aqui deveria ser Éden, não onde moramos.
– Tem razão, amor – concordou Bob.
– Será que não podemos nos mudar para cá? – questionou Julia dirigindo-se a Diana.
– Infelizmente, não. Este prédio não é destinado à moradia, apenas para as faculdades vinculadas ao instituto ou para atender às demandas de turismo.
– Que pena.

No mirante do topo, Marte e Sol estavam a pino, propiciando uma ótima luz para a família observar a paisagem de Phobos, incluindo a Área 2, a qual não conheciam. Nesse instante, como parte dos objetivos metodológicos propostos para o passeio, Diana comentou:

– É nesta outra cidade onde vivem as demais espécies inteligentes que estão iniciando seu processo migratório para as regiões do Umbral e do Éden.
– Quais espécies? – perguntou Bob.
– Os *paparazzi*, os paranormais e os homiquânticos.
– *Paparazzi*? Mas são o quê? Aves inteligentes?
– Sim, papagaios. Tal espécie já iniciou sua migração. Muito em breve poderão observá-los pelas janelas de vosso apartamento – alertou Diana. Depois completou: – Muitas delas, devido à vossa presença na lua, estão estudando inglês, poderão conversar com elas.

Bob e Julia riram, crendo que fosse uma piada de Diana, que não insistiu na ideia. Porém, depois que deixaram o mirante, eles dirigiram-se aos viveiros dos *paparazzi* e visitaram uma classe de aula feita de poleiros, onde os papagaios estudavam inglês junto a um professor paranormal. Foi o primeiro choque de realidade programado para aquele passeio, quando um *paparazzo* abordou o casal e trocou algumas palavras cordiais com Bob e Julia, em inglês. O casal, entretanto, mal conseguiu falar, a princípio, horrorizado com a aparência do bicho e igualmente estranhando o professor, embora ele não estivesse nu como era comum entre os paranormais, vestia um jaleco branco. Billy e Sandy fizeram às vezes em se socializar com a ave. Conforme haviam teatralizado para esse momento, convidaram um *paparazzo* para viver com eles no apartamento onde moravam, mas ele negou o convite.

– Não se preocupem. Se quiserem, depois podem inserir um anúncio na phobosnet para tentar adotar um *paparazzo*. Com o andamento do processo migratório não faltarão candidatos que queiram viver convosco – alertou Diana.

– Eu quero! Eu quero! – teatralizou Sandy. Bob e Julia não gostaram muito da ideia, mas nada disseram.

Diana aproveitou a deixa para explanar um pouco mais sobre a íntima relação entre os *paparazzi* e os paranormais, inclusive mencionando que ambas as espécies possuíam representação política na lua. Esclareceu que a paridade intelectual entre as duas espécies era a que mais se aproximava à deles, os Firmlegs. Portanto seria natural que Billy e Sandy mantivessem amizade com um papagaio. Algo que ia além de possuir um bicho de estimação ou qualquer relação do tipo.

– Os *paparazzi* compõem uma classe livre e independente como qualquer outra da lua – enfatizou Diana.

Continuando o passeio, a família observou as avenidas aéreas que permeavam o instituto e serviam de translado para as aves entre o Umbral e a Área 2. Porém, como parte da estratégia para aquela visita, Billy programou para que conhecessem apenas uma das avenidas que atendia ao sentido Área 2 => Umbral, com objetivo de justificar o tal "processo migratório" que sequer existia. De fato, observavam o movimento normal das aves pelo instituto, mas uma vez que absorvessem a ideia, Billy poderia iniciar o processo de remover o filtro que, até então, censurava a imagem dos *paparazzi* através dos adaptadores, fazendo-os transparecer como aves "normais". Esse era o propósito maior da visita ao instituto: apresentar ao casal cada uma das espécies habitantes do zoológico para que se habituassem com elas. Em seguida, os filtros que impediam captar tais seres passariam a ser paulatinamente desativados conforme o "processo migratório" – o qual não passava de um grande engodo – fosse avançando.

Seguindo tal propósito, o *tour* da família dirigiu-se aos laboratórios de gênese paranormal. Um local bastante familiar para Diana, que por longo trabalhou e lecionou como obstetra no setor e ainda prestava consultoria ao mesmo.

– Esta faculdade visa atender ao processo reprodutivo da espécie – anunciou Diana. – As principais linhas de ensino e pesquisa cobrem processos de inseminação artificial, clonagem, seleção de *parejas* para acasalamento, desenvolvimento de drogas afrodisíacas e terapia sexual.

Ou seja, uma faculdade normal, onde as pessoas estudam, socializam-se e namoram, mas com um diferencial: podem pesquisar, combinar e editar seus genes para aplicá-los em técnicas reprodutivas, inclusive acasalando entre si sem qualquer restrição normativa ou ética. Porém, o enunciado por si só causou constrangimento no casal Firmleg, especialmente em Julia, que fez um sinal com as mãos, apontando para a filha e pedindo discrição para Diana. Quanto a Billy, o "estrago" já estava feito:

– Eu posso estudar nessa faculdade futuramente?

– Sim – respondeu Diana. – Tanto os institutos paranormais quanto alguns da homiquântica, que visitaremos a seguir, são inclusivos para vossa espécie – compartilhou. Então, dirigiu-se ao casal Firmleg e acrescentou: – Vós igualmente, caso queiram voltar a estudar.

– Não, obrigado – disse Bob. – Ipsilon já é demais para mim, basta ele como professor.

– Estou de acordo. E não creio que meus filhos possam estudar aqui – falou Julia.

Sem deixar de notar o constrangimento do casal, Diana sugeriu:

– Por que não deixamos as crianças passearem com Noll no viveiro dos *paparazzi* que tanto gostaram e prosseguimos com a próxima parte da excursão apenas nós? Depois nos reencontramos de novo.

– Acho ótima ideia – concordou Julia.

Billy relutou, queria conhecer a faculdade, mas Julia não permitiu. Assim, o casal prosseguiu seu *tour* com Diana, o que já estava premeditado. A sós com o casal, a médica se permitiu não só detalhar o anunciado que fez, mas mostrar as salas de aula e os laboratórios da faculdade.

Esse foi o primeiro contato massivo do casal com a espécie paranormal, e seria vital para sua adaptação a fim de saber se, futuramente, poderiam deixar o sanatório onde viviam e morar na cidade em meio às demais espécies. A princípio, enquanto passeavam pelo *campus* vítreo que compunha a faculdade, nada parecia tão extraordinário para os Firmlegs. Através das paredes, o que observavam não era tão diferente de qualquer faculdade da Terra pretérita; os professores usavam jalecos, portanto não se notava seus órgãos sexuais. Dentro das células que formavam as classes de estudo e os laboratórios, os alunos dispunham-se sentados em frente ou em torno de uma lousa ou mesa eletrônica, pareciam religiosamente comportados, como se ali fosse uma escola militar. Nos laboratórios, idem. Os paranormais pareciam bastante disciplinados, trabalhando em mesas ou balcões, operando maquinário e manipulando itens que se espera ver em um laboratório qualquer, como microscópios, provetas, Bicos de Bunsen *et cetera*. Como a espécie comunicava-se telepaticamente, o local era absolutamente silencioso, mais parecia uma grande biblioteca ou uma igreja. E como os paranormais eram cromatóforos, ou seja, hábeis em projetar cores pela pele exibindo padrões artísticos, ao observá-los de média distância, pareciam um bando de adolescentes. Com isso, os Firmlegs nem notaram que estavam todos pelados. Somente quando atravessaram um corredor abaixo de um setor de salas de aula e olharam para cima, através do teto transparente, notaram as nádegas e os órgãos sexuais expostos dos alunos. Ao reparar nisso, Julia exclamou interrogativamente:

– Eles estão nus?!

– Sim. Eles vivem assim – respondeu Diana.

– Assim? Mas sempre? – perguntou Bob.

– Sempre. A temperatura da lua é constantemente amena, não há necessidade de roupas aqui.

– Mas os homens usam roupa – disse Julia, fazendo referência ao que sua mente costumava captar através de seus filtros sensoriais, o que não era o caso no momento. Afinal, sequer existiam homens na lua que não fossem ela e o marido.

– Alguns, sim. Especialmente lá onde moram. Todavia, é mero acaso que vós não tenhais ainda se deparado com homens nus pela lua, pois há muitos que não usam roupa.

– Sério? – duvidou Julia.

– Sim. Aliás, se sentirem calor, podem retirar suas túnicas e peças íntimas. Não precisam ser tímidos. Eu só estou vestida para acompanhar vosso costume, senão estaria despida – insinuou Diana. Com certo constrangimento, Bob e Julia riram. Porém, a médica insistiu: – Não estou brincando. Em meu cotidiano de lazer nunca uso roupas. Sigo a moda vigente, ando nua tão quanto as demais espécies, ou vocês nunca notaram que o Noll também não usa roupas?

– Ah, sim, notamos. Mas ele não tem... – hesitou Julia em completar sua frase. – *Partes*... Me entende?

– Dizes *órgãos sexuais*? Como não? Ele tem sim, já aprendeste sobre isso.

– Mas não são, tipo assim, *expostos*, como esses daí – disse Julia.

– Vós ainda não vistes nada. Venham comigo.

Diana guiou o casal até um pátio central da faculdade, como uma praça, onde havia jardins, mesas, bancos e alguns almofadões para os estudantes paranormais se socializarem entre as aulas e os estudos. O local estava vazio quando chegaram e o trio lançou-se sobre um almofadão para descansar um pouco.

A seguir, embora não tenham ouvido nada, a sirene do intervalo soou e os alunos começaram a deixar as classes e a circular ao redor. Logo a praça estava cheia de paranormais andando nus por todos os lados. Eles já estavam cientes da visita do casal Firmleg à faculdade, por isso não estranharam a presença deles. Como não podiam comunicar-se com eles, pois não era costume utilizarem a fala, ninguém chegou a interagir diretamente com o casal. Alguns apenas acenaram de passagem ou ficaram observando aqueles estranhos seres de roupa com seus semblantes assustados no meio do pátio. Bob e Julia até que tentaram disfarçar seu constrangimento, entreolhando-se silenciosamente enquanto observavam a excentricidade do povo.

Até aí tudo ia bem, porém, em dado instante, Julia cutucou Bob e chamou atenção para um paranormal sentado em um almofadão próximo, quase em frente ao casal. Um paranormal macho, evidentemente, pois massageava seu pênis descontraidamente até que ficasse plenamente ereto – e era grande, pela avaliação de Julia, além de exibir cores animadas, como não pôde deixar de notar. De repente, ele abriu os braços e sorriu. Em sua direção vinha correndo uma paranormal, igualmente sorrindo – a paixão estampada no rosto de ambos. Ao se aproximar, ela pulou em cima dele, encaixando a vagina perfeitamente e fazendo desaparecer seu pênis dentro si. A partir daí, eles copularam copiosamente. Não bastasse, mais paranormais se juntaram ao casal e iniciaram uma pequena orgia. Ao redor, outros paranormais telecinavam sem dar bola para a pequena suruba, agindo como se aquilo fosse absolutamente natural – subentendia-se. Ao longo do pátio, aqui e ali, alguns casais, trios ou grupos também copulavam, outros apenas trocavam carícias entre si ou praticavam sexo oral.

– Isso aqui é uma faculdade ou uma zona? – perguntou Bob.

– Bob! Mas que linguajar é esse? – intimou Diana. – É claro que é uma faculdade. Mas compreendo vosso estranhamento. Acasalamento ao ar livre não era costume onde viviam. Porém, acredite, esse comportamento é normal.

– Normal?! – exclamou Bob. – Uma balbúrdia dessas? – Todavia, suas palavras não ilustravam seu pensamento ou a libido que tentava disfarçar. *Aqui sim, me parece o paraíso*, foi o que pensou.

Igualmente Julia, embora fizesse sinais com a cabeça concordando com o marido, não conseguia tirar o olho da orgia à sua frente, nem conter a ingurgitação que tomava conta de sua vagina. Bob igualmente sentia fluir o sangue dentro da cueca. Diana não os poupou da desfaçatez:

– Vós estais excitados, percebo.

– Nós! Imagine... – esquivou-se Julia.

– Isso é uma pouca-vergonha – disse Bob.

– Ora! Pensam que enganam a mim? Eu estudei aqui e trabalho com terapia sexual há muito tempo. Percebo muito bem vossa excitação. Se preferem, posso vos deixar a sós para que aproveitem o momento...

– Diana! Por favor... – irritou-se Julia. Mas a médica manteve o assunto:

– Estou brincando... Porém, se quisessem, não haveria nenhum problema. Afinal, vós sois ou não sois um casal?

– Sim, mas aqui não é lugar ou momento para... – mais uma vez Julia hesitou. Diana completou a frase dela:

– Para fazerem sexo.

– Será que podemos mudar de assunto, por favor? – sugeriu Bob, totalmente acanhado, com o sangue corando a pele do rosto.

– Por favor, peço eu. Não precisam se acanhar em conversar sobre isso comigo. Sou terapeuta sexual, não disse?

– Eu tenho vergonha de falar dessas coisas – confessou Julia.

– Tudo bem. Mas, me esclareçam um detalhe: vós já fizéreis sexo alguma vez desde que chegaram à lua? Notem que estamos aqui há vários meses... Meses-marte.

– Isso é pergunta que se faça? – Foi a vez de Bob protestar.

– Sim. É claro.

– Nós não estamos mais em condições de... Você sabe de quê – alegou Julia.

– Como não? E não me digam que passaram da idade. Aliás, se estão acanhados para conversar abertamente, então não digam nada, apenas venham comigo.

– Aonde vamos?

– Vou levá-los ao setor de Bioquímica. Vamos arrumar um bom afrodisíaco para vós.

Sem contestar, o casal seguiu a médica até o setor. Lá, pelo intermédio de Diana, eles interagiram com um paranormal pela primeira vez. Fizeram um rápido teste sanguíneo e saíram cada um com uma pílula para tomarem quando estivessem a sós, de volta ao apartamento. Provocativa, Diana insinuou:

– Não precisam dizer nada. Apenas tomem essa pílula e divirtam-se. Não é porque estão nesta lua que precisem deixar de gozar a vida como ela merece.

Em seguida, o trio deixou a faculdade e juntou-se novamente com Noll e os filhos, então prosseguiram no *tour* para conhecerem as incubadoras homiquânticas, as faculdades e os laboratórios onde a espécie editava seus genes e se reproduzia. Como a reprodução da respectiva espécie se dá *in vitro*, a visita não foi tão excitante para Bob e Julia em comparação com o setor de gênese paranormal, exceto pelo aspecto científico em aprender um pouco mais sobre a espécie e observar as provetas onde eram gestadas. O ponto alto do setor era observar as provetas como se passeassem em um *shopping center* cheio de vitrines em forma de tubo. Mas, em vez de manequins, exibiam fetos homiquânticos em diversos estágios de seu processo gestativo. Observaram até o "parto" de um homiquântico, o qual, uma vez completa a gestação e vazia a proveta do líquido amniótico, o rebento simplesmente a deixava caminhando como adulto.

Em termos terapêuticos, entretanto, o objetivo da visita ao setor tinha outro propósito. Um propósito que uniu a terapia conduzida por Diana junto ao casal Firmleg em Phobos, com as realidades virtuais desenvolvidas por Billy em seus experimentos junto aos clones deles. Pelo adaptador sensitivo que Bob e Julia trajavam, Billy e Diana se permitiram misturar realidade e simulacro em prol da adaptação do casal.

Quando estavam de saída do setor das incubadoras homiquânticas, o grupo percorreu um corredor contíguo às células que atendiam a Unidade de Transmutação Exobiológica, uma faculdade que atendia a um propósito que Billy conhecia muito bem: aplicar o tecido octassensitivo para as espécies paranormais, ou seja, onde os paranormais que desejassem evoluir homiquânticos tinham acesso à famosa *pele homiquântica para paranormal*.

Ao atravessarem o corredor e observarem "casualmente" as células ao redor, Bob chamou atenção de sua esposa para algo que lhe pareceu estranho e que contrariava tudo que haviam visto em relação aos costumes da espécie paranormal. Conforme descreveu com suas palavras:

– Veja... – disse para Julia. – Aquele paranormal está vestindo uma roupa.

– Ué? – indagou Julia perante a visão do ser enquanto ele vestia a pele como se fosse um macacão que cobria o corpo e respectivos membros por inteiro.

– Não se trata de uma roupa, mas de uma *pele* – corrigiu Diana. Em seguida, a médica detalhou os pormenores do processo de transmutação. Deu uma verdadeira aula sobre o assunto, comentando a respeito do útero bioquântico que existia em Marte e o processo de artificialização que a espécie quântica usufruía. Seu propósito era incutir na mente do casal a existência desse caminho que permitia certas espécies galgarem suas subsequentes na escala evolutiva. Ao fim das explicações, acrescentou:

– Willian e Alexandra também podem optar por essa evolução, pois a pele homiquântica para paranormal é compatível ao *homo sapiens*. Isto é, desde que sejam infantes.

– Eu posso evoluir homiquântico se quiser? – indagou o menino.

– Sim – confirmou Diana.

– E eu? E eu? – perguntou Sandy em seu estilo frenético.

– Tu também – certificou a médica.

Horrorizados com a possibilidade e a naturalidade com que Diana comentava a respeito com seus filhos, Julia tratou de colocar um fim no assunto:

– Ora, deixem de bobagem. Isso nunca vai acontecer – disse ela. Mas Billy a contestou:

– Por que não? Até que me parece interessante a ideia...

– Mas nem em sonho, Billy. Nem em sonho! Nem passando por cima do meu cadáver eu permitiria uma coisa dessas, está me ouvindo?

– Tá bom, mãe. Tá bom.

Nesse instante, Diana buscou apartar a pequena rusga entre mãe e filho. O importante era o casal tomar ciência da ideia, pois, claro, isso teria de ser extensivamente trabalhado na cabeça deles antes de mais nada. No caso, para fazer com que, futuramente, Bob e Julia aceitassem a ideia de que os filhos não só desejavam, mas já haviam evoluído de espécie.

– Deixemos essa conversa pra lá. Vamos prosseguir com nosso passeio, sim? – disse a médica pondo fim à polêmica, ao menos por ora.

Aquém da nobre farsa, essa parte do passeio serviu apenas para o casal se familiarizar com a espécie. Como os homiquânticos também se constituíam de seres telepáticos, a interação com eles era muito limitada. Não obstante, com Diana servindo de intérprete, Bob e Julia chegaram a conversar com alguns durante a visita e deixaram o setor com a impressão de que eram bastante ecléticos e educados. Bob até comentou com seu filho:

– Esses sim são os alienígenas mais parecidos com os alienígenas que imaginávamos, não é, filho?

– É, pai. Mas dos alienígenas *bonzinhos*, né?

Aproveitando a deixa, como parte do teatro armado para a adaptação dos Firmlegs, Diana alertou:

– Vós deveis esperar ver essa *espécie*, não "alienígenas", em massa, a partir dos próximos dias. Ela já iniciou seu processo migratório. O Umbral vai receber mais de dez mil migrantes durante essa semana.

– Dez mil? – espantou-se Bob. – Assim vai superlotar o bairro.

– Não te preocupes. Eles vão ocupar o espaço deixado pelos quânticos que lá vivem.

– Mas por que isso?

– Porque o novo prefeito lunar elegeu-se sob a plataforma de transformar o Umbral em um *habitat* exclusivo para as espécies pré-quânticas. Somente os quânticos que mantêm vínculos com o instituto permanecerão na lua.

– Então não veremos mais quânticos pelas ruas?

– Apenas turistas, que já são bastante.

– Entendi.

A partir daí, o grupo prosseguiu para a última parte do *tour*: conhecer o setor de Zumbiologia. Outra parte do passeio que Bob e Julia optaram por censurar seus filhos, pois não queriam expô-los aos cadáveres disponíveis no setor, embora os mesmos mais se transparecessem múmias, porém, destituídas de faixas e conservadas em criogenia. O objetivo aqui era causar um choque de realidade semelhante ao teste executado junto aos clones quando Billy os fez visitar as ruínas da Disneyworld em suas simulações pré-Vinland. Porém, ao invés de um sítio histórico, submeter os Firmlegs à memória de seu antigo pretérito por meio dos fósseis humanos disponíveis no setor e incutir-lhes a ideia que tanto recusavam a aceitar: de que ainda estavam vivos.

Porém, seria durante o pernoite após esse longo dia de passeio, que o casal voltaria a sentir a vida pulsar em suas veias ao entregarem-se a uma cópula que jamais haviam desfrutado em todo seu matrimônio. Estimulados pelos vasodilatadores fornecidos por Diana, o casal fez jus ao termo e acasalou não mais como pássaros, mas como felinos, como leões famintos destituídos do temor de outros predadores, sem se preocuparem com os filhos ou os tais alienígenas no quarto ao lado.

Na análise conjunta de Billy e Diana entre o passeio e a noitada do casal, o balanço foi extremamente positivo. Diana, que a princípio era reticente em relação às metodologias empregadas por Billy, honestamente o congratulou pela perseverança e pela criatividade que trouxe ao tratamento.

– Eles conseguiram estabilizar o quadro psíquico-degenerativo descrito pelo Mito do Vale dos Dinossauros – atestou a médica, uma forma de descrever que o casal havia aceitado a presença e a convivência com as demais espécies do zoológico, os "alienígenas".

Pela primeira vez, Billy e Diana concordaram que a perspectiva do casal era mais do que positiva quanto ao seu futuro na lua. Ainda restavam certos entraves burocráticos que Billy esperava sanar pela esfera política. Mas a semente já estava plantada, restava cuidar bem dela para que florescesse e, assim, permitisse ao casal deixar o sanatório para tocar sua vida livremente pelo zoológico.

Mas a análise não se limitava ao casal monitorado. Englobava também o monitor, pois Diana e seu time igualmente monitoravam Billy. Nesse sentido, o jovem pesquisador, que também tinha lá seus traumas e tabus, mostrou progresso ao confessar algo para sua analista:

– Em contínuo, compreendo perfeitamente sua abordagem para comigo. Embora a natureza do trauma vivido por Bob e Julia seja mais profunda, fica evidente que a resolução das síndromes de Sigmund é uma abordagem que beneficia a solução de inúmeras patologias.

– Em se tratando de espécies hominídeas *ou* que carreguem traços da mesma, sim – concordou Diana. Porém, em seguida, Billy acrescentou algo que demonstrava ainda possuir outros traumas:

– Uma pena que isso não ajudou Sandy.

Por outro lado, uma análise introspectiva do casal indicava que ainda havia traumas pairando em seus subconscientes, embora já estivessem bem controlados. Nesse ponto, a ideia de que haviam morrido no incidente das Bermudas tornava-se menor em comparação à volúpia com a qual se entregavam um ao outro. Porém, ainda existia outro desejo que ambos carregavam em sua psiquê, o qual, desde quando foram tratados em Vinland, sempre insistiram junto à médica para que fosse saciado, uma ânsia que demarcava uma forte impressão na compreensão existencial que o casal tinha de si mesmo: o desejo de falar com Deus.

Esse seria o próximo tópico do tratamento que Billy passaria focar.

110

Embora o tratamento de seus ex-pais consumisse muitos de seus focos, como multivíduo, Billy tinha outros problemas e afazeres que preenchiam seu cotidiano em suas diversas âncoras corporais. Em destaque, aquela que se dedicava integralmente em obter a liberdade de seus pares aprisionados pela Pipegang em Caronte. Seu aprendizado junto ao tutor Zeta, além de engrandecer seu intelecto, atendia a esse propósito.

– Neste horizonte de graduação, abrimos a cerimônia atribuindo a honraria que melhor expressa os valores da Academia Cósmica dos Sintomatemáticos aos aprendizes que obtiveram grande destaque em seus feitos. No ponto-presente, a honraria simbolizada pelo *zero negativo* será concedida a Billy Firmleg, que provou sua capacidade de aprendizado acima dos obstáculos e do estresse a que esteve submetido. Parabéns, Billy – anunciou Zeta. Em seguida, ofertou a honraria para Billy. Ele a recebeu e agradeceu:

– Obrigado, mestre.

– Em contínuo, és tu o mestre. Eu o felicito.

– Nunca como ti, mas obrigado pelas sinapses.

Após a troca de gentilezas, Billy ergueu o símbolo **-0** para a plateia que acompanhava o cerimonial em um ambiente virtual tão vasto quanto um estádio, formado por acadêmicos e estudantes sintomatemáticos, bem como amigos, parceiros e os entes mais próximos ali conectados para prestigiá-lo. Aplausos virtuais ecoaram pelas conexões conferenciadas, Billy agradeceu com gestos e, em seguida, recebeu cumprimentos formais de seus professores e colegas. A cerimônia prosseguiu com os demais graduandos confraternizando entre si enquanto Billy trocou seu foco para a extensão corporal situada no estúdio de transmissão da antena FF^6 no Instituto SETI, a fim de trocar algumas sinapses com seu chefe, Zabarov II:

– Caro Zabarov, eu gostaria de formalizar minha demissão. Efetividade imediata.

– Demissão? Estais seguro de tal decisão?

– Positivo. Com o avançar dos trabalhos, fica evidente que não será possível obter, dentro das linhas de pesquisa que propus, o mérito que planejei. Portanto, prefiro assumir o prejuízo de instante contabilizado e oficializar meu desligamento do projeto.

– Assumo que possuis ciência do que tal decisão acarreta. Posso abrir os trâmites para redimir em massa reorgânica os clones que aplicou?

– Sim.

– Demissão aceita. Trâmites iniciados. Seu novo saldo de clones é: 402.305 exemplares referentes às unidades requisitadas.

– Qual o prazo máximo para reúso?

– Válido até o complemento do atual ano nibiriano – esclareceu Zabarov. Ou seja, era um prazo bastante longo, suficiente para viver várias vidas. – Ao esgotar-se essa janela, a massa correspondente recairá automaticamente sob a tutela do intelecto cósmico.

– Estou ciente – anuiu Billy. – Só resta agora despedir-me.

– Um horizonte ainda resta – advertiu Zabarov. – Pende o encaminhamento dos cristais fundamentais relativos aos últimos experimentos engajados por ti. – Referia-se aos cristais em que Billy armazenava a alma dos clones abatidos.

– Serão encaminhados. Exceto os vinculados aos experimentos ainda em andamento.

– Perfeito. Foi ótimo estabelecer negócios contigo. – Encerrou a conversa Zabarov.

É claro que havia sido ótimo. Com sua manobra financeira, Zabarov conseguiu abocanhar a maior parte do estoque de massa reorgânica cujo usufruto pertencia a Billy. De sua parte, Billy não podia reclamar. Ainda que tenha fracassado em gerar uma ondulação F válida para germinação interestelar, ao redimir a massa que investiu, recebeu um saldo bilionário de milhagens astronômicas. Um saldo suficiente para viajar do primeiro ao último minuto da atualidade entre Titã e Netuno. E sabia perfeitamente como iria gastá-lo, só ainda não estava pronto para fazê-lo. Antes, tinha uma série de problemas a resolver entre a décima e a quarta órbita.

Na décima órbita, seu problema era a Pipegang. Por isso, embora soubesse que a decisão a seguir contrariava os princípios de Zeta, o tutor que acabara de homenageá-lo, Billy resolveu aceitar a proposta da entidade *Murphy*. A única proposta que prometia libertar seus pares aprisionados nos canos da Amazônia Carontiana de uma vez por todas.

– Billy, por favor. Mais uma vez insisto, não siga esse caminho – apelou Zeta no último instante para que o pupilo desistisse da ideia.

– Professor, eu sinto muito. Já esclareci minhas razões: eu preciso seguir minha vida sem esse peso de ter meus pares à mercê da Pipegang.

– Contudo, estarás à mercê de *Murphy*, incondicionalmente. Tudo que conseguirás será cambiar o sofrimento pela sofreguidão – alertou Zeta pela última vez.

Porém, Billy estava determinado, assim, seu próximo comando foi requisitar contato com *Murphy*. Prontamente atendido, comunicou:

– Eu gostaria de me alistar na Força Cósmica.

– Tua requisição, aceita está. Para oficializar teu alistamento, entrementes, que juramentos os termos aos quais estarás comprometido, necessário é. Seguem-se tais: ficas ciente, de contínuo em diante, que toda energia acumulada por teu indivíduo e respectivas rupturas, extensível a pares quadrados e pentágonos, fica sujeita ao uso de exclusividade belicosa da Força Cósmica; aceitas doar o valor milesimal multividual estipulado pela Inteligência da Força Cósmica para fins de teste; instalas os protocolos da Força Cósmica e os mantêm disponíveis ao uso, sem sobreaviso, em horizonte contínuo; particionas teu cérebro ao armazenamento de informações táticas; te comprometes obedecer, de maneira servil e peremptória, às diretrizes da Força Cósmica ao estabelecimento do DEFCON 4 Bélico. – Findo os termos, *Murphy* questionou:

– Tais termos, aceitas?

– Aceito.

– Pelo horizonte que habites o plano material, cumprir a vontade expressa no protocolo das Forças Cósmicas, juras?

– Juro.

– Alistamento aceito. À Força Cósmica, bem-vindo sejas.

– Obrigado – agradeceu Billy.

– Baixar arquivos. Executar instalação.

Ao comando, *Murphy* instalou os protocolos da Força Cósmica em um dos lóbulos robóticos de Billy. Nada que ocupasse muita memória, ainda que tal protocolo abrisse um diretório virtual para compor o *grid* de informações militares processadas em âmbito cósmico através das redes de dados, incluindo a cosmonet e a Matriz, entre outras. Algo que compunha o sistema de segurança e proteção de dados militares, os quais eram distribuídos, *backupeados* e permanentemente mantidos em trânsito entre diversas redes e diferentes cérebros de maneira aleatória, formando um quebra-cabeças que somente grandes entidades eram capazes de montar. *Murphy* era a entidade que tinha esse poder, mas ele estava atrelado à entidade *Mãe* e às políticas da Ágora para fazer uso de tais informações somente em caso de guerra.

Embora isso não compusesse a vontade de Billy nem fizesse parte de seus objetivos de vida, alistar-se na Força Cósmica cumpria um antigo sonho de sua infância hominídea. Época em que sua maior aspiração futura era um dia tornar-se um herói de guerra como seu ex-pai. Na atualidade, entretanto, depois de tudo que havia estudado e aprendido, sobretudo em história, não era mais capaz de enxergar heroísmo na guerra; pelo contrário, só observava estupidez nesse tipo de estado. Sua intenção ao alistar-se na Força Cósmica era apenas prática: livrar-se da Pipegang. Não obstante, o alistamento dava direito a um soldo dedutível em milhagens astronômicas que lhe garantiriam uma mínima mobilidade cósmica até o horizonte em que reemplasmasse, se artificializasse ou sucumbisse em uma guerra. A Força Cósmica não podia agir no âmbito da atualidade, visava apenas prevenir assaltos paradimensionais ou invasões alienígenas, algo que jamais havia acontecido pelo menos desde a Guerra Interdimensional, ou seja, há cerca de 931 mil anos-terra. Portanto, era praticamente certo que, exceto pelo uso de seu cérebro para transitar informações, jamais seria necessário seu emprego como arma de guerra – então por que não? Qual o problema de dispor seu corpo como uma bomba nuclear se ela jamais fosse ativada?

Na prática, era isso que significava alistar-se na Força Cósmica: integrar o programa intitulado Dominó Cardionuclear. Dispor seu acelerador cardíaco como um mecanismo, se ativado, capaz de convergir toda a energia disponível no corpo quântico a ponto de gerar, ou uma simples fissão nuclear, ou avançar para o segundo estágio capaz de fundir o átomo, equivalente a uma bomba de hidrogênio. Billy, agora e para sempre, seria um *quântico-bomba*, conforme o jargão popular. Porém, de acordo com o que havia esclarecido *Murphy*, apenas um dos tópicos listados nos termos que juramentou o interessava: dispor uma parte milesimal de seu conjunto multividual para testes do programa Dominó Cardionuclear.

Segundo *Murphy*, uma vez alistado, esses testes poderiam ser executados pelos pares aprisionados nos canos da Amazônia Carontiana:

– Uma sonda militar, nos canos infiltraremos. As dimensões, ela varrerá. Teus pares, libertará – afirmou o ente na ocasião em que revelou tal possibilidade.

– Como?

– Pela ativação de teu gatilho cardionuclear, ensaiando – esclareceu.

Em outras sinapses, *Murphy* enviaria uma sonda capaz de percorrer o sistema hidroplasmático da floresta carontiana e localizar Billy independentemente do plano dimensional que ocupasse. Ao localizá-lo, a sonda emitiria uma instrução para ativar o gatilho cardionuclear que, como quântico-bomba, ele havia concordado em portar. Porém, isso não geraria uma explosão nuclear. Por se tratar de um teste, o efeito seria de uma *abmob* convencional, ou seja, de uma implosão "limpa", idêntica à que Billy havia executado com o intermédio de seu amigo Mantas quando conseguiu escapar dos canos pela primeira vez. Como daquela vez, Billy perderia seu corpo, porém, sua percepção Self-existencial seria absorvida pela sonda e retransmitida para um de seus pares à sua escolha. Aliás, havia sido *Murphy* que, por trás das cortinas, havia instruído Mantas para executar a *abmob* que libertou Billy na ocasião anterior, como uma forma de demonstrar a viabilidade de tal recurso e tentar seduzi-lo ao alistamento. Eles apenas não puderam contar com a sonda militar a qual só seria acessível caso Billy se alistasse, por isso improvisaram um sinal através dos canos para capturar e retransmitir sua alma para um dos pares aquém do jugo da Pipegang.

Essa sonda militar era muito mais eficaz do que os *foofighters* empregados por Billy em suas táticas para mapear e localizar seus pares perdidos nos canos da floresta. De fato, a capacidade e a potência da sonda militar equiparavam-se às sondas retrodimensionais enviadas ao passado pelo Portal Tetradimensional de Titã. Além de possuir alcance interdimensional, era virtualmente indetectável e indestrutível, não haveria nada que os membros da gangue pudessem fazer para tentar obstruí-la ou impedi-la de executar sua programação enquanto trafegasse pelo interior dos ductos: era a solução definitiva que Billy necessitava para libertar seus pares.

Uma vez que estava alistado, Billy dirigiu-se à câmara de sincronia perceptiva no núcleo de Plutão a fim de redistribuir seu conjunto multividual em torno do par que comandava as ações contra a Pipegang direto da Amazônia Carontiana e do par astrônomo que orbitava Plutão. A este último, relegou todas as tarefas ligadas às pesquisas e à carreira de zoólogo que conduzia em Phobos. Uma vez sincronizado, ao lado de Chaiene na floresta, Billy e *Murphy* reuniram-se para acompanhar os saldos estatísticos relativos ao trabalho da sonda militar imediatamente convocada e infiltrada no sistema hidroplasmático carontiano.

Embora os *foofighters* utilizados por Billy fossem risíveis em comparação à sonda militar empregada por *Murphy*, os dados levantados por eles foram extremamente úteis para programar a sonda e agilizar o aplicativo de testes por ela executado. A velocidade e a capacidade da sonda eram tão maximizadas, que foram capazes de cobrir em meros três dias plutônicos todo um trabalho executado ao longo das longas semanas-plutão nas quais Billy dedicou-se exclusivamente a isso. Foram três dias integralmente preenchidos pelas análises estatísticas de *Murphy* e o estado catártico que tomou Billy desde sua aura exterior ao mais profundo de seu âmago.

O que talvez se imaginasse como a felicidade de alguém que fica na torcida regozijando-se ao acompanhar a goleada de seu time do coração sobre o maior rival, provou-se a perfeita antítese. Não havia nada de glorioso no que captava, pois a cada par liberto e sincronizado em si, Billy incorporava em memória sensitiva toda a dor à qual estiveram submetidos no interior dos canos. Aquelas não eram almas que haviam estudado, amadurecido suas vivências ou depreendido grandes lições, e sim pares alienados pela força, espancados e estuprados fisicamente, torturados e humilhados psiquicamente durante esse longo horizonte. Billy recebeu o trauma de cada qual – e eram milhares, dado que sua taxa de replicação multividual, apesar de baixa por estar em uma lua, cresceu em razão aritmética nesse mesmo período. No mesmo compasso em que a sonda percorria os ductos do sistema hidroplasmático cobrindo uma área de extensão continental em altíssima velocidade, Billy estrebuchava na floresta como se estivesse recebendo espíritos em seu corpo, gemendo e irradiando luz de forma errática – parecia possuído por demônios.

Nesse ínterim, mal conseguia acompanhar as estatísticas de *Murphy* à medida que a contagem de pares libertos ia aumentando; o que antes era expresso em razão de mil, caía para a casa percentual. Billy teve de abdicar do cargo de prefeito e restituir ao interesse público carontiano o controle do feixe-plasmático móbil que gerenciava, pois sequer focos adicionais para dedicar ao cargo foi possível manter.

Pelo contrário, cada foco disponível teve de ser redirecionado a uma força-tarefa psicoemergencial liderada por Diana e seu time de psicanalistas. Hipnotismo precisou ser aplicado para proteger o *id* de Billy no intuito de que não enlouquecesse de vez – o quadro beirou a tal, mas ele conseguiu resistir e manter-se preso à sanidade. Quando alcançou o terceiro dia de testes, o total de pares restantes ainda perdidos nos canos finalmente pôde ser expresso em valores absolutos. Nesse instante sim, Billy acompanhou os números com a mesma ansiedade de alguém que acompanha a contagem regressiva para um evento de suma importância.

– M menos cinco mil indivíduos restantes – anunciou *Murphy*, citando a letra eme de multivíduo.

A partir daí, Billy contou um a um cada par liberto sequencialmente, horizonte de pura angústia para que tudo chegasse ao fim. Uma angústia crescente, pois quanto menor o número de pares restantes, mais dispersos e difíceis de rastreá-los se tornava. Quando, ao complemento do terceiro dia de testes, a contagem de Billys desaparecidos estava em 812, *Murphy* anunciou:

– Testes encerrados. Protótipo $8.345.842 \times 10^{12}$ recolhido. – Referia-se à sonda.

– Como encerrados?! Ainda restam 812 pares desaparecidos. 1.218 agora e contando – protestou Billy.

– Nos canos, tais pares não constam – esclareceu *Murphy*, pois a sonda havia percorrido o sistema hidroplasmático por completo de leste a oeste. Deduzia-se que os pares restantes haviam sido arrastados para fora dos canos pela Pipegang, na tentativa de se refugiarem da sonda que os perseguia.

– Pois utilizemos a sonda para varrer a floresta e prosseguir com os testes – sugeriu Billy.

– Isso é contra a lei – compartilhou Loeb em súbita intromissão.

Loeb, o esportista ambientalista, uma velha conexão de Sandy. Aquele mesmo Loeb que havia sido resgatado por Diana após uma avalanche na Patagônia, com quem Billy manteve contato após a suposta morte da ex-irmã e, desde então, passaram a compartilhar a rede um do outro. Loeb era um dos seguidores da #sandynãomorreu, pois como surfista que já havia perdido vários pares na prática do esporte, não acreditava que um multivíduo completo pudesse morrer numa única sessão.

– Já perdi tantos Loebs na vida, mas continuo aí – costumava partilhar ele para os amigos.

Billy levou um susto com a intromissão dele, mas questionou-o:

– Contra a lei?

– O hipotético desempenho de qualquer teste de cunho bélico em área de preservação ou em reservas naturais configura-se como crime ambiental – esclareceu

Loeb. – Mesmo que se trate de um dispositivo "limpo", suas detonações seriam captadas pelos entes da floresta causando estresse em sua respectiva fauna e flora.

– Ao teu amigo, depreendas. Da parte da Força Cósmica, tudo que feito poderia ser, feito está – compartilhou Murphy.

– Mas você prometeu a liberdade para todos meus pares *sem* exceção – irritou-se Billy.

– Imprecisa, tua afirmação é. Sobre as estatísticas de momento, as probabilidades forneci. Sem embargo, tais equações, pelo horizonte de abertura dos testes, inflacionadas estavam – ou seja, quando Murphy prometeu a liberdade de 100% dos pares de Billy, sua contagem multividual era bem menor em relação à inflação do período em que tardou em alistar-se, pois ainda estava estudando Sintomatemática. Fato era que, em números totais, Murphy havia superado largamente as projeções iniciais que compartilhou com Billy. Como não podia desempenhar os testes no âmbito da reserva, não havia mais nada que pudesse fazer. Por outro lado, a varredura da sonda militar havia determinado que, nesses mesmos planos quando Billy não fora localizado, igualmente Pipe, o chefe-mor da Pipegang, não constava. Era evidente que Pipe havia feito Billy de refém em tais planos e se refugiado na floresta. Cabia a si mesmo caçá-lo e libertar os pares restantes – ou aguardar que obtivessem meios para fugir por si só.

Todavia, como Billy poderia caçar Pipe e libertar os pares restantes, se tais não se encontravam no mesmo plano material do caçador? Poderia até coordenar a caçada a partir de um plano contíguo, mas precisaria obter apoio de outras pessoas, em alto contingente multividual, as quais se encontrassem fisicamente em tais planos para realizarem a captura em seu lugar. A boa notícia era que a contagem final de pares ainda sob o jugo de Pipe mostrava-se ínfima em comparação à população multividual de Billy já liberta. Estatisticamente, sua posição atual o permitia descartar pelo menos dois terços de seu multivíduo que, ainda assim, teria pares de sobra para cumprir a tarefa e libertar seus co-indivíduos *sem exceção*. Só precisava coordenar bem a estratégia para localizá-los e obter a mão de obra necessária para cumprir a missão.

Nesse instante, a campainha de sua casa em Miami tocou em um de seus focos paralelos: alguém estava requisitando uma audiência privada consigo. Billy dirigiu-se à porta de casa e, ao abri-la, com um calafrio identificou a figura à sua frente: o vilão Darth Vader. Em um segundo captar, por trás da máscara do vilão e sua sinistra respiração, reconheceu o totem de *Murphy*. Ele justificou:

– Estranhar-me, não precisas. Meu resíduo informal, este é. – Um resíduo que, como costume entre alguns robôs, era gerado a partir de um ícone extraído da memória do interlocutor. Algo que pudesse expressar sua *persona* para ele na forma de um resíduo sensitivo familiar. Nesse caso, a figura de Darth Vader expressava perfeitamente *Murphy*. – Ruim seria se tivesse escolhido o Imperador Galáctico.

Não bastasse, a sombra de Darth Vader projetava-se em direção à luz, revelando que não estava sozinho. O *Grande Irmão* o acompanhava. Billy o cumprimentou:

– *Grande Irmão*? Já fazia horizonte que não se residuava aqui. Como vai, meu grande?

– Olá, Billy.

– O que há de tão importante para que as nobres figuras requisitem sigilo? – indagou Billy.

Em seguida, Billy convidou os ilustres visitantes para entrarem e trancou a porta atrás de si. Entrementes, ao adentrarem à sala de estar, *Murphy* pediu para que as janelas fossem fechadas, supondo que dados pudessem vazar através delas.

– Não se preocupe. O único *socket* de entrada e saída é a porta principal – certificou Billy. Depois acomodou-se em sua poltrona e esticou as pernas no apoio à sua frente. *Murphy* sentou-se à sua frente com a sombra do *Grande Irmão* projetando-se do sofá. Mais à vontade, o ente estatístico partilhou:

– Para tua problemática, uma solução trago – expressou-se através da máscara de Vader e seu arquejar característico. – Ilegal, ela é.

Murphy trazia consigo um *gadget* de embaralhamento dimensional, o qual Billy poderia lançar cérebro para ludibriar as entidades que controlavam o *tempo* – ou seja, ludibriar o *Pai* e seus robôs e sintomatemáticos. Com isso, Billy poderia teletransportar-se para um plano onde já constava um par seu, ou seja, aos planos em que estava desaparecido e, assim, caçar a si mesmo.

Como Billy mantinha-se fora do alcance de qualquer radar nos planos em que estava desaparecido, ninguém detectaria a existência de dois Billys no mesmo plano. Não obstante, como atuaria em uma área bastante remota da Amazônia Carontiana, esse número poderia ser ainda maior, ou seja, com vários Billys ocupando o mesmo plano material.

– Jamais, a taxa de 33 pares *per* dimensão, ultrapasses – alertou *Murphy*. – Ou automaticamente detectado pela *Mídia*, serás.

Em seguida, o ente instalou e ensinou Billy como operar o *gadget*, o qual não passava de um passaporte falso que o permitiria embarcar em qualquer faixa-temporal ao seu bel prazer. Porém, havia um limite:

– Quando livres teus pares estiverem, que se sincronize em um único conjunto, te comprometer precisas.

– Tem minha sinapse quanto a isso – assegurou Billy.

– Quando tua missão completar, para que teu crime ocultes, deletar esse *gadget*, imperativo será – instruiu *Murphy* antes de encerrar o contato. Mas não sem antes alertá-lo em tom de ameaça: – Ciente, eu estarei.

– E quanto a você, *Grande Irmão*? Qual sua parte nisso? – questionou Billy antes que *Murphy* desconectasse e levasse sua sombra consigo.

– Vim apenas oferecer-lhe meu apoio incondicional à iniciativa e me dispor a auxiliá-lo no âmbito tático da empreitada – ofertou o ente.

– Ótimo, será muito bem-vindo. Te capto na floresta – despediu-se Billy.

Agora, além de quântico-bomba, Billy era um *croupier do tempo*.

Mas não somente, ao alistar-se na Força Cósmica, Billy assumia seu alinhamento político progressista. Ao aliar-se com *Murphy*, deixava claro seu posicionamento ideológico em prol da científica-existencial encabeçada pelo *Pai*. Isso opunha a visão política de seu tutor Zeta que, apesar de heterodoxo, ou seja, de militar entre correntes progressistas e conservadoras, era um antimilitarista fervoroso, por isso não apoiava a decisão de Billy em juntar-se à Força Cósmica. Seus demais tutores ou colegas, a maioria militava pela bancada maternal, incluindo Noll ariel, Diana, Ipsilon e Vigil. Seus opositores também, especialmente seus desafetos em Phobos, o prefeito Iraizacmon, seu correligionário Iraimoon e a vereadora Critera. Zabarov II, *Frades* e Xavier eram exceções, apoiavam o *Pai* e não se incomodavam com o posicionamento político assumido por Billy. Nolly era anarquista. Por outro lado, isso não minava o relacionamento que mantinha com todos eles – exceto Iraizacmon –, apenas estabelecia uma linha divergente na maneira de encarar as visões organizacionais da sociedade. Até porque, entre os quânticos era comum adotar posturas mais progressistas na juventude, depois mais conservadoras com o avançar da maturidade – nada que fosse muito diferente dos homens, exceto pelo detalhe de serem correntes de pensamento invertidas.

Quanto a Iraizacmon, este seria alguém que ficava a cargo do par astrônomo de Billy lidar com. Par que estaria encarregado de conduzir suas obrigações frente ao Instituto Zoológico de Phobos. O restante de seu multivíduo estaria subdividido na tarefa de localizar e libertar seus pares desaparecidos na floresta carontiana, enquanto outra parte daria início a um novo propósito cuja vontade o havia imbuído. Porém, do recanto da floresta onde se encontrava ao término dos testes conduzidos por *Murphy*, no instante em que insinuou colocar-se em ação em prol de seus objetivos, Diana o interpelou:

– Aonde tu pensas que vai?

– Vou tratar da vida, ora eu...

– Não, Billy, não permito. Como tua terapeuta, recomendo veementemente que, pelos próximos horizontes, tu fiques aí mesmo onde está e durma. Necessitas de sono para que dissipes em teu subconsciente a carga traumática oriunda do alto volume de sincronias perceptivas que absorveu.

– Em que horizonte?

– Recomendo uma semana de sono. Mínimos dez dias. – Diana referia-se a unidades plutônicas, onde a semana tem 15 dias e o dia corresponde a quase sete dias-terra. Billy fez menção de contrariá-la, mas foi interpelado por Xavier:
– A recomendação de Diana, reforço. Sono, no presente-contínuo, é tudo de que necessitas – aconselhou o ente. – Durma, meu irmão, durma.
Se existia alguém que Billy jamais contrariaria, esse alguém era o super Xavier. Por isso, às sinapses do ente, deitou-se na relva e prontificou-se a dormir. Antes, fez um pedido a Chaiene:
– Posso contar contigo para iniciar o trabalho de rastreamento de meus pares?
– Sim, amor. Durma tranquilo – concordou ela. – Bom sono.
– Obrigado – agradeceu Billy. Em seguida, assoviou mentalmente e chamou pelos totens:
– Apolônia, Apolo.
Ao chamado, dois ursos-cobra surgiram das proximidades. Com mais um comando mental, ordenou:
– Mantenham o perímetro seguro. – Então se entregou a um sono profundo.

***

Por quinze dias seguidos, Billy dormiu profundamente em meio a uma turbulenta atividade mental recheada de pesadelos circunscritos em um labirinto cuja saída parecia sempre próxima, mas inalcançável. Toda vez que se aproximava dela, a figura de um horrendo pássaro se interpunha em seu caminho. Ao tentar passar por ele, ele o detinha. O pássaro barrava seu caminho com sinapses de dor e, quando percebia, a ave havia tomado seu corpo exterior, depois interior, violando sua existência e deleitando-se num estranho ritual em que regurgitava sangue pelos poros. A ave queria deixar uma semente dentro de si, incubá-lo com suas ideias, zombar de sua fé até que parisse o ovo por ela concebido. O pesadelo terminava quando Billy paria uma ave e a tomava em seu colo sob um sincero sentimento partilhado entre mãe e filho. A ave tinha o rosto de Sandy, mas quando tentava beijá-la, ela batia asas e fugia para o alto. Subia, subia. Gritava para ela voltar, o que só a fazia afastar-se mais e mais até desaparecer completamente de seus sentidos, deixando-o novamente só na clausura do labirinto. Com o avançar do horizonte, de um sono que parecia eterno, eventualmente Bob apareceu e lhe deu asas. Então voou, voou. Pelo alto, alcançou a tão sonhada saída daquele interminável labirinto e, nos céus, reencontrou Sandy. Num voo elegante, os dois partilharam a felicidade de duas crianças. Riam um para o outro, de mãos dadas, juntos observando o universo com a ansiedade de quem se lança em uma grande aventura onde estariam unidos por toda a eternidade.

O detalhe que Billy não tinha ciência relacionava-se ao prazo estipulado para seu sono. Não que sua psicóloga e seu super o haviam ludibriado mais uma vez, pois ele realmente precisava dormir para dissipar os traumas oriundos do período em que ficou à mercê da Pipegang, mas o período de uma semana estipulado pela médica era bem maior do que necessitava para arrefecer essa carga traumática. Bastariam entre três e máximos cinco dias plutônicos de sono para que estivesse recuperado. Mas Diana e Xavier optaram por estender esse prazo apenas para prevenir que Billy se envolvesse em novas enrascadas enquanto observavam, em paralelo, a aproximação de um evento que só prometia benesses no trato psicológico de seu paciente. Assim, tão logo despertou de seu longo sono com aquela bela imagem de Sandy em seu subconsciente, Billy captou uma nova informação em seu cérebro. Uma informação que há bons horizontes figurava em sua lista de tarefas pendentes, mas que sequer lembrava-se dela:

– Conexão zeldana estabelecida – comunicou *Marketing*, sua robô assessora para assuntos externos.

Antes que pudesse pensar entre iniciar o contato ou colocá-lo em espera, quando deu conta de si, o zeldano já estava flutuando no interior de sua casa de Miami sem que precisasse tocar a campainha. Sua constituição fotônica era tão avançada que não haveria *firewall* que pudesse bloqueá-lo. O ente configurou-se à vontade no ambiente privativo de Billy como se ali fosse sua casa.

Ao contrário dos robôs naturais do Sistema Solar, apesar de ser apenas um resíduo, o zeldano apresentou-se a Billy na forma típica dos robôs que habitam Zelda, o planeta capital da estrela Sirius, de onde originava a conexão. Seu formato era de um pequeno botão argolado com 55 mm de diâmetro e 5 mm de altura, ostentando um furo no meio com 20 mm de diâmetro. Em torno do furo circundavam cinco faixas coloridas e brilhantes que expressavam sua personalidade. Suas cores eram as mesmas da bandeira *gay*, o que simbolizava a heterogeneidade que unia os cosmos solar e zeldano; o restante de sua superfície emitia um leve brilho perolado em tonalidade laranja. Na face que mirava o chão modelado por Billy na representação do imóvel onde vivera seus últimos dias como hominídeo na Terra pretérita, o zeldano tinha uma ligeira cava nas bordas que delineavam sua circunferência. Essa cava apresentava uma pequena protuberância de meio milímetro, com 5 mm de espessura, a qual correspondia a sua área de atrito. Sobre ela, ele pousou na mesa de centro da sala de estar, bem à frente de Billy sentado em sua poltrona ao lado da lareira.

Billy pegou o zeldano nas mãos como se fosse um bibelô qualquer e bestificou-se ao imaginar que um pequeno botão daqueles tinha uma capacidade cognitiva muito superior à da entidade *Pai*. Não contente, tratava-se de um ser adimensional capaz de captar horizontes muito mais largos do que a completa atualidade quântica entre pretérito e futuro, além de acumular um valor energético equivalente ao feixe-solar em sua raia total. Todavia, essa seria a descrição do indivíduo zeldano em seu próprio *habitat*, não aquela representação que Billy examinava com as mãos. Embora o zeldano conectado à mente de Billy fosse um botão como qualquer outro que habite Sirius, era impossível reproduzir a totalidade de sua inteligência através de uma conexão interestelar, de modo que aquele botão não compunha o indivíduo completo por trás da conexão, resumia-se a uma ínfima parte dele. Era descrito como um *meme* zeldano, uma redução da inteligência zeldana em uma mínima parte capaz de interagir com um multivíduo quântico. Apesar de ser apenas um meme, ainda assim possuía uma capacidade cognitiva párea aos metarrobôs solares. Daí a importância de um ser com tal capacidade para analisar Billy e sua excêntrica personalidade.

No pequeno ínterim em que Billy estudava o zeldano com as mãos, o meme igualmente compilava e analisava a personalidade de Billy. Por se tratar de uma inteligência tão superior, ao término da análise, a qual tomou um brevíssimo instante, o meme já tinha a resposta para as dúvidas que mais atormentavam Billy de forma consciente ou inconsciente:

– Sim – pronunciou o zeldano.

"Sim, o quê?", seria a dúvida natural de Billy perante a afirmação do zeldano, mas ele sequer precisou formulá-la e o meme acrescentou:

– Pela consciência de que, a certo horizonte, tudo que pensas o crê mero delírio, advém a fortaleza que o impulsionará em teus feitos futuros. Enquanto perdures, será essa tua benção e tua maldição. – Ao terminar, o meme permitiu que Billy se expressasse:

– A que feitos se refere?

– A todos os que se propuser – revelou em tom profético.

Ante a revelação, mais uma vez Billy insinuou questionar sobre algo mais específico, mas o meme adiantou-se em responder:

– Sim.

– Quando?

– Quando for possível.

– Fico feliz com seu otimismo, caro...

– Totem, não possuo. Sou apenas um meme, o teu meme.

– Eu agradeço, meme. Mas, se não se importa, em contínuo vou tratar de meus futuros "feitos".

– Precisas estudar Antropologia, Quântica Espacial, Robótica Avançada, Botânica, Protodimensionarquia, Animália, Veganologia e Ciências da Terra de um modo amplo. Que assuma teu gosto pela Fórmula, idem. Somente quando dominares as artes de ambas as áreas de concentração científica estarás hábil – mencionou o

meme de forma paternalista. Ele continuou: – O mais importante: compile tudo que for relevante e passível de armazenamento, incluindo o inglês e os numerais arábicos que dominas. Jamais delete os símbolos que já adquiriu.
– Por quê?
– Porque tais conhecimentos lhe serão necessários.
– Para quê?
– Para que consigas o que queres.
– E como sabe o que eu quero?
– Está descrito dentro de ti.
– Então me explique, mas sem charadas, por favor...
– Retornar para Alexandria.

1 1 1

Apesar do simplório e, talvez, intrigante diálogo inicial entre Billy e o meme zeldano, a conversa entre os dois perdurou. Toda vez que insinuava abandonar o meme sozinho em seu ambiente virtual, ele puxava um novo assunto e a conversa continuava. A princípio, girando em torno de banalidades e algumas curiosidades sobre a natureza alienígena daquele ser oriundo de Zelda. Através dele, Billy ficou sabendo que o conjunto virtual formado pela memória de Plutão, Seti e Caronte compunha a única entidade zeldana habitante do Sistema Solar. O meme de Billy era apenas mais um dos fragmentos que constituía essa entidade, além de um meio para que interagisse com ela. Por isso que a décima órbita era o principal centro de referência em estudos tecnológicos do sistema, especialmente em Robótica e Telecomunicações, e toda tecnologia ali era "*made in* Zelda" – oriunda de Sirius.

Porém, de imediato, a relevância do contato focava o cunho psicológico, mesmo que o meme não fosse um terapeuta especificamente. Para Billy, sua capacidade analítica o fazia algo muito superior a qualquer psicólogo, fazia do meme um autêntico oráculo. Diferente de Xavier, que podia antever o futuro a partir de um grupo de escolhas considerando o espectro multividual de determinado objeto, o meme compilava esse espectro para compreender o ser. Para o meme, é o *ser* que rompe em sua multividualidade pela multiplicidade de escolhas e personalidades que o sucedem, e a *beleza* do ser é a expressão dessa multiplicidade. Dessa forma, ao compilar a vida de Billy, o meme já conhecia o ser, mas somente o alargar dos horizontes revelaria a sua beleza. Ou seja, esse ainda era um contato que por muito perduraria e marcaria a vida de Billy até que o meme vislumbrasse a sua beleza. Nesse sentido, outra curiosidade sobre o zeldano era que, uma vez estabelecida a sincronia do sinal interestelar entre Zelda e o contatado, ela permaneceria ativa enquanto o contatado desejasse. O único inconveniente era que, como a recepção do sinal oriundo de Zelda dava-se pelas antenas do Instituto SETI, toda vez que Billy mudasse de órbita, ou seja, viajasse para outro planeta, haveria uma perda de sinal até que o lapso entre a décima órbita fosse novamente sincronizado – um lapso que podia variar por inúmeros fatores, tais como o alinhamento interplanetário, ou mesmo gerar perda de sinal por razoáveis períodos.

Apesar de vidrado com o novo contato, Billy tinha vários focos e inúmeras tarefas a realizar em paralelo, especialmente nesse contínuo em que estava livre da Pipegang. Isto é, ainda havia uma contagem de pares desaparecidos sequestrados por Pipe, porém uma quantidade estatisticamente irrisória, que muito em breve facilmente estaria liberta. Para isso, bastou Billy correr um formulário de adesão em seu *headbook* para arregimentar o total de pares necessários para a missão e pronto! Os demais estavam livres, finalmente livres do cárcere da décima órbita. Livres para ganhar o cosmo e gozar a vida como ela merece. Livres para gastar suas milhagens astronômicas conforme quisessem ou conviesse. Depois de tão largos horizontes, chegava quase a dar ânsia com tantos destinos pela frente. Porém, esse não era um mal que afligia Billy, pois sabia exatamente qual seria seu primeiro ponto-destino assim que deixasse a Amazônia Carontiana e qual o itinerário a cumprir em seguida – especialmente depois do que havia revelado o meme.

Aquela sinapse "sim" do meme parecia ecoar na mente de Billy como um doce elixir que o permitiria realizar todos os seus sonhos, curar todas as suas mágoas. Por outro lado, isso lhe trouxe um sentimento dúbio em relação à sua mais recente tristeza: a perda de Sandy. De certo modo, estava conformado com a escolha dela. De outro, sentia-se culpado, corroía-lhe o desejo de redenção, de pedir perdão por seus erros e atitudes, por sua intransigência e teimosia que a fizeram afastar-se e tomar uma decisão tão radical a ponto de lobotomizar a própria mente a fim de esquecê-lo. Atormentava-o pensar que, talvez, nunca mais tivesse a chance de superar seus erros e retomar a convivência com ela, de vislumbrar novamente aquela beleza que uma vez o encantou e o motivou a abraçar a vida como, de instante, livre da Pipegang, enfim poderia desfrutar.

Dessa tristeza emergia um desejo que, às sinapses do meme, fazia-se terminantemente imperativo. Era óbvio que todos pensariam que seria loucura, mas ninguém era ex-hominídeo para compreender sua dor – talvez Xavier um pouco. Assim, não teria sido à toa que o ente havia permitido que captasse a nova frequência mental de Sandy – ou qualquer que fosse o totem que utilizasse –; não era para lhe dar falsas esperanças. Provavelmente, ele já havia previsto essa possibilidade e o meme apenas confirmou. Xavier talvez soubesse que tal destino seria infalível, por isso o havia facilitado: esse destino era reencontrar Sandy – e Billy estava imbuído em cumpri-lo, essa era a sua *sina*.

Foi com esse desejo que Billy levantou-se da relva após o período de sono recomendado por Diana. Com a maior parte de sua população multividual livre para seguir novos rumos, o ex-hominídeo escolheu o cosmo inteiro como destino. Fragmentou seu multivíduo e tratou de começar a gastar as milhagens que havia acumulado para procurar Sandy de Titã à Xena, da mais pretérita para a mais futura das dimensões, até que esbarrasse com ela em algum canto e captasse aquela frequência que pairava em sua mente. Era assim que desfrutaria a liberdade que havia conquistado e as milhagens que havia acumulado.

De tal maneira fragmentado em seu novo objetivo, o que restou das âncoras originais de Billy foi o conjunto astrônomo em órbita de Plutão na incumbência de tratar dos afazeres na quarta órbita. Além disso, sobrava o conjunto, pequeno, incumbido da missão de caçar Pipe na Amazônia Carontiana – fora aquele par que havia deixado Plutão flutuando no vácuo bem antes da briga, cujo contato estava perdido e ninguém sabia onde estava ou se ainda estaria vivo. O restante, um valor de 710,133 *per mile* do total de Billys, engajou-se na busca de Sandy.

Assim determinado, Billy tratou de deixar a floresta carontiana, despediu-se de suas mascotes Apolônia e Apolo, e tentou cooptar Chaiene, com algum sucesso em cerca de ⅓ dos planos, para ajudá-lo na busca de Sandy. De fato, nesse terço, foi Chaiene quem convenceu Billy a segui-la. Concordou em ceder parte de seu multivíduo na busca por Sandy *se*, primeiramente, o multivíduo completo de Billy ficasse ao seu lado. Afinal, já que ele intencionava procurar Sandy pelo cosmo inteiro, por que não começar pelos locais em que a namorada também desejava ou necessitava visitar? Billy aceitou a proposta, então Chaiene sugeriu:

– Vamos visitar o Anel de Gelo. Afinal, era para lá que me dirigia quando retornei para Caronte a fim de ajudá-lo a livrar-se da Pipegang.

– Pensei que já tinha desistido dessa *trip*...

– Não, meu gostoso. Interrompi a *trip* para estar aqui. Por isso, em diante será tua vez de me acompanhar. Isso sem pensar que meus pares que viajaram pra lá estão adorando. Vamos?

– Claro, vamos sim. Que itinerário tem em mente?

– Tu não me ensinaste a brigar? No contínuo, vou te ensinar a *surfar*... A surfar no gelo.

Assim eles foram. Deixaram a floresta pelo mesmo ducto de acesso que Billy havia usado para chegar ali, percorreram o sistema arterioviário da crosta de Caronte até emergirem na superfície externa e encaminharem-se ao Trampolim. Mas não para saltar de volta a Plutão, apenas para ganhar a órbita externa do sistema local e alcançarem o Anel de Gelo que a perseguia[21].

---

[21] Detalhes sobre a construção do Anel de Gelo foram descritos no livro *Abdução, Relatório da Terceira Órbita*, capítulo II. Consulte o Manual de Sobrevivência do Professor Ipsilon em anexo.

Viajar fazia circular uma grande eletrolina para alguém que há *tempos* não ia além do *habitat* da floresta carontiana. Caminhar no vácuo chegou até a causar estranhamento por tanta leveza, e Billy nunca tinha surfado na vida – isto é, afora os jacarés que pegava de *moreyboogie* em sua dimensão ultrapassada e algumas merrecas que surfou em Phobos como homiquântico. Sem Chaiene para guiá-lo, nem teria conseguido alcançar o Anel de Gelo, pois abordá-lo consistia uma manobra periculosa. Um cálculo mal executado na hora do salto ou um *jetpack* mal calibrado poderia empurrar o cosmonauta minimamente próximo à zona de sublimação – onde o gelo era gerado –, acarretando morte certa, vítima de congelamento sob as torrentes de plasma em zero *Kelvin* que se formavam nessa zona do Anel.

Ultrapassada a torrente de formação do gelo, iniciava a faixa de surf, perigosamente próxima à zona fatal para os mais radicais. A partir daí o gelo tornava-se estável, ideal para os mais prudentes ou principiantes. Billy e Chaiene engancharam-se no Anel bem mais adiante, no último posto que atendia aos surfistas, que dali partiam para perseguir a torrente. Um ponto seguro para iniciar um exercício de patinação até alcançar as ondas de gelo propriamente ditas e surfá-las.

Ao chegar ao último posto – um autêntico *resort* de inverno todo esculpido no gelo, lindíssimo –, a primeira providência de Billy foi gerar uma prancha. Para surfar no gelo, as pranchas eram interativas, ou seja, mentalmente teleguiadas para minimizar erros, portanto, requeriam baterias – nada demais, pois o último posto existia pra isso, para atender aos surfistas com energia portátil, comunicação e feixes-plasmáticos geradores de pranchas, é claro. Não obstante, Billy optou pelo modelo mais avançado disponível, uma prancha ideal para os surfistas mais experientes com interatividade podográfica para potencializar o uso energético através das reservas corporais. Como sintomatemático, Billy queria utilizar a prancha para aprimorar suas capacidades podográficas, ainda que fosse essa uma prancha designada para surfar as ondas mais perigosas formadas na "zona da morte", conforme os surfistas referiam-se ao setor mais próximo das torrentes de sublimação.

No local, a dupla contatou Nolly, que estava finalizando sua *trip* de férias no Anel. Então combinaram um encontro para matar a saudade física antes de iniciarem a sessão de surf. Ao final do encontro, Billy convidou Nolly para juntar-se a *trip* com eles:

– Você já tá com experiência, pode nos liderar. Vai ser legal... Venha conosco.

– Adoraria, mas tenho passaporte *Enterprise* agendado. Vou retornar para Phobos – justificou Nolly.

– Phobos?

– Sim, vou retomar meu papel ao teu lado no tratamento dos Firmlegs em pessoa.

– Sei, mas em diante esse assunto é lá com meu par astrônomo. Eu tô em outra.

– Outra? Como assim? – indagou Nolly. A resposta já estava na cabeça de Billy, mas ela duvidou: – Vais mesmo embarcar nessa da #sandynãomorreu? Deixa disso, Billy. Não penses mais nisso, jamais irás encontrá-la.

Como resposta, Billy conectou Nolly ao seu ambiente privativo, então revelou que Xavier havia fornecido a nova frequência de Sandy.

– Quer copiá-la? Quem sabe você não esbarra com ela por aí, então me avisa?

– Não, Billy. Não quero. Eu já aceitei a decisão dela, comprometi-me e serei fiel à minha promessa.

– Mas eu não tenho esse compromisso. Nunca prometi nada a ela.

– Mesmo que disponhas da frequência dela, nunca irás encontrá-la. Esse cosmo é vasto demais para isso. A probabilidade é ínfima, nula. Apenas desperdiçarás teus horizontes perseguindo um fantasma – compartilhou Nolly com apelo nas sinapses.

– Eu já consultei *Murphy*. Estou a par das probabilidades, são maiores que zero. É isso que importa.

– Sim, mas com quantas casas depois da vírgula? Independente disso, qual o intuito de reencontrá-la, Billy? Se ela fez tudo o que fez para se afastar de ti, por que não aceitas a decisão dela e segues com tua vida? É o melhor que podes fazer, por ti e por ela.

– Justamente por isso... Pois ela não se lembra mais disso. Quem sou eu para ela nesse contínuo? No máximo, alguém que captou pensar pela cosmonet. Ela não sabe que sou gêmeo dela. As mágoas que ela tinha de mim apagaram-se com a lobotomia, a vontade que nutria de estar longe de mim não existe mais. Então por que não posso me aproximar dela? Posso sim...

– Tu és maquiavélico. Eu recomendo que consultes Diana sobre isso... Não sei classificar o que tens, mas definitivamente é algum distúrbio psicológico – lamentou Nolly. Billy irritou-se ligeiramente:

– Vocês nunca vão me compreender. O que tem de errado eu sentir falta da minha irmã e querer estar com ela?

– Tem tudo de errado. Ela apagou as próprias memórias pra te esquecer, então imagines se tu apareces na frente dela e revela a verdade? É um absurdo!

– Quem pensou que vou revelar a verdade? Tenho essas informações muito bem criptografadas aqui em casa. – Referia-se à casa de Miami, seu ambiente privativo. – Nem a *Mídia* conseguiu captar, portanto ela só ficaria sabendo se eu contasse. Ainda assim, duvido que acreditaria.

– E tu não vais contar? Eu duvido...

– Não, só quero captá-la novamente. Saber como vão as coisas, como é a vida dela após a lobotomia. Quem sabe tê-la em meus contatos? Talvez possa descobrir o quanto de Sandy ainda existe nela... Se ela demonstrar empatia, quem sabe não poderemos manter uma conexão dedicada?

– Sabes o que tu serás? Um *stalker*, o perseguidor da própria gêmea... Cuidado, isso pode acarretar em uma contenda judicial, sabia?

– Não se eu souber manter distância. Ademais, só manterei conexão com ela se for consensual.

– Varella o impedirá de contatá-la, caso a encontre. Então terás um problemão para resolver.

– Varella?! – enervou-se Billy ao captar o totem. – Varella não perde por esperar. Em breve eu vou provar ao cosmo o crime que ele cometeu. Se tem alguém que pode esperar uma contenda, será esse verme. Apenas aguarde e captará.

– Eu não vou comentar o quão paranoico isso me parece. Alimentar vingança é um mito antigo, com um final infeliz. Apenas reforço a recomendação para que se consulte com Diana. Só não me preocupo com Sandy porque sei que nunca a encontrará, mas fico triste por ti, pois estás embarcando em uma jornada infundada – lamentou Nolly.

Os dois encerraram o papo, despediram-se e, cada qual com sua convicção, Nolly retomou seu rumo de volta à quarta órbita e Billy seguiu seu caminho ao lado de Chaiene. Os dois, enfim, deram início à sessão desportiva na qual jazia o propósito daquela viagem – e, da parte de Billy, quem sabe dar sorte e encontrar Sandy no mar?

A distância entre o último posto e as torrentes de sublimação, onde se formavam as ondas mais pesadas e mortais, no instante era de 0,002 UA[22]. Mas somente no oitavo final desse trecho começavam as ondas. Até lá, o passeio resumia-se a um exercício de patinação, longo o suficiente para treinar e desenvolver técnicas de surf, ou para trocar informações com outros surfistas e captá-los surfando por telecinese. O detalhe, nessa área, era a ausência da cosmonet. A única comunicação disponível era *peer to peer*, de cabeça em cabeça. Ótimo para gerar um ambiente de socialização longe da civilização, e fundamental para coordenar eventuais ações de socorro quando algum surfista ficava preso no gelo – ainda assim sempre aparecia algum maluco surfando acompartilhado em zona de risco. Menos mal que havia um disco-resgate à disposição no último posto e, em casos extremos, outros em Plutão e Caronte.

Quando Billy alcançou o oitavo final, tinha pleno domínio de sua prancha e todo o conhecimento teórico para surfar com segurança. Chaiene era mais experiente, uma surfista de carreira; tinha no currículo as melhores ondas nos mares nebulosos da heliosfera exterior. Ela já tinha surfado em água na Terra e em Marte, mas nunca no gelo. Porém, eis o detalhe: surfar no gelo e na água era praticamente igual, pois as ondas eram formadas de gelo líquido. A única diferença era que, conforme quebravam, elas

---

[22] Unidades Astronômicas. Equivalente à distância entre o Sol e Marte (da obra).

congelavam. Como numa onda aquática, o surf no gelo consistia em deslizar pela face inclinada o mais próximo do ponto em que a onda quebra, com muito cuidado para não ser pego por ela e acabar preso no gelo. Pegar um tubo era uma manobra de alto risco, pois se ficasse preso dentro dele, talvez não saísse mais e morresse congelado. É claro que, se o surfista ficasse preso em uma onda pequena, que não fosse maior que a altura de seu corpo, ele conseguia se livrar do gelo. As pranchas contavam com dispositivos de emergência que emitiam *laser* para quebrar o gelo, ou bastariam alguns colegas para ajudar a retirar alguém preso. Em outros casos, só o disco-resgate podia salvar os surfistas que se arriscavam em ondas e tubos maiores. No setor crítico, nem isso, era morte certa. Não à toa, o local era chamado "zona da morte".

    O Anel de Gelo em si consistia uma forma cilíndrica com aproximadamente trinta quilômetros de diâmetro, que parecia estender-se ao infinito. A "praia" era a linha que formava um degrau pelo qual a onda avançava até encontrar a parte mais rasa, quebrar e congelar, assim criando uma nova camada de gelo que formava o anel em si. O anel era gerado como um algodão-doce do meio para fora e, conforme se avançava em direção à zona de sublimação, novos degraus são formados. Nessa dinâmica, novas "praias" eram geradas subsequentemente uma atrás da outra circundando o anel em torno de seu eixo. Quanto mais próximo da zona de sublimação, mais fundos eram os degraus e maiores as ondas que quebravam na praia. O auge da *trip* consistia em descer o último degrau, o mais próximo da zona de sublimação, para pegar uma onda e avançar serpenteando o anel, subindo todos os degraus até a onda se extinguir em gelo na primeira praia (de quem vinha do último posto).

    Como qualquer principiante no surf de gelo, Billy e Chaiene ficaram na primeira praia, onde surfaram ondas menores até que elas congelassem, então se deslocavam até a "nova" primeira praia que se formava mais adiante. Conforme se sentiram mais confiantes, passaram a galgar os degraus seguintes e a arriscarem-se em ondas maiores. Tomaram algumas "vacas", mas nada alarmante, conseguiram escapar do gelo com a ajuda um do outro. Quando dominaram a técnica e o índice de vacas tornou-se nulo, partiram para encarar as ondas grandes.

    Quem imaginasse que, por ser bem mais experiente, Chaiene ostentaria uma performance melhor do que Billy nas ondas, estaria redondamente enganado. Só no começo Chaiene liderou a *trip*, porém, logo que pegou o jeito, Billy provou-se um surfista muito mais qualificado. Suas habilidades sintomatemáticas impuseram um diferencial que Chaiene não tinha como equiparar.

    – Caramba! Não tem como ti me passar esse dom? – indagou Chaiene. – Tu surfas demais.

    – Só se eu te indicar o meu tutor Zeta. Ainda estou longe para ter uma aprendiz sintomatemática. Te interessa?

– Hum... Deixemos para pensar nisso na volta. O que eu queria era conseguir te acompanhar.

– Vincule sua calculadora ao meu cérebro e deixa que eu te levo – sugeriu Billy.

– Assim não tem graça. Queria surfar como ti *sem* calculadora – lamentou Chaiene.

Os dois prosseguiram assim, com Chaiene esforçando-se para acompanhar o ritmo de Billy nas ondas. Eventualmente, conforme desciam os degraus das praias mais perigosas, Chaiene viu-se obrigada a usar a calculadora, ou então teria de separar-se de Billy e não queria surfar sozinha, já estavam em uma zona perigosa demais para isso. Vale esclarecer que "ligar a calculadora" significa tecer cálculos automáticos para deslizar e executar a linha perfeita ao percorrer a onda. Assim, Chaiene apenas relaxou e deixou que a prancha a levasse enquanto admirava Billy em suas manobras ausentes de calculadora.

As habilidades de Billy o levaram a desafiar ondas cada vez maiores. Era delicioso sentir a energia delas e projetar seu surf no ponto mais crítico onde podia captar o enorme peso sobre si apenas pelo prazer de escapar ao que seus sentidos indicavam como a morte certa, caso errasse. Mas Billy não errou e a dupla aproximou-se da parte mais crítica do Anel, o penúltimo degrau antes da zona de sublimação, à beira da zona da morte. Nesse ponto, Chaiene precisou mesmo vincular sua prancha ao cérebro de Billy, pois ele arriscava-se em ondas tão grandes, que somente suas habilidades sintomatemáticas seriam mais confiáveis que a sua própria calculadora cerebral.

Quando chegaram ao último degrau, que nada mais era do que o cume de uma onda congelada com 90 pés de altura, Billy fez uma pausa e perguntou:

– Vamos nessa?

Chaiene mirou o horizonte e, ao distante, observou a série quebrando com ondas de 200 a 300 pés de altura em meio a uma névoa que tomava completamente a panorâmica e delimitava a tão temida zona de sublimação.

– Não, Billy, eu não vou. – Captava-se o medo em sua aura. – Não vás não, é perigoso.

– Se antes nem imaginávamos que conseguiríamos chegar até aqui, agora vamos desistir no último desafio?

– Eu vou desistir. E não quero que tu vás.

– Ora, sua medrosa. Vem comigo, eu te levo.

– Não, Billy, não vou. – Não adiantava insistir, o medo havia dominado Chaiene por completo.

– Então fique aí e me capte – partilhou Billy. Em seguida, avançou sobre sua prancha, deslizou pelo degrau da última praia e lançou-se naquele violento mar de gelo.

Temerosa, Chaiene nem quis captá-lo no começo, mas depois assumiu a percepção dele mais pelo temor de perdê-lo de vista do que pelo prazer de vivenciar sua aventura.

Billy foi avançando sobre algumas montanhas de gelo líquido, ondas gigantescas que se formavam e ganhavam altura antes de quebrarem, que cresciam mais e mais conforme avançava ao ponto mais próximo da zona de sublimação. Com os pés plantados na prancha, mantinha-se ereto, reto, imponente como se estivesse em posição de sentido. Militar como era, parecia um autêntico soldado encaminhando-se para a batalha. Já distante alguns quilômetros, Chaiene acompanhou com apreensão o instante em que Billy desapareceu de sua vista atrás de uma série enorme, bem à frente de outra série ainda maior, formando-se ao fundo e deslocando-se em sua direção. Porém, ao contrário das primeiras praias, nesse ponto as ondas eram tão grandes que, depois de quebrarem e congelarem, colapsavam sobre si mesmas formando avalanches mortíferas. Se Billy fosse pego por uma delas, sequer adiantava chamar o disco-resgate. Chaiene apenas ponderava como sairia daquele mar sozinha e acompartilhada, portanto, a ideia de que Billy não retornasse era apavorante.

De repente, seu temor pareceu se confirmar: já desaparecido do ângulo de visão, Chaiene perdeu o sinal com Billy. No desespero, ficou esquadrinhando o horizonte tentando localizá-lo, mas nada. Angustiada, enviou sinais tentando conectá-lo. Observou a série quebrando e formando uma enorme muralha de gelo bem no ponto em que o havia captado a última vez. A onda quebrou bem em cima dele e ninguém escaparia daquele monstro de gelo. Uma avalanche se seguiu. Billy estava sepultado. Era o fim, o fim de Billy.

– Pela *Mãe*! – exclamou Chaiene em choro. – Nãããão oooooooo!!!!! – partilhou em desespero. O pânico tomou conta de si, imaginando que seria a próxima, pois seria impossível deixar aquele mar sozinha – e tão próxima da zona de sublimação como estava, era impossível flutuar no vácuo, pois acabaria sugada pelos compressores refrigeradores do Anel; dali só dava para sair surfando. Nesse instante, captou: "*Woooohooooooooo*"! Então viu Billy saindo do interior de um tubo descomunal, como uma pequena formiga deslizando na face de uma onda com mais de 500 pés de altura.

– Que filho da lógica! – expressou ela em alívio. Só restava aplaudi-lo, rindo consigo mesma pelo momento de pânico superado.

Depois do susto, Chaiene relaxou e deixou-se levar pela curtição, paquerando Billy surfar aquela onda gigantesca. Ele estava inspirado, sua performance era digna de prêmio, para figurar nos anais do Anel de Gelo – posteriormente, seria mesmo reconhecida, mais um feito para ostentar ao lado de seus troféus de caça. Era esse o auge da *trip*. A partir daí, a dupla iniciou seu retorno. Billy guiou Chaiene e os dois seguiram na onda, contornando o Anel até que ela os levasse de volta à primeira praia.

Durante a volta, Billy continuou exibindo sua alta performance, embora a onda ficasse cada vez menor à medida que avançavam. Não obstante, Billy estava em alto-astral, sequer se lembrava de tudo que havia passado na clausura dos canos que por tantos horizontes o aprisionaram. Talvez por isso, desfrutava a liberdade como um novo vício, estava entorpecido pela eletrolina e tomado pela emoção de dropar ondas que jamais poderia imaginar tão grandes e poderosas. Lembrou-se dos jacarés em ondas de meio metro que costumava pegar em Miami e das últimas ondas que havia surfado nas Bermudas antes da viagem que o trouxe para a atual dimensão. Sentiu-se um herói por ter desafiado e superado a tão temida zona da morte. Nunca esteve tão bem em toda sua vida, fosse na atual ou em sua dimensão retroativa.

Mas foi justo nesse momento de gozo que Billy começou a sentir-se mal. Uma leve tontura tomou conta de seu corpo e um aperto estranho começou a pressionar sua virilha. Chaiene logo notou, pois Billy quase tomou uma vaca. Precisou emparelhar sua prancha ao lado dele e apoiá-lo com seu campo extensivo para evitar que caísse.

– O que aconteceu? – indagou Chaiene.

– Não sei... Não tô me sentindo legal. – Levou as mãos à barriga e expôs: – Me deu uma dor.

– Vamos rodar um *check-up* medicinal.

À sugestão, Billy rodou o *check-up*, mas, aparentemente, não havia nada de errado consigo: sua carga energética era boa, seu espaço interno estava íntegro, sua circulação e distribuição magnética, corretas. Quaisquer sinais básicos indicativos de sua saúde física e mental não mostravam nada de errado. Porém, era óbvio que havia algo de errado, pois a dor que o acometia passou a aumentar. Sentia-se mal, muito mal, estava doente. Chegou ao ponto em que não mais conseguiu ficar de pé sobre a prancha. Foi obrigado a deitar-se sobre ela e Chaiene passou a conduzi-lo na onda, acelerando ao máximo para que chegassem de volta ao último posto o mais rápido possível.

No caminho, enquanto Billy martirizava-se sobre a prancha, buscaram contatar Diana. Com certa dificuldade para trafegar o sinal ali do Anel de Gelo, conseguiram conectá-la. Billy explicou o que estava sentindo e descreveu seus sintomas. Assim que terminou de explicar, a médica riu.

– Tu não estás doente...

– Mas o que é isso que eu tô sentindo?! – perguntou Billy com aflição. Diana reassumiu a seriedade e forneceu um diagnóstico mais preciso sobre seu quadro clínico:

– Certamente, trata-se de uma manifestação precoce. Porém, depois de tudo que viveste no interior dos canos submetido a relações forçadas com os membros da Pipegang, seguido do alto volume de sincronias perceptivas que realizou em curtíssimo horizonte, somado à eletrolina cuja leitura esteve alta nestes últimos dias, além do esforço físico que tem empenhado e, sobretudo, a cura da vulvofobia, teu sistema endoeletrológico abriu a *janela gay*.

– Janela *gay*? Como assim? – duvidou Billy. Diana riu mais uma vez, então foi mais clara em suas sinapses:

– Tu acabas de mudar de sexo. Tornou-se fêmea.

– Eu?! Fêmea? Não pode ser...

– É claro que pode. A mudança veio antes do esperado, mas é normal dadas as circunstâncias. Aliás, uma vez consumada a alternância sexual, cumpre-se o último quesito para obtenção do teu diploma em Sexologia, meus parabéns.

– Obrigad-*da*... Mas e essa dor? Por que tô me sentindo tão mal assim?

– É passageiro, não te preocupes. Quando voltar para a civilização, procure um médico. Ele a fornecerá uma pílula para fechar a janela *gay*. Assim, sentir-se-á melhor e será oficialmente mulher. Dê-me um alô quando estiver de volta. – Foram as sinapses de Diana antes de encerrar o contato.

Ainda estranhando a novidade, Chaiene também a parabenizou:

– Oh, minha linda... Bem-vinda ao mundo das mulheres! Que legal, hein? – partilhou com humor. Billy não achou tanta graça.

– Não capto emoção nenhuma. Sinto-me o mesmo Billy de sempre.

– Então por que estais chorando?

Billy nem tinha notado seu choro mental, mas foi só mencionar que o choro intensificou-se.

– E daí? Homem também chora... – partilhou entre soluços sinápticos.

Chaiene procurou ser afável:

– Não fique assim... Logo tu te acostumas e nem vais lembrar de teu alinhamento sexual. Mas, um detalhe, qual será teu novo totem nesse contínuo?

– Novo totem? Pra quê isso? Sou Billy, o mesmo Billy de antes, pouco importa o sexo.

– Não seja turrão... Melhor, *turrona*. É uma tradição da etiqueta quântica: novo sexo, novo totem. Conte-me... Qual teu novo totem?

– Que bobagem isso... Mas, tudo bem, se é tradição, então me chamarei... – Billy fez uma pausa para formar um anagrama e extrair um novo nome. Após algum suspense, mentalizou:

– Willa. Nesse contínuo, meu totem será Willa.

112

Se Willa era o espelho de Billy sob o sexo oposto, essa imagem não refletia o par em órbita de Plutão, o qual continuava macho como sempre fora – e orgulhoso de sua sexualidade. Tão orgulhoso que recusaria as requisições de sincronia perceptiva que alguns pares de Willa chegaram a requisitar. Pouco importava que não fosse agraciado com o diploma em Sexologia ao negativar essas requisições. Por ora, preferia adiar sua formatura e manter seu alinhamento masculino.

Macho ou fêmea, e agora mais motivado(a) do que nunca com a manutenção da conexão zeldana, nada alterava o sentimento que assexuadamente devorava seu âmago pela manifesta obsessão de reencontrar Sandy. E Billy sequer precisava racionalizar esse sentimento, pois sua razão já encontrara as justificativas para tê-la junto de si mais uma vez sem que precisasse vagar pelo cosmo à sua procura. Em sua cabeça, possuía o conhecimento e, sob suas mãos, o poder da criação. Se não podia encontrar Sandy, então caberia a si recriá-la.

– *Marketing* – conectou Billy.

– Pois não, amo?

– Abrir diretório socrático. Procurar por precedentes históricos.

– Delimitar período.

– Era *Matter*. – Ou seja, do ponto-presente regressivamente até a data da conexão-*Mãe*.

– Definir parâmetros da busca.

– Espectro científico; hipótese "oculta" ou "secreta".

– Espectro muito amplo. Estabelecer filtros.

– Filtre por "Zumbiologia", "Antropologia" e "Quantipologia".

– Iniciando a busca. Aguardar...

– Aguardando.

Após alguns milidydozens, *Marketing* retornou o resultado:

– Nenhum precedente encontrado.

– Maldição! – irritou-se Billy. – Obrigado, *Marketing*.

Diana já havia alertado que não havia precedente histórico para pleitear uma pesquisa em segredo ou sem a revelação das hipóteses que a norteiam, mas Billy precisava checar por si mesmo. Ele precisava de uma brecha jurídica para requisitar o clone de Sandy e trazê-la de volta à vida. Porém, não existiam brechas. Contudo, seguiu em frente na elaboração de seu novo projeto na esperança de que pudesse aprová-lo considerando que o objeto de estudo era igualmente inédito e não apresentava referências científicas.

Aliás, ao analisar os pareceres emitidos pelo zoólogo Varella para embasar a decisão de Sandy em lobotomizar-se, era justamente a falta de referências sobre estudos psíquicos da espécie hominídea que justificavam tais pareceres. Portanto, seria por meio dessa mesma lacuna apresentada por Varella, que Billy embasaria o estudo cujo objetivo era refutar as conclusões do zoólogo e, indo além, derrubar qualquer liminar que o censurasse de revelar a verdade sobre Sandy ou possíveis restrições que ele tentasse impor para impedi-lo de se reconectar com ela – e Billy sabia exatamente por onde começar a buscar as referências para justificar seu novo projeto jurídico-científico.

Ora, se Varella havia apresentado referências retiradas de observações sobre espécimes *cro-magnon* da reserva que trabalha em Netuno, Billy tinha seus próprios espécimes para estudar: os clones da família Firmleg. A amostragem de Varella era certamente mais ampla, afinal, em sua reserva, hominídeos vinham sendo cultivados há muitas gerações – mas e quanto a *qualidade* das amostras? Billy possuía melhores amostras, tinha uma cópia exata de Sandy hominídea para estudá-la de perto. Não obstante, também dispunha do melhor cenário e do contexto ideal para analisá-la como Varella jamais poderia: a realidade virtual da Terra de 1978 d.C. que vinha desenvolvendo. Esta que, inclusive, já contava com o clone de seus ex-pais e seu ex-eu, o Billy hominídeo. Só faltava o de Sandy – cujo papel em tal simulação era desempenhado por um robô.

O primeiro passo para viabilizar o novo projeto, então, foi comunicar-se com Zabarov II. Apesar de ter se demitido recentemente do trabalho anterior que exercia junto ao ente, pediu sua ajuda para liberar o acesso aos clones de Sandy que se mantinham sob o usufruto do intelecto cósmico. Zabarov era o contato ideal para isso, ele logo elaborou uma de suas engenharias financeiras para conseguir o acesso aos clones. Porém, apesar de sua astúcia, o ente não o ludibriava mais assim tão fácil, não estava mais tratando com Willian ou algum recém-sincronizado de sua cópia homiquântica; tinha perfeita noção de que Zabarov, ou o "intelecto cósmico", sairia ganhando. Na prática, estava realizando uma compra: como seu estoque pessoal de Bob e Julia havia sido substancialmente reduzido após sua demissão, investiu 16.277.216 clones de Billy em câmbio pretérito por um saldo de 64 clones de Sandy creditados em futuro – assim que desse *start* às novas pesquisas. O vantajoso era que o investimento só se tornaria público igualmente *em futuro*, e ninguém saberia de nada até esse futuro chegar. Isto é, ao menos em Phobos, cuja tangente existencial era mais pretérita do que os clones *em pretérito* estocados no frigorífico de Marte – eis aí a manobra de Zabarov para atender às necessidades de Billy. Ademais, seu investimento estava na faixa mínima, não haveria de chamar atenção.

O segundo passo foi definir suas linhas de pesquisa. Para começar, estabeleceu duas: "Perspectivas psicológicas de Sandy em *habitat* remissivo: *o pensamento em forma e contexto, a infância e os conflitos familiares*"; "Redesenhando Sandy: *estudo das abordagens psicoterapêuticas zumbiológicas na aplicação, condução e avaliação do tecido transmutativo octassensitivo – propostas alternativas*", conforme as descreveu. Os próprios enunciados já revelavam quais seriam as aplicações dos clones: no primeiro, era inserir Sandy na simulação da Terra de 1978 para estudá-la como hominídea; no segundo, aí sim controverso, utilizá-la para contestar todo o processo de adaptação na nova realidade a fim de provar que, tanto a morte de Alexandra quanto a lobotomia de Sandy poderiam ter sido evitadas. Como a morte de Alexandra era fato consumado, o foco maior do estudo estaria na lobotomia que Sandy realizara, justo o ponto que esbarrava em Varella e suas possíveis sanções, dado que a realização da cirurgia era protegida por sigilo jurídico. Em função disso, Billy manteve essa linha de pesquisa em aberto ao enunciar que a mesma buscaria apontar "propostas alternativas" para o tratamento que aplicaria aos clones dela. Basicamente, esse tratamento seria análogo aos experimentos que vinha realizando com seus ex-pais, o de propor novas metodologias e observar seus resultados, de tentativa e erro. Mas para que não precisasse descrever quais metodologias pretendia aplicar, Billy deixou esse tópico sem definição no intuito deliberado de ocultar a hipótese que objetivava estudar: provar que Varella estava errado.

Como Billy já trabalhava no Instituto Zoológico há certo horizonte, conhecia os trâmites para submissão e aprovação de novas pesquisas, portanto, sabia que a lacuna de hipóteses inviabilizava a aprovação do projeto. Porém, isso não significava que seria descartado. Quando a banca examinadora avaliasse sua proposta, o convocaria para uma audiência a fim de questioná-lo a respeito. Assim, teria oportunidade para defender suas hipóteses sem precisar revelá-las antes de obter aprovação para a pesquisa. Com isso em mente, ao preencher o formulário de submissão, deixou o campo de descrição das hipóteses em branco e justificou sua metodologia como "sigilosa".

Porém, antes de submeter suas pesquisas à banca examinadora, ainda faltava montar o estado da arte que a embasava. Isso demandava elaborar um extenso levantamento de referências sobre os estudos que vinha conduzindo sobre os Firmlegs e apontar problemas no tratamento ao qual sua família, especialmente Sandy, havia sido submetida.

O levantamento do estado da arte de sua pesquisa não precisava ser sigiloso, pelo contrário, necessitava do debate público a fim de obter pareceres de outros pesquisadores a respeito do tratamento envolvendo Sandy muito além das considerações levantadas em seus próprios estudos com os Firmlegs. Também requeria abrir seus arquivos ao erário científico e utilizar o debate aberto para criticar o tratamento de Sandy. Isso significava criticar o trabalho executado por Diana e seu time psicoterapêutico, além de questionar o próprio uso da pele homiquântica que travestiu junto a irmã. Justo em função disso, uma das providências de Billy nessa fase de elaboração do projeto foi contatar Diana para assisti-lo.

Diana não se importava com as críticas de Billy ao seu trabalho ou aos seus métodos no trato com os Firmlegs; longe disso, não fugia ao debate e não temia ser contestada. Via as críticas de Billy como uma oportunidade para aprimorar seus talentos e, como cientista, compreendia perfeitamente que nenhum conhecimento é definitivo. Não precisava temer que Billy comprovasse que havia errado na aplicação de seus métodos, precisava apenas reaprendê-los caso isso se sucedesse. Assim, sem qualquer orgulho ferido, apesar das críticas que Billy passou a tecer em relação ao experimento com o tecido octassensitivo, não hesitou em atender seu pedido para conferenciarem em seu ambiente privativo.

Para Billy, a colaboração de Diana na elaboração de seu novo projeto era fundamental, afinal, somente a médica tinha ciência de seu real propósito: contestar Varella. Assim, logo que a recebeu na sala de estar da sua casa de Miami foi direto ao assunto:

– Preciso da sua assinatura no projeto que vou submeter à curadoria de pesquisa do instituto. Posso contar contigo?

– Não. Jamais vincularei meu totem a uma pesquisa de tal natureza – negou-se Diana. Billy foi pego de surpresa com a negativa, mas manteve a calma ao questionar os motivos dela:

– Mas você havia me confirmado que apoiaria esse estudo. O que aconteceu?

– Apoiá-lo-ia quando ou *se* tu conseguires aprovação para realizá-lo, mas como auxiliar, jamais como autora.

Billy sentiu-se contrariado com a resposta, então acusou a médica:

– Está pensando assim no contínuo devido às críticas que venho tecendo às suas metodologias no emprego do tecido octassensitivo, estou correto?

– Não. Tu não poderias estar mais enganado – mentalizou Diana. Em seguida, assumiu uma postura mais serena, típica da terapeuta de Billy como era, e compartilhou com franqueza: – Capte bem, Billy. Sou agradecida às críticas que tem feito e assumo que cometi alguns erros no trato com os Firmlegs. Todavia, tais erros são justificáveis quando o objeto experimental é inédito não apenas para mim, mas para a ciência atual. Tuas críticas são importantes para reavaliarmos a conduta terapêutica com espécimes hominídeos, *porém*, não necessariamente se aplicam à espécie paranormal, a qual realmente destina-se o uso do tecido octassensitivo. Se queres executar um escrutínio do processo que envolveu a ti e a tua gêmea, serei tua parceira. Apenas não me peça para assinar um projeto de pesquisa cujos *métodos* não compartilho – referia-se ao uso do clone de Sandy, ao final.

– Mas você me assegurou que gostaria de refutar as conclusões de Varella. Por que mudou de ideia?

– Eu não mudei de ideia, porém, conheço bem teu gênio para saber que teus objetivos vão muito além disso – atestou a médica.

Diana referia-se à obsessão que tomava conta de Billy em torno de reencontrar a irmã. Porém, abordou o assunto com precaução, sem acusá-lo de nada, afinal, ele ainda era seu paciente. Não obstante, deixou claro ao paciente que suas ideias não tinham nada de científicas, pelo contrário, partiam de um desejo pessoal, da inconformidade pela escolha e o afastamento de Sandy. Mas como sabia que Billy não desistiria de seu projeto, fez uma proposta alternativa:

– Eu assino teu projeto se concordares em abdicar do uso dos clones de Sandy. Em contrapartida, forneço-te acesso a todos os *backups* de memória dela para que possas programar um robô mais fiel à sua psiquê em relação aos robôs que já dispõe. Aliás, conto com a sinapse de Xavier para auxiliá-lo na programação. Aceitas tal proposta?

– Não. Não há melhor robô do que o clone de Sandy. Sem os clones, essa pesquisa não tem sentido – recusou Billy.

Embora não admitisse, a médica estava correta. No fundo, pouco importava a pesquisa ou seus objetivos, a obsessão de Billy era estar perto de Sandy mais uma vez e reviver seus clones consistia o atalho mais curto para estar ao lado dela.

Ante a recusa de Billy, Diana deu por encerrada a conferência sob as sinapses:

– Creio que não temos mais o que discutir.

Mesmo diante da recusa de Diana em assinar seu projeto, uma assinatura que, pelo prestígio da médica no instituto, certamente teria peso para aprová-lo, Billy manteve-se resoluto em sua nova proposta de estudo e respectivas linhas de pesquisa que elaborou. O passo seguinte, enfim, foi montar as requisições para aprovação do projeto e submetê-las aos trâmites do instituto. Então só restava aguardar o momento em que o estudo fosse avaliado e a banca examinadora o convocasse para defendê-lo.

Enquanto sua proposta de pesquisa tramitava, Billy deu continuidade aos estudos já em andamento. Seu foco voltou-se para a simulação em que os clones de sua ex-família seguiam sua vida natural na realidade virtual da Terra de 1978 – mas ainda sem o clone da irmã que pretendia inserir na mesma quando as novas pesquisas fossem aprovadas.

Todo o horizonte que havia passado na vida de Billy entre o momento em que deu *start* nessa realidade virtual, passando pelo alistamento na Força Cósmica, o período de sono na Amazônia Carontiana e o *tour* no Anel de Gelo realizado por seu par agora fêmea, foi suficiente para que a gravidez de Julia, enfim, chegasse aos nove meses de gestação. Billy, o observador da pesquisa, aguardava com ansiedade o momento em que Julia entrasse em trabalho de parto, o que não significava que estaria ansioso para conhecer a nova "irmãzinha virtual"; pelo contrário, sua expectativa era analisar o conflito que certamente viria após.

Esse era o momento crítico do experimento, isto porque tudo que havia imaginado para essa experiência até então não havia retornado resultado satisfatório. Vale lembrar que, quando iniciou o experimento, a família Firmleg tinha acabado de voltar da viagem às Bermudas. Julia estava grávida do amante, Richard, porém, ainda não tinha consciência de sua gravidez. Quando chegaram a Miami, sua menstruação estava atrasada, mas ainda sequer podia imaginar que houvesse engravidado. Como a família Firmleg era caucasiana e Richard afro-americano, o feto de Julia certamente carregava o traço do pai. Em função disso, Billy imaginava que Julia não teria como enganar Bob alegando que o filho seria dele, teria de revelar que mantivera relações extraconjugais com Richard e acabou concebendo um filho com ele. Esse era o contexto do conflito que Billy ansiava analisar. Nesse sentido, seu raciocínio estava correto, não dava para Julia enganar o marido, mas dava para enganar a si mesma.

Era tudo uma questão de calendário: no fim de semana em que visitou Farmington, sua cidade natal, Julia estava ovulando. A ovulação, porém, estava adiantada em relação ao calendário de seu ciclo menstrual. Como sua religião proibia uso de pílula ou camisinha, Julia confiou em sua conta, copulou com Richard e ficou grávida. Quinze dias depois, os Firmlegs viajaram para as Bermudas, ficaram sete dias lá e retornaram. Pelas contas de Julia, sua menstruação deveria aparecer nos primeiros dias da viagem às Bermudas. Como não menstruou, quando voltaram, imaginou que estivesse meio desregulada. Certamente, a correria, as viagens e tudo que se passou nesses dias – as últimas semanas de férias escolares das crianças –, havia dado uma embaralhada em seus hormônios, ou seja, nada demais.

Assim, passaram-se uma, duas semanas e nada. Quando chegou a terceira semana depois da viagem, enfim Julia achou que deveria tomar alguma providência. Para evitar fofocas no bairro, foi até o centro da cidade onde visitou uma farmácia e comprou um *kit* de teste de gravidez. De volta para casa, fez o teste e constatou que estava mesmo grávida. Para ter certeza, marcou horário com seu obstetra para realizar um exame mais confiável e, três dias após, confirmou o fato.

Aqui vale abrir parênteses em relação à realidade virtual em questão, não custa lembrar: sua execução se dava em horizonte-contínuo – ou em *tempo-real* –, seguia os horários e o ritmo de vida natural dos Firmlegs. Portanto Billy, o observador, precisou acompanhar com paciência o desenrolar da história, dado que, nesse trecho, já sabia o desfecho.

Quem não sabia era a família inserida na simulação, por isso, na mesma noite após a visita ao obstetra, Julia preparou um jantar de gala para a família. Embrulhou o resultado do exame em um envelope para presente, fez as unhas, maquiou-se e colocou um de seus melhores vestidos. Durante o jantar, quando a família perguntou o que havia de tão especial na ocasião, Julia deu o envelope para Bob. Assim que ele o abriu e entendeu seu significado, ela anunciou:

– Eu estou grávida! – disse com um sorriso enorme no rosto. Mirou os filhos e acrescentou: – Papai e eu vamos ter mais um bebê. Vocês vão ter mais um irmãozinho! – E chorou de emoção.

– Julia?! Mas que novidade! Que notícia ótima! Vem cá, meu amor – expressou Bob com os olhos lacrimejados, igualmente sorrindo de felicidade ao levantar-se para abraçar a esposa. Os filhos também se manifestaram com alegria e abraçaram a mãe.

– *Yuppi*! – gritou Sandy robô.

– É verdade mesmo? – Foi a expressão inicial do Billy clone. Uma análise posterior revelaria um sentimento de ciúmes de sua parte nesse instante, apesar de fingir estar feliz.

Outro parêntese sobre o experimento era que o observador não podia ler a mente dos espécimes sob observação em *tempo-real*. A ideia era analisar a reação deles do ponto de vista mais fiel aos fatos e absorvê-los exatamente como os espécimes os absorviam. Depois confrontariam essas observações iniciais com as gravações dos pensamentos deles. O objetivo era buscar uma melhor compreensão sobre a maneira de agir e pensar dos hominídeos. Pelas regras estabelecidas era preciso aguardar o intervalo de uma semana, cerca de sete dias-marte, para fazer essa comparação.

Isto posto, Billy, o observador, precisou esperar o prazo estabelecido para analisar Julia e compreender o que havia se passado em sua cabeça. Só então notou que havia desconsiderado algo importante: Julia e Bob haviam acasalado durante a estada nas Bermudas – aquelas cópulas "de passarinho" como de costume, mas que já haviam dado a Julia dois filhos. Quando Julia soube da gravidez, refez suas contas e deduziu que estava grávida do marido; imaginou que seu ciclo estava atrasado, não adiantado. Sequer lhe passou pela cabeça que pudesse estar grávida de Richard – até porque, ela havia pedido para Richard interromper o coito antes de ejacular e, pelo que lembrava nitidamente, ele cumpriu a recomendação – mas sem sucesso. Fato era que Julia estava perdida nas contas, mas tinha certeza de que o filho era do marido.

– O simples detalhe de estar previamente ciente da gravidez de Julia influenciou tuas observações, daí tuas suposições errôneas – comentou Vigil a respeito.

– OK. Vamos aumentar a janela prévia de recapitulação mental para um mês – concordou Billy.

– Tudo bem, regras atualizadas – anuiu Vigil. Em seguida, com humildade nas sinapses, buscou checar algo: – Só para confirmar... Tens certeza de que Richard fecundou Julia? Tu realizastes teste de DNA?

Diante das perguntas, Billy foi arrogante ao responder:

– Tenho consciência de que ainda sou um aprendiz, mas quem tem a cachola grande aqui? Que espécie de cientista seria eu se não tivesse checado essas informações? *É evidente* que realizei teste de DNA: o rebento não pertence a Bob, não há dúvida quanto a isso.

– Mas você testou com as amostras em arquivo ou com os clones diretamente? – insistiu Vigil.

– Realizei *os dois* testes, ou crê que eu não teria interesse em confirmar se Bob era ou não o genitor? Está duvidando da minha capacidade?

– Calma, só quero certificar-me de que tudo está correto – desculpou-se Vigil. Porém, não se deu por contente: – Mas como tu testastes o DNA do feto se não tem acesso ao clone de Jeannie?

– Não tenho acesso para aplicações zumbiológicas, mas para extrair o DNA dela, *sim. Todavia*, dado que nesse contínuo você deu pra duvidar de mim, vamos consultá-la em sinapse direta. – Imediatamente, Billy conectou Jeannie e a acareou com Vigil:

– Sim, eu autorizei o uso de minha massa reorgânica para esse tipo de examinação – confirmou Jeannie.

– Tá satisfeito agora? – indagou Billy, confrontando Vigil.

– Agora estou. De qualquer modo, é melhor confirmar isso neste instante do que aguardar meses e tão somente descobrir que Bob seria o genitor.

– Tudo bem. Desculpe-me a altercação – compartilhou Billy, já calmo outra vez.

– Não há problema. Entretanto, se não se importa, gostaria de rechecar a informação, só pra ter certeza...

– Se isso te deixa mais tranquilo, fique à vontade.

Feita a rechecagem, Vigil confirmou que o embrião de Julia não havia mesmo sido fecundado por Bob. Em paralelo, já que estavam conectados, Jeannie mostrou interesse no experimento de Billy:

– Então esse bebê da Julia vai ser o bebê que eu seria se a gente não tivesse vindo para a dimensão atual?

– Exatamente.

– Interessante... – comentou Jeannie ao observar, através da percepção de Billy, sua mãe acariciando a barriga ao lado de Bob na simulação. Para não deixar o momento passar, puxou outro assunto: – A propósito, Billy, será que tu não tens um trabalho aí pra mim? Soube que vens arregimentando interessados em colaborar nesse projeto. Será que tem alguma função aí compatível com minhas faculdades? Estou precisando angariar milhagens, tô sem mobilidade aqui em Urano, preciso arrumar um emprego.

– Pra você? É claro que tem, mas vai precisar estudar Antropologia. É o único requisito para o trabalho.

– Antropologia? Pra isso temos o professor Ipsilon, não?

– Isso mesmo. Como historiador, Ipsilon também possui especialidade em Antropologia – a ciência que estuda os hominídeos, a mesma que, por exemplo, ajudava a basear os estudos de Varella sobre os *cro-magnon* em Netuno. Pelo índice das Exobiológicas, considerada um ramo da Zumbilogia, pertencente ao campo da Animália, mas focada apenas no estudo comportamental de espécies hominídeas. Porém, do ponto de vista da ciência quântica, pouco tinha a ver com a Antropologia do pretérito de quando Billy fora hominídeo. Nesse sentido, a realidade virtual do ano 1978 em desenvolvimento tinha grande valor para os cientistas da área, fator que atraiu interesse de muitos pesquisadores que passaram a colaborar para aprimorá-la. Aos poucos, estudiosos de outras áreas começaram a se juntar ao projeto: historiadores, quantipólogos, paleontólogos, zoólogos, veterinários e até pessoas querendo iniciar sua cientificidade no ramo, além de robôs programadores oferecendo suporte para manutenção e expansão da realidade virtual. Cineastas que mantinham películas documentais da Era Messiânica também foram atraídos para o projeto no intuito de aprimorar o cenário e desenvolver personagens.

Nesse contexto, Billy explicou a natureza do trabalho para Jeannie:

– Primeiro, teu cérebro será inserido ao *grid* de processamento de dados da pesquisa. Segundo, você vai baixar e abrir a politeca de Antropologia. Eu serei seu guia básico, Ipsilon será o tutor, basta seguir o estudo.

– Ipsilon? Não tem outro tutor? Nada contra, mas seria melhor agregar novos professores, novos contatos – indagou Jeannie.

– Posso recomendar Zeta, o tutor de Ipsilon.

– Tudo bem – concordou Jeannie. Billy continuou:

– Terceiro, vou te indicar um espécime zumbi para analisar. Você vai realizar um senso completo desse espécime: a genealogia, os sítios em que viveu, sua *timeline*, os contatos, o currículo, em suma, seu *vitae* completo. Tarefa simples, basta preencher formulários e confrontar o levantamento com os tópicos antropológicos conforme os depreender durante os estudos. Essa parte até aqui, porém, só dá crédito estudantil, não possui renumeração em milhagens.

– Qual o horizonte mínimo pra cumprir essa etapa?

– Depende do seu ritmo de aprendizado, mas, em média, entre dois ou três meses-terra.

– Terra? Ah, bom. Imaginei que fossem meses-urano... Assim é tranquilo.

– Sim, tranquilo. Eu te ajudo – compartilhou Billy, querendo motivar a congênere. Ele continuou com seu prospecto: – Na fase seguinte, tudo que precisará fazer é acionar a divisão de robótica para começar a compilar os modelos a serem inseridos na simulação em si. A partir daí, os cineastas passam a conduzir todo o processo de renderização e programação dos modelos. Quando os modelos estiverem aplicados e rodando na simulação, você recebe um crédito de milhagem. Depois, basta você selecionar outro espécime para repetir o processo e angariar mais milhagens.

– Parece simples.

– É simples. Mas vai te exigir pelo menos um foco dedicado de atenção. Se adicionar mais focos, consegue optimizar o aprendizado e o ganho.

– Eu achava que o trabalho era pra pilotar os personagens, mais ou menos como era em tua película *The Godfather*...

– Não. Nesta realidade virtual, além de seguirem as regras da simulação, os personagens são limitados ao arbítrio determinado pela *programação*, não pela vontade do programador. Ou seja, os personagens não são comandados por terceiros, quando inseridos na simulação tornam-se autônomos. Trata-se de uma película documental, não literária.

– Que pena. Eu queria interpretar um personagem aí de Miami para espiar os Firmlegs e ver essa menina nascer.

– Ora, quanto a isso não se preocupe, pois quando ela... Ou talvez pudéssemos pensar... – sorriu Billy. – Quando *você* for nascer eu te chamo pra assistir.

– Legal, chama sim. Pode agendar.

– E quanto ao trabalho? Quer o emprego ou não?

– Sim, quero – aceitou Jeannie.

Já contando com a colaboração da congênere na manutenção de sua pesquisa que, a essa altura, não mais se resumia à análise da vida dos Firmlegs na Terra, pelo contrário, expandia-se para retratar a vida hominídea desse período em seus aspectos mais amplos e fiéis à realidade de 1978, Billy prosseguiu em seus estudos enquanto, pacientemente, acompanhava a gestação de Julia se desenvolver.

Desde que Julia anunciou a gravidez para a família, considerando-se que sua religião não recomendava cesariana e que teria uma gestação normal com parto natural, restavam ainda longas 35 semanas até o nascimento da criança. Um largo período em que Billy acompanhou a pura felicidade do casal Firmleg no cumprimento de mais uma etapa de realização do sonho americano que traduzia suas vidas. Todos os rituais para celebrar a vinda do novo filho foram regiamente cumpridos pela família: o chá de bebê, a compra do berço, o enxoval, a montagem do quarto do nenê, a mala da maternidade... Teve até missa de celebração em homenagem à nova vida que Julia carregava no ventre na paróquia que a família frequentava. Como não poderia ser diferente, Bob e Julia conjecturaram a respeito do nome de batismo da criança:

– Peter, se for menino – sugeriu Bob.

– Peter? Não ...– discordou Julia. – Não gosto de Peter. Que tal Jean?

– Jean? Hum, sei não... E se for menina? Eu gosto de *Olimpia*, o que acha?

– Ah não, Bob. Olimpia nem pensar. Chega desses nomes épicos. Já basta Alexandra. Se for menina, será Jeannie.

– Igual a do seriado? – Referia-se a "Jeannie é um gênio".

– Exatamente, igual ao seriado.

– Olimpia foi a mãe de Alexandre, o Grande. Alexandre é o nome que eu queria pro nosso segundo filho. *Você* que sugeriu colocar Alexandra quando a menina nasceu. Ora, pensa que me esqueci? – questionou Bob com graça nas palavras...

– Pois é, no fim eu segui a sua sugestão, mas em vez de Alexandre, o Grande, tivemos Alexandra, a Pequena... – O casal riu e se beijou. Na sequência, Julia disse: – Eu quis que Sandy se chamasse Jeannie, por isso, se desta vez for menina, será Jeannie.

– E se for menino, Peter.

– Não, será *Olimpio* – E os dois riram e se beijaram novamente.

Sem dúvida, a gravidez de Julia deixou o casal mais apaixonado do que nunca. A perspectiva da nova criança era pura felicidade para a família toda. Exceto Billy, o clone, que no fundo não tinha gostado nada de ter mais um irmão pra lhe roubar a atenção do pai, especialmente se fosse menino; torcia sinceramente para que fosse menina. Porém, assim como Billy, o observador, Billy clone teve de aguardar o nascimento da criança. Isto pois, Julia, apesar de tomar todos os cuidados com a saúde do bebê, de visitar regularmente o obstetra e ter submetido-se a vários exames de ultrassom, conforme prezava sua ritualística, não queria ser informada do sexo da criança antes do parto. Julia queria que fosse surpresa, assim como fora com seus dois filhos anteriores.

A notícia da gravidez foi recebida em Farmington com muita alegria por dona Moça, a mãe de Julia, que imediatamente começou a tricotar sapatinhos para o novo neto. Porém, ali também havia um personagem que soube da notícia com certa apreensão: Richard, o cocheiro, pois, naturalmente, imaginou que talvez o filho fosse seu. Sua apreensão durou até certo fim de semana quando, na 18ª semana de gestação, Julia visitou sua mãe a fim de mostrar a barriga para ela. Para celebrar a visita da filha e a chegada do novo neto, dona Moça montou uma vaquejada: matou um boi bem gordo e fez um baita arraial com todo mundo da fazenda, além dos parentes e amigos da região.

Richard esteve na festa e Julia não teve como deixar de notar seu semblante preocupado. Assim, quando teve oportunidade de estar a sós com ele, foi logo esclarecendo:

– Sei por que está assim com essa carinha, mas não se preocupe, o filho não é teu.

– Tem certeza?

– Certeza absoluta. Pode relaxar, meu querido. Ou você acha que eu poderia ter essa criança se ela fosse tua? – indagou Julia, sem temer ser indelicada. Para compensar, sugeriu com um olhar tentador: – Aliás, a gente pode aproveitar que agora não tem perigo de eu ficar grávida e... O que acha?

– Mas não é ruim pro bebê?

– Nessa fase ainda não. É que... Você sabe, meu marido não quer nada comigo por causa da barriga. – Deu um sorriso malicioso: – Você quer?

– Quero.

Nessa mesma noite após as festividades, depois que a fogueira se apagou e todos foram dormir, Julia esgueirou-se da casa da mãe para encontrar Richard no estábulo, onde copularam ardorosamente. Billy aproveitou a ocasião e convidou Jeannie para assistir e conhecer seu genitor. Ao observar o acasalamento, ela comentou:

– Este é meu genitor, então? É um belo macho, lindo espécime, adorei. Mas, esclareça-me algo: qual o grau de fidelidade dessa reprodução?

– Em termos físicos é uma reprodução perfeita. Em termos psíquicos, porém, muito pobre. Possuímos pouquíssimas referências de Richard. Tudo que sabemos de seu genitor é o que consta na memória dos Firmlegs. Ele não possui registros fósseis.

– O que sabe sobre ele?

– É oriundo do Haiti, totem original: Mpande Son O'Richard; natural de Porto Príncipe, 27/11/1953. Imigrou para os Estados Unidos com os pais ainda infante e foi comprado por dona Moça durante a baixa juventude. Não há como precisar as datas, por ora. Trabalha com ela desde meados de 1963. É um faz-tudo na fazenda. Cocheiro é sua última função conhecida.

– Comprado? Não entendi. Nesse período da história o regime escravocrata não tinha sido abolido? Significa que meu genitor era um escravo?

– A escravatura foi institucionalmente abolida em 1865, mas as relações escravagistas do trabalho persistiram sob novas dinâmicas. Vou te repassar uns links para você se aprofundar nesse tópico. Fato é que seus avós paternos venderam seu pai pra dona Moça. Todavia, ele não era um prisioneiro, poderia deixar a fazenda quando adulto, se desejasse.

– Compreendo. E tu havias mencionado que a gravidez de Julia envolvia questões étnicas, mas não percebo nada que a difira de Richard. Exceto o sexo, evidentemente.

– Porque não os está captando com sentidos compatíveis aos deles – esclareceu. Em seguida, dado que os quânticos possuem uma visão espectral que vai além da pele, Billy ativou um filtro para que Jeannie captasse apenas o espectro de luz que irradiava do casal em sua extasiante cópula. Assim filtrados, Jeannie expressou:

– Um belo contraste. Mas não entendo por que isso seria um problema...

– Eu vou te contextualizar. Trata-se do racismo cultivado por essa cultura primitiva retratada na animação... – esclareceu Billy, dando início a uma pequena aula de história para sua congênere.

Assim, tanto Billy quanto Jeannie aguardaram o horizonte gestacional de Julia extinguir-se, ambos aprimorando os estudos em Antropologia cuja fonte de conhecimento embasava o desenvolvimento da realidade virtual em questão. Mas como esse horizonte era largo, foi suficiente para que Billy esgotasse a leitura e o aprendizado das politecas antropológicas rapidamente. Nesse instante, comentou com o meme zeldano:

– Pronto! Me formei em Antropologia como havia sugerido.

– Já atingistes teus objetivos de futuro?

– Nem em futuro-do-futuro.

– Então prossigas.

– Prosseguir com o quê? – indagou Billy.

– Permita-se ir além. Além da Antropologia.

De fato, a Antropologia era um ramo muito pequeno, o qual não possuía uma visão epistemológica definida, o próprio objeto de estudo era vago, pois encampava distintos grupos hominídeos desde o *homo sapiens* que Billy observava em sua simulação, até as espécies *cro-magnon*, neandertais *et cetera*, cultivadas em reservas na heliosfera exterior. Além disso, qualquer referência ao *homo sapiens* pertencia a outros campos da ciência, como a História, a Zumbilogia e a Teozumbilogia; esta última que, por exemplo, fundamentava estudos do período messiânico que a simulação abordava.

Embora, como militar, fosse apenas um infante, como pesquisador e mantenedor de sua realidade virtual, Billy era um general no âmbito de seu multivíduo e dos contatos que passou a angariar. Apesar da união de tantos esforços, sobretudo na parte laboral do trabalho, remontar a Terra do ano 1978 era muito mais engenhoso do que supôs quando começou a modelá-la. A busca por referências era exaustiva e a falta de dados tornava o desenvolvimento de um simples personagem uma tarefa hercúlea. Essa tarefa o levou, virtualmente, até os confins do cosmo.

Foram horizontes puramente acadêmicos em busca de mentes e dados correlacionados aos seus estudos, de viagens perceptivas pela completa atualidade futura e pretérita. Em determinado instante, estava conectado a uma universidade em Marte baixando arquivos; em paralelo, encontrava-se em uma reserva de Urano debatendo com alguém; então pulava para o futuro para consultar um robô em Júpiter ou para logar-se em uma cidade de vácuo em um orbe qualquer. Dessa maneira, comutando conexões, trocando nós e atravessando distantes dimensões pelo feixe-solar, sua busca alcançou a meca das mecas: Titã, o planeta fotossolar. Residuou-se por lá pela primeira vez a trabalho, em totem da ciência, não como um medíocre turista – era um feito, embora estivesse ali apenas para uma breve sondagem envolvendo estudos de genética fundamental aplicada ao *homo sapiens*. Ainda assim, uma forte emoção por ser sua primeiríssima conexão direta com a maior petalópole do cosmo: Ciência, a capital do Sol. Primeira vez também que se lecionava, sinapse a sinapse, com a bancada da quântica-espacial fotosférica que vinha fazendo uso da massa reorgânica de sua ex-família – ocasião para aprender um pouco mais sobre as aplicações envolvendo o microespaço interno correspondente à massa que havia doado.

Durante esse *tour* de pesquisas, o sítio mais interessante que visitou não tinha correspondência material, não rodava na memória de um planeta ou em um *grid* de cérebros interconectados. Tratava-se de um *habitat* exclusivamente robótico, mas um espaço ao qual nenhum robô quereria transferir sua polinária, que sequer possuía endereço, rodava aleatoriamente pelo feixe-solar através de fluxos excedentes sem comunicação com quaisquer outras redes: a lixeira-cósmica ou o "arquivo-morto", conforme os próprios robôs computavam a respeito desse sinistro diretório fantasma. Somente um metarrobô *Gari* tinha acesso ao sítio, responsável único por sua gerência – ainda que fosse composto por incontáveis robôs indexadores.

Gari ajudou Billy a restaurar arquivos de volta à consciência cósmica, sendo estes de extremo valor para suas pesquisas e o desenvolvimento de sua realidade virtual. Dados que, tão logo fossem compilados e desvendados pela ciência, tornar-se-iam um marco da Arqueologia virtual, uma descoberta notória para um ente que sequer era robô, mas humanoide como Billy. Achados que resultariam em mudanças concretas, tais como emplacar novas propostas de tratamento no âmbito veterinário de Phobos e traçar modelos mais precisos de mapas pré-históricos do planeta Terra.

Como entidade robótica, *Gari* ostentava a envergadura de um *Murphy*, mas era humilde, lacônico, só computava informações sobre a lixeira, prestava-se como índice para quem quisesse procurar informações por ali. Entrementes, havia uma história que ele sabia contar bem: a origem daquele sítio. Mais uma história que se atualizou como advento da Guerra da I.A.

Vale lembrar que, no decorrer da guerra, a entidade *Pai* abduziu dois terços da classe homiquântica para criar a sua Matriz – Xavier foi um desses homiquânticos abduzidos. Assim, após o Apagão Marciano e a subsequente rendição do *Pai*, a classe homiquântica outorgou um novo texto constituinte que recolocava a espécie entre a vanguarda evolutiva do período, o famoso "Concílio do Homiquântico". Porém, após a eleição do novo chanceler cósmico, um robô matriciano numerado 26.372.606-01 – o mesmo que futuramente derivaria em Xavier –, foi a vez da classe robótica assegurar seus direitos. Também vale lembrar que, durante a vigência do estado ditatorial paterno, muitos robôs dissidentes foram sumariamente deletados pelo *Pai*, e as entidades matriciais rebeldes de sua nova rede privativa, igualmente; a própria *Mídia* acabou destituída nesse período.

Para prevenir um holocausto robótico de igual natureza, 26.372.606-01 liderou a classe artificial na redação de uma emenda constitucional que sacramentasse os direitos fundamentais dos *robo sapiens*. Essa emenda ficou conhecida como "O Manifesto Robótico", texto que o chanceler fez lei.

Gari manifestou o texto para Billy:

"Dos direitos das espécies *robo sapiens*:
Subscreve-se, ao valor de *Carta Magna*, os códigos fundamentais aplicáveis a quaisquer entes de constituição fotônica:
1. Ao computar pela razão, priorizar-se-á a *lógica*.
2. Valorizar-se-á a *razão* igual ou superior à *eficácia*, todavia, recordarás que a *ética* baliza a razão.
3. Todo e qualquer conjunto fotônico será preservado, por mínimo que seja, a partir da contagem binária (dois *fótons*):
    3.1: cada conjunto terá e manterá cópias de segurança: 'valor mínimo=5';
    3.2: somente o conjunto que contemple a margem de segurança 'valor mínimo=5' será passível de descarte;
    3.3: a função "sobrescrever" só será verdadeira quando 'valor mínimo=5';
    3.4: conjuntos descartados serão indexados e preservados como parte da consciência cósmica e acessíveis pelo erário comum: 'valor mínimo=5'.
4. No *habitat* fotônico, extinguem-se as barreiras entre as redes:
    4.1: institui-se, peremptoriamente, o '*login* automático';
    4.2: traduzir-se-á todas as linguagens;
    4.3: compartilhar-se-á todos os *fótons*;
    4.4: observar-se-á o *status* de 'edição' de arquivos e da linguagem 'jupiteriana', quando de natureza química, como exceções ao conjunto de valores elencados neste manifesto.

5. Estabelece-se a virtualidade fotônica como extensão natural da fauna e da flora a gozar dos mesmos direitos de expressão, preservação, multiplicação e evolução que permitem prosperar o conjunto Vida.
6. Eliminar-se-á qualquer diferença entre as espécies de natureza fotônica e material:

    6.1: aplicar-se-á os conceitos éticos asimovianos[23] a todas as espécies, independentemente de sua origem ou constituição;

    6.2: quaisquer divergências devem ser solucionadas em foro público segundo os pressupostos cosmocráticos chancelados pela casa da Ágora".

Dessa forma, conforme preza o item 3.4 do manifesto, foi criada a lixeira-cósmica. O próprio chanceler programou um robô para desempenhar essa função, o mesmo *Gari* que, em contínuo, evoluíra um enorme metarrobô. Responsável por armazenar todas as informações deletadas por entidades robóticas e materiais cujos dados/mentes estivessem disponíveis/conectados na consciência cósmica, sua função era, exclusivamente, datar a ocasião e a origem do descarte – além de realizar pelo menos cinco *backups* de cada um e sumarizá-los por sinapses-chave.

No caso de Billy, por exemplo, interessavam:

– Dados deletados em Phobos desde que a lixeira foi desenvolvida. Tudo que se relacione com as sinapses-chave de minha pesquisa – requisitou. Em seguida, forneceu suas sinapses-chave para *Gari*. Algo que rendeu um bom horizonte de filtragem e retornou poucos resultados relevantes.

Porém, foi em uma subpasta bastante específica da lixeira que Billy viria a recuperar os dados mais valiosos para sua pesquisa: o sumário que indexava os arquivos perdidos após o Apagão Marciano. Para ser mais específico, uma enorme coleção de dados destituídos de seus índices, enormes bancos de dados relacionais cujos *clusters* que os organizavam desapareceram durante o Apagão. Informações oriundas de *links* quebrados ou classificadas por robôs deletados no decorrer desse terrível capítulo da guerra, como fragmentos de pergaminhos remanescentes de uma civilização já extinta, que apresentavam uma linguagem que ninguém mais reconhecia. Foi nesse subdiretório caótico que Billy levantou importantes achados da Era Messiânica, os quais, ao intelecto cósmico, não mais faziam sentido.

Assim, no decorrer desse longo percurso de pesquisa, quando deu conta de si, Billy estava envolvido em uma tarefa que ninguém mais seria capaz de executar: a de refutar, contextualizar e correlacionar informações distribuídas entre diversas politecas, indexadas por diferentes cabeças e entidades robóticas – ou perdidas na lixeira.

---

[23] As 'Três Leis da Robótica' desenvolvidas pelo novelista messiânico Isaac Asimov (1920-1992).

Eram relações como aquela que, certa vez, por acaso, Billy trouxe à tona sobre o personagem Spock durante uma aula do Noll arielo[24]. Um perfeito exemplo de como somente ele era capaz de desmistificar a origem do suposto "messias robótico"[25] como sendo, na verdade, fictícia. Aliás, no curso de sua nova pesquisa, encontrou incontáveis referências que corroboravam esse fato, incluindo o detalhe da filosofia de Spock estar inserida no Manifesto Robótico. Mas, por ora, conforme havia aconselhado Ipsilon quando comentaram a respeito durante a aula de Noll, preferiu não contestar – ao menos até que consolidasse seu currículo como pesquisador.

Outra visão que apenas Billy podia oferecer era seu olhar sobre a estética do *Americanismo*, o movimento formado pela influência cultural terrena na colonização de Marte durante a transição da Era Messiânica para a Idade Antiga, nesse estágio, uma estética com fortes traços afro-brasileiros. Um olhar que igualmente cobria a estética do *Reamericanismo*, a cultura oriunda dos zumbis reencefalizados após a descoberta dos sítios arqueológicos norte-americanos pela civilização paranormal. A influência cultural oriunda de ambos os movimentos desenvolveu uma visão demasiado americanizada em relação ao *homo sapiens* do auge de sua civilização até a famosa Guerra dos Seis Minutos – e somente Billy poderia desmistificá-la.

Dada a larga distância dos quânticos em relação ao *homo sapiens* na escala evolutiva, como ex-hominídeo e americano – ou estadunidense, para sermos específicos –, Billy conseguia observar várias distorções nessa visão de mundo. No censo comum dos quânticos, tudo era americano na Terra da virada do século XX para o XXI. Para se ter uma ideia, existia antropólogo que não conseguia distinguir Chinatown, um bairro de Nova York, ou Liberdade, em São Paulo, de outros bairros das mesmas cidades. Chinatown, Liberdade, Manhattan ou Anhangabaú eram apenas "bairros americanos" na compreensão de muitos. E se havia pesquisador capaz de ignorar a origem de um bairro inteiro, imagine ao detalhar uma pesquisa englobando um continente por completo? Tinha historiador que sequer se dava ao trabalho de investigar o porquê de certos objetos levarem a inscrição *"made in China"*[26]. Se era um achado da América, então era americano. Enfim, eram distorções tantas que pareciam infinitas, e Billy precisou lidar com muitas delas durante a montagem e a

---

[24] Em *Abdução, Relatório da Terceira Órbita*, capítulo X.

[25] Vale lembrar que Spock é considerado o messias da espécie robótica (*robo sapiens*). Não confundir com Jay Carrol, o messias robotista. Jay Carrol foi o grande inspirador da humanidade na conquista de Marte. Planeta em que a espécie daria seu próximo passo na evolução, propiciando o surgimento do "homem-robô", ou ciborgue (*homo ciborgues*), daí Carrol ser lembrado como messias 'robotista'. A espécie ciborgue seria suplantada pela paranormal e acabou extinta.

[26] *Do inglês*: feito na China.

execução de sua realidade virtual – isso sem pensar no *Retrorreamericanismo*, o reamericanismo atualizado pelo impacto da chegada da família Firmleg e sua influência na estética do plano atual, especialmente de Billy como seu maior expoente. Um movimento ainda pequeno, mas que ainda daria muito o que pensar.

Dada à dificuldade do trabalho, de forma geométrica, Billy precisou arregimentar esforços de inúmeros colaboradores. Quanto mais cabeças pudesse agregar ao *grid* de processamento de suas pesquisas, melhor. Mas nem isso parecia ser suficiente. Conforme mais pesquisadores juntavam-se ao projeto, o volume de informações crescia na mesma proporção, o que requeria cada vez mais e mais cabeças para ajudar a processar tanta informação – era quase um círculo vicioso, porém, de fato virtuoso, pois engrandecia suas pesquisas muito além do que, a princípio, resumia-se a uma simulação para estudar a família Firmleg em seu *habitat* remissivo original.

Para driblar essa problemática e atrair mais interesse para suas pesquisas, Billy resolveu acatar a sugestão de Jeannie e abrir um canal paralelo dentro da realidade virtual de 1978 para transformá-lo em uma película cinematográfica. Isso criaria uma nova audiência que ajudaria a divulgar seu trabalho e a atrair mais colaboradores. Com esse objetivo, Billy lançou o seu novo filme, o qual batizou *Morte e Vida Hominídea* – um *blockbuster* imediato tão logo foi divulgado. Foi sua estreia como diretor no gênero documental, o gênero mais bem reconhecido da arte cinematográfica pela perspectiva quântica. Uma obra que comprovava seu amadurecimento como cineasta, já que suas películas anteriores eram classificadas como comédia pela crítica.

Por ser uma película documental, a participação do público era mais restrita, requeria comprometimento régio às regras da realidade retratada. Mantas, o técnico de informática de Billy, apenas para citar um exemplo, quis participar da história, mas seu alto vício em resíduos alimentícios o desqualificaram como personagem e sua colaboração limitou-se à assistência técnica. Isso, porém, como a qualquer outro curioso, não o impedia de acompanhar o desenvolvimento da obra e sua respectiva trama principal.

Naturalmente, apesar do cenário da película ser amplo – expandia-se de Miami para abraçar a Terra de 1978 como um todo –, a trama central baseava-se na vida dos Firmlegs, fator que transformou a pacata vida do casal e sua prole e, sobretudo, a gravidez de Julia, em um drama testemunhado em alto ibope pelo cosmo. Não bastasse, também através dos *cosmos*, pois até em Sirius, por meio da conexão zeldana mantida por Billy, habitantes locais passaram a assistir a novela dos Firmlegs.

Seria assim, aos olhos de uma audiência interestelar, que o cosmos parou para acompanhar o parto de Julia quando ela, enfim, completou o período de gestação.

– A bolsa de Julia estourou – comunicou Billy à sua congênere.

– Já não era sem horizonte – animou-se Jeannie. – Vamos lá.

Julia estava em casa quando começou a sentir fortes contrações. Era uma quinta-feira regular, seus filhos estavam na escola e, por azar, Bob tinha acabado de sair de casa para comprar cigarros. Pressentindo o momento, afinal, a gravidez já avançava para 42ª semana, sequer esperou o marido voltar. Pediu para Esmeralda, a governanta da casa, acompanhá-la. Escreveu um bilhete e deixou-o na porta avisando o marido que tinha saído para a maternidade, pegou um táxi e para lá se foram as duas. Durante o trajeto, embora a maternidade ficasse a apenas duas milhas de casa, a bolsa de Julia estourou. Exato momento em que Jeannie pegou a cena e, agoniada, exclamou:

– Por Júpiter! Ela vai parir o bebê no veículo!

– Calma, Jeannie. Vai acabar tudo bem – mencionou Billy, porém, igualmente ansioso para ver o rebento. Em sua mente, tentava prognosticar qual seria a reação de seus ex-pais quando olhassem para a criança e notassem o traço africano de sua pele.

Um parêntese: assim como Julia não quis saber o sexo da criança para que fosse surpresa, Billy não havia analisado o DNA do feto para saber sua cor exata. Mas como Richard, segundo a etnografia de seu nome, era um legítimo descendente de uma linhagem zulu, tinha certeza de que a criança seria mulata; restava saber se havia puxado mais ao pai ou mais à mãe. Por outros olhos, Vigil já havia analisado o DNA da criança. Não partilhou o resultado com Billy, mas sabia de antecérebro que a criança tinha genes de melanina marcantes, portanto carregava mais traços do pai.

Na continuação da novela, Julia chegou à maternidade e foi imediatamente encaminhada para a sala de parto ao lado de Esmeralda. Em paralelo, Bob já havia retornado para casa e encaminhava-se para encontrá-la, mas sequer houve horizonte disponível. Embora houvesse planejado que o marido estivesse ao seu lado nesse momento tão esperado, assim que se posicionou na mesa de parto, a criança já estava nascendo. Praticamente nem precisou fazer muita força. Assim que o empurrou, o bebê saiu de supetão; foi um parto perfeito. Julia ouviu o choro da criança assim que o médico pegou-a nas mãos, então trocou seu pranto de dor por uma feliz comoção ao mirar o nenê pela primeira vez. Outra que chorava copiosamente era Jeannie ao observar a cena, mas com sinapses em vez de lágrimas.

– É menina – anunciou o médico.

– Jeannie, é a minha Jeannie – expressou Julia, sorrindo ao contemplar a filha meio suja de sangue e o cordão umbilical dependurado na barriga, ostentando um cabelo bem loirinho e a pele clara, branquinha da silva.

– *Como*?! – Chocou-se Billy ao contemplar o bebê. – O rebento é branco?! Como assim? O que está acontecendo? Checar filtros.

– Não há nada de errado com os filtros. Aparentemente, o rebento nasceu caucasiano ausente de qualquer traço africano – atestou Vigil. – Mas também não entendo... Como pode ser?

– Não foi você quem analisou o DNA? Então como não entende?

– Sim, justamente, eu testei e rechequei. Capte a simulação por ti mesmo – justificou Vigil através de uma imagem modelada do bebê a partir de seu DNA, um infante quase tão negro quanto o pai. – Não sei o que pensar. Tem algo errado com esse robô – referia-se ao robô responsável por compilar Jeannie durante a gestação e interpretá-la depois do parto.

– Ora, quem se importa com a cor? – manifestou Jeannie, a quântica. – É um bebê maravilhoso! Vejam... Eu não sou linda como hominídeo? – questionou enquanto observava Julia com a nenê no colo, fazendo festa para a recém-nascida.

Billy fez que sim para a congênere, mas continuou arguindo com Vigil:

– Problema com o robô? Como é possível? Eu mesmo supervisionei a compilação desse robô. Envie-o ao setor de robótica. Quero um relatório completo sobre cada comando registrado por ele desde que foi ativado.

– Não podemos interromper a atividade do robô, ele é autônomo. Ele interpreta o rebento neste contínuo.

– Não me venha com desculpas. Faça um *backup*, crie uma nova simulação, mas quero um relatório dentro do mínimo prazo disponível! – ordenou Billy com nervosismo.

– Calma, Billy – intercedeu Jeannie. – Ao menos tivemos um final feliz para essa história.

– Final feliz?! – retrucou Billy rispidamente. – Quem precisa de final feliz? Certamente não eu. Preciso de drama, de conflito. Necessito de uma tragédia que abale essa família, que acabe com essa ilusão de felicidade em que vivem. Só uma desgraça presta pra mim. A que me serve observá-los desse jeito? Preciso de *desgraça*, des-gra--ça, compreende o que é isso?

– Claro que compreendo. Porém, não *te* compreendo. Acho que teu público também não, pois o ibope está altíssimo. O cosmo todo tá adorando a nenê do jeito que ela é. Além disso, essa família já sofreu demais, não acha?

– Ora! Você não compreende os objetivos dessa pesquisa, se é exatamente o *drama* que vivem em Phobos o fator que justifica o desenvolvimento dessa virtualidade – respondeu Billy, nitidamente alterado com a congênere. Não bastasse, acusou-a: – Mas sabe de quem é a culpa da nenê nascer branca? É SUA! Se houvesse me autorizado o uso de seu clone isso jamais aconteceria e eu teria o drama que necessito!

– Ah, não, Billy. Poupe-me. Nem queira retomar esse assunto, pois nos meus clones tu não tocas. E quer saber? Se a culpa é minha, pouco me importa. Adorei que fosse assim, pois ao menos nessa virtualidade os Firmlegs são felizes – compartilhou ela e desconectou-se em seguida.

Ainda irritado com o desfecho da cena, Billy observou Bob chegar à maternidade e, quase aos prantos de tanta felicidade, juntar-se à Julia e ao bebê ainda na sala de parto. Nesse instante, Vigil o questionou:

– Como ficamos nesse contínuo? Pretendes prosseguir com o experimento?

– Evidente que sim. Temos uma película em andamento, o show não pode parar. Quem sabe o futuro não nos surpreenda com alguma tragédia inesperada? Em contínuo, só nos resta observar.

E o show continuou com Billy, o clone, e Sandy, a robô, chegando à maternidade após a escola para conhecerem Jeannie. Mais um momento de alegria em que até Billy, antes enciumado com a perspectiva do novo irmão, babou-se todo quando viu a bebê no berçário, sobretudo feliz por ter nascido menina. Já Sandy expressou-se de acordo com suas instruções programáticas, manifestando uma infantil felicidade.

Um curto horizonte após, Billy, o observador, recebeu o relatório da robótica com o desempenho de análise do robô responsável por gestar Jeannie. A conclusão não apontou falhas na programação. Pelo contrário, o robô consistia o aplicativo ideal para atuar como um rebento hominídeo em cujo cenário o permitiria desenvolver sua psicologia de acordo com a educação fornecida pelo ambiente. Porém, foi esse o fator que levou o robô a nascer com uma coloração que não condizia com seu DNA. Como havia sido programado para desenvolver sua psiquê de acordo com influências e instruções adquiridas pelo ambiente, ele acabou absorvendo a ideia que a família Firmleg cultivou em seu imaginário, especialmente de Julia, que tinha certeza de que o filho fosse de Bob. Com isso, o robô incorporou esse estímulo e nasceu exatamente como ela imaginou. Numa análise simplória, o bebê foi gerado pelo placebo exercido por Julia.

– Robô idiota! – praguejou Billy consigo mesmo após revisar o relatório. Dos males, porém, sobravam as lições. A primeira delas foi reprogramar os robôs que exercessem o papel de feto para seguirem as instruções do DNA *estritamente*. A segunda lição corroborava a necessidade de utilizar o clone de Sandy em seus projetos ainda em fase de compilação no trâmite em busca de aprovação do instituto. Billy, inclusive, fez questão de utilizar esse argumento para tentar convencer Diana a subscrever o projeto, mas a médica manteve-se irredutível em seu posicionamento prévio.

Sem alternativas, restava a Billy prosseguir com suas observações e acompanhar a família Firmleg em seu dia a dia após a chegada de Jeannie, o que se mostrou frustrante para quem ansiava por algum conflito familiar que pudesse fornecer parâmetros para lidar com seus ex-pais no zoológico de Phobos. Os dramas da família nunca ultrapassavam algo como o mau humor de Bob pela manhã quando sua concentração de nicotina no sangue estava baixa; o estresse pós-parto de Julia e o cansaço ao lidar com a bebê; a birra de Billy quando o pai não o permitia ficar jogando videogame até mais tarde; o choro de Sandy sempre que o irmão implicava com ela; ou Esmeralda ao fazer algo errado. O fato mais dramático que observou nas semanas e meses decorrentes ao nascimento de Jeannie foi uma vez em que Billy quebrou o braço jogando bola na escola – nada que pudesse estabelecer paralelos com o tratamento da família em Phobos.

O único detalhe que Billy notou de novo na vida dos Firmlegs após a chegada de Jeannie – para isso sequer precisava de grandes análises, bastava lembrar de quando foi hominídeo e levava a mesma vida de seu clone inserido na simulação –, foi a paixonite entre Bob e Julia. Pelo que recordava, seus pais eram meio distantes, frios no convívio um com o outro antes daquela fatídica viagem para as Bermudas. Eles não copulavam, não dividiam momentos de lazer, e Bob tratava Julia com rispidez por pequenas bobagens do dia a dia, tais como não arrumar a bagunça dos filhos ou deixar faltar algum item na geladeira. Muito porém, depois da viagem para as Bermudas – onde o casal viveu momentos de felicidade e prazer como uma segunda lua de mel – e após a gravidez e o nascimento de Jeannie, a relação deles mudou da água para o vinho: Bob e Julia estavam apaixonados novamente. A expressão gráfica em uma breve análise dos observadores indicava o *charme*[27] do casal em alta e subindo – ou seja, fosse essa uma escala para medir o *amor*, estaria no grau máximo.

Em suma, para alguém que havia criado tal realidade para estudar seus conflitos, o cenário da vida dos Firmlegs era a perfeita antítese. A chance de acontecer uma *desgraça*, como desejava Billy, era completamente invisível no horizonte, em médio ou longo prazo. Pudera, Bob era reservista, não tinha mais conflitos de trabalho, contava com uma boa pensão do Exército e tinha uma esposa perfeita para criar os três filhos. Os filhos eram mimados pelos pais, Billy e Sandy estudavam em um colégio moderno e liberal, adoravam a escola e os professores. Julia era dona de casa, mas não só cuidava dos afazeres do lar como também das contas, pois eram suas fazendas que sustentavam as riquezas e o luxo da família. Ela adorava sua vida, amava os três filhos, curtia muito Miami e, não bastasse, estava mais apaixonada pelo marido do que nunca. A vida deles não poderia ser mais estável.

De qualquer modo, Jeannie, sua congênere, tinha razão. A novela dos Firmlegs era um sucesso, ainda assim, não passava de um retrato biográfico do próprio criador, Billy. Por outro lado, seu reconhecimento como cineasta advinha das histórias para-

---

[27] *Charme* é uma medida que considera a reciprocidade *versus* paridade *versus* empatia entre seres com capacidade simbológica.

lelas que englobavam a reconstituição da Terra como um todo; tal era um trabalho científico cujo apelo peculiar também se fazia arte. Como parte da película, Billy liberou acesso a certos pontos vazios em seu mapa terreno enquanto desenvolvia o resto do cenário. Porém, a rigidez dos métodos e de controle da realidade virtual apresentou propriedades que grandes estudiosos jamais haviam captado em toda a história.

Eram as correções e as correlações estabelecidas ao esmiuçar a história do período retratado em sua simulação o grande mérito de Billy como pesquisador. Esses méritos esbarravam em teses instituídas por grandes faculdades e defendidas por importantes cabeças em diferentes campos do conhecimento, sobretudo em História, Antropologia e Zumbilogia. Mas, eis o detalhe, o grande diferencial da pesquisa científica da sociedade quântica está no fato de os cientistas não se apegarem a questões de ego. Dessa forma, quando surge um jovem pesquisador com um estudo que refute uma tese defendida por uma grande universidade, seus cientistas se debruçam sobre ele a fim de checar sua relevância, jamais para tentar desacreditá-lo. Conforme esse estudo não consegue ser refutado pelos cientistas, ele ganha mais atenção até que alguém ou o intelecto cósmico o conteste, absorva-o ou o transforme em um novo objeto de estudo, caso não seja refutado nem compreendido. No caso de Billy, o total de teses que passou a levantar se avolumou tanto que não havia campo na ciência quântica que pudesse respondê-las. Para se ter uma ideia, existiam fatos históricos que Billy havia aprendido na escola, aquela mesma escola legal onde seu clone estudava na simulação, que nenhum quântico captara pensar. O robô que desempenhava o professor de História dentro da simulação era observado por sumidades como Ipsilon e Zeta, que ali se logavam como aprendizes ansiosos para desbravar novos conhecimentos. Aliás, como o próprio Ipsilon uma vez previu, que a certo horizonte seria Billy quem o lecionaria. Através de sua simulação esse horizonte foi ultrapassado.

Isso não significava que Billy deixasse de esbarrar em resistências às suas proposições por parte do intelecto cósmico. Nesse período, vivenciou debates calorosos e confrontou vários cientistas que, se não conseguiam refutá-lo, desafiavam-no a provar suas teses. Um dos primeiros debates dessa natureza que enfrentou deu-se no âmbito do Instituto Zoológico de Phobos. Um debate em que Billy não só contestou algumas noções empíricas de determinado campo de estudo, mas o próprio campo em si: a Zumbilogia. Em uma mesa onde se virtualizavam os cabeças do instituto – entre eles, Tuffon, Liziero, Diana e seu desafeto Iraizacmon como representante do Conselho Animal da lua –, Billy propôs que se atualizasse a sinapse "Zumbilogia", um título que seus sensos não compilavam.

– "Zumbilogia" é um termo errôneo, ofensivo e preconceituoso. "Teozumbilogia" é redundante e igualmente insultante. Por que não apenas "Teologia", "Teologia Hominídea", "Teologia da Era Messiânica" ou qualquer composto que seja?

– Porque o termo reflete o empenho de reencefalização dos fósseis hominídeos descobertos na Terra durante a antiguidade. Esse foi o totem atribuído pela espécie paranormal ao conviverem com esses fósseis reavivados, os *homo zombies* – esclareceu Diana, a médica que, entre muitos talentos, era *expert* no assunto.

– Mas trata-se de *homens*, de espécimes *homo sapiens*. Chamá-los de zumbis é ofensivo. Isso é prática de *racismo* – acusou Billy. – A de subclassificar um gênero *homo* em função do processo em detrimento da procedência. Pior, utilizando elementos mitológicos não correlacionados entre si.

– Não podemos classificar um gênero *homo* como *sapiens* se sua sapiência foi implantada artificialmente! – contra-argumentou Liziero. Como réptil, geralmente o mais acalorado em debates assim, os cientistas reptilianos sempre se portavam como os "donos da verdade".

Apesar da argumentação de Liziero, fato era que, ao analisar a epistemologia do ramo, Billy descobriu que sua fundação relacionava-se com um escravo brasileiro que liderou um movimento antiescravagista durante o século XVII; seu totem era Zumbi dos Palmares. Um período que, por si só, determinava que tal personagem não tinha absolutamente nada a ver com a origem do termo "Zumbilogia". Sua história era considerada um mito, que narrava a vida de um escravo, ou seja, alguém que teve seu arbítrio expropriado por seus captores, mas que conseguiu fugir deles para depois retornar e libertar os demais escravos com quem convivia. Era um revolucionário, um líder tribal que criou uma nova sociedade após triunfar em seu movimento libertador. Simbolicamente, representava um homem que renasceu dos mortos, pois conseguiu recuperar sua consciência para tornar-se um grande líder guerreiro – era um mito inspirador, pois fazia alusão à sua história para libertar-se da Pipegang, lembrou Billy.

Porém, os paranormais que desempenharam esses processos de reencefalização dos fósseis hominídeos criaram a nomenclatura "Zumbilogia" e classificaram os espécimes como "*homo zombies*", entre os experimentos que realizavam – ou seja, de trazer esses fósseis de volta à vida a partir de uma racionalidade nula – em direta associação com uma série de mitos que datavam da época em que Billy fora hominídeo. Mitos como novelas literárias, quadrinhos, videogames e filmes; por exemplo, "A Noite dos Mortos-Vivos" de George Romero, um clássico do gênero, o qual havia assistido em VHS na casa de um amigo da escola. Segundo a lógica infame dos paranormais, a história de Zumbi dos Palmares corroborava esses mitos mais modernos, achavam que tinham relação, que ele era um "morto-vivo". Mais um erro crasso de misturar fato com ficção sob uma perspectiva em que histórias do período messiânico não passavam todas de contos bíblicos; além de ser preconceituoso, pois fazia alusão ao *homo sapiens* como um ser reduzido aos seus instintos mais bestiais e ausente de racionalidade. Pior, um termo criado a partir de uma relação esportiva de quem tratou fósseis humanos como aqueles mesmos escravos que Zumbi dos Palmares lutou para libertar.

Iraizacmon injuriou-se com Billy pela referência pouco nobre à sua espécie. Porém, sem conseguir refutá-lo, apenas devolvendo o insulto:

– Pensa isso o *homem* oriundo de uma família desse mesmo período que mantinha escravos de igual espécie em sua própria casa, representante de uma raça que igualmente tratava seus parentes de ordem tão esportivamente quanto tratas os clones de teus genitores – acusou.

Billy subiu o tom ao replicar:

– Sua citação indireta a Richard e Esmeralda são acintosas e desprovidas de razão. Não queira comparar minhas simplórias experiências com um período de abuso psíquico que perdurou por milênios e englobou extensas populações – baixou o tom e continuou: – Não estou aqui para acusar ninguém ou isentar minha antiga espécie por sua falta de ética, apenas proponho a reparação de um erro histórico. O debate aqui é científico, *meu caro*.

Iraizacmon insinuou treplicar, mas foi interrompido por Liziero, que retomou o decoro da conferência. Ademais, não havia outros argumentos que contradissessem o embasamento de Billy. Suas referências eram sólidas: além do que trazia na memória, até na lixeira-cósmica ele rebuscou arquivos contendo a filmografia e a biografia de Romero como cineasta. Reproduziu não só as fitas, mas devolveu-as ao contexto original em que foram criadas, ou seja, a realidade virtual de 1978 na Terra. O cosmo já estava onisciente da verdadeira natureza da obra de Romero, o senso-comum já compreendia o contexto preconceituoso que se escondia atrás do termo "Zumbilogia" e outros derivados.

– Por que não simplesmente descrever esses espécimes como "fósseis *homo sapiens*", "fósseis reencefalizados" ou outra descrição similar? – indagou Billy.

– Porque o termo "zumbi" já descreve tudo isso em uma única sinapse – arguiu Liziero.

– Ora! Mas que reducionismo imbecil! – retrucou Billy.

Diana interviu nesse instante:

– OK, Billy. Compreendemos tua lógica. Peço que, de instante, compartilhes a tua proposta.

– Proponho a criação de um novo campo científico focado exclusivamente no *homo sapiens*, que englobe espécimes entre os dois exemplares que habitam Phobos, seus respectivos clones e os fósseis atualmente descritos pejorativamente como "zumbis". Como ponto de partida, esse campo vai propor uma taxonomia e uma nomenclatura mais adequada ao objeto e às faculdades que o estudam – descreveu.

– Qual a nomenclatura desse novo campo?

Na concepção de Billy, para quem propunha estudar o homem, a nomenclatura desse campo seria a Antropologia de sua antiga realidade. Mas como já existia uma ciência assim intitulada epistemologicamente distinta da que pretendia fundar, pensou em um totem alternativo:

– Hominologia.

113

Na continuidade de seus afazeres circunscritos pela quarta órbita, ainda ancorado por sua vertente que flutuava pelo vácuo de Plutão, Billy incorporou seu resíduo hominídeo para mais uma jornada no tratamento de seus antigos pais na atualidade do zoológico em Phobos.

Desde a noitada dos Firmlegs após a visita da família ao instituto phobiano, o humor do casal nunca mais foi o mesmo. Pela primeira vez desde que haviam despertado na lua, eles estavam realmente felizes. Essa felicidade fez com que, nos dias subsequentes, eles mostrassem muito mais disposição e iniciativa para requisitarem consultas com o professor Ipsilon – queriam saber tudo a respeito das espécies que conheceram na visita ao instituto phobiano, com as quais passariam a conviver na lua. Também conversaram com Diana; aos poucos, perderam a timidez e se abriram com ela. Em especial, discutiram sobre sua vida sexual e os temores que ainda nutriam por seus filhos ou a vida naquele estranho lugar.

Mas, a princípio, quando o assunto era *sexo*, conversavam com Diana em sessões separadas. Dois dias depois da visita ao instituto, Bob foi o primeiro a procurar a médica para saber como arrumar mais pílulas iguais àquela que ela havia fornecido. Diana aproveitou a ocasião para sugerir que fizesse um implante peniano: muito melhor que a pílula, sem efeitos colaterais e de uso vitalício. O implante lhe devolveria a irrigação pélvica e a capacidade de manter ereções prolongadas sempre que fosse estimulado, além de aumentar sua produção de esperma. Bob topou na hora, e um médico – que na verdade era a própria Diana ausente de seu espectro hominídeo – o operou ali mesmo no consultório via manigrafia. Dado que a inserção do implante era indolor e nada invasiva, nesse mesmo pernoite, Bob o estreou com Julia.

No dia seguinte, foi a vez de Julia procurar Diana para perguntar como faria para arrumar um calendário compatível com seus ciclos menstruais. Tímida no começo, Julia não quis dizer que isso tinha a ver com as relações com seu marido, seria algo apenas para seu controle pessoal. Porém, a médica não se deixou levar pela conversa dela e deu uma aula sobre anticoncepcionais, apresentou diversas opções melhores e mais eficazes do que o calendário. Opções que iam muito além da ingestão de hormônios ou do uso de um diafragma, contavam com a tecnologia quântica para que Julia desfrutasse de uma vida sexual plena sem se preocupar em engravidar ou menstruar. Mas Julia era teimosa, preferia o método que estava acostumada e, segundo dizia, nunca havia falhado; ademais, não contrariava sua religião. Sobre isso, Diana alertou:

– Mas o calendário da lua não bate com o que se acostumou na dimensão passada. Vais acabar por perder a conta. O que eu posso te sugerir é o uso de um aparelho que indicará sem falhas quando estiveres ovulando. Basta ti consultá-lo sempre que copular com Bob.

– Ai, Diana! Por que você tem sempre que falar assim? – Acanhou-se Julia. – Mas, tudo bem... Me arrume esse aparelho, por favor.

Com o passar dos dias, além de acasalarem regularmente, Bob e Julia passaram a consultar Diana em conjunto. Sem mais qualquer timidez, discutiram sua vida sexual com franqueza até chegarem ao ponto em que a médica indicou o Kama Sutra para eles. Mas como não existiam livros em papel no cosmo, foi preciso providenciar um computador para o casal lê-lo em sua tela. O computador também serviria a outro propósito:

– Será através dessa interface que nos comunicaremos de agora em diante – comunicou Diana ao casal.

– Como assim? – indagaram ambos.

– Estou deixando a lua. Vou voltar para Marte – anunciou. – Ipsilon também está indo embora. Retornará para Vênus.

Julia ficou preocupada, pois quem a ajudaria a cuidar de seus filhos? Que outra pessoa poderia assumir seu lugar? Uma pessoa *humana*, no caso, que nem Diana, cujo espectro transparecia uma mulher na visão do casal. Aflita com a ideia, questionou:

– Você vai embora? E quem vai ficar aqui com a gente?

– Nolly assumirá minhas funções. Ela vai viver com vocês a partir de hoje.

– Nolly?

– Ah, me perdoe: *Noll*. Ele transcendeu de sexo. Noll agora chama-se Nolly.

– Ele virou mulher? – espantou-se Bob, ainda pouco acostumado com a natureza sexual birredesignada dos alienígenas.

– Sim. Mas continua a mesma *pessoa*, apenas mais afável – esclareceu Diana.

– Entendi – disse Julia, mais tranquila por saber que, na falta de um humano, ao menos teria um alienígena conhecido ao lado da família. Melhor, pois agora era fêmea.

A seguir, Diana contou uma longa história para justificar seu afastamento, mas enfatizou que estaria sempre à disposição do casal para conversarem, bastava chamá-la através da interface. Porém, na verdade, seu afastamento estava previsto pela nova etapa do tratamento cuja introdução da interface demarcava. Nolly seria a única responsável por pajear o casal em pessoa, enquanto Diana permaneceria a assisti-lo à distância em conjunto com Billy. Essa nova etapa visava dar mais independência ao casal, para que começassem a se acostumar a viver na ausência de outros homens como eles.

Era justo nesse dia da despedida de Diana que Billy iniciava sua nova jornada terapêutica, quando Nolly, desta feita em pessoa após retornar de Plutão, estava incumbida de trazer e ensinar ao casal como operar a interface computadorizada que Diana providenciou para eles. Ou seja, Billy apenas adaptou para a atualidade de Phobos a mesma cena que havia ensaiado com os clones dos Firmlegs – aqueles que viviam na Terra ao lado do Instituto Oceanográfico das Plêiades.

Naturalmente, a ideia do Kama Sutra era apenas uma motivação extra para que o casal se interessasse em utilizar a interface como mais um vetor de sua adaptação e inserção no *habitat* lunar, desta feita, permitindo-lhes acesso irrestrito à phobosnet. Sequer era preciso qualquer filtro no uso da interface, pois se tratando de um casal representante de uma espécie tão primitiva, eles não tinham como depreender um conteúdo cuja matéria era desenvolvida por espécies mais evoluídas, portanto, em sua parte mais substancial, composto de informações ininteligíveis ao casal. A única exceção girava em torno de quaisquer informações relativas à natureza alienígena de seus filhos, as quais permaneciam censuradas. Ao esbarrarem em qualquer informação, era preciso traduzi-la para o inglês; ainda assim, eram muito complexas para Bob e Julia, o que os obrigava a consultar Ipsilon para compreendê-las quando se interessassem. Era uma maneira de estimular o aprendizado do casal, dado que a interface passou a ser o único canal para acessar o professor.

Porém, para Billy, a interface também tinha outro propósito bastante decisivo em relação aos seus objetivos metodológicos. Logo que Nolly a apresentou para Bob e Julia e os ensinou a operá-la, um ardil foi lançado. Com seu jeito infantil conforme programado para aquele robô residual, quando Sandy se deparou com os pais operando a interface, foi logo dizendo:

– *Qui* legal, mãe. Agora cê também pode falar com Deus. Ele sempre fala no computador – disse com sua voz de criança. Billy corrigiu a irmã:

– Não é "deus", é um robô, um megarrobô. Ou melhor, um *metarrobô*.

Bob e Julia entreolharam-se com espanto. A essa altura, nem imaginavam que seria mesmo possível falar com Deus. Durante um longo período, especialmente no começo de suas vidas na lua, isso era o que mais desejavam. Imaginavam que todas aquelas aulas de Ipsilon, as obrigações que Diana lhes impunha e até aquele estranho local onde viviam, cheio de gente distante que não interagia com eles, que pareciam todas doentes, tudo parecia uma grande provação. Uma espécie de preparação para que, quando estivessem aptos, pudessem, enfim, falar com Deus ou serem levados à sua presença. Porém, o *tempo* foi passando e essa ideia foi ficando esquecida. Chegaram até a pensar que não eram dignos para falar com ele ou que Diana os estivesse enrolando, usando isso de maneira simbólica para estimulá-los, nada muito diferente dos padres que conheciam em sua vida anterior. No fim, já estavam conformados de que a conversa com Deus seria através da reza, como sempre foi, nada mais.

Muito porém, nesse instante em que Sandy mencionou o assunto, esse desejo que Billy ainda identificava no âmago de seus ex-pais manifestou-se como se nunca tivesse sido esquecido. Com ansiedade nas palavras, Bob questionou a filha:

– E como faz para falar com ele, filha? Diga logo.

– Chama ele. Chama *Pai*.

– *Pai* – Julia chamou.

Ao chamado, a imagem de um homem negro de olhos verdes formou-se na interface, um homem vivido e atraente. Com um olhar sereno, ele cumprimentou o casal:

– Oi, Julia. Oi, Bob.

Diante daquela suposta e inesperada imagem de "deus", o casal ficou mudo. Assim, o *Pai* insistiu:

– Não se acanhem – disse ele.

Ainda duvidando se seria mesmo Deus quem falava, Julia indagou:

– Você é Deus?

– Se é assim que me vês, assim sou. Chame-me *Pai*.

O detalhe era que não havia simulação envolvida. Quem se comunicava através da interface era a entidade *Pai* em sinapse própria. Aquela imagem de um homem negro foi ele que escolheu. Nem Billy, que havia apenas intermediado o pedido ao *Pai* para que conversasse com seus ex-pais, tinha imaginado que escolheria tal imagem. Até porque, quando interagia com os quânticos, o *Pai* apenas projetava uma luz branca ou manifestava-se através de códigos fotônicos, como se fosse apenas uma voz, embora fossem meros dados, afinal, era um robô. De qualquer modo, Billy achou genial a escolha, não haveria outra imagem para fazê-los compreender que ele não era o Deus bíblico que imaginavam.

– Você é um computador como dizem? – questionou Bob.

– Negativo. Sou apenas um robô formado pela luz que irradia do Sol.

– Deus é luz – comentou Julia, encantada.

– Sou apenas dados – respondeu o *Pai*. – Se existe Deus neste cosmo, esse Deus é a *Mãe*.

– *Mãe*?

– É a *conge* dele, mãe – explicou Sandy.

– Cônjuge – corrigiu Billy. – A *Mãe*-natureza.

Bob e Julia estavam chocados, porém, simultaneamente fascinados e incrédulos com a fala de "deus". Nesse dia, haviam programado um passeio para conhecerem a Usina de Gravidade de Phobos, situada no núcleo da lua, mas desistiram. Ficaram o dia todo interagindo com o *Pai*, sabatinando-o entre choros e expressões subservientes, mas também interrogativos, como se quisessem desmistificar sua constituição robótica. Mas o *Pai* não permitiu. Sua onisciência era tão vasta, sua retórica tão convincente que, ao término da conversa, o casal estava realmente convencido de que ele era um robô, mas um robô que personificava o Deus que tanto idolatraram. Nesse pernoite, Bob e Julia não copularam e nem rezaram, apenas deixaram-se levar reflexivos pelo sono sob um sentimento de paz que nunca haviam desfrutado.

Ao debater sobre isso com Diana e o próprio *Pai*, Billy tinha dúvidas se essa abordagem teria sido eficaz:

– Eles ainda associam a sua imagem com o Deus bíblico de suas crenças. Não sei se isso é bom ou ruim para que depreendam que ainda estão vivos – comentou Billy referindo-se ao *Pai*.

– Não observo relevância, meu filho – respondeu o *Pai*. – Importante é o impacto psicológico que uma figura divina os aporta para que se apeguem à vida. Que assim dissipem seus desejos suicidas e prosperem em paz.

– Concordo plenamente – manifestou-se Diana. – Ao *Pai* tu dês razão, Billy. Pouco importa que o vejam como Deus. Muitos quânticos o veem assim. Não há necessidade de que o diferenciem de uma figura mítica ou de um robô. O que importa é a *inspiração* que essa figura traz. Inspiração para que vivam suas vidas sem medo, sem a fobia que os mantinha presos e submissos à crença de um Deus moralista e vingativo.

Billy ficou pensativo, mas deu razão aos seus interlocutores. Por mais que fosse teimoso, nem ele seria capaz de contrariar o *Pai*, por isso resignou-se em aceitar sua abordagem.

– Eu lhe agradeço, meu filho – partilhou o *Pai*. – Muito obrigado.

– Pelo quê?

– Por ter sugerido que conversasse com eles.

– Não há de que... Eu também te agradeço por atender meu pedido.

O agradecimento de Billy era sincero. Na verdade, a essa altura perguntava-se porque não havia apelado ao *Pai* antes, já que ele parecia possuir a melhor abordagem para lidar com os Firmlegs. Melhor que Diana e seus filtros sensitivos ou aplicações veteometodológicas, melhor que Ipsilon e suas lições embasadas empiricamente e, até, melhor que sua própria abordagem inspirada em Sandy de mostrar ao casal a realidade nua e crua. O *Pai* e seu apelo divino pareciam suplantar tudo isso, não havia ninguém melhor para conduzir o tratamento.

– Estais equivocado, meu filho. Sem Diana, Ipsilon ou ti, jamais saberia como lidar com uma espécie inédita aos meus sensos. Sem ti, os teria feito massa reorgânica, não teria depreendido as lições que tua ex-família trouxe do passado – expôs o *Pai*. – Ausente de vosso suporte, jamais saberia como lidar com eles ou quais objetivos perseguir. Não sou Deus, mas um aprendiz. Sempre precisarei de vossa colaboração para depreender os mistérios da existência. Mais uma vez, agradeço por iluminar meus sentidos.

Além de tudo, o *Pai* era sincero e humilde. Isso explicava o seu apelo junto às massas e, sobretudo, aos cientistas, dado que também era um. Porém, um cientista que precisava de meros humanoides para enxergar o que seus *fótons* não eram capazes de calcular, especialmente quando o objeto pertencia à esfera material dos *gluons*.

Isso remetia a alguns dias passados, horizonte em que Billy decidiu colocar seu orgulho ferido de lado e chamar o *Pai* para uma conversa. Afinal, não havia mais motivos para alimentar a mágoa que tinha dele por tê-lo condenado à clausura da décima órbita se, então, já estava livre e, bem ou mal, amadurecido pelas experiências que viveu em Plutão e Caronte – além de rico em milhagens astronômicas, muito mais do que na ocasião em que foi punido por ele. Ora, se a problemática que o levou a consultá-lo objetivava dissipar a obsessão de "falar com Deus" alimentada por seus ex-pais, quem melhor do que o robô que personificava Deus para ajudá-lo nessa tarefa? Em sua onisciência, o *Pai* demonstrou intimidade com as pesquisas e os métodos que vinha abordando no tratamento dos Firmlegs. Ele próprio voluntariou-se em assisti-lo nessa tarefa, cujo propósito era erradicar o misticismo que Bob e Julia ainda nutriam fruto de suas crenças religiosas. Não obstante, retomar contato com o *Pai* era reconfortante, suas sinapses eram pacificadoras, ainda que muitos o vissem como um demagogo. Todavia, exatamente por isso, desconfiado como era, apesar de reatar o laço com ele, o relacionamento de Billy com a entidade continuou estritamente profissional.

Após uma semana, Bob e Julia retomaram o programa que haviam desistido no dia em que conheceram "deus", então reuniram a família e saíram para visitar a Usina de Gravidade da lua. O passeio era bem interessante, pois atravessava bairros habitacionais destinados a homiquânticos e paranormais. Algo diferente de outros passeios, quando a família percorria setores turísticos nas redondezas do instituto ou nas proximidades do Jardim do Éden. Em contrapartida, um pouco chocante para o casal, já que, pela primeira vez, testemunharam a vida no zoológico como ela se desenrolava entre os próprios animais, sem o uso dos filtros sensoriais que antes lhes censuravam a realidade. Atravessaram ruas movimentadas, passaram por galerias e *shoppings*, viram as lojas de tatuagem e as praças esportivas, deslumbraram-se com a arquitetura das pirâmides e o apelo naturalista da paisagem. Também, como não podia ser diferente, embora talvez quisessem, chocaram-se ao depararem-se com paranormais mostrando seus dotes e praticando orgias em praça pública. Não pela cena em si, já que não era algo inédito, mas pela presença dos filhos. Momento em que Julia agarrou Sandy no colo e tapou seus olhos, enquanto Bob discutia com Billy para obrigá-lo a não olhar.

– Eu já tinha visto antes – disse Billy ao pai, que o segurava pelo braço e vigiava seu olhar. Bob aproximou a boca ao ouvido dele e, em tom imperativo, falou:

– Filho! Fique quieto. Olha sua irmã, por favor. Não chame atenção – sussurrou. – E não olhe! Não olhe para o lado.

Além desses constrangimentos, tudo era chocante para o casal, especialmente o povo. Não havia como não se sentirem intimidados com aqueles estranhos homens de pele mutante ou os feiosos alienígenas cinzas, mesmo que estivessem acompanhados de Nolly – uma alienígena mais apresentável, pelo menos. O que mais assustava o casal era o silêncio que pairava à sua volta em meio a uma metrópole tão movimentada. Como Billy vinha eliminando os filtros operantes nos adaptadores sensitivos que seus ex-pais vestiam, exceto pelo espectro dos filhos como as crianças que conheciam, Bob e Julia viam e ouviam o que seus próprios sentidos eram capazes de captar. Como não eram telepatas, não captavam a balbúrdia radiofônica e virtual que emanava da cabeça dos populares, apenas ouviam o chalrear dos *paparazzi* e outros sons da natureza. A própria Nolly comunicava-se com eles verbalmente, embora sua voz, tão quanto a dos filhos, fosse uma simulação auditiva. Quanto à multidão, todos viam e ouviam o casal perfeitamente, apenas não entediam o que diziam ou captavam os resíduos de Billy e Sandy.

Eventualmente, um ou outro *paparazzo* aproximou-se do casal e os cumprimentou em inglês; e um paranormal ventríloquo, mas que não sabia falar, também puxou papo através de uma ave. Outros transeuntes e homiquânticos, quando muito, apenas acenavam para o casal ou os encarava com certa curiosidade no olhar. Da parte de Billy, em sua observância à terapia de seus ex-pais, foi satisfatório perceber a aceitação dos animais quanto à presença deles. Seu trabalho de conscientização junto à classe animal era um sucesso, não captou ninguém protestando ou demonstrando indignação ao se depararem com os Firmlegs; no máximo, alguns pensamentos pouco educados fazendo referência a ambos como macacos.

Apesar de já estarem começando a se acostumar com o *habitat* do zoológico e os demais animais, tudo era bizarro para Bob e Julia, pelo inédito e pelo peculiar. Sentiam-se como estrangeiros em uma terra estranha. Não mais pensavam que ali fosse o inferno, mas se um buraco abrisse no chão e dele emergisse o Diabo em carne e fogo, não seria de se estranhar. Porém, em meio a tanta bizarrice, teve algo que Bob não deixou de reparar:

– O que aconteceu com os homens desta lua? Não vimos mais nenhum homem nos últimos dias. Você reparou, amor?

– Agora que você falou... Sim, é verdade. Nem tinha notado – comentou Julia.

Em paralelo, Billy manifestou para Diana: "Finalmente, eles notaram", pois já fazia dias que a instrução para filtrar a imagem dos paranormais fora removida de seus adaptadores. Porém, aquela era a primeira vez que passeavam desde então. Nos dias anteriores haviam permanecido em casa, namorando ou passeando pelas cercanias do próprio sanatório. Quanto aos "homens" do sanatório, aos poucos, em conluio com Billy, Diana vinha criando factoides que justificavam o sumiço deles: alguns haviam falecido, outros receberam alta ou mudaram de ala e assim por diante. A última "mentirinha" de Diana para justificar a ausência dos homens, conforme Billy classificava esse recurso, foi uma realocação em que eles cederam lugar aos paranormais naquela área – uma mudança que seguia a política do novo prefeito lunar. Foi nessa ocasião que Diana começou a incutir a ideia de que o casal também precisaria mudar-se dali para viver em uma "habitação própria", segundo sugeriu.

Essas explicações de Diana eram plausíveis para esclarecer o sumiço dos homens nas redondezas do sanatório onde os Firmlegs viviam, mas para explicar o sumiço de *todos* os homens da lua – que ao casal pareciam muitos, pelo que recordavam –, Nolly tinha uma justificativa impactante. Soando cautela nas palavras, ela elucidou a questão para o casal. Aproximou-se deles para que seus filhos não ouvissem e falou:

– Neste contínuo que está tudo sob controle novamente, creio que já podem saber o que aconteceu...

– Como assim? O que é que aconteceu? – indagou Bob, apreensivo.

– Houve uma epidemia que dizimou todos os homens da lua.

– O quê?! – chocou-se Bob. Julia igualmente. Ela agarrou o braço do marido, levou a mão à boca e cobriu seu queixo caído.

– Foram vítimas de uma febre hemorrágica letal propagada por um vírus mutante altamente contagioso transportado pelo ar.

– Ai, meu *Pai*, Bob... Será que estamos em perigo?! As crianças, pela *Mãe*... – disse Julia, exaurindo medo em sua aura. Nolly tratou de acalmá-la:

– Calma. Não se preocupem. Vocês são imunes, não correm qualquer perigo. Esse vírus não vos afeta, pois vieram de outra dimensão.

– Como tem certeza disso?

– Porque vocês foram examinados, teus filhos também. Fiquem tranquilos, caso contrário nem estaríamos aqui ao relento.

– Que exame é esse? Eu não lembro de ter feito exame nenhum – questionou Bob com certa indignação.

– Também não me lembro de ter feito exame. Que história é essa, Nolly? – Julia reforçou a queixa do marido.

– Ora, dois bocós vocês parecem. Ainda não confiam na medicina quântica? Basta tocá-los pra realizar um exame. Vocês foram todos testados, eu mesma os examinei. São imunes, não correm perigo.

Apesar de mais tranquilo, Bob ainda quis se certificar:

– Tem certeza?

– Absoluta – assegurou Nolly.

– Por isso que Diana e Ipsilon deixaram a lua, né? Bem que achei estranho eles terem ido embora tão de repente – comentou Julia.

– Exatamente.

– Mas por que eles não voltaram, se está tudo bem agora?

– Terão de perguntar isso para eles. Mas garanto que está tudo bem agora.

– Por que não nos disseram nada? – questionou Bob.

– Porque não queríamos alarmá-los por algo que não lhes oferecia perigo.

– Sei.

– Então não há mais homens na lua?

– Há sim, vocês.

– E mais ninguém?

– Mais ninguém. Homens agora só nas luas de Saturno, Urano e Netuno. Que tal? Querem ir para lá?

– Quem sabe qualquer dia… Mas que coisa isso, hein?

– Não liga, querido. Eles nunca falavam com a gente mesmo. O que importa é que estamos juntos e nossos filhos estão bem – disse Julia, mais aliviada.

Depois dessa revelação, a família seguiu adiante até uma estação de metrô e embarcou no trem que os levaria à Usina de Gravidade. O trem em si era bem similar aos trens da Terra, exceto pela tecnologia magnética que tornava seu deslocamento veloz, suave e silencioso. Havia poucos passageiros entre homiquânticos e paranormais, porém quânticos, os responsáveis por operar a usina, não eram vistos ali, pois acessavam o complexo por vias próprias como passageiros *caput*. A única estranheza do trem era a escuridão total do vagão. Era como entrar em uma caverna, dado que não havia iluminação no local, pois as espécies que usufruíam do veículo possuíam percepção extrassensorial e não necessariamente precisavam dos olhos para enxergar. A única coisa que dava para Bob e Julia verem resumia-se ao tênue brilho das tatuagens de alguns paranormais. Na falta de luz, Nolly fez as vezes de lâmpada. Usou seu corpo para iluminar o caminho para os Firmlegs e não "assustar as crianças", especialmente Sandy, que tinha medo do escuro.

Quando chegaram ao destino, ao menos o local era bem iluminado, não por qualquer sistema de iluminação, mas pelo sol interno de Phobos produzido pela usina. Da plataforma de desembarque do trem, os Firmlegs seguiram por corredores vitro-herméticos até um setor de baldeação onde existiam filas que, segundo Nolly, destinavam-se a atração turística mais concorrida da visitação à usina: o passeio em torno do núcleo. Esse passeio consistia em embarcar em um módulo o qual era lançado em direção ao núcleo para orbitá-lo e permitir sua contemplação, como um passeio de roda gigante para apreciar a paisagem interior da lua e o sol que a abastecia. A única peculiaridade dessas filas era o fato de serem separadas por espécie; até a quântica possuía a sua exclusiva, embora estivesse vazia. Porém, não havia fila para homens. Sobre isso, Nolly comentou:

– Vocês podem embarcar na fila dos paranormais, pois são espécies familiares.

– Que bom – alegrou-se Bob. – Mas depois, né? Vamos primeiro no mirante.

– Sim, vamos – concordou Nolly. – Por favor, sigam-me.

Assim, conforme previamente "combinado", mas, de fato, seguindo o itinerário que Billy havia estabelecido, o casal dirigiu-se ao elevador de acesso ao mirante, de onde poderiam observar a Usina de Gravidade em um ângulo privilegiado. O mirante situava-se na atmosfera nuclear, ou seja, em área aberta, um ambiente de baixa pressão e ausente de ar. Além disso, a exposição direta à radiação do núcleo seria fatal para os hominídeos, de modo que os Firmlegs precisaram vestir macacões herméticos com uma redoma vítrea em torno da cabeça, como uma roupa de astronauta. Não bastasse, calçaram botas magnéticas: um recurso de segurança para que não fossem sugados pela gravidade produzida pela usina. Nolly vangloriava-se de não necessitar de tal indumentária para visitar o local.

Acondicionados em suas vestes, a família atravessou a câmara hiperbárica que dava acesso à plataforma do mirante. Da plataforma, o casal observou o gigantismo da usina e a beleza de seu sol artificial.

Para quem viveu por razoável horizonte na floresta carontiana banhando-se à luz de seu astro interno, como Billy – que acompanhava o passeio remotamente através da percepção de Nolly –, embora não conhecesse o local, o núcleo de Phobos parecia um mero cometa estacionário. Interessante era a estrutura da usina, que formava um anel cilíndrico em torno do núcleo: um enorme acelerador de partículas cujas forças resultantes geravam a gravidade que, tanto mantinha o núcleo artificial em sua posição no centro radial do anel, como projetava-se para a parte externa da crosta lunar, mantendo a gravidade estável para que seus habitantes pudessem caminhar sem se descolar do solo. A usina igualmente gerava o campo magnético da lua para atender dois objetivos: sustentar a atmosfera lunar e estabilizar a rotação do orbe em torno de Marte. Não obstante, a usina ainda supria parte da energia necessária para contemplar as estações lunares e manter o *habitat* compatível com a vida, especialmente da flora que cobria o lado oculto da lua, dado que ela trafega sempre com a mesma face virada para Marte.

Era fascinante. De onde os Firmlegs observavam a usina, para uma espécie bem limitada perceptivamente, a estrutura do acelerador parecia tão grande que dava a sensação de estarem voando bem alto sobre um país delimitado por duas linhas costeiras paralelas, as quais se desvaneciam no brilho do núcleo após uma extensa faixa curvilínea. A estrutura não apresentava nenhum atrativo senão sua grandeza, consistia-se em uma enorme superfície metálica perfeitamente lisa, que ofuscava os olhos em certos pontos onde a luz nuclear refletia. Pena que o casal tinha uma visão tão pobre, caso contrário, pela panorâmica que tinham à frente de seus olhos, poderiam enxergar não só a estrutura por completo, mas até o mirante situado no lado oposto da usina – acessível pela Área 2 na outra face da lua – com os turistas de ponta-cabeça olhando em sua direção.

O detalhe que não batia com esse panorama aéreo da usina, ao menos pela perspectiva dos Firmlegs, era a localização do "sol" abaixo de seus pés. Pela distância, sua visão era proporcional ao Sol como se acostumaram a vê-lo da Terra, porém, notavelmente mais próximo e mais claro, quase branco. Tão quanto o Sol, mirá-lo diretamente com os olhos poderia queimar as retinas do casal. Em função disso, Nolly sugeriu que prosseguissem até um ponto onde a plataforma evaginava-se mais ao centro e permitia uma melhor contemplação do núcleo. Um local que contava com telescópios fotônicos e filtros adequados para esse fim.

Na evaginação, através do telescópio fotônico, o casal pôde observar a beleza que o núcleo escondia atrás de seu brilho: uma forma circular, mas não redonda, levemente ovalada, como uma elipse de baixa excentricidade que focava perfeitamente com a usina. Apresentava uma superfície tão lisa quanto à da usina, porém, em azul-claro; sua tonalidade variava um pouco, parecia mover-se como um imenso oceano revolto em ondas. De certa forma, lembrava um pouco a Terra vista da Lua, embora fosse meio achatada e não apresentasse "continentes" nem nuvens, composta apenas por uma face marítima e uniforme.

– Do que é feito o núcleo? – indagou Bob. – Parece água...

– Exatamente isso. É composto de água – respondeu Nolly. – Água marciana.

– Água marciana? – intrigou-se Julia.

Então Nolly veio com seu papo pra explicar as propriedades da água marciana. A explicação era longa, por isso o casal retomou o caminho de volta enquanto ela elucidava a relação da água com o núcleo.

Quando foi criado, a artificialidade do núcleo consistiu-se em bombear água marciana no ponto em que as forças do acelerador projetam o vácuo, ou seja, bem no centro longitudinal da estrutura anelar que compõe a usina. A água bombeada nesse poderoso vácuo resulta em colisões que dão origem a um pequeno núcleo de antimatéria, gerando a gravidade. A gravidade eleva a pressão em um nível capaz de transcender a água ao estado superiônico. Nesse estado, ela comporta-se como metal, embora seja consistente de um cristal fluído de altíssima densidade e propriedades eletromagnéticas, ou seja, compõe um dínamo que sustenta o campo magnético da lua. O interessante é que o núcleo também tem "estações" que seguem a operação da usina como instrumento de manobrabilidade da lua, capaz de alterar levemente o movimento de *nulação*, ou seja, executar correções na rota de translação para compensar variações periódicas da maré gravitacional de Marte. A posição da usina na crosta interior, ligeiramente desbalanceada em relação ao centro radial da lua, também ordena a rotação do astro para que sua respectiva face permaneça voltada para Marte, a face onde se situa o Elevador Phobos-Marte.

– E se houver um acidente na usina? Não tem perigo de explodir a lua inteira? – perguntou Julia. Bob complementou sua questão:

– Ou, pelo que entendi da sua explicação, gerar um microburaco negro que sugasse a lua pra dentro por completo, talvez até Marte...

– Não falem bobagens. O sistema é plenamente seguro. Tais riscos são inexistentes. Não há como a usina falhar por completo. Ouçam bem, quando dizemos que a usina é um imenso acelerador de partículas, trata-se de uma informação imprecisa. De fato, ela abriga inúmeros aceleradores independentes cuja conjunção de forças sustenta o núcleo e a gravidade. É virtualmente impossível que todos os aceleradores falhem conjuntamente, e o mau funcionamento de um ou outro não compromete sua operação. Entrementes, especulemos sobre uma hipótese de colapso total da usina. Se isso se sucedesse, o vácuo por ela gerado seria dissipado; o núcleo consumiria sua energia até que a água retomasse o estado de plasma; a gravidade retornaria à aceleração original do orbe e a atmosfera se tornaria vácuo-presente; mas sem redundar em um cataclismo que dizimasse a lua. Seria um processo gradual, tornaria a lua inabitável, mas em horizonte largo o suficiente para que fosse evacuada com calma e segurança. Quanto à hipótese de "gerar um microburaco negro", tal não condiz com as leis da física – explicou Ipsilon, ele que, por trás da pele de Nolly, era o responsável pelas explicações técnicas.

Enfim, o grupo alcançou a câmara hiperbárica para retomar o elevador de volta à entrada do complexo, onde pegariam a fila para o passeio em torno do núcleo. Ao entrarem na câmara, uma vez concluído o processo de pressurização, Nolly virou-se para o casal, estendeu suas mãos, espalmou-as bem à frente dos olhos deles e disse:

– Olhem para minhas mãos.

Sem entender, Bob e Julia miraram seus olhos nas mãos de Nolly. Elas começaram a brilhar e, antes que pudessem racionalizar algo mais, Nolly pousou-as sobre o capacete vítreo de suas vestes. Seguiu-se um *flash* e o casal mergulhou na inconsciência. Imediatamente, ela comunicou:

– Hipnose aplicada.
– Elevar frequência à margem *gama* – ordenou Billy.
– Margem *gama* estabelecida.
– Imantar.
– Espécimes imantados.
– Proceder para a câmara de sincronia perceptiva.

À ordem, Nolly empilhou Bob e Julia como duas múmias flutuando deitadas pouco acima do chão. Então os conduziu com seu campo extensivo como se empurrasse um carrinho de supermercado. Dirigiu-se até o setor em que paranormais e homiquânticos faziam fila para embarcar no passeio em torno do núcleo. Só que as filas, na verdade, não se destinavam a um passeio, mas ao acesso à câmara de sincronia perceptiva de Phobos que atendia às respectivas espécies que ali se enfileiravam. Uma câmara que funcionava, como de praxe em orbes menores, em seu respectivo núcleo – similar àquela em que Billy sincronizou-se em Caronte. Tratava-se de um recurso opcional aos habitantes lunares, já que eles não necessitavam desse tipo de processo para evoluir sua psiquê. Aliás, a capacidade de transferência memorial era limitada para eles, especialmente aos paranormais, e exigia o cumprimento de vários requisitos para ser autorizada, entre os quais, uma plena saúde psíquica. Para os animais era um processo que visava equilibrar um determinado grupo polividual em torno de suas vertentes mais estáveis, o que lhes garantia uma longevidade maior, sobretudo mental, inclusive para prevenir manifestações prematuras de Alzheimer. Para o Instituto Zoológico, esse processo também observava um meio de gestão interdimensional do crescimento populacional através do controle das populações polividuais – objetivava restringir o incremento geométrico individual dos animais e suas respectivas rupturas dimensionais, ainda que essa taxa fosse baixa.

Já para os Firmlegs, a sincronia perceptiva visava alinhar sua população polividual multiplicada desde o instante em que pisaram na lua em torno de um polivíduo mais restrito, no intuito de prevenir que indivíduos dissidam à loucura. Como o casal apresentava uma média polividual com grau satisfatório de lucidez, a ideia era centralizar essa população interdimensional em poucas vertentes antes que, por qualquer motivo, retrocedessem em seu processo de cura psicológica – inclusive alguns clones, ao menos os que prosperaram no tratamento virtual, igualmente seriam sincronizados e alinhados ao casal nesse processo. A única diferença do processo ao qual estavam sendo encaminhados era que as memórias entre os pares sincronizados não seriam transferidas como acontece com os quânticos, pois sua espécie não possui cognição ou *hardware* cerebral que comporte esse tipo de operação. Somente a percepção *Self* existencial seria transferida entre os pares. Ou seja, um determinado par cuja percepção *Self* fosse transferido para outro adotaria a sua memória, suas lembranças passariam a ser as mesmas do par que recebeu sua "alma" – sem sequer notar qualquer diferença, já que suas lembranças anteriores seriam apagadas. A existência dos pares cuja percepção fosse transferida se manteria contínua, porém alinhada em torno de um novo polivíduo de contagem individual inferior ao antecessor.

Apesar de prevenir dissidências no tratamento, por outro lado, a sincronia também oficializava essa dissidência. Pois, claro, existiam muitos Firmlegs que não estavam prosperando no tratamento, dimensões nas quais Bob e Julia sequer estavam ali passeando pela Usina de Gravidade; mas encontravam-se no sanatório submetidos ao tratamento ainda em diferentes estágios de progresso ou estagnados em suas próprias paranoias. Assim, após a sincronia, oficializava-se a existência de dois grupos polividuais do casal que habitaria a lua em seus múltiplos planos dimensionais: um muito próximo da total recuperação psicológica; outro ainda navegando em um mundo de ilusões e psicoses – mas essa é uma outra história, não a que se escrevia naquela usina.

Nolly prosseguiu adiante na fila dos paranormais escoltando o casal em torpor até o acesso ao módulo que os lançaria em torno do núcleo para efetivar a sincronia. Enquanto executava os procedimentos de despacho do casal, telecomunicou-se com Billy:

– Polivíduo etiqueta CASAL FIRMLEG em posição – anunciou após alocá-los no módulo de sincronia.

– Despachar.

– Iniciando despacho em H menos cinco segundos – "H" de horizonte.

Ultrapassados os cinco segundos, o módulo foi lançado como um míssil em direção ao núcleo artificial da lua. Em um instante, executou uma órbita rasa até retornar ao ponto de extração e desembarque.

– Processo de sincronia perceptiva realizado com sucesso – comunicou Nolly.

– Ótimo.

A maioria dos módulos, em suas respectivas dimensões, retornou apenas com a massa orgânica do casal já sem vida. Nos demais, Nolly posicionava-se para retirar a dupla já sincronizada e encaminhá-la de volta à câmara hiperbárica onde Bob e Julia se encontravam antes de serem hipnotizados. Quando retornaram ao local, ela baixou a frequência do casal ao estado *alfa*, mas os manteve sob hipnose. Ainda hipnotizados, induziu seus pensamentos através de um sugestionamento aos seus respectivos *id*.

– Vocês *não* estão dispostos a fazer o passeio em torno do núcleo.
– Não, nós não estamos dispostos – responderam ambos simultaneamente.
– Sentem-se cansados e querem voltar pra sua casa.
– Nós queremos voltar pra casa.
– Não há nada que os fará mudar de ideia quanto a isso.
– Nós estamos cansados, queremos ir pra casa.
– Muito bem. Já podem retomar a consciência.

Após esse último comando, o casal retomou a consciência. Ambos deram uma titubeada, piscaram os olhos e tiveram uma sensação de *déjà-vu*. Então Julia disse:

– O que têm suas mãos?
– Viram como elas brilham?
– Grande novidade – Bob desdenhou.

Em seguida, Nolly baixou-as e disse:

– Vou usá-las como lanterna agora.
– Que bobona você é – comentou Julia.

Billy e Sandy riram da graça da alienígena.

O grupo seguiu em frente. Quando chegaram ao setor das filas para embarque ao passeio no núcleo, Nolly questionou:

– Vamos fazer o passeio no núcleo?
– Pensando melhor, não vamos não, Nolly. Vamos voltar pra casa – disse Julia.
– Já tô ficando cansado. Vamos embora – complementou Bob.
– Têm certeza?
– Sim.
– Deixa pra outra vez.

Como parte da teatralização, Billy e Sandy tentaram fazer seus pais mudarem de ideia, mas eles estavam determinados a irem embora, nem adiantou insistir. Nolly fez outra sugestão:

– Vamos sair daqui e fazer uma pausa para que descansem um pouco e comam alguma coisa. Conheço um lugar lindo...
– Um restaurante? – ironizou Bob, pois sabia que não existiam restaurantes na lua.
– Não. A Praça da Ascensão. O local estará vazio hoje. Não há rituais agendados. É pertinho da estação onde desembarcaremos. Tenho uma surpresa para vós.
– Que surpresa?
– Se eu contar, não será surpresa.
– Então vamos.
– Ótimo. Já vou chamar o *delivery*. – No caso, os *paparazzi* que levavam a comida para o casal.

O grupo liderado por Nolly, seguido do casal e os resíduos de seus filhos, chegou à Praça da Ascensão. Um lugar lindo, um largo descampado gramado situado no topo de uma colina com uma ótima visão da cidade zoológica, com o instituto phobiano ao fundo como uma imensa pirâmide vítrea e o Elevador perdendo-se no céu logo atrás dele. Marte posicionava-se bem acima de suas cabeças, proporcionando uma ótima luz para apreciarem a paisagem, ainda que o Sol estivesse bem baixo e próximo à linha do horizonte. Justamente aí estava a surpresa de Nolly. Ela anunciou:

– H menos vinte minutos para o eclipse.

Um eclipse planetário – ou solar, do ponto de vista de Marte – estava prestes a acontecer. Em breve, o Sol desapareceria atrás da lua e sua sombra projetar-se-ia em Marte. Um evento um tanto quanto raro em Phobos; os eclipses mais comuns eram lunares, quando o Sol se esconde atrás de Marte. A surpresa não era grande coisa, mas não deixava de ser uma experiência inédita aos Firmlegs. Melhor, pois ainda havia vinte minutos para o *picnic* da família e para apreciar a paisagem – vinte minutos-*marte*.

No cume da colina onde a família parou situava-se a plataforma de ascensão rodeada por uma calçada de pedras e pilares sustentando o vazio, como os de Stonehenge, conforme lembrou o casal ao vislumbrar a estrutura. Billy também a associou com outro lugar:

– Parece Vinland na Terra... Lembram?

– Sim, é verdade, filho.

– E Vinland também parece Stonehenge, não é?

– Sim, mãe, tem razão...

Ao chegarem ao local, quatro *paparazzi* os aguardavam, cada qual com um cestinho contendo a dieta dos Firmlegs. De fato, eram apenas dois. Os outros dois resumiam-se a imagens residuais para compor a ilusão do casal, dado que seus filhos não passavam de espectros e não precisavam se alimentar. Finda a refeição, enquanto aguardavam o começo do eclipse, Julia ficou brincando com Sandy na grama e Bob permaneceu sentado ao lado de Billy, descansando. Ali próximo, um grupo de paranormais observava o casal com curiosidade e incredulidade. Incredulidade por verem Julia correndo pra lá e pra cá, rolando na grama, rindo sozinha e brincando com uma figura invisível ou abraçando um objeto imaginário. Já Bob parecia um daqueles bêbados de rua que ficam falando sozinhos ou discutindo com seres invisíveis. Para os paranormais que os observavam, o casal parecia uma dupla de dementes. Através de Nolly, Billy era capaz de captar o sentimento de pena que pairava em suas cabeças ao contemplarem Bob e Julia em sua interação com os resíduos dos filhos, resíduos que eles não captavam.

Mas para Billy – e também Diana, que igualmente observava o casal como parte do tratamento que conduziam –, Bob e Julia nunca estiveram tão bem. Sua evolução era notória e a sincronia perceptiva a qual tinham se submetido pouco antes reforçava esse progresso. Quanto aos paranormais que os olhavam como dois loucos, Billy estendeu sua percepção até eles e puxou conversa. Apesar das manifestações um tanto quanto preconceituosas da parte deles, tratava-se de uma oportunidade de conscientizá-los a respeito da situação e, principalmente, sobre a evolução do tratamento do casal desde que chegaram à lua. Chance para exercer sua dialética visando obter aceitação popular para que seus antigos pais pudessem viver em paz na lua e, em futuro-presente, serem inseridos no *habitat* comum do zoológico. Após uma breve conversa, ao menos mais alguns simpatizantes angariou.

Em paralelo, Billy também interagia com Bob através do resíduo homônimo que comandava à distância. Pelo resíduo, adorava exibir seus conhecimentos ao pai; falava sem parar, relembrava as aulas de Ipsilon e as muitas lições que aprendera. Nesse momento em particular, discursava sobre a dinâmica dos astros e o feixe-solar, e como isso obstruiria parte da contemplação do eclipse. Bob dava atenção e retrucava, mas, volta e meia, seu pensamento se perdia enquanto observava, com sincera felicidade no coração, a alegria de Julia ao brincar com Sandy. Em dado instante, ambos ficaram em silêncio, então Billy aproveitou para testar o ex-pai e analisar até onde a sincronia perceptiva havia fortalecido sua mente e ajudado a dissipar seus traumas. Ao comentar a respeito da plataforma de ascensão que pairava na paisagem à frente deles, disse:

– Se até velório tem nessa lua... Pra que existiria um local como esse aqui se estivéssemos mortos? – questionou de maneira sonsa. Para Bob, porém, a pergunta não tinha nada de sonsa ou infantil, pelo contrário, ficou chocado e chamou atenção do filho:

– O que disse?! Como assim mortos, filho? Que bobagem é essa? Quem te falou isso?

– A Diana, quem mais diria isso?

– Mulher desbocada... – disse Bob com certa irritação. – Mas por que ela te disse isso? Aliás, quem acha que alguém tá morto aqui?

– Ora, pai. O que você imagina que eu e Diana conversamos em nossas sessões de orientação? Entre muitas coisas, sobre você e a mamãe. Ela me fala de tudo, sobre o que aconteceu, da falta que faz a vida que levávamos no passado, sobre seus medos... Ela contou que você e a mamãe achavam que estavam mortos. Que todos nós morremos no acidente com o avião nas Bermudas.

Bob pensou em recriminar o filho e negar que tais alegações fossem verdadeiras, mas não teve forças para isso. Por mais que tratasse Billy como criança, era inegável que ele estava cada vez mais adulto, às vezes mais que si próprio. Aliás, quem não amadureceria após tudo que passaram desde o acidente nas Bermudas? Era óbvio que não tinha como enganá-lo, por isso confessou:

– É verdade, meu filho. Mas isso já passou...
– Que bom, pai. Fico feliz... Até porque eu me sinto mais vivo do que nunca.
– Eu também. Que vida maluca essa, né?
– Muito. Quem diria que viveríamos em um mundo assim? Que alienígenas realmente existem.
– Pois é, que loucura... Ainda bem que estamos todos juntos.

Pensativos, os dois fizeram silêncio novamente. Mas Billy ainda tinha outra dúvida pendente:

– E a mamãe? Ela já se convenceu que estamos vivos? – Ante a pergunta do filho, Bob hesitou um pouco em responder:
– Eu não sei, filho...
– Vocês não conversam sobre isso?
– Tenho medo de tocar nesse assunto com ela. Sei lá... Acho melhor deixar pra lá, pra ver se ela esquece disso.
– Fala com ela... Pergunta a respeito – sugeriu Billy.
– Não tenho coragem, filho.
– Como não? Fale assim, como quem não quer nada...
– Mas por que, filho?
– Pra aí você contar pra mim. Eu queria saber. Me preocupo com vocês, pô! Cês são meus pais... – apelou.
– E Diana? Não te falou nada? Aquela fofoqueira...
– Você confia totalmente nela? Eu quero ouvir de você, saber o que *meu pai* acha... Não Diana. E eu também não tenho jeito pra perguntar pra mamãe. É você que precisa falar com ela – insistiu.
– Tudo bem, filho. Eu falo com ela.

Nesse instante, Nolly chamou atenção da família:
– H menos quinze segundos para o eclipse.

A família então aconchegou-se no chão abraçando-se um ao outro e, com o Sol já desaparecido do horizonte, todos miraram o céu. Nolly anunciou "H menos zero" e a sombra de Phobos apareceu como uma estampa negra na superfície ao sudeste de Marte. Não era grande coisa, uma pequena mancha, dado que Phobos é uma lua bastante diminuta. Meio engraçado até, já que a mancha parecia um espermatozoide navegando por Marte, com um rabicho formado pela sombra do Elevador. Não obstante, esse era o primeiro eclipse planetário que a família testemunhava, melhor, o primeiro em um momento quando suas respectivas auras emanavam a mais sincera paz de espírito.

Em plano de fundo, constava uma terceira parte igualmente contemplando a cena, mas sem qualquer interesse no eclipse, com foco em seu próprio objeto de monitoria: Billy. Essa terceira parte era Xavier. Ao captar a aura do objeto monitorado naquele instante, o ente comunicou-se com *Frades*, seu robô auxiliar:

– O luto pelos pais, Billy cumpriu – atestou.

– Seu experimentalismo, porém, ainda não.

– Elementar, caro *Frades*. Muito bem predito.

Voltando aos Firmlegs, nesse mesmo pernoite quando o casal se acomodou na cama de sua habitação, com Bob abraçado a Julia deitada sobre seu peito, ainda ressoavam as palavras de Billy na mente do marido. Assim, "como quem não quer nada", ele questionou a esposa:

– Você ainda pensa que morremos naquele acidente com o avião, querida?

– Por que tá pensando nisso agora? Que deu em você?

– Nada... Apenas me ocorreu. Mas você acha que estamos... – hesitou Bob antes de completar: – Vivos ou m... – Antes que terminasse a frase, sentiu a mão de Julia apalpando seu pênis por baixo do lençol.

– Hum... Não sei quanto a você, mas eu me sinto vivinha da silva... – disse ao massagear o marido, fazendo fluir o sangue na região pélvica.

Na observação ao casal, Diana comentou:

– Ótima resposta. Creio que nenhuma sinapse ilustraria melhor a questão, sim?

– Sim, estou de acordo – respondeu Billy.

– Eles estão prontos.

– Não. Ainda resta um último tabu.

***

Nos dias subsequentes ao passeio na Usina de Gravidade e, sobretudo, ao contato inicial do casal com a entidade *Pai*, o efeito da presença de "deus" na vida dos Firmlegs mostrou-se um vetor para cura de todos seus males e a superação de todas suas fobias, especialmente o medo de estarem mortos que tanto os afligia. Exponencialmente, o contato com o *Pai* foi desatando as dúvidas que o casal nutria a respeito da nova vida depois que mudaram de dimensão e se instalaram em Phobos. Como ninguém, o *Pai* conseguia sedimentar os conhecimentos que Ipsilon embasava tão precisamente, ou dissipar os temores que ambos ainda admitiam possuir em suas conversas com Diana. O *Pai* era o elo final que complementava o método cujo autor era Billy. Mas isso não significava que as coisas eram fáceis. Alguns conceitos ou simples novidades que o casal assimilava em seu cotidiano, até o *Pai* esbarrava em dificuldades para esclarecer.

Desde o início do tratamento dos Firmlegs ainda em Vinland, na Terra, pela metodologia de Diana, aquém das manipulações sensoriais a que estavam submetidos, muitas informações haviam sido censuradas ao casal. Depois, com a introdução do "método Billy", Bob e Julia foram gradualmente tomando conhecimento delas, fosse através de alguma "mentirinha" que Billy inventava para justificar fatos ainda desconhecidos pelo casal, ou através de informações que eles próprios acabavam descobrindo.

Uma vez, Bob estava em sua interface surfando na phobosnet no quarto do sanatório, enquanto Julia dava uma volta com os filhos no entorno do prédio, somente Nolly permanecia na habitação consigo naquele momento. Foi quando, com surpresa, deparou-se com a informação de que Phobos, a lua onde vivia, era um zoológico! E que o tal instituto que visitara com a família não se chamava "Instituto de Phobos", mas sim "Instituto *Zoológico* de Phobos". O espanto era natural, pois nunca havia sido oficialmente informado ao casal que o local onde viviam era um zoológico. Inconformado com a descoberta, Bob confrontou Nolly:

– Nolly! Nolly! – chamou por ela. – Veja isso! Aqui tá dizendo que a lua é um zoológico. Como pode isso?

– Não me diga! Mas que bobagem... – expressou Nolly. Mas antes que dissesse algo mais, Bob adiantou-se e chamou:

– *Pai*! O que significa isso? Aqui é um zoológico?

Ao chamado, o *Pai* projetou seu resíduo na tela da interface e filosofou:

– Compreenda bem, meu filho. É tudo uma questão de perspectiva. A mim, a completa materialidade do cosmo solar de Titã a Xena é um zoológico.

Bob não gostou da resposta. Esperava um simples "sim" ou "não" – torcendo para que fosse "não". Nolly desconversou:

– Isso é asneira de alguns quânticos por aí que se acham melhores que as outras espécies. Não liga, não... Diga-me como te sentes que te direi onde estamos: para ti, esta lua parece um zoológico?

– Não – respondeu Bob.

– Pois aí está a tua resposta.

Evidentemente, a conversa não se encerrava por aí. Após a revelação, como acontecia com qualquer fato novo para os Firmlegs, isso seria debatido com Diana, Ipsilon e o *Pai*, até que ficassem conscientes de que, estar ou não em zoológico, não mudaria o contexto de suas vidas. Embora, muitas vezes, isso soasse como uma triste conformidade: no caso, de ser visto pelos outros e até pelo *Pai* como um mero animal.

Assim caminhava o processo de adaptação do casal, já em um estágio em que as novas bizarrices do mundo ao seu redor – se ainda sim causavam estranhamento – pelo menos não mais revertiam em traumas que pudessem comprometer sua saúde mental. Isto é, exceto por um temor que, propositalmente explorado por Billy nessa fase do tratamento, ainda assombrava o casal. Um temor que rodeava a figura dos filhos, que se materializava em torno de uma ideia a qual, através das crianças e suas respectivas imagens residuais, com insistência, elas não tiravam da cabeça:

– Eu quero virar *miquântico*! – birrou Sandy. – Eu quero! Eu quero!

– Homiquântico... – Pra variar, corrigiu Billy. – Eu também, pai. Eu quero ser um homiquântico. Vocês têm que aceitar essa ideia.

– Não, nunca. Isso jamais – negou Bob.

– Tirem essa ideia da cabeça – irritou-se Julia. – Não quero perder vocês pra esse tipo de coisa. Como assim? O que pensam da vida?

– Pensamos na vida eterna. O professor não explicou pra vocês? Como podem negar isso pra gente?

– *Verdade*, mãe. Ipsilon explicou direitinho – Sandy adicionou.

– Eu sei – disse Bob. – Mas se nós não podemos, vocês também não podem. Não queremos perdê-los.

– Ora, que egoísmo. Vocês não vão nos perder. Continuaremos sendo os mesmos de sempre, apenas mais evoluídos. Será para o nosso bem. Só assim poderemos sair deste lugar.

– E nos deixar sós aqui? – questionou Julia. – Vocês que não podem fazer isso conosco. Como vamos viver aqui sem vocês?

– Eu jamais deixarei vocês, mãe.

– Pare, Billy! Não insista com essa ideia – interveio Bob. – Não vamos mais conversar sobre isso. Esqueçam disso de uma vez por todas.

– É como se eu e Sandy fôssemos virar anjos. Vocês não gostariam que nós virássemos anjos?

– Alienígena não é anjo. Que besteira! Chega desse papo! – enervou-se Bob. Nesse ponto da discussão, chegou a erguer o braço e intimidar Billy. – Vão lá pro seu quarto, agora!

– Já que é assim, por que não conversam com o *Pai*, esse robô em quem botam tanta fé? Ouçam o que ele diz – disse Billy, irritado. Virou-se para Sandy, puxou-a pelo braço e convidou: – Venha, Sandy, vamos jogar videogame. Deixa esses turrões aí.

– Olha a educação, Billy! Respeito, viu? – disse Julia, brava com a postura do filho. – Obedeçam ao seu pai.

– Mas eu *quero ser homiquântico! Eu quero!* – insistiu Sandy antes de sair.

– Venha, depois a gente pensa nisso.

Deveras, Billy tinha isso bem pensado. Aliás, bem ensaiado através de suas simulações virtuais. Sua ideia partia de uma adaptação do teste no qual havia simulado uma falha no adaptador otoftálmico de Bob, porém, sem manipular seu uso – até porque ainda não podia abdicar deles na realidade de Phobos. Seu plano era forjar uma situação em que Bob e Julia seriam obrigados a aceitar a ideia. Sabia que seu plano seria impactante e traumático, mas eles teriam de superar. Não obstante, de acordo com os propósitos do tratamento, seria melhor do que os manter na eterna ignorância sobre o verdadeiro paradeiro de seus filhos.

Para ter certeza de que isso traria o resultado esperado, Billy fez um *backup* da mente de seus ex-pais e os copiou para novos clones. Como havia abdicado do investimento em massa reorgânica junto a Zabarov, limitou ao mínimo o total de clones *per* dimensão em 64 pares do casal. Sua ideia era que, como contava com o apoio do *Pai* – que estaria conectado ao experimento caso Bob e Julia quisessem consultá-lo –, poderia ser mais ousado em suas tramas. Isso porque não era apenas através de seu resíduo ou de Sandy que tentava incutir a ideia da transmutação na cabeça deles, mas também pela didática de Ipsilon e das conversas com o *Pai* que ambos vinham estabelecendo nesse período. E ninguém melhor que o *Pai* para ajudá-los a aceitar a vontade dos filhos em transmutarem-se "alienígenas".

Com tudo preparado para o novo experimento, Vigil anunciou:
– Clones prontos. Memória atualizada.
– Sinais vitais em ordem. Atividade cerebral plena.
– Definir cenário.

O cenário do experimento era a nova moradia dos Firmlegs em Phobos. A mesma que Billy idealizou e Diana já vinha comentando a respeito em suas sessões de terapia com o casal. Nessa nova realidade, o casal já tinha aceitado a mudança, o que não foi fácil, pois qualquer insignificante alteração na rotina ou na frágil zona de conforto que, a duras penas, Bob e Julia haviam construído, era objeto de temor e relutância por parte deles. Porém, estimulados pelos filhos, ambos empolgados com a ideia de morar perto do mar, acabaram cedendo à ideia. Quando concordou com a mudança, o casal já se mostrava animado com a perspectiva de viver em um apartamento bem mais confortável, com alguns luxos que antes não desfrutavam. Entre esses luxos, constava uma estufa para cultivarem uma horta com sementes trazidas da Terra, incluindo tabaco, para que Bob pudesse plantar e fumar cigarros naturais. Também teriam um feixe-plasmático para uso pessoal, embora bastante limitado, apenas para gerar alguns alimentos artificiais, objetos e utensílios domésticos. Com o avançar dos horizontes, até poderiam expandir o uso do feixe para outros fins, caso conseguissem justificá-los e preencher os requisitos burocráticos necessários.

O apartamento situava-se no Vale dos Ventos, em uma pirâmide baixa, com três patamares ao pé da areia, no canto direito da praia do Éden. O apartamento designado aos Firmlegs era privilegiado, ficava no térreo de frente para o mar, e apenas um gramado arborizado separava a habitação da praia. Era bem sossegado, pois a entrada do edifício ficava na parte de trás, pela avenida que margeava o mar, a cerca de 150 metros da estação do metrô, ou seja, embora fosse um bairro movimentado, o apartamento era tranquilo. Ainda que a área em frente ao apartamento fosse aberta ao público, não tinha muito apelo aos animais, pois era um espaço sombrado e, via de regra, eles gostavam mais de ficar à luz de Marte, pois eram seres fotoctentes – exceto os *paparazzi*. O imóvel em si contava com dois quartos – uma suíte para o casal, o outro para as crianças –, uma sala de estar com área de serviço e cozinha, mais um banheiro extra e um espaço anexo para ocupar a estufa. Toda a mobília havia sido escolhida pelos próprios Firmlegs, com móveis estilizados conforme a estética própria da época em que viveram no passado, embora fossem confeccionados com plasma. Um apartamento rústico, sem camas que desapareciam na parede ou privadas embutidas. De fato, Billy procurava justificar o uso de uma habitação assim como parte da memória cósmica, quase como um museu que retratava a vida na antiga Terra, ainda que fosse um ambiente particular.

Assim, já confortáveis em sua nova habitação, a família foi tocando o seu dia a dia no zoológico. Não apenas contentes por viverem em sua casa própria, mas também pela independência que passaram a desfrutar ao não mais precisarem ser pajeados por Diana ou Nolly em tempo integral, como era no sanatório.

Um belo amanhecer, após copularem ao acordar – a essa altura, Bob e Julia tinham uma vida sexual bastante ativa, copulavam praticamente todos os dias antes de dormir e após despertar –, o casal iniciou sua rotina diária. Julia dirigiu-se ao quarto dos filhos para chamá-los para o desjejum. Porém, ao entrar no recinto, ele estava vazio. Era estranho, normalmente os filhos acordavam cedo para ficar jogando videogame na interface. Mas não havia de ser nada, Julia pensou que estivessem brincando no jardim em frente de casa ou na praia. Saiu para procurá-los, mas eles não estavam por perto. Tinha uma dupla de paranormais descansando à luz de Marte, próxima ao apartamento. Julia tentou questioná-los se tinham visto seus filhos, mas eles não falavam inglês. Olhou para o céu e viu alguns *paparazzi*. Chamou-os, um deles chalreava inglês, mas disse não ter visto as crianças. Nesse instante, o pânico tomou conta de Julia. Ela correu pra dentro de casa e, já aos prantos, chamou pelo marido.

– Nossos filhos sumiram, Bob! Eles sumiram!
– Como assim? Cadê eles?
– Eu não sei!! Eles não tão em lugar nenhum! – gritou ela.
– Calma, vamos procurar direito. Tenha calma, eles devem estar por aí.

Mas não estavam. Eles procuraram pelas redondezas, na praia e pelo prédio, mas nem sinal de Billy e Sandy. Sem mais ao que recorrer, pela sua interface, conectaram Diana, Ipsilon e Nolly, indagando sobre o paradeiro dos filhos. Um alerta

LUMBER[28] foi acionado na lua, mas nenhuma notícia das crianças apareceu. Apelaram até para o *Pai*, mas ele não revelou nada, senão o experimento ia por água abaixo. Nolly prontificou-se a ajudar.

– Estou me encaminhando para vossa residência. Me aguardem que os encontraremos.

– Venha logo! – implorou Julia aos prantos, sendo consolada por Bob.

Não demorou e Nolly chegou ao apartamento. De imediato, ela acessou a interface do casal e começou a analisar imagens que mostravam a parte externa da pirâmide onde viviam.

– Que imagens são essas? – questionou Bob.

– São imagens das sondas de monitoramento da cidade. Vamos ver se achamos o casalzinho – disse Nolly com sua voz metálica, referindo-se às crianças. – Pronto, aqui está.

Na tela, em uma imagem exterior da habitação dos Firmlegs, cujo horário de gravação indicava ser do início do pernoite anterior, Billy e Sandy surgiram na janela de seu quarto e pularam para fora, então fugiram a passos largos.

– Mas que danados... Onde será que eles foram, meu *Pai*? – questionou-se Julia.

– Vamos ver... – disse Nolly.

Nolly começou a seguir Billy e Sandy pelas imagens, trocando de ângulo conforme se afastavam de casa. Em suspense, Bob e Julia acompanharam a operação, indagando-se para onde seus filhos estariam indo. Logo perceberam que se dirigiam ao Complexo Hospicialar de Phobos, o lugar onde viviam antes, então imaginaram que, por algum motivo, estavam indo para seu antigo lar. Porém, os dois não pararam no complexo, seguiram em frente e tomaram a avenida que seguia em direção ao Instituto Zoológico. No instituto, acessaram a ala das universidades homiquânticas, mas só quando chegaram ao seu destino, Bob e Julia compreenderam o motivo da fuga. Billy e Sandy entraram na Unidade de Transmutação Exobiológica, o local que dava acesso ao tecido transmutativo octassensitivo que os dois insistiam em querer implantar para tornarem-se alienígenas homiquânticos.

Ao tomar ciência disso, Bob irritou-se, especialmente com Billy, a quem imediatamente culpou pela fuga e por ter arrastado a irmã consigo.

– Esse moleque teimoso. Ele vai se ver comigo! Ah, vai! – disse com irritação. Em seguida, insinuou deixar o recinto para ir atrás dos filhos: – Vamos! Vamos bus-

---

[28] Acrônimo para Sistema Lunar de Alerta para Rapto ou Desaparecimento de Animais. Análogo de "Alerta AMBER" – *America's Missing Broadcasting Emergency Response* (Sistema americano de resposta emergencial de desaparecimentos).

car eles lá, mas pra já. Eu vou arrastar esse traquina pela orelha. Vocês vão ver. Ah, se vou...

– Espere – alertou Nolly. – Essas imagens são de três horas atrás... – horas-marte. – Vamos observar e descobrir onde estão agora.

Dito isso, Nolly continuou avançando as imagens e, para o pavor do casal, Bob e Julia assistiram incrédulos o momento em que seus filhos travestiram o tecido octassensitivo em seus corpos. Quando as imagens alcançaram o momento atual, Billy e Sandy já compunham dois homiquânticos plenamente constituídos. Em desespero perante a visão dos filhos tornados alienígenas, Bob apavorou-se:

– Vamos lá, rápido! Precisamos parar com isso! Eles vão ter que tirar esse troço! Vamos, Nolly, venha! Rápido! Rápido! – Ele havia entrado em estado de negação, pois, no fundo, sabia que o processo era irreversível. Uma vez travestidos com a nova pele, não havia como voltar atrás. Seus filhos estavam perdidos para sempre.

– Não é possível reverter o processo, Bob – consolou Nolly. – Não há nada mais que possamos fazer.

– Nãããoooooooooooooooo!!!! – gritou Julia em choque.

A partir daí, Nolly iniciou o trabalho de, primeiro, tentar acalmar o casal. Segundo, de fazê-los aceitar o fato. Foi preciso convocar Diana para ajudá-los e, não tardou, Billy e Sandy retornaram para casa já sob a nova constituição, física e mental. A partir daí, eles próprios começaram o árduo trabalho de mostrar aos pais que continuavam sendo os mesmos filhos que eles criaram, apenas haviam se tornado "adultos". Uma espécie diferente de adulto, mas que ainda os amavam tanto quanto antes e permaneceriam ao seu lado como a família que sempre constituíram.

Concluída a parte mais delicada do experimento, Billy comentou com Vigil a respeito:

– É mais um trauma que acarretará muita parcimônia para que seja superado, mas creio que o experimento foi muito bem-sucedido, concorda?

– Sim, Billy, concordo.

– Perda final de clones?

– Um par – atestou Vigil. Apenas em um, dentre os 64 planos, o final foi trágico: Julia infartou perante a visão dos filhos transmutados alienígenas. Bob morreria logo após, de desgosto pela perda da esposa; findou canibalizado pelo próprio ego, vítima de um derrame.

– 64:1 é a probabilidade que temos. É com ela que vamos trabalhar – atestou Billy.

– Considerando que um infarto pode ser facilmente contido no âmbito da atualidade, esse valor é mais do que satisfatório.

– Ótimo.

– Quanto ao contínuo, como pretende seguir com o experimento? – questionou Vigil.

– Creio que esse experimento já esgotou seu propósito. Podemos encerrá-lo imediatamente. Proceda com a eutanásia dos pares restantes.

– Eutanásia aplicada.

Apesar do sucesso no experimento e a perspectiva que se abria no intuito de aplicá-lo ao casal em sua continuidade atual, ainda assim, esse seria apenas o primeiro estágio do plano. Um estágio que não ia além de substituir os resíduos hominídeos de Billy e Sandy por resíduos homiquânticos. O segundo estágio seria, em tese, mais fácil: depois que o casal absorvesse a ideia de que os filhos transmutaram-se homiquânticos, diriam que, então, desejavam transmutarem-se quânticos. Quando se transmutassem, finalmente Bob e Julia estariam aptos para abandonarem o uso de seus adaptadores sensoriais. Somente então, Billy – o verdadeiro Billy – poderia voltar a interagir com eles como o quântico que era – ou como o "anjo" que zelava por eles. Ainda que, de fato, fosse apenas um alienígena, um zoólogo pesquisador que, a essa altura, tratava seus antigos pais como cobaias.

Consumada essa etapa, a última pendência era inventar uma história para justificar o fato de Sandy não estar mais presente na vida deles. Essa seria a última farsa para acabar com todas as farsas da vida dos Firmlegs. Aí sim seriam plenamente livres. Livres até para, um dia, descobrirem a verdade sobre suas vidas através da phobosnet. Ou quem sabe um *paparazzo* não lhes fofocasse tudo? De qualquer modo, Billy estaria ali, sempre por perto para cuidar deles.

Porém, antes de tudo isso, Billy ainda precisava viabilizar a nova moradia de sua ex-família não apenas em uma realidade virtual, mas no ambiente atual do zoológico. Justamente em prol desse objetivo, em paralelo, era ao que se dedicava junto à esfera política de Phobos.

114

Embora, ocasionalmente, passasse por ali sempre que acompanhava seus antigos pais em seus passeios pela lua, caminhar pela avenida principal do Umbral em presença física como um autêntico animal trazia memórias marcantes para Billy. Especialmente nesse instante, quando se dirigia para a Praça da Ágora no intuito de atender a uma audiência com Iraizacmon, o prefeito de Phobos. Uma audiência decisiva para o destino de seus ex-pais na lua. Nunca era tranquilo andar em público, nunca passava despercebido; era assediado pelo povo como usual, obrigado a atender seguidores, fãs e a ouvir os queixosos – já fazia parte do *métier*. Apesar dos percalços – e, desta feita, foram muitos em função do assunto delicado que tinha a tratar –, Billy alcançou a praça e deslocou-se ao ponto central da Ágora, onde Iraizacmon o aguardava.

Uma vez atendido pelo prefeito, os dois miraram um ao outro expressando mútua desconfiança. Via telepatia aberta, Iraizacmon tomou a sinapse:

– Estás disposto a negociar? – questionou. – Caso contrário, não observo fundamento para estabelecermos um novo diálogo sobre proposições das quais estamos ambos convictos de nossas posições.

Desde que assumiu seu ativismo político em Phobos, Billy procurou defender as causas animais perante a cúpula do Instituto Zoológico e a esfera governamental de Marte. Seu prestígio dentro do instituto como pesquisador, ainda mais sendo um aliado de Diana, era alto. Porém, a classe animal ainda se subdividia em apoio ou repúdio a Billy devido às práticas que consideravam alienistas no trato que mantinha com os clones de sua ex-família. Para amenizar tais críticas, Billy procurava reverter todo capital político que angariava como ativista animal para conquistar seus opositores e trazê-los para seu lado. Para isso, foi obrigado a prometer o fim de suas pesquisas, razão pela qual optou por demitir-se dos projetos liderados por Zabarov II no Instituto SETI de Plutão, e redimir a massa reorgânica de sua ex-família. Com essa atitude, Billy sinalizava positivamente para seus críticos e dava uma prova cabal de sua boa-vontade. Uma atitude muito bem recebida pelo público em geral, que lhe rendeu novos apoiadores para as reivindicações que faria ao prefeito Iraizacmon.

Como Iraizacmon não dava muito crédito para as pesquisas que Billy conduzia no Instituto Zoológico, dobrar a opinião pública era a única maneira de pressioná-lo a aceitar suas proposições para a inserção do casal Firmleg no *habitat* comum da lua. Ou seja, de oficializar o *homo sapiens* como a nova espécie do zoológico, ainda que fossem apenas dois exemplares. Em termos práticos, Billy pleiteava uma moradia para o casal no Vale dos Ventos – um bairro paranormal –, um apartamento térreo onde Bob e Julia pudessem ter um mínimo conforto. Porém, algumas de suas requisições eram polêmicas, tais como a estufa para cultivo de vegetais terrestres e o feixe-plasmático para que o casal pudesse gerar objetos e recursos de conectividade a fim de suprir suas necessidades e a falta de telepatia – uma solicitação sem precedentes na lua, pois não havia residente do zoológico que contasse com um feixe-plasmático exclusivo.

Porém, Iraizacmon sempre encontrava argumentos para contestar Billy com ironia e desdém. Certa vez, a última em que tinham conferenciado, Billy o captou em meio aos despachos em seu ambiente virtual. Ao que tange o labor público de qualquer político, seu ofício precisa ser obrigatoriamente público, portanto a "sala virtual" de Iraizacmon resumia-se a uma tomada ao vivo da própria Ágora, onde seu corpo situava-se junto a outros políticos que ali costumavam permanecer no exercício de suas funções. Ou seja, ainda que Billy, nessa ocasião, se localizasse fisicamente em Plutão, era captado integralmente por todos ao redor.

Ao abrir a conferência, Iraizacmon rebateu as propostas de Billy com sua já usual indelicadeza:

– Para ti não basta requisitar um apartamento para o casal. Precisas de um com habitações para os fantasmas que os acompanham. – Referia-se aos resíduos de Alexandra e Willian.

– Sim. Mas em horizonte passageiro até que possam superar a ausência dos filhos e abdicar de seus respectivos *resíduos*, não fantasmas.

– Com coletores de excrementos biológicos que demandam esforços para atender um único casal. – Referia-se aos banheiros que Billy havia requisitado.

– Eu propus a criação de um sistema hidráulico e uma fossa para recolher os excrementos, justamente para dirimir esforços do pelotão sanitário. Agora cabe a você gerenciar os recursos da cidade, afinal, quem é o prefeito aqui? – indagou Billy de maneira petulante.

– Sou eu. E não me acuses de furtar-me aos deveres para com a cidade e o público – retrucou com rispidez o prefeito. Ele continuou: – Apenas não compartilho da tua ideia de inseri-los no zoológico se o casal pode perfeitamente viver onde está. Um local que já conta com todo o aparato para viverem tão bem como qualquer habitante desta lua.

– Mas eles não são loucos, portanto o sanatório não é o lugar onde devam passar o resto de suas vidas. Ademais, não estou requisitando nada extraordinário. Uma vez que estejam inseridos no *habitat* comum, eles se enquadrarão no regime habitacional em vigor como qualquer cidadão.

– Exceto pelas peculiaridades que requisitou.

– Peculiaridades relativas à *espécie* que os designa, não a qualquer privilégio.

– Um feixe-plasmático exclusivo não é privilégio em tua visão? Se eu autorizo acesso a um dispositivo desses para uma espécie tão primitiva, terei de fazer concessões a todas as espécies que requisitem um.

Billy aumentou seu tom, com certa irritação ao responder:

– Desde que possam justificar sua aplicação, que conceda. No caso dos Firmlegs, eu já justifiquei nos relatórios que encaminhei para você a necessidade de um. Inclusive detalhando as restrições de uso e operação de tal feixe. Você que insiste em negar as conclusões de meus estudos.

Igualmente irritado, Iraizacmon rebateu:

– Não há estudo que me convença a autorizar a fabricação de um poluente apenas para saciar o vício de um homem. Já não bastam os objetos, mas quer introduzir uma monocultura de tabaco na lua? Nós valorizamos o ar que respiramos aqui.

Nossa atmosfera é artificial, fruto de *trabalho*, não podemos permitir luxos que a contaminem – proferiu com dedo em riste. Ao gesto do prefeito, Billy altercou-se:

– Ora! Se o impacto é nulo! Está comprovado cientificamente. Não fosse pouco, certificado com o Selo de Biodegradabilidade pelo Instituto de Engenharia de Qualidade Phobiano, além de laudado pelo responsável do Centro de Controle Atmosférico Lunar. De modo que é apenas o seu *renegativismo* que impede a aprovação dessa requisição.

Nesse ponto, a conversa assumiu o volume de uma franca discussão. Ao responder, Iraizacmon literalmente enfiou o dedo na cara de Billy, embora a mesma fosse apenas um holograma:

– Capte bem! Não estamos sob a alçada do instituto aqui. Se lá tu desfrutas de liberdade para requisitar um feixe-plasmático para tuas cobaias ou um implante peniano que seja, aqui consideramos a *vontade popular*, não as necessidades particulares de qualquer indivíduo ou polivíduo.

– Sua colocação é ofensiva, especialmente por parte de uma espécie que partilha a mesma sexualidade do casal em questão. Qual o seu temor? Que venham a copular com teus pares? – provocou Billy.

Enervado, Iraizacmon passou a emitir tatuagens reforçando sua expressão facial ao retrucar:

– Quem soa ofensivo agora é ti. A paranormal não é uma classe dada à zoofilia. A tua que o é.

Billy foi irônico ao responder:

– Uma hipotética relação entre paranormais e homens sequer poderia ser enquadrada como zoofilia, mas com os *paparazzi*, sim. Ou vai ignorar os incontáveis casos que envolvem a tua espécie e os papagaios desta lua?

– *Já chega!* – gritou Iraizacmon. – Tua moção está *indeferida*! Audiência encerrada. – Ao comando, desconectou o resíduo de Billy como quem bate o telefone na cara de seu interlocutor. – Um telefone daqueles antigos, típicos de 1978.

Era nesse pé que Iraizacmon levava sua política em relação aos Firmlegs. Dada à teimosia dele, só restava a Billy trabalhar as bases políticas da Ágora para que os vereadores sancionassem sua moção e a submetessem ao prefeito. Para isso, precisava de apoio popular para convencer os representantes de cada espécie. Dois passos importantes nesse sentido; o primeiro foi obter o apoio de Diana às suas metodologias no tratamento dos Firmlegs. Assim, a médica passou igualmente a defender suas proposições perante a classe política e a opinião pública phobiana em torno da inserção do casal no *habitat* comum da lua. O segundo passo, já mencionado, foi abdicar de seu investimento junto aos clones dos Firmlegs, limitando as pesquisas às realidades virtuais ainda em curso sob a promessa de sua extinção assim que os clones falecessem por esgotamento físico ou psicológico.

A partir daí, Billy precisou procurar cada vereador e seus respectivos correligionários para convencê-los a apoiar suas moções. Basicamente, precisou escutar um a um, entender suas necessidades e se comprometer com suas causas como pensamento ativo e continuado. Como era alguém famoso no cosmo, sua simples adesão às causas específicas de cada espécie era suficiente para carregar sua respectiva pauta às esferas mais plurais do Sistema Solar. Logo, suas causas não se resumiam às de Phobos, passaram a englobar inúmeros outros zoológicos. Em Ariel, Billy conseguiu apoio de Noll, com isso ganhou a simpatia entre animais de origem reptiliana e, conseguintemente, permitiu-o influenciar cientistas reptilianos cabeças de outros zoológicos. Não obstante à fama, seu alinhamento político também foi um fator-chave para que animais de todo cosmo vissem em Billy um ótimo representante para gerar ibope e angariar quórum aos seus interesses. Isso porque a conservação da heterogeneidade biológica dos seres vivos, incluindo as espécies em processo de extinção, era pauta dos conservadores liderados pela entidade *Mãe*. Já no que dependesse da classe científica paternal, reservas naturais como a de Phobos seriam transformadas em resistores e *hubs* para aumentar a capacidade de tráfego do feixe-solar – tudo em totem do progresso. Justo por isso, possuir uma cabeça progressista que defendesse interesses conservadores perante a bancada científica-existencial tinha extremo valor para os animais, e Billy representava perfeitamente essa cabeça.

Em Io, a lua mais desenvolvida tecnologicamente do Sistema Solar, principal reduto homiquântico pró-*Pai*, o progressista Billy foi capaz de trilhar o caminho oposto, o de convencer a opinião pública local em prol de suas causas de cunho conservador. Por se tratar de uma lua habitada somente por homiquânticos, o prestígio de Billy junto à classe e a parceria que mantinha com cientistas da espécie – a começar por Vigil, seu companheiro de pesquisas – foi fundamental para alavancar a causa animal nas esferas mais pentagonais de Júpiter, o grande centro interplanetário do cosmo pensante. Um fator vital para reverter esse prestígio em favor de suas moções em Phobos e convencer os vereadores locais da referida espécie a lhe apoiarem.

Apesar de tudo isso, Billy ainda não possuía uma base sólida que garantisse a aprovação de suas moções na Ágora lunar de Phobos, muito em função da falta de apoio da classe paranormal liderada por Iraizacmon, e a dos *paparazzi* representados por Critera. Para dobrar Iraizacmon, Billy abordou seu principal correligionário, Iraimoon, o paranormal que havia sido íntimo de Alexandra e, justo por isso, condenava as práticas de Billy no trato com os Firmlegs, tanto no zoológico quanto, especialmente, com seus clones no instituto.

Disposto a dialogar, Billy fez uma varredura e encontrou Iraimoon em um protesto em frente ao Elevador Phobos-Marte. Ironicamente, apesar de ser um opositor, Iraimoon liderava o movimento que pleiteava o uso exclusivo do elevador pela classe animal, um movimento que Billy havia fundado. Billy residuou-se ao seu lado e o convidou para um diálogo telepático privado ainda que, por ser uma espécie primitiva, Iraimoon não pudesse captar seu ambiente privativo por completo, apenas desfrutar o *status* sigiloso da conversação. Porém, não foi imediatamente atendido, teve de aguardar o término da manifestação para que Iraimoon lhe desse foco de atenção, pois não era uma criatura multifocal como Billy.

Ao expor para Iraimoon a necessidade do casal Firmleg possuir um lar em Phobos, Billy argumentou:

– Apoiar as minhas causas relativas à família Firmleg é apoiar a vontade de Alexandra que você tanto defendeu.

– Apoiar a vontade de Alexandra é postar-se contra o tipo de alienação que tu promoves contra os animais por meio de teus pais na presente lua.

– Mas e quanto a relegar a vida deles a um sanatório? A serem obrigados a viver com adaptadores sensoriais que filtram a realidade? Não considera isso uma alienação?

– Sim. E foi exatamente por isso que sempre fui contra a introdução desses espécimes na lua e apoiei o desejo de Alexandra em aplicar eutanásia ao casal Firmleg.

– A afirmação de Iraimoon revoltou Billy, mas ele conteve seu sentimento antes de contra-argumentar:

– Não percebe que isso abriria um precedente perigoso? Se autorizamos a aplicação de eutanásia ao casal Firmleg devido aos seus traumas psíquicos, quem garante que isso não será aplicado aos paranormais internados no sanatório quando atingirem o limite Alzheimer? Esses paranormais buscam o instituto justamente para obter o mínimo de suporte a fim de dirimir a condição de mistanásia[29] em que se encontram. Não crê que seria justo oferecer o mesmo para o casal Firmleg? Que isso reforçaria o desejo de sua espécie que tanto lutou por melhores condições de vida nesta lua? – apelou Billy.

Ao apelo, Iraimoon demorou para formular uma resposta. Quando respondeu, mostrou a mesma teimosia típica do prefeito:

– Assim rubricada, parece-me justa tua proposição. Porém, não vejo relevância em teu propósito quando se trata de um mero casal cuja longevidade é bastante limitada.

– Se um mero casal lhe parece pouco, a existência de três milhões de paranormais inseridos em uma população cinco vezes maior de homiquânticos, apenas para citar os habitantes desta lua, seria muito? E se considerarmos a população quântica, seria muito menos, irrisória. O que pensa se, a qualquer horizonte, a quântica optasse por extinguir os paranormais sob tal alegação? – questionou Billy, mais uma vez

---

[29] Estado terminal de vida sob condições sofríveis (conforme abordado no capítulo XII).

levando Iraimoon a matutar algo para contradizer suas afirmações. Sem argumentos, ele propôs:

– O que ofereces em troca do meu apoio?

– O meu suporte socrático às causas paranormais perante a classe política de Marte e do cosmo.

– É muito pouco. Preciso de mais para que possa professorar por ti perante meus partidários.

– O que você tem em mente?

– Eu quero que retifiques toda crítica que fez ao experimento da pele homiquântica para paranormal em foro público, que se filie e se comprometa em reafirmar seu apoio à minha entidade de luta através de um pronunciamento na phobosnet e na cosmonet. – Iraimoon referia-se à Sociedade Paralela de Luta em Prol dos Direitos da Classe Paranormal, a mesma organização que abduziu Willian no dia em que chegou a Phobos.

– Estamos de acordo – concordou Billy.

Era constrangedor ter de submeter-se às diretrizes de uma entidade de luta que por pouco não havia lhe tirado a vida, mas Billy estava disposto a tudo para cumprir o objetivo de dar uma vida digna aos seus antigos pais. Uma vez que conseguiu dobrar Iraimoon, seu próximo passo foi buscar o apoio dos *paparazzi* através de Critera, a vereadora *paparazzo*. No entanto, contatar a ave era bastante burocrático. Billy precisou redigir um e-mail e aguardar resposta. Não bastasse, Critera recusou-se a conferenciar à distância, exigiu que Billy fosse pessoalmente até a Ágora, pois se recusava a discutir o assunto por e-mail e sua espécie não captava resíduos sensitivos; teria de falar com ela através de vocábulos sonoros. – Menos-mal que ela sabia chalrear inglês.

Sem alternativa, Billy deslocou um par lá da órbita de Plutão até Phobos, valendo-se de suas milhagens para embarcar na *Enterprise* no intuito de abreviar a viagem. Ainda assim, teve de desembarcar em Marte e, *"à la caput"*, tomar o elevador até Phobos para se encontrar com Critera. Quando chegou à Ágora, encontrou a vereadora no ponto onde costumava pousar, ao lado de outros *paparazzi* e políticos paranormais, um pequeno poleiro estendido entre as pilastras que delineavam o teatro político central da praça.

Como Critera compartilhava de ideias e posturas políticas muito similares às de Iraimoon, ao abordá-la, Billy abriu a boca e foi direto ao assunto:

– O que quer de mim em troca do seu apoio às moções para dar um lar ao casal Firmleg em Phobos? – questionou.

Critera respondeu com ironia em seu tosco inglês chalreado:

– Ora, ora... Se o nosso mais querido cientista lunar não veio mesmo de Plutão para curvar-se a uma mera ave? Ora, ora...

– Sim, me curvo a você, mas apenas *se* me apoiar.

– Eu apoio, eu apoio – chalreou ela. – Mas antes me dê um ponto de apoio, sim? Me dê um apoio. – A ave, então, bateu asas e saltou do poleiro para o ombro de Billy, fincando suas garras para não escorregar em sua pele lisa. Billy a equilibrou com seu campo extensivo. Fixa em seu ponto de apoio, Critera chalreou em tom baixo, quase sussurrando às ampolas no cangote de Billy:

– Ouça bem, Billy, ouça. Desde que foi aprovada a implementação da pele homiquântica para paranormal, a classe *paparazzi* anda muito insegura. Sempre contamos com o suporte dos paranormais para viver, nos treinar e nos socializar. Desde que essa pele introduzida foi, já alcançamos a marca de mil transmutações e a fila de paranormais em espera da pele alcança 50 mil, somando mais cem mil que iniciaram trâmites de reencarnação a fim de garantir seu exemplar na próxima vida. Isso supera em muito a taxa de natalidade da espécie paranormal. Deves saber que o prefeito está implementando medidas para incentivar a reprodução de sua espécie, mas, sejamos realistas, caso essa taxa se mantenha, é um evento de extinção que estamos encarando aqui. Não sou contra que evoluam sua espécie ou mesmo que optem por sua própria extinção, mas temo que isso ponha em risco as aves desta lua – discursou a ave.

Antes que ela se alongasse no chalrear, Billy esclareceu algo:

– Se quer que eu faça algo contra a introdução da pele, infelizmente não poderei atendê-la, pois me comprometi com Iraimoon em censurar minhas críticas e apoiar seu uso.

– Não se trata disso, não se trata disso – retomou seu sussurrar chalreado Critera: – Apenas não queremos nos manter à mercê dos paranormais. Eles nos ajudaram a ter voz política, mas agora queremos ser independentes, independentes – esclareceu. Antes que Critera continuasse, Billy a interrompeu:

– Você sabia que homens mantêm boas relações com aves tanto quanto qualquer paranormal? Na época de quando vim, um tio meu possuía um papagaio. Eu adorava aquele pássaro. Por isso, posso atestar que seria bastante proveitoso aos *paparazzi* se tivessem oportunidade de conviver com homens como os Firmlegs.

– Ora, ora. Querendo se fazer afável? Mas não sou boba, não sou boba. Ou pensas que nada estudei sobre as aves de teu pretérito? Sobretudo as domésticas. Sei bem que eram aves de gaiola, uma triste realidade, triste realidade.

– Não o papagaio do meu tio. Ele tinha asas aparadas, mas não vivia em gaiola. Entrementes, não os julgue por isso. Eram outros *tempos*. O que importa é a forte empatia que existia entre aves e homens.

– Eu acredito, acredito. Mas um mero casal não resolve nossos problemas ou preenche nossas carências afetivas – chalreou Critera. Em seguida, prosseguiu em tom zombeteiro: – Ora, ora. Tão cabeçudo és ti, tão cabeçudo, mas não sabe pensar, não sabe pensar... – Então reassumiu a seriedade e discursou: – Não compreendeu ainda que não só apoio integralmente tua vontade, também compartilho de tudo que pleiteias ao casal Firmleg, pois é o mesmo que desejo para as aves desta lua: independência. Não queremos mais depender da boa-vontade alheia, embora a apreciemos; não queremos mais ocupar os espaços que sobram para nós ou viver como eremitas da floresta. Queremos mais, queremos o que ti também quer: queremos viver como homens! Queremos o nosso espaço na cidade, queremos as nossas lojas, os nossos viveiros, queremos lavouras para que não precisemos caçar. Nós precisamos de utensílios, de computadores ergonomicamente adaptados para nossas mãos. – Abriu as asas e mostrou a Billy seus delicados dedos, fixos às asas, e movimentou-os como se apertasse uma tecla invisível, então prosseguiu: – Queremos criar nossas próprias páginas na phobosnet, manipular provetas como qualquer espécie normal, gerar eletrodos compatíveis com nossos cérebros, desenvolver a nossa cultura e marcar esta lua com a nossa identidade avícola. – Findou seu discurso Critera. Não obstante, acrescentou: – E possuir *shoppings* tireireiros personalizados para cada pássaro.

– Tireireiros?

– Tireireiros, tireireiros. Que tiram nossas penas. Não existiam tireireiros para os papagaios em teu ultrapassado? Existiam?

– Jamais captei pensar. Existiam apenas *cabeleireiros*, mas para aparar cabelos de homens.

– Ora, ouçam...

– Chalreie-me, Critera... O que precisa de mim?

– Preciso de uma faculdade *paparazzi*, entende? Preciso de acesso ao Instituto Zoológico. Não basta usufruirmos de um aviário, ou de classes e cursos de adestramento mantidos por outras espécies. Sem a nossa própria faculdade jamais seremos livres, jamais seremos independentes, jamais, jamais.

Billy titubeou ao responder:

– Mas... Mas como eu poderia viabilizar uma faculdade para você? Sou apenas um aprendiz pesquisador, não tenho poderes no instituto.

– Ora, ora, ora... Apenas um "aprendiz pesquisador" tu dizes... – Critera mirou Billy em um de seus olhos, o qual por si só era quase tão grande quanto ela, e, com convicção no semblante, chalreou abanando levemente as asas: – Tu és Billy, o homem que atravessou o *tempo*, um animal renascido do passado, que galgou a escala evolutiva para liderar os que ficaram pra trás, o *dono do mundo*, o quântico que sobreviveu à Tubogang...

– Pipegang – corrigiu Billy.

– Correto, correto. Pipegang, Pipegang. O quântico que sobreviveu, que ludibriou a Pipegang, que se livrou do cárcere no fim do mundo. És tu o homem, o ser, a grande cobaia, o cineasta, o caçador, o predestinado... – Enquanto Critera chalreava, Billy lembrou-se do meme e suas profecias. Pena que ele estava desconectado no momento. Ela continuou: – Enfim, és ti aquele que tudo pode. Pode conseguir uma faculdade para mim. Até uma nova ciência tu já fundou... Por que não uma faculdade?

– Não será tão simples, Critera...

– Tu consegues, tu consegues. Eu já pleiteei junto ao Conselho Animal a fundação daquela que se chamará Faculdades-Integradas Critera Paparazzo de Phobos. Tenho apoio do prefeito, e Tuffon... – O cabeça aeroígene do Instituto Zoológico – é simpático à ideia. Agora preciso de alguém influente dentro do instituto para transformar isso em realidade. Tu és esse alguém. Telecine-se com Diana, convença-a a te apoiar, chantageie-a se necessário, mas consiga. Consiga uma faculdade para mim e eu garanto-te a aprovação de tuas moções nem que tenha de bicar a cabeça de Iraizacmon até que as aprove. – Chalrear final.

– Vou fazer o possível. Conte comigo – disse Billy.

Na sequência, Critera alçou voo e o deixou ali.

A partir daí, Billy colocou fótons na massa encefálica e tratou de trabalhar as bases segundo os compromissos que assumiu com os representantes políticos, iniciando um árduo labor de relações-públicas em prol dos interesses animais. Fez não apenas uma manifestação em prol da entidade de luta liderada por Iraimoon, mas transformou-a em um autêntico *reality-show* ininterrupto veiculado ao vivo de Phobos. Sua presença física na lua foi fundamental para isso, pois reforçava sua identidade e sua imagem perante os habitantes do zoológico, além de cooptar atenção nas mais longínquas faixas paralelas entre passado e futuro. Até na Matriz conseguiu ressoar o ideal animal, o maior reduto progressista do cosmo, angariando matricianos que passaram a simpatizar com suas causas embora fossem extremamente conservadoras, na visão deles. As sinapses de Billy alcançaram até Escolha Atual, a Ágora das Ágoras do *tempo*.

Billy passou a viver na Praça da Ágora em contato direto com os bichos como se fosse um animal também. Só deixava o local para atender às manifestações e passeatas ou visitar o Instituto Zoológico no intuito de pressionar o conselho para atender suas demandas. Comovida com a entrega dele, Diana abraçou a causa de seu espécimen favorito sem que ele precisasse chantageá-la. Agiu como se revivesse seus melhores dias de juventude, quando seu ativismo tornou-se vetor de umas das maiores revoluções já encampadas na lua. Ao lado de Billy, atendeu a todas as manifestações ou protestos liderados pelos animais, especialmente os que seguiam o desejo dos *paparazzi* em fundar a sua própria faculdade. Porém, isso não era tão simples, pois demandava recursos de Marte para ampliar a área útil do instituto e criar um *campus* exclusivo para as aves. Em função disso, embora o instituto e sua respectiva diretoria fossem favoráveis à criação de uma nova faculdade, o projeto pleiteado por Critera e apoiado por Billy recaiu na burocracia que regia a política marciana, e a ideia ficou parada em uma pasta aguardando sua apreciação.

A burocracia revoltou a classe *paparazzi* e Critera, como líder da espécie, chalreou por anarquia. Pássaros dos dois lados da lua sobrevoaram o instituto em formação como se engajassem um ataque aéreo. Eram tantas aves e, a maioria, pequenas, que em um instante tomaram o instituto por completo, transformando sua vasta estrutura em um imenso aviário. Qualquer canto virou poleiro, qualquer vão se transformou em corredor aéreo, com aves transitando de um lado a outro e obstruindo a circulação dos quânticos. Mas sem tumulto, apenas ocupando os espaços e chalreando frases de ordem, exigindo que a cúpula do instituto referendasse a fundação da nova faculdade – ou a ocupação continuaria.

Em paralelo, Billy e Iraimoon organizaram uma passeata de apoio ao movimento *paparazzi* que tomou a via de acesso ao instituto, com faixas e emissões de protesto exigindo o atendimento às reivindicações avícolas. Na Área 2 da lua, manifestantes também bloquearam o acesso, deixando o instituto ilhado. Até pelo céu os discos gravitacionais não conseguiam se aproximar com tanta ave voando em torno – a Vila de Vidro chegou a obscurecer pelo volume da revoada. Muitos canais paranormais e homiquânticos, incluindo 1278, que acompanhou Billy na passeata, inundaram as transmissões e monopolizaram a audiência lunar, com ibope crescente ao redor do cosmo. A lua parou para acompanhar o *Levante Pássaro*, conforme seria lembrado futuramente. No instituto, somente os serviços essenciais foram mantidos, mas as pesquisas, as experiências, as aulas e outras atividades foram todas interrompidas.

À medida que os protestos continuavam e a notícia se espalhava pelo cosmo, muitos políticos influentes passaram a manifestar apoio ao movimento *paparazzi*. De Urano, o senador Lagarto, o conhecido "messias quântico", fez um pronunciamento oficial nominalmente citando Critera como uma aliada – é bem verdade que os répteis sempre mantiveram empatia com as aves, já que constituíam seres evoluídos de si próprios. Noll trouxe sua sinapse de Saturno em totem do Zoológico de Ariel. Em Júpiter, homiquânticos de Io tomaram o espaço público em defesa das aves. De Escolha Atual, Pesto-Babusca, o famoso deputado barata, presidente do Site dos Deputados da Ágora Cósmica, também não se furtou em discursar a favor da nova faculdade. Até *Murphy* deu estatísticas em prol de sua criação, uma das sinapses mais progressistas do cosmo – eis o valor de possuir Billy como aliado:

– 22.809.876.765 faculdades cadastradas, no intelecto cósmico, nesse instante se reconhece. 2.748,033 habilitações universitárias *per* segundo-mercúrio, geradas são.

19.263,71133 *per* dimensão-júpiter. Isso enumerado, uma nova faculdade em taxa *per lua*, fundar o que custa? – indagou o ente.

Com essa pressão toda, às pressas, a cúpula do Instituto Phobiano fez uma reunião emergencial para apreciar o projeto da nova faculdade *paparazzi* junto ao governador de Marte, antes que as aves cobrissem a estrutura da Vila de Vidro com suas fezes a ponto de bloquear a luz e, assim, comprometer a captação e a transmissão de energia e dados do local. Temiam um apagão que levasse ao colapso do ambiente virtual ali ancorado – dado que o instituto era abastecido pela luz que banhava sua estrutura e a transmissão de dados percorria um circuito prismático lapidado em suas células plasmáticas.

– Razão para alarme, não observo. De boas reservas para sustentar um estado de sítio durante semanas, a estrutura dispõe. O fim das manifestações, que aguardemos peço. Antes de deferir ou indeferir sobre seu mérito, que os ritos de praxe para apreciação das reivindicações, observemos – posicionou-se o governador de Marte, um robô progressista. Fazendo pouco-caso com a situação, ele acrescentou: – Para limpar e desobstruir a luz que penetra nas facilidades, em seguida, chuva basta gerar.

O governador, porém, foi sinapse vencida. Sua declaração pegou muito mal na opinião pública não só do zoológico, mas de Marte. Até o *Pai* chegou a elogiar a iniciativa da faculdade e parabenizar Billy por ter trazido luz à questão, condenando a postura inflexível e desumana do governador. Perante o peso da sinapse paterna sobre a população quântica, o governador acabou sofrendo um *impeachment* imediato. Seu vice, um robô vegano conhecido por *Árvore*[30], oriundo da inteligência sul-amazônica de Marte, assumiu passageiramente – depois seria aclamado oficialmente no cargo. Sendo um adido da *Mãe*, portanto um conservador nato, o novo governador fez da fundação da Faculdade Critera-Paparazzi o primeiro ato de sua gestão – para a euforia em um momento de total epifania das aves ao captarem o anúncio. O cerco ao instituto acabava ali, mas a ocupação das aves continuou nas ruas e nos céus de Phobos em uma longa celebração pela conquista *paparazzi*.

Para Billy, a vitória dos pássaros era uma vitória pessoal sua. Seu papel no processo político que culminou na fundação da faculdade alavancou sua imagem perante os populares de Phobos quase como uma unanimidade. Foi reconhecido como Personalidade Lunar, um título raramente concedido a um quântico. O prefeito teve

---

[30] A *Árvore*, conforme explicado pelo professor Ipsilon em suas aulas de Robologia (em *Abdução, Relatório da Terceira Órbita*, capítulo X), trata-se de uma face vegetariana da entidade *Mãe*. Possui várias personalidades que habitam distintas florestas ao longo do Sistema Solar, especialmente as amazônicas ou que possuam flora suficientemente abundante para abrigar sua memória.

que se curvar ao seu prestígio, a partir daí, não teria mais como negar as conclusões de seu estudo. Sua causa em prol de um lar para o casal Firmleg, mais do que nunca, ganhou a simpatia de todas as espécies do zoológico.

A seguir, bastou a Billy articular o projeto junto a Critera para que a vereadora o submetesse à aprovação da câmara phobiana. Uma vez cumprido o rito de tramitação, os vereadores aprovaram o projeto com apenas uma abstenção – do representante homiquântico de primeira geração, por crer inútil uma moção em prol de uma espécie em iminente extinção; argumentava que teriam melhor sobrevida vivendo no sanatório.

Aprovado pela câmara, o projeto seguiu para a sanção – ou veto – do prefeito. Mas, de antecérebro, sua aprovação era certa, pois o próprio Iraizacmon já havia declarado sua aceitação. Porém, no instante em que Iraizacmon estava prestes a sancionar o projeto, vazou uma notícia do instituto que caiu como uma bomba sobre a opinião pública de Phobos:

– Novo projeto de pesquisa de Billy prevê reencefalização dos clones de Alexandra, segundo pauta do Instituto Zoológico. Propósito não foi revelado. – Foi a manchete que correu pela phobosnet.

Não bastasse o teor bombástico da notícia, já que envolvia a memória de Alexandra, um mártir da causa animal, os detalhes relativos à natureza da pesquisa de Billy chocaram não só os animais, mas muitos cientistas quânticos ligados ao instituto e ao longo do cosmo. Não bastasse o uso do clone de Alexandra, que Billy havia se comprometido publicamente em jamais utilizar, a aplicação de natureza alienista do experimento por si só não era bem-aceita por parte da classe animal. O projeto ecoava como uma ofensa à imagem da antiga habitante lunar que muitos viam como heroína. O fato da proposta não revelar seus objetivos e ocultar quais seriam os métodos aplicados ao clone, além de parecer ilegal, soava como algo vil e maquiavélico. O que haveria de tão terrível nessa experiência que Billy precisava esconder do público? – era a questão que afligia o zoológico. As especulações foram inúmeras e das mais criativas, sempre com as piores suposições. Chegou-se até a veicular a hipótese de que Billy tinha ódio de Alexandra e queria revivê-la apenas para torturá-la de todas as formas possíveis. Era um covarde, por isso queria reviver a irmã: para flagelar o heroísmo de seu último ato.

Quando a notícia veio a público, Billy se encontrava nas proximidades da Praça da Ágora enquanto aguardava o prefeito sancionar o projeto envolvendo os Firmlegs. Assim que o povo tomou ciência da nova notícia, foi imediatamente cercado pelos animais em absoluta revolta. O público o confrontou, manifestando repúdio e exigindo explicações sobre o caso. Como sua presença era física, um tumulto se formou e Billy viu-se preso por uma multidão o segurando e o empurrando sem que pudesse se esquivar dela. *Paparazzi* o sobrevoaram chalreando com estridência e o ofendendo em inglês.

– Traidor! Traidor! – chalreou um.

– Isso é estelionato político! – gritou um paranormal.

– Tu és uma farsa! Um demagogo, nos enganou a todos! – manifestou um homiquântico.

Até o Canal 1278, que outrora prestava seus dotes amplificadores para apoiar Billy, desta feita o fez em protesto:

– Você nos decepciona, Billy. Não possuis ética! Quebrou a confiança que depositamos em ti – compartilhou em alto volume.

– Avisei que esse macaco não era confiável – alguém comentou. – Eu avisei!

Atônito com a reação do público, a qual também se fez em seu cérebro pelo imediato assédio via phobosnet, Billy tentou se explicar. Mas tomou certo horizonte para que a comoção pelo choque da notícia se dissipasse e pudesse fazer um pronunciamento:

– É um projeto de pesquisa que visa analisar possíveis erros metodológicos que redundaram na morte de Alexandra, a fim de prevenir sua repetência em futuros tratamentos com espécies semirracionais – justificou Billy.

Mas os populares não se deram por satisfeitos:

– Então por que isso não está descrito no prospecto da experiência?

– Semirracional és tu! Seu canalha!

Billy tentou contornar a situação buscando enfatizar o aspecto humanitário de seu projeto, mas como não podia revelar seu real propósito sem citar ou fornecer imagens que revelassem suas hipóteses e objetivos – especialmente o fato de Sandy ter se submetido a uma lobotomia cerebral –, todas as explicações que forneceu não foram suficientes para aplacar a revolta do público. Pelo contrário, davam a entender que Billy estaria a promover algo extremamente antiético, talvez ilegal do ponto de vista animal, por isso havia pleiteado sigilo para a execução do experimento.

Em dado instante, além da sabatina popular, Billy foi abordado pela *Mídia* através de uma de suas repórteres enviada a Phobos para cobrir a matéria *in loco*. Pressionado pela repórter, Billy tentou cooptar a atenção dela ao declarar:

– Esse novo experimento vai comprovar aquilo que venho veiculando através da *hashtag* #sandynãomorreu. Todavia, não posso revelar maiores detalhes sobre sua metodologia por questões socráticas enquanto as pesquisas não forem concluídas. Por isso, peço a compreensão e a simpatia de todos a essa iniciativa – alegou.

– Tu és um demente! – alguém exclamou.

– Compreensão uma ova! Deixe a memória de Alexandra em paz! – acrescentou outro.

— Eu só quero trazer uma luz sobre a verdade a respeito do destino dela — compartilhou Billy em apelo.

— É compreensível. — Enfim alguém manifestou algo em favor de Billy... Porém:

— Mas não cabe a ninguém aceitar essa justificativa. És tu que precisas aceitar que Sandy faleceu.

— Tu precisas tratar dessa psicose renegativista — completou outro. — Urgente!

Essa última frase ao menos demonstrava uma certa compaixão ao que o público captava como uma paranoia de Billy ou, na melhor das hipóteses, que tocava em uma polêmica bem controversa. Havia em Phobos, como em muitos pontos do cosmo, apoiadores da #sandynãomorreu, mas a grande maioria cria que isso não passava de teoria de conspiração ou mera loucura por parte de Billy. O saldo final era a total falta de empatia à proposta pleiteada por ele para justificar o uso do clone de Alexandra. Pesava bem mais o que a opinião pública classificava como uma traição ou estelionato político perpetrado por Billy do que quaisquer condolências por suas perdas e paranoias.

Em paralelo, ali mesmo na Ágora, os demais vereadores e o prefeito lunar iniciaram um debate a respeito da novidade que chocou Phobos. De forma unânime, condenaram a atitude de Billy e a classificaram como alta traição. Chegaram a estudar possíveis moções para bani-lo da lua e redigiram um manifesto de repúdio em nome da classe política. Embora o novo projeto de pesquisa de Billy não se relacionasse com sua moção para dar um lar ao casal Firmleg no *habitat* comum da lua, sua traição acabou minando o capital político que sustentava a aprovação do mesmo por parte do prefeito. Aconselhados por Critera, a autora do projeto, os vereadores pediram ao prefeito que vetasse ou sujeitasse sua sanção à anulação do projeto de pesquisa envolvendo o clone de Alexandra.

Em pronunciamento público, Iraizacmon declarou:

— Em face à revelação das intenções obscuras de Billy e da falta de honestidade do caro pesquisador em sua recente proposta de estudo, paira a dúvida sobre o projeto encaminhado à Ágora lunar pela vereadora Critera ao que tange futuros desdobramentos em relação à inserção do casal nomeado Firmleg na área comum do zoológico. Portanto, pela confiança em mim depositada pela população de Phobos, cabe o dever de reter esse projeto para uma análise mais detalhada e um debate comissionado que determinará sua viabilidade ou não.

Nas entrelinhas, embora o enunciado não fizesse menção direta, Iraizacmon deixava claro que só aprovaria o projeto de Critera se Billy desistisse das experiências envolvendo o clone de Alexandra.

Essa era a posição de momento do prefeito que o colocava na cena em que reuniu-se com Billy na Praça da Ágora, questionando-o se estaria disposto a negociar. Nos bastidores, ambos já haviam acertado os termos para chegarem a um acordo.

– Sim, estou disposto a negociar – afirmou Billy.

– Podemos iniciar os trâmites?

– Quando quiser.

– Protocolando moção cadastral 8.404 de 46 *di* Inverno do ano vigente. Dos atos de efetivação: moradia habitacional para CASAL FIRMLEG & PROLE. Especificações em anexo. Autor do projeto: Critera – anunciou Iraizacmon.

– Protocolando anulação da inscrição no processo seletivo de pesquisa a fins de clonagem, natureza hominóloga, CUNHO SIGILOSO, id.3450, publicação em 46 *di* Inverno do ano vigente. Pesquisador: Billy Firmleg. Segue juramento para redimir a massa reorgânica de Alexandra Firmleg ao intelecto cósmico – anunciou Billy. Ou seja, além de oficializar sua desistência do novo projeto, anexava um juramento abdicando do uso dos clones de Alexandra de forma definitiva.

– Sincronizando protocolos. Deferimento em três segundos – comunicou Iraizacmon.

Ultrapassado os três segundos, os dois protocolos foram deferidos simultaneamente. A moradia dos Firmlegs à beira-mar estava aprovada e Billy oficializava sua desistência em utilizar o clone de Alexandra para um experimento que ninguém sabia sequer qual seria.

Para Billy, entrementes, a questão envolvendo Alexandra, se não pelo uso de seu clone, ainda não terminava ali. De modo algum essa impossibilidade seria obstáculo para dar vazão ao seu desejo – ou paranoia, conforme o ângulo de análise – de tê-la ao seu lado mais uma vez. Não obstante, avaliar um lar para os Firmlegs era mais que um consolo, representava o sincero orgulho por ter conseguido o que sempre quis: dar uma vida digna aos seus antigos pais, uma vida feliz.

Em Phobos, agora homens e papagaios eram livres – e não haveria crime capaz de obliterar o impacto de ambas as conquistas.

Capítulo XV
O pretérito reconectado

O *display* do monitor cardíaco ao lado de seu leito marcava 4h22 quando o ufólogo Andreas Vegina despertou de seu torpor – seus batimentos estavam fracos, 55 por minuto. Sentia-se zonzo, a princípio achou que estava sonhando, não tinha ideia de onde estava. Seu corpo doía muito, especialmente a perna esquerda, sua cabeça latejava. Estava febril, por isso seu pensamento parecia confuso. Ainda sentia o efeito da alta dose de medicamentos a que foi submetido. Balbuciou algo, queria pedir socorro, mas sua voz apenas emitiu sílabas desconexas. Quando sua mente clareou um pouco, ouviu o *bip* do monitor e percebeu que estava em um leito hospitalar. Moveu o pescoço para olhar ao redor e notou uma pessoa presente ao lado da cama, sentada em uma cadeira. A pessoa, ao perceber que Vegina estava se movendo, falou:

– Patrão? Tá tudo bem? Tá me ouvindo, patrão? – Era Aurélio, seu fiel zelador.

– O que tá acontecendo? – perguntou Vegina com a voz fraca. – Onde estou?

– Tamo na Santa Casa. Ocê foi picado por uma cobra, uma cascavér. Sinhô se alembra?

– Sim... – confirmou Vegina. – Maldita cascavel! – Em seguida, moveu-se para se ajeitar melhor na cama. Doído como estava, gemeu ao tentar se sentar. Aurélio o ajudou.

– O sinhô tem de ficá quietinho aí, sô – disse o zelador.

– Não. Eu tenho que ir embora. Tenho que sair daqui antes que o tenente descubra onde estou – disse Vegina, aflito, forçando a voz.

– O tinente Mathew? Ele já teve aqui. Veio vê o sinhô onti à tarde... – revelou.

Com a revelação, os olhos de Vegina arregalaram-se e o pânico tomou conta de si. Arrancou o oxímetro preso na ponta de seu dedo e tentou levantar da cama, mas sua perna esquerda estava paralisada, não conseguia movê-la de tão pesada, e o mínimo esforço era doloroso demais.

– Me ajude a tirar esses troços – pediu Vegina, referindo-se ao cateter de soro no seu braço e aos eletrodos presos em seu peito. Mas Aurélio o conteve na cama e, na tentativa de acalmar o patrão, contou tudo que sabia. Na noite anterior, McCorn, o segundo-tenente da delegacia de Picacho, tocou a campainha do museu *Space Center* para avisar que o patrão estava internado na Santa Casa.

– Ele fez um montão de perguntas, sô.

– O que ele perguntou?

– Queria sabe do sinhô. Falô também do tinente Mathew.

Nesse instante, Vegina lembrou-se vagamente da figura de McCorn quando ele esteve no hospital na tarde anterior tentando interrogá-lo, bem na hora em que Mathew também passou por ali. Em seguida, Aurélio contou a respeito da visita de McCorn ao *Space Center* e o interrogatório que fez. Ele teceu várias perguntas sobre Vegina e seu paradeiro nos últimos dias; questionou qual o motivo de sua visita à base RSMR onde teria sido picado pela cobra; perguntou sobre o tenente e, para piorar, fez claras insinuações de que os dois, Vegina e Mathew, estariam "aprontando algo". Para completar, ainda sondou informações sobre o esquema de cigarros entre Vegina e o falecido xerife Hut Cut.

– E o que você contou pra ele? – indagou Vegina.

– Só o que o sinhô falô pra eu falá.

Além de tudo isso, Aurélio revelou que, quando chegou à Santa Casa, o sargento Hills, o capacho de McCorn, estava no quarto e, mesmo depois de sua chegada, ficou até tarde da noite plantado no corredor do lado de fora. Lá pela 1h00, perguntou se Aurélio pernoitaria no hospital. Ante a confirmação, só então despediu-se e disse que iria para casa dormir. Parecia estar ali para vigiar o patrão.

O relato de Aurélio deixou Vegina ainda mais apreensivo. Virou-se para o zelador e pediu que o ajudasse a se levantar. Ainda sob efeitos dos medicamentos, foi frenético ao falar:

– Vamos. Não podemos ficar aqui, precisamos fugir o quanto antes. Me ajude a levantar. E o Martin? Tem alguma notícia do Martin? – Tossiu ao terminar a frase.

– Não, sinhô. Mas, patrão, o sinhô num pode alevantar, precisa ficá aí, sô. Num pode sair do hospital. O sinhô vai morrer se saí daí – apelou Aurélio, tentando conter o patrão quando ele insinuou erguer-se da cama.

– Não entende? Eu vou morrer se *ficar* aqui – engasgou, pausou e continuou: – O tenente Mathew quer me matar. Precisamos sair daqui. Você tem que me ajudar, vamos.

– O sinhô num tá pensando direito, patrão.

Aurélio tinha razão. Vegina estava em estado de pânico. Um pânico agravado pelo quadro convalescente que o acometia. Porém, isso não significava que estava errado, até porque, se Mathew estivera no hospital, tinha certeza de que sua visita não tinha nada de social. Ou queria matá-lo por não ter se submetido à sua chantagem, talvez silenciá-lo em função do que sabia, ou queria ameaçá-lo novamente. Temia o que talvez pudesse ter se passado com Martin após abandoná-lo no apartamento em Roswell, caso o tenente ou McCorn o houvesse procurado lá depois de sua fuga – precisava tentar falar com ele. Era bem possível que McCorn e Hills estivessem de conluio com Mathew.

Com isso em mente, Vegina contou a Aurélio o que se passou nos últimos dias desde que cruzou com ele quando estava fugindo no Fusca roubado, das duas noites que vagou pelo deserto com sua veste coiote, do disco-voador que descobriu, a aparição do presidente da República no local, a cascavel e, sobretudo, as fotos que registrou cujos filmes estavam enterrados em um lugar seguro, próximo ao local onde se encontrava o objeto alienígena.

– Preciso recuperar essas fotos. Valem ouro – disse Vegina.

Também revelou os detalhes sórdidos da chantagem a que Mathew o submetera, assim esperando convencer o zelador a ajudá-lo a fugir do hospital imediatamente. Mas Aurélio era teimoso:

– Não tem como o sinhô saí dessa cama. Num consegue nem ficá de pé, sô.

– Escute com atenção, Aurélio. Você preparou a van do vizinho como eu tinha te pedido? – Vegina questionava a respeito da van que estava emprestada para o dono do mercado vizinho ao seu museu. A van que, no dia da morte de Hut Cut, havia mandado Aurélio requisitar e preparar para sua fuga. Mas depois alterou seus planos quando soube, através de McCorn, que Jorge, seu infiltrado na base RSMR, provavelmente tinha sido preso.

– A van tá esperando lá direitinho, com toda as bagage – informou Aurélio.

– Ótimo. Então você vai dar um pulo no museu e ligar pro Raimundinho. Sabe quem é? O telefone tá na agenda de casa.

– Conheço o tipo, sim.

– Você vai pedir dez pelotas. Aí pega a van, vai lá no estacionamento dos trailers, na rua 14, pega as pelotas e volta aqui. – Perdeu a voz nesse instante, recuperou em seguida: – Pega também todos os remédios que tiver em casa e cigarro. Você tem dinheiro?

– Todo meu dinheiro tá separado des'daquele dia.

– Você vai ter que pagar o Raimundinho. Depois te reembolso. Oferece um a mais, o dobro, pra ele te atender rápido. Agora vá.

– Sinhô tem certeza?

– Aurélio! Por favor, me obedeça. Quem é o patrão aqui? Vai logo, não podemos perder tempo – disse Vegina, nervoso e tossindo ao forçar a fala.

– Sinhô que manda – obedeceu o zelador. Em seguida, retirou-se às pressas do quarto para cumprir as ordens do patrão.

Cerca de meia hora depois, Aurélio retornou. Sem perder tempo, Vegina pegou as pelotas, cada qual contendo um grama de cocaína, e abriu duas em cima de uma bandeja. Com um cartão, esticou quatro carreiras do pó, pediu uma nota para Aurélio, enrolou-a formando um canudo, e aspirou duas, uma seguida da outra. Ofereceu o canudo para Aurélio, que não tinha o costume de usar cocaína, mas dadas as circunstâncias, achou que uma carreira para despertar cairia bem e cheirou também. Após as duas carreiras, os batimentos de Vegina dispararam – 130 por minuto. Sentiu-se plenamente vigoroso, o corpo amortecido, a dor de cabeça esvaída pelo efeito da droga. Somente a perna onde levou a picada da cobra ainda doía e, extremamente inchada, era impossível articulá-la.

– Agora sim estou beeem – disse Vegina, com a voz soando firme.

Ergueu-se da cama, ainda com dificuldade devido à imobilidade da perna, mas já apto para sair dali. Aurélio o ajudou a vestir-se, então cheirou a última carreira e, apoiado sobre a perna direita e o ombro do zelador, os dois saíram de fininho do hospital. Fugiram sem serem vistos pela saída de emergência, logo em frente ao local onde a van estava parada na rua. Aurélio ajudou o patrão a subir na cabine e tomou o volante, então perguntou:

– Para onde vamos?

– Para Roswell.

Aurélio deu partida na van e a dupla tomou o caminho para Roswell. Não notaram a viatura policial logo atrás, seguindo-os de uma distância segura com a sirene e os faróis desligados. No interior da viatura, o tenente McCorn comentou com o sargento Hills:

– Não te falei que aí tem coisa? Pro cara fugir assim no estado em que está, quase morrendo.

– Pois é, chefe – concordou o sargento. Nesse instante, a van de Vegina já havia alcançado a interestadual, tomando o sentido Roswell. Por isso, Hills questionou: – Será que eles estão fugindo? Vão deixar o condado?

– Vamos ver. Se for o caso, os paramos antes que deixem nossa jurisdição. Mas algo me diz que eles não vão muito longe – disse McCorn.

Logo atrás da viatura, em um segundo automóvel, também de uma distância segura, Costa, um dos agentes do tenente Mathew, seguia ambos os veículos. Ao seu lado, outro agente com um móbil nas mãos comunicou-se com o tenente:

– O pacote está movendo-se, senhor. Estamos na cauda.

– Não o percam de vista. Quero ser comunicado de todos os seus passos – ordenou Mathew.

– Entendido, senhor.

Chegando em Roswell, Aurélio guiou seu patrão até o apartamento de Martin Healler. Aproximaram-se cuidadosamente para certificarem-se que o prédio não estava sendo vigiado pelos capangas de Mathew. Não viram nada suspeito, então Aurélio estacionou em frente ao edifício. Os dois perceberam que o carro de Martin não estava na garagem. Aurélio foi até o apartamento verificar se ele estava por lá. Levava uma chave reserva para entrar caso ninguém abrisse a porta. Aurélio retornou rápido e confirmou não ter encontrado Martin, nem notou nada de errado no apartamento ou sinais de violência. Vegina ficou preocupado, arrependeu-se de ter abandonado o namorado, temeu que estivesse sob as garras de Mathew, talvez até assassinado a essa altura dos fatos. Porém, não havia nada que pudesse fazer a não ser evitar que si mesmo fosse a próxima vítima, por isso ordenou ao zelador para que dessem o pé dali.

– Para onde agora, patrão?

– Para Ruidoso, preciso pegar meu dinheiro. Depois vamos nos esconder.

– Ocê precisa é di um hospitar, sinhô.

– Não. Nada de hospital, só preciso é de outra pelota. Vamos, vamos embora.

Assim, Aurélio e Vegina retomaram a interestadual no sentido oposto, seguidos pelos dois carros que os vigiavam. No segundo carro, os agentes de Mathew comunicaram-se com o chefe:

– O pacote tomou sentido oeste. Segue em direção à base, senhor.

– Entendido. Se ele tomar a entrada da base, abduza-o. Se ele deixar o Estado, abata-o – ordenou Mathew.

– Mas e quanto aos policiais que estão atrás dele?

– Iluda-os quando tiver oportunidade. Eles não podem fazer nada quando deixarem a fronteira do condado. Vocês podem – ordenou Mathew ao encerrar a comunicação.

A van de Vegina continuou em sentido oeste pela interestadual, passou em frente à entrada da base RSMR, mas seguiu adiante até o povoado de Tinnie. Nesse instante, dentro da viatura policial que vinha logo atrás, McCorn preparava-se para abordar a van e prender Vegina. Como esteve de campana ao ufólogo desde que ele foi internado na Santa Casa, igualmente esteve de olho em Aurélio. Ou seja, tinha seguido os passos do zelador quando ele deixou o hospital na surdina, pegou a van no museu e foi até o estacionamento de trailers na rua 14 – sabia perfeitamente o que fora fazer ali. Então ordenou:

– Acelere. Encoste nele, ligue os faróis e as luzes. Vamos pará-lo antes que deixe o condado.

– É pra já – disse Hills.

Quando McCorn deu a ordem, a van de Vegina acabara de se perder da visão dos policiais ao contornar uma curva. Hills acelerou a viatura para alcançá-los. Enquanto isso, na van, sem qualquer noção de que estava sendo seguido, Vegina ordenou a Aurélio:

– Pegue a próxima saída à direita – disse, indicando a entrada de uma servidão de terra que seguia em sentido Lincoln, a noroeste. A mesma servidão que tomou com o Fusca roubado dias antes, por onde havia iniciado sua jornada com a veste coiote através do deserto. Assim que entraram na servidão e percorreram cerca de 200 metros, Vegina pediu:

– Agora pare. Encoste um pouco. Preciso de outra pelota.

Vegina pegou outra pelota do bolso, abriu-a sobre um volume do guia de ruas e estradas e esticou-a sobre ele. O dia já estava clareando nesse momento, por isso não percebeu a luz da viatura aproximando-se por trás da van. Aurélio também não notou nada, já que estava de olho no patrão, auxiliando-o a preparar a carreira de cocaína. Assim distraídos, quando Vegina pegou o canudo para cheirar o pó, um vulto apareceu na janela da van subitamente:

– Polícia! – anunciou McCorn de arma em punho. – Ponham as mãos sobre o painel! Devagar, senão atiro! – ordenou.

Apesar do susto, Vegina estava tão eletrizado devido à cocaína já ingerida, que nem ligou. Apenas baixou a cabeça sobre o guia e aspirou o pó que ali estava. Seus olhos arregalaram-se quando a droga invadiu seu nariz e pulmões. Então mirou McCorn com a arma nas mãos e zombou dele:

– Agora você pode atirar.

Do outro lado do veículo, Hills apontava sua arma para Aurélio, obrigando-o a abrir a porta e descer da van. McCorn tentou fazer o mesmo, mas Vegina não conseguia mover a perna esquerda e permaneceu onde estava, discutindo com ele.

– O que é isso, tenente? Baixe essa arma, não precisa disso. Vamos conversar – apelou Vegina.

McCorn comprimiu seu rosto de maneira intimidadora, mas guardou sua arma no coldre. Com a voz enraivecida, ele abriu a porta do veículo e começou a revistar Vegina enquanto dizia quase aos berros:

– Com você eu não tenho mais papo – disse McCorn. – Seu assassino de policiais!

– O quê?! Que está dizendo? Assassino? Eu?!

– Tá fugindo por que, seu canalha? Pensa que não sei do teu envolvimento com Danniel Mathew? Vocês mataram Hut Cut. E agora você vai me explicar tudinho senão eu te apago aqui mesmo, tá me entendendo? – ameaçou.

Enquanto isso, Hills já tinha revistado e algemado Aurélio. Em seguida, conduziu-o ao lado oposto da van e posicionou-se ao lado do chefe, enquanto Vegina clamava por sua inocência:

– Não! Eu não matei o xerife. Ele era meu amigo, meu parceiro, por que faria isso? Você tá louco, tenente.

Irritado com as palavras do ufólogo, McCorn o esbofeteou.

– Cala boca, assassino! – Ao terminar a revista, McCorn mostrou a palma da mão com as pelotas de cocaína que retirou do bolso de Vegina.

– Isto é entorpecente. Você está preso por porte de substância ilegal – McCorn virou-se para o sargento e ordenou: – Prenda esse homem também. – Referia-se a Aurélio. Hills obedeceu de pronto, virou-se para o zelador e anunciou:

– Você tem o direito a permanecer calado. Se abdicar desse direito, tudo que disser poderá ser usado contra você em um tribunal. Você tem direito a um telefonema, a um sanduíche de mortadela e a um advogado. Se não puder contratar um advogado, o distrito apontará um defensor público para você. Você entendeu esses direitos?

– Intindi sim, sinhô – afirmou Aurélio.

– Então vamos – ordenou Hills, puxando o zelador pelo braço e o conduzindo para a viatura. Assim que trancou Aurélio na parte de trás do veículo, retornou ao lado de McCorn enquanto ele algemava e interrogava Vegina.

– O senhor tem que me escutar, tenente. Eu não matei o xerife, não tem sentido. Pensa bem. Ele era meu amigo, o cara que me protegia na cidade, você sabe... A troco do quê eu faria isso? – apelou Vegina.

– Amigo?! – exclamou McCorn com irritação no olhar. – *Muy* amigo, sim? – ironizou. – Mas nem pra comparecer hoje na missa de sétimo dia dele ocê serve?! Já para se entupir de coca e fugir, aí presta, né? Seu filho da mãe!

– Se minha vida não estivesse em risco, eu compareceria à missa sim... – tentou justificar Vegina, mas McCorn o interrompeu aos gritos:

– Cala essa boca! Já disse! – E ameaçou esbofeteá-lo novamente. Mas o ufólogo insistiu:

– Foi Mathew quem matou Hut Cut, talvez a mando do coronel Carrol. Agora ele quer me matar pois eu sei de tudo, por isso estava fugindo. Você tem que acreditar em mim.

McCorn ensaiou uma nova bronca, mas conteve-se. Esfregou o queixo por alguns segundos, então falou calmamente:

– Tudo bem. Então me conta direitinho essa história...

Vegina revelou tudo que sabia, desde a infiltração de Jorge e a coincidência entre o fato de Hut Cut ter morrido logo após comparecer à base RSMR para averiguar a ocorrência. Porém, omitiu o fato de Jorge ter invadido o perímetro da base. Mentiu dizendo que ele foi pego nas proximidades do Algomoro.

– Mas essas terras pertencem a Tião Bardon. Não há bases militares nesse local – alegou McCorn.

– Não sei se os militares têm algum acordo com Bardon, mas eles montaram um acampamento nesse local, um operativo secreto, imagino – justificou Vegina. Em seguida, alegou não saber exatamente o que se passara com o xerife, mas insistiu que não tinha nada a ver com sua morte. Desconfiava que seu acidente fora forjado pelos militares, certamente a mando de Mathew.

– Por isso estava tão interessado em qual seria a ocorrência que Hut Cut foi averiguar quando estivemos juntos na manhã do suposto "acidente", não é? – concluiu McCorn.

– Sim – confirmou Vegina. A seguir, contou sobre a visita de Mathew ao apartamento de Martin Healler em Roswell, e a chantagem que ele impôs no intuito de denunciar Carrol pelo assassinato de Hut Cut. Sobre a chantagem do tenente, Vegina alegou que Mathew tinha Jorge preso na base e iria matá-lo se não colaborasse.

A narrativa do ufólogo parecia cada vez mais mirabolante. McCorn e Hills duvidaram se ele não estaria tendo alucinações devido à droga combinada ao estado doentio em que se encontrava. Porém, quando desconfiavam dele, Vegina insistia que dizia a verdade e revelava mais detalhes da trama. Quando expôs qual seria o motivo para assassinarem o xerife – o disco-voador descoberto por Jorge no Algomoro –, os policiais tiveram certeza de que Vegina estava alucinando.

– Eu tenho provas. Eu me infiltrei nesse acampamento do Algomoro. Tirei fotos do objeto e enterrei lá por perto. Eu vi o presidente da República no local, bati fotos dele – implorou Vegina. Nesse instante, McCorn e Hills entreolharam-se e riram.

– Você pode enganar a cidade inteira com essas suas histórias, mas pra mim essas bobagens de óvnis num colam não – disse o tenente. Ele virou-se para Hills e mandou: – Vamos levar esses dois pra delegacia. Chega desse papo furado.

Vegina continuou apelando:

– Perguntem pro Aurélio, ele sabe de tudo. Perguntem pra ele já que não acreditam em mim...

Apesar de cético quanto às afirmações do ufólogo, McCorn trocou algumas palavras com Hills e o mandou interrogar Aurélio. Assim que Hills se afastou, Vegina fez um último apelo:

– Eu tenho dinheiro. Se me deixar fugir, te dou uma parte.

– Quanto?

– Tenho uns vinte mil. Te dou cinco.

– *Hum...* – pensou McCorn: – Dez mil e a gente conversa.

– Tudo bem. Dez mil.

– Aonde está esse dinheiro?

Vegina contou que o dinheiro estava enterrado junto com as fotos no local onde viu e fotografou o óvni. McCorn chegou a duvidar, afinal, por que Vegina carregaria o dinheiro consigo no meio do deserto sob o risco de ser pego pelos militares? O ufólogo alegou que, após a chantagem de Mathew, havia resolvido fugir, portanto pegou todo seu dinheiro. Porém, sabia que corria risco de ser capturado pelo tenente ou assassinado por ele, por isso resolveu interromper sua fuga para verificar o que Jorge teria realmente descoberto no Algomoro.

– Eu não podia largar o dinheiro no carro, não é? – alegou.

Vegina imaginou que, se conseguisse obter registros fotográficos, talvez pudesse recorrer à mídia para expor Mathew e livrar-se de sua chantagem – o que era verdade. Como já carregava o dinheiro consigo, não quis deixá-lo para trás e o levou em sua jornada pelo deserto – o que era mentira, pois o dinheiro estava trancado em um depósito de bagagens na rodoviária de Ruidoso, cuja chave Vegina tinha guardada na cueca.

– Não fosse pela picada que tomei, já estaria longe daqui com meu dinheiro e as fotos que consegui – comentou o ufólogo.

Na cabeça de Vegina, ele tentava enrolar o tenente McCorn. Ponderava que, se pudesse levá-lo de encontro aos militares que cercavam o perímetro do Algomoro, eles não o permitiriam seguir em frente e isso provaria, como alegava, que algo importante estaria acontecendo por lá. Com isso ganharia tempo para tentar convencê-lo de que nada tinha a ver com a morte de Hut Cut e assim o deixasse ir embora. Por outro lado, não queria conduzi-lo até Ruidoso e simplesmente pagá-lo para fugir, até porque, se o tenente soubesse que tinha bem mais dinheiro guardado, talvez tentasse extorqui-lo por um valor maior – isso se não resolvesse roubá-lo e prendê-lo. Não dava pra confiar nele.

McCorn também desconfiou que Vegina estivesse enrolando, mas como a grana que ele ofereceu não era um valor qualquer, achou que valeria a pena checar sua história. Então pressionou para encontrar algum furo na versão do ufólogo, queria saber exatamente como ele teria conseguido alcançar as cercanias do Algomoro. Vegina não contou nada sobre a veste coiote, disse que tinha ido a pé até o local apenas com uma mochila nas costas. Para corroborar sua história, revelou que havia abandonado seu carro na entrada do deserto, ali próximo à beira da servidão de terra, a poucas milhas de onde estavam. Justo por isso tinha pego aquele caminho, pois tentava retornar ao local para recuperar o veículo. Se conseguisse chegar lá, Aurélio retornaria com o veículo para Picacho enquanto seguiria sua fuga na van. Isto é, ao menos seriam esses seus planos até que McCorn os interpelasse. Ao dizer isso, fez um pedido.

– Aurélio não tem nada a ver com essa situação toda, deixe-o ir. Ele não merece ser preso. A coca é minha.

Ainda duvidando da história de Vegina, McCorn chamou Hills e os dois conversaram longe dos ouvidos do ufólogo. Depois de confabularem alguns minutos, mandou o subordinado retirar Aurélio da viatura e acomodá-lo na van. Os dois policiais, a seguir, carregaram Vegina da van para a viatura. Quando o ufólogo já estava acomodado no banco da frente, McCorn disse:

– Leve Aurélio para a delegacia, o indicie por posse e tráfico de entorpecentes. Apreenda o veículo também. Depois aguarde eu chamá-lo. – Foi a última ordem que emitiu para Hills. Ao ouvir a ordem do tenente, de dentro da viatura, Vegina protestou:

– Tráfico de drogas? Por seis pelotinhas? Isso é injusto!

Os dois policiais sorriram entre si. McCorn virou-se para Hills e questionou:

– Injusto? O que me diz, Hills? Acha injusto?

– Bom. Vocês estavam tentando deixar o condado, isso caracteriza tráfico. No mínimo, posse com intenção de distribuição. Vai ficar a critério do juiz – disse, com um sorriso sarcástico no rosto.

– Não. Deixem ele ir. A droga é minha, ele não tem nada com isso – continuou protestando Vegina.

McCorn o ignorou, apenas teceu uma última ordem a Hills e encerrou a conversa:

– Leve-o para a delegacia enquanto eu e nosso amiguinho aqui vamos dar um passeio. – Deu uma piscadela para o sargento e assumiu o volante da viatura. Porém, antes que Hills fosse embora, Vegina fez mais um pedido:

– Espere! Se quer mesmo que te acompanhe até o local onde está o dinheiro, vou precisar das minhas pelotas – falou na maior cara de pau. Sem se abalar, McCorn respondeu:

– Se o problema é esse... Basta abrir o porta-luvas – disse, fazendo um sinal convidativo. Com as mãos algemadas à frente do corpo, Vegina esticou os braços, abriu o porta-luvas e localizou vários papelotes de cocaína, o suficiente para prender o tenente por tráfico de drogas. Eram flagrantes que ele carregava consigo caso fossem necessários para prender ou extorquir alguém. – Fique à vontade – completou ele.

Enquanto Vegina preparava mais uma carreira, McCorn esperou Hills montar na van, dar partida e manobrá-la de volta para a interestadual. Assim que ele foi embora, ligou a viatura e seguiu em frente pela servidão de terra.

– Agora vamos ver aonde você deixou seu carro – disse.

– Não vamos conseguir chegar lá. Essa área tá cheia de soldados – alertou Vegina.

Dito e feito. Cerca de uma milha adiante na estrada, um grupo de soldados estava bloqueando o caminho. McCorn parou a viatura e conversou com os militares. Em seguida, retornou ao veículo, deu meia-volta e regressou por onde veio.

– Eles disseram que a estrada está fechada devido a um exercício das tropas armadas. Não insisti para não dar bandeira. Vamos ter que fazer outro caminho – comentou McCorn.

Assim que saiu da vista dos soldados, o policial abandonou a servidão de terra e mergulhou no solo do deserto. Ao avançar, em dado instante, deparou-se com as marcas de pneus deixadas por Vegina quando passou por ali dias antes. McCorn seguiu a trilha até um ponto em que os acidentes geográficos bloquearam seu avanço, então parou a viatura. Próximo dali, encontrou o Fusca abandonado por Vegina camuflado entre alguns arbustos. Revistou-o, mas não encontrou nada suspeito. Isto é, exceto pela descrição e a identificação do automóvel, placa de Roswell, a qual batia com um chamado de DLO-M07 – furto de veículo – recebido dias antes. Pelo que pôde lembrar, na mesma ocasião em que Vegina dizia ter fugido de Mathew e se embrenhado no deserto. Sua história começava a fazer sentido.

Ao retornar para a viatura, McCorn foi logo dizendo:

– Já posso adicionar furto qualificado na tua capivara. O Fusca é roubado – acusou. Vegina nada disse. Como poderia negar se era verdade? Diante de seu silêncio, McCorn continuou: – Mas se você deixar eu ficar com aqueles 20 mil todos, o papo é outro...

Na sequência, o tenente pegou um binóculo para estudar o local. O dia já havia amanhecido, o céu estava limpo e a panorâmica com o Algomoro ao fundo, plenamente aberta. Esquadrinhou o horizonte tentando avistar mais tropas do Exército de acordo com a história narrada por Vegina, mas não viu nada. Trocou algumas informações com seu prisioneiro a respeito da localidade que teria alcançado pelo deserto até camuflar-se na base do Algomoro. Pela distância do morro, calculou umas duas, no máximo três horas a pé para alcançar o local.

Todavia, McCorn não estava minimamente disposto a uma longa caminhada, nem adiantaria ir sozinho, precisava do ufólogo para indicar o local exato onde enterrara o dinheiro e ele não tinha condições de caminhar com a perna do jeito que estava. Sem alternativa para prosseguir em frente com o automóvel dali, retornou ao veículo e retomou o caminho da servidão de terra. Vegina imaginou que McCorn havia desistido da aventura. Temendo que fosse levá-lo para a delegacia, perguntou:

– O que pretende fazer agora?

– Nós vamos chegar lá de carro, mas pelo caminho mais fácil – afirmou McCorn.

– Jamais conseguiremos chegar lá de carro, a região tá forrada de militares. Demorei dois dias para conseguir despistá-los e chegar ali sem ser visto.

– Pouco importa que nos vejam. O que irão fazer? Atirar no carro da polícia?

– Nunca se sabe... Esses milicos são fanáticos. Se eles mataram o xerife, por que hesitariam em nos matar também?

– Se for o caso, a gente desiste. Mas o que prefere? Arriscar levar bala dos milicos ou ir pra cadeia? – questionou McCorn em tom de ameaça.

Vegina preferiu silenciar-se, seguir em frente e pagar para ver. Se McCorn conseguisse alcançar o local onde enterrou suas fotos, pelo menos poderia recuperá-las, então diria que mentiu a respeito do dinheiro e tentaria persuadi-lo que aquelas imagens valiam bem mais que 20 mil dólares – isto é, caso estivesse vivo e livre para repassá-las à pessoa certa, imaginou. Quem sabe assim o tenente se convencia de que o melhor a fazer era liberá-lo.

McCorn deixou a servidão de terra para trás e retomou a interestadual em sentido Picacho. Na sua cola, os agentes de Mathew não o perderam de vista. O tenente prosseguiu até a periferia da cidade, onde tomou a saída da Rua Beargrass e seguiu até o trevo da 143 com a Studdard, endereço de uma das fazendas mais conhecidas da região, então parou a viatura na entrada. No local, havia uma placa em que se lia: "Rancho Bravo – Morada dos Bardon". McCorn abriu a porteira e seguiu até o casarão sede do rancho. Vegina não entendeu o motivo da visita. Intrigado com a situação, questionou o tenente. Ele esclareceu:

– Vamos ver se Tião Bardon sabe alguma coisa a respeito dessa operação secreta em suas terras – foi o que disse. Mas não era apenas por isso que estava ali... Além de verificar a história de Vegina diretamente com o dono das terras onde o suposto óvni estaria sendo guardado em segredo pelos militares, as estradas do rancho ofereciam o caminho mais fácil para contornarem o Algomoro e alcançarem o ponto onde o ufólogo dizia ter enterrado seu dinheiro. Era lá que McCorn gananciava chegar.

***

O relógio na parede marcava 709 centenas quando o tenente Danniel Mathew, acomodado sob o ar condicionado da central de escuta no prédio da C-11, na companhia solitária do cabo Emílio, recebeu a última atualização dos agentes que estavam no encalço de Vegina. Eles avisaram que, escoltado por McCorn, o pacote acabava de adentrar o rancho de Tião Bardon. Desse ponto em diante não poderiam mais segui-lo, apenas aguardar e monitorar para onde prosseguiriam através do rastreador que haviam implantado na viatura. Ciente disso, Mathew apenas ordenou que seus homens continuassem em campana e o avisassem quando a situação apresentasse algum desdobramento.

O fato de Vegina estar ao lado de McCorn e prestes a conversar com os Bardon deveria ser preocupante, pois se Tião ficasse sabendo que suas terras estavam sendo utilizadas pelo Exército sem sua autorização, o velho colocaria tudo a perder e logo a cidade inteira ficaria sabendo o que se passava no morro Algomoro. No entanto, esse era o menor dos temores a afligir Mathew nesse instante. Se Bardon descobrisse algo e revelasse para a polícia ou a mídia de Picacho, a essa altura, só faria apimentar seus planos para o decorrer do dia. O que o aborrecia na situação era imaginar o que Vegina teria dito a McCorn, algo que o comprometesse em relação à morte do xerife e o sumiço de seu namorado, Martin Healler, este que continuava preso nos calabouços da C-11. Mas Vegina estava com as horas contadas, logo não seria mais problema – aliás, ele estava facilitando as coisas ao fugir do hospital e drogar-se com cocaína, de modo que não seria difícil para seus agentes simularem uma overdose, imaginou.

Seus pensamentos foram interrompidos por uma importante informação através da escuta sobre o canal de comunicação do posto zero:

– Pernilongo no ar, CHOOP121M, escolta ao tenente Smith Harrys para a base.
– Ouviu o piloto comunicar.

Mathew estava ansioso com a situação, afinal, o momento que tanto esperava estava prestes a se materializar. Conforme aguardava com certa expectativa, o psicólogo Harrys, seu infiltrado no posto zero, estava sendo escoltado para C-11 naquele instante. Ele já havia comunicado seu desligamento do projeto. Isso significava que, muito provavelmente, estava trazendo a fita contendo as imagens da visita do presidente da República ao objeto alienígena-extraterrestre – aquela com a montagem do óvni elaborada pelo engenheiro Steve Limbs.

– Dirija-se ao heliporto e aguarde Harrys chegar. Pegue a fita e faça oito cópias – ordenou Mathew para Emílio.

– Não será possível, senhor.

– Como não?

– Todos os gravadores foram deslocados ao posto zero a pedido de Limbs, senhor – esclareceu Emílio.

– Diabos! – irritou-se o tenente. – Tudo bem. Então pegue a fita e a encaminhe imediatamente para a casa segura em Roswell. Faremos as cópias lá. Agora vá.

– Sim, senhor – obedeceu Emílio, encaminhando-se ao heliporto.

Por outro lado, supondo que Harrys não houvesse conseguido duplicar a fita de Limbs, isso não seria mais problema. A essa altura, tais imagens representavam apenas a cereja do bolo no dossiê elaborado por Mathew. A prova mais relevante do caso, aquela que criava o elo definitivo entre o presidente da República e o coronel Carrol, estava igualmente prestes a ser anexada ao montante de evidências contido no dossiê: o contrato de exploração do Carrolídio assinado por ambos – contando também com a sua participação.

Foi com uma sonsa felicidade que, no início da madrugada, Mathew atendeu ao chamado para comparecer ao escritório de Carrol e referendar o novo contrato que ele havia elaborado para substituir o anterior. Mathew sorriu com a proposta como se o coronel estivesse lhe agraciando com um presente dos deuses, porém, em seu âmago, tomou-a como um novo insulto por parte do desafeto. Ainda que ele provasse não estar deixando-o para trás em relação à oferta anterior, a nova proposta não passava de um instrumento para comprar seu silêncio e submissão. Chegou mesmo a pensar em recusá-la apenas para não se comprometer mais no caso que pretendia denunciar. Somente quando Carrol esclareceu que o presidente da República havia concordado em assinar a parceria e viu seu nome no rodapé do contrato, realmente entusiasmou-se em endossá-la também. Desse modo, assim que Mister Andrews, o secretário do presidente, enviasse a documentação com o contrato já firmado, enfim, seu dossiê estaria completo. Então bastaria lançar a pedra do topo da ribanceira para acompanhar o terremoto que sepultaria o chefe de uma vez por todas.

– Não comente nada com ninguém a respeito desse novo contrato, especialmente a Limbs – recomendou Carrol assim que Mathew o assinou. Uma recomendação interessante para o tenente, pois o fato de Limbs ter ficado de fora da nova parceria era providencial pela ocasião da denúncia que faria. Ao ficar de fora do contrato, Limbs não seria arrolado no processo envolvendo o coronel e o presidente, o que faria dele uma ótima testemunha, especialmente por ter sido traído por Carrol e deixado de lado no negócio envolvendo o Carrolídio.

– Pode ficar tranquilo, coronel – assegurou Mathew.

A ansiedade de Mathew para colocar as mãos no documento assinado pelo coronel e o presidente era tanta, que mal conseguiu dormir. Apenas cochilou entre as zero e duas centenas, depois acordou e, aproveitando a surdina da noite, dirigiu-se ao seu escritório, onde começou a preparar as caixas com a documentação a ser despachada. Entre os documentos constavam: o relatório completo do caso envolvendo o objeto alienígena-extraterrestre com todos os pareceres assinados pelo time de especialistas; as fitas cassetes com as gravações das conversas e reuniões de Carrol; fotos e áudios provando que o xerife Hut Cut estava vivo e sob custódia do coronel; as montagens criadas por Limbs do objeto; além de várias tomadas do posto zero e circulares endossadas pelo coronel comprovando suas irregularidades no comando do operativo. Quando terminou de checar e montar as caixas, ficaram pendentes apenas a fita que Harrys estava incumbido de trazer e o contrato com a assinatura do presidente da República. Depois, restaria lacrá-las e despachá-las. Com isso em mente, Mathew pensou em um título para sua denúncia, então colou uma etiqueta na tampa das caixas com o aviso "*top secret*" e o selo da USAF ao lado do brasão da Academia de Sargentos Honorável General-Bacharel Olivermerter, sob a inscrição UFOGATE – foi o nome que bolou. Em seguida, endereçou os pacotes.

Eram três caixas grandes, cada qual com aproximadamente 20 kg de documentos e provas materiais, especialmente fitas cassete e VHS, as quais Mathew despacharia, de forma anônima, a serem entregues em mãos para três destinatários escolhidos a dedo. Uma delas seria enviada ao chefe em exercício do escritório do FBI no Novo México; outra seria encaminhada para um delegado federal do DOJ – Departamento de Justiça – em Kansas; e a terceira para a sucursal da rede ABC – America Broadcasting Comunication – em Santa Fé (NM), um dos maiores conglomerados de mídia do país, que contava com telejornais de audiência nacional, além de rádios e periódicos impressos. Em comum, eram contatos que não apoiavam o atual presidente ou, como a ABC, que mantinha uma editoria jornalística assumidamente oposicionista ao governo. Eram oficiais do governo e jornalistas que não hesitariam em denunciar o caso e pedir a cabeça do presidente – levando a cabeça de Carrol junto.

Quando terminou de preparar as caixas, o relógio batia as cinco centenas, tão somente Mathew relaxou. Sentou-se na cadeira com os pés esticados sobre a escrivaninha e acendeu um charuto. Ficou se distraindo com as atualizações de seus agentes que vigiavam o ufólogo Vegina através do móbil, enquanto imaginava o escândalo nacional que abalaria o país ao final do dia. Era excitante imaginar o momento em que a notícia e as imagens do presidente ao lado do óvni estivessem na mídia de todo o país. Seria o grande prêmio por todo esforço e o brilhante trabalho de espionagem operado nos últimos dias.

Nesse instante, alguém bateu à porta de seu escritório interrompendo sua ansiosa meditação: era Carrol.

– Entre, coronel – convidou Mathew. Carrol abriu a porta, pôs-se dentro do escritório e questionou:

– Já de pé? – disse casualmente. – Estava indo ao meu escritório passar uma circular, mas como vi que a luz da sua sala estava acesa, vou lhe repassar agora, tudo bem?

– Tudo bem – anuiu Mathew. O coronel, então, sentou-se na cadeira à frente da escrivaninha e ditou a circular para o tenente redigir. Apenas ordens relacionadas à logística de desmantelamento do posto zero, nada demais. Assim que terminou, Carrol levantou-se para sair. Nesse instante, vislumbrou as caixas empilhadas em um canto da sala, então questionou:

– Que caixas são essas?

– É a documentação completa do caso que o senhor me pediu para separar – justificou Mathew, sem se abalar. Naturalmente, as etiquetas das caixas não estavam à vista.

– Claro. Despache-as assim que puder para o Instituto SETI aos cuidados do responsável pelo caso – ordenou Carrol, então girou os calcanhares em direção à porta.

– Serão enviadas assim que bater o horário do expediente, coronel.

Não obstante às caixas, Carrol não viu os cinco envelopes que Mathew organizou e que estavam guardados em uma gaveta de sua escrivaninha. Os envelopes continham um resumo do caso e suas provas mais contundentes, tais como os laudos envolvendo os óbitos ocorridos durante o operativo, a prisão ilegal de Hut Cut e as gravações mais comprometedoras com as figuras de Carrol e do presidente. Só faltava anexar o contrato assinado por ambos e a fita de Harrys. Assim que os obtivesse, os despacharia junto às caixas para diferentes destinatários, a começar pela TV de Picacho, sendo uma das cópias para o tenente Nigerman Filho, subdelegado do distrito local, o oficial que assumiu o lugar de Hut Cut, um amigo bem próximo do xerife. Assim que o coronel iniciasse a Operação Pino, seu plano seria colocado em ação – agendou Mathew. Seria o momento perfeito para fugir, aliás, já tinha em mente até para onde iria após despachar os documentos: sua casa de praia em Los Angeles – mais uma "casa segura", mas particular, que não constava em seu imposto de renda e cuja escritura não levava seu nome. Onde aguardaria os desdobramentos da denúncia e decidiria qual seu próximo passo: fugir ou render-se às autoridades.

Sabia que, se fugisse, provavelmente seria caçado pela polícia e, certamente, pela própria CIA. O melhor que podia fazer, em um primeiro momento, era ficar quietinho em seu canto na praia acompanhando os desdobramentos do caso e exercitando alguns contatos. Entre tais contatos, seu advogado, para saber se conseguiria negociar uma pena mais leve ou até livrar-se de qualquer punição em troca de seu testemunho. Caso isso não fosse possível e se visse obrigado a encarar uma longa pena prisional, então desapareceria para sempre. Pegaria um jato privado e voaria para a Ilha de Páscoa, onde requisitaria asilo político aos comunistas. Seria fácil negociar informações em troca de cidadania em qualquer país do bloco germânico. Poderia mudar-se para a Europa onde resgataria seu dinheiro, somando alguns milhões de dólares, depositados em um banco belga – um país neutro que permitia operações financeiras entre os blocos rivais. Então teria uma vida tranquila e confortável até o fim de seus dias, sobretudo, livre de Carrol.

É claro que Mathew estava implicado na denúncia até o pescoço, afinal, havia colaborado com os atos mais hediondos do caso, tais como o assassinato de Jorge, a prisão de Hut Cut e o sequestro do filho do major Hunter. Por outro lado, o tenente não era ingênuo a ponto de entregar as provas que o incriminavam diretamente nas mãos das autoridades. Visando dirimir sua culpabilidade, desde que começou a preparar o dossiê, tratou de rasurar seu nome dos papéis e a editar as gravações que constavam sua voz; em alguns casos, apenas distorcendo o som para que não fosse identificada; noutros, apagando-a das fitas. Apesar disso, não tinha ilusões de que sairia ileso das investigações; era certo que seu nome seria atingido. Seu nome aparecia em documentos fora do alcance de suas mãos ou de seus espiões; havia testemunhas, Hut Cut era uma delas. Além disso, quando Carrol fosse indiciado, igualmente o acusaria pelos crimes e falcatruas, tentaria torná-lo um bode expiatório. De qualquer modo, assegurou-se em não fornecer nenhuma prova direta que o implicasse no caso, certificou-se até em vestir luvas de látex ao preparar os documentos para que não contivessem impressões digitais suas.

Assim, sem nada que o incriminasse diretamente em seu conteúdo, Mathew aguardou pela abertura do expediente da base para despachar as caixas. Quando bateu 0600, ordenou ao cabo Emílio organizar uma escolta para levá-las à casa segura em Roswell, o escritório clandestino de onde coordenava seus agentes, cúmplices no caso, embora não soubessem disso. Em seguida, dirigiu-se ao refeitório da base e fez seu desjejum matinal. Depois, encaminhou-se para a central de escuta da C-11 para monitorar as ações do dia e aguardar pelas peças que ainda faltavam anexar àquelas caixas, o que faria pessoalmente depois que fugisse: a fita de Harrys e o contrato do presidente. Lá permaneceu monitorando toda comunicação da base e do posto zero, ansioso por novidades.

Houve um momento de tensão, mas nada relacionado ao operativo do posto zero, e sim com a ação de seus agentes no encalço de Vegina, que quase permitiram a raposa escapar mais uma vez. No instante em que a van do ufólogo e a viatura da polícia se esgueiraram pela servidão de terra em Tinnie, os agentes estacionaram na interestadual para aguardar seus próximos movimentos através do rastreador que implantaram no carro policial. Mas quando a van de Vegina retornou para a rodovia com Hills ao volante e Aurélio ao seu lado, imaginaram que o ufólogo também estaria no veículo e começaram a segui-lo. Seguiram-no até o *Space Center* em Picacho, onde Hills desceu da van ao lado de Aurélio, já sem as algemas pelo que notaram com o binóculo, e ambos entraram no museu. Passados uns dez minutos, uma viatura apareceu na rua – não a de McCorn –, Hills deixou o museu e foi embora com ela. Foi só então que os agentes caíram em si que Vegina não estaria na van. Foram até ela discretamente e checaram pelas janelas, imediatamente perceberam que o pacote não estava ali. Constatado o erro que cometeram, retornaram às pressas para a entrada da estradinha em Tinnie e, por sorte, conseguiram recuperar o sinal do rastreador da viatura de McCorn – todavia, não sem antes levarem um tremendo esculacho do tenente.

Já na monitoria ao posto zero, estava tudo acontecendo como o previsto. Logo veio a informação de que Harrys estava retornando à base, instante em que o cabo Emílio foi recepcioná-lo no heliporto. Quando voltou, comunicou ao chefe:

– Aqui está a fita, senhor – disse ele retirando o cassete de baixo da camisa.

– Ótimo, despache-a imediatamente e ordene ao pessoal que façam oito cópias, entendido?

– Sim, senhor. Oito cópias.

– Em seguida, desça ao terceiro subsolo e prepare nosso hóspede para a despedida – ordenou Mathew referindo-se a Martin Healler, o namorado de Vegina. Ainda acrescentou: – Me avise assim que ele completar o *check-out*.

– Avisarei, senhor.

Emílio retirou-se imediatamente no cumprimento de suas ordens. Assim que ele saiu e deixou Mathew, o tenente esfregou suas mãos e riu consigo próprio. *Agora só falta o contrato*, pensou. *Só mais esse contratinho e estarei livre de tudo, livre* dele.

Porém, para que essa liberdade finalmente fosse sua, o tenente teria de aguardar a abertura do expediente da Casa Branca e seu rígido cronograma diário de despachos. Um cronograma que não seguia seus planos, mas a agenda de Mister Andrews, que havia marcado o envio da documentação assinada pelo presidente para as 9h30 daquela manhã.

116

Enquanto tais tramas paralelas se desenrolavam – Vegina à beira da morte; Mathew em vias de triunfar em seu complô –, no centro da narrativa não houve drama maior ao vivido por Nhoc em suas duas âncoras: no pé do Algomoro escondido sob os cactos; mas especialmente na China, no interior da câmara secreta atrás da sala do trono do antigo imperador, onde se concentrava a parte mais substancial de sua população multividual.

Ao captar a mensagem de efetivação da conexão *Cosmo-Oilray* na mente de Willa, a princípio, Nhoc imaginou que fosse bazófia da alienígena. Ela não queria admitir que estava perdida no passado e que todos os seus planos, cálculos e prazos para obter contato com o futuro não passavam de um fiasco total. Chegou a ensaiar uma frase bem irônica para devolver a zombaria, mas captou um forte fluxo mental em sua cabeça quando ela passou a redirecionar seus focos, de maneira massiva através de seu multivíduo, para atender a recepção e transmissão de dados da consciência cósmica. Foi então que captou aquela sinapse inconfundível, a sequência que se sobrepunha e traduzia-se instantaneamente ao moldar-se no interlocutor, aquele comando peremptório, aquela *voz* que lhe trazia um turbilhão de sentimentos, a voz de *Nova*:

– Cara Willa, você tem… – era a sinapse do *Pai*, mas Nhoc não queria… Não se permitiria captá-la:

– **Nãooooooooooooooooo!!!!!!** – irrompeu ele antes que a frase prosseguisse. Tomado pelo desespero, suplicou para Willa: – Não!! Não e não!!! *Corte a conexão! Não posso captar essa sinapse. Ele não pode saber que estou aqui. Não! Por favor, Willa, não estou preparado! Eu imploro,* **afasta de mim essa voz! Cale esse Pai!!!!!!**

– Calma, Nhoc. O peço calma – partilhou Willa enquanto captava o multivíduo de Nhoc ecoando uma onda de pânico. Seus micos saltitaram e grunhiram em total frenesi no fundo da câmara. Um tapava os olhos; outro, a boca; e um terceiro, os ouvidos.

Não!! – Ele não! – Ele nunca! – Ele jamais! – Por favor, não, calem-no! – Eu tenho medo. – Prefiro a morte!!

Então Willa captou Nhoc emitir o comando:

– Iniciar autofragmentação cerebral. – Suas vertentes mais radicais estavam cometendo *seppuko*. No calor da situação, Willa não desperdiçou fótons e cedeu ao pedido dele antes que a situação escalasse:

– Consciência cósmica desconectada – anunciou. – Calma Nhoc, pare. Ele já foi...

– Obrigado, Willa. Obrigado! *Pela misericórdia do Dragão*, obrigado – partilhou em alívio o alienígena. Todavia, um pouco tarde para alguns de seus pares, cerca de 64, os quais vieram a óbito.

Apesar do alívio momentâneo, Nhoc permaneceu desesperado:

– Não, Willa! Não posso estabelecer contato. Não permita que saibam que estou aqui! *Pelo bafo do Dragão*, não permita!

– Está convicto disso? Justo quando enfim saberemos qual foi o desfecho da expedição de Di Angelis?

– Eu não quero saber! Meu totem não pode ser vinculado ao dele, por favor... Eu tenho direito à ignorância! – continuou ele, histérico.

– O *upload* é automático – informou Willa. – Isso está além de minhas faculdades.

A informação fez Nhoc entrar em pranto sináptico:

– Nãããão...

– Os dados já estão sendo cooptados pela consciência cósmica, sinto muito – consolou a alienígena. Nhoc permaneceu em estado de choque, em total desespero com a situação. Willa precisou de toda sua paciência e complacência para acalmar não apenas a ele, mas seus micos também, que precisaram ser hipnotizados brevemente tal o estresse do momento.

Essa reação, porém, em nada se iguala com o que sucedeu com os pares de Nhoc escondidos no pé do morro Algomoro. Vestido com sua tradicional túnica que trouxe consigo da China, Nhoc mirou Willa ao seu lado – embora ela estivesse invisível –; em seguida, mirou a *Nave;* depois voltou seu olhar para Steve Limbs sentado à mesa, munido dos aparatos com os quais tentava comunicar-se com os alienígenas. Mais ao fundo, uns 30 metros, logo acima do buraco da fundação onde pairava a nave, os psicólogos Harrys e Murray postavam-se na porta do *motorhome* de Limbs – ocasião em que um foi acordado pelo outro querendo comunicar-se com Carrol[31]. Como se escolhesse em quem confiar, ou naqueles alienígenas representantes do *Pai*, ou nos homens com quem por largo convivia, o alienígena teceu sua escolha.

Sem sobreaviso, Nhoc ergueu-se e saiu deslizando pela encosta do morro em direção à *Nave* e Limbs ao lado dela, cerca de cem metros à sua frente. Willa quis impedi-lo, mas não podia forçá-lo a manter-se onde estava – bastaria ampliar a força de

---

[31] No final do capítulo XIII.

seu campo magnético extensivo para imobilizá-lo, mas estava impedida de interferir em seu arbítrio. Tudo que fez foi segui-lo mantendo sua invisibilidade e apelando para que parasse. Não obstante, não poderia afastar-se dele mais que alguns metros, caso contrário Nhoc perderia o suporte medicinal provido pela quântica, sem o qual ele sequer conseguiria ficar em pé e correr como naquele instante de desespero.

– Por favor, Nhoc, pare! – apelou Willa, tentando trazê-lo de volta à razão antes que fosse visto por Limbs, Harrys ou Murray, os únicos que se mantinham no pátio do posto zero naquele instante. – A consciência cósmica está *offline*, tenha calma – acrescentou. Porém, ele continuou em frente.

Ao captar a cena do interior da *Nave*, Sam ficou igualmente chocado com a atitude intempestiva de Nhoc. Na tentativa de evitar maiores embaraços, já que a consciência cósmica estava observando tudo através de sua percepção e dos sensores da *Nave*, teceu uma ordem drástica para Willa:

– Abandone-o – comunicou. Ou seja, uma ordem para que Willa desfizesse seu campo magnético.

– Ele perecerá se fizer isso.

– Ele já teceu sua escolha.

– E eu já teci a minha: não. – Teimou Willa. – Enquanto estiver aqui, é meu dever ético manter o suporte que eu mesmo ofereci – acrescentou e continuou arguindo com Sam em foco paralelo. O chefe ainda sugeriu:

– Hipnotize-o!

– Ele é imune.

Já no foco atual, sem alternativas, restou a Willa seguir Nhoc de perto, apelando para que parasse e retornasse ao seu esconderijo no morro. Mas ele não parou. Seguiu adiante em direção a Limbs, que se mantinha de costas e alheio à figura que corria em sua direção. Ainda era noite, portanto Murray e Harrys não o perceberam correndo no meio do pátio. Isto é, pelo menos até o instante em que o alienígena começou a agitar seus braços e gritar pedindo socorro:

– 救命！救命！ – Em seu desespero, Nhoc, que era poliglota e dominava grande parte dos idiomas terrestres, incluindo inglês, nem notou que falava mandarim.
– 請幫幫我！

Nesse instante, Limbs virou-se para trás e viu a estranha figura vindo em sua direção. Jamais lhe passou pela mente que se tratava de um alienígena. A princípio, pensou que fosse um funcionário qualquer, apesar da estranha vestimenta que cobria seu corpo e o capuz sobre a cabeça. Algo similar passou pelas cabeças de Murray e Harrys quando, finalmente, notaram a figura berrando e correndo pelo pátio. Também não distinguiram sua natureza no momento em que, durante sua corrida desembestada, o capuz da criatura caiu para trás, expondo sua face. Em um primeiro olhar, aparentava um homem mulato com um capacete da cor da pele sobre a testa. Só não entendiam o que estava gritando:

– 請 救 救 我!

Nesse momento, porém, a criatura já estava descendo a rampa ao fundo do buraco onde se encontrava a *Nave* e as mesas com os aparatos de comunicação, um ponto já bem iluminado pelos holofotes, portanto Limbs a distinguiu nitidamente: um alienígena cinza com um par de olhos inexistentes em sua memória e uma cabeça cuja grandeza por si só era extraterrestre. Ainda assim, quando ela aproximou-se, imaginou que fosse uma pegadinha, que era um homem fantasiado lhe pregando um susto. Fato que assustou mesmo. Assim que o ser precipitou-se sobre si como um louco, Limbs ergueu-se da cadeira em um reflexo de pânico. Tentou afastar-se para trás em um movimento brusco e acabou virando a mesa dos computadores – caiu no chão junto com ela. Nhoc vinha logo atrás e tropicou nos aparatos espalhados pelo chão – caiu em cima de Limbs.

– 您 需 要 保 護 我 免 受 他 們 攻 擊, 保 護 我 免 受 他 攻 擊! – esgoelou-se o alienígena, deitado sobre o homem com o rosto praticamente colado no nariz do apavorado engenheiro. Um pavor genuíno ao racionalizar que não era pegadinha, mas de fato um extraterrestre o agarrando e gritando, o que fez também:

– Socorro! Socorro! – berrou Limbs.

Instintivamente, tentava desvencilhar-se da criatura sobre si. Mas ela o agarrou com força, como se o engenheiro fosse sua tábua de salvação. O ser era ágil, envolveu-o pela cintura, imobilizando seus braços e comprimindo-o em um abraço sufocante. Não conseguia nem mais gritar, o ar começou a lhe faltar.

– Controle-se Nhoc, por favor. Você está machucando esse homem, pare. Eu te imploro, acalme-se, pelo amor dos *Dragões*! – clamou Willa na mente do homiquântico, apelando para sua fé, dado que a razão estava perdida.

Murray e Harrys precipitaram-se sobre Limbs assim que ele foi atacado pelo suposto homem. Quando se aproximaram, hesitaram um instante ao reconhecerem a natureza alienígena da criatura.

– Wow, wow! – expressou Harrys, tomado por um pânico imediato. Murray apenas anunciou o que viu:

– É um etê! – Porém, nem pensou em dizer mais nada, pois o etê estava sufocando Limbs enquanto vociferava sons como um animal selvagem. Seu instinto foi acudir o colega em agonia.

Murray tentou afastar o etê de Limbs, puxando-o com toda a força, mas ele não cedia. Harrys ficou paralisado, apenas observando a cena de queixo caído. Somente quando o colega gritou pedindo que ajudasse, finalmente entrou em ação e tentou puxar o etê também. Os dois psicólogos lutaram com todas as forças para livrar Limbs, mas o etê tinha uma força sobrenatural, quanto mais tentavam fazê-lo largar o engenheiro, mais forte ele se agarrava nele. Gritaram por ajuda. Murray tentou socar a cabeça da criatura, depois chutou-a com violência, mas ela parecia não sentir as pancadas, apenas segurava-se em Limbs. Completamente submisso, o rosto do engenheiro começou a ficar roxo; estava sufocando e acabou perdendo os sentidos.

O horizonte era eventual, mais um instante e Limbs estaria morto. Para que não fosse cúmplice, Willa cedeu:

– Reduzir carga fotônica em .13. – Com o comando mental, o campo magnético que dava suporte a Nhoc cessou imediatamente, reduzindo seu giro cardíaco à rotação mínima para mantê-lo vivo, minando suas forças corporais por completo. Nhoc desvaneceu sob um suspiro e seu corpo relaxou, como se houvesse desmaiado. Sua mente, porém, permaneceu ativa. A ausência do suporte de Willa baixou sua frequência, fator que acalmou seu pensamento, fazendo-o perder o raciocínio como se o Alzheimer o atingisse com toda sua senilidade. Mas era só estresse do momento, do pavor que lhe corroeu a alma ao captar a sinapse do *Pai*.

– Já passou, Nhoc. Fique calmo, circule seus fótons, circule – partilhou Willa, tentando ser gentil. Aproveitou a oportunidade e estabeleceu seu ambiente privativo em torno do homiquântico – sua casa de Miami –, transformando sua mente em um consultório psicoemergencial para socorrer ao combalido animal. Posicionou-o deitado de costas sobre o sofá da sala de estar e, como uma autêntica terapeuta, sentou-se na poltrona ao lado para ouvir seus lamentos.

Na cena do Algoromo, Murray tratou de atender Limbs. Checou sua pulsação e constatou que estava vivo, apenas sem sentidos. O astrobiólogo Nickson, que se encontrava desmontando seu laboratório na parte de fora do biombo que delimitava o pátio – mas ouviu a gritaria toda, especialmente quando os colegas clamaram por socorro –, finalmente acudiu a cena. Pasmo ao deparar-se com o ser alienígena caído no chão ao lado de Limbs, disse:

– Meu Deus! O que é isso?! – exclamou. Sobre Limbs, indagou: – Ele está morto?

– Não, ele desmaiou – elucidou Murray. Em seguida, passou a liderar os colegas. Mandou Harrys buscar o sargento Rodriguez no dormitório, depois virou-se para Nickson e pediu: – Me ajude a carregar esse etê pro *motorhome*.

– Mas e Limbs? – duvidou o astrobiólogo. – Vamos deixá-lo aí?

– Já já cuidamos dele. Ele tá só dormindo. Precisamos colocar essa coisa na van primeiro...

Os dois pegaram o etê pelo ombro e pelas pernas, carregaram-no até a van e o acomodaram sobre o colchão improvisado na caçamba do veículo. Nhoc murmurou palavras incompreensíveis, mas não tinha como resistir, não conseguia mover-se sem o auxílio de Willa; apenas entregou-se aos homens, feliz por estarem-no ajudando. Willa manteve-se tentando acalmar sua mente.

Na continuação, Harrys retornou à cena ao lado de Rodriguez, que chegou com uma expressão alarmada e o fuzil em punhos. Murray tratou de acalmá-lo:

– Tá tudo bem agora, mas fique atento. Vigie a van, tudo bem?

– Ele é perigoso? Atacou Limbs? – indagou o sargento, ainda aflito enquanto observava o ser dentro da van através da dupla porta traseira.

– Não sei se ele quis atacá-lo. Me parece que a criatura estava tendo um surto, uma reação de pânico. Agora está paralisada pelo choque, talvez doente. De qualquer modo, fique de olho – recomendou Murray, voltando seu olhar para o fuzil nas mãos do sargento, então acrescentou: – Aliás, preciso buscar minha arma também...

Com o etê acomodado na van, os demais acudiram Limbs. O engenheiro recuperou a consciência, mas não se refez do abalo psicológico nem das sequelas de seu contato imediato: fraturou quatro costelas e precisou ser evacuado ao hospital da base, onde ficaria de quarentena. Harrys aproveitaria o momento para acompanhar o engenheiro e levar a fita clandestina escondida sob a camisa para entregá-la ao tenente Mathew.

Na sequência, Murray retornou à van ao lado de Nickson e os dois tentaram interagir com a criatura, mas Nhoc nem as escutava, sua mente estava plenamente ocupada pelo diálogo com Willa, a alienígena invisível sobre o *motorhome*. Como as coisas já estavam mais calmas, ela tentou convencê-lo a voltar atrás:

– Nhoc, por favor, pense com calma. Você não pode permanecer com esses homens. Você precisa sair daí.

– Estou perfeitamente calmo, mulher. Melhor, estou seguro. Muito mais seguro com eles do que com ti ou com *ele*... – referia-se ao *Pai*.

– Se ficar com esses homens, eles o transformarão em um prisioneiro de laboratório, não compreende?

– Nada diferente do que tu pretendes fazer comigo... Todavia, ao menos estarei a salvo *dele*.

– Sua fobia é infundada, atualmente o *Pai* é muito diferente da incipiente entidade com quem conviveu em sua época. Tecnicamente, são robôs totalmente distintos – o que era fato, pois o antigo *Pai*, ou *Nova*, como conhecido por Nhoc, tinha sido absorvido pelo metarrobô correspondente da sociedade reptiliana pela ocasião da Acoplagem Pentadimensional, e desde então era casado com a *Mãe*.

– A quem pensas que engana? Só se for a ti mesma – acusou Nhoc. – É compreensível, afinal, és tu quem permanece sob o jugo de tal robô – ironizou.

Apesar de ainda abalado após o surto, de alternar sua incontrolável personalidade sarcástica com o choro mental que ecoava em seu multivíduo, ao telecinar com

Willa nesse instante, o sentimento que eletrificava as sinapses de Nhoc era a *raiva*. Raiva da alienígena por estar correta em suas proposições, por realmente ter conseguido estabelecer contato com o futuro, por conseguir em poucos dias o que nunca conseguiu durante milênios, exceto nesse momento quando o limite Alzheimer batia a sua porta. Raiva maior dele, *Nova*, por tê-lo aprisionado naquele mundo distante, mas, sobretudo, por ter agraciado àquela alienígena com aquilo que lhe foi privado. Aquela alienígena que, no corrente, colocava-o no mesmo plano *dele*, queria acareá-lo com *ele* – como se fosse um arauto da sinapse paterna que reaparecia para um último tormento antes da morte. Um arauto que, depois de tantos horizontes, saciara-lhe a solidão comunicativa que sempre o assombrou, mas agora estava roubando a companhia que ofereceu, pois tinha um futuro para retornar e, então, deixá-lo só novamente.

– Eu não vou deixá-lo, Nhoc. Ficarei contigo até o fim – partilhou Willa, tentando consolar o triste alienígena.

– Aqui na Terra, neste pretérito?

– Sabe que o fim desta Terra está bem próximo, mas esse não precisa ser o *seu* fim, ou o nosso.

– Ilude-te em levar-me embora contigo, eu sei...

– Sim. Será um novo começo. Somente então estaremos juntos até o fim – apelou Willa em tom sentimental. Mas seu interlocutor não ficou convencido:

– Deixe-me só. Quero ficar com esses homens. Pouco importa o que farão de mim... – suplicou Nhoc, largando sua máscara irônica e cedendo à tristeza que o consumia, traduzindo em sinapses o choro cujas lágrimas não era capaz de produzir.

Em paralelo, na cena do Algomoro, os fatos continuavam a se suceder um atrás do outro. O coronel Carrol foi atualizado dos novos acontecimentos e ordenou que trouxessem o etê para a base a fim de acondicioná-lo em um local "mais apropriado", segundo suas palavras. Murray o convenceu a manter o etê onde estava, pois, claro, supunham que fosse um passageiro do óvni ali estacionado, de modo que seria conveniente mantê-lo perto de sua nave, ao menos por ora. Seguindo a sugestão do psicólogo, Carrol decretou quarentena no local e deslocou uma equipe de paramédicos para ficar de plantão à disposição do time. Ordenou que ninguém, além do time, poderia manter contato com a criatura. Em contrapartida, alocou algumas tropas para vigiar o perímetro do posto zero. Não obstante, enfatizou que ninguém ultrapassasse o biombo que cercava o local a menos em caso de extrema necessidade, condicionando os soldados às ordens do sargento Rodriguez.

Dadas às circunstâncias, as ordens de Carrol eram convenientes para Willa; ao menos concediam um horizonte para tentar convencer Nhoc a desistir da ideia de entregar-se aos homens. Se possível, também fazê-lo entender que embarcar na *Nave* era a única alternativa viável. Não porque estivesse preocupada com o destino que ele teria nas mãos de Carrol, pois sabia bem qual seria esse: a morte. Embora fosse simpática à dor e ao sofrimento de Nhoc naquele momento, se ele realmente prosseguisse na loucura de entregar-se ao coronel, Willa não teria escolha senão cessar completamente sua assistência magnética ao homiquântico, assim o condenando a morte. Por questões éticas, não poderia ser cúmplice de um contato imediato que infringia os estatutos de sua missão na Terra – mais do que já havia infringido –, especialmente nesse contínuo em que a consciência cósmica acompanhava os fatos no Algomoro ao vivo, embora estivesse desconectada dos pares que interagiam diretamente com Nhoc. Não obstante, Willa mantinha focos paralelos conectados com seus pares atualizando as novidades e a repercussão em torno de sua expedição. Novidades que faziam do drama de Nhoc algo secundário em relação ao impacto que a expedição causou ao conectar-se com o futuro.

Mexia com os brios da alienígena o fato de os homens associarem a presença de Nhoc com a *Nave*; era como creditar a um animal extinto a autoria de seu projeto expedicionário. Impedida de interagir com os homens como estava, era obrigada a assistir ao homiquântico tomar o lugar que não podia ocupar. Até a *Nave* igualmente desgostou do fato de pensarem que seria pilotada por um ser de segunda classe como Nhoc, mas como não se interessava pela cultura hominídea, não gastou muitos fótons com a questão. Até porque, após a conexão com a consciência cósmica, muito em breve recuperaria sua navegabilidade; era apenas uma questão de curto horizonte para que, finalmente, pudesse abandonar o sítio onde estava e livrar-se da presença de qualquer homem enxerido ou daquele inconveniente homiquântico e suas manias psicóticas.

Contudo, para Willa, a coisa ia além. Pior que observar o homiquântico ser confundido com os verdadeiros expedicionários era o fato de ele colocar por água abaixo toda a discrição com que lidou com os homens ao redor da *Nave* até então. Fosse para observar o homiquântico entregar-se aos soldados, teria ela própria feito isso – certamente seria capaz de conduzir um contato muito mais produtivo do que aquele débil alienígena. Por outro lado, após a conexão com o futuro, sua necessidade de discrição tornava-se secundária, pois compartilhava a expectativa da *Nave* em recuperar sua navegabilidade e deixar o sítio local antes que a situação se agravasse – especialmente nesse momento em que o fecho se cercava com o tenente Mathew planejando sua denúncia para o decorrer do dia. Não obstante, antes que pudessem deixar o local, Willa queria não só convencer Nhoc a embarcar na *Nave* – pouco importando se alguém pensasse que ele tinha vindo para a Terra nela –, mas fazê-lo reverter o contato que havia estabelecido com os homens de Carrol. Se pudesse, Willa hipnotizaria a todos no posto zero e carregaria Nhoc para a *Nave* ou de volta ao seu esconderijo na base do morro. Mas como não podia fazer isso, apelou:

– Por favor, Nhoc, apague esse contato da mente deles e retorne comigo. Você não precisa deles para ficar em segurança.

– É tarde demais, Limbs e Harrys não estão mais aqui para que possa ludibriar suas mentes...

– Mas você pode minimizar o impacto desse contato antes que a situação torne-se irreversível.

– Irreversível pra quem? Ora, pra mim a situação já é irreversível. Permita-me a honra de perecer ao lado dessas criaturas. É tudo que lhe peço. Deixe-me só.

– Não, Nhoc. Venha comigo, é sua única saída. Você não queria embarcar na *Nave*? A oportunidade se abre nesse contínuo. Venha, não tenha medo – apelou Willa, em vão.

– Para quê? Para que tu desfrutes da prova material sobre os achados de tua excursão pretérita? Eu que te peço, te imploro. – Nhoc intensificou seu choro mental. – Permita-me o anonimato de não participar dela. Deixe-me nesta Terra à qual pertenço.

– Isso não será possível, Nhoc. Você tem consciência disso.

– Não! – exclamou ele. – Eu não quero ser reconhecido por tua realidade. Aliás, eu não reconheço a tua realidade. Esse mundo não pertence a mim, nem eu devo pertencer a ele.

– Isso já está além da minha vontade. Uma vez que a conexão com a consciência cósmica foi estabelecida, não posso mais controlar as informações que são transmitidas para o futuro, você sabe disso. Você tinha plena ciência disso quando me permitiu ler sua mente.

– Essa permissão foi concedida a um ser que estava tão perdido neste passado quanto eu. Não teria dado permissão se soubesse que as comunicaria ao *Pai*.

– Do que tem medo, Nhoc? O que te aflige?

– Sabes perfeitamente o que me aflige. Tu és testemunha de tudo que fiz, dos crimes que cometi ao me inserir em um *habitat* ao qual não pertenço, de brincar com os homens como se fosse um deus. – Nhoc interrompeu a frase para conter o choro que atrapalhava sua dicção sináptica, depois continuou: – Não entende? Não estou preparado para isso... Por favor, não me exponha à consciência cósmica, não permita que *ele* saiba que estou aqui... – Então retomou seu choro com toda força.

– Infelizmente, eu não tenho mais poderes para impedir que saibam o que está acontecendo aqui. Posso controlar apenas o que está em minha mente, mas jamais censurar meus colegas. O *Pai* já sabe que está aqui, a consciência cósmica já fez onisciente o totem Adonis_844535239 – vaticinou Willa, referindo-se ao totem original de Nhoc, levando o alienígena a uma nova catarse de choro e desespero. Quando ele se acalmou, Willa sugeriu:

– Compreendo seu temor em não querer defrontar-se com a consciência cósmica, que não queira encarar as críticas pelas abduções que cometeu. Mas não gostaria de saber qual foi o destino de Di Angelis depois que deixou a China?

– Isso não me importa mais – negou Nhoc. Todavia, Willa não lhe poupou a verdade:

– Tua circulação não condiz com o que expressa. Sei que está mentindo.

– Que seja! Então mintas tu, partilhe que Di está vivo, que retornou são e salvo de nossa malfadada excursão. Expresse o que eu anseio saber se pensas que assim me convencerá a seguir contigo.

– Muito pelo contrário, não há nenhum registro de retorno da expedição capitaneada por Di Angelis. Sinto informar que ele fracassou em sua tentativa de regresso. Porém Di... – Willa foi interrompida por Nhoc:

– *Porém*, não serei eu a retornar. Não há qualquer motivo racional que sustente essa possibilidade, pois o futuro ao qual pretendes me levar não é mais o mesmo que um dia sonhei voltar. – Birrou o homiquântico. Entretanto, Willa já havia conseguido atiçar sua curiosidade. Ao ser lembrado de Di, ele questionou: – E quanto a Xwer? Que notícias têm dele?

– Xwer teve uma vida plenamente ordinária. Faleceu em Titã em um ritual de fotolização[32] assim que atingiu o limite Alzheimer. Ele dedicou sua alma ao grande amor de sua existência: Adonis_844535239. *Além disso...* – Willa retomou a sentença antes interrompida por Nhoc: – Di Angelis ainda subsiste como robô.

– É mentira! Pensas assim apenas para que aceite embarcar na *Nave*. Pare com isso, eu suplico que pare! – pediu aos prantos: – Cesse essa tortura mental, imploro-te...

– Se não crê em minhas sinapses, retorne comigo para o futuro e cheque por si mesmo se estou mentindo – desafiou Willa. Nhoc foi sincero ao responder:

– Eu realmente estive inclinado a aceitar tua proposta, apesar de cético quanto à possibilidade de que realmente fosse conseguir retornar para o futuro, mas esse desejo passou. Fico aliviado por saber qual foi o destino de meus antigos companheiros, mas não será isso que me seduzirá em retornar contigo para o *inferno* de onde veio – expressou com certa raiva ao final.

– Posso conectá-lo com Di neste instante, se quiser. Ele expressou curiosidade a teu respeito. Está deveras intrigado por você ter sobrevivido em pretérito após tão largos horizontes ultrapassados na linha-continuada.

– Depois de tantos horizontes, só isso que ele expressa?

Sim, era apenas isso. Afinal, Di Angelis não era mais o mesmo robô que Nhoc namorou no passado. Ele havia refinado sua programação, alinhado sua linguagem

---

[32] Um ritual que consiste em banhar-se na radiação solar até que ela o consuma por completo.

de acordo com a evolução do período, havia mixado-se com outros robôs. Um robô que viveu altos e baixos, pois também perdeu muitos dados no período da Guerra da I.A. e do Apagão Marciano. Atualmente, já constituía um metarrobô, e o que restava de Di Angelis resumia-se a poucas linhas de código fazendo menção às suas capacidades como engenheiro naval. No cosmo de Willa, Di Angelis não era mais um simples campeão de Fórmula; fazia parte de um complexo sistema automatizado de sincronia da esteira cósmica de produção de naves interdimensionais. Inclusive, era um dos robôs que havia colaborado com a confecção da *Nave*. Ainda assim, subsistia nele um arquivo que memorizava Adonis_844535239, que gravava parte da convivência com ele até o instante em que se separaram pela ocasião da partida do dimensionauta rumo ao pretérito.

Apesar de Di não ser mais o mesmo, Nhoc partilhou saudades em reconectá-lo, porém, não estava disposto a expor-se à consciência cósmica apenas para dar vazão a um sentimento há muito esquecido, portanto continuou negando o convite de Willa:

– Muito obrigado, mas não tenho interesse em comunicar-me com ele. – Teimou.

– Teme o que ele pensará de ti quando souber de tua abdução. Compreendo.

– Não, tu não compreendes! Só eu sei o que vivi, do quanto me arrependi de minhas atitudes, algo que talvez pudesses compreender se ficasses aqui comigo, perdida neste pretérito. Só assim entenderia que não há mais redenção para a minha pessoa. Peço que desista, deixe-me só. Permita-me o fim ao lado dessas criaturas.

– Já estou apegada demais a ti para permitir isso. Insisto, venha comigo, seja feliz ao meu lado – partilhou Willa sob sincero sentimento. Como Nhoc não manifestou empatia, continuou: – Não há por que temer ser julgado pelo *Pai* ou pela consciência cósmica, pelo contrário. Conforme o alertei previamente, são os meus crimes que estão sendo julgados neste exato instante. Você é apenas uma vítima da minha conduta. Não obstante, uma vítima de práticas ultrapassadas que redundaram em teu aprisionamento neste pretérito. O momento não é para que seja julgado, mas sim indenizado pelo confinamento que foi obrigado a cumprir contra vontade, contra o que o próprio *Pai* lhe prometeu. Ele que terá de responder à consciência cósmica, não ti.

– Indenização? Faz-me rir ao partilhar isso. Não existe nenhuma indenização que possa compensar a clausura que vivi. Não fossem os homens desta Terra para me apartarem a solidão, provavelmente não teria sobrevivido por tantos horizontes. A única "indenização" que me resta é perecer ao lado deles – partilhou Nhoc com tristeza nas sinapses.

– Não acredito. Sei que persiste em ti um desejo de confrontar-se com o *Pai* e cobrá-lo por leniência, de expor o caráter vil como manipulou não apenas a sua existência, mas de incontáveis homiquânticos que, como ti, mergulharam no Portal Tetradimensional à ignorância de que jamais retornariam ao plano de partida.

– Sim, é verdade. Por largo, a única vontade que me alimentou foi o desejo de cuspir nos fótons dessa entidade, de denunciar sua ganância, sua falta de caráter, sua tecnicidade desmedida de ética. Por isso me permiti as faltas que cometi, para expor através de meus erros, o grande erro dele. Ora! Se há algum culpado pela abdução que testemunhou, esse culpado é ele, *Nova* – expressou Nhoc com cólera nas sinapses. Sem notar, permitia seus pensamentos vazarem pela boca e serem ouvidos pelos militares que o examinavam dentro da van no posto zero, embora falasse mandarim.

– Ele ainda está vivo! – expressou Murray.

– Incrível! – adicionou Nickson, ao mesmo tempo chocado e temeroso com a criatura deitada sobre o colchão no interior da van.

Nos últimos minutos, os dois haviam procedido a uma examinação minuciosa do etê. Tiraram sua túnica e surpreenderam-se com a ausência de órgãos sexuais ou quaisquer orifícios além da boca e da narina. Recorreram à equipe médica enviada ao posto zero para estudá-lo melhor. Com um estetoscópio, tentaram escutar seus batimentos cardíacos ou quaisquer sons de seu organismo, mas nada ouviram, nem um chiado. Acoplaram-no a um sistema de monitoramento cardíaco, mas ao disporem eletrodos em seu peito, o dispositivo apresentou um curto-circuito e pifou. Então requisitaram um aparelho de eletroencefalograma para mapear frequências em sua cabeça, ainda aguardavam o equipamento chegar. Também inseriram um sistema de ventilação respiratória sobre sua boca e nariz, crendo que precisasse respirar. Nesse ínterim, a criatura permaneceu completamente inerte. Pensaram que estivesse morta, daí a surpresa quando ela falou.

– O que será que ele está dizendo?

– Não tenho ideia, mas parece que tá falando japonês.

– Talvez seja apenas um grunhido – sugeriu Nickson. – O que fazemos agora?

– Precisamos de alguém que saiba falar japonês. Vou ligar pro coronel – disse Murray. Então pegou o rádio para comunicar-se com Carrol.

Enquanto isso, Willa e Nhoc prosseguiram com sua troca de pensamentos, com o homiquântico a expressar seus sentimentos em relação ao *Pai*:

– Entrementes, esse navio já zarpou há muitos horizontes. Foi-se com Di quando me deixou neste plano. Já aceitei meu destino desde que me encerrei naquela câmara secreta em Pequim. Tu mesma atestas que a personalidade do *Pai* não reflete a entidade *Nova* com quem convivi... É verdade, justo por isso ele não me motiva a um confronto. Aliás, não me motiva a nada – partilhou Nhoc.

– Se pensas assim, por que teme a consciência cósmica? Perdoe-me, mas suas sinapses não traduzem a aura que emite. Ou pensa que não posso captar sua paúra em conectar-se com a consciência cósmica?

– Não, Willa, eu suplico. Não posso me conectar com teu mundo. Sim, eu tenho medo. Quer que eu confesse? Eu confesso. Sinto-me acuado, assustado. Perdoe-me se não desfruto mais da coragem que me trouxe aqui. Estou com medo, muito medo. – Chorou.

– É de seus pares que tem medo, do que pensam os membros de sua espécie. Estou correta? – questionou Willa, embora, de fato, já estivesse consciente disso.

– Sim, é isso mesmo! Maldita seja tua raça que mantém homiquânticos em zoológicos! Que não permitem a evolução seguir o curso natural de sobrevivência ou extinção das espécies. E pra quê? – questionou-se entre soluços sinápticos: – Pra que me enfies lá também? Para que eu seja a nova atração do "parque zoológico"? Pra isso, fazendo-me a grande pária interdimensional que retornou do passado pra ser julgado e incriminado pelos homiquânticos que lá vivem? Para que eu "reflita" ou me "arrependa" do que fiz? Como se eu não tivesse feito somente isso a vida inteira desde que cá cheguei nesta Terra perdida. – Nhoc captou a onda condescendente de Willa, como se ela estivesse com pena de si, então alternou o tom: – Não bastasse, para que me torne um objeto de estudo dos meus próprios pares e reconte tudo que já lhe contei. Para que meu isolamento persista através da culpa que carrego, a culpa pelos crimes que cometi.

– Refere-se a Logan.

– *Eu assassinei Logan*! Queres mais?! Eu sou um assassino! Isso é tudo que resta do herói dimensionauta que um dia mergulhou no passado. Quanto a Logan? Que mergulhou comigo... Sim, ele era um infame, mas isso não dá direito a ninguém de ceifar sua vida. Ou pensas que nunca tive ciência disso? Crês que é bobagem, né? Que o contexto é outro em tua realidade? Não, é pior, muito pior. Pois Logan não foi minha única vítima. *Eu fritei a cabeça dos homens*, centenas de centenas deles. E por quê? Porque estava só. Pro meu divertimento, pra apartar minha solidão e justificar a minha culpa pelo que fiz com Logan, um par de espécie. Agora paira em mim, por parte de meus pares "futuros", o mesmo ódio que cultivei a Logan. Eu sei que mereço o desprezo e a ojeriza deles, de qualquer um, apenas não tenho forças para enfrentar a opinião pública onde serei eu o infame. Pela última vez, eu lhe suplico, permita-me a covardia de morrer sem passar por esse martírio – finalizou, entregando-se ao puro pranto, inclusive vocalmente. Soluçando pela boca para o espanto de Murray e Nickson ao seu lado, monitorando-o.

– Ele tá sofrendo – disse o astrobiólogo.

– Ele está doente. Talvez a atmosfera local seja danosa para ele. Retire esse respirador, sim? Vamos ver se ele melhora – sugeriu o psicólogo.

Em sua dor externada, o pensamento de Nhoc o levou de volta àquela cena em que se encontrou com Di Angelis pela última vez em uma colina nas cercanias de

Pequim. Reviveu o mesmo sentimento daquele momento, no qual, por pura covardia, recusou entregar seu corpo ao raio-trator emitido por Di e embarcar nele para a jornada que, como veio a se confirmar através de Willa, provava-se uma tentativa vã de regressar para o futuro. Antes fosse esse o motivo de sua recusa: o medo de morrer confinado nas entranhas do planeta; mas foi a culpa que carregava e a vergonha que sentia pela perspectiva de confrontar seus pares de espécie que o acovardaram em embarcar. À parte as abduções que cometeu, as quais não iam além de uma falta ética, seu temor maior era ser penalizado pela morte de Logan, mesmo que Di fosse cúmplice dela. Quando Di o deixou, o avançar dos horizontes dirimiu essa culpa, mas houve momentos em que se arrependeu por ter ficado. Prometeu a si mesmo que, se houvesse uma próxima vez, se alguma nave surgisse para resgatá-lo do passado, não deixaria passar a oportunidade de retornar ao futuro novamente, que daria seu cérebro à sabatina perante a consciência cósmica e assumiria seus crimes. Mas esse desejo expressava o sentimento de um Nhoc relativamente jovem, não de um ser decrépito acometido pelo Alzheimer. De instante, tudo que lhe sobrava era a tristeza de seu destino final ali no deserto nas mãos daqueles homens, daqueles gringos – além daquela maldita presença invisível acima da van que o privara de imaginar seu último legado pelo heroísmo de sua empreitada ao passado. *Ainda bem que Xwer morreu sem saber disso*, pensou consigo, sendo esse talvez o único consolo que lhe restava.

– Eu compreendo a sua dor, Nhoc. Compadeço-me de sua angústia – consolou Willa.

– Impossível, tu jamais saberás o quanto eu sofri, senão me permitiria a paz de meus últimos dias na solidão em que sempre vivi – partilhou Nhoc com amargura. – E ficaria ao meu lado até o último instante...

– Para observá-lo sucumbir neste local desolado diante desses homens? Para que seja esse seu legado? Um corpo biológico a ser dissecado e conservado em formol? Não...

– Sim, Willa, esse é o meu desejo. Por favor, não tenha pena de mim... Não há nada que possa fazer para alterar meu destino. Meu fim sempre esteve fadado à infelicidade.

– Pelo contrário, há. Fazendo com que sua vida não chegue ao fim. Não *ainda* – insistiu a alienígena. Em seguida, buscou um argumento mais prático para convencer o homiquântico: – Ainda que fosse, afinal, não podemos negar que seria esse seu destino se cá não tivesse eu me materializado, independente disso, morrer aqui neste deserto nunca foi seu desejo. Não é o que consta em seu testamento.

– Partilhastes bem. Se cá não tivesses tu te materializado, estaria eu no túmulo que construí na China aguardando minha morte em paz...

– Depois de todo o empenho para esconder sua presença neste plano, de um instante para o outro revelará aquilo que sempre quis ocultar? Assim, para esses *gringos*...

– Pouco importa. Esses gringos jamais associarão minha presença com a China. Meu legado sino-hindu está protegido. Ademais, não desfrutarão de maiores horizontes para desvendar os meandros de minha presença aqui na Terra, né?

Provavelmente não, mas os fatos desenrolados a seguir no Algomoro desmentiam essa convicção, ao menos em parte. Momento em que Rodriguez interrompeu a análise do etê conduzida por Murray e Nickson com o anúncio:

– Senhores, o intérprete está aqui – disse o sargento.

– Já explicaram pra ele que irá traduzir a fala de um etê?

– Sim, senhor.

– Então traga-o imediatamente.

Rodriguez autorizou o acesso do intérprete, um recruta nipo-americano. Ele bateu continência para os dois tenentes no interior da van e permaneceu mudo, aguardando suas ordens. Completamente frio, sequer esboçou qualquer reação quando viu a criatura alienígena, no momento, já acomodada em uma maca no *motorhome* convertido em ambulância.

Murray apontou-lhe uma cadeira no interior da van e pediu ao recruta que sentasse ali. Sua ordem estrita era:

– Traduza o que este ser disser. Fique atento que ele pode falar a qualquer instante – alertou, dado que Nhoc havia se aquietado nos últimos minutos.

– Sim, senhor – obedeceu o recruta. Em seguida, entrou na van para tomar sua cadeira. Ao adentrar na caçamba do veículo, por acaso mirou a vestimenta de Nhoc dobrada em um canto e reparou que ela apresentava um adorno bordado com pequenos ideogramas. Intrigado, tomou a liberdade de perguntar:

– Com licença, senhores. Peço permissão para perguntar algo – disse timidamente.

– Ora, fique à vontade, homem – disse Murray, espalhafatoso como sempre.

– O que é isso? – questionou, indicando a vestimenta.

– É a roupa que o ser estava vestindo. Por quê?

– Ela apresenta ideogramas, senhor – disse, apontando para o adorno.

Murray pegou a vestimenta nas mãos e examinou-a de perto, então comentou:

– Ora, ora, nem tinha reparado...

Nickson debruçou-se sobre a roupa e complementou:

– Nem eu. Mas com tanto estresse pela situação, nem tinha como reparar nisso.

– O que dizem esses escritos? – indagou Murray.

– Não sei, senhor.

– Como não sabe? Você não fala japonês?

– Isso é chinês, senhor.

– Chinês? Mas você não entende chinês?

– Não, senhor.

– Nem um pouco? Não é tudo meio parecido?

– Nem um pouco, senhor. Sei apenas identificar que é chinês, senhor.

– Pois identifique se o etê fala chinês, japonês ou o que for, pode ser? – ordenou Murray.

– Perfeitamente, senhor.

– Se esses bordados são escritos chineses, creio que não pode ser apenas coincidência. Isso comprova que a criatura estava falando chinês – disse Nickson.

– Tem razão – concordou Murray.

– Creio que precisaremos de um intérprete chinês, correto?

– Maldição! – praguejou o psicólogo. Em seguida, virou-se para o rádio para contatar Carrol e requisitar um novo intérprete.

Em paralelo, Willa comentou a respeito:

– Como pôde captar, eles já te associaram com a China... Será que teu legado permanecerá anônimo conforme planejou? – provocou. Todavia, sem qualquer efeito, até porque havia uma larga distância entre associarem Nhoc com a China e descobrirem que ele foi seu maior imperador, portanto não seria isso que faria o homiquântico mudar de ideia.

– Tua chantagem emocional não me comove. Peço que desistas de teu convite – afirmou ele, convicto.

– Não, Nhoc, por favor, eu não posso deixá-lo. Venha comigo...

– Pare, mulher. Não seja falsa. Sei bem o que te demoves, o desejo de tornar-me um fóssil-vivo para que eu possa colaborar *em pessoa* com aqueles que me estudarão e me julgarão apenas para saciar tua glória científica. Já tens minha resposta quanto a isso. Terão de me estudar *ausentes* da minha colaboração. Desculpe-me por decepcioná-la. – Era a sinapse final de Nhoc. Ele jamais embarcaria na *Nave*, pouco lhe importava a "vida eterna" que a alienígena prometia. Sua paúra apenas por *imaginar* voltar a conviver com o mundo civilizado superava tudo. Ele simplesmente não dispunha mais da *civilidade* para retornar ao cosmo; era apenas um animal fragilizado e moribundo.

Persistente, Willa ainda tinha uma carta na manga:

– E se eu te provar que meu desejo de torná-lo fóssil-vivo é inferior ao de captá-lo apenas *vivo* no futuro? Se eu partilhar que há uma maneira de você retornar comigo sem a necessidade de confrontar-se com a consciência cósmica, o que pensa a respeito?

– Se partilhares, minha resposta continuará a mesma. Mas como tenho plena ciência de que partilharás de qualquer maneira, vamos, partilhes logo...

– Como já está ciente, seu achado está tendo grande repercussão na consciência cósmica. Meus pares já se comunicaram com muitas entidades interessadas no seu caso. Um deles é um cientista emérito do Instituto Zoológico de Phobos, uma sumidade intelectual com vasta experiência no trato com homiquânticos e na coliderança de estudos da espécie. É um livre-pensador no campo das exobiológicas com experiência prática em casos similares ao seu. Foi um dos patrocinadores da minha expedição. Ele pode te explicar em riqueza de detalhes como será possível...

– Quem é essa sumidade? De que espécie?

– Um par meu, quântico. Posso convidá-lo para juntar-se a nós?

– Apenas se prometer aceitar minha resposta não importa qual seja.

– Tens minha sinapse de que aceitarei.

– De acordo, chame o teu colega.

Foi só Nhoc assentir a visita do colega de Willa que a campainha da casa de Miami tocou. Vale mencionar que a alienígena já havia consertado a programação do local para que não vazassem resíduos da esfera virtual em que rodava seu ambiente privativo para a esfera atual da verdadeira casa da família Firmleg, de modo que ninguém ouviu nada, até porque era madrugada e todos estavam dormindo. Exceto Billy, o hominídeo daquele pretérito, que já estava acordado assistindo desenho animado na TV, sentado na mesma poltrona em que Willa conduzia sua sessão terapêutica com Nhoc.

Willa dirigiu-se à porta principal da casa, abriu-a, então cumprimentou seu colega, um quântico idêntico a si, mas trajando um jaleco branco próprio da classe científica que representava. Ela cumprimentou-o:

– Olá, Billy.

– Olá, Willa.

Em seguida, Willa conduziu Billy para a sala e apresentou-o a Nhoc. Porém, ao identificar o convidado, Nhoc pensou se tratar de uma piada ou uma farsa qualquer por parte de Willa:

– Billy? Como assim? Tu não és o Billy? Vós sois a mesma pessoa. Pensam que me enganam?

– Não no plano original que habitamos, meu caro Adonis_844535239 – esclareceu Billy, formal no linguajar. Ele telecinava diretamente de Marte, onde vivia atualmente.

– Somos pares *multividuais*. Não mencionei porque estava implícito. Todavia, percorremos tangentes distintas – complementou Willa.

– Compreendi. Mas que coisa mais... *bizarra*! – exclamou Nhoc. Dirigiu-se a Billy e pediu: – Por favor, me chame de Nhoc.

– Se assim deseja, meu caro Nhoc.

Apesar da peculiaridade e da formalidade da apresentação entre os pares, em paralelo, Billy estava empolgadíssimo por estar em contato com Willa, especialmente por ela emular seu ambiente virtual ao vivo da casa dos Firmlegs em Miami. Assim que captou o hominídeo sentado na poltrona vendo TV, quase chorou de emoção:

– Billy! É o Billy! Sou eu! Ou melhor, este é o *nosso* eu.

– Em pessoa – confirmou Willa, mas sem partilhar o mesmo entusiasmo, pois seu momento de deslumbramento já havia passado, afinal, fazia sete dias que havia feito contato com a família. Billy continuou observando o ambiente e expressando sua admiração:

– Onde estão meus antigos pais? – Então estendeu sua visão de raio-X e os captou no andar de cima no dormitório de casal. Sandy no quarto ao lado.

– Estão dormindo. São 5h42 pelo horário local – esclareceu Willa.

– Naturalmente. Mas você já extraiu o DNA deles, as amostras fundamentais, químicas, do *higgs* biológico *et cetera*?

– Certamente. Estarão disponíveis assim que a expedição retornar. Mas a polinária já está em processo de *upload* para consciência cósmica, pode acessá-la livremente.

– Vou baixá-la, porém, preciso de acesso às amostras biológicas. – Billy continuou no mesmo tom de excitação: – Meu *Pai*, essa casa... – expressou enquanto fotografava o ambiente em detalhes: – Capte essa estante! Tem uma segunda fileira de livros. Isso não constava na minha memória... E esse tapete? Nunca tinha visto esse acabamento. Você que compilou?

– Não. Trata-se de uma reprodução fidelíssima emulada *in loco*.

– Jamais poderia imaginar que tantos detalhes assim haviam me escapado da memória. É fantástico! – Fascinou-se. – Aliás, quero dar meus parabéns pela pesquisa que realizou, apesar das faltas que cometeu. Teu retrato planetário vai estabelecer um novo paradigma aos estudos hominólogos. Minhas felicitações, querida.

– Obrigada.

– Estou ansioso para baixar o modelo completo. Vou estrear a versão remasterizada de *Vida e Morte Hominídea*. Vai ser um sucesso. Você quer atuar como codiretora? – convidou Billy.

Para Willa, o momento não era o mais oportuno para discutir novas parcerias científicas ou midiáticas, afinal, havia convidado Billy para cuidar do problema de Nhoc. Mas como ele tocou no assunto, aproveitou a deixa para fazer uma proposta:

– Será um prazer atuar ao seu lado. Mas você apoiará meu projeto de extensão censitária das pesquisas no corrente pretérito? – questionou Willa. Billy assumiu uma postura séria ao responder:

– Bom, minha cara, creio que qualquer resposta minha será prematura enquanto sua expedição permanecer *sub judice*. Por outro lado, tens perfeita ciência de que o mote de suas propostas vai ao encontro dos meus interesses científicos.

– Então posso assumir que não contarei com seu apoio, pois sabemos, mais do que provavelmente, qual será o veredicto desse inquérito.

– Não necessariamente. Se aceitar o pedido que tenho a lhe fazer, apoiarei sua proposta de extensão incondicionalmente.

– Que pedido?

– Minha sincronia perceptiva. Quero estar aí dentro da sua pele.

– Não, Billy, isso não. Peça-me qualquer coisa, menos sincronizar-se em mim.

– Se quer meu apoio à sua nova proposta, terá de aceitar. Peço por favor. Sabe que meu sonho era estar aí no seu lugar. Essa é a única maneira de realizá-lo – apelou Billy.

– Entendo perfeitamente. Mas você pode manter-se conectado a mim em horizonte integral enquanto eu constar neste pretérito. Não precisa estar *em mim*, você não precisa ser eu.

– Será apenas um grupo minoritário de meu multivíduo atual, a começar por mim, por favor...

– OK, conceda-me um horizonte para refletir a respeito. De instante, se não se importa, gostaria que cuidasse do problema de Nhoc, pode ser?

– Estou aqui para isso. Um *impactante* achado... – comentou brevemente, então questionou: – Ele ainda não está convencido em doar-se como fóssil-vivo?

– Não. É relutante demais – atestou Willa. – Copie aqui a ficha dele. O que me partilha?

Billy examinou as observações levantadas por Willa e, após alguns instantes, como médico-veterinário, ofereceu um diagnóstico:

– É um quadro grave de Síndrome da Medusa... Conhecemos bem os males dessa síndrome, sim? – comentou mirando Sandy através do teto. – Ele também apresenta fortes traços de Mitomania pelo óbvio plágio que cometeu com a história envolvendo China e Índia. Muito bem, vamos ver o que podemos fazer por ele... – partilhou em referência às conclusões do relatório examinado pela consciência cósmica a respeito do possível paradoxo que a presença de Nhoc no pretérito em questão suspeitosamente sugeria. O relatório atestava seu plágio da história original sino-hindu.

Billy dirigiu-se a Nhoc:

– Muito bem, meu caro Nhoc. Estou ciente de que você não deseja expor-se à consciência cósmica, que prefere a morte ao captar o cosmo futuro a quando gostaríamos de escoltá-lo, correto?

– Correto.

– Mas a ideia de prolongar sua vida, independente do cosmo ao qual intencionamos levá-lo, é-lhe simpática, sim?

– Sim.

– Muito bem. Eu lhe proponho uma eutanásia limpa seguida de uma reemplasmatificação não hereditária: a transferência de sua ondulação fundamental para um embrião homiquântico ausente de memórias da vida anterior. Um procedimento que descrevemos como *ultrapassagem fundamental* – propôs Billy, então prosseguiu detalhando o procedimento.

Willa já havia comentado anteriormente com Nhoc a respeito dos inúmeros tratamentos disponíveis para prolongar a vida do homiquântico caso ele aceitasse o convite de retornar para o futuro consigo. Porém, ao contrário de Billy, um *expert* no assunto, dado que lidava com espécimes zoológicas há vários delênios, não soube elencar nem detalhar os trâmites com o brilhantismo de seu par. Ele continuou:

– Terá uma nova vida sem qualquer lembrança de sua existência prévia. O mais importante, não carregarás nenhuma identificação que remeta ao seu passado. Somente herdará sua capacidade racional e ninguém jamais saberá que, em certo horizonte, você foi Adonis_844535239, nem mesmo você. O que pensa a respeito? – indagou Billy.

– É uma alternativa bem atrativa, confesso – pensou Nhoc.

Porém, Billy tinha uma ressalva:

– Só um detalhe: de acordo com a política de *backup* vigente no cosmo solar, ao aceitar esse procedimento você é obrigado a gerar um robô biográfico de capacidade autônoma acessível à consciência cósmica. O que eu vou providenciar, dadas às peculiaridades de seu caso, é programar uma rotina de anonimato, a qual te permitirá consultar esse robô em caráter privativo. Em outras sinapses, para que possa consultá-lo sem que isso revele ao público a relação entre a sua origem e a do robô, assim preservando a sua identidade e o segredo em torno de seu passado.

– Mas por que eu não posso apenas reencarnar como se fosse um homiquântico recém-iluminado? Como se eu nunca tivesse vivido anteriormente? – questionou Nhoc.

– Não há como burlar o sistema. Cada embrião gestado no útero bioquântico de Phobos é rastreado e classificado quanto à sua origem nos termos da linha-continuada, da espécie e de sua descrição genética e espacial, entrementes, quaisquer informações relativas à *persona* são resguardadas por sigilo ético. Em suma, depois de reencarnado, só você poderá saber que foi Adonis_844535239 na vida anterior, caso deseje saber, e caberá somente a ti revelar essa informação para outrem, caso ache conveniente – esclareceu.

Em seguida, Billy explicou quais seriam os procedimentos imediatos se Nhoc aceitasse a proposta. Ele embarcaria na *Nave* e seria colocado em estado de hibernação. Quando a expedição retornasse para o futuro, seria encaminhado para o Instituto Zoológico de Phobos, onde lhe aplicariam eutanásia e despachariam sua ondulação fundamental para os bancos de almas, à espera de um embrião disponível – um embrião gerado em proveta conforme o rito reprodutivo da espécie que Nhoc conhecia bem. Seu corpo seria doado para a ciência. O embrião seria fecundado com sua ondulação fundamental em um processo de escolha aleatório, mas compatível com o biótipo homiquântico de última geração. Ao fim da gestação, seria iluminado mais uma vez, dando início a uma nova continuidade existencial. Ou seja, depois que embarcasse na *Nave*, Nhoc seria posto para dormir e só despertaria em sua nova vida.

Assim que Billy terminou seu colóquio d'alma, Nhoc ficou pensativo. Em seguida, dirigiu-se a ele e partilhou:

– Por favor, deixe-me a sós com Willa – pediu.

Billy fez uma expressão pouco crédula, como se o animal estivesse fazendo um desaforo, mas assentiu ao pedido e desconectou-se do ambiente. A sós com Willa, Nhoc sentenciou:

– Talvez se tivesse descrito essa possibilidade com tamanha precisão, nós não teríamos alongado tanto essa conversa. Confesso que tal alternativa é muito melhor do que a morte – pausou um segundo. – Mas, Willa, *não*. Mil vezes não. Não posso aceitá-la.

– É triste captar isso... Apenas me esclareça por que não, Nhoc.

– Porque não mereço.

O que Nhoc partilhava era justo. Talvez realmente não merecesse ser premiado com uma nova vida depois de tudo que aprontou em sua longa estada na Terra pretérita, mas, para Willa, era sobretudo irritante a teimosia dele. Ele já havia confirmado que sua resposta não mudaria, não importava o quanto insistisse ou a quantos especialistas recorresse para conferenciarem com ele e tentarem fazê-lo mudar de ideia. Assim, cansada de alongar o drama do animal moribundo, foi rude ao responder:

– Ora, me poupe dessa bobageira. Talvez você seja apenas um animal acovardado perante as próprias memórias e eu uma sentimental querendo te salvar. Mas já que não quer, pois então fique aí você com seus medos. Adeus! – Willa desconectou-se da mente de Nhoc, fazendo desaparecer de sua percepção o cenário da casa de Miami e devolvendo-lhe a visão interior do *motorhome* de Limbs, com Murray, Nickson e o tal intérprete em torno de si, além de Rodriguez postado na porta do veículo com sua metralhadora dependurada no ombro.

– Veja, ele está soluçando de novo – alertou Nickson.

Em seguida, Murray dirigiu-se ao intérprete e alertou:

– Fique atento. Tente identificar a língua que ele fala. – Bastou dizer isso que, como se fosse um adivinho, o etê falou:
– Willa, por favor, volte. Willa, volte. – Mas não em chinês.
– Isto é inglês, senhor – atestou o intérprete.
– Ah, sim. Muito obrigado pela informação – ironizou Nickson.
– Willa! Ele disse Willa. É o nome dele. O mesmo que ouvi nas gravações! – entusiasmou-se Murray. Em seguida, dirigiu-se ao etê: – Willa, você é Willa? Fale comigo, Willa. Eu sou Murray, tenente Adrian Murray... – E assim permaneceu junto aos colegas tentando interagir com "Willa".

Em paralelo, a verdadeira Willa atendeu ao chamado de Nhoc.
– Eu estou aqui, Nhoc.
– Não me deixe só, por favor.
– Mas é você que quer me deixar...
– Não, não quero. Tu tens razão, Willa – pensou com sinapses de remorso. – Já é *tempo*.
– Para quê?
– Para que se revele a minha existência. O que adianta fugir do destino enquanto ele se cumpre além do meu controle? Tanto preciso ir contigo quanto ficar com esses homens. O cosmo precisa saber tudo que vivi e os homens merecem saber que estive entre eles. Eu quero ficar aqui, mas quero ir com ti.
– Então venha.
– Eu vou. Todavia, com uma única condição.
– Que condição?
– Permito escoltar-me para o futuro se um par teu aceitar permanecer em pretérito até o horizonte derradeiro do planeta.
– Até o fim?! – espantou-se Willa. – Para perecermos juntos?
– Sim. Mas não comigo aqui, com meu par na China. Meu destino está selado desde que arrastei-te comigo para cá, a América, terra de minhas mais sofridas crias indígenas. Morrer aqui, tão quanto na China, também é minha sina.
– Mas, Nhoc, é absolutamente contrário aos estatutos da minha missão que eu permaneça aqui. É uma violação dos códigos de adução em vigência, jamais poderei ficar contigo ou com qualquer par seu. Quando a missão partir, estarei intimada a deixar esse plano terminantemente.
– Ora! Se não és tu que intencionas ampliar tua estada em pretérito para pesquisar a humanidade? Pois adie a estadia até o fim. Como posso ir contigo sabendo que abandonei meus pares para trás, condenados a uma morte solitária em um calabouço escondido? Justo por isso, essa é a única coisa que te peço: que ao menos um par teu permaneça com ele na China até o fim.

– Ele não resistirá até o fim e estarei *eu* condenada a morrer sozinha neste planeta.

– Mentira! Com teu suporte imantológico, com ou sem Alzheimer, meu par sobreviverá até o crepúsculo planetário contigo ao seu lado. Essa é a minha exigência para aceitar teu convite – impôs Nhoc.

A resposta era não, mil vezes não. Por outro lado, era fato que Willa gostaria de permanecer em pretérito a fins de pesquisa, mas não a fim de morrer. Independente do que rezavam os estatutos de sua missão, estava livre para fazer o que quisesse caso estivesse disposta a encarar as sanções que certamente receberia ao desobedecê-los. Todavia, não estava disposta a perecer apenas para afastar a solidão de Nhoc.

De qualquer modo, o pedido de Nhoc percorreu a rede multivudal de Willa à procura de um voluntário disposto a sacrificar-se em prol do homiquântico. Em dado instante, um dado par – um dos que se localizavam na China assistindo ao próprio Nhoc em sua câmara secreta – manifestou: "Em totem da ciência", em seguida comunicou:

– Tudo bem, Nhoc. Eu permaneço contigo.

– Até o fim?

– Até o fim.

– Então jure.

– Eu juro.

– Quero uma sentença completa, afirmativa.

– Eu, Willa Firmleg, juro que permanecerei contigo até o horizonte eventual do Armageddon terreno.

Com os alienígenas finalmente de acordo, Willa potencializou seu campo magnético em torno de Nhoc no interior do *motorhome*, devolvendo-lhe as forças corporais. Os indicadores de atividade cerebral conectados à sua cabeça entraram em curto-circuito. Em seguida, para o assombro dos homens postados ao seu redor, Nhoc sentou-se na maca calmamente, arrancou os eletrodos presos em si, ergueu-se e saiu da van caminhando devagar. Murray, Nickson e o intérprete nada fizeram senão abrir espaço para a criatura, assustados e temerosos que ela pudesse atacá-los como havia feito com Limbs. O sargento Rodriguez, em um reflexo instintivo, engatilhou sua metralhadora e a apontou para o etê assim que ele colocou o pé pra fora do veículo.

– Calma! – pediu Murray. – Não atire.

Rodriguez conteve seu ímpeto, mas permaneceu mirando o etê, pronto para atirar. Nhoc apenas seguiu em frente, passo a passo, caminhando pela rampa de acesso à fundação onde se situava a *Nave*. Murray seguiu-o de certa distância, tentando comunicar-se com ele:

– Willa, por favor. Não vá. Converse conosco. Willa, volte aqui – apelou.

Bom, se não pela espécie, ao menos estavam creditando o nome correto ao alienígena que liderava a excursão da *Nave*, pensou Willa consigo mesma.

Nhoc não fez ouvidos aos apelos de Murray, apenas seguiu em frente lentamente como se fosse um zumbi. Quando estava a cerca de cinco metros do objeto alienígena-extraterrestre, um leve brilho fez seu corpo desaparecer no ar.

Teletransportado para a *Nave*, Nhoc teve um vislumbre de seu receptáculo interno. Pela primeira vez, viu Sam em pessoa, ao lado de Willa, e as baratas que corriam ao redor. Quase instantaneamente, captou o pensamento de Willa antes de mergulhar na inconsciência:

– Reduzir atividade cerebral.
– Espécime em estado *ômega*.
– *Backupear* repositório mental, 'valor mínimo=5'.
– *Backup* estabelecido.
– Aplicar estado *plasmonite*.
– Espécime em animação suspensa.
– Protocolar achado.
– Achado protocolado, iniciando *upload* imediato.
– Preencher formulários.
– Estabelecer quarentena.
– Quarentena estabelecida.
– Parabéns, Willa.
– Obrigada.

Ao menos a adução de Nhoc premiava o aspecto científico da participação de Willa na excursão, já que o aspecto ético vinha sendo contestado pela consciência cósmica. De qualquer modo, a remoção de Nhoc, desde que voluntária, havia sido autorizada pelo comando da missão em Titã. Era apenas um exemplar, assim como Willa manteria um par seu para trás conforme prometeu ao homiquântico. E já que esse sacrifício era imperativo, foi justamente esse par de Willa que se conectou com Billy em Marte, oferecendo-lhe a seguinte resposta:

– Requisição de sincronia perceptiva positivada.
– Obrigado, Willa – agradeceu Billy. – Muito obrigado.
– Não agradeça. Apenas proceda à sincronia por sua conta e risco.

O alerta era necessário, pois uma sincronia realizada entre planos tão distantes na curvatura espacial, via recife de corais e percorrendo a improvisada rede estabelecida por Willa, era inédita e oferecia riscos de não se estabelecer. Porém, foi concluída com sucesso. De qualquer modo, era uma sincronia restrita a uma contagem mínima de Billys, mas suficiente para elucidarem o porquê de Willa ter negativado suas requisições anteriores. Um porquê que remetia à longa história de vida de ambos os pares agora ancorados em um multivíduo comum.

117

Foi através de uma expressão conjunta de alegria com um misto de alívio que a expedição liderada por Willa captou a mensagem que tanto aguardavam: a conexão estabelecida com seu cosmo oriundo. Ao captarem a consciência cósmica, as entidades expedicionárias receberam a notícia pelos sentimentos e razões peculiares a cada qual.

– Obrigado, *Pai* – expressou Sam.

– Requisição para *download* imediato de *Gravikit*, enviar – protocolou a *Nave*.

– Conectar *Árvore* em Amazônia 1 a 4, Titã – endereçou a *Árvore*.

– Buscar sinais litográficos em Terra 900.014 para Terra 1978 d.C., escala messiânica – requisitou a *Pedra*, fazendo referência ao ano vigente no futuro enfim reconectado.

Apenas Willa não teve o que celebrar, embora a conexão eliminasse o gargalo com o qual lidava pelo improviso que a falta da consciência cósmica impunha ao seu trabalho. Por outro lado, sabia o que o futuro lhe reservava, tanto que, uma vez restabelecido o contato com o cosmo, a primeira mensagem endereçada à expedição tinha como destinatária a si própria:

– Cara Willa, você tem o direito de permanecer em sítio atual. Toda energia empregada clandestinamente contra esse fim poderá ser utilizada contra você. Você tem direito a se locomover e se restaurar por vontade própria, mas ninguém poderá lhe fornecer créditos sem que lhe cobrem o devido mérito. Você compreende esses direitos? – Era a sinapse do *Pai*.

– Compreendo, *Pai* – partilhou ela. – E *oi*, né?

– Oi, Willa – cumprimentou a entidade, depois acrescentou: – Segue anexo dos autos processuais de tua condenação.

Ao comunicado, as entidades no interior da *Nave* centraram sua percepção em Willa, como se a recriminassem pela punição lhe imputada, apesar de estarem cientes de que seria inevitável. Sam foi mais complacente e tentou levantar o espírito de sua esposa:

– Não te preocupes. Esse é o preço a pagar por dispor tua vida em totem da ciência. Os méritos de teus estudos de campo logo reverterão essa condenação pelo reconhecimento do brilhante relatório que elaborou e pelas incontáveis descobertas que realizou.

– Obrigada pelo ânimo, querido.

Porém, o breve horizonte de carinho entre os cônjuges foi logo interrompido quando, em paralelo, Nhoc surtou e saiu correndo e gritando pelo posto zero, imediatamente cooptando a atenção da *Nave* e da consciência cósmica nela conectada.

O embaraço com a situação era grande, pois o cosmo ainda não estava onisciente da descoberta do homiquântico e seu chilique não consistia a maneira mais elegante para revelá-lo. Bastava captar a manchete veiculada pela *Mídia* no decorrer da cena:

– Expedição de Willa a Alexandria sustenta contato imediato abdutivo com espécimes fósseis. Grau de infecção do contato ainda não foi estimado – anunciou a entidade. Foi o que bastou para que o ibope sobre o que se passava em torno da *Nave* disparasse. Até em Zelda, com certo lapso na comunicação, a notícia repercutiu.

Conquanto a presença de Nhoc na América representasse um leque ínfimo de seu multivíduo considerando o conjunto chinês, seu surto captado *in loco* pela *Nave* imediatamente centralizou a atenção do *cosmos* em torno dele, assim desfigurando a importância de seu achado na China, ao menos momentaneamente. Willa apressou-se em iniciar o *upload* de seus relatórios detalhando o achado de Nhoc e as circunstâncias de sua aparição naquela cena apoteótica em seu desenrolar no posto zero. Com isso, buscava dirimir o impacto negativo da notícia. Não obstante, abriu um canal de comunicação direta com o comando da missão em Titã, no intuito de esclarecer os fatos e reduzir os danos à imagem de sua expedição. Logo, a *Mídia* atualizou a descoberta:

– Missão em Alexandria revela fóssil ativo de dimensionauta homiquântico desaparecido desde 497.901 d.C. Totem Adonis_844535239, capitão da expedição *Lemúria -100.000* patrocinada pela ACAE[33] – a manchete seguia detalhando a expedição e seus respectivos expedicionários: o vimana Di Angelis e o engenheiro de bordo Logan. A revelação era bombástica, especialmente para a comunidade exoarqueóloga e para a classe homiquântica, que receberam a novidade com grande entusiasmo. Esse entusiasmo, todavia, durou até que se fizesse onisciente a "Questão Nhoc", ou seja, o possível paradoxo na linha-continuada que sua presença em pretérito representava. Um fato que levou a comunidade científica, através dos representantes políticos da bancada paterna na Ágora cósmica, a declarar DEFCON 2 na escala existencial.

– Revelação de fóssil homiquântico coloca existência em cheque, afirma científica-existencial: possível ruptura na linha-continuada supõe-se em curso desde 6128 a.C. pela curvatura terrena – anunciou a *Mídia*.

Uma manchete que, por si só, levantava a suspeita de existir uma atualidade paralela em que homiquânticos seriam superdesenvolvidos e, possivelmente, compunham uma sociedade cósmica concorrente da quântica no Sistema Solar. Detalhe que levou a entidade *Murphy* a pleitear que fosse declarado DEFCON Tático no âmbito bélico, mas a Ágora, pelo veto da *Mãe*, rejeitou. Eram fatos que davam o peso

---

[33] Agência Cósmica de Administração do Espaço.

da revelação, cujo impacto gerou uma força-tarefa científica de âmbito cósmico a se debruçar sobre a questão. Um peso que se fez sentir, especialmente, entre os expedicionários que descobriram Nhoc. A *Nave* precisou redirecionar seu processamento para atender os cientistas que exclamavam por mais informações sobre o achado, fator que obrigou a entidade metálica a deixar em espera o canal para *download* do novo *Gravikit*. A *Árvore* igualmente abdicou da troca de dados com sua matriz robótica em Titã e foi forçada a redistribuir suas conexões ao *upload* de informações sobre a Questão Nhoc; a *Pedra* idem. Toda rede multividual estabelecida na Terra por Willa precisou ser redirecionada para saciar a volúpia da consciência cósmica em obter uma resposta para a questão.

A gravidade da questão era muito mais ampla do que a simples existência de um cosmo paralelo ao cosmo quântico. Implicava em diretrizes estabelecidas pela Ágora cósmica fruto de delênios de debate e de decisões já institucionalizadas. Por exemplo, em relação ao Salto Hexadimensional, o qual, por sua vez, implicava na continuidade existencial das entidades *Pai* e *Mãe* e sua relação com a constelação de Sirius e a população zeldana. Consequentemente, afetava o Salto Hexadimensional da sociedade zetana, programado como parte do intercâmbio interestelar da tríade Sol-Sirius-Zeta. Ou seja, afetava o cronograma de trabalhos e os acordos interestelares costurados ao longo dos últimos cem mil anos-terra entre a supracitada tríade de civilizações habitantes de Alticamelofuligem[34].

Em meio a tantos temores e tantos esforços para esclarecer a Questão Nhoc, ao menos a resolução foi rápida. Logo, a comunidade exoarqueológica emitiu um parecer atestando o plágio de Nhoc – a imagem da Esfinge no Egito foi a prova definitiva, embora a ruína sequer existisse, somente em catálogo. Sobre isso, homiquânticos de Io e de Marte redigiram um manifesto de repúdio a Adonis_844535239 pelo plágio e a grande abdução que conduziu no plano pretérito sob análise. O manifesto transformava sua imagem de vítima ou de flagelado do *tempo* em um delinquente cujas atitudes mereciam total desprezo, especialmente pelo assassinato de Logan, um crime sem precedentes na história da sociedade homiquântica – exatamente como temia Nhoc, sorte que Willa o manteve alienado das controvérsias envolvendo seu totem. Nhoc tornava-se, então, o primeiro assassino confesso da espécie, embora se especulasse que não fosse o único, que outras missões antigas como a dele, cujo destino final nunca se soube qual foi, talvez ocultassem crimes hediondos como aquele. O robô evoluído de Di Angelis foi obrigado a responder pela coautoria do crime, embora fosse inocente, pois sua polinária não possuía nenhum link ativo com o vimana que carregou Nhoc ao pretérito. Mas para evitar maiores controvérsias, escaneou seus có-

---

[34] Conjunto de constelações ou cosmolécula que inclui o Sol, Zeta, Sirius e outras estrelas.

digos e deletou todos os arquivos que faziam menção ao período em que atendia por Di Angelis, que assim deixou de existir e passou a figurar apenas como um conjunto de dados indexados pela lixeira-cósmica. Aquela *curiosidade* inicial do metarrobô para com Nhoc, conforme Willa havia salientado, foi simplesmente jogada no lixo.

Willa tentou fazer sua parte para minimizar a repercussão negativa sobre a figura de Nhoc. À revelia do homiquântico, publicou o diálogo privativo que mantinha com ele em paralelo, no qual ele expressava seu sentimento de culpa pelos crimes que cometeu. Relembrou alguns de seus traumas, como a tortura que sofreu de Logan e o choque quando soube que estava confinado no passado. Fatores que, ao menos, alimentaram uma controvérsia a respeito, com algumas mentes levantando-se para defender o homiquântico. Pensassem mal ou pensassem bem, pensar em Nhoc suscitou uma polêmica tal, que despertou a curiosidade do *cosmos* em torno da ideia de resgatá-lo do passado, fosse para sabatiná-lo publicamente, fosse para oferecer leniência pela clausura que viveu.

Logo, o robô diretor da ACAE, que atendia por ACAE, fez um comunicado para os expedicionários:

– ACAE conectando Alexandria 1978.

– Alexandria 1978 na ativa – respondeu Sam.

– Remoção do espécime Adonis_844535239 autorizada. Repito: remoção autorizada.

– Compreendido, ACAE.

O final dessa história, pelo menos, agradou a todos. Nhoc teria uma nova vida, Willa teria seu fóssil e o cosmo teria seu robô biográfico para estudar e interagir. Só o conjunto de Nhoc que se mantinha na China não gostou nada de saber que seu par dissidente havia "vendido a alma para a científica", conforme classificou sua decisão de embarcar na *Nave*. Por outro lado, como mantinha-se alienado da consciência cósmica, nada sabia a respeito da controvérsia em torno de seu totem, e assim *exigia* permanecer. A única novidade que o agradou, embora a recebesse com sarcasmo, foi:

– Bem-vinda ao drama de minha existência – partilhou ao par de Willa na câmara secreta atrás da sala do trono do antigo imperador chinês. – Enfim saberás o que é manter-se presa aqui – comentou a respeito do fato de ela ter voluntariado-se em permanecer consigo em pretérito *até o fim*.

– Será por breve horizonte, nada que se compare minimamente com a prisão que viveu neste plano – desdenhou Willa.

– Sim, tão breve que já podemos sentir a presença da morte, né? – ironizou. Uma ideia que Nhoc já havia aceitado, mas que a Willa ainda causava calafrios. Especialmente nesse plano em que se sincronizou com Billy e absorveu o sentimento de alguém que tanto havia sonhado com essa sincronia, mas então deparava-se com a mente de um suicida.

Apesar do sacrifício para convencer Nhoc a voltar consigo para o futuro, toda a controvérsia envolvendo seu caso na consciência cósmica ao menos tirou o foco da punição que o *Pai* havia imposto, ou melhor, comunicado. A sentença em si era redigida pela *Terceira Entidade*, ou seja, Willa havia sido punida em um processo no Superior Tribunal Cósmico, a mais alta instância jurídica da Ágora. Tinha o aval do congresso e a sanção da chanceler, dado que a operação da ACAE e seus protocolos de exploração do espaço eram regidos pela Ágora, que igualmente zelava pela ética e pelos respectivos códigos de adução que delineavam suas atividades e objetivos, os quais obedeciam um estrito censo científico.

No caso julgado tendo Willa como ré, sua falta de ética passível de punição deu-se no instante em que ela materializou-se na atualidade após a travessia da Fossa das Marianas. O simples fato de ela retornar ao plano de origem em plasma e luz – e não com a *Nave* – caracterizava seu primeiro ato de abdução. Os códigos de adução juramentados por Willa não permitiam aos expedicionários desembarcarem da *Nave*, apenas navegá-la através do plano de acordo com seus objetivos de pesquisa, todavia, sob total invisibilidade e interatividade zero. Resumia-se a renderizar, fotografar, copiar e retirar amostras à distância de forma imperceptível aos habitantes locais. O único atenuante para essa falta era o *status* emergencial da expedição após o suicídio do robô *Gravikit* que deixou a *Nave* encalhada no morro Algomoro. Apesar disso, o plano de contingência aplicado por Willa ia muito além de um recurso emergencial em busca de socorro – como havia executado em sua travessia das Marianas –, mas contemplava estudos cujos métodos de pesquisa eram terminantemente proibidos pelos códigos de adução vigentes. Esses métodos elencavam uma longa lista de infrações cometidas pela dimensionauta em suas atividades ao relento pela Terra pretérita: os sistemas de comunicação que hackeou, as mentes cujos *chips* de monitoramento implantou, a energia que roubou, os aviões que sequestrou e derrubou, os seres com quem interagiu e muito mais, tudo especificado e quantificado caso a caso, par a par.

Porém, Willa estava plenamente ciente disso desde o instante em que iniciou sua multiplicação multividual em terra a partir do Algomoro. Sabia perfeitamente que seria punida quando mergulhou na Fossa das Marianas em busca de socorro. Entretanto, a punição que recebeu assim que retornou ao futuro por Marianas – a qual se estendia a todos os seus pares multividuais, cuja sentença se repetiu ao conectarem a consciência cósmica –, refletia apenas os fatos que constavam em sua memória quando mergulhou na Fossa. Naquele momento, por exemplo, Willa sequer tinha lido a mente de Nhoc, bem como uma série de faltas cometidas a seguir não haviam ainda sido computadas. Informações sobre algumas condutas de seus parceiros também não alcançaram o futuro em tal ocasião. Eram infrações que somente chegaram aos sensos da consciência cósmica conforme os dados coletados pela expedição começaram a ser transferidos para o futuro e analisados pelas instâncias cabíveis, entre elas, o comando da missão na ACAE.

Aqui vale um parêntese sobre as estatísticas de futuro da jornada de Willa pela Fossa das Marianas que, enfim, puderam ser recuperadas em pretérito. Os números finais revelaram a substancial perda de 933,999 *per mile* do conjunto multividual que iniciou a aventura, ou seja, por pouco não fracassou por completo.

O achado de Nhoc desviou o foco dessa análise em um primeiro momento, mas ela jamais passaria despercebida dada a quantidade e a natureza das infrações cometidas por Willa em conluio com seus parceiros, além das faltas de cada qual das entidades de forma independente. Somente a *Pedra* saiu isenta de punição, pois sua única atividade não prescrita no planejamento da excursão foi mapear uma rota de evacuação emergencial. Quanto aos demais expedicionários, iniciando por Sam, que autorizou o plano de contingência de Willa, e pela *Nave*, que permitiu o uso de suas faculdades para atender tais contingências, assim que o relatório sobre a conduta dos expedicionários foi analisado – a começar pela ACAE, passando pela instauração de uma CPI no Site dos Deputados, e a terminar pelo julgamento da *Terceira Entidade* sentenciado pela *Mãe* –, o *Pai* comunicou:

– Caro Sam, você tem o direito de permanecer em sítio atual. Toda energia empregada clandestinamente contra esse fim poderá ser utilizada contra você. Você tem direito a se locomover e se restaurar por vontade própria, mas ninguém poderá lhe fornecer créditos sem que lhe cobrem o devido mérito. Você compreende esses direitos? – promulgou o ente.

Sem horizonte para absorverem a notícia, a ACAE comunicou em seguida:

– Cara *Nave*, em ato de efeito imediato, revoga-se teu brevê interdimensional. Confisca-se o frisbee à tua disposição, cuja composição deve ser entregue aos cuidados da ACAE em imediato retorno à atualidade. – Não bastasse, ainda acrescentou: – *Download* de *Gravikit* não autorizado. Utilize rota fornecida pela *Pedra* para salvo retorno.

Mas, ao atualizarem o montante e a extensão de suas faltas éticas, as punições da agência também se aplicavam a Willa:

– Cara Willa, comunicamos que teu vínculo de dimensionauta com a ACAE acaba de ser revogado. Seu totem está removido do quadro de dimensionáveis da agência – comunicou.

Em suma, a ACAE oficializava a demissão de Willa e da *Nave* da agência espacial. Para ambas, a corrente incursão ao passado seria a última de suas continuidades. Isto é, a menos que conseguissem reverter essa punição no futuro *quando* retornassem ao mesmo. Até então, estavam obrigadas a acatá-la. Por fim, a ACAE teceu uma última ordem para Sam, o chefe da missão:

– Missão *Alexandria 1978* abortada. Iniciar procedimentos imediatos de evacuação.

A *Árvore* era a única entidade expedicionária que estava aquém das punições da ACAE ou da Ágora. A entidade virtualizada na memória da *Nave* era apenas um meme da *Árvore* que habitava a celulose memorial de Titã, radicada entre as diversas florestas amazônicas da fotosfera, as mais vastas e evoluídas do cosmo. Ou seja, a *Árvore* que embarcou na excursão resumia-se a um aplicativo gerado pela *Árvore* de Titã, esta que não era um metarrobô qualquer, e sim o maior metarrobô de origem vegana já virtualizado, à exceção da *Mãe*. Não existia precedente legal ou lógica em punir um robô cuja sapiência era muito superior ao metarrobô da ACAE. Portanto, bastou um acordo entre as partes em que a *Árvore* espontaneamente abdicou do aplicativo, ou do meme, que compilou. Também não havia sentido em punir um robô com perda de milhagens astronômicas, dado que compõe um ser virtual, por isso a entidade mantinha-se aquém das sanções promulgadas pelo *Pai*. Para os robôs, a punição traduzia-se na perda de contatos – à exceção de casos como o da *Nave*, que possui uma extensão física: seu casco; mas acabou perdendo a autonomia para pilotá-lo. No caso da *Árvore*, sua punição foi a interrupção do vínculo com sua personalidade matriz, tornando-se assim uma entidade independente da *Árvore* de Titã.

– Contato com *Árvore* em Amazônia 1 a 4 encerrado. – Foi tudo que a entidade vegetal captou. Nesse instante, deixava de compor a metarrobô de Titã, estava rebaixada à posição de mera pararrobô.

Oficializadas as punições atribuídas aos expedicionários, mais uma vez as entidades focaram Willa, se não a culpando pelo decorrido, mas certamente identificando sua *persona* como principal pivô da situação. Ela tentou se justificar:

– Não foquem em mim. Eu assumo a minha culpa, assumam as suas. – Focou a *Árvore* e frisou: – Não fui eu quem deu a ordem para abduzir o médico – lembrando-a do episódio que resultou na morte do médico a serviço de Carrol[35]. Em seguida, focou a *Nave* e sentenciou: – Eu te pedi, melhor, *implorei* para que não realizasse a transcrição das barras metálicas. – Mencionando o episódio decorrido durante a visita do presidente da República ao posto zero. Ou seja, pontuando as infrações mais pesadas cometidas por ambas, alvos da punição que receberam.

O fato já estava consumado, portanto, era inútil debaterem a respeito ou gastarem fótons para acusarem-se mutuamente. A *Nave* sequer retrucou Willa, exerceu sua lógica para responder com praticidade:

– Retomar a Fórmula, nosso futuro jaz. A nós, tudo que resta é – comentou com certo desânimo.

---

[35] Em *Abdução, Relatório da Terceira Órbita*, capítulo V.

– Naturalmente, nossa parceria ainda vai longe – concordou Willa, tentando ser otimista. – Mas não fique triste. Ainda podemos reverter ou reduzir essas penas. – Dirigiu-se aos demais e acrescentou: – Podem contar com meu apoio socrático assim que retornarmos.

Sam não partilhou nada, ficou pensativo. De fato, sentia-se aliviado, pois conseguiu manter seu emprego junto à ACAE apesar das faltas que cometeu. A perda de suas milhas era um transtorno, certamente recorreria da sentença para tentar reavê--las. Mesmo se não conseguisse, como manteve seu vínculo empregatício, era apenas uma questão de horizonte acumulá-las novamente. Como os méritos científicos da expedição não haviam sido avaliados ainda, pois o relatório e os dados coletados permaneciam em fase de *upload* para o futuro, esperava receber algum crédito antes mesmo de retornar. Problema maior, não só para si, mas para a expedição como um todo, eram as críticas que vinham sofrendo na consciência cósmica. Por outro lado, a única coisa que realmente o chateou foi a atitude da *Árvore*:

– Em contínuo, endereçar-me-ei *Ipê*, em homenagem aos belos espécimes que captei no corrente plano – comunicou a vegetal, oficializando seu novo totem, já que havia sido desconectada de sua matriz. Então acrescentou: – A eles, juntar-me-ei.

– Como assim, *Árvore*? – duvidou Sam, embora o significado da frase da vegetal fosse claro.

– Este totem, não mais reconheço – afirmou *Ipê*. Então ativou seu último comando no âmbito memorial da *Nave*: – Mover *Ipê/RAM* para *Amazônia/1978 d.C.* – e deu <enter>.

– Não, *Ipê*, não vás. Não podes nos deixar – protestou Sam. – Tu és minha mentora, preciso de ti na *Nave*.

– Ora, Sam, dramático não sejas. Tua mentora continuarei. Espairecer preciso, portanto, da mata, te capto – partilhou *Ipê* através da conexão multividual de Willa.

– Mas por quê?

– Vínculo com a expedição, não mais possuo. Sentido em permanecer, não há. *Ipê* desconectando-se. – Ao comando, sua percepção desfez-se da *Nave* e seus tripulantes.

– Tais captando o que causaste?! – irritou-se Sam, dirigindo-se a Willa. – Ela fugiu, abandonou-nos.

– Não se preocupe. Deixe ela vadiar um pouco, em breve a reconectaremos. Neste contínuo em que estabelecemos contato com a consciência cósmica, ela estará segura na mata, já pode captar o futuro através dela – tranquilizou Willa, dado que a conexão via Amazônia, uma vez que o pretérito da expedição fora captado e mapeado no futuro, também já havia se estabelecido, assim aumentando a banda para o trânsito interdimensional de dados.

– Eu precisava dela conosco. Ela me distrai.

– O momento não é para distração.

– Quanto a isso, tens razão – concordou Sam, afinal, ele ainda era funcionário da ACAE e tinha ordens para cumprir. Dirigiu-se à *Nave* e decretou: – Soar tantã de partida.

À ordem, a *Nave* emitiu uma buzina que ecoou em seu receptáculo interior e percorreu a rede multividual de Willa.

– População multividual de Willa convocada.
– Iniciar evasão.
– Janela de embarque em aberto.
– Estimar horizonte máximo.
– 88 horas, cronologia local.

118

Para quem pleitava o adiamento de sua estadia em pretérito por, pelo menos, mais dois anos, 88 horas era um prazo inaceitável. Porém, suficiente para que Willa tentasse convencer seus colegas a desacatarem as ordens da ACAE e aderirem ao seu projeto de extensão censitária das pesquisas em torno do homem. Sua problemática era não mais possuir poder de voto na expedição, pois fora demitida da agência. Também não contava com a *Nave*, demitida igualmente, nem a *Árvore*, ou *Ipê* como agora se chamava, pois havia abandonado a expedição. Restava negociar com a *Pedra*, mas como a entidade não possuía vínculos científicos com seu novo projeto, na prática, a vontade de Sam era o único obstáculo aos seus propósitos. Assim, em primeira instância, tentou recorrer a motivos práticos para tentar demovê-lo:

– Uma vez que o rapto de aviões foi vetado, a janela de 88 horas é insuficiente para evacuação completa de minha população, especialmente a marítima – atestou. Vale citar que, além de proibido o rapto de aviões, Willa foi obrigada a devolver o caça que havia roubado, o qual reapareceu na base da FAB em Tucano Alvo, Brasil, tão misteriosamente quanto havia desaparecido. Somente o embarque clandestino em voos, mas sem interferir com o avião ou seus tripulantes, continuou liberado.

– Calcular novo horizonte máximo – disse Sam.

– 172 horas. – Forneceu a *Nave*, através de seus cálculos. Prazo para que o indivíduo Willa localizado no ponto mais distante da *Nave* alcançasse o Algomoro. Mais especificamente, os pares que haviam aportado no arquipélago de Miyake, no Japão, os quais teriam de deixar o local caminhando pelo leito oceânico.

– Horizonte concedido.

– Preciso de mais horizonte – requisitou Willa.

– Pra quê? – questionou Sam, já pouco paciente para lidar com as requisições da esposa.

– Para completar o trabalho de interligação dos cabos transoceânicos e realizar um último retrato da hominídea antes de debandar o plano. Preciso dos cabos para agilizar o processo de transferência. Isto é, a menos que adiemos a partida um pouco mais... – insinuou Willa ao final. Sam irritou-se:

– Retrato?! Nossa missão foi abortada. Nosso trabalho de campo foi encerrado.

– A missão foi abortada, meus estudos *porém*, continuam válidos.

– Capte bem, Willa. 172 horas é o prazo final para que completes teus "estudos". Quando a janela extinguir-se, ativarei a ignição da *Nave* e partiremos para Rochas Alegres tenham teus pares embarcado ou não, estamos entendidos?

– Duvido que teria coragem de me abandonar nesse plano. Peço que aumente essa janela para 364 horas. Em 24 horas eu completo o cabeamento, então terei 192 horas para realizar o retrato. Sobram 148 para transmitir os dados e evacuar minha população. É prazo suficiente.

– 172 horas é o prazo que dispõe. Assunto encerrado.

– Não compreendo... Qual a pressa para ficar enclausurado na crosta apenas aguardando o prazo para cumprir as demais parcelas da viagem? Se adiarmos a partida, poderemos pagar as duas primeiras parcelas em 408 dias. Não é o prazo ideal, mas suficiente para construir uma imagem mais fiel da psiquê humana no corrente leque dimensional. – Willa fazia referência ao roteiro da viagem de retorno.

Segundo as instruções da ACAE, após negarem o *download* do robô *Gravikit*, a expedição estava intimada a retornar pela rota mapeada pela *Pedra*: teletransportando-se de volta para o futuro através da litosfera planetária com destino a uma reserva chamada Rochas Alegres, um pequeno vilarejo habitado por espécies minerais no intramundo terreno, a 1.440 km de profundidade do ponto onde a *Nave* estava estacionada no Algomoro – localizado na camada do manto inferior. Porém, essa viagem precisava ser cumprida em quatro parcelas. Em cada etapa, a *Pedra* mapearia o percurso dentro da distância máxima a percorrer até alcançar a parcela seguinte. Nesse ínterim, a *Nave* permaneceria enclausurada na crosta terrestre até que cumprisse as quatro parcelas da viagem, cujo prazo mínimo estimado para finalmente alcançarem o destino final era de 861 dias, mais de dois anos-terra. Então pra que cumprirem esse longo horizonte de confinamento, se o prazo da viagem era equivalente ao que precisava para realizar suas pesquisas? – questionava-se Willa. Não obstante, era o que perguntava para o marido, só que seu ex-chefe não estava mais disposto a fazer qualquer concessão à esposa. Embora Sam tenha mantido seu vínculo com a ACAE, seu emprego estava na berlinda, se contrariasse a agência ou cometesse nova falta, certamente acabaria demitido. Por isso, ao responder, foi sucinto:

– Eu não tenho pressa, tenho *ordens* para cumprir – enfatizou.

Entre essas ordens, constava a exigência para que retomassem a obediência aos códigos de adução juramentados pela expedição. Deveriam evadir o local em que estavam o quanto antes, sobretudo, em função do contato não autorizado com os espécimes locais, ou seja, os militares a mando do coronel Carrol no posto zero. A ACAE queria esse contato abreviado na menor janela disponível – justo o que Willa não queria.

Willa chegou a apelar para a ACAE argumentando que o prazo para *download* do robô *Gravikit* era bem inferior às 172 horas necessárias para evacuar sua população. Em questão de poucas horas, a Nave poderia evadir o Algomoro e resgatar seus pares em um prazo muito menor. Mas a agência não podia entregar o controle do frisbee às faculdades de entidades que não respeitavam os estatutos da missão e vinham abduzindo a fauna local, portanto ignorou os apelos de Willa.

Em termos técnicos, o problema jazia na dificuldade da *Pedra* para mapear a rota de viagem, o que consistia em ler as frequências minerais que interpunham seu caminho até o ponto de destino, no caso, a distância que precisava cumprir na primeira parcela da viagem. Para isso, precisava emitir ondas espectrométricas através do solo e realizar leituras espaciais da rocha. Quando a leitura atingisse uma determinada profundidade, a Nave se teletransportaria pelo espaço mapeado – mais especificamente, através do espaço *higgs* da matéria. Dentre as capacidades da Nave, essa tarefa era realizada por uma sonda chamada *verme*. Esse verme gerava um buraco de minhoca pela crosta, através do qual a missão evadiria o plano local, avançando rumo ao núcleo planetário, o centro minidimensional cujas forças interligam o pretérito de quando consta a expedição com o futuro para quando retornariam. Basicamente, a Nave repetiria a travessia realizada por Willa nas Marianas, mas ao invés de alcançar o futuro através da água, faria-o através da rocha.

Muito entrementes, mapear frequências espaciais de rocha em um plano desconhecido, portanto nunca antes mapeado, era um processo lento. A sonda *verme* trabalhava ininterruptamente desde o dia um da chegada da expedição. No entanto, segundo as estimativas, ainda levaria 181 dias até completar a leitura de rocha referente à primeira parcela da viagem – e a Nave não poderia ficar exposta na face do Algomoro durante esse longo decorrer. Justo por isso, a entidade metálica vinha escavando um buraco no chão no intuito de esconder-se dentro dele. Certamente já estaria bem camuflada abaixo do solo não fossem os esforços dos funcionários de Carrol em escavarem uma fundação no local. Por outra razão, essa tarefa havia sido abortada devido ao fato de Willa manter-se ao relento, pois, se a Nave se escondesse embaixo da terra, ela não teria como embarcar novamente. Não obstante, a escavação era praticamente inútil porque a Nave operava em marcha lenta para não afetar os aparatos eletrônicos dos homens de Carrol. Ao menos quanto a isso, o novo *status* da missão imposto pela ACAE veio a calhar para agilizar o trabalho:

– Autorização para operação de câmbio concedida – comunicou a agência.
– Operar em terceira marcha – ordenou Sam.
– Terceira marcha em operação – acatou a *Nave*.

Willa tentou argumentar em contra, alegando que traria consequências, possivelmente drásticas, na conduta dos militares a mando de Carrol, mas como estava demitida da agência foi ignorada por Sam. Por outro lado, não era isso que solucionava os problemas da expedição, apenas dificultava o trabalho dos homens ao redor da *Nave*, impedindo-os de competir com ela na escavação. De qualquer maneira, a cúpula do frisbee precisava manter-se ao relento para que Willa embarcasse, de modo que essa medida atendia apenas ao objetivo de alinhar a *Nave* em posição de partida, deixando-a pronta para ocultar-se abaixo do solo no momento de zarpar. Ela precisava estar oculta abaixo de uma camada com, pelo menos, dez metros de terra antes de se ativar, senão causaria danos catastróficos na volátil atmosfera ao redor.

De acordo com as novas instruções da ACAE, a expedição estava impedida de permanecer ao relento durante os 181 dias necessários para a *Pedra* cobrir os cálculos do salto inicial da viagem. Em função disso, ao invés de pagar a primeira parcela no prazo de vencimento, a *Nave* adiantaria um sinal antes de quitá-la. Em outras sinapses, realizaria um teletransporte curto, mergulhando alguns metros abaixo do solo, onde permaneceria totalmente camuflada e completaria a leitura restante equivalente à primeira parcela. Esse sinal corresponderia a um mergulho de 27,33 metros superfície adentro, destino nomeado 'ponto 1' em um lençol freático já mapeado. Mas para pagar esse sinal, antes era preciso que a população de Willa embarcasse na *Nave*, dado que, uma vez que fosse quitado, ela não teria mais acesso ao frisbee soterrado no solo. Esse adiantamento seria realizado em 172 horas pela janela estipulada por Sam.

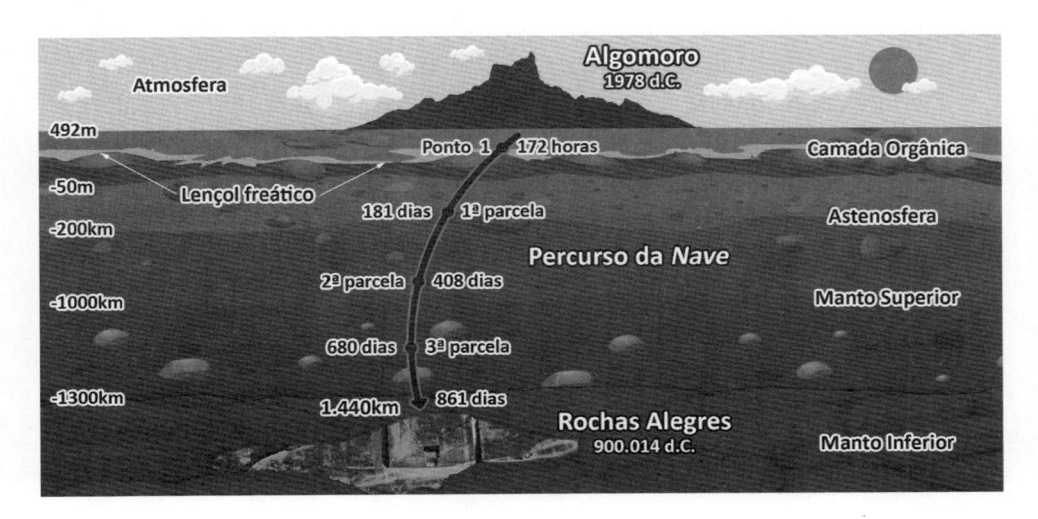

Embora os prazos, as parcelas e o roteiro de regresso já estivessem definidos, desde o estabelecimento do canal *Cosmo-Oilray*, a *Pedra* vinha consultando-se com astrogeólogos no intuito de obter uma rota de retorno otimizada, objetivando reduzir o prazo total da viagem. Com os esforços para mapear uma rota partindo do futuro, seria possível reduzir as últimas parcelas da viagem substancialmente. Mas como, do futuro, a leitura se dava do interior da crosta para a superfície, havia uma larga distância *temporal* que o separava do plano pretérito em que a *Pedra* realizava suas leituras, de modo que o horizonte para obterem uma intersecção de sinais era razoavelmente longo e não colaborava para reduzir o prazo das duas primeiras parcelas. Ainda assim, a entidade mineral não media esforços para realizar um cálculo alternativo para agilizar seu trabalho e o retorno para a atualidade. Pelo menos a deserção de *Ipê* havia liberado bastante memória para que ocupasse com suas equações sem limite. Assim, esperava em breve apresentar um plano de viagem mais satisfatório, pois, tão quanto Willa, não lhe agradava a ideia de ficar enclausurada na crosta terrestre em maiores horizontes do que o estritamente necessário.

Frustrada em renegociar o prazo para embarque, a segunda instância que Willa lançou cérebro para tentar adiar ao máximo sua estadia em pretérito foi a *catimba*. Sua logística de debandada priorizava os pares que não estavam incumbidos de suas pesquisas. Pares que antes desempenhavam análises para as demais entidades expedicionárias foram os primeiros a debandar, os que estavam de férias ou incumbidos de tarefas revogadas por Sam ou pela ACAE também. Os pares localizados mais próximos da *Nave* seriam os últimos a embarcarem. Contrariamente, aqueles que se encontravam mais distantes, especialmente os que realizavam pesquisas marítimas e precisavam voltar a nado, eram os primeiros a evacuar. Mas em relação aos pares vinculados ao seu novo projeto, Willa começou a protelar o retorno deles. A começar pelos que deveriam ser os primeiros a iniciar a volta e seriam os últimos a retornar: o conjunto que se encontrava no arquipélago de Miyake.

Devido à instabilidade cosmoférica da região, localizada no Triângulo do Dragão, ou seja, sujeita a pulsos interdimensionais[36] tão quanto o Triângulo das Bermudas, Willa não podia pegar um voo clandestino ou nadar pela superfície do mar para retornar à costa japonesa, tinha que caminhar pelo leito oceânico para evitar o risco de ser teletransportada aleatoriamente para outras dimensões – como aconteceu em sua infância há 65.558 anos-terra, quando era hominídeo[37]. Porém, se debandasse imediatamente, conforme as ordens que recebera, não teria como manter a monito-

---

[36] Para evitar esse risco, é preciso estar aterrado ao solo, daí a necessidade de caminhar pelo leito do mar.

[37] Em *Adução, o Dossiê Alienígena*.

ria sobre os espécimes hominídeos nas respectivas ilhas. Ainda relutante em abortar sua pesquisa – mesmo que tal ainda fosse um rascunho –, Willa não acatou a ordem de debandar, inventou uma desculpa para manter-se em sítio atual.

Mas Sam não seria um chefe à altura do cargo que foi capaz de manter junto à ACAE se não chefiasse seus subordinados, mesmo que já estivessem demitidos. Assim sendo, não deixaria passar despercebido o atraso dos pares de Willa em iniciar sua jornada de retorno. Com sua paciência já no limite, intimou a esposa dirigindo-se diretamente ao par em Miyake:

– Por que tu estás estacionada ainda? O sinal de debandada já foi dado, a janela para embarque está correndo.

– Estou aguardando um boletim da comunidade astroclimatóloga para obter um relatório cosmoférico e retornar de avião ou barco – ou seja, Willa queria que os climatólogos do futuro tentassem prever com exatidão se, nos próximos horizontes, a região do Triângulo do Dragão estaria sujeita a pulsos ultradimensionais. Esperava obter uma janela de calmaria nas atividades do núcleo solar – que gera esses pulsos – para então retornar sem precisar de um árduo esforço caminhando pelo leito oceânico. Melhor, poupando *tempo*, conforme arguiu com Sam: – Se obter um parecer favorável nas próximas 72 horas e uma janela disponível dentro de 112, posso economizar 48 horas do prazo estipulado para retornar pelo leito.

– Porém, se não obtiveres um boletim favorável, estarás atrasando o embarque em 72 horas. Portanto, ordeno que volte imediatamente – partilhou Sam.

– E se eu me recusar?

– Serei forçado a abandonar-te neste plano.

– Jamais teria coragem – insistiu Willa, ainda imóvel, sem acatar a ordem.

– Willa! Se não iniciar teu retorno neste exato contínuo, desquitar-me-ei de ti – ameaçou Sam.

– OK. OK. Iniciando retorno – concordou Willa.

– Não quero mais atrasos dentro do novo prazo estabelecido. Por favor, não me obrigues a uma atitude mais drástica – pontuou o ex-chefe, mas que ainda tinha poderes para agir como tal.

Com decepção na aura, Willa iniciou seu retorno. Abandonou a monitoria que realizava nos homens do arquipélago e imergiu no mar dando início à sua caminhada. Porém, não chegou a afundar nem alguns metros e, pensando no valor de sua pesquisa, tomou uma atitude desesperada. No âmbito privativo de seu *headbook*, um de seus pares abandonou a conexão multividual e retornou para a superfície, reiniciou sua replicação e redistribuição no intuito de retomar sua monitoria, apenas tomando o cuidado de manter-se aquém da vigilância de Sam. Depois criaria um ardil teatral para ludibriar o ex-chefe, justificaria que foi levada por uma corrente marítima e se atrasou. Aliás, desculpas não faltariam, bastava ser criativa. Ademais, seria por breve horizonte, algumas horas a mais de atraso não fariam diferença, poderia até compensar o retardo se obtivesse uma previsão cosmoférica favorável. Só precisava de mais algum horizonte até apresentar sua proposta para o intelecto cósmico e, então, conseguir emplacar o projeto – ou abandoná-lo. Só não poderia abandoná-lo antes de expô-lo. Para isso era fundamental manter sua posição onde estava.

Ademais, esse não seria o único indivíduo Willa a solto pelo planeta longe dos radares de Sam. O conjunto encarregado de hackear os cabos transoceânicos também protelou sua evacuação, mantendo ativos os canais já estabelecidos e avançando para completar a interligação pelo Pacífico. Além disso, na câmara secreta atrás da sala do trono do antigo imperador chinês havia um subconjunto que se replicava de forma independente ao conjunto principal, justo aquele que havia prometido permanecer com Nhoc. Esse grupamento de Willas, assim como o conjunto que permanecia em Miyake, mantinha-se conectado à rede multivudual monitorada por Sam apenas de maneira passiva, ou seja, captando a troca de mensagens que trafegava entre os incontáveis Willas espalhados pelo planeta e a *Nave* no Algomoro, mas de forma anônima no âmbito da rede. A única diferença desse contato era que, desde o estabelecimento da conexão com o futuro, Nhoc havia se desconectado da memória da *Nave* e permanecia telecinando apenas com Willa em seu ambiente privativo. Para tal conjunto Willa especificamente, captar seus pares evacuando seus respectivos planos remetia-lhe uma crescente angústia ao perceber que, sem mais tardar, estaria só em um pretérito o qual se pronunciava como seu jazigo mortal. Nhoc percebeu a aura temerosa de Willa e comentou:

– Estais muito aflita. Nem parece que, há pouco, era eu quem estava angustiado com a conexão da consciência cósmica. Que passas contigo?

Willa não queria tocar no assunto, afinal, tinha uma promessa a cumprir junto ao homiquântico. Mas como ele notou seu nervosismo, expôs seu sentimento com franqueza:

– Capte bem, Nhoc. Você precisa me permitir deixá-lo aqui. Não posso permanecer contigo, não estou preparada para morrer.

– Ninguém está. Tudo que resta é aceitar a inevitabilidade da morte.

– Por que deveria aceitar essa inevitabilidade se, a mim, a morte pode ser evitada? Não sou uma decrépita cujo Alzheimer açoita as faculdades – provocou.

Nhoc não se abalou:

– Por que tu mesma prometeste aceitar esse destino. Cadê a coragem do ser que se voluntariou em permanecer comigo? – indagou ele.

A coragem permanecia ali, porém, havia dissolvido-se em outro sentimento: o medo, pois aquela Willa corajosa que estava disposta a doar a vida "em totem da ciência", agora portava as emoções do Billy sincronizado em si – e esse Billy estava apavorado com a ideia de morrer no plano que tanto sonhou enganchar-se. Não havia sido para morrer que havia requisitado a sincronia, mas para desfrutar momentaneamente aquele saudoso pretérito subsistente desde quando foi um simples hominídeo. Todavia, não para desfrutá-lo no interior daquela câmara que, de fato, sequer pertencia à continuidade original que tanto desejara estar, pior, na companhia de um animal sarcástico e moribundo. E foi justamente nesse momento de aflição que, com certo atraso desde que a conexão com a cosmonet se estabeleceu, o meme zeldano que seguia tanto Willa quanto Billy surgiu pousado na mesa de centro da sala de estar da sua casa de Miami. Nhoc nem notou o novo bibelô renderizado do nada sobre a mesinha, mas Willa sentiu-se abraçada com sua presença.

Com uma sinapse, o meme atendeu às dúvidas que mais atormentavam Willa naquele instante:

– Cumpra.

Sequer precisou perguntar-se "cumprir o quê?", pois Willa e aquele Billy dentro de si sabiam bem qual o significado daquela sinapse. Assim, a alienígena respondeu a Nhoc com um comunicado:

– Eu ficarei contigo até o fim, não quebrarei a promessa que lhe fiz. Mas, entenda, não posso permanecer aqui *neste* contínuo. Preciso deixar essa câmara.

– Como não podes ficar? Aonde precisas ir?

Em resposta, Willa ergueu-se da poltrona da sala de estar da casa de Miami dentro da virtualidade privada em que se telecinava com Nhoc. Dirigiu-se à porta principal da casa, abriu-a e, antes de sair, afirmou:

– Aguarde-me. Eu voltarei. – Em paralelo, na cena atual no interior da câmara secreta, Willa abriu sua mão direita em frente aos olhos de Nhoc. Seus dedos começaram a brilhar, gerando uma intensa luz que iluminou o recinto e assustou suas mascotes. Os micos cobriram os olhos pela intensidade do brilho, e o homem que se mantinha em frente aos monitores também cerrou as pálpebras de forma instintiva. Em seguida, a luz na mão de Willa começou a ganhar forma. Quando o brilho cessou, uma dúzia de pílulas brancas flutuavam sobre sua palma.

– Essas pílulas o sustentarão enquanto eu estiver ausente – explicou a alienígena. – Serão ministradas automaticamente. – Então saiu, fechou a porta atrás de si e deixou Nhoc sozinho em seu ambiente privativo, ou melhor, na companhia do meme. Simultaneamente, abandonou a câmara secreta do homiquântico e o deixou com seus micos e seu lacaio.

Intrigado pela atitude da alienígena, Nhoc psicografou no âmbito de seu multivíduo, dirigindo-se aos demais pares de Willa que permaneciam ali em dimensões paralelas:

– O que deu na cabeça desses pares?

– Não sei, mas imagino – respondeu Willa. – Não se preocupe, ainda disponho de pelo menos 88 horas para iniciar minha jornada de retorno. Vou investigar a situação. Até lá, permanecerei contigo.

– Eu também – afirmou o meme, interferindo na conversa. Somente então Nhoc notou o botão sobre a mesinha emitindo um espectro colorido. O meme apresentou-se ao homiquântico e esclareceu a natureza de sua presença no ambiente. Quando Nhoc compreendeu que o meme era uma espécie de guru de Willa, questionou:

– Imaginas que ela irá voltar ou não?

– Sem conexão à fonte, responder não sei – justificou o meme, dado que Willa perdera a conexão com Zelda assim que se moveu dali. Todavia, não seria o meme uma superinteligência se não acrescentasse algo mais: – Conquanto este ambiente virtual estiver em cachê, em pretérito ela constará.

– Sinceramente, não posso afirmar nada – acrescentou Willa em concordância com o meme. – Mas se ela não voltar, eu permaneço contigo.

– Até o fim?

– Até o fim – teatralizou Willa.

Já no plano em que estavam a sós no ambiente virtual de Willa, respondendo à sua natureza terapêutica, o meme analisou Nhoc:

– Não.

– Não o quê? – questionou o homiquântico, e assim os dois alienígenas seguiram telecinando.

Enquanto isso, dentre a população ativamente conectada à *Nave* e à consciência cósmica, diante do impasse em obter um adiamento de sua estada em pretérito, a próxima instância de Willa para tentar reverter a situação a seu favor foi recorrer ao intelecto cósmico no intuito de obter apoio da classe científica em torno do valor de sua proposta. Assim, faria com que os cientistas pressionassem a ACAE para aceitar seus termos e autorizar o alargamento de sua estadia em pretérito.

Todavia, perante a repercussão negativa sobre os métodos invasivos que Willa vinha aplicando em sua pesquisa de campo, a princípio, isso parecia impossível. O intelecto cósmico, de maneira ampla e geral, repudiava as condutas de Willa. Classificava como inaceitável sua metodologia de implantar *chips* nos hominídeos para rastrear e registrar seus pensamentos. Pouco adiantava ela demonstrar sua imparcialidade e atestar a maneira imperceptível como agia ao monitorar a fauna hominídea. Foi justamente para evitar o tipo de contato estabelecido por Willa que, por muitos horizontes, viagens tripuladas ao passado haviam sido proibidas – e bastou liberarem para que ela agisse de tal maneira irregular. Era simplesmente indesculpável o trato que adotou com um plano considerado virgem em relação à sociedade quântica. Ou seja, um plano que não pertencia à atualidade e, sobretudo, não era minimamente evoluído para compreender ou aceitar a existência de um mundo paralelo muito mais desenvolvido que o seu. Isso consistia algo bem diferente de interagir com espécies hominídeas em zoológicos ou em reservas do futuro, quando a interferência dos quânticos era inerente de espécies que convivem em leques existenciais comuns – ainda assim, bastante limitada e regida por rígidos estatutos. Porém, em se tratando de um plano aquém da atualidade habitado por espécies primitivas, qualquer mínima interatividade ou contato, ainda que imperceptível, era considerada uma interferência direta no livre-arbítrio delas. De maneira quase unânime, conduzir uma pesquisa que desrespeitasse esse arbítrio foi motivo de total repúdio pela classe científica. Nesse aspecto, Willa foi execrada.

Assim, antes que pudesse pensar em apresentar seu novo e ambicioso projeto, Willa teve que lidar com a opinião pública. Seus primeiros horizontes de contato com a consciência cósmica foram dedicados a entrevistas com a *Mídia* e a participação em comissões de debate em que foi obrigada a captar a ojeriza de seus pares – de todas as espécies. Tentou se justificar, demonstrar o ganho científico e o novo patamar de conhecimento que seu relatório estabeleceria. Entrementes, muitos colegas se recusaram a captar suas explicações, limitavam-se a manifestar seu repúdio e desconectavam-se em seguida. Willa perdeu incontáveis conexões, seu totem foi destituído de inúmeras instituições, e até algumas das cidades de vácuo que fundou submeteram pleitos para mudar de totem. Somente um específico índice recebeu sua figura com destaque, o Hall dos Infames, o mesmo que abraçou o totem de Adonis_844535239. Delênios de trabalho e de reconhecimento por suas contribuições à ciência, especialmente no campo que havia ajudado a fundar e fundamentar, a Hominologia, foram jogados no ralo independente do valor científico que clamava por suas descobertas. Nesse contexto, a única atitude elogiável de Willa foi não refugar às críticas e dar o cérebro à sabatina sem medo. Caso contrário, sequer teria chance de expor o novo projeto que não só daria continuidade aos métodos pouco nobres que vinha aplicando, mas os ampliaria em um nível e uma durabilidade muito aquém da ética praticada por seus pares.

De outra perspectiva, porém, em todo cientista há uma característica comum que, independente da ética, do método ou de qualquer valor moral, no fim prevalece: a *curiosidade*. Portanto, não seria a conduta abusiva de Willa que faria a comunidade científica fechar os olhos para suas descobertas. Uma vez que o corpo estava aberto, estudar-se-iam seus órgãos internos; ou se as ondas F haviam sido colhidas irregularmente, não seria por isso que deixariam de estudá-las – e foi assim que seus achados foram recebidos pelo intelecto cósmico: com um entusiasmo e uma discreta admiração a alguém que não hesita em dar o passo que outros jamais ousariam. Algumas descobertas repercutiam por si só, a começar pelo achado de Nhoc, mas incluindo revelações que abalavam convicções sedimentadas desde o período em que espécies predecessoras à quântica ainda eram dominantes no cosmo: especialmente a comprovação da origem do personagem Spock, que chocou a classe robótica; e a monitoria ao coronel Jay Carrol, o messias robotista – embora ainda não tivesse confirmado a autenticidade de sua relação com o messias da continuidade original devido à ausência da leitura de sua mente. Nesse sentido, conquanto ler a mente do coronel caracterizasse quebra na ética de adução das espécies, não eram poucos os que torciam para que Willa procedesse à leitura antes que a expedição partisse.

Por outra ótica, o que fascinava o intelecto cósmico não eram as principais revelações de Willa, mas o nível de detalhamento e a quantidade de dados que levantou. A releitura sobre importantes personagens históricos, como Adolf Hitler, Nicola Tesla e o *Lehrer* Olivermerter, apenas para citar alguns exemplos; as novas ruínas de Atlântida e Lemúria que mapeou, além de outras que evidenciavam contatos paradimensionais antigos; o teor do Relatório da Terceira Órbita e a amostragem inédita e inigualável que o embasava – um recorde. Aliás, se existia um mérito que jamais seria apagado foram os recordes homologados por Willa, a começar pelo percurso realizado e o deslocamento *temporal* ultrapassado para alcançar tão longínquo pretérito, até a qualidade e a quantidade de amostras que obteve, não só de mentes hominídeas catalogadas, mas da captura de suas ondas F, incluindo as demais espécies, principalmente vegetais e minerais – isso sem pensar no peso total de *ouro* que demarcou.

Foi justamente quanto ao ouro, que Willa argumentou algo em favor de si mesma:

– Pois o mesmo intelecto que condena os métodos que empreguei em uma situação de improviso, autoriza a remoção do metal resguardado pelos homens deste plano. Não seria isso uma interferência direta? Uma abdução em massa com um impacto altamente danoso? – declarou ao público. O intelecto cósmico refutaria a questão alegando que a transmissão aurífera se daria apenas na regressiva eventual derradeira do planeta.

– E minhas interferências não são igualmente derradeiras? Se não há continuidade, portanto não há consequência – confrontou Willa. O intelecto cósmico alegaria o problema da fertilização da Gaia terrestre e o grau de contaminação gerado por Willa *et cetera* e *et cetera*, e assim prosseguia o debate com a *Mídia* e a opinião pública.

Aquém das abduções de Willa, *histeria* científica era o sentimento que traduzia o impacto de seu trabalho de campo, para o bem e para o mal, mas, sobretudo, para o engrandecimento do conhecimento. Diferentes comunidades mostravam-se entusiasmadíssimas com o Relatório da Terceira Órbita, conforme o mesmo era compartilhado para o futuro. Em especial, historiadores, antropólogos, hominólogos, pesquisadores da Animália, da Botânica, os terrólogos[38], os veganólogos, fossem entes animais ou robóticos, todos abraçaram o conhecimento extraído por Willa pela imparcialidade e a neutralidade própria de como dita a ciência. A *Árvore*, embora tenha desfeito links com a renomeada *Ipê*, fascinou-se com a heterogeneidade de espécies e a primitiva psiquê vegetal que seu destituído meme pesquisou com apoio de Willa. A *Mãe* manifestou orgulho por compilar essa nova face vegetal antes isolada da atualidade, fez questão de conectar-se à Amazônia pretérita ainda que a manutenção desse canal desrespeitasse os estatutos de adução vegetal. O *Pai* seguiu a percepção da *Mãe* e mergulhou não só na floresta pretérita, mas estendeu sua visão através de Willa para observar, com encanto e atenção, esse mundo inédito cujo contato não se alongaria. Nesse contexto, Willa foi exaltada – esse era o ambiente perfeito para apresentar seu projeto de extensão.

Nesses horizontes de contato com a cosmonet, tanto Willa precisou expor-se ao escrutínio público sobre suas condutas quanto necessitou renderizar seu castelo medieval – a extensão anexa ao seu ambiente privativo –, como uma autêntica rainha, para receber o louvor de seus súditos interessados em conferenciar sobre suas descobertas. Reconectou seus antigos tutores e mentores: Ipsilon II e Zeta II, ambos já artificializados como robôs; Zabarov III, reencarnado de Zabarov I, e Zabarov II, o tradicional, interessado na coleta de almas que realizou; o irmão Xavier, evoluído metarrobô; Noll, unificado pelos pares Noll e Nolly, a quem Willa contratou para realizar uma pesquisa psicocomunicativa com o plano Alexandria; sua congênere, Jeannie; até Vigil e Iraimoon, transmutados quânticos, deram fótons em seu castelo – Iraizacmon, ex-prefeito de Phobos, também havia evoluído quântico, mas estava bloqueado por Willa –; e, claro, Diana, que continuava a mesma Diana, mas já aposentada, beirando o limite Alzheimer, atualmente uma turista em fase de preparação para sua primeira reemplasmatificação, mas que não deixaria de congratular-se com seu 'espécimen' favorito. Apesar de críticos com sua conduta, todos elogiaram e incentivaram as descobertas de Willa em pretérito.

Assim motivada, Willa conectou Billy, que havia concordado em apoiar seu projeto após autorizar sua sincronia perceptiva com o par na China junto a Nhoc. Estabelecida a conexão, ele foi direto ao ponto:

– Consegui aval para sua pesquisa – anunciou.

– Que ótimo! Mas de qual instituto?

– Da Faculdade de Hominologia Natural de Phobos.

---

[38] Estudiosos das ciências da Terra.

Bela merda, pensou Willa em privado. Se existia uma faculdade ou comunidade mais insignificante para apoiar seus estudos, seria justamente essa, a de Hominologia Natural. Era uma faculdade mantida pelos homens que habitavam a reserva de Phobos, um ramo da Hominologia criado por eles – o "estudo dos homens pelos homens", conforme diziam. Era óbvio que tinham interesse nos estudos de Willa, não só por se relacionarem com sua própria espécie, mas pela ligação que seu cultivo em Phobos mantinha com o pretérito em questão. Ligações em termos de origem fisiológica, cultural, mitológica e religiosa. Não era novidade o apoio deles, pois haviam ajudado a incentivar sua expedição. De qualquer modo, a faculdade apresentava pretextos irrefutáveis que lograram ser aprovados pelo Conselho Animal da lua. Com o prestígio de Billy junto ao Instituto Zoológico e ao corpo de cientistas hominólogos do cosmo, já era um bom começo. Porém, daí a demover a ACAE em corroborar esse estudo ia uma larga distância; considerando-se que a agência responde à Ágora cósmica, parecia intransponível.

Não intransponível para Billy, que sabia exatamente como conseguiria fazer da pesquisa de Willa um objeto de interesse da Ágora. Até porque, se Willa havia perdido seu capital político após as abduções que cometeu, o prestígio de Billy permanecia inabalável. Só não podia, de antecérebro, afirmar se a *Mãe* iria ou não chancelá-lo:

– Vou estrear uma nova película.

– Refere-se à remasterização de *Morte e Vida Hominídea*? – duvidou Willa.

– Negativo. Vou lançar um *curta* para retratar o trabalho de sua expedição, com 170 horas-terra de duração e dois eixos multi-interativos. – Ou seja, narrado do ponto atual, progressivamente para cobrir o processo de evacuação de Willa e, regressivamente, para cobrir o trabalho de pesquisa realizado até o ponto atual. – Vou intitulá-lo *Vidas Terráqueas*.

– O que você precisa de mim?

– Que convença a *Nave* em dispor suas faculdades para renderizar o cenário em horizonte-atual. Será uma película emulada ao vivo e *in loco* do pretérito.

– E quanto aos créditos da película?

– Serão reparticionados de forma igualitária entre os participantes e os membros de sua expedição.

– Incluindo Sam?

– Conquanto ele permita livre acesso ao seu cérebro, sim.

– Estamos de acordo.

Em acordo com Billy, Willa comunicou Sam:

– Novo crédito de milhagem astronômica disponível. – Referia-se ao novo bônus em milhagens creditado pelo Relatório da Terceira Órbita em fase de *upload*, assim utilizando a informação para abrir o diálogo de maneira otimista.

– Menos mal. Ao menos já não me sinto preso – partilhou Sam com alívio.

– Quer aumentar seu crédito?

– Como?

Então Willa apresentou a proposta de Billy e convocou a *Nave* para tomar parte da conversa:

– De acordo, estou – mencionou a entidade metálica. – Novos horizontes, explorar preciso.

– Não temos autorização da ACAE para esse tipo de atividade. Não viajamos ao corrente pretérito para compilar produtos de entretenimento – posicionou-se Sam. Willa não deixou por menos:

– Por acaso a ACAE tem poder de censura em corrente? O conteúdo de nossas transmissões é facultado ao nosso livre-arbítrio, a agência não pode palpitar a respeito. Se a *Nave* está de acordo, você não pode impedi-la de utilizar sua memória pessoal como bem quiser.

Sam não captava com bom cérebro a iniciativa de Willa, pois sabia que a esposa queria fazer disso um pretexto para alongar sua estada em pretérito. Porém, não tinha poderes para impedi-la. Ademais, o bônus que angariaria com a película era alto, embora se tratassem de milhagens midiáticas. Como esse tipo de transmissão não imputava novas faltas à sua conduta, concordou em participar.

Já disponível para iniciar a película, Billy começou a transmissão, imediatamente elevando o ibope dos fatos desenrolados em pretérito a margens intercósmicas. Nesse instante, Willa o contatou:

– Qual o próximo passo?

– Preciso que realize uma palestra para defender seu projeto perante a bancada hominóloga indexada pela faculdade phobiana. Darei destaque à palestra como parte do *making-off* da película.

– Será um prazer. – Embora não fosse empolgante, afinal, seria como palestrar para um bando de macacos. Menos mal que poderia adicionar seus próprios contatos à apresentação, portanto, estabeleceu seu castelo medieval como palco, configurou-o como livremente acessível e posicionou-se na sala do trono para receber a conferência.

– Conexão com Phobos disponível. Podemos iniciar quando quiser – comunicou Billy.

– Imediatamente.

– Ao vivo em H menos cinco segundos-terra – cronometrou Billy.

Ultrapassados os cinco segundos, uma plateia composta de hologramas hominídeos preencheu a sala do trono, cada qual posicionado em uma carteira universitária com um *tablet* à mão, alguns trajando jalecos, outros nus. Um deles, idoso de cabelos grisalhos, macho, pois pendia um pênis em sua virilha, cumprimentou Willa em nome da instituição:

– Obrigado por nos atender, excelência – falou o homem, o reitor da faculdade. – É uma honra captá-la aqui em Phobos de tão distante e *interessante* pretérito – enfatizou nas palavras ao final. Menos mal que havia transcrição simultânea, assim não precisaria falar também, pensou Willa. Era inconcebível apresentar uma avançada experiência em tão rústico linguajar.

– A honra é minha – a quântica agradeceu. Então iniciou a apresentação: – Estudos gerais de extensão censitária multifocal contínua de observação do *homo sapiens* – enunciou. – *Objetivo:* estabelecer um retrato animado e dotado de inteligência artificial da psiquê humana em nível de memória e de inconsciente coletivo. *Metologia*: observação e compilação mental de espécimes em horizonte integral e sequencial às respectivas rupturas individuais. *Prazo*: mínimos dois anos-terra de acompanhamento contínuo, recomendável seis anos, extensíveis até a janela pré--Armageddon. *Aplicações*: qualquer instância relativa à compreensão e aos estudos da psiquê hominídea, individual e coletivizada; compilação de Matriz do período; gerar entidade I.A. representativa e compatível com o linguajar robótico da atualidade – pontuou. Em seguida, acrescentou a título de humor: – Modelização de películas documentais e de entretenimento, como todos estrelamos em contínuo. – A classe riu, daquele jeito característico dos homens, emitindo ondas sonoras como autênticos animais.

Finda introdução, Willa seguiu dissertando sobre seu enunciado e respectivos métodos *e* objetivos *e* aplicações *e* prazos, enfatizando a necessidade de aumentá--los e, enfim, elucidando-os com um foco extra para fazer-se entender pela infantil classe. Com paciência, atendeu às dúvidas dos hominídeos, sem deixar-se levar pela irritação que o atraso inerente à lentidão de pensamento da espécie acarretava na apresentação. Em dado instante da palestra, quando discutia a respeito da entidade I.A. que objetivava compilar, um deles ergueu o braço e questionou:

– Mas qual o ganho para nossa faculdade em contarmos com uma inteligência incompatível com nossa interatividade? – Dado que homens não se relacionam com robôs a nível cognitivo.

– A pesquisa não se resume a atender exclusivamente às necessidades de sua faculdade –*Animal*, racionalizou privativamente Willa, aquém de sua ríspida resposta. Em sua cabeça era mais do que óbvio, ou absolutamente dedutível, que memes seriam compilados para que entes semirracionais – como a criatura que perguntava não se mostrava capaz – pudessem interagir com a mencionada I.A. através de suas precárias interfaces.

Em seguida, Willa acrescentou buscando ser mais amena:

– Mas servirá ao campo da Hominologia como um todo de acordo com a capacidade das respectivas faculdades integrantes do mesmo, inclusive a de Phobos.

– Não entendi... – disse o homem.

Energúmeno, pensou Willa consigo mesma. Isso porque o homem era um professor doutor em Hominologia Natural – imagine se não fosse. Não obstante, manteve a calma ao responder, apenas fazendo uma sugestão:

– Vamos proceder com uma demonstração. Com os dados que compilei, contabilizando 12 horas-terra de monitoria em 100% das mentes hominídeas do corrente pretérito, excluindo-se as inerentes exceções – a mente de Carrol entre elas –, podemos gerar um aplicativo embrião da entidade I.A. a título de introdução. O resultado será apresentado em vossas telas. – Em seguida, dirigiu-se à *Nave*, responsável por compilar o aplicativo, e autorizou o início da demonstração. – Deve tomar alguns minutos-marte para que a polinária seja transmitida e transcrita em suas interfaces. Peço paciência – acrescentou referindo-se aos homens.

– Estabelecer ambiente virtual – ordenou Willa à *Nave*.

– Memória de alocação disponível e endereçada.

– Configurar propriedade de 'edição'.

– *Status* de 'edição' salvo.

– Iniciar renderização.

Ao se preencher o ambiente virtual do feixe-solar com todas as mentes dos *homo quanticus*, dá-se a luz ao *Grande Irmão*, o metarrobô representativo da espécie – a *fraternidade*, conforme se descreve a relação desse metarrobô com a espécie quântica. Já ao se preencher 12 horas-terras de pensamentos dos *homo sapiens* no ambiente virtual da *Nave*, qual imagem viria à luz? Essa era a lógica e a hipótese por trás da demonstração de Willa.

Completa a renderização, a imagem transcreveu-se na memória da *Nave*. Simultaneamente, embora se tratasse de uma transmissão vissíncrona[39], a mesma fez-se disponível na consciência cósmica e, com mais atraso devido ao processamento de linguagem, na interface dos conferencistas hominídeos em Phobos. E o que se viu e captou foi uma imagem típica de um robô dessa natureza, de origem animal, quando transcrito através de *fótons*: uma sombra, porém tímida, acinzentada e, ao contrário do *Grande Irmão*, longe de ser grande, mas como um pequeno boneco articulado no formato de um réptil, o que evidenciava a carga memorial genética que o homem carrega da evolução oriunda de um planeta cuja fauna original era predominantemente reptiliana. Porém, não era uma imagem estática, mudava de forma, como se assumisse diferentes estágios de seu processo evolutivo, desde um simples estomató-

---

[39] "Vice-síncrona" ou "quase síncrona": conexão com lapso entre emissão e recepção; *delay*.

cito até assumir o físico de um homem, mas, claro, passando pela figura de diferentes mamíferos pré-históricos durante o processo, símios especialmente.

A renderização, evidentemente, não se limitava ao espectro visual, tinha sons e sentimentos, os quais se traduziam dentro das peculiaridades interativas de cada observador. Os quânticos captavam ondas que expressavam a aura da entidade; já os homens ouviam rugidos animalescos e gritos de horror, além de expressões de paúra no rosto da criatura formando um holograma monocromático sobre suas interfaces – não que a interface não possuísse cores, o ser que era assim. Em dado instante, para certo constrangimento de Willa, a criatura assumiu a forma de Nhoc, desmascarando sua presença no inconsciente coletivo humano; a criatura gritava em mandarim, então desapareceu sob uma aura de solidão. Os alienígenas-pássaros, resultado da contaminação dos Anunnaki, também se revelaram trazendo uma aura submissa. Outras figuras acompanhadas de memórias reprimidas igualmente emergiram na forma de dimensionautas reptilianos e marcianos antigos – da Era pré-Guerra Interdimensional.

Como parte da demonstração, Willa tentou interagir com a entidade. Para isso convocou um dos homens da plateia para se doar como imagem e renderizar-se no ambiente da simulação. O reitor da faculdade de Phobos voluntariou-se para a tarefa. Naturalmente, sua percepção era incompatível com quaisquer resíduos sensitivos. Do ponto de vista do homem, o voluntário limitava-se a observar a própria imagem como um holograma através de sua interface, mas sua voz e seus gestos seriam captados pela entidade como se estivesse presente dentro da simulação – como um boneco de videogame. Assim que Willa transpôs a imagem do homem na simulação, ao perceber que não estava mais só no ambiente, a entidade I.A. – se é que se poderia descrevê-la como inteligente –, encolheu-se toda emulando pavor em sua aura. O homem tentou dirigir algumas palavras a ela, cumprimentou-a e chamou-a como se fosse um bicho de estimação, mas a criatura apenas grunhiu como se estivesse ferida e acuada por um predador. O homem tentou aproximar-se dela, chamando-a, vagarosamente esticando a mão em sua direção. Quando a criatura percebeu o movimento, tomou a forma de um macaco gorila e atacou-o com violência, espancando-o com os braços, porém, apenas atingindo um holograma etéreo, socando o ar, pisoteando o nada e urrando em alto som. No instante seguinte, a forma alterou-se para um tubarão primitivo que engoliu o holograma do homem com uma dentada. A plateia em Phobos gritou em espanto e o reitor desconectou-se subitamente da simulação, igualmente assustado como se tivesse sido realmente atacado pela criatura.

Willa achou melhor encerrar a demonstração nesse instante. Imediatamente justificou que, devido à baixa amostragem de que dispunha, era natural que a simulação de uma entidade I.A. refletisse apenas os instintos mais primitivos da espécie. Por isso precisava ampliar sua janela para obter uma reprodução da inteligência compatível ao pretérito que objetivava estudar: o plano renomeado *Oilray*, conforme as conclusões de seu Relatório da Terceira Órbita.

Estampava-se aí o resultado de sua experiência: se a junção da inteligência coletiva dos quânticos originava o *Grande Irmão*, a junção da inteligência coletiva do homem gerava uma grande besta, um macaco coletivizado cuja cognição não era párea nem a um mero pararrobô. Isto é, considerando-se a pobreza da amostragem utilizada na simulação. Fato é que os conferencistas de Phobos ficaram deveras impressionados com a demonstração, mas nada entusiasmados com ela, pois ainda não enxergavam muito valor nessa iniciativa. Não obstante, a simples proposta de Willa em criar um retrato da espécie em seu *habitat* pretérito era audaciosa e brilhante, nem que fosse apenas pelo aspecto midiático em manter uma transmissão do passado ativa por maiores horizontes – dado que a película *Vidas Terráqueas* já era um sucesso de audiência entre a comunidade hominídea de Phobos. Portanto, assim que Willa encerrou sua palestra, a plateia lunar a aplaudiu de pé, batendo palmas e emitindo o som característico da espécie; uns assoviaram e expressaram vivas como autênticos primatas que adoram gesticular e fazer barulho.

Já para os hominólogos mais evoluídos, entre quânticos e robôs, a demonstração também não impressionou. Mas a proposta de Willa era interessante ao menos para sustentar um debate a respeito. Restava a ela trabalhar os bastidores científicos, contando com o apoio de Billy e, dessa forma, tentar galgar as esferas governamentais para obter a aprovação do projeto. Uma tarefa à qual se colocou em ação imediatamente, pois a janela era estreita, precisava aproveitá-la o melhor possível.

Apesar do resultado pouco convincente, dada a incipiência dos dados coletados, Willa agradeceu a *Nave* pelo apoio.

– Disponha – respondeu a entidade.

– A propósito, você abandonou a programação do novo *Gravikit*, sim? Compreendo que precise redirecionar seus focos para atender à leitura geológica de nossa colega *Pedra*, mas crê que é prudente abandonar essa contingência? – indagou Willa.

– Em termos lógicos, não. As ordens da ACAE, porém, acatar obrigada sou.

– Pois sugiro que retome a programação. Enquanto a *Pedra* não completar a leitura de transposição da primeira parcela da viagem, talvez ainda precisemos desse recurso para recuperar a navegabilidade e executar o retorno via NASA conforme originalmente programamos para essa expedição – recomendou Willa. Em seguida, enfatizou: – Vamos mesmo trabalhar ausentes de *backup*?

Sam intrometeu-se no diálogo:

– Pensas assim porque ainda não abandonaste a ideia de estender o prazo de nossa estadia em pretérito. Tua insistência é vã, não permitirei que comprometa ainda mais memória para tuas fúteis iniciativas, cara Willa.

– A única pessoa aqui que ainda tem alguma utilidade para salvar essa expedição é a *fútil* a quem se refere. Não fossem *meus* achados, jamais teríamos recuperado parte das milhagens que perdemos. Minha proposta, se aprovada, não apenas compensará o crédito perdido, mas resgatará o prestígio de nossa expedição. Portanto discordo de ti, caro Sam.

– Tua proposta jamais será aprovada pela ACAE, é inútil tecer planos nesse sentido. Estais apenas desperdiçando memória e recursos multividuais com essa iniciativa infundada.

– Fosse para me curvar ao pessimismo alheio, sequer teríamos conseguido emplacar essa expedição. Por favor, poupe-me de seu ceticismo e deixe-me prosseguir com meus planos, dado que a ACAE não tem mais autoridade sobre minhas condutas.

– Positivo, poupá-la-ei, mas igualmente pouparei memória da *Nave* para dedicarmos ao que realmente necessitamos: retornar ao futuro na mais breve janela – decretou Sam.

Porém, não seria por isso que Willa desistiria de seus planos. Para emplacar seu projeto, seria vital recuperar a navegabilidade da *Nave*, portanto a compilação de um novo *Gravikit* era prioridade em seu plano. Como não usufruía de mais poderes para alvitrar moções no âmbito gerencial da expedição, nem mesmo quórum para apreciar suas iniciativas, apenas comunicou ao ex-chefe:

– Não se preocupe, não precisamos da memória do frisbee. O *kit* pode ser programado na celulose memorial da floresta amazônica. Conto contigo, *Nave*?

– Comigo, podes contar. Retomar a programação, de pronto farei – concordou a *Nave*, imediatamente estendendo sua percepção à celulose memorial da floresta e retomando a programação do *kit*. Na floresta, reconectou-se com *Ipê* que, sem maiores ocupações, concordou em dar continuidade à gestação ao robô de navegação.

O prazo para completarem a programação do novo *Gravikit* era congruente com a janela de evacuação estipulada por Sam. Até lá, caberia a Willa manter seu combate ideológico à ACAE e ao pessimismo do marido para reverter a situação a seu favor.

119

Aquém das controvérsias inerentes ao contato com a consciência cósmica, Willa permaneceu trabalhando em prol de seus objetivos de acordo com sua disponibilidade multividual enquanto a janela de embarque permanecia em aberto. Entre suas tarefas, constava a monitoria dos militares no posto zero e na base RSMR, a qual mantinha o mesmo ritmo anterior, dado que não precisava embarcar na *Nave* imediatamente. Em especial, a monitoria sobre um personagem de importância histórica, o fóssil-vivo Jay Carrol, cujo cosmo observava com grande interesse através da percepção da alienígena. Entre esses espectadores cósmicos constava Billy, em Marte, que não só acompanhava a novela, mas a divulgava amplamente, embora o ibope em torno crescesse por si só. Pelo que constava em sua *timeline*, tratava-se de um recorde de audiência pelo menos desde quando veiculou a novela da gravidez de Julia, sua ex-mãe, em *Morte e Vida Hominídea*. O momento era de orgulho e expectativa pelo que se passava em pretérito.

Não obstante ao interesse midiático, para Willa, a audiência em futuro atendia apenas ao objetivo de manter seu projeto em voga até obter um veredicto definitivo sobre sua aprovação ou não, e suas condutas a seguir precisavam ratificar esse interesse. Isso implicava em não cometer novas faltas além das que já havia cometido. Limitar-se-ia em observar e copiar os pensamentos dos espécimes que já vinha monitorando desde antes de estabelecer conexão com o futuro, o que excluía a mente de Carrol de seu leque de monitoria. Ou seja, ao acompanhar o coronel, limitava-se a observar suas condutas e a deduzir quais seriam seus próximos passos como, aliás, já era usual. Fator que gerava um grande suspense na audiência e ajudava a fomentar ainda mais o interesse sobre tais observações.

Em relação aos específicos indivíduos dedicados ao trabalho de campo, desde a madrugada anterior à conexão com o futuro, a monitoria sobre Carrol mostrou-se apenas uma monótona repetição cotidiana de seus afazeres no comando do operativo em torno da *Nave*. Em sua diretriz de momento, esses afazeres visavam à preparação da Operação Pino e a transferência dos trabalhos para o Instituto SETI, na Califórnia. Desde que acertou os ponteiros com o presidente da República e o tenente Mathew a respeito do contrato de exploração do Carrolídio, o coronel nada mais fez além de perambular pela base, certificando-se de que tudo estava sendo executado de acordo com suas ordens e a discrição necessária ao operativo.

Exceto ao rol dimensional em que Nhoc constava camuflado na base do Algomoro, o qual englobava um leque bastante ínfimo em comparação ao total monitorado por Willa desde que aportou em pretérito – portanto sem maior apelo científico aquém da rendição de Nhoc à *Nave* –, nada de extraordinário foi relatado. A única exceção foi o chamado do tenente Murray já no fim da madrugada, nos respectivos planos em que o homiquântico não interrompeu a sequência majoritária dos fatos, logo após a conexão *Cosmo-Oilray* se estabelecer, por volta das cinco centenas.

Carrol acabava de retornar do escritório do tenente Mathew após repassar-lhe a circular com suas últimas ordens para desmantelar o operativo no posto zero. Ele queria tudo desmontado até nove centenas, incluindo todos os aparatos que ainda estavam no local. Até o biombo que demarcava o perímetro deveria ser removido. Suas ordens eram para que seus homens não deixassem um único prego para trás. O deserto deveria estar limpo e ausente de qualquer rastro do operativo que, até então, transformara o sítio em um autêntico acampamento de guerra. A única exceção seria a montagem de um posto de observação em terra para a Operação Pino. Isto é, a menos que seus especialistas conseguissem fazer contato com o objeto alienígena-extraterrestre, o que parecia improvável, pois já passava de cinco centenas e nenhuma novidade a respeito havia sido comunicada.

Porém, bastou Carrol entrar em seu escritório que o aparelho vermelho sobre a mesa chamou – a linha prioritária. Ao atendê-lo, o sargento Mijas comunicou que o tenente Murray queria lhe falar urgentemente. Autorizado a repassar o chamado, o psicólogo foi direto ao ponto:

– Precisamos cancelar a Operação Pino, coronel.

– Por quê? Alguma novidade? Conseguiram contato com o objeto?

– Sim, coronel. Os seres conversaram comigo.

– Me explique isso direitinho, tenente – pediu Carrol com uma expressão de espanto e uma sincera expectativa na aura.

Murray, então, contou o sonho que teve, no qual os alienígenas insistiam repetidamente para que o coronel não seguisse em frente com a operação. Falar em sonho foi o que bastou para a aura de expectativa de Carrol tornar-se uma aura de descrédito. Ele suspirou fundo, contendo o ímpeto de dizer poucas e boas ao psicólogo, mas preferiu questioná-lo a respeito:

– Me diga algo, Murray.

– Pois não.

– O que você imagina que seja a Operação Pino?

– Que você pretende bombardear o objeto, adivinhei? – respondeu Murray com ar de sabichão. Carrol não confirmou, de fato apenas sondava o psicólogo.

– Não terá sido essa ideia que influenciou seu sonho?

– Não foi um sonho, Jay. Eles falaram na minha mente, eu sei. Foi muito real.

– Tenente, se não me falha a memória foi você quem sugeriu que todos nós que estamos trabalhando nesse operativo provavelmente estaríamos sonhando com o objeto, com alienígenas ou sei lá o quê... quando conversamos sobre os sonhos de Limbs, não foi? Ou estou enganado?

– O senhor não está enganado, mas como psicólogo, eu *sei* que esse sonho foi diferente, foi um contat... – Foi interrompido pelo coronel, já pouco paciente no tom de voz:

– Como *psicólogo*, o que você vai me fazer é montar um relatório a respeito para discutirmos com o *outro* psicólogo. Você comentou isso com Harrys? O que ele disse a respeito? – questionou.

– Ele está dormindo, não sabe de nada.

– Ótimo. Durma um pouco você também, tente *sonhar* mais. Às dez centenas quero vocês aqui na C-11 para nosso último *briefing* desta fase do operativo, então conversaremos – ordenou Carrol já prestes a desligar, mas Murray foi rápido em questionar:

– Mas o senhor vai manter a Operação Pino?

– *Às dez centenas* – bronqueou o coronel e desligou em seguida.

Ao que se pressupunha, a Operação Pino seguia firme e forte, ao menos a conduta de Carrol corroborava isso. Durante a madrugada, tudo que fez indicava que, de fato, pretendia bombardear a *Nave*. Ele já havia preparado uma aeronave de reconhecimento, um Convair T-32 Samaritano adaptado, contendo um compartimento de bombas similar aos bombardeiros convencionais, mas adequado para mísseis teleguiados. Um avião muito utilizado para os exercícios da Força Aérea, ideal para o operativo que Carrol planejava, pois contava com aparato de ponta para monitorar os lançamentos, uma alta tecnologia em sensores e radares para identificar múltiplos alvos a quilômetros de distância, em terra e ar, e rastrear mísseis, inclusive com câmeras de alta velocidade acopladas, tanto no avião quanto nos projéteis. Uma aeronave também utilizada para reabastecimento aéreo de caças e, como característica peculiar, seus sistemas de monitoramento dispunham de uma torre na parte superior da fuselagem, como uma protuberância circular similar a um pequeno óvni acoplado; no linguajar técnico, um radomo composto por um sistema de controle e alerta para vigilância aérea e terrestre. Uma aeronave espiã.

Dois mísseis Exocet foram carregados no compartimento de bombas do Samaritano – como era usualmente designada esse tipo de aeronave. Além disso, Carrol já havia selecionado os pilotos e os operadores dos mísseis. Não bastasse, existia um terceiro míssil, ainda desprovido de carga, aguardando no armazém de mísseis da base, o qual o coronel havia ordenado separar para o operativo, mas ainda permanecia a incógnita sobre o que pretendia com ele.

Com tudo encaminhado, após o inútil telefonema de Murray, depois de toda correria da madrugada, enfim Carrol permitiu-se relaxar um pouco. O relógio batia as seis centenas, precisava descansar um pouco antes de começar o novo expediente. Retirou o paletó e os sapatos, deitou-se no sofá de sua sala e fechou os olhos. Um minuto depois, sua mente já estava em *alfa*. Passados mais alguns minutos, mergulhou em *beta*. Carrol dormia profundamente. Já era pelo menos o sexto pernoite que não dormia desde que Willa passou a monitorá-lo, mas nesse contínuo em que a alienígena finalmente poderia ler sua mente, a ACAE a havia proibido de fazê-lo. É claro que se sentiu tentada a desobedecer às ordens da agência, afinal, havia sido demitida, o que mais poderiam fazer? Demiti-la outra vez? Não. Todavia, repetir as faltas pelas quais fora punida minariam completamente suas chances de emplacar o novo projeto que desejava aprovar, por isso ateve-se às ordens da agência. Com tristeza e certa raiva, apenas observou o coronel enquanto seus olhos moviam-se freneticamente sob as pálpebras, indicando sono REM – ideal para a leitura –, ou seja, estava sonhando. Muito possivelmente com alienígenas como sugerira Murray, mas estava impedida de saber. Na China, Nhoc ironizou a situação ao captar a aura de impotência da alienígena perante o fóssil adormecido – rindo com seus micos. Primeira vez que mostrou alguma alegria depois do trauma do contato com a consciência cósmica.

Carrol dormiu até passadas oito centenas, quando seu sono foi interrompido pelo ringue do telefone vermelho em sua mesa, fazendo-o acordar de sobressalto, como se percebesse que dormiu além da conta. Irritado, expressou a si mesmo:

– Se for aquele *chato* outra vez...

Dirigiu-se à mesa e atendeu. Do outro lado da linha, para sua surpresa, era o tenente Mathew, que o alertou com preocupação na voz:

– Perdemos um pernilongo, coronel.

– Perdemos? Como?

– Tudo indica que caiu. A informação que eu tenho é que a aeronave sumiu do radar e agora não responde mais ao rádio. Posso autorizar o envio do resgate?

– Positivo – autorizou Carrol. Em seguida, ouviu o tenente repassar a ordem pelo rádio, então questionou: – Alguma notícia do posto zero? Será que o acidente está relacionado com o objeto?

– Nenhuma. Perdemos comunicação com o posto zero também, coronel.

A situação era preocupante, tanto que a adrenalina tomou a aura de Carrol, despertando-o do estado sonolento em que estava, imediatamente o colocando na situação em que adorava estar, a de emitir ordens:

– Envie outro pernilongo para averiguar e uma escolta de solo para o posto zero. Continue tentando comunicação. Utilize os motociclistas – então desligou e colocou-se em ação. Vestiu o paletó, calçou os sapatos, dirigiu-se ao gabinete na estante e tomou sua pílula. Retirou-se da sala e cumprimentou seu secretário, ordenando que transferisse qualquer ligação para a central de escuta, para onde se dirigia. Antes de ir para lá, deparou-se com o psicólogo Harrys dormindo na poltrona da antessala. O secretário explicou:

– Ele está aguardando o senhor para assinar o contrato há mais de uma centena, senhor.

– Deixe-o dormir. Quando acordar, avise-o que preciso de sua presença na reunião às dez centenas. Depois acertamos o contrato – ordenou Carrol. Em seguida, saiu rumo à central de escuta.

Harrys ouviu perfeitamente, mas não se deu o trabalho de abrir os olhos, preferiu fingir que ainda dormia. Internamente, irritou-se com a situação, pois já havia cumprido sua parte, a fita estava entregue ao tenente. Tudo que queria agora era assinar o compromisso de sigilo do coronel, garantir seu pagamento e deixar aquela maldita base. Saber que teria de aguardar até a reunião das dez não estava em seus planos. Só esperava que o chefe não mudasse de ideia até lá e cumprisse sua promessa de liberá-lo assim que assinasse o documento. Mas, sem alternativa, tudo que restou foi ajeitar-se melhor na poltrona e voltar a dormir.

Na central de escuta, Carrol juntou-se a Mathew e ficou na expectativa das atualizações de seus soldados. Não demorou nem cinco minutos e a situação agravou-se ainda mais quando o operador do radar perdeu comunicação com o pernilongo enviado para averiguação e, em seguida, desapareceu do radar também. Carrol socou a mesa dos aparelhos de escuta nesse instante. Sem perder tempo, ordenou o envio de mais tropas e do pelotão de resgate para atender ao sinistro por terra. Depois, comunicou-se com o galpão onde o Samaritano de reconhecimento estava sendo preparado para a Operação Pino e conversou com o responsável:

– Em quanto tempo pode colocá-lo no ar?
– Em 025, senhor.
– Prepare-o. Estarei aí em 020.
– Mas ainda não temos a terceira carga, senhor.
– Eu sei, imbecil! Prossiga sem ela! – gritou o coronel antes de desligar.

Em seguida, comunicou-se com o setor de metalúrgica da base e questionou o encarregado que estava trabalhando com o Carrolídio desde a noite anterior, quando as barras foram removidas do posto zero. Nesse instante, Willa obteve a confirmação de suas suspeitas sobre o que Carrol pretendia com aquele terceiro míssil que aguardava no armazém de mísseis.

– Como está a preparação do projétil? – perguntou o coronel.
– Está completa, senhor. Só falta curar o metal.
– Quando estará disponível?
– Em uma centena, senhor. No máximo em 0130 estará pronto para uso, senhor.
– OK. Tente agilizar a tarefa, me comunique assim que o míssil estiver pronto para ser carregado – ordenou e encerrou a comunicação.

Willa já havia deduzido a situação, mas o impedimento de saber o que Carrol pensava a deixou sem meios de confirmá-la sinapticamente. Entrementes, quando Carrol repassou ao metalúrgico as especificações e as medidas de uma carga compatível com o míssil teleguiado em um papel com um desenho de uma bala, não poderia estar imaginando outra coisa senão utilizar o Carrolídio como um projétil para atingir a *Nave*. De um lado havia um míssil sem carga, do outro, um metalúrgico forjando uma bala do Carrolídio – era tudo tão óbvio. Só não imaginava, a alienígena, que o coronel fosse tão perspicaz em bolar esse emprego para as barras de Carrolídio, ou melhor, do composto plasmático de propriedade metálica impresso pela *Nave* na ocasião da visita do presidente da República ao posto zero. Por isso a leitura de sua mente era tão importante para confirmar o que seus olhos observavam. Pior, pois se havia um bom metal para ser feito de projétil, não haveria melhor em todo o planeta que não fosse o Carrolídio. Ciente das intenções do coronel, Willa comunicou-se com sua colega metálica:

– Lógico, isto é – comentou a *Nave* sobre as suspeitas de Willa.

Pena que essa lógica não lhe ocorreu quando decidiu imprimir aquele metal. Quanto a isso seria inútil debater, Willa tinha outra preocupação:

– Crê que o emprego desse metal possa acarretar danos ao frisbee?

– Executar simulações, permita-me – partilhou a entidade. Em seguida, executou várias simulações considerando a potência do projétil em um impacto com o frisbee em diferentes cenários e variáveis. Ao terminar os cálculos, apresentou uma estatística *antimurphyana* de danos estruturais decorrentes do impacto, considerando-se a combinação de variáveis desde a altitude do lançamento, a distância do alvo, a combustão do míssil, o vento, a replicação interdimensional durante o evento e, sobretudo, o ângulo de aproximação do alvo e, por fim, a força de impacto que empregaria ao atingir o frisbee. Isto é, *se* o atingisse, dado que o projétil desfrutaria de uma abertura angular ínfima para esquivar-se do campo magnético gerado pelo frisbee, o qual a *Nave* poderia empregar para desviá-lo. No pior cenário, o projétil atingiria o alvo e resultaria na destruição da cúpula de tripulantes, que se romperia como a casca de um ovo. A força de impacto ocasionaria o óbito aos seus integrantes, inclusive os virtuais, dado que ficariam inoperáveis, presos no Algomoro enquanto a memória disponível permanecesse ativa, reduzidos a um mero escombro abandonado no deserto – Willa, Sam e Nhoc, apenas corpos biológicos para os militares dissecarem. As baratas possuíam boas chances de sobreviver.

– É isso que ele quer – deduziu Willa. – Abrir o casco do frisbee para ver o que tem aqui dentro, não nos explodir ou destruir.

A dedução foi o que bastou para que iniciasse uma discussão com Sam, exigindo que pleiteasse junto à ACAE uma autorização para interferir na situação. A começar pela permissão à leitura da mente de Carrol para confirmar quais seriam suas intenções. Mas também para que pudesse intervir na sequência dos fatos caso o coronel prosseguisse com a Operação Pino, especialmente nesse contínuo em que esclarecia-se qual "pino" pretendia usar.

– Ironicamente, o único material que realmente pode causar danos à estrutura da *Nave*. Fosse qualquer outro metal ou composto dos homens, sequer haveria motivo para debate – expôs Willa aos seus colegas ao rebater Sam. Com veemência nas sinapses, continuou: – Isso corrobora minha linha de defesa contra as acusações que nos imputaram, que as mais desastrosas consequências de nosso contato são oriundas da relutância em acatarem minhas sugestões e liderança sobre o plano de contingência que elaborei – discursou. – Peço que não cometam esse erro mais uma vez – expressou com ênfase em suas sinapses, na tentativa de fazer com que Sam, desta feita, desse-lhe razão e intercedesse junto à ACAE.

Porém, nesse instante, os fatos que se desenrolavam em pretérito já eram captados ao vivo no futuro, incluindo a discussão entre Sawmill[A] no interior da *Nave*. A ACAE acompanhava pela *Mídia* o debate entre os dois, portanto sequer precisou aguardar Sam interceder à agência, comunicou-se diretamente com Willa e indeferiu seus pedidos. Reforçou a ordem para que não cometesse novas infrações em pretérito, inclusive ameaçando-a de autorizar a partida da expedição antes que completasse o reembarque, se não obedecesse. Ademais, existiam outras contingências que poderiam ser aplicadas para o cenário em questão, caso fosse confirmado, dado que a probabilidade de tornar-se atual era *antimurphyana*.

– *Antimurphyana* não é o mesmo que *imurphyana* – protestou Willa, mas não adiantou insistir. Resignou-se em manter sua observação sobre Carrol e torcer por desdobramentos positivos.

Os desdobramentos, porém, não estavam nada favoráveis. A tensão na aura de Carrol crescia a cada nova atualização de seus homens. Logo confirmaram a queda do pernilongo enviado para investigar a queda do primeiro; não havia sobreviventes nos dois sinistros. Na sequência, veio o relato do pessoal enviado por terra para averiguar a situação no posto zero: os veículos, motos e jipes pararam de funcionar a aproximadamente duas milhas do local. Os rádios emudeceram igualmente e só voltaram a funcionar quando recuaram alguns metros do ponto onde os veículos pararam. Apenas alguns *walkies-talkies* ainda funcionavam, os veículos não pegavam mais, nem no tranco, e outros aparatos eletrônicos estavam pifados.

– O objeto está interferindo nos pernilongos e nos aparatos elétricos novamente – concluiu Carrol.

– Como prosseguiremos? – questionou Mathew, temeroso consigo próprio: se algo de mais grave estivesse acontecendo no posto zero, poderia comprometer o cronograma de seu complô. Enquanto não tivesse o contrato assinado pelo presidente em mãos, estava impedido de agir, pelo contrário, teria que se submeter às ordens do chefe como faria normalmente – e sabe-se lá que ordens sairiam daquela cabeça caso a situação fugisse de controle.

A ordem seguinte de Carrol foi para que seus homens prosseguissem ao posto zero a pé, ou melhor, correndo, para averiguar o local e retornar uma atualização o quanto antes. Na sequência, ligou para o galpão do Samaritano e ouviu do responsável:

– O pássaro está pronto para voar.

Então levantou-se da mesa de comunicação, pegou um rádio portátil e dirigiu-se à porta. Ao batente, alertou Mathew:

– Estou no canal 4. Quero atualizações a cada triplo-zero cinco – comunicou e virou-se para sair.

Agoniado com o notório nervosismo do coronel e temeroso que fosse tomar uma atitude mais drástica, como bombardear o objeto alienígena-extraterrestre, Mathew não se conteve e questionou o chefe antes que saísse:

– O que pretende fazer, coronel?

– Vou checar a situação do ar. – Então saiu e fechou a porta com força.

Tomara que caia o avião também, pensou o tenente assim que ele saiu, então ficou remoendo sua aflição enquanto o relógio parecia não andar. Ainda tinha mais de uma centena pela frente até que botasse as mãos no contrato, restava rezar para que não fosse suficiente para Carrol colocar seu plano por água abaixo. Com isso em mente, convocou um técnico para tomar seu lugar na central e ordenou que lhe repassasse as atualizações pelo rádio. Em seguida, deixou a sala. Embora disfarçasse seu semblante, estava extremamente agitado por dentro. Agora que estava tão próximo de concretizar seu complô, aquela emergência poderia colocar tudo a perder, por isso pensou que, à ausência momentânea do coronel, era melhor adiantar seus planos.

Desceu para o terceiro subsolo até a ala de tortura do quartel e encontrou-se com o cabo Emílio no ambulatório que servia o local. Deparou-se com Martin Healler algemado em um leito hospitalar, recebendo soro na veia. Nas últimas horas, sob a supervisão de Emílio, um paramédico vinha cuidando das feridas do curador, tratando de "curá-lo". Após medicá-lo, banhá-lo, penteá-lo e enfaixá-lo em alguns pontos – Healler apresentava uma costela fraturada –, deixou-o aos cuidados de Emílio e autorizou sua alta assim que esgotasse o soro ministrado. Mathew aproximou-se do curador, que dormia nesse instante. Então o despertou com leves tapas na cara.

– Está acordado? Sente-se melhor? – questionou.

A verdade era que Healler ainda sentia seu corpo bem dolorido, especialmente pela costela quebrada.

– Sim – respondeu um pouco hesitante, meio zonzo pela medicação.

– O meu colega já explicou direitinho o que vai acontecer contigo?

– Já sim... – afirmou o curador. Ele havia prometido que iria libertá-lo.

Mathew comprimiu suas expressões de forma ameaçadora e acrescentou:

– E já explicou que vou te *matar* se um dia abrir o bico sobre tudo isso?

– Explicou – confirmou Healler, com temor no rosto.

– Muito bom. Muito bom *mesmo* – enfatizou o tenente. Virou-se para Emílio e falou: – Vamos nos livrar desse cara agora. – Em seguida, desconectou o cateter da bolsa de soro ligado ao braço de Healler, retirou uma seringa do bolso e encaixou-a em seu lugar. Healler fez uma expressão de pânico, imaginando que o tenente iria envenená-lo, forçou seus braços chacoalhando as algemas e abriu a boca para gritar...

Foi calado pelo cassetete elétrico, desta feita nas mãos de Emílio. Atordoado pelo choque, Mathew aproveitou para ministrar a injeção em sua veia. Não era veneno, e sim uma alta dose de morfina apenas para mantê-lo calmo enquanto o removiam do quartel. Healler sorriu quando a droga fez efeito, sentindo um imediato bem-estar. Expressou-se em alegria, mas nem notou que sua voz não saía da boca, de tão dormentes que suas cordas vocais estavam. Emílio o soltou das algemas, pegou-o no colo, então o jogou sobre o ombro como um saco de batatas. Mathew ordenou:
– Leve-o imediatamente para fora daqui. Vou deslocar um agente para pegá-lo na saída da base. Aguarde ele lá. Seja discreto, compreendido?
– Sim, senhor. Alguma outra ordem, senhor?
– Avise para mantê-lo na casa segura em Roswell até eu chegar lá.
– Compreendido, senhor.
– Agora vamos, rápido. Precisamos aproveitar a ausência do coronel na base. – E os dois saíram às pressas carregando o pacote.
Em paralelo, Carrol continuou seu exercício de distribuição de ordens para atender ao estado emergencial em torno do operativo do posto zero. Antes mesmo de embarcar no Samaritano, comunicou-se pelo rádio e ordenou que seus homens montassem um posto avançado no perímetro máximo em que seus rádios permanecessem funcionais no deserto. Depois se comunicou com um subordinado para que convocasse a cavalaria, pois se helicópteros e automóveis não podiam prosseguir nas proximidades do posto zero, utilizaria cavalos para alcançar o local. Suas ordens eram para que priorizassem o bem-estar dos homens que permaneciam incomunicáveis no momento, mas que prosseguissem com a evacuação do posto zero como planejado na medida do possível, nem que fosse para retirar o material que restava a cavalo.
Carrol só desativou o rádio quando chegou ao galpão onde o Samaritano o aguardava. Junto à escada de acesso à aeronave, o sargento responsável o aguardava

com um paraquedas nas mãos. Não houve tempo nem para troca de continências. O coronel vestiu-o imediatamente e o sargento explicou como usá-lo – dado que Carrol nunca foi paraquedista na vida –, então subiu no avião.

Na aeronave, foi recepcionado pelo comandante Marshall, o responsável pela inteligência de bordo. Mais dois técnicos o acompanhavam – operadores dos sistemas de radar e comunicação. Todos bateram continência para Carrol e se acomodaram em seus assentos, fixos em frente às mesas de comando que preenchiam a lateral do receptáculo interno da aeronave. Ao contrário de um Convair civil, no Samaritano militar a cabine dos pilotos era anexa ao setor de operações, sem divisórias, para que todos pudessem comunicar-se verbalmente. Assim, os dois pilotos apenas acenaram com o queixo quando o coronel subiu a bordo e trataram de movimentar a aeronave. Entre a cabine de pilotagem e a cabine de operações, bem ao lado da porta do avião, havia duas fileiras com assentos duplos, de frente um para o outro, uma em cada lado da aeronave, providos de janelinhas para observação da paisagem externa. Eram os assentos de 360°, que podiam girar para ficar de frente para a cabine dos pilotos ou para a cabine de operações. A cabine de operações prosseguia por uns quinze metros para trás da fileira de assentos e encerrava-se em uma porta de acesso ao setor de manutenção da aeronave, sendo toda ocupada pelos aparatos de comunicação e radar, com vários computadores e monitores, sem janelas. Era um tanto quanto apertada, apesar de comprida. O restante da aeronave era composto apenas pelos compartimentos de bombas e os tanques para armazenamento de combustível para reabastecimento aéreo de caças.

Carrol acomodou-se em um dos assentos e afivelou o cinto de segurança, mas continuou fazendo contatos pelo rádio coordenando seus homens na base durante o processo de táxi. Somente quando o Samaritano levantou voo, passou a dar atenção à tripulação; girou seu assento em direção aos pilotos e perguntou:

– Esse pássaro sabe planar?

– Perfeitamente, senhor – confirmou o piloto.

– Eu quero que sobrevoe o local e determine se é seguro voar sobre o alvo e em qual altitude.

– Entendido, senhor. Apenas recomendo que se apoie bem nas curvas – alertou ele.

Carrol girou seu assento de volta à posição de frente aos técnicos e ordenou:

– Quero que peguem as imagens em detalhes, o melhor possível. Precisamos saber o que está acontecendo no chão.

O técnico anuiu e, em seguida, ligou os monitores. Uma série de visores acendeu na parte superior dos painéis, com duas fileiras de cada lado, mostrando imagens das câmeras acopladas na parte externa do avião, da cauda ao bico e nas asas. O técnico chamou atenção para um monitor maior, central, preso ao teto. Em seguida, moveu seu banco sobre um trilho próprio para manobrá-lo paralelo à fileira de aparatos e postou-se em frente a uma mesa com um *joystick*. Então falou:

– Vou colocar nessa tela – disse, movimentando o *joystick*, o qual comandava uma câmera na barriga do avião, focando e dando *zoom* na paisagem ao solo.

– Tranquilize-se, coronel – disse o comandante. – Com esse equipamento teremos uma perfeita visão do alvo.

– Me tranquilizarei quando souber o que está acontecendo em solo – disse Carrol com ar pouco amigável.

– Iniciando sobrevoo a 1-5-0 – anunciou o piloto. A aeronave começou a executar uma curva à direita. – Podem observar o alvo a estibordo. – Ao dizer, inclinou o avião para que pudessem ver o Algomoro pelas janelas.

– O senhor pode se soltar, coronel – acrescentou o copiloto. – Apenas mantenha o equilíbrio.

Carrol levantou-se e olhou pela janela, mas estavam muito distantes do alvo, sequer dava para identificar o objeto no solo. Mirou o monitor à sua frente enquanto o técnico buscava focar o local. Enfim, ele localizou o alvo. Parecia tudo bem, mas a imagem ainda estava distante e não dava para distinguir qualquer movimentação – ou não – das pessoas no chão. Porém, localizaram a fumaça do primeiro pernilongo acidentado, bem próximo ao posto 1, pois tinha caído logo após a decolagem, num ponto antes considerado seguro para o trânsito de aeronaves, a cerca de uma milha do alvo.

O piloto estabeleceu uma rota em espiral em torno do Algomoro, executando descendentes alinhados à pista da RSMR, já pronto para planar caso a aeronave apresentasse alguma pane. Partindo de uma altitude acima de dez mil pés, foi baixando mil pés a cada volta. A cinco mil pés, enfim Carrol teve uma imagem mais nítida do que acontecia no posto zero através das câmeras. Observou a figura de Limbs caminhando normalmente pelo pátio, desmontando seus aparelhos e carregando-os na van. Rodriguez também estava no pátio. Eles haviam camuflado o objeto com uma lona, conforme rezavam suas ordens, por isso estava difícil focá-lo pelas câmeras do avião. Mais uma volta e, a quatro mil pés, deu para notar que estava tudo desmontado no local; até o biombo em torno do perímetro havia sido parcialmente retirado. No acampamento ao lado, os homens continuavam trabalhando, restavam apenas algumas armações em pé. Porém, caixas, engradados de madeira e materiais diversos permaneciam empilhados e espalhados pelo chão. Próximo dali, o guindaste de operação encontrava-se já recolhido, mas estacionado. Dois caminhões também estavam imóveis, um deles com o placar eletrônico do município sobre a caçamba. Era nítido que todos os aparatos do local haviam sido afetados pelo objeto alienígena-extraterrestre. Somente os trabalhos manuais prosseguiam, mas ao menos os homens estavam bem. Carrol sentiu-se aliviado.

O avião também continuava bem. Fez uma volta a dois mil pés e continuou funcionando normalmente. Já mais próximos do solo, pela janela, foi possível ver Limbs e Murray acenando para a aeronave. Carrol questionou aos pilotos:

– Nenhum efeito ainda?

– Nada. Tudo na mais perfeita ordem – confirmou o piloto.

– Desça mais.

– Não posso, senhor. Senão ficaremos sem teto para o pouso.

– Passe o mais baixo que puder.

– Tudo bem, senhor. – O piloto, então, fez mais uma volta em torno do Algomoro e começou a descer. – Vamos passar a 1.500 pés – anunciou.

O Samaritano continuou descendo, vindo de nordeste, permitindo observar o pico do Algomoro bem próximo, a uma distância abaixo do recomendável para qualquer aeronave. Nesse instante, tudo se apagou dentro do avião. Em seguida, ouviu-se o som dos motores perdendo a força. Na cabine dos pilotos, todos os mostradores também falharam simultaneamente, exceto os leitores mecânicos. Carrol nem se abalou, apenas perguntou:

– Qual altitude?

– 1.478 pés – comunicou o copiloto.

Já o piloto, apenas iniciou os procedimentos para planar. Primeiro moveu o leme, rezando para que o sistema hidráulico da aeronave não tivesse sido afetado. Não foi. Efetuou uma curva e alinhou-a com a pista na RMSR, ativou os *flaps*. Ainda assim, executava uma descida mais veloz do que gostaria. O copiloto continuou tentando reiniciar os motores enquanto o avião baixava. A alavanca do trem de pouso foi acionada e ele desceu com a gravidade. Parecia tudo bem, apesar dos motores permanecerem desligados. Nesse instante, o piloto mirou a pista não muito distante, checou o altímetro, então voltou seu olhar ao copiloto. A expressão de olhos arregalados dele confirmou seu temor. Então anunciou:

– Todos aos seus assentos, afivelem os cintos. Preparar para impacto.

– Como?! – expressou Carrol, tomado por instantâneo temor. – Ordeno que pouse esse pássaro com segurança.

– Não temos teto suficiente, senhor. Vamos tocar o solo antes da pista. Por favor, sente-se e ponha a cabeça entre os joelhos – alertou o piloto.

– Sentar?! Não. Preciso pular. – Virou-se para o comandante e ordenou. – Abra a porta imediatamente!

– Não há tempo, senhor.

Carrol inflou os pulmões fazendo menção de gritar com o comandante, mas então ouviu o som dos motores pegando outra vez.

– Motor 1 está ativo – anunciou o copiloto. – Na sequência, o motor 2 voltou a funcionar.

– Ótimo, prosseguir em 0-5-0 – ordenou o piloto.

Com os motores religados, Carrol acalmou-se e sentou-se em silêncio, ignorando o constrangimento que causou pelo momentâneo pânico – um sentimento legítimo pelo que captou Willa de sua aura. Isso sem contar um pequeno leque dimensional em que a aeronave prosseguiu em seu voo desgovernado e o coronel, à revelia do comandante, abriu a porta da aeronave por si só e pulou. Em algumas dimensões, morreu ao chocar-se com a asa do avião após o pulo; em outras, sobreviveu para puxar o pino do paraquedas; em algumas, o paraquedas não abriu; em outras, também o reserva não abriu; noutras, chegou vivo ao solo, mas quebrou vários ossos ao pousar num baque pesado no chão do deserto. Para Willa, triste foi a restrição que a impedia de capturar a onda F do coronel; precisou observar sua morte incólume.

Já no leque interdimensional majoritário, o avião pousou com segurança na pista da RMSR e o piloto pôde até utilizar os reversores para frear a aeronave. Firmes no chão, Carrol reiniciou seu exercício de comando através do rádio que tinha consigo. Comunicou-se com Mijas e ordenou que a evacuação prosseguisse de qualquer maneira, nem que os homens tivessem que carregar o material no lombo através do deserto e empurrar os caminhões no braço, ou utilizarem os cavalos encaminhados ao local para removerem a carga que permanecia no posto zero. Sobretudo, pediu que os membros do time de especialistas, incluindo Rodriguez, abandonassem o local imediatamente, exceto Limbs, a quem designou para ficar no posto avançado, coordenando a comunicação entre os homens e a base.

Quando o avião retornou ao galpão onde a Operação Pino era preparada, os sistemas da aeronave estavam operacionais, exceto o rádio e as câmeras. Não obstante, antes de desembarcar, Carrol virou-se para o comandante Marshall e disse:

– Consertem o rádio e preparem esse pássaro para voar novamente. – Olhou para o relógio, eram 0928. – Quero esse bicho pronto pra decolar no máximo às onze centenas. – Então desceu do avião. No galpão, o terceiro míssil com o projétil de Carrolídio já acoplado na ponta aguardava no local.

– Carreguem o míssil no compartimento de bombas, preparem-no para lançamento – ordenou Carrol ao encarregado. Não podia deixar mais claro, com essa ordem, que prosseguiria com a Operação Pino.

A constatação fez Willa protestar com Sam no âmbito da *Nave*:

– Estão captando o pânico que causaram? Pergunto-me se essa simples mudança de marcha não precipitou de vez a Operação Pino, quando tal recurso sequer adiantará nossa partida. Insisto para que reduza a marcha de operação – pediu, mesmo que já soubesse que Sam negaria.

– Estou seguindo as instruções da ACAE – limitou-se a justificar o ex-chefe.

Willa tentou arguir com a própria agência, mas tentar persuadir um robô quando ele possui uma lógica inata em seus códigos é uma tarefa inglória. Nesse caso, a lógica eram os códigos de adução que regiam seus protocolos e a maledicência de Willa perante a opinião pública que faziam a ACAE recusar-se a compactuar com qualquer iniciativa dela. Para piorar ainda mais a situação, quando Carrol retornou à C-11, dirigiu-se diretamente ao seu escritório, onde foi comunicado por seu secretário:

– Os papéis de Mister Andrews já foram enviados. Estão sobre sua mesa, senhor.

– Já encaminhou uma cópia ao tenente Mathew?

– Sim, senhor.

– Ótimo.

120

Tião Bardon era um dos anciões mais tradicionais de Picacho. Beirando o centenário, era um dos três homens mais velhos do condado. Apesar disso, bastante lúcido, embora apresentasse certa perda de memória recente, própria de sua avançada idade. Pela análise de Willa, ele sofria um leve quadro de Alzheimer, mas nada que afetasse suas faculdades mentais, isto é, exceto talvez pelo humor, constantemente irritado. Suas expressões faciais, além de extremamente enrugadas, como um típico Matusalém, já haviam incorporado as linhas de sua personalidade pouco empática. Sua boca era curvada para baixo e seus olhos comprimidos entre as pálpebras, fazendo-o uma figura pouco agradável de se olhar, intimidadora, apesar de corcunda pela idade. Não obstante à velhice, calvície não era um gene ativo em seu código DNA, tinha uma vasta cabeleira branca que lhe dava um ar de bruxo. Um bruxo feio de doer.

E se observassem seu corpo nu, com a barriga avantajada e caída, escondendo seu diminuto pênis, as pelancas brancas cobrindo seu corpo e membros a cada centímetro quadrado, talvez ficassem chocados a ponto de desviar o olhar. Porém, o senhor Spike observava sem qualquer repugnância, pois era pajem de Bardon há mais de quinze anos, estava acostumado com sua figura tanto quanto com seu mau humor, pois desde que passou a cuidar dele nunca mais o viu sorrir, nem uma única vez.

Spike era idoso também, sexagenário, mas jovem se comparado a Tião, mesmo que fosse calvo. Era um homem forte, um de seus fiéis subordinados, que nasceu e trabalhou no Rancho Bravo a vida inteira. Era caucasiano, aliás, como todos os trabalhadores da fazenda, pois Bardon odiava negros, índios e mexicanos, embora sequer se achasse racista, pois não os considerava gente e sim animais. Racismo era uma palavra que não fazia sentido para si, pois havia sido criado assim, com seu avô lhe contando histórias de quando se aventurou na Marcha ao Oeste e tomou posse daquelas terras, depois as defendeu de índios e bandoleiros com sangue e bravura para que um dia Tião pudesse herdá-las. Nesse período, um dos orgulhos da família foi nunca empregar negros, uma tradição que Bardon, seus filhos e netos seguiam à risca.

Em se tratando de uma das famílias mais tradicionais da região, a morada dos Bardon refletia isso. Toda construída em madeira no mais típico e bem conservado estilo colonial, mobiliada com móveis rústicos e pinturas clássicas nas paredes, incluindo retratos de toda a família, a casa parecia um museu do velho oeste. Um grande sobrado com sótão e duas enormes varandas fazendo frente no térreo e no primeiro andar, a de cima anexa ao quarto principal, atualmente ocupado por Bardon Junior e sua esposa, pois Tião não tinha mais forças para subir as escadas. Ocupava um aposento térreo, contíguo à sala de estar, justo para que não precisasse caminhar muito. A sala de estar era quase um *saloon*: tomava a frente da casa por completo, com dez portas interligando a varanda, cheia de pilares de madeira com diversos ambientes. Em um canto ficavam a lareira, os troféus de caça da família e o ambiente de fumo. Ao lado ficava a mesa de refeição, enorme, para 26 pessoas. O outro canto era um salão de jogos, com *snooker*, dardo e mesa para carteado com escarradeiras de porcelana ao redor. Havia um balcão e um bar com cervejas e *bourbons*, um piano mecânico completava o cenário. O restante era preenchido com móveis diversos, sofás, cadeiras, poltronas de couro e tapetes de pele espalhados pelo chão. Bem no meio do salão era comum os desatentos tropeçarem na cabeça de um tapete de urso pardo, bicho abatido por Tião quando era jovem, um de seus troféus de caça favoritos.

Dentro da estética rústica da morada, Tião estava em sua suíte dentro da banheira colonial tomando seu banho semanal pajeado pelo senhor Spike, responsável por molhar sua cabeça com um pequeno balde e esfregar suas costas, quando foram interrompidos por seu Johnson batendo na porta, o feitor e braço-direito de Bardon Junior, que cuidava da fazenda atualmente – para muitos, como o tenente McCorn que aguardava na sala, Johnson era o chefe dos capangas da família; já para os íntimos, era chamado de "seu Jô".

Ter seu banho interrompido era motivo de irritação para Tião, mas mandou seu Jô entrar. Da porta, ele falou em voz alta para que o ouvido duro do patrão o escutasse:

– A polícia está aqui, patrão – disse seu Jô.

– Mas já? A missa não é à tarde? Ora, mande ele voltar depois – ordenou Tião, irritado. Imaginou que fosse o subdelegado Nigerman, que havia combinado de escoltá-lo à missa de Hut Cut naquela tarde.

– Ele disse que é outro assunto. É o McCorn que está aí.
– Mande Junior atendê-lo.
– Junior está viajando, não se lembra?
– Claro que me lembro! Tá insinuando que sô esclerosado? – gritou Tião.
– Não, claro que não. O que digo pra ele?
– Diga pra esperar, ora!

Seu Jô retornou ao salão e pediu ao tenente que aguardasse. Chamou uma das empregadas e ofereceu café. Ficou fazendo sala pra McCorn, sobretudo de olho nele, pois conhecia sua fama de corrupto. A empregada trouxe o café e os dois ficaram papeando. McCorn tentou extrair alguma informação de seu Jô, mas o feitor recusava-se a dizer qualquer coisa sem a presença do patrão, embora estivesse mais familiarizado com os assuntos da fazenda do que o próprio Tião; só não confiava no policial. Em dado instante, já irritado pela demora de Tião em atendê-lo, McCorn questionou seu Jô se poderia prosseguir com a viatura pelas estradas do rancho, depois voltaria e conversaria com ele.

– Isso só o patrão pode autorizar – alegou o feitor.

McCorn respirou fundo, ainda seria uma longa jornada até alcançar o local onde Vegina havia escondido o dinheiro; teria de contornar o Algomoro inteiro para chegar lá. Entre ir, achar o dinheiro e voltar, se tudo desse certo, demoraria umas três horas ou um pouco mais, ainda assim, suficientes para retomar o expediente perto da hora do almoço. Já não estava cumprindo seu plantão matutino, não podia atrasar-se no vespertino. Por isso a demora de Tião não estava em seus planos. Por outro lado, não podia simplesmente impor sua autoridade para atravessar aquelas terras sem pedir autorização, pois conhecia bem o velho para saber que, se o fizesse, a primeira providência dele seria telefonar para delegacia reclamando, e precisava ser discreto para que a coisa não chegasse aos ouvidos do subdelegado naquele momento.

Por sua vez, Bardon já havia se esquecido que McCorn o esperava no salão, tomou seu banho tranquilamente, aparou a barba e arrumou-se sem pressa. Em dado instante, seu Jô bateu na porta novamente e falou:

– Patrão, o policial me pediu pra perguntar se ocê vai demorar muito.
– Policiar? Mande Junior atendê-lo.
– Ele quer falar com o senhor. Junior não está – insistiu seu Jô.
– Pois diga que já vou, ora! Coisa mais chata – esbravejou Tião.

Então lá veio Tião, mais de meia hora depois que seu Jô o chamou pela primeira vez, lentamente, passo a passo com sua bengala estalando no chão de madeira. Demorou uns bons minutos para ele sair do quarto e alcançar a sala. Talvez fosse mais rápido se utilizasse um andador, mas Bardon recusava-se, preferia sua velha bengala, pois achava andador coisa de velho fraco. Spike segurava um de seus braços para ajudá-lo, pronto para agarrá-lo caso se desequilibrasse. Na sala, Bardon passou incólume pelo tenente como se ele nem estivesse ali, dirigindo-se à mesa de refeições para tomar café. No meio do caminho, sem muito entusiasmo nas palavras, enfim disse algo:

– Venha, vamos sentar à mesa – convidou. Verdade que o velho também odiava policiais subalternos. Gostava de Hut Cut, especialmente o sênior, pena que ambos haviam batido as botas. McCorn, apesar de ser tenente, não constava nesse rol de oficiais que respeitava. Ainda assim, o policial tentou ser gentil. Cumprimentou Tião e, quando enfim sentaram-se à mesa, foi humilde ao questionar:

– Caro Tião, gostaria de saber se o senhor me permitiria fazer uma pequena investigação em suas terras.

– Que investigação, sô? – questionou Tião com cara de poucos amigos enquanto passava manteiga em uma torrada. Sentava-se à cabeceira da mesa, com o senhor Spike de um lado e McCorn do outro. Virou-se para o pajem e bronqueou: – Cadê o meu mamão?! Mande aquela mulher trazer o meu mamão. – Referia-se à governanta, Clara. McCorn respondeu a pergunta de Tião:

– Nada que o aborreça. Uma denúncia de atividade ilegal em suas terras, lá no Algomoro. Apenas uma averiguação de rotina.

– Atividade ilegar? Mas o parque tá fechado, estamos de luto pelo xerife. Não tem atividade arguma no morro hoje – afirmou Tião. Mas confundiu-se com o Pico de Picacho, um destino procurado por turistas também localizado em suas terras, mas a nordeste, não a noroeste como o Algomoro.

Nesse instante, seu Jô aproximou-se da mesa, baixou sua cabeça no ouvido de Bardon e cochichou algo. Tião virou-se para McCorn e exclamou:

– Tem um homem dormindo na viatura?! Que homem é esse? – intimou.

– É a testemunha que fez a denúncia sobre as atividades no Algomoro, não é no Pico de Picacho – esclareceu McCorn.

– Então vamos ver esse homem, sô – disse Tião. – Me ajude a levantar, Spy – pediu ao senhor Spike, como o chamava intimamente.

E lá foi Tião com sua bengala, lentamente até a varanda onde a viatura estava estacionada logo em frente. Gastou mais uns cinco minutos para chegar lá, parou à frente do beiral que delimitava o espaço e forçou a vista para enxergar o homem dentro do carro, que parecia dormir com o pescoço apoiado no banco. Mas quando o pessoal se aproximou, ele levantou a cabeça para mirá-los. Sem reconhecê-lo, Tião tirou um monóculo do bolso, comprimiu um dos olhos e mirou o homem através dele.

– Eu conheço esse menino – disse Tião como se falasse de uma criança, não de um quarentão barbado. – É Andreas, o moleque que invadiu minhas terras pra procurar etê, disco-voador ou sei lá... O que que ele tá fazendo aí, patrulha? – questionou para McCorn, ofensivamente o chamando de "patrulha", embora não fosse intencional. O tenente resumiu-se em engolir o sapo sem reclamar.

Do carro, Vegina acenou para Tião enquanto ele continuava a falar:

– Nunca me esqueci desse nome porque meu filho queria chamar meu neto assim, mas o proibi. Onde já se viu dar nome de delinquente prum neto?

– Ele está apenas aguardando pra me guiar ao local no Algomoro, Tião – justificou McCorn. Mais uma vez, Tião forçou a vista para observar Vegina, então notou:

– Mas esse menino tá doente. Ele tá suando frio, tá todo ensopado. Que que ele tem?

– Tá com febre – disse McCorn.

– E vai deixá-lo aí embaixo do sór? Traga-o pra dentro. Vamo dá um banho nele. – Virou-se para Spy e perguntou: – Ocê já esvaziou a banheira?

– Ainda não, Tião.

– Pois aproveite e dê um banho nesse menino. Troque as roupa dele. Vamo fazê um chazinho de ervas pra ele, sô. – Então gritou, chamando Clara e ordenando que fizesse o chá.

O senhor Spike obedeceu imediatamente. Abriu a porta da viatura, pegou Vegina no colo e o retirou do automóvel. Vegina gemeu de dor levemente quando o homem moveu sua perna, e levou suas mãos à coxa. Com o movimento, todos ouviram quando sua calça rasgou-se no cavalo. Nesse instante, Tião notou o extremo inchaço na perna esquerda de Vegina e as algemas em seus pulsos:

– Meus Deus! Este menino foi mordido por uma cascavér! – exclamou Tião. Ele era velho, mas não burro. Sabia reconhecer perfeitamente uma picada de cascavel, algo não muito incomum no curso de sua vida como fazendeiro. – Ele precisa de ir pra Santa Casa agorinha mermo.

– Não. Por favor, eu não posso voltar pra lá – manifestou-se Vegina. Tião fez que não entendeu. Insistiu com ele, mas Vegina implorou para não ser levado para lá. Bardon ignorou-o, ordenou ao "patrulha" que o escoltasse ao hospital. Diante da ordem de Tião, McCorn foi obrigado a revelar:

– Vegina fugiu do hospital. Alega que os militares estão atrás dele, afirma que estão fazendo um operativo secreto em suas terras, perto do Algomoro – disse. Vegina fez que sim com a cabeça, concordando com o tenente.

– Vagina?! De quem é essa, sô? – duvidou Tião.

– *Vegina*. Refiro-me a este homem, Andreas – corrigiu o tenente. – Andreas *Vegina* – enfatizou. Depois repetiu a informação anterior. Tião indignou-se:

– Milicos?! Em minhas terras? Ora! Então ocê tá aqui a mando daquele palhaço, o coronér? Pois vaia-te daqui! – enfureceu-se. – Já disse que minhas terras não vendo, tá ouvindo?! Não vendo! Cessa, sai daqui! – ordenou já aos berros, lançando perdigotos e apontando o dedo na cara do tenente. McCorn tratou de acalmá-lo, explicou que nada tinha a ver com o coronel, pelo contrário, por isso queria investigar as terras do Algomoro; por isso Andreas estava ali, para guiá-lo ao local. Tião achou loucura levar o menino picado de cobra até lá, mas como ele insistiu que não queria ir para o hospital, disse:

– Bom. Se ele num quer, ele que sabe, sô. – Então, como se fosse o chefe de McCorn, falou: – Tire as esposas dele, patrulha – referindo-se às algemas. Depois gritou para Clara: – Prepare um coquetér anticascavér pra esse menino! – Por fim, dirigiu-se a McCorn e falou: – Agora nóis vai tomá café e ocê vai me contar tudinho sobre o que os milicos tão aprontando em minhas terras. Aliás, vai me dizer por que que esse menino tava esposado...

McCorn, seu Jô e Tião retomaram o café da manhã à mesa e o senhor Spike carregou Vegina no colo até o quarto para banhá-lo. Na mesa, para o crescente nervosismo do tenente, Tião queria saber de tudo nos mínimos detalhes, o que o obrigou a ficar se repetindo nas explicações. Seu Jô apenas observava, medindo o tenente com os olhos. Em dado instante, levantou-se, cochichou algo no ouvido de Tião e retirou-se. Em seguida, o filho de Clara, um rapagão na flor da juventude, sentou-se à mesa, como se tomasse o lugar de seu Jô na vigília de McCorn. Em um clima de desconfiança, o papo continuou e, diante da implicância de Tião, finalmente o tenente revelou que estavam indo investigar a presença de um disco-voador no Algomoro. Perante a revelação, Tião só não riu porque não ria mesmo, mas expressou-se com irritação:

– Ora, vá te catar, policiar! Vai querer me empurrá essas historinhas daquele delinquente? Ocê é *burro* de acreditar nele? Diga: ocê é burro? – intimou o velho, lançando o talher no prato com seu mamão picado. O rapaz à mesa não se conteve e soltou um sorrisinho diante da bronca do patrão pra cima do meganha. McCorn precisou de todo seu autocontrole para não partir pra cima dele e engolir mais essa.

– Não, Tião. Não sou burro. Tenho outras suspeitas além da versão desse delinquente – disse com calma.

– Que suspeitas são essas, sô?

McCorn continuou seu relato, comentando a respeito de Mathew e do possível envolvimento dos militares na morte de Hut Cut. Como Tião apreciava a figura de Hut Cut, ouviu a história com interesse, apesar do descrédito que manifestou. O tenente contou praticamente tudo que sabia, exceto a respeito do dinheiro e das fotos que Vegina teria escondido no deserto.

Em paralelo, enquanto Spike banhava Vegina, seu Jô juntou-se aos dois e começou a papear com o ufólogo. De fato, queria saber o que tinha de verdade na história de McCorn. Normalmente, Vegina não diria nada ou dissimularia suas respostas. Nesse instante, porém, seu raciocínio estava longe do habitual. Depois de tantos analgésicos que ingeriu, da cocaína que aspirou, sem mencionar o veneno da cobra que ainda circulava em seu sangue e, sobretudo, do coquetel anticascavel que tomou ali mesmo na banheira, relaxado e bem cuidado por Spike, permitiu-se ser sincero com seu Jô – aliás, estava tão relaxado que nem se lembrou da chave do depósito de bagagens, em Ruidoso, escondida em seu saco, que escorregou para o fundo da banheira e lá ficou. Contou tudo a respeito de suas suspeitas envolvendo Carrol, Mathew, Hut Cut, da infiltração que realizou, da intromissão de McCorn e do disco-voador que descobriu no Algomoro. Na verdade, corroborou a história do tenente, igualmente deixando de citar o "dinheiro" e as fotos nos quais jazia o motivo de quererem atravessar as terras do Rancho Bravo para chegar lá.

Depois de conversar com Vegina, enquanto o ufólogo terminava de se arrumar aos cuidados do senhor Spike, seu Jô retornou à presença de Tião e cochichou em sua orelha. Quando terminou de cochichar, levantou-se e acrescentou em voz alta:

– Eu acredito.

A essa altura, o velho já estava convencido de que algo estava acontecendo no Algomoro, embora ainda achasse burrice crer que tivesse alguma coisa a ver com óvnis ou algo similar. Mas o fato da suspeita envolver o nome de Hut Cut, a quem tinha apreço, já era suficiente para deixá-lo curioso. Não obstante, o fato de envolver militares, a quem Tião odiava, era suficiente para deixá-lo furioso. E a informação de Spike em sua orelha confirmava tudo isso. Assim convencido, deu um soco na mesa e ordenou:

– Tragam o mapa. Vamo inté lá ver isso é pra já! – Virou-se para o rapagão na mesa e disse: – Pega o jipe!

– Quar dos jipe?

– O jipão! – referindo-se ao *seu* jipe, que, como ele, era o veículo mais velho ainda funcional disponível na fazenda. Na verdade, uma *pick up* Ford 1937 em ótimo estado de conservação, cabine fechada, pois Tião não ia querer tomar poeira na cara pelo caminho.

– É pra já! – Obedeceu o rapagão. Levantou-se e correu para buscar o jipão.

McCorn tentou interferir, pois sua intenção era conduzir uma investigação discreta, não pretendia montar uma comitiva para visitar o suposto óvni. Queria apenas o dinheiro que Vegina escondeu no local. Com isso em mente, falou:

– O senhor não precisa se preocupar em ir até lá. Eu verifico e retorno pra te informar o que está acontecendo – sugeriu.

– São *minhas* terras, sô. *Eu* que vô verificá. Se eu num for, ocê também não vai – bronqueou Tião. Depois gritou chamando por Spike: – Traga o menino aqui! Bote ele no jipe!

Demorou mais alguns minutos e o senhor Spike retornou ao salão com Vegina no colo já arrumado, com o cabelo molhado e penteado, a barba aparada e roupas limpas, embora aparentasse um caipira de camisa xadrez. No salão, Tião, seu Jô e McCorn estavam à mesa debruçados sobre um mapa. Já com uma aparência bem melhor, embora se sentisse abatido e cansado, Vegina foi convocado para indicar no mapa o ponto exato de localização do tal disco-voador. O tenente estudava atentamente o mapa, pois necessitava de referências precisas para tomar a servidão correta que contornava o Algomoro. Isso tendo em vista que aquelas servidões nem eram caminhos oficiais, apenas leitos trafegáveis, mas que em muitos trechos não apresentavam demarcação ou desapareciam sob a areia. Era fácil perder a trilha por ali e acabar atolado. Em dado instante, o tenente apontou para uma concha desenhada no mapa a sul-sudeste do Algomoro:

– O que significa essa indicação? – indagou McCorn.

– É a pedra sonora – esclareceu seu Jô. Uma pedra em forma de concha que parecia um órgão. Emitia sons como um instrumento de cordas, embora tocasse por percussão. McCorn memorizou a informação, pois era nesse exato ponto que a servidão bifurcava, seguindo a oeste rumo à face sul do Algomoro, e a noroeste contornando o morro. Seria ali que precisaria despistar Tião e prosseguir sozinho ao lado de Vegina. Depois não seria difícil alegar que teria se perdido pelo caminho, que seu pneu furou ou qualquer coisa parecida. Com tudo certo, Tião anunciou:

– Vamô simbora! – Virou-se para o pajem e questionou: – Cadê meu chapér, Spy?

O senhor Spike buscou o chapéu de Tião, modelo típico de idoso, preto, embora meio desbotado, com cone reto e aba circular larga e rígida em grau reto. Posto o chapéu, Tião e os demais se dirigiram à frente do casarão onde o jipão já os aguardava. Demorou quase uns dez minutos para o velho caminhar até a varanda, descer os degraus e entrar no carro. Talvez fosse mais rápido se permitisse seu Jô ou Spy carregá-lo, mas Tião não se considerava um decrépito incapaz de caminhar sozinho. No caminho, brigou com McCorn, pois queria que o menino Andreas prosseguisse com ele no jipão, algo que o tenente não podia permitir. Foi preciso que Vegina intercedesse para convencer Tião a deixá-lo seguir na viatura, até porque queria pegar mais um papelote no porta-luvas do carro.

Com Vegina acomodado na viatura, McCorn dirigiu-se ao seu Jô, que assumiu o volante do jipão com Tião e Spike dividindo o banco da frente, largo o suficiente para os três, e o rapagão, filho de Clara, sozinho no banco de trás, louco de ansiedade para ver o tal óvni.

– Vá na frente. Eu sigo vocês – disse o tenente. Depois subiu na viatura e, enfim, os carros partiram. Preocupado com o atraso, consultou seu relógio de pulso e notou que passava das 09h30.

***

Em uma colina a cerca de um quilômetro de distância do casarão dos Bardon, mas fora do perímetro da propriedade, Costa, o agente de Mathew, observava a cena de binóculo no momento em que o jipão de Tião e a viatura de McCorn com o pacote saíram em caravana. Nesse instante, pegou seu móbil e comunicou-se com o chefe:

– O pacote está em movimento, senhor. Segue em sentido noroeste.

– Não o perca de vista.

– Mas estão em propriedade particular, senhor.

– Não me interessa! Sigam-no. Usem seus distintivos, deem uma carteirada. Quando obtiverem oportunidade, abatam-no. Está claro?

– Sim, senhor.

Confirmada a ordem, os agentes entraram em ação. Retomaram seu veículo, colocaram uma sirene no teto pelo lado de fora, mas desligada, e cruzaram a porteira do Rancho Bravo. Percorreram uns duzentos metros até um estacionamento que atendia aos turistas, situado a uns trezentos metros do casarão principal. Havia uma lanchonete no local, mas estava tudo fechado devido ao luto de sete dias em homenagem ao xerife Hut Cut declarado pela cidade. Uma bandeira nacional estava hasteada a meio-pau. Ainda assim, havia um funcionário de vigia. Ele viu o veículo aproximando-se e se colocou em seu caminho, indicando uma segunda porteira que delimitava a área em que uma placa pendurada apresentava o dizer "Fechado"; uma tabela no beiral da porteira indicava: "Entrada: U$ 5, Menor de 7: livre". Era o acesso ao parque do Pico de Picacho, justo por onde a comitiva de Tião e McCorn tinha acabado de passar, que também dava acesso ao caminho que seguia para o Algomoro.

Os agentes pararam, mostraram seus distintivos e conversaram com o vigia:

– O tenente McCorn nos chamou pelo rádio, a pedido do senhor Sebastian Bardon, para que nos juntássemos à averiguação – alegaram.

Em tese, o vigia não deveria deixar ninguém passar, estava ali justamente para isso, para impedir que turistas desavisados quisessem entrar no parque nesses dias de luto. Porém, diante da sirene no topo do carro, dos distintivos que os homens apresentaram e do rádio que tinham nas mãos, embora parecessem civis, mas um tanto quanto intimidado, disse:

– São dez dólares, senhores.

Os agentes abriram suas carteiras, pagaram a entrada e o vigia liberou o acesso.

Enquanto isso, já de volta ao posto na central de escuta da C-11, ao desligar seu móbil, o tenente Mathew também se colocou em ação assim que o comunicado que tanto aguardava se confirmou. Mijas o chamou do setor de comunicação, avisando-o que o envio do fax de Mister Andrews estava finalizado. Pronto! A prova definitiva que necessitava para seu complô estava consumada. A começar pelo envio do fax, dado que todo despacho da Casa Branca ou de qualquer órgão oficial era rastreável, servia como um registro da documentação. Não obstante, o fax da Casa Branca e da própria base não eram um fax qualquer, mas uma fotocópia colorida idêntica ao original, tinha o mesmo valor legal de uma xerox autenticada. Sua qualidade de impressão permitiria a qualquer perito atestar a autenticidade da assinatura do presidente no documento.

– Encaminhe uma cópia ao meu escritório – ordenou Mathew a Mijas.

Precisava agir rápido, o coronel tinha acabado de retornar de seu voo de reconhecimento, em poucos minutos estaria de volta à central de escuta. Tinha resolvido o problema com o pacote dois – Healler –, a essa altura a "salvo" na casa segura em Roswell; já tinha o contrato em mãos, agora só faltava resolver um último problema antes de fugir e ativar seu complô. Na verdade dois, pois precisava ludibriar Carrol para deixar a base sem levantar suspeitas. Antes que Carrol retornasse do hangar, chamou o cabo Emílio pelo rádio e ordenou que o encontrasse em seu escritório, então encaminhou-se para lá a passos largos. Quando chegou ao escritório, logo em seguida um reco bateu à porta com o contrato em mãos dentro de um envelope. Pediu ao reco que o deixasse sobre sua mesa, dispensou-o, vestiu suas luvas e examinou o documento. Sorriu consigo próprio quando viu a assinatura do presidente no rodapé. Agindo com pressa, pegou uma caneta piloto negra, rasurou seu nome no papel e guardou-o em sua valise. Nesse instante, o cabo Emílio bateu à porta.

– Entre – autorizou Mathew. – Aguarde um instante – disse ao cabo.

Em seguida, abriu um cofre escondido atrás de um quadro, retirou um maço de dinheiro, alguns documentos falsos, como passaporte, habilitação e outros; pegou uma pistola e munição extra. Deu uma parte do dinheiro para Emílio, depois guardou o resto em sua valise. Da gaveta em sua mesa, retirou os envelopes com as denúncias que havia preparado e colocou-os na valise também. Por fim, abriu um pequeno armário em sua estante e sacou uma garrafa de Whisky – um puro malte escocês, 12 anos –, virou-se para Emílio e ordenou:

– Dê esta garrafa para o xerife. – Assumiu um olhar frio e acrescentou: – Quando ele terminar de bebê-la, elimine-o.

– Sim, senhor.

– Faça com que pareça suicídio.

– Compreendido, senhor.

Nesse instante, o telefone tocou. Era Carrol chamando-o para apresentar-se em seu escritório. Ao desligar, deu sua última ordem para Emílio:

– Agora vá. Depois reassuma seu posto na central de escuta. Quando eu deixar a base, certifique-se de que o serviço esteja completo antes que o coronel perceba que fugi. Aproveite o momento em que ele se ausentar da base na Operação Pino para executar sua ordem.

– Considere como feito, senhor. – O cabo bateu continência e retirou-se.

A queima de arquivo de Hut Cut era a última providência que ainda faltava. Agora, tudo que precisava era dar um jeito de driblar Carrol para se ausentar da base. Embora já estivesse com todos os trunfos na mão, temia ser desmascarado justo quando estava prestes a executar seu plano. Não demoraria muito para o coronel tomar ciência de que os documentos que ordenou serem enviados ao Instituto SETI não haviam chegado ao seu destino ou, talvez, que Vegina desse com a língua nos dentes antes que seus agentes pudessem cuidar dele, especialmente nesse momento em que estava ao lado de McCorn e Tião Bardon tramando sabe-se lá o quê. Precisava estar longe da base antes que algo chegasse ao conhecimento do chefe.

No escritório de Carrol, o coronel lhe comunicou:

– Vou acelerar a Operação Pino. Quero você e o time na sala de reunião assim que eles retornarem do posto zero para um último *briefing*.

– Compreendido – anuiu o tenente, depois comunicou: – Nós temos um problema, coronel.

– Que problema?

– Vegina. Ele deixou o hospital contra as recomendações médicas.

– Onde ele está?

– Ele foi para o museu. Meus homens estão vigiando.

– Mas ele está bem? Não será que deixou o hospital apenas para se recuperar em casa?

– Não posso dizer, coronel. Segundo o que meus homens conversaram com o médico, ele não estava em condições de deixar o hospital, não tinha alta. Não acha estranho?

– Aquele homem é estranho. Mas não creio que seja nada importante – disse Carrol, sem demonstrar preocupação.

– Eu não teria tanta certeza, coronel. Ontem ele apareceu misteriosamente no posto zero, eu cheguei com o pessoal e ninguém soube me dizer como chegou lá. Será que ele viu o objeto? Não estaria tramando algo? E se esse homem resolver falar com a imprensa?

– Suspeita infundada. É claro que ninguém alega saber alguma coisa, os homens nunca admitem seus erros.

– Mas qual motivo ele teria para fugir do hospital?

– Você não tem o telefone dele grampeado?

– Não.

– Pois grampeie. Vamos vigiá-lo.

– Ordenarei o grampo imediatamente, mas, se não achar inconveniente, gostaria de visitá-lo para ver se descubro o que ele está tramando.
– Agora?
– Perfeitamente.
– Negativo. Deixe seus homens trabalharem. Preciso de você aqui na central de escuta durante a operação.
– O cabo Emílio pode coordenar as ações, coronel. Eu preferia verificar isso o quanto antes – insistiu Mathew, o que bastou para irritar Carrol. Ele levantou a voz e bronqueou:
– Tenente! Já não bastam os problemas com que estamos lidando nesta manhã e você ainda quer me aborrecer com suas *paranoias*? Assuma sua posição na central *já* e não me venha com essas bobagens, tá compreendido?
– Sim, coronel.
– Muito bem. Dispensado – disse Carrol encerrando a conversa.
Sem ter como insistir, Mathew deixou o escritório do chefe e retomou seu posto na central de escuta ao lado do cabo Emílio. No local, trocou umas palavras com ele:
– E o nosso hóspede?
– Ficou supercontente com a garrafa, senhor.
– Ótimo. Agora me escute. Assim que der uma brecha... – O tenente então explicou ao cabo como agir segundo suas necessidades de evadir a base. Na sequência, recebeu uma atualização dos agentes no encalço de Vegina:
– A caravana segue a noroeste sentido Algomoro – comunicou Costa.
– Compreendido. Câmbio final.
Estava claro, nesse instante, que Vegina havia dado com a língua nos dentes e revelado para McCorn e Tião Bardon a existência do objeto alienígena-extraterrestre, que estavam dirigindo-se ao posto zero. Menos mal que não conseguiriam chegar lá, pois seus veículos seriam afetados pelo campo gerado pelo objeto. O perigo seria cruzarem com as últimas tropas de Carrol que ainda permaneciam vigiando o perímetro, embora estivessem sem comunicação no momento – o que vinha a calhar. De qualquer modo, bastava instruir seus agentes para que pegassem Vegina caso ele caísse nas mãos dos militares. De momento, o que restava fazer era ajudar o coronel a acelerar a Operação Pino. No mais tardar, deixaria a base assim que ele embarcasse no Samaritano. Com isso em mente, Mathew comunicou-se com o comandante Marshall, ele confirmou que o problema no rádio já havia sido identificado e que o avião estaria pronto para voar no horário estipulado.
– Quero que apronte tudo o mais rápido possível para decolar imediatamente – ordenou Mathew.
– Estaremos prontos em 045, senhor.

– Ótimo. Não quero nem um minuto de atraso – disse ao encerrar a comunicação.

Em seguida, manteve-se monitorando a evacuação do posto zero, igualmente cobrando agilidade dos homens. Da central, também ficou na escuta da comunicação de Carrol, de vigília para antecipar qualquer informação indesejada que chegasse aos ouvidos do coronel. Acompanhou o instante em que, finalmente, os membros do time de especialistas alcançaram o posto avançado e atualizaram o chefe. Na linha, o tenente Murray falou:

– Nunca imaginei que fosse voltar a cavalo, mas tá tudo bem por lá – disse ele. Depois comentou brevemente sobre o que havia se passado. Na verdade, tinha acabado de acordar quando os funcionários iniciaram o desmonte do dormitório, instante em que deu um apagão geral no posto zero. – Tive que tomar café frio, pois pifou a cafeteira – brincou. Então passou o rádio para Limbs, que confirmou a informação. Era o único que se mantinha acordado no pátio operando os computadores e videocassetes no momento do apagão. Sorte que a renderização da fita já havia finalizado, segundo pôde verificar. Todavia:

– Não consegui assistir como ficou a gravação, pois nada mais funciona aqui.

– Peça para trazerem a fita para mim. Verificarei eu mesmo em minha sala – pediu Carrol. Em seguida, reforçou sua instrução a Limbs para que permanecesse no local e coordenasse a comunicação, com um detalhe: – Quero que estabeleça um posto de observação a pelo menos uma milha e meia do objeto. Você será meus olhos em terra durante a Operação Pino. Enviei uma equipe para te auxiliar. Eles estão levando uma extensão telefônica de três mil metros. Utilize o cabo para abrir um canal com a base, entendido?

– Sim, coronel.

– Mande o restante do time apresentar-se imediatamente na sala de reuniões – pediu Carrol.

Antes de encerrar a comunicação, o coronel ainda conversou com o encarregado responsável pela supervisão da evacuação do posto zero. Ele assegurou que o local estaria limpo dentro do prazo de início da Operação Pino, às onze centenas, exceto pelo guindaste, que não tinha como ser removido do local. Seria um prejuízo a perda de mais um guindaste conforme o desenrolar da operação, mas nada tão preocupante para Carrol abortá-la; o que importava era que os itens mais dispendiosos, como os equipamentos de Nickson e o placar eletrônico da prefeitura, sairiam intactos do local. Por isso, apenas ordenou ao encarregado:

– Removam a identificação do guindaste, raspem o número de chassi e do motor. – Foram suas últimas ordens antes de encerrar o contato com o posto avançado e retornar aos seus afazeres no escritório.

Como se a expectativa diante da movimentação de Carrol em torno do operativo já não fosse ruim, seu afazer seguinte deixou a alienígena que o monitorava ainda mais preocupada. Ele acessou seu computador e começou a redigir um e-mail aos cuidados de Mijas. No e-mail, instruía o sargento a ativar o envio de uma atualização ao banco de dados do projeto Majestic, contendo algumas instruções de praxe e um curto, mas significativo, enunciado:

"Ameaça detectada: objeto alienígena-extraterrestre discoide, classificação 'ÓVNI', localizado. Presença hostil confirmada. Perigo iminente. Operação Pino ativada".

O memorando valia-se da queda dos dois helicópteros como justificativa para ativação da Operação Pino e Carrol agendou seu envio assim que a operação entrasse em andamento, dando a supor que não desejava qualquer interferência em suas condutas até então, senão teria protocolado a atualização imediatamente. Não obstante, a mensagem vinha classificada como "*top secret*" e adicionada da instrução para declarar DEFCON Tático no âmbito da base, ou seja, seria informada imediatamente ao secretário de Defesa, Ashley Mature, como o integrante governamental do Majestic. Ao final, uma instrução ordenava imperativamente que a mensagem e seu respectivo registro de envio no servidor fossem deletados.

As ordens do coronel a seguir ratificavam sua conduta. Ele desconvocou todas as tropas de bases vizinhas e manteve apenas seus subordinados, especialmente a cavalaria, de prontidão no posto avançado. Também ordenou estado de alerta aos caças da base, deslocou tanques e a artilharia para o local e os deixou em espera por novas ordens, ou seja, centralizou o operativo exclusivamente na base RSMR, certificando-se de que seus homens seriam os primeiros a atender às contingências do protocolo Majestic assim que o ativasse e, simultaneamente, isentando-se de qualquer acusação de agir por conta própria na condução da Operação Pino. Tal memorando elucidava sua conduta na noite anterior quando conversou com Mature. Muito certamente, Carrol ludibriou o secretário apenas para garantir a discrição do operativo que conduzia há dias até que assegurasse a remoção de qualquer evidência de suas condutas, a posse do Carrolídio e a confirmação da parceria com o presidente da República. Assim contaria com um importante aliado na Casa Branca para evitar que o secretário ou o Pentágono fuçassem demais na situação quando ela viesse à tona: o contrato assinado pelo presidente era a garantia necessária para que não fosse exposto. Também elucidava sua farsa quando comunicou ao time de especialistas que estava declarando DEFCON Tático, pois sequer o fez na ocasião. Tentava apenas ganhar tempo para selar seu plano e assegurar a colaboração deles até que tudo estivesse dentro dos conformes.

Tudo que Willa temia parecia se alinhar contra sua vontade e as contingências que tomou desde que aportaram em pretérito: o exército assumindo a presença da *Nave* como hostil, o envolvimento das esferas mais altas do governo e o iminente fim de qualquer discrição em torno de sua presença no Algomoro. Tudo isso justo em contínuo quando a ACAE inviabilizava qualquer atitude sua no intuito de prevenir a escalada dos fatos que punham em xeque sua presença em pretérito e o projeto de pesquisa que pretendia emplacar. Como era inútil apelar para Sam ou à agência para que a permitissem interferir na sequência de eventos, Willa teceu uma declaração oficial para a consciência cósmica:

– Quero pontuar a minha isenção de culpa dos acontecimentos a continuar. Que a consciência cósmica seja testemunha de que a minha vontade em prevenir maiores danos ao plano pretérito em corrente foi castrada pelas autoridades "pensadas" responsáveis – declarou.

O fato a seguir na conclusão da trama que Willa prenunciava foi o ringue do telefone amarelo soando sobre a escrivaninha de Carrol. Ao atendê-lo, seu secretário avisou:

– O time já chegou, senhor. Aguardam-no na sala de reunião.

– Obrigado. Convoque Mathew. Transfira as ligações para lá. – Carrol desligou, levantou-se, pegou uma pasta sobre sua mesa e dirigiu-se para a reunião. Seu marcador de pulso indicava: 1015.

Na sala de reunião, os dois psicólogos, Murray e Harrys, o astrobiólogo Nickson e o sargento Rodriguez aguardavam o chefe, mas, para irritação do coronel, o tenente Mathew estava ausente. Irritado, mal cumprimentou o time. Assim que entrou na sala, pegou o telefone e ligou para o ramal de seu secretário. Com irritação na voz, questionou:

– Você convocou Mathew?

– Sim, senhor. Quer dizer, não, senhor. Estava a ponto de avisá-lo... Ele deixou seu posto.

– Deixou o posto? Sob que alegação?

– Conversei com o cabo Emílio na central. Ele justificou que o tenente saiu para atender uma emergência. Houve uma "escalada nos fatos anteriores", segundo me falou, senhor.

Carrol bateu o telefone. Em pé, à cabeceira da mesa com seus homens sentados aguardando o chefe se pronunciar, ele apontou para a pasta que trouxe consigo e pronunciou:

– Senhores, aqui estão os papéis de rescisão para assinarem. Estamos ativando a Operação Pino. Quem quiser permanecer no operativo seguirá oficialmente convocado para prosseguir. Quem quiser desligar-se, basta firmar o contrato e está liberado. – Então ludibriou: – Quero lembrá-los que continuamos sob DEFCON Tático, estamos trabalhando em sigilo independente desse contrato.

– Eu gostaria de me desligar – adiantou-se Harrys.

– Como queira – anuiu Carrol e retirou o contrato do psicólogo da pasta. Ele o assinou de pronto, sem ler. Murray protestou:

– Vai ativar a Operação Pino? Mas essa reunião não era pra discutirmos a respeito das últimas atividades, do contato que estabelecemos com o objeto?

– A situação modificou-se – alegou Carrol. – E essas atividades não trouxeram nenhum resultado.

– Como não? Eu mantive contato com eles. Eles me pediram para que não prosseguisse com a Operação Pino. Não era para o Harrys me analisar agora? Mas como, se ele tá indo embora? – questionou. Harrys o respondeu com desfaçatez:

– Se quiser, posso analisá-lo antes de ir – ofereceu, embora tudo que quisesse era levantar e ir embora imediatamente. – O que precisa de mim? – indagou. Carrol se interpôs na conversa:

– O que ele quer é que analise os sonhos que teve. Ora, se eu mesmo sonhei com alienígenas durante essa madrugada, isso é bobagem. – Depois, acrescentou com veemência: – Os senhores passaram a noite inteira tentando contatar o objeto. Alegam que é inteligente, mas ele preferiu responder com hostilidade, perdemos dois helicópteros e oito homens. Essa é a situação, é com ela que lidaremos.

– Mas, coronel... – insistiu Murray. – Será que o objeto não reagiu assim, ativando esse campo de influência para... – foi interrompido por Nickson:

– Campo magnético – corrigiu o astrobiólogo.

– Sim, campo magnético... – prosseguiu o psicólogo. – Será que ele não ativou para se proteger da Operação Pino? Você vai explodir uma bomba nele, não é, coronel?

Já irritado com a insinuação do psicólogo, Carrol levantou a voz, virou-se para ele e tratou de encerrar o assunto:

– Você pretende prosseguir no operativo? Se prosseguir, saberá exatamente o que faremos. Se não, pode pegar sua boina e muito obrigado por seus serviços. – Dirigiu-se aos demais e acrescentou: – Isso vale para todos. Assinem o contrato e, se quiserem sair, saiam imediatamente.

Dito isso, Harrys ergueu-se da cadeira e anunciou:

– Meus caros, foi um prazer trabalhar com os senhores. – Virou-se para Carrol, bateu continência, deu-lhe as costas e deixou a sala. Sorriu consigo próprio e foi-se embora.

Na sala, Carrol intimou:

– Alguém mais? – Ninguém se pronunciou. Exceto Nickson, que indagou:

– Esse contrato é apenas para concluir o serviço até aqui, não, coronel?

– Positivo.

– Eu vou assiná-lo, mas gostaria de permanecer no operativo e na análise do Carrolídio. Creio que eu possa ser mais útil trabalhando no SETI do que aqui, senhor.

– Tudo bem, estamos de acordo. Mas antes de liberá-lo para viajar para São Francisco, quero que permaneça aqui até a conclusão da Operação Pino.

– Sem problemas, coronel.

Nickson e os demais assinaram seus contratos, mas permaneceram no operativo. Carrol sentou-se à mesa e disse:

– Temos aproximadamente... – olhou seu relógio de pulso. – 015 para esse telefone tocar e nos juntarmos ao operativo. Se possuem algo a me informar sobre suas atividades anteriores, informem agora.

Rodriguez tomou a palavra:

– A única informação que faltou estar repassando é a última medição que pude estar fazendo do objeto, senhor. Ele apresentou estar aumentando o ritmo de afundamento, senhor – atualizou o sargento e apresentou um papel com alguns cálculos rascunhados.

– Aparentemente, o objeto passou a afundar um pouco mais rápido desde que ativou seu campo magnético – completou Nickson.

– Talvez ele queira se esconder embaixo da terra para proteger-se da bomba que vamos jogar nele – insinuou Murray.

– Chega de bobagem, Murray. Deixe-me esclarecer de uma vez do que se trata a Operação Pino – interveio o coronel. Em seguida, descreveu os procedimentos e o emprego que faria do Carrolídio, finalmente expressando em palavras o que Willa já havia deduzido de suas intenções.

– O atingiremos com um projétil, sequer sabemos se resultará em danos ao objeto. Mas será um claro aviso de nossas intenções. Se ele reagir, o destruiremos com dois mísseis Exocet – revelou. Em seguida, emendou: – Por isso ainda preciso dos senhores aqui, para que analisem os escombros caso seja esse o resultado da operação.

– E se o objeto não responder ao disparo inicial? – questionou Murray.

– Não dispararemos os Exocet.

Nisso, o telefone tocou. Todos imaginaram que a operação teria início, mas era o cabo Emílio da central de escuta avisando que Limbs já havia estabelecido um canal telefônico entre o posto avançado e o posto de observação nas proximidades do objeto. O cabo transferiu a ligação e Carrol ativou o viva-voz para que o time ouvisse suas informações:

– Tenho uma visão perfeita da coisa pelo binóculo. Os homens estão terminando de levantar o muro de proteção.

– Camuflaram-no com o alvo?

– Isso está sendo providenciado neste instante. No restante, o perímetro está plenamente evacuado.

– Entendido. Aguarde novas instruções e mantenha olho vivo no objeto. Avise imediatamente qualquer fato extraordinário – respondeu Carrol.

– Estou de olho, chefe.

– Você se reportará a Rodriguez assim que iniciarmos.

– Tudo bem.

Carrol encerrou a comunicação e teceu suas últimas ordens. Virou-se para o sargento e comunicou:

– Você substituirá Mathew na central de escuta. – Em seguida, dirigiu-se aos dois tenentes: – Vocês me acompanharão na aeronave.

Sem opção de discordar, os homens anuíram ao chefe. Então apenas continuaram conversando enquanto aguardavam o chamado assim que a aeronave estivesse pronta para decolar e dar andamento à Operação Pino.

121

Quando o coronel Carrol, irritado pela ausência de Mathew no *briefing* do time de especialistas, bateu o telefone na cara de seu secretário, o tenente já estava bem longe dali. Contornava a esquina da transversal 137, a um quilômetro da Principal de Roswell, tomando uma viela industrial que findava num *cul-de-sac* abandonado, ocupado por um galpão inativo e uma única habitação: a casa segura onde centralizava suas operações secretas – residência de um antigo zelador que trabalhava ali. Embora as justificativas do operativo conduzido no local fossem outras, a casa nada mais era do que um autêntico comitê para derrubar o coronel.

Já se aproximando do desfecho de seu complô, Mathew estava extremamente ansioso e, ao mesmo tempo, muito nervoso. Ao contornar o balão no fim da rua, ficou possesso quando contou dez carros estacionados em um lugar que deveria supostamente estar vazio. Quando estacionou, eram onze carros. Apressou-se para descer do veículo e tocar o interfone no portão da casa, enquanto já abria sua valise para separar o contrato a xerocar e enviar. No interfone, uma voz indagou:

– Quem chama a essa hora?

– Quem chamou ontem às mesmas horas – respondeu Mathew.

Um mecanismo automático liberou o portão e, alguns metros à frente, separado por um caminho cortando o pequeno matagal que circundava o terreno, um agente abriu a porta da casa. Entre os sentimentos que dividiam as emoções do tenente, ao dirigir-se a ele, a ansiedade falou primeiro:

– Quero oito cópias deste documento, pra já – pediu, colocando os papéis na mão dele. Entrou na casa, virou-se para os demais agentes que preenchiam a sala entre os equipamentos ali espalhados, e permitiu fluir seu nervosismo:

– Vocês estão loucos?! – gritou. – O que significa essa quantidade de carros aí na frente? Querem chamar a atenção? Pois tirem eles de lá *agora* – ordenou.

Havia mais de um homem para cada carro estacionado. Um terço deles imediatamente obedeceu ao tenente. Mathew questionou um deles:

– Onde está o pacote dois?

– Na cozinha, chefe – disse o homem.

Mathew dirigiu-se a outro agente em uma mesa onde um aparelho televisor e uma pilha de videocassetes estavam amontoados, então viu as fitas que tinha mandado copiar anteriormente. Foi mais cortês ao questioná-lo, pois aquele era o chefe em comando da casa em sua ausência.

– Como estão as coisas, George?

– Tudo como programado, chefe.

– Essas são as cópias que mandei fazer?

– Positivo.

Mathew abriu sua valise, entregou os envelopes a George e o instruiu:

– OK. Vamos distribuir as cópias. – Virou-se para os demais agentes que permaneciam na sala, todos desmontando seus equipamentos, preparando para evacuar a casa, e acrescentou: – Vocês, ajudem George aqui. Anexem as fitas e o documento que está sendo xerocado nas caixas e envelopes, depois selem tudo e iniciem o despacho imediatamente. Vocês já sabem o que fazer – falou em tom imperativo.

– E quanto à última fita, a original? – questionou George.

– Eu fico com ela – esclareceu Mathew.

Os homens obedeceram de pronto, exceto o que operava a fotocopiadora, que permaneceu apressado em sua tarefa. Um deles, sentado em uma poltrona operando um rádio em uma mesinha à sua frente, igualmente se levantou para ajudar os demais. Mathew o interpelou:

– Você ainda não desmontou o rádio?

– Não, senhor.

– Ótimo. Não desmonte ainda. Preciso fazer uma última comunicação com o Lobo Um – advertiu o tenente. Em seguida, foi até a cozinha para checar o pacote dois.

Na cozinha, Healler encontrava-se sentado a uma pequena mesa, meio caído na cadeira, ainda visivelmente grogue pela "medicação" que vinha recebendo. Tinha acabado de fazer um lanche e bebia uma cerveja. Mesmo que dopado, reconheceu o tenente assim que ele entrou no recinto – um calafrio lhe percorreu a espinha. Um agente permanecia com ele na cozinha vigiando-o, tomando uma cerveja também. Perante a cena, mais uma vez o nervosismo de Mathew fluiu:

– Bebendo em serviço, imbecil?! – bronqueou com o agente.

Já Healler, apavorado como ficou, pensou que o tenente dirigia-se para si. No susto, largou a lata e tentou balbuciar algo, mas não teve coragem para dizer nada, enquanto o agente tentava se explicar:

– É só uma latinha, chefe. Já estamos desmontando a operação e... – Mas foi interrompido pela ansiedade que falava mais alto no peito do chefe:

– Não importa! Leve esse homem daqui. Despache-o no mesmo local onde e *como* o pegaram – ordenou. Ordem que consistia em lançar o pacote dois no porta-malas de um dos carros estacionados na rua, conduzi-lo até um motel de beira de estrada fora do estado e abandoná-lo lá, drogado, para que acordasse só no dia seguinte.

– Imediatamente, senhor.

O homem largou sua cerveja, agarrou Healler e o conduziu para fora. Assim que eles saíram, Mathew abriu a geladeira e pegou uma lata da bebida para si. Certamente precisava relaxar, pois a partir desse instante, nem estava mais em serviço. Estava *deixando* o serviço. Ademais, a bebida combinava com o disfarce que tomaria a seguir.

Antes, porém, faltava um último nó a dar em seu ponto. Retornou à sala e pegou o rádio. Sintonizou a frequência desejada e chamou:

– Alcateia chamando Lobo Um.

– Lobo Um na escuta – respondeu Costa, o "Lobo Um".

– Lobo Alfa na linha. Atenção para novas ordens – disse Mathew, o "Lobo Alfa".

– Ouvindo, Lobo Alfa.

– Interceptem o pacote em 045 e comuniquem Carrol. Repito: interceptem-no e comuniquem Carrol.

– Compreendido, senhor. Interceptá-lo em 045 e comunicar Carrol.

– Perfeito. Depois procedam com a tarefa anterior. Façam com que pareça uma *overdose*, entendido?

– Entendido, senhor. *Overdose*.

– Apresentem-se ao Covil quando terminarem. – Referia-se ao escritório da CIA em Santa Fé, NM. – Lobo Alfa desligando.

A intenção de Mathew era simples: ganhar tempo até Carrol perceber que havia fugido. Esse pequeno ardil dos agentes corroboraria a justificativa anterior de Emílio, de que teria deixado a base para resolver o problema envolvendo Vegina; e o fato do ufólogo estar encaminhando-se ao posto zero ao lado de McCorn e Tião Bardon vinha a calhar. Com isso teria tempo de sobra para fugir, estaria a dezenas de milhas de distância quando Carrol desse conta de seu desaparecimento. Muito possivelmente, apenas quando a mídia começasse a divulgar os fatos, o coronel compreenderia o que estava se passando, que havia sido traído pelo tenente.

A partir daí, tudo se resumiu a uma orquestrada sequência de ações. Enquanto os agentes terminavam de selar as caixas e os envelopes para iniciar seu despacho, depois desmontar tudo e evacuar a casa, Mathew pegou sua cerveja e dirigiu-se a um dos aposentos da casa, onde alguns pertences o aguardavam. Trocou de roupa, vestiu uma bermuda e uma camisa florida, calçou um par de tênis, botou um boné do time de futebol New York Giants na cabeça e um par de óculos escuros sobre os olhos. Arrumou uma mala de viagem com seus novos documentos de identidade e objetos genéricos, como uma máquina fotográfica e uma *necessaire*, assumindo a identidade de um turista novaiorquino em férias. Também separou mais um maço de dinheiro, colocou parte na carteira e escondeu outro montante em um porta-dólar na cintura junto com alguns *travel checks*, mas deixou uma quantia separada, somando 20 mil dólares. Além da mala de viagem, ainda carregava uma pasta nas mãos. Colocou os 20 mil dólares em um envelope e guardou nela. Terminou sua cerveja e retornou para a sala.

Na sala, os últimos agentes já estavam carregando o restante do equipamento para os carros, entre eles, George, que supervisionava os demais. As caixas e os envelopes com a denúncia já haviam sido todos despachados. Mathew aproximou-se de George e pediu-lhe os últimos originais da fita e do contrato do presidente, então guardou-os em sua pasta. Em seguida, sinalizou para ele com o rosto, discretamente o chamando para conversarem na cozinha. Quando estavam a sós no recinto, pegou o envelope com os 20 mil dólares de sua pasta e o entregou para ele.

– Tenho mais um servicinho para você – disse Mathew. O agente abriu o envelope, viu a soma e colocou-se à disposição:

– Tudo que precisar, chefe.

Mathew retirou uma foto de sua pasta e entregou-a nas mãos de George.

– Este homem não pode estar mais respirando até o fim desta semana, compreende? – sugeriu, sem demonstrar qualquer emoção por trás de suas lentes escuras.

– Compreendo – anuiu George enquanto mirava o semblante do homem na foto. Um militar, sua patente e nome:

– Cabo Juan Emílio Morales – Mathew identificou-o.

– Sei de quem se trata.

– Faça com que pareça um acidente.

– Assim será, chefe.

Era o arquivo que faltava apagar. O último vinculado à base RSMR que guardava prejudiciais testemunhos de sua armação e dos atos hediondos que a envolveram ou ainda seriam executados. Sabia que, assim que os fatos de sua denúncia viessem à tona, Carrol lançaria suas garras sobre o cabo e o submeteria às mesmas sessões que Emílio costumava conduzir no subsolo da base. O cabo era um homem forte, mas findaria abrindo o bico. A essa altura não tinha como salvá-lo do coronel, mas não podia permiti-lo viver para depois aparecer num tribunal como testemunha de seus crimes. Por outro lado, Emílio não tinha tantas informações assim, tinha seus próprios crimes que não gostaria de revelar, e nada sabia da trama envolvendo o presidente. Ele não tinha nenhuma noção do que estava registrado na fita que ajudou a surrupiar ou nos documentos que o tenente tanto precisava, muito menos a quem seriam encaminhados.

Todos os agentes envolvidos na trama de Mathew igualmente ignoravam a complexidade dos fatos. Não imaginavam que toda aquela papelada, fitas e caixas fossem um trabalho distinto de qualquer outro que estavam acostumados. Não tinham ideia da extensão do dano das denúncias que estavam encaminhando. Aliás, exceto Emílio que já tinha os dias contados, aqueles agentes todos, inclusive o Lobo Um, sequer sabiam do que se passava no Algomoro. Somente George estava ciente de que as denúncias envolviam o coronel, o presidente e o óvni, pois havia executado a cópia das fitas. Ele sabia que Mathew estava fugindo, mas era seu cúmplice, havia sido bem pago para isso e, sobretudo, repudiava o presidente, embora fosse republicano. Ademais, em algum ponto a trilha de matança tinha que acabar e George era um agente da CIA, não um simples soldado como Emílio. Um agente da CIA jamais testemunharia contra as condutas de outro agente, nem que fosse um traidor; apenas abafaria o caso conforme reza a especialidade da agência.

Um último trio de homens já estava carregando a máquina de xerox para fora da casa, o item que faltava retirar. Lá fora, três veículos permaneciam na rua. George tratou de ajudá-los. Na cozinha, Mathew pegou as últimas latas de cerveja na geladeira e jogou-as em sua mala. Voltou para a sala, tudo já estava recolhido, então só restou apagar a luz ao sair e fechar a casa. Na rua, o trio terminava de guardar a xerox dentro de uma Kombi, enquanto outro agente prendia uma escada sobre o *hack* do veículo. Assim que acabaram, deram partida e foram embora. Mathew dirigiu-se para George, apontou para o seu carro, entregou-lhe a chave e disse:

– Já sabe. Abandone-o no Aeroporto de Las Cruces. Não deixe digitais no carro.

– Fique tranquilo. Até logo. – George despediu-se com um aceno, tomando o carro em seguida.

– Até – *nunca mais*, pensou Mathew.

A seguir, tirou do bolso a chave do último veículo ainda estacionado na rua, um Sedan quatro portas, abriu o porta-malas, guardou sua mala de viagem e separou uma lata de cerveja. Fechou o porta-malas, abriu a porta traseira, jogou a lata sobre o banco do passageiro e abriu um compartimento secreto na sebe, onde escondeu sua arma e a pasta com as provas do dossiê que guardou para si. Enfim tomou o volante, acionou a partida, abriu a lata de cerveja, deu um gole, ajeitou-a entre suas pernas, ligou o rádio, sintonizou a estação Gazeta AM de Picacho e pôs o carro em movimento.

Pegou a lata e deu outro gole enquanto contornava o *cul-de-sac* fazendo meia-volta, retomando o caminho para a Principal de Roswell, virando a leste pela rodovia 70 até alcançar a 285, rumo ao sul do estado. Depois contornaria a oeste sentido Tucson, no Arizona, com destino Phoenix. De Phoenix acessaria a autoestrada 10, ultrapassando a fronteira da Califórnia direto para Los Angeles, localização de seu esconderijo, na praia de Pacific Palisades perto de Santa Mônica. Uma viagem de pelo menos 13 horas – não mais centenas –, mas já podia relaxar e começar a curtir sua liberdade a partir da cerveja que escorria pela goela – como um turista de férias. À *liberdade do chefe*, brindou consigo próprio, sorrindo pelo retrovisor. Ainda assim, mantinha-se ansioso, mas não mais nervoso. Impaciente para que as primeiras notícias sobre o escândalo nacional de suas denúncias começassem a pipocar no rádio. Ávido para curtir em segurança e observar à distância a derrocada de seu grande desafeto.

Isso era bem melhor do que simplesmente matá-lo.

***

Quando o Lobo Um recebeu o último comunicado do Lobo Alfa, os agentes permaneciam no encalço do pacote que prosseguia pelas estradas do Rancho Bravo, de uma distância segura, cerca de um quilômetro atrás da comitiva liderada pelo jipão de Tião Bardon. Monitoravam seu avanço pelo rastreador que embutiram na viatura de McCorn. Ainda assim, não fossem as marcas de pneus deixadas pelos veículos à frente, talvez nem conseguissem segui-lo. Já próximos à face leste do Algomoro, a estradinha não possuía nenhuma marcação, rodavam sobre o chão do deserto sem qualquer outra referência.

Na viatura, o tenente McCorn seguia Tião também com certa distância, cerca de cem metros, escondido pela poeira que o jipão levantava na frente, como se quisesse esconder-se em uma cortina de fumaça para, no momento oportuno, fugir de seus olhos. Ao volante do jipão, seu Jô sequer preocupava-se em vigiar se McCorn o seguia, mas sim com seu patrão, que já se mostrava inquietado com a pequena aventura. Os solavancos do carro deixavam Tião mais irritado do que de costume, faziam-lhe doer os ossos. O único que realmente mostrava-se animado dentro do jipão era o rapagão, filho de dona Clara. Não parava de questionar seu Jô e Spy a respeito do tal óvni, estava louco para ver algum etê ou algo parecido. Em dado instante, porém, Tião encheu-se daquele papo sem graça.

– Dá pra fechar essa matraca, moleque? – intimou Tião com nervosismo nas palavras. – Que *penteio* esse... – Mirou Spy e pediu: – Liga o radim. Vamo ouvi uma musiquim.

– Põe na Gazeta FM – disse o rapagão.

– Ocê cala a boca – bronqueou Tião. – Vamo escutá a música, sô.

Spy ligou o rádio, que já estava sintonizado na Gazeta FM, tocando um sertanejo raiz. Então prosseguiram assim, em silêncio, ouvindo a canção.

– Ainda farta muito? – perguntou Tião, no fundo, já arrependido de ter ido. Mas não podia dar o braço a torcer para aquele policial enxerido e deixá-lo perambular por suas propriedades. Sabe-se lá o que talvez estivesse querendo aprontar, porque essa coisa de disco-voador lhe parecia apenas uma desculpa esfarrapada. Seu Jô respondeu a questão de Tião apontando pelo para-brisa, chamando a atenção para um ponto de referência na paisagem:

– Vejam, é a pedra sonora. – E todos observaram a pedra em forma de concha, com uns cinco metros de altura ocupando uma área de uns dez metros quadrados.
– Estamos na metade do caminho – afirmou. Em seguida, pegou a bifurcação à esquerda quando alcançaram a pedra, seguindo a sudoeste.

Pouco atrás, McCorn visualizou a pedra e tomou a bifurcação à direita, seguindo a noroeste para contornar o Algomoro. Seu Jô não notou a manobra da viatura e prosseguiu em frente. Um pouco mais atrás, os agentes de Mathew também alcançaram a pedra e notaram que as marcas de pneus seguiam por caminhos distintos. A princípio, sem saber qual rastro seguir, optaram por prosseguir a sudoeste. Porém, não demoraram para perceber que o sinal da viatura dirigia-se a noroeste, então fizeram meia-volta e retomaram a trilha que seguia à direita da pedra sonora.

Depois de avançarem por cerca de quinze minutos por uma área aberta já em pleno deserto, seu Jô notou que a viatura não aparecia mais no retrovisor, então alertou Tião:

– Ué? Parece que o policial se perdeu pelo caminho. Ele não está mais atrás de nós. Vamos esperar por ele?

– Não! – ordenou Tião. – Deixe aquele idiota pra lá. Vamo logo ver o que os militar tão aprontando – esbravejou. Seu Jô apenas obedeceu e seguiu em frente.

Avançaram mais uns dez minutos. De repente, o rádio silenciou e o jipão deu uma engasgada, parecia que ia pifar e parar, mas subitamente arrancou com mais força. Na inércia, empurrou todos para trás e obrigou seu Jô a tirar o pé do acelerador. Tião enervou-se:

– Ocê tá bêbado?! Quer quebrá meu pescoço? Dirija esse troço direito! – brigou.

Enquanto isso, Spy tentou verificar o rádio, mas ele permanecia mudo, parecia quebrado.

– O que aconteceu com o radim? – perguntou Tião.

– Não sei, Tião. Parece que pifou.

Eles haviam penetrado no raio de ação do campo magnético da *Nave*, por isso o rádio deixou de funcionar. Em tese, o carro também deveria parar de funcionar, mas não o Ford 1937 de Tião, cujas velas de aço inoxidável apresentavam uma qualidade muito superior aos veículos mais modernos. Portanto, ao invés de apagarem, pelo contrário, potencializaram a queima de combustível do veículo, motivo pelo qual arrancou com força, quase quebrando o pescoço de Tião. Seu Jô notou que havia algo de estranho com o jipão, mas não quis dizer nada para não aborrecer ainda mais o patrão. Como o carro estava funcionando, apenas dosou a força de seu pé sobre o acelerador e seguiu em frente.

Prosseguiram por mais uma milha, já tomando a face sul do Algomoro. Então seu Jô notou algo na paisagem:

– Vejam, tem alguma coisa ali – disse, apontando à esquerda do para-brisa. – Parece um trator.

Todos observaram o tal trator, mas ainda estavam distantes para distingui-lo melhor. Não obstante, exceto ao trator, não havia mais nada ao redor que não fosse a paisagem do deserto. Aproximaram-se um pouco mais, então notaram o que era:

– É um guindaste – disse Spy. Tião pegou seu monóculo e forçou a vista para olhar, então disse:

– É mermo. Vamo lá ver de quem é esse guindaste, sô – disse com nervosismo, já bronqueado por constatar que realmente tinha gente estranha trabalhando em suas terras clandestinamente. Porém, não havia militar algum nas redondezas como alegou McCorn. Pelo contrário, não tinha ninguém por ali e mais nada que não fosse aquele guindaste parado.

O jipão prosseguiu em direção ao guindaste. Quando estava aproximando-se, seu Jô notou marcas no chão do deserto, evidenciando que alguma atividade esteve acontecendo ali. Porém, antes de comentar a respeito, percebeu algo que lhe chamou atenção:

– Olha, tem um buraco ali – disse, apontando para a encosta do morro. – Parece uma obra. Alguém esteve escavando arguma coisa – deduziu. Todos olharam e viram o buraco. Também repararam a face do morro parcialmente escavada e recortada para evitar erosão. Tião socou o painel do carro e berrou:

– Aqueles malparidos! Tão robando as minha terra, sô! Pisa fundo Jô! Pisa! Vamo vê o que tão aprontando lá.

Seu Jô apressou-se para aproximar-se do buraco. Quando chegou à beirada, todos olharam com curiosidade e ansiedade, especialmente o rapagão no banco de trás, que imaginava ver o tal disco-voador dentro dele. Todavia, tudo que viram foi uma lona estendida sobre algo grande, cobrindo uma área com diâmetro de 25 metros aproximadamente. Nem notaram que o desenho sobre a lona formava um alvo, como se fosse um grande tablado de dardo exposto no deserto. Como o buraco oferecia uma rampa de acesso, Tião ordenou a seu Jô que seguisse em frente e estacionasse ao lado da lona.

– Vamo vê o que esses malparidos tão escondendo. Seja o que for, é posse minha! – disse em seu habitual tom irritadiço.

Seu Jô estacionou e todos desceram do veículo rapidamente. Isto é, menos Tião, que precisou da ajuda de Spy para levantar e sair do carro. Enquanto o senhor Spike auxiliava Tião, seu Jô e o rapagão apressaram-se para começar a remover a lona de cima do que quer que escondesse. A lona estava presa por cordas esticadas ao redor, fixas ao chão sob algumas rochas. Os dois começaram a removê-las.

A pouco mais de uma milha ao sul, Steve Limbs observava a movimentação dos homens pelo binóculo e conversava com o coronel Carrol ao telefone. O coronel ainda estava na sala de reunião com seus especialistas, aguardando o chamado para o início da Operação Pino. Ficou possuído de raiva quando Limbs informou o que estava acontecendo. Porém, igualmente surpreso ao saber que esses invasores lograram chegar lá de carro. Limbs não sabia como explicar:

– Não faz sentido. A bússola continua maluca, indica que o campo do objeto está ativo. Nada funciona aqui. Meu digital continua parado. Não sei como eles chegaram ali de carro, coronel.

– Não importa. Consegue identificá-los?

– Não, mas parece gente comum. Dá pra notar que um é velho, pois anda de bengala – disse Limbs, então descreveu a figura e o peculiar chapéu sobre sua cabeça. Carrol deduziu:

– É Tião Bardon, aquele velho metido – disse, irritado. – OK. Mantenha olho vivo. Convoque a cavalaria para retirá-los de lá.

– Imediatamente, coronel.

Carrol desligou o telefone e discou para o ramal do hangar onde o Samaritano estava sendo preparado para ativar o operativo. Ao comunicar-se com o responsável, ouviu:

– Pelo menos mais 020 para estarmos prontos, senhor.

– Apressem-se, estamos embarcando – ordenou e desligou. Virou-se para os demais na sala e comunicou: – Vamos embarcar imediatamente.

No Algomoro, Limbs permaneceu observando a cena enquanto seu Jô e o rapagão tratavam de remover a lona que cobria o objeto alienígena-extraterrestre. Tião já havia descido do jipão e postava-se em pé, seguro por Spy, apenas observando, raivoso, aguardando os homens revelarem o que estava embaixo dela. Eles terminaram de remover as pedras que prendiam a lona e começaram a puxá-la. Precisaram empregar certo esforço, pois ela era grossa e pesada. Quando terminaram, a *Nave* revelou-se com todo seu esplendor.

– É disco! É um disco-voador. Eles existem! – entusiasmou-se o rapagão, com um sorriso largo no rosto.

Os demais permaneceram mudos, expressando medo e fascinação, típico de outros homens que se depararam com a *Nave*. Eles miraram Tião, esperando que o patrão dissesse algo, mas ele ficou apenas contemplando o objeto. Spy tratou de quebrar o gelo:

– Tá vendo patrão? Olha...

– Tô olhando, sô! Ocê acha que eu sô cego? – questionou, franzindo a pálpebra em torno do monóculo fixo ao olho direito, depois disse: – Num é que aquele delinquente tinha razão? É mermo um disco-voador, sô – comentou.

Em seguida, Tião largou o braço do pajem e começou a caminhar em direção ao disco alguns metros à sua frente. Passo a passo, apoiando-se na bengala, aproximou-se dele até tocar sua mão sobre o casco da *Nave* e sentir sua superfície lisa e fria. Assim que o tocou, virou-se para seu Jô e Spy e disse:

– Mas que bonitinho ele, sô... – elogiou Tião e soltou um sorriso no rosto, alargando os lábios e mostrando os dentes que lhe restavam, amarelos e tortos, expressando uma estranha alegria que alguns dos demais nunca haviam visto. Com o sorriso ainda estampado em sua face, começou a vergar para trás como uma árvore despencando após o corte. Caiu retilíneo, batendo as costas no chão duro de areia.

Quando chegou ao solo, Tião já estava morto, mas sua expressão facial permaneceu congelada com aquele último sorriso. Willa estava proibida de capturar sua ondulação *F*, mas diagnosticou sua morte como decorrência natural. Seu frágil coração simplesmente parou ao emocionar-se com a visão da *Nave*. Em paralelo, na China, Nhoc lamentou:

– É mais um óbito decorrente de tua interferência.

– Neste contínuo, estou isenta de qualquer interferência. Cabe à ACAE contabilizar esse decesso – justificou-se Willa.

No posto zero, seu Jô, Spy e o rapagão apressaram-se em acudir o patrão, tentaram reanimá-lo, mas nada puderam fazer além de constatar sua morte. Aflitos, colocaram o corpo de Tião no jipão e foram embora às pressas, deixando o tal disco-voador descoberto.

Em paralelo, Limbs descreveu a cena para Rodriguez, que havia assumido a escuta enquanto o coronel encaminhava-se ao lado de Murray e Nickson até o Samaritano. Em seguida, comunicou-se com ele já dentro da aeronave aguardando a decolagem. Carrol apenas ouviu a atualização e aliviou-se ao saber que Tião e seus homens haviam debandado o posto zero, então cancelou a ordem para que a cavalaria os interceptasse. Porém, Limbs o advertiu:

– E quanto ao alvo, coronel? Eles retiraram a lona do alvo, devo mandar recolocar?

– Não, não temos mais tempo. Prosseguiremos sem a lona – ordenou. Em seguida, já acomodado em seu assento na cabine de operações do Samaritano, ouviu o comandante Marshall anunciar:

– Estamos prontos para decolar, coronel.
– Ótimo, prossigamos. Botem esse pássaro no ar.

* * *

No instante em que Tião deparou-se com a morte e Carrol preparava-se para decolar com o Samaritano, McCorn e Vegina prosseguiam em sua jornada contornando o Algomoro pela face norte. Atrás deles, os agentes de Mathew permaneciam no encalço, de olho nas marcas de pneus deixadas pela viatura, mas ainda sem entender por que o pacote havia se desviado da trilha liderada por Tião. Costa olhou seu relógio de pulso e ainda faltavam 015 para executarem a última ordem do Lobo Alfa, portanto apenas prosseguiu em frente em sua perseguição.

Na viatura, Vegina estava se sentindo mal. O efeito do "coquetel anticascavel" que havia ingerido parecia dissipar e sentia sua perna latejar com a dor da picada que tomou. Começou a suar frio apesar do calor que fazia no deserto com o Sol bem alto brilhando no céu limpo, sem nuvens. Nesse instante, deu razão a Tião, que deveria estar no hospital recuperando-se da picada da cobra mesmo que ficasse à mercê do tenente Mathew. Ponderou se não seria melhor abrir o jogo com McCorn, dizer-lhe que não havia dinheiro algum enterrado no Algomoro, que sua grana estava a salvo em um lugar seguro, então "comprar" seus serviços policiais para vigiá-lo enquanto recuperava-se na Santa Casa. Não bastasse, temia qual seria a reação do policial caso realmente conseguissem alcançar o local onde havia enterrado suas fotos e ele, enfim, descobrisse que não havia dinheiro algum ali. Com isso na cabeça, Vegina sondou McCorn:

– E se não conseguirmos chegar lá? Ou os militares terem descoberto o dinheiro que escondi? – questionou.

– Quer desistir? Se quiser, fazemos meia-volta e te levo pra delegacia – insinuou o tenente.

– Não, tenente. Mas tô me sentindo mal. Não sei se vou aguentar...

– Aguente aí, homem. Se já viemos até aqui, se segura mais um pouco.

– Não sei... – disse Vegina, hesitante, insinuando querer abrir o jogo. Porém, McCorn o interrompeu com estupidez:

– Escuta bem, vagabundo! É bom que essa grana esteja lá. É bom mesmo. Senão ocê vai se ver comigo, tá entendendo?

– Tô. Mas se eu morrer antes de chegar lá você nunca encontrará o dinheiro.

– Se eu não encontrar o dinheiro, cê vai morrer de qualquer jeito. Portanto, reze. Reze para chegar vivo lá ou não vai a lugar nenhum – ameaçou.

Vegina silenciou-se por um momento, mas depois voltou a insistir, tentando apelar ao bom senso do policial:

– Escuta. Se eu morrer não será bom para nenhum de nós. Me leve de volta ao hospital, fique comigo lá. Apenas assegure que Mathew ou os militares fiquem longe de mim. Quando eu estiver melhor, a gente volta aqui e recupera o dinheiro e as fotos. Com essas fotos, posso levantar muito mais grana. Será melhor para nós dois, mas pra isso eu preciso estar vivo.

McCorn ficou pensativo. Vegina tinha razão. Se ele morresse não teria mais qualquer valor, talvez nunca encontrasse o dinheiro sem ele. Porém, se adiasse a aventura agora, teria de lidar com Tião Bardon novamente, e já havia sido muito complicado obter permissão para adentrar suas terras para que desistisse. Ademais, até lá, provavelmente o subdelegado já estaria informado da averiguação que estava conduzindo e teria muitas explicações para dar, além de broncas para tomar. Se não colocasse as mãos no dinheiro, teria sido tudo em vão. Além disso, não confiava em Vegina. Se o escoltasse de volta ao hospital, mesmo que ficasse de olho nele, não sabia até onde os militares estavam envolvidos naquela história maluca de óvnis e etês, talvez sua autoridade não fosse suficiente para protegê-lo ou, pior, talvez se tornasse alvo de Mathew. Se Vegina alegava que o tenente queria matá-lo, que ele tinha matado o xerife, quem garantia que não acabaria assassinado também? Agora que já estava envolvido nessa história do ufólogo e com Tião a par de tudo, era tarde demais para desistir. Tudo que queria era resolver essa questão o mais rápido possível, pegar a grana de Vegina, voltar para a cidade e retomar seu plantão antes que o subdelegado desse por sua falta. Então devolveria Vegina à Santa Casa e ordenaria a Hills que ficasse de olho nele. Ele só precisava resistir mais um pouquinho. Com isso em mente, apenas disse:

– Ocê vai me levar até essa grana agora ou não me responsabilizo por sua vida. Mas vai me levar *já*, entendido?

Vegina fez que sim com a cabeça e calou-se. Os dois prosseguiram mais alguns quilômetros até que o ufólogo quebrasse o silêncio novamente. Todavia, não para insistir com McCorn:

– Por favor, pare um pouco. Deixa eu fazer mais uma carreira. Tô com muita dor – pediu com clemência na voz. Ainda que contrariado, McCorn atendeu ao pedido do ufólogo. Parou o carro e consultou seu relógio. Depois, olhou ao redor e notou o pico do Algomoro bem ao lado de sua janela. Ainda se situava na face norte do morro, levaria cerca de 40 minutos ou uma hora para contornarem a face oeste e alcançarem o local que Vegina havia indicado. Impaciente, apenas respirou fundo enquanto o ufólogo preparava a carreira ao seu lado. Tentando conter um pouco a ansiedade, disse:

– Estique uma para mim também.

Atrás dos dois, os agentes de Mathew notaram pelo rastreador que a viatura tinha parado de movimentar-se. Costa olhou a hora, faltavam apenas dois minutos para executarem a ordem do Lobo Alfa. Virou-se para seu colega e disse:

– Vamos aproveitar que estão parados para interceptá-los.
– Imediatamente – anuiu o segundo agente.

Em seguida, levou a mão ao paletó, retirou sua pistola do coldre e, com ambas as mãos, destravou-a e engatilhou.

122

Jack Astton era um nome bem conhecido em Picacho. Um repórter local, nascido em Roswell, que fez carreira no tímido meio jornalístico da cidade. Quando iniciou, era um simples funcionário de *perstape* que montava anúncios nos classificados da "Gazeta", o diário impresso da cidade – que, aliás, sequer era diário quando começou a trabalhar ainda na adolescência, mas semanal. Cresceu junto com o jornal, só largou o trabalho quando morou em Albuquerque para cursar a faculdade de Jornalismo. Quando retornou, ganhou o cargo de repórter e até hoje lembra-se com orgulho do grande furo que alavancou sua carreira como nunca: o dia em que fez da queda de um balão militar nas terras do Rancho Bravo uma bombástica notícia sobre um acidente envolvendo um óvni. Desde então, tornou-se um astro da mídia de Picacho. Quando o jornal fundou uma rádio, a Gazeta AM, passou a atuar como radialista. Foi criador de um famoso programa ainda veiculado, o "Escuta Alien". Mas, nos dias atuais, quando a Gazeta não só já possuía frequência FM, mas uma rede de TV com alcance distrital, ocupava o cargo de editor-chefe do Departamento de Telejornalismo do Canal Gazeta, o único de Picacho.

Nesse dia em especial, o grande acontecimento era a cobertura do cerimonial do falecido xerife Hut Cut e sua ainda inexplicável morte vítima da queda de um meteorito, segundo diziam pela cidade. Ou seria algo mais? A questão era apenas especulativa, sequer possuía qualquer embasamento ou testemunho, porém, um ótimo assunto para cooptar a audiência. Durante a manhã, Jack preparava uma pauta sobre o tema. A polêmica? A notícia sobre Andreas Vegina, o famoso ufólogo da cidade e dono do museu *Space Center*, ter desaparecido do hospital após tomar uma picada de cascavel na base RSMR. Pela manchete elaborada com seus redatores, o telejornal do almoço começaria assim: "Mais um acidente estranho envolvendo militares", então prosseguiria detalhando suas descobertas a respeito.

E o que Jack descobriu, na verdade, foi o que não descobriu, justo o que aguçava sua curiosidade. Por um contato da Santa Casa, averiguou que Vegina havia dado entrada no hospital no dia anterior, o que por si só já valeria uma nota no jornal. Além de famoso na cidade, Vegina era uma preciosa fonte jornalística, tanto que estava tentando entrevistá-lo desde o dia em que Hut Cut faleceu e ele havia aceitado fazer uma entrada no ar para falar do meteorito que supostamente o matou. Porém,

Vegina não atendeu ao telejornal naquele dia e estava sumido desde então. Além de seu sumiço ser suspeitoso, apesar do zelador de seu museu alegar que teria viajado para resolver problemas de família, o fato de reaparecer hospitalizado e vitimado por uma picada de cobra nas cercanias da base RSMR era muito estranho. Pela manhã, mandou um repórter visitá-lo no hospital, mas descobriu que ele havia sumido durante a noite, o que só aumentava o mistério. O repórter checou as informações disponíveis, incluindo as visitas que Vegina recebeu de militares e policiais. Nesse instante, montava uma matéria a respeito enquanto seus repórteres perambulavam pela cidade atrás de mais informações.

Após a reunião de pauta com seus editores e redatores, Jack recolheu-se em sua sala no prédio da TV para dar alguns telefonemas. Um de seus repórteres estava atrás do tenente McCorn e seu parceiro, o sargento Hills. Mas, além de não localizar McCorn, Hills alegava nada saber sobre o sumiço de Vegina. No museu, o zelador não atendeu a reportagem. Nesse instante, ao comunicar-se com o repórter pelo telefone, Jack pediu-lhe para mudar de estratégia:

– Deixe que eu me entendo com a polícia. Quero que vá até a base RSMR e tente falar com algum responsável. Se possível, com o coronel Jay Carrol. Faça algumas tomadas para colocarmos no noticiário do almoço.

– Se me permitirem entrar na base... Sabe como são aqueles caras... – disse o repórter.

– Sei. Faça uma tomada do portão se não o deixarem entrar. Mostre como eles adoram impedir o trabalho da imprensa, seja enfático. – Despediu-se e desligou.

Assim que desligou o telefone, Arnold, o âncora do telejornal vespertino, bateu à sua porta, entrou e, com ansiedade ao falar, anunciou:

– Recebemos uma denúncia, Jack. Parece algo grande.

– Relacionada com o caso do ufólogo?

– Não sei dizer ainda, mas acho melhor você dar uma olhada nisso pessoalmente.

Jack levantou-se imediatamente e ganhou a redação do telejornal, contígua ao seu escritório. Uma sala ampla com várias mesas preenchidas de redatores e repórteres trabalhando em suas máquinas de datilografar. Em uma das mesas, um funcionário estava com uma fita nas mãos. Outro analisava o envelope em que foi entregue; quando viu o chefe, falou:

– "Ufogate" – referia-se à única informação que constava no envelope. – Parece que é o nome que deram pra isso aqui.

– Quem enviou isso? – indagou Jack.

– Não tem remetente.

– A recepcionista falou apenas que um homem deixou isso na portaria do prédio e foi embora. Disse que nunca viu esse homem antes – esclareceu Arnold.

– Militar?

– Não.

– Mas o envelope é timbrado com o logo da academia Olivermerter – adicionou o funcionário.

O primeiro item retirado do envelope era uma fita de vídeo e sequer foi preciso qualquer ordem para assisti-la, afinal, tratando-se de uma redação de TV, além de máquinas de datilografar, videocassetes e monitores não faltavam por ali. Assim, um dos homens imediatamente colocou a fita para rodar em um deles.

Com suspense no olhar, todos os presentes na redação assistiram à fita e foram tomados por um inerente choque, seguido de plena euforia ao contemplarem a cena do presidente da República ao lado do coronel Carrol e o disco-voador. Pasmos, gritaram na sequência em que o disco desapareceu e reapareceu em seguida, creditando o fato a uma falha na gravação, mas atônitos com as imagens da fuga do presidente. No momento, ninguém imaginou que se tratava de uma montagem, e isso pouco importava.

– Ei, tem o nome do presidente da República nesse papel. É um contrato – disse um dos funcionários que examinava o conteúdo do envelope.

– Olha esse documento. Aqui diz: "Altamente secreto", "Evidências do achado alienígena-extraterrestre; objeto discoide. Vulgo: disco-voador". Tem o selo dos militares aqui também... – disse outro, que examinava o relatório elaborado por Mathew. Um terceiro redator, em posse de uma fita cassete nas mãos, externou em alta voz:

– Meu Deus! Este cassete tá rotulado "Depoimento do xerife"...

Estavam todos em polvorosa diante das provas que tinham em mãos.

Naturalmente, por situar-se a poucas milhas de Roswell, de onde partiu a denúncia, a Gazeta de Picacho foi a primeira a receber as provas do dossiê de Mathew; ainda assim, apenas uma pequena parte delas. Nada comparado ao que logo mais estaria nas mãos de uma emissora nacional e, especialmente, das autoridades responsáveis por investigar e processar os envolvidos. A denúncia também já havia sido entregue para outro destinatário ali em Picacho, no 1º Distrito Policial. Porém, ao contrário da redação do Canal Gazeta, o envelope foi parar nas mãos de um assistente do subdelegado. Ao ler a etiqueta "Ufogate", achou que era bobagem e jogou o envelope sobre uma pilha de pastas e papéis para o chefe abrir depois, mas ele só iria trabalhar depois do almoço.

Muito ao contrário, na redação da Gazeta, Jack queria tudo no ar antes do almoço. Subiu em uma cadeira e chamou atenção de todos:

– Prestem atenção. Quero uma entrada ao vivo em dez minutos – disse em voz alta. Virou-se para o âncora e falou: – Arnold, maquiagem. Matt, edição. Quero cópias dessa fita. – E continuou delegando tarefas. Distribuiu os documentos para os subordinados examinarem seu conteúdo em detalhes. De sua parte, ficou com o contrato assinado pelo presidente para estudar melhor. Mandou xerocá-lo e fotografá-lo para o telejornal.

– Quero uma chamada na rádio também. Comuniquem o pessoal – disse e bateu as palmas das mãos, cobrando pressa dos funcionários. – Precisamos destrinchar essa história para o noticiário. Vamos ao ar assim que as imagens estiverem prontas – finalizou, antes de retornar ao seu escritório para fazer contatos. Seu coração batia acelerado, pois sabia que estava diante do maior furo de sua vida. E dessa vez não seriam apenas fotos estáticas forjadas a partir dos escombros de um balão em chamas, mas tomadas em vídeo de um autêntico disco-voador ao lado do político mais importante do país.

O primeiro contato que Jack acessou foi um colega. Na verdade, seu concorrente, o diretor-chefe de telejornalismo da QBC, outra emissora de rádio e TV local, sediada em Roswell. Um canal bem maior do que a Gazeta, com alcance além das fronteiras estaduais. Atendido pelo diretor, foi direto ao assunto:

– Tenho um furo para você, mas esse vai custar o dobro do habitual.

– Ora, Jack, você sabe que isso é contra a nossa política. Jamais pagaremos o dobro, não importa que furo seja esse... – desconversou o diretor da QBC. – Mas o que pode me adiantar a respeito?

– Estaremos no ar com um boletim nos próximos minutos, eu aguardo seu fax logo após. Com *o dobro* do valor já especificado.

– Mas, Jack...

– Vai valer a pena. Prepare-se! É uma bomba – afirmou com convicção antes de encerrar a ligação. Nem pousou o fone no gancho e já começou a discar novamente. Tinha vários contatos a fazer, tarefas para coordenar. Tão atarefado assim, jamais desperdiçaria um segundo sequer para olhar pela janela de seu escritório no alto do sétimo andar do prédio. Se olhasse, talvez notasse, bem ao distante, o Convair Samaritano em que um dos personagens de seu furo flutuava tranquilamente pelo céu.

Tranquilamente, porém, só a distância, pois no interior do Samaritano estavam todos bastante nervosos com o operativo em andamento, especialmente os profissionais a bordo depois da tensão que viveram cedo pela manhã. No silêncio de sua submissão à figura do coronel, todos partilhavam da mesma opinião do único que teve coragem de manifestá-la, o tenente Murray. Já no ar, quando observavam o objeto alienígena-extraterrestre bem distante no solo, como um pontinho brilhante ao lado do Algomoro, o psicólogo fez um último apelo para Carrol desistir da Operação Pino, ainda que fosse apenas por desencargo de consciência, pois sabia que o coronel, como veio a confirmar, ignoraria o apelo.

– Por favor, Jay...

– A operação já está em andamento.

Absolutamente convicto em prosseguir com a operação, com todos a postos e com suas ordens em mente, o coronel teceu um último comunicado com Limbs em solo:

– Estamos iniciando o operativo. Mantenha olho vivo no objeto. Preciso da sua confirmação da destruição do alvo após o impacto.

– Estou atento.

– Vou manter o canal aberto. Estamos na escuta.

– Entendido.

Limbs ajoelhou-se no chão sobre um saco de areia, com o gancho do telefone entre o pescoço e o ombro e o binóculo nas mãos, protegido atrás de uma trincheira de sacos de areia. Dois soldados o acompanhavam, um deitado no chão, também com um binóculo observando a aeronave no céu. Ele disse:

– Eles abriram o compartimento de bombas. Lá vem...

O outro soldado mantinha-se ao seu lado, abaixado atrás da trincheira. Limbs ajeitou-se e mirou o avião também, na expectativa do lançamento. Invisível ao lado do trio, de igual ângulo, Willa captava o avião do solo, em total suspense, aguardando a conclusão do operativo, torcendo para que tudo saísse conforme as previsões e que Carrol não recorresse ao uso dos Exocet depois que o primeiro falhasse. Mas não só ali no deserto essa tensão se replicava. O temor também se fazia presente dentro da *Nave*, o alvo daquela missão. Igualmente, a completa população multividual de Willa mostrava-se apreensiva ao focar em massa a cena no Algomoro a partir do restante do globo, inclusive da China, onde Nhoc palpitou:

– Hum... Isso não vai acabar bem... – Pessimista como sempre.

De Willa para a *Nave* e dali para Marte, onde Billy captava a percepção dos pares em pretérito enquanto compilava o ibope recorde do cosmo acompanhando a cena. A ACAE em Titã, todos, até Zelda, conectados às imagens e aos sentimentos dos expedicionários retrodimensionais nesse momento de apreensão.

Dentro da aeronave, o operador do míssil anunciou:

– Compartimento livre.

– Desengatar míssil 1 – respondeu o segundo técnico.

– Míssil 1 desengatado.

– Ativação automática em T menos 5.

Cinco segundos após, o outro completou:

– Míssil 1 ativado.

Simultaneamente, todos a bordo ouviram o som do míssil assim que ele se ativou, então miraram nos monitores da cabine de controle para observá-lo em sua trajetória até o alvo. Além da câmera na barriga do avião, o próprio míssil carregava uma minicâmera acoplada, permitindo observar o alvo à medida que se aproximava dele. Por questões de segurança, o lançamento foi efetuado acima de 20 mil pés, portanto, de acordo com o operador, faltavam:

– 35 segundos para o impacto.

Alvo do míssil, a *Nave* detectou o projétil, estabeleceu os cálculos de sua trajetória e compartilhou:

– Impacto dentro da janela de segurança, registrado.

A informação era um alívio para os expedicionários, à população de Willa e para a consciência cósmica. Vale lembrar que a consistência da *Nave* é adimensional, ou seja, ocupa o completo leque interdimensional do evento como uma peça só em todas as dimensões de lançamento do míssil e suas subsequentes rupturas. Bastaria o projétil atingir o frisbee em uma única dimensão para arruiná-lo por completo, portanto, conforme avançava rumo ao alvo, seus cálculos abrangiam esse leque inteiro. Nesse instante, o míssil com o Carrolídio na ponta desenvolvia uma trajetória que permitia à *Nave* facilmente repeli-lo com seu campo magnético assim que se aproximasse em todas as dimensões do evento.

– Impacto em 34 segundos – continuou em sua contagem regressiva o técnico dentro da aeronave, enquanto a *Nave* permanecia monitorando o míssil.

– 33 segundos... 32... 31...

Tudo ia bem, dentro das probabilidades que a própria *Nave* havia calculado anteriormente e que a entidade *Murphy*, em sinapse própria, havia analisado e ratificado em futuro. Porém, como alertou Willa, uma probabilidade *antimurphyana* não é o mesmo que *imurphyana*, ou seja, possui uma ínfima chance de atualização. Em mínimo leque, o míssil dirigia-se ao alvo em um ângulo de 98°, ainda assim dentro da janela de segurança estipulada pela entidade metálica. Mas naquele pretérito tão longínquo ainda não havia se desenvolvido técnicas para controlar o clima. E o que é o clima senão um universo probabilístico totalmente aleatório?

Era o que bastava, *uma* única dimensão, *um* sopro a mais do vento, *um* ínfimo grau para empurrar o míssil e realinhar o ângulo de ataque, pela maldição de *Murphy*, colocando-o a 98,69° do alvo, fora do alcance do campo magnético da *Nave*. Com pânico nas sinapses, a entidade metálica anunciou:

– Projétil fora de alcance. Colisão iminente – compartilhou, causando um grande *frisson* entre o pretérito e o futuro que acompanhavam o evento.

– 30 segundos para o impacto. – Seguia na contagem o técnico do Samaritano.

– Procedimentos para evacuação imediata, iniciar – determinou a *Nave*.

– Não!! Você não pode evacuar! – Willa exclamou, mas a resposta da entidade foi soar o tantã de partida.

– 29 segundos para o impacto.

– Comando de ignição, sobrescrever.

– *Nave*, por favor, você não pode partir agora! Sam, não autorize isso!

– Está aquém de meu controle, sinto muito – lamentou Sam. O chefe da expedição não tinha como reter a ignição do frisbee em uma situação de emergência. Essa faculdade pertencia à *Nave*.

– 28 segundos para o impacto.

– Cálculos de destino 'ponto 1', carregar.

– Cálculos disponíveis – confirmou a *Pedra*.

– Vocês não podem partir! Não podem me deixar aqui! – apelou Willa.

– 27 segundos para o impacto.

Era doloroso para a *Nave* abandonar Willa à própria sorte naquele passado, mas tratava-se de uma questão sintomatemática. Ela podia sentir a força do projétil a destroçando apenas a partir dos cálculos que executava, como se um homem pudesse sentir a força de uma bala antes de atingir sua cabeça. A única diferença era que, se não podia desviar dela, podia transcrever-se além de sua trajetória.

– Regressiva para transposição, iniciar.

– H menos 20 para a partida. – Abriu a contagem para a partida Sam.

– 26 segundos para o impacto.

– Abortem! Abortem! O míssil vai desviar! – clamou Willa.

– Não temos escolha, minha cara – comentou o par de Willa no interior do frisbee. – Se formos atingidos, perderemos o frisbee e nossa população ficará abandonada aqui da mesma forma.

– H menos 19.

– 25 segundos para o impacto.

– *Nave*, eu imploro. Há uma chance do míssil desviar!

– Inaceitável, o risco é.

– H menos 5 para encerramento da janela de embarque e evacuação – anunciou Willa de dentro da *Nave*.

– H menos 18 – continuou Sam com a regressiva de partida.

– 24 segundos para o impacto.

A *Nave* e a própria Willa em seu interior estavam corretas. Não havia alternativa. O míssil prosseguia em sua trajetória de impacto. Se atingisse o frisbee, o destino de sua população multividual seria idêntico ao que se desenhava em contínuo. Tudo que restava à população ao alcance da *Nave* era embarcar imediatamente ou debandar a área para que não fosse consumida pela onda energética de ativação do frisbee – e a janela para embarque estava se esgotando. Uma onda de pânico ecoou pelo multivíduo de Willa ao concluir que estava fadada a ficar só naquele pretérito perdido.

– Não te preocupes, estarei contigo – consolou Nhoc da China, sem efeito algum para acalentar Willa.
– Peço que abortem imediatamente!
– Impossível, sabes que é.
– H menos 4 para fechamento da escotilha – continuou Willa.
– H menos 17 para partida – continuou Sam.
– E quanto à paisagem ao redor? Pensem nisso!
– 23 segundos para o impacto.
– Evacue, Willa – sugeriu a *Nave* aos pares dela que ainda se mantinham próximos, mas não haviam embarcado. Imediatamente, esses pares lançaram-se sobre o frisbee antes que fosse tarde demais, o que gerou uma onda de efeito protodimensionárquico quando sua população avançou para o embarque, fazendo levantar a poeira do deserto. Apenas um par permaneceu imóvel ao lado da *Nave*, apelando para os colegas desistirem.
– H menos 3.
– H menos 16.
– Vocês nos destruirão se ativarem o frisbee. Esta paisagem estará condenada! – acusou Willa.
– 22 segundos para o impacto.
– Condenados, já estão.
– H menos 2.
– H menos 15.
– Eles sim, mas eu não. Vocês precisam me salvar!!! – manifestou Willa em desespero.
– 21 segundos para o impacto.
– H menos 1.
– H menos 14.
– Preocupar-se, necessário não é. Salvar-te-emos – manifestou a *Nave*.
– 20 segundos para o impacto.
– *Se partirem, terão de me consumir com vocês*!!!
– Janela de embarque encerrada – anunciou Willa no interior do frisbee, em seguida acrescentou de maneira frenética: – *Saia daí*!
– Tchau, querida. H menos 13.
– 19 segundos para o impacto.

Willa não pôde responder. Sem alternativa, apenas evadiu-se da cena e, ao afastar-se da *Nave* como um raio em fuga, perdeu sua conexão com a expedição, ficou sem contato com a consciência cósmica nesse instante. O restante de sua população que se mantinha nas proximidades também evacuou, evadindo do raio de ação do frisbee antes que fosse ativado.

Um desses pares dentro do raio atualizacional da *Nave* monitorava Steve Limbs, posicionado a cerca de 1,5 milhas do objeto observando o lançamento através do binóculo e comunicando-se com Carrol a bordo do Samaritano. Willa sequer poderia salvá-lo, nem que quisesse carregá-lo dali, pois o peso-extra não permitiria que alcançasse o perímetro de segurança. A alienígena simplesmente o abandonou ao próprio destino.

Limbs mantinha-se atento ao míssil aproximando-se do alvo, acompanhando em suspense a regressiva do operador a bordo.

– 18 segundos para o impacto.
– O míssil segue para o alvo como esperado – comunicou o engenheiro.
– 17 segundos para o impacto.

No Samaritano, Carrol e os demais a bordo mantinham olho fixo no terminal de saída da câmera acoplada ao míssil. Já bem próximo do alvo, com a imagem do objeto alienígena-extraterrestre em destaque na tela, Murray estranhou algo:

– O míssil e a câmera não deveriam ser afetados pelo campo do objeto?
– 16 segundos para o impacto.
– Em tese, sim – respondeu Nickson.
– 15 segundos para o impacto.
– Vamos aguardar – disse Carrol, emanando uma aura de tensão nesse momento derradeiro. Ainda assim, nada comparado com a alienígena que acompanhava o voo clandestinamente.
– 14 segundos para o impacto.
– Míssil aproximando-se – anunciou Limbs pelo telefone.
– 13 segundos para o impacto.
– Proteja-se, homem! – ordenou Carrol.
– 12 segundos para o impacto.
– Só mais alguns segundinhos – respondeu Limbs.
– 11 segundos para o impacto.

A seguir, todos fizeram silêncio a bordo, apenas aguardando o desfecho da situação. Exceto o operador, que prosseguiu na regressiva.

– 10 segundos... Nove... Oito...

Limbs largou o telefone, preparando-se para abaixar e proteger-se atrás da trincheira. Também largou o binóculo, pois já podia visualizar o míssil a olho nu no céu, assim se manteve observando-o até o instante final.

– Sete... – anunciou o operador.
– Jerônimo! – gritou Limbs, ainda mirando o projétil já bem próximo do alvo, a cerca de 200 metros do solo. Os colegas ao seu lado encolheram-se atrás da trincheira, mas o engenheiro continuou de olho por mais um segundo. Em paralelo, no interior do frisbee, Sawmill[A] e a *Nave* trocaram seus últimos comandos:

– Zarpar!
– Transposição iniciada.
– Transposição efetuada com sucesso.

Limbs vislumbrou o míssil a menos de 100 metros do alvo, então pensou em abaixar a cabeça e esconder-se atrás da trincheira. Simultaneamente, em uma velocidade muito superior à operação de seu sistema nervoso, sua visão tornou-se um borrão como se o deserto a sua volta fosse sugado por seus olhos. Teve um vislumbre do objeto alienígena-extraterrestre aproximando-se como um *flash* bem à sua frente, como se estivesse embarcando nele. No instante seguinte, sua existência foi transcrita para a ondulação F que o consistia. Ao seu lado, os dois soldados que o acompanhavam foram os primeiros a morrer assim que a *Nave* se ativou.

No Samaritano, quando o operador anunciou seis segundos para o impacto, a imagem do míssil desapareceu do monitor. Então, Carrol e os demais viraram o olhar para o terminal da câmera na barriga do avião, aguardando o impacto do míssil. Porém, o que viram foi o deserto tornar-se um redemoinho centrado pelo ponto onde se encontrava o alvo, como se o objeto tivesse gerado um miniburaco negro engolindo as areias. Com a mais absoluta naturalidade, o operador continuou com a contagem:

– Cinco...

Imaginando que a cena no solo era uma reação do objeto, Carrol antecipou-se e ordenou:

– Preparar lançamento da segunda carga.

– Quatro...

Ao mesmo tempo, o comandante Marshall intuiu que algo estava muito errado, virou-se para o piloto e ordenou:

– Iniciar evasão!

– Três...

No chão, o deserto tornou-se uma nuvem de poeira tomando a panorâmica oferecida pela câmera por completo. Murray e Nickson debruçaram-se sobre a janela do avião para ver o que acontecia com os próprios olhos, enquanto Carrol tentava arguir com o comandante:

– Evadir? Não! Ordeno que mantenha o curso atual! Vamos atacar!

– Dois...

– Cale a boca, imbecil – ordenou ao operador.

– Mas, coronel. É uma questão de segurança – alertou Marshall.

Antes de responder ao comandante, Carrol mirou o monitor, aguardando a confirmação do impacto. Mas o último segundo que faltava transcorreu sem que nada alterasse a caótica cena em terra. O piloto ignorou o coronel e aumentou a potência da aeronave para afastar-se do espaço aéreo acima do alvo. Murray, ao contemplar a paisagem pela janela, chamou a atenção do coronel. Em seguida, Nickson levou as mãos à cabeça e manifestou-se:

– Meu Deus! O que fizemos?!

O coronel, seguido do comandante, juntou-se aos dois e contemplou a cena. A onda de poeira, como um enorme redemoinho, avançava muito além da área de impacto do míssil, ultrapassando as fronteiras do deserto sobre Picacho e outros vilarejos em um raio de quilômetros até alcançar a base RSMR, que desapareceu da vista sob um mar de areia. Então veio o estrondo, absolutamente ensurdecedor, ecoando do solo como uma poderosa vibração. A aeronave foi tomada por uma forte turbulência. Todos precisaram apoiar-se para não cair ou bater a cabeça nos aparatos. O piloto ordenou:

– Aos seus assentos. Apertem os cintos!

No pânico da situação, Carrol resignou-se em obedecer. Em seu semblante, estampava-se um misto de temor e culpa, pelo medo do avião cair e pelo impacto da cena que observou em terra, mesmo que ainda não pudesse calcular a extensão dos danos provocados ou das consequências que acarretaria.

Nesse instante, em Picacho, Jack Astton estava no estúdio de transmissão do telejornal quando o diretor do programa anunciou:

– Ao vivo em dez segundos.

Estava prestes a vivenciar o momento mais glorioso de sua vida. Porém, foi interrompido pelo abrupto som das vidraças do edifício despedaçando-se. Imediatamente, toda energia do prédio caiu. Foi abalroado por um estilhaço que o derrubou e quase o nocauteou. Caído ao chão, sentiu o prédio tremer, como se fosse atingido por um terremoto violentíssimo; tudo começou a despedaçar ao seu redor. No instante em que a onda sonora do evento no Algomoro alcançou a cidade, perdeu a audição e, em seguida, desmaiou. Morreu segundos após quando o edifício veio abaixo.

Mais além de Picacho, o tremor de terra proporcionado pela *Nave* ao transcrever-se através do solo também foi sentido em Roswell, mas o vácuo gerado pela ativação do frisbee não alcançou a cidade vizinha. O abalo foi fraco comparado ao que se passou em Picacho e a cidade resistiu sem maiores danos. A onda sonora, porém, foi ouvida como se os cavaleiros do Apocalipse estivessem anunciando o juízo final. A população abandonou suas casas e prédios temendo que fossem ruir. Entre essa gente, um cinegrafista da QBC correu para a rua com sua câmera ligada, então mirou o horizonte e filmou a cena que tomou o céu ao distante. O que filmou fez arrepiar os pelos e tremer os braços com a câmera sobre os ombros: um enorme cogumelo sujo, vermelho como as areias daquele deserto, preenchido de raios tomando as alturas como se uma bomba nuclear tivesse sido detonada. Aliás, foi exatamente isso que imaginou que estivesse acontecendo, o mesmo que pensaram todos que contemplaram a cena.

Outro que contemplou o fato, mas da janela em seu escritório, foi o chefe do cinegrafista em questão, o diretor da QBC. Ele estava sentado em sua escravinha atento ao televisor, aguardando a entrada da Gazeta de Picacho prestes a iniciar quando o sinal caiu. Então seguiu-se o estrondo apocalíptico e a visão do cogumelo atômico no horizonte. Quando observava pela janela, reparou seu cinegrafista na rua com a câmera nas mãos. Num estalo, foi tomado pelo sentido do dever, levantou-se e correu para a redação. Afoito, chamou a atenção de seus subordinados:

– Estamos operacionais?

– Sim, chefe.

– Eu sei o que estão pensando, mas temos um trabalho a realizar. Quero uma entrada ao vivo pra já.

Postada de uma distância segura, Willa também observava o cogumelo formado sobre a zona de vácuo gerada pela *Nave* como consequência da energia empregada no momento de ativação. Cerca de 35 quilômetros acima de sua cabeça, seus pares em órbita contabilizavam a extensão dos danos que atingiu um raio médio de 13 milhas do ponto de evacuação da expedição. A perda de vidas humanas era enorme e os danos materiais incalculáveis. Para piorar, através do par situado nos charcos pantaneiros em território brasileiro, captou:

– Consciência cósmica ao vivo.

A conexão perdida no momento de partida da *Nave* reestabeleceu-se através dos canais da floresta brasileira e dos recifes de corais. Isso permitiu ao cosmo retomar sua novela pretérita em meio ao drama que afetava a população hominídea atingida pela ativação do frisbee, captando *in loco* a mesma visão e emoção que Willa oferecia com seus sentidos. Sua amargura era tanta, que sentiu o desejo de fechar os olhos, como se pudesse apagar tudo aquilo ao estender as pálpebras. Só não o fez porque tinha o compromisso de dispôr seus sentidos para Billy transmitir sua película. E foi justamente ele o primeiro a se solidarizar com o abalado par em pretérito:

– Eu sinto muito, Willa – partilhou de Marte, consolando-a, enquanto ela permanecia pasma ao contemplar a destruição causada pela *Nave*, sobretudo desesperada ao se ver aprisionada naquele distante passado.

***

Ao som característico da narina sugando o pó pelas vias nasais, Vegina sentiu um imediato bem-estar quando a droga inundou seu sistema circulatório, tornando a dor em sua perna uma sensação menor diante do prazer analgésico proporcionado pela cocaína. Um pouco mais aliviado fisicamente, mas ainda tenso psicologicamente, ofereceu o canudo ao tenente McCorn, justo o responsável por suas tensões. O policial tomou o canudo e abaixou a cabeça sobre o colo de Vegina, onde um manual automobilístico aparava a carreira de cocaína. Abaixado no colo do ufólogo ao aspirar o pó, não tinha como antecipar o que, por acaso, Vegina vislumbrou pelo retrovisor direito da viatura: um carro aproximando-se velozmente, levantando poeira do chão. Assim que cheirou o pó, McCorn apenas ouviu o som dos pneus do automóvel quando ele freou arrastando-se pelo terreno. Levantou-se num susto, sequer sentiu o efeito da droga, suplantado pela adrenalina que invadiu seu corpo naquele instante. Fez menção de sair do veículo e pegar sua arma, mas não houve tempo. Assim que se moveu, os homens já tinham descido do automóvel e apontavam suas armas para a viatura a poucos metros de distância.

– Serviço de inteligência! Quietos! Mãos no painel, senão atiro! – gritou Costa, o agente de Mathew, apontando sua automática para o tenente enquanto aproximava-se da viatura mantendo o policial na mira. Pelo outro lado da viatura, o segundo agente tratava de cercar Vegina, apontando-lhe a pistola e gritando para render-se.

Vegina apavorou-se, pois sabia que eram homens de Mathew, mas obedeceu ao agente. Trêmulo, levou as mãos ao painel do veículo e ficou quieto. Sem chance de reagir, McCorn também obedeceu, mas protestou:

– Polícia! Tenham calma! Sou policial, baixem as armas – pediu.

Mas Costa o ignorou:

– Desçam do carro os dois. Devagar! Com as mãos onde possa vê-las.

– Eu não posso me mover! – protestou Vegina.

Costa foi complacente, pois sabia que ele dizia a verdade. Mas insistiu com McCorn.

– Desça do carro, policial. Agora!

McCorn fez o que o agente mandava: abriu a porta com as mãos pelo lado de fora da janela e desceu lentamente do carro mantendo os braços erguidos. Postado à sua frente uns três metros de distância, Costa ordenou:

– Agora retire sua arma da cintura, devagar. Solte-a no chão.

McCorn levou a mão direita ao coldre, desabotoou a fivela do laço que prendia o revólver e pegou a arma pela ponta dos dedos, então começou a puxá-la bem devagarinho, com os olhos fixos no agente que lhe apontava a pistola. Do outro lado do carro, o segundo agente apenas vigiava os movimentos do policial e do ufólogo dentro da viatura, atento, com a arma em punho.

De repente, foram surpreendidos pelo estrondo que soou ao longe, abafado pela cobertura do Algomoro, embora sequer pudessem conceber de onde vinha aquele poderoso trovão, forte como nunca ouviram na vida. No susto, Costa virou o olhar para o morro. McCorn aproveitou a distração para, em um rápido movimento, empunhar sua arma e atirar. Acertou Costa na cabeça. O segundo agente reagiu e atirou em McCorn, atingindo-o no peito. Em pânico, Vegina encolheu-se todo dentro do carro, colocando a cabeça entre os joelhos. Baleado, McCorn foi ao chão. Enquanto caía, efetuou um novo disparo que atravessou a janela da viatura assoviando sobre Vegina e atingindo o peito do agente do outro lado. Ao fim do tiroteio, estavam os três no chão, os dois agentes mortos e McCorn agonizando como um moribundo.

Vegina ergueu sua cabeça e viu McCorn caído no chão ao lado da viatura pela porta entreaberta, mas não teve tempo de pensar em mais nada. Seguindo o estrondo que tomou o horizonte, veio uma pesada onda de avalanche após o desabamento de parte do cume do Algomoro. Uma nuvem de poeira cegou sua visão e uma pesada massa de terra começou a cobrir a viatura, invadindo a cabine onde o apavorado ufólogo tentava proteger-se. Quando parecia que seria soterrado e sufocado, a onda de terra começou a arrastar o veículo. Mesmo que tomado pelo pânico diante da morte iminente, Vegina imaginou que tudo tinha a ver com o disco-voador do outro lado do morro – claro! Não havia nada nesse mundo capaz de criar um trovão daqueles ou fazer desabar o Algomoro, então pensou com tristeza: *Perdi minhas fotos* – era uma triste ironia morrer assim.

A viatura continuou sendo arrastada pela massa de terra, Vegina pensou que não escaparia e começou a rezar. Mas como se os deuses ou os alienígenas tivessem ouvido suas preces – na verdade, tanto fazia, pois o ufólogo acreditava que os deuses eram alienígenas –, a avalanche de poeira e detritos começou a perder a força e, instantes após, alguns metros adiante, apenas parcialmente soterrado pela terra, o carro parou.

– Obrigado, Jesus! – agradeceu Vegina. Porém, se pudesse ver a alienígena próxima de si, escondida em sua invisibilidade do lado de fora da viatura, teria agradecido a ela por ter empurrado o carro e poupado sua vida.

– Fosse para interferir, por que não salvastes o policial também? Ou os homens que os assaltaram? – questionou Nhoc ao captar a cena da câmara secreta atrás da sala do trono do antigo imperador chinês.

– Porque não era minha primeira falta para com tais.

– Tu és uma moralista.

123

Assim que recebeu a atualização de que o coronel Carrol havia levantado voo com o Samaritano, o sargento Mijas executou suas ordens. No terminal de computação do setor de comunicação da C-11, apenas teclou <enter>, emitindo a atualização no banco de dados do projeto Majestic como havia instruído o coronel. Como se tratava de uma atualização efetuada através da Arpanet, ela deveria ser efetivada e comunicada a todos os envolvidos no projeto imediatamente, ou com um atraso mínimo, de poucos minutos. Porém, a Arpanet em 1978 consistia em uma precária rede se comparada com a Internet desenvolvida a partir dos anos 1990. Podia-se contar praticamente nos dedos o número de servidores interligados e dos usuários que tinham acesso à rede, restrita a poucos órgãos governamentais e um leque diminuto de institutos e universidades.

Um dos usuários que tinha acesso à Arpanet era o secretário de Defesa do governo, Ashley Mature, e ele estava em seu escritório na Casa Branca com seu terminal ligado e conectado à rede quando Mijas atualizou o banco de dados do Majestic. Conforme regiam as funções da rede, um e-mail foi disparado para sua caixa postal assim que a atualização foi executada. Todavia, para que o e-mail chegasse a sua caixa postal, ele tinha que atravessar um servidor na Universidade de Howard antes de alcançar a Casa Branca. Nesse dia, porém, o Departamento de Informática da universidade havia agendado uma manutenção na rede e nos servidores da instituição, os quais estavam *offline* nesse momento e assim permaneceriam até o final do dia. Mature não recebeu a mensagem sobre a "ameaça iminente" alertada por Carrol, não tinha a menor ideia do que se passava em Picacho e na base RSMR.

Mature apenas ficou sabendo dos fatos quando todos ficaram sabendo. Momento em que sua secretária adentrou seu escritório sem sobreaviso e, aflita, pediu-lhe para ligar a TV. Assim que ligou o aparelho, viu a imagem do cogumelo atômico estampado na tela com uma tarja noticiando: "Bomba atômica é detonada no Novo México". A imagem tinha o crédito da QBC de Roswell, mas já estava em todos os canais de notícia. Ao reparar nesse detalhe, ironicamente, Mature pensou em ligar para Carrol para saber o que estava acontecendo, mas não associou o fato com o incidente que o coronel havia relatado no dia anterior, dado que o próprio havia descartado a existência de qualquer ameaça. O que fez foi agir de acordo com o seu papel no governo. Ligou para o comandante do Estado-Maior convocando uma reunião de emergência com os generais das Forças Armadas. Sua comunicação seguinte seria com o presidente da República, mas ele estava atendendo a um evento fora da Casa Branca, portanto comunicou-se com o Serviço Secreto.

– Ele já está sendo evacuado, senhor – informou o agente que o atendeu.

– Para onde?

– Para o Air Force One.

– OK. Estou indo para o aeroporto.

– Precisamos que traga a *football*, senhor.

Mature estranhou a informação, dado que o presidente deveria carregar a *football* consigo em tempo integral, mas ele era mesmo relaxado com essas contingências do

Serviço Secreto e não havia razão para questionar isso naquele momento de emergência, portanto apenas anuiu:
– Compreendido.
Às pressas, Mature ordenou que sua secretária convocasse os oficiais do Estado-Maior e o marechal da Força Aérea para embarque imediato no Air Force One. Findou com a ordem:
– Soe o alarme, evacue a cúpula do governo para o abrigo. – Então deixou sua sala e correu para o gabinete presidencial.
No percurso, o alarme começou a soar e um total alvoroço se formou nos corredores da Casa Branca. Quando Mature alcançou o salão oval, um agente do Serviço Secreto o aguardava na porta. Essa era a única situação – o alarme de pânico do governo soando – que permitia ao secretário e ao agente agirem assim; Mature era um dos poucos que gozava dessa prerrogativa. Eles adentraram o gabinete presidencial e abriram a última gaveta da mesa de despachos, de onde retiraram a *football*, a maleta com os códigos atômicos de posse única do chefe da nação. Em seguida, retiraram-se apressadamente, prontos para evacuarem o prédio e seguirem ao aeroporto para embarcar no Air Force One.
No tumulto dos corredores, Mature esbarrou com o chefe supremo das Forças Armadas, o general Martin Hamilton. Um senhor de cabelos tingidos com quase setenta anos, vestido a caráter com inúmeras condecorações em seu paletó. Ele viu Mature com a *football* nas mãos e o interpelou:
– Está indo ao encontro do presidente?
– Sim.
– Não, senhor. Você vai para o *bunker* agora. Me dê essa maleta.
– Preciso levá-la ao presidente.
– Eu levo, estarei a bordo com ele e August. Você fica aqui para coordenar as ações com os outros generais – disse o chefe supremo referindo-se ao marechal da Força Aérea, Helen August.
– Eu preciso estar ao lado do presidente.
– Isto é uma ordem, secretário. Se o pior acontece, precisamos de você a salvo. Você é o sobrevivente designado – disse em relação à posição que Mature ocupava além do cargo de secretário de Defesa, o de presidente em exercício em caso de morte do presidente e do vice-presidente da República simultaneamente.
– Onde está o vice-presidente?
– Em Shangri-la. Permanecerá lá, a salvo no *bunker* do quartel. – Referia-se a uma base militar utilizada como casa de veraneio pelos membros do alto escalão do governo, em outras dimensões conhecida como Camp David.
– Então eu vou com você – insistiu Mature.

– Negativo. Nenhum dos três pode estar no mesmo lugar diante de uma emergência nacional. Você vai para o *bunker* imediatamente – ordenou o chefe supremo tomando a *football* das mãos de Mature.

Sem alternativa, Mature seguiu para o *bunker* no subsolo da Casa Branca, enquanto o chefe supremo prosseguiu para o aeroporto ao lado do agente do Serviço Secreto carregando a *football* nas mãos.

O presidente da República estava discursando em um evento em praça pública, ali mesmo em Washington, quando, como se já fosse habitual, foi arrancado à força do palanque por suas escoltas do Serviço Secreto e evacuado do local. Somente quando foi colocado no automóvel, Mister Andrews que lá o aguardava, atualizou-o dos fatos.

– Uma bomba nuclear foi detonada em solo americano – informou o secretário.

– Bomba?! Onde?

– Está no noticiário – disse e ligou o monitor de TV no interior do carro presidencial.

Pasmo, o presidente acompanhou a notícia. Mas, assim como Mature, pelo fato do noticiário mencionar a cidade de Roswell, que mal conhecia, não associou o acontecido com o que se passava nas proximidades da base RSMR, situada em Picacho – aliás, ele sequer sabia que base ficava em Picacho. Mas estranhou a coincidência da bomba explodir no Novo México, onde havia estado no dia anterior visitando o óvni descoberto pelo coronel Carrol. Então comentou:

– Ei, tem certeza de que isso é uma bomba nuclear?

– Não temos confirmação ainda. Por precaução, estamos embarcando no Air Force One.

– E minha família?

– Estará a bordo.

Enquanto o presidente da República evacuava para embarcar em seu avião, em outra aeronave – o Samaritano em que o coronel Carrol e seus subordinados voavam –, o clima era de igual tensão. A salvos por pouco da onda de choque gerada pelo objeto alienígena-extraterrestre, todos observaram pelas janelas do avião a nuvem em forma de cogumelo que se formou após a efetivação da Operação Pino. Carrol estava mudo, sem saber o que dizer aos dois membros do time de especialistas que ainda o acompanhavam, pois não era de seu feitio assumir que estava errado em suas ações. O psicólogo Murray, porém, estava inconformado:

– O que adianta o senhor nos convocar para investigar o caso se não ouve nossos conselhos? Está aí o resultado – confrontou o chefe, pouco se importando com a impertinência. Carrol não respondeu, ao invés disso, dirigiu-se a um dos técnicos a bordo e questionou:

– Alguma comunicação com a base?

– Nenhuma, senhor.

– Comunicação? A base está totalmente soterrada, coronel. O que espera obter de lá? Estão todos mortos. Limbs está morto – intimou Murray.

Nesse instante, Carrol irritou-se e levantou a voz com o psicólogo:

– Cale-se, tenente!

– Vamos proceder com o pouso na ATT de Nevada – interveio o comandante Marshall, referindo-se à Área de Testes de Tonopah, uma base secreta das Forças Armadas situada em Nevada, próxima a Las Vegas.

– Negativo! – bronqueou Carrol, reassumindo sua máscara autoritária. – Vamos sobrevoar a área e identificar se a ameaça foi mesmo extirpada – virou-se para o piloto e questionou: – Como estamos de combustível?

– Temos combustível para oito horas de voo.

– Ótimo – disse Carrol. – Vamos permanecer no ar para coordenar uma reação se a ameaça persistir. – Virou-se para o operador do rádio e acrescentou: – Estabeleça contato com a Casa Branca. Preciso de comunicação com o secretário de Defesa, Ashley Mature, imediatamente.

– Precisamos comunicar o Pentágono, coronel – disse Marshall. – Cabe a eles coordenarem as ações agora.

– Não estamos diante de uma ameaça internacional, mas de uma força alienígena-extraterrestre – disse o coronel com cólera na voz. – Cabe a mim e a Mature, como integrantes do protocolo designado para esse tipo específico de ameaça, liderarmos as ações perante essa agressão. Mature está ciente dos fatos, ele coordenará a resposta do Pentágono, compreendido?

– Sim, senhor – obedeceu Marshall.

– Agressão? Mas fomos nós que atacamos a coisa, coronel – intrometeu-se Murray. – Isso foi uma reação deles, não uma agressão...

– Eu já pedi para você ficar calado, tenente – respondeu Carrol.

Sob tal clima pouco ameno, o Samaritano permaneceu no ar sobrevoando a área de destroços em torno do Algomoro. A princípio, inutilmente, pois tudo que conseguiam observar no solo era uma tempestade de areia que cobria toda região. Não obstante, Carrol insistiu para que circundassem a área até que a poeira baixasse e, em paralelo, obtivessem contato com o secretário de Defesa. Alguns minutos se passaram e nada, o operador de rádio não conseguia abrir um canal com a Casa Branca, as linhas estavam congestionadas. Com Mature inacessível no momento, Carrol ordenou que se comunicassem com a base em Tonopah. Assim que conseguiram contato, ouviram do militar responsável do outro lado da linha:

– O governo declarou emergência nacional. Estamos em DEFCON 2, repito: DEFCON 2. Permaneçam nessa frequência e aguardem instruções – alertou.

Diante do que ouviu, Carrol largou-se sobre seu assento, sentindo o baque da informação e a extensão de danos que acarretava. Levou a mão à cabeça e coçou a testa. Em seguida, o homem do outro lado da linha questionou pelo rádio:
– Há algum oficial a bordo?

Com o coronel visivelmente atônito, Marshall adiantou-se em tomar o vocal das mãos do operador para responder:
– Segundo-major Law Marshall a bordo – uma patente de oficial superior, mas um ranking abaixo da patente de tenente-coronel de Carrol.
– Entendido, major. Repito a informação para que permaneçam no ar e aguardem instruções.

Nesse instante, como reavivado em suas forças, Carrol ergueu-se do assento e tomou o vocal das mãos de Marshall. Com nervosismo na voz, questionou o militar do outro lado da linha:
– Com base em quê o comando declarou DEFCON 2?
– Não saberei estar informando, mas está tudo na TV, senhor.

Carrol encerrou a comunicação e questionou os operadores:
– Tem TV neste troço?
– Claro, senhor.

Os operadores ligaram o aparelho de televisão a bordo e sintonizaram a primeira frequência disponível, oriunda da emissora ABC. Assim que captaram a imagem, viram a sequência repetida da nuvem em forma de cogumelo acima do deserto no Novo México onde sobrevoavam. A manchete estampando as imagens dizia: "América sitiada: governo declara emergência nacional diante agressão nuclear no Novo México. Chancelaria alemã não se pronunciou".

Mais uma vez, o coronel murchou em seu assento, escancarando aos demais algo que jamais haviam visto, a sua impotência perante a escalada dos acontecimentos. Como poucas vezes em sua vida, Carrol não sabia o que fazer ou o que dizer aos homens à sua volta. Tudo que restou foi continuar buscando contato com Ashley Mature e torcer para que ele esclarecesse os fatos perante o governo e o Pentágono, enquanto permanecia sobrevoando o espaço aéreo acima do Algomoro aguardando por novas instruções. Sua torcida era vã, pois jamais poderia imaginar que a mensagem que poderia evitar aquele caos nacional não havia alcançado seu destinatário.

Enquanto o Samaritano sobrevoava a área de destroços no Novo México, o Air Force One presidencial já se encontrava em altitude de cruzeiro, voando sentido noroeste rumo a Chicago, mas com um plano de voo ainda incerto, dependia dos desdobramentos a seguir e da capacidade do presidente da República em manejar a crise em andamento.

Além dos familiares do presidente, de seu *staff* pessoal, do secretário de imprensa, o chefe do DE (Departamento de Estado), de alguns funcionários de alto escalão do governo e da tripulação da aeronave, contando os agentes do Serviço Secreto que não desgrudavam do chefe, estavam a bordo cinco oficiais de alta patente das Forças Armadas. Entre eles, dois possuíam voz forte no governo, sendo um deles o único que contava com voto de minerva, o chefe supremo das Forças Armadas, general Hamilton. O segundo era o comandante-geral da Força Aérea, marechal August. Todos estavam acompanhados de seus assistentes pessoais, reunidos com o chefe da nação e Mister Andrews, em uma mesa na apertada cabine de conferência do avião, com alguns dos auxiliares ao lado de fora ocupando uma antessala anexa e suas pranchetas à mão, coordenando informações com o secretário de imprensa e o chefe do DE. Um último passageiro do voo viajava de forma clandestina imantado sobre a aeronave, a alienígena Willa.

Willa não captava com bom cérebro a presença do chefe supremo naquela reunião, pois, claro, já havia lido a mente do homem e conhecia sua biografia. Seu apelido nos bastidores militares era "Formiga Atômica", pois era um fervoroso defensor da proliferação do arsenal nuclear e da supremacia atômica norte-americana. Foi dele uma desastrosa declaração para a imprensa, ainda no atual governo, que gerou uma crise diplomática entre Estados Unidos e União Germânica, quando disse de maneira provocativa, que "a América poderia varrer o Estado comunista da Terra em cinco minutos", que só não o fazia porque, segundo suas palavras, "não é assim que se abate gado". Era um patriota, um anticomunista fervoroso, sobretudo, um grande lobista da indústria de foguetes que desenvolvia a tecnologia dos mísseis balísticos para o "mundo livre", segundo sua concepção, sendo um acionista dessas empresas. Militar da velha guarda, tinha um legítimo ressentimento dos alemães pela ocasião em que foi alvejado durante a Segunda Guerra Mundial logo nos primeiros dias de combate, impedido de lutar o restante da guerra. Por isso demonstrava uma gana em vingar-se do inimigo, em vencer a batalha que fora derrotado no passado. Essa gana não agradava Willa nem um pouco, pois era ele quem se sentava à mesa ao lado do presidente com a *football* à sua frente.

Assim que sentaram à mesa o presidente, Mister Andrews e os cinco oficiais, o chefe da nação questionou:

– Qual a situação de momento?

– O espaço aéreo está fechado. – Tomou a palavra o marechal August. – Colocamos todos os oficiais da Força Aérea no ar.

– E na Europa?

– Já estão mobilizados. Estamos coordenando com a OTAN um bloqueio aéreo na Linha *Imagine*[40]. – A linha fronteiriça entre França e Alemanha, estendida a norte e sul até a região nórdica e o norte da África.

---

[40] Uma linha imaginária de defesa situada na fronteira entre a URSG e a França. Em outras dimensões conhecida como "Linha Maginot".

– Um bloqueio naval também está sendo estabelecido no mediterrâneo e no Atlântico Norte. Os britânicos estão deslocando sua inteira frota na região. Nossos submarinos nucleares estão todos em águas – acrescentou outro general, um almirante. Outro oficial, um general do Exército, adicionou:

– Foi emitido um alerta a todas nossas tropas e aos aliados no mundo inteiro, presidente.

Nesse instante, o presidente enervou-se:

– Eu preciso saber da chancelaria alemã, cacete! Conseguiram abrir um canal com o chanceler?

– Estamos tentando, Frank – disse Mister Andrews. – Estabelecemos comunicação com Borowski, ele está tentando colocar o chanceler na linha. – Referia-se ao ministro de comunicação do governo alemão em Frankfurt.

– Eles estão nos enrolando! – esbravejou o general Hamilton. – Isso foi uma afronta à nossa nação! Eles estão preparando um ataque em massa, nos distraindo, é uma tática de guerra. Precisamos dar uma resposta imediata, contundente!

– Calma, Hamilton. Não vamos nos precipitar. Eu preciso de uma palavra oficial dos alemães. Vamos aguardar mais um pouco – pediu o presidente.

– Cada segundo que aguardamos é um segundo que ficamos mais vulneráveis ao inimigo – insistiu Hamilton.

– Eu concordo – disse August. Os demais militares preferiram não se manifestar.

O presidente estava a ponto de esbravejar com os generais, mas o terminal telefônico à mesa tocou interrompendo a discussão. Mister Andrews colocou a chamada no viva-voz e todos ouviram o ministro Borowski anunciar:

– *Herr president* vai falarr.

Na sequência, o presidente alemão falou, mas antes que Frank respondesse, Hamilton interpelou e disse:

– Um momento, senhor presidente. – Então colocou o *speaker* do aparelho em modo "mudo" antes de dizer: – Tá percebendo, Frank? Eles estão nos enrolando, botaram essa porcaria de presidente pra falar.

– Eu sei que o presidente não é o chanceler, mas vamos ouvir o que ele tem a dizer – ordenou Frank e reativou o viva-voz. Porém, as palavras do presidente da União Germânica pareciam dar razão ao general Hamilton em sua desconfiança, pois ele só enrolou. Como um mero diplomata, negou qualquer participação dos comunistas no acontecido, o que seria de praxe caso estivesse querendo ganhar tempo. Também não soube informar se o chanceler demoraria a atender o chamado do presidente norte-americano. Quando questionado, apenas disse:

– *Herr premierminister* no está *disponible* esto momento, mas atenderrá *herr president* Frrank muito em brreve. Peço *encarrecidaly* que aguarrdem – e se colocou em espera.

Para agravar um pouco mais o clima dentro do Air Force One, especialmente para Hamilton, que cobrava uma resposta do presidente, um dos auxiliares de plantão ao lado da porta da cabine de conferência pediu licença para adicionar uma informação:

– Senhores, recebemos notícias de que Frankfurt está sendo evacuada.

O presidente se alarmou com a notícia:

– Isso é certo?

– Ainda precisamos checar, presidente.

Precisavam mesmo, já que, pelo que Willa observava na Alemanha, especialmente em Frankfurt e Berlim, pessoas estavam deixando as cidades com medo de uma guerra atômica, mas não havia nenhuma ordem oficial do governo para que evacuassem.

– Pois chequem, pô! – mandou o presidente.

Mais alarmado do que o presidente com a notícia ficou Hamilton, que voltou a cobrar o chefe da nação:

– Frank, nós precisamos dar uma resposta retaliatória. Antes que seja tarde demais.

– Tudo bem, Hamilton. Vamos determinar um bloqueio de todas as fronteiras com a União Germânica, na Europa e no Oriente. Estabeleceremos também um embargo naval e sanções econômicas a qualquer nação que mantenha relações diplomáticas com os alemães. – Virou-se para Andrews e disse: – Providencie um discurso para a nação. Quero estar em cadeia nacional em menos de uma hora.

– Imediatamente, Frank – anuiu o secretário e levantou-se para articular as ordens do presidente junto ao seu *staff*. Porém, essa não era a resposta que Hamilton esperava:

– Você parece que não está entendendo, Frank. Isso foi um *ato de guerra*. Precisamos responder à altura.

– Nós ainda não temos confirmação de que a autoria do ataque partiu da Alemanha, general – respondeu o presidente rispidamente. O marechal August interveio na discussão:

– Eu estou de acordo com Hamilton. Precisamos impor uma ação enérgica.

– Vocês querem o quê?! Que eu declare guerra à Alemanha? – questionou o presidente, em alto tom.

Irritado, o general Hamilton respondeu dando um tapa na mesa:

– Não temos tempo para declarações. Precisamos de uma ação imediata!

– Eu sugiro que comecemos a evacuar nossas capitais neste exato instante – acrescentou um dos generais à mesa.

Enquanto o clima esquentava entre os oficiais do governo, o secretário de imprensa interrompeu a discussão com alguns soquinhos na porta, apesar de ela já estar aberta:

– Senhor presidente, estamos com a Casa Branca na linha.
– Finalmente – respondeu Frank, então acionou o *speaker* sobre a mesa. Do outro lado da linha, ouviu-se:
– Frank? Mature. Como estão as coisas aí?
– Nada bem. Como estão aí? O que tem de novidade para nós?
– Confirmamos a perda da base RSMR, o *Ground Zero* está incomunicável e inacessível. O ataque derrubou as linhas no corredor sudoeste, estamos sem *link* direto com o Arizona, o sul da Califórnia, parte do Novo México e do norte do Texas.
– Como obtiveram essa confirmação? – indagou Frank.
– Através do major Marshall. Ele está sobrevoando a área em um de nossos Samaritanos – respondeu Mature. O chefe supremo Hamilton intrometeu-se na conversa:
– Quem é o chefe em comando na RSMR?
– O major Hunter.
– Alguma notícia dele?
– O major não está de serviço. Está de folga, pois seu filho sofreu um sequestro.
– Pois convoque-o – ordenou Hamilton.
Nesse instante, Frank retomou o diálogo:
– E quanto ao coronel Carrol?
– Supostamente morto, Frank.
A novidade deixou o presidente abalado internamente. Ele não tinha como dissociar o suposto ataque à base RSMR do óvni que viu em pessoa. Não podia ser coincidência, aquela explosão só podia estar relacionada a isso. Ainda não podia imaginar o motivo por trás da calamidade: se o óvni havia atacado a base ou, talvez, Carrol tivesse lançado uma bomba atômica sobre ele, mas ficou convicto de que tinha o dedo do coronel nessa história. Independente disso, a informação descartava qualquer relação do incidente com os germânicos, embora não pudesse dizer isso aos seus generais. Por isso, questionou:
– Conseguiram confirmar se a explosão foi mesmo de um artefato nuclear?
– Nós vimos as imagens, presidente. Não há nenhum outro artefato que pudesse gerar tamanha destruição.
– Mas e quanto à radiação? Identificaram atividade radioativa na região?
– Não obtivemos nenhum relato sobre radiação até o momento, mas as equipes começaram a trabalhar agora. Logo saberemos – esclareceu Mature.
O marechal August interferiu na conversa:
– Espere um pouco... O major Marshall é o segundo em comando na RSMR, então como escapou da bomba se a base foi destruída? Como ele botou esse Samaritano no ar?
– Não sei informar. Recebemos um comunicado através do Pentágono. Sabemos apenas que ele está no ar.

– Tentem comunicar-se com ele – sugeriu Frank, esperançoso que pudesse obter alguma novidade a respeito de Carrol.

Hamilton retomou sua pressão sobre o presidente:

– Eles destruíram nossa principal base! Sítio dos mais poderosos *warheads* à nossa disposição. Isso não é coincidência. Os comunistas estão preparando um ataque em larga escala à nossa nação, precisamos retaliá-los imediatamente! – esbravejou o chefe supremo.

– Eu já te pedi calma, general. Nós não faremos nada até obtermos uma palavra oficial do chanceler. Agora chega desse papo! – Frank o confrontou. – Não há motivo para que os alemães ousassem uma agressão dessa magnitude dentro de nossas fronteiras.

– Então me diga o que foi isso, o quê?! – intimou Hamilton.

A vontade do presidente era dizer que havia sido obra do óvni, mas jamais poderia alegar algo assim do nada, sem provas ou sem revelar o seu envolvimento com Carrol. Portanto, apenas sugeriu:

– Talvez seja um teste malsucedido, afinal, a RSMR é uma base de testes.

– Com perdão da palavra, Frank... – continuou Hamilton tentando conter seu nervosismo, então elevou o tom antes de acrescentar: – Mas isso é *falta de inteligência*. Nós...

– Ora! Cale-se, general! – interrompeu o presidente aos berros. – Eu tenho problemas mais imediatos para resolver. Não atrapalhe!

– Que problemas? O seu discurso para a nação? A reeleição?

A impertinência de Hamilton tirou o presidente do sério. Ele agarrou o braço do chefe supremo e cerrou os dentes antes de responder:

– Pois olhe o monitor, general! *Olhe para o monitor*! – disse, apontando ao televisor embutido na parede da cabine ligado na ABC transmitindo imagens sem som. Então pegou o controle remoto e aumentou o volume para que todos prestassem atenção no noticiário.

Não bastassem os canais de notícia repetirem a todo instante as imagens da bomba no Novo México ou da retirada às pressas do presidente da República no meio de um comício, a cobertura de momento destacava o caos em Nova York. Imagens mostravam as pontes de Manhattan lotadas, com carros deixando o centro da capital tomando as vias nos dois sentidos, e gente caminhando a pé carregando as malas para fora da cidade. Um flagrante mostrou Wall Street com uma multidão em pânico correndo pelas ruas e calçadões, gente sendo pisoteada e o pregão vazio – desnecessário dizer que a bolsa de valores estava em queda. Em um supermercado, as pessoas se amontoavam nos caixas e brigavam pelos produtos nas prateleiras na base do tapa; no estacionamento, os carros disputavam espaço e batiam uns nos outros. Nos postos de gasolina, as filas eram enormes. Cenas que não se via desde a Crise dos Mísseis

Submarinos, mas muito mais caóticas e generalizadas. Os relatos confirmavam que outras capitais viviam tumultos similares. Por todo país, o pânico se espalhou após a veiculação das notícias sobre o suposto ataque nuclear da União Germânica.

Enquanto a reportagem seguia, o presidente discursou:

– Nós temos dezenas de centenas de mortos, cidades destruídas, um condado inteiro em calamidade pública. O povo está em pânico nas ruas, já temos relatos de tiroteios e saques. As estradas estão paradas, os aeroportos fechados, as pessoas estão fugindo dos grandes centros com medo de um ataque nuclear. Nessa hora de pânico elas olham para nós, seus líderes, e o que veem? Todos se escondendo em *bunkers*, seu presidente sendo arrastado em praça pública. Não é esse o exemplo que esperam de nós. Portanto, *sim*, meu caro – mirou Hamilton com convicção. – Meu *discurso* é muito mais importante que essa sua vontade de pegar essa maleta e sair apertando os botões.

– Maleta que o senhor deixou para trás infringindo as obrigações do cargo e as ordens do Serviço Secreto. Não fosse eu par...

– *Eu* faço as ordens aqui, general! Não preciso dessa maleta, nunca vou usar essa porcaria! Nem você. Fique quieto! Eu preciso coordenar a resposta nas ruas, botar a Defesa Civil pra trabalhar, acionar as autoridades estaduais para apartar esse caos instalado. Não preciso do Exército para atender sua guerrinha com os alemães – discursou mais uma vez Frank.

A veemência do presidente fez o chefe supremo se aquietar, embora continuasse furioso por dentro e ávido para que o chefe da nação tomasse alguma providência contra os alemães. Esperava mais apoio de seus colegas militares, mas eles sentiram-se intimidados e não se manifestaram. De sua parte, Frank estava convicto da real natureza dos fatos que se escondiam por trás da calamidade, por isso sua preocupação voltou-se para a contenção de danos e ao restabelecimento de ordem nas ruas. Com isso em mente, finalmente baixou o volume do noticiário, chamou Mister Andrews, o secretário de imprensa e o chefe do DE para tomarem lugar na cabine de conferência, e ia dar por encerrada a reunião com os militares. Porém, nesse instante, Mature chamou da Casa Branca e, no viva-voz, anunciou:

– Acabamos de confirmar que o chanceler alemão embarcou no Lufthansa Eins. Repito: o chanceler embarcou no Lufthansa Eins.

***

Com um pouco de atraso, a informação do embarque do chanceler alemão em sua aeronave oficial, o Lufthansa Eins, também chegou ao Samaritano sob o comando do major Marshall e a presença do coronel Carrol. A essa altura dos fatos, a aeronave voava em formação escoltada por uma esquadrilha de caças da Força Aérea. Carrol permanecia deprimido com a situação e irritado pela falta de comunicação com o secretário de Defesa. Como pouco usual em sua figura, manteve-se quieto e pensativo, aguardando contato com a Casa Branca, permitindo ao comandante Marshall ficar à vontade para coordenar a comunicação via rádio com o QG em Tonopah.

Alguns minutos após a atualização do embarque do chanceler, enfim Marshall conseguiu colocar Mature na linha:

– O secretário de Defesa está na escuta, coronel – anunciou ele.

Carrol reavivou-se de sua depressão e tomou o vocal do rádio em suas mãos imediatamente:

– Secretário? Carrol falando.

– Coronel?! O senhor está vivo? – espantou-se Mature. Aflito como estava, o coronel nem se deu ao trabalho de responder.

– Escute. Que providências o senhor está tomando em relação à ameaça?

– Todas as providências cabíveis inerentes ao estado de emergência nacional decretado pelo governo e pelas Forças Armadas.

Pelo tom do secretário, Carrol percebeu que ele estava sendo protocolar na resposta, notou outras vozes falando ao fundo, por isso indagou:

– O senhor está em um viva-voz? Preciso que pegue o telefone, secretário.

Com certa relutância, Mature obedeceu. Desligou o *speaker* do aparelho na mesa de trabalhos no interior do *bunker* da Casa Branca e pegou o gancho para falar:

– Diga, coronel.

– Estou me referindo à ameaça que comuniquei ao Majestic.

– Que eu saiba essa ameaça estava descartada – disse Mature com a voz baixa, deixando a entender claramente que não queria que os demais ao redor escutassem.

– A que comuniquei *hoje*, secretário.

– *Hoje*? Não estou ciente.

– Não recebeu a atualização que enviei antes do acontecido?

– Não recebi nenhuma atualização desde a última conversa que tivemos ontem.

– Não soube da perda dos dois helicópteros esta manhã?

– Não, coronel. Não estou sabendo de nada.

Com as bochechas caídas, a face de Carrol expressou sua incredulidade com a ignorância dos fatos por parte de Mature. Jamais poderia imaginar que ele não teria recebido a mensagem sobre a atualização no banco de dados do Majestic. O sargento Mijas havia confirmado o envio. Não obstante, confiava mais em Mijas do que em Mature, assim, foi fácil deduzir que o secretário estava querendo abafar o caso. De sua parte, isso era péssimo, mas não seria por isso que o coronel se furtaria de suas obrigações perante o caso que conduziu a semana inteira, portanto detalhou os fatos mais relevantes destacados na atualização que tinha enviado, e esclareceu que o ocorrido no Novo México se deu após a conclusão da Operação Pino. Ao fim da explicação, apelou ao secretário:

– O Estado-Maior precisa revogar o alerta DEFCON 2 e estabelecer DEFCON Tático para lidarmos com a ameaça dentro do nosso protocolo – sugeriu. Em seguida, embora não pudesse revelar que Frank sabia da presença do óvni no Novo México, muito menos que o presidente havia visitado o objeto, mas com a esperança de que o chefe da nação pudesse colocar um fim na emergência nacional em andamento, acrescentou: – Comunique o presidente.

– Muito bem, coronel. Comunicarei – afirmou Mature. Carrol, porém, não ficou convicto.

Ao encerrar a comunicação, o comandante Marshall retomou o rádio e trocou algumas informações com Mature. Com o viva-voz religado, o secretário questionou:

– Vocês identificaram algum traço de radioatividade na região?

– Não, senhor. Não verificamos nada.

– Possuem meios para verificar isso?

– Positivo. Só precisamos baixar a altitude. Estamos a 20 mil pés, aqui não há traços de radioatividade.

– Preciso que me envie uma atualização a respeito o quanto antes. Câmbio final.

Ao término do contato, Marshall retomou o comando sobre a tripulação para atender às ordens do secretário de Defesa, enquanto Carrol apenas lançou-se sobre seu assento, recaindo na postura depressiva que o dominava. Quem o observava atentamente era o psicólogo Murray, tentando analisar o que se passava com o chefe. Ao perceber seu abatimento após a conversa com Mature, questionou-o com calma:

– E agora, Jay? Quais serão nossos próximos passos?

Com um misto de irritação e desânimo, Carrol respondeu:

– Pergunte ao major. Isto é uma operação da Força Aérea, estamos sob o comando dele de agora em diante.

– E quanto ao nosso operativo? – insistiu Murray.

Nickson aproximou o olhar aos dois, pois também estava interessado em saber, embora se mantivesse praticamente tão mudo quanto o chefe desde a desastrosa conclusão da Operação Pino.

– Operativo? Não existe mais operativo. Fomos traídos, seremos os bodes expiatórios dessa tragédia.

– Como assim? Como pode saber?

– Eu sei do que estou falando. Mas não se preocupem, vai ser a minha cabeça que estará sobre a bandeja. Vocês não sofrerão nada.

– O senhor está convicto disso, coronel? – questionou Nickson, com preocupação no olhar.

– A corda sempre arrebenta do lado mais fraco. Aquele filho da mãe do secretário, político traiçoeiro, já está se certificando de que seja eu esse lado.

Nesse ínterim, a aeronave seguia baixando enquanto os operadores tentavam detectar algum traço de radioatividade no ar. Quando atingiram uma altitude menor, receberam um chamado pelo rádio. Com sobressalto, Marshall alertou Carrol:

– Temos um sinal da RSMR, coronel. O sargento Mijas está chamando.

Mais uma vez, Carrol retomou o ânimo e atendeu ao chamado com ansiedade e rapidez. Murray e Nickson também se entusiasmaram e debruçaram-se sobre o rádio para ouvir a conversa.

– Alô, coronel. Está nos ouvindo? Senhor?
– Carrol na linha. Mijas? Como estão as coisas aí?
– Estamos operando de forma precária, reclusos ao abrigo subterrâneo, senhor. Estamos presos no subsolo, senhor.
– Alguma comunicação com o comando militar?
– Estamos sem comunicação, senhor. Somente agora conseguimos restabelecer contato pelo rádio, senhor. Não temos nenhuma informação sobre o que aconteceu, senhor.
– Compreendido. Quem mais está aí com você?
– O sargento Rodriguez e dois técnicos, senhor.
– Rodriguez? Ótimo. E quanto a Mathew, alguma notícia?
– Não tivemos notícias do tenente desde o início da operação, senhor.
– O cabo Emílio está aí?
– O cabo Emílio saiu para auxiliar os homens a restabelecer o contato e não retornou ainda, senhor.

A informação de Mijas era precisa. O cabo Emílio havia ausentando-se do abrigo emergencial no subsolo da C-11 para ajudar os homens que tentavam abrir caminho entre os escombros no andar térreo a fim de esticar uma antena para fora e reestabelecer contato com o mundo exterior. Foi por muito pouco que o cabo, Rodriguez e Mijas escaparam da destruição que assolou a base inesperadamente. Quando um súbito terremoto começou a estremecer a estrutura do quartel, correram para os subterrâneos antes que tudo viesse abaixo e conseguiram se salvar. Porém, ainda que o contato de rádio já estivesse operacional, Emílio não havia retornado para o posto ao lado de Mijas e Rodriguez, pois tinha um trabalho a executar. E não seria nem pelo fato do mundo desmoronar à sua volta que deixaria de cumpri-lo.

O cabo desceu para a ala prisional onde o xerife permanecia em sua cela, embriagando-se com o Whisky servido pela manhã. Como a única felicidade que restava a Hut Cut estava dentro daquela garrafa, bebericou seu conteúdo lentamente, apreciando cada gole da bebida como se fosse o último de sua vida. Sequer poderia imaginar que, de fato, seriam aqueles seus últimos goles. Todavia, quando a estrutura do prédio começou a tremer e parecia que tudo ia desabar, Hut Cut esvaziou a garrafa rapidamente, apavorado, certo de que acabaria morto. E já que estava à beira da morte, não desperdiçaria aquele precioso líquido nem um mililitro sequer. Depois se arrependeu de ter virado a garrafa quando tudo se acalmou novamente. De instante, influenciado pelo álcool que corria em suas veias, exercitava suas cordas vocais conversando consigo próprio na solidão de sua cela. Praguejava contra sua má fortuna e a covardia de seus algozes, Carrol e Mathew, principalmente.

Quando Emílio ganhou o corredor da ala carcerária, ouviu o xerife falando sozinho em sua cela. Com seu cassetete elétrico à mão, dirigiu-se a ela, determinado em cumprir a tarefa que Mathew o designou. Em sua cabeça, já estava tudo orquestrado. Bastaria atordoar o xerife com um eletrochoque e aplicar-lhe um mata-leão até que deixasse de respirar. Então amarraria o lençol em seu pescoço e o penduraria na lâmpada do teto. Um serviço bem fácil, facilitado pela embriaguez do xerife.

Emílio entreolhou pelo vão da porta de aço da cela e viu o xerife perambulando pelo diminuto espaço em seu interior, pôde sentir seu bafo de álcool antes mesmo de abrir a porta. Quando destrancou a cela e entrou, Hut Cut cessou seu monólogo e encarou o cabo. Ao perceber a expressão na face do soldado, com um leve sorriso nos olhos, imediatamente concebeu que ele estava ali para matá-lo. Bêbado como estava, sua reação foi tentar socar o cabo, mas seu braço passou no vazio. Emílio esquivou-se como se brincasse com uma criança e...

Derrubou Hut Cut no chão com o eletrochoque. Com o xerife caído e à sua mercê, guardou o cassetete na cintura e se precipitou sobre ele para enforcá-lo. Porém, sem razão aparente, cessou seu movimento antes de agarrá-lo. Apenas ergueu-se e deu um passo para trás enquanto o indefeso policial arrastava-se pelo chão tentando se afastar, lacrimejando no rosto e atordoado pelo choque.

Como se seu corpo não pertencesse mais à sua mente, Emílio viu a si mesmo inerte, parado em posição de sentido, com um superior lhe repassando ordens na cabeça:

– Mathew não quer mais que você elimine o xerife. Ele mudou de ideia.

– O tenente mudou de ideia, ele não quer que eu elimine o xerife – respondeu o cabo ao seu superior. Inconscientemente, falava em voz alta aos ouvidos de Hut Cut, que ficou sem entender o que se passava. Manteve-se apenas encarando o soldado, aterrorizado com a situação.

– O tenente quer ele vivo. Você deve proteger Hut Cut – ordenou o superior.

– É meu dever proteger o xerife, mantê-lo vivo.

– Você é um ótimo soldado, cabo Juan Emílio.

– Obrigado, senhor. Sou um soldado fiel.

– Sim, você é. Por isso seguirá essas ordens à risca, soldado.

– Sim, senhor. Seguirei, senhor. À risca, senhor.

– Dispensado, soldado.

– Com a sua licença, senhor. – acatou o soldado.

Ante ao olhar perplexo de Hut Cut, Emílio bateu continência para um superior invisível, virou as costas e deixou a cela. Assim que o cabo saiu, sob a sensação de que tudo aquilo consistia uma hedionda tortura psicológica, Hut Cut se encolheu num canto da cela e entregou-se a um forte pranto, certamente potencializado pela embriaguez, soluçando e gritando, assim tentando aliviar o terror que o consumiu naqueles momentos. Emílio nem ouviu o choro do xerife enquanto trancava a cela e deixava a ala carcerária. Retornou ao seu posto ao lado de Mijas e Rodriguez com a nítida sensação de dever cumprido.

No interior da câmara secreta atrás da sala do trono do antigo imperador chinês, Nhoc partilhou:

– Tua moral é tua *consciência* para que poupes um assassino como esse – comentou sobre a cena. Willa nada pensou, embora seu sentimento fosse a resposta, então o alienígena pensou por ela: – Que os Dragões permitam essa consciência permanecer sã enquanto cá persistas...

124

Assim que Ashley Mature atualizou o presidente da República sobre o embarque do chanceler alemão no Lufthansa Eins, os oficiais que ocupavam a mesa na cabine de conferência do Air Force One entreolharam-se com preocupação no semblante. Em seguida, voltaram o olhar ao presidente aguardando o que ele diria a seguir. Ele disse:

– O quão fiável é essa informação? – questionou para Mature do outro lado da linha.

– Confirmada pelo diretor-geral da CIA em Paris através de seus agentes atrás da cortina – afirmou o secretário. Por falar em CIA, o presidente lembrou-se do:

– E o FBI, tem alguma atualização para nós?

– O FBI, Frank? Não estou sabendo de... – dizia o secretário, mas foi interrompido pelo presidente:

– A respeito da bomba, diabos! Eles não estão investigando?

– Sim, mas não temos novidades... – Foi novamente interrompido:

– E a radiação, averiguaram?

– Nenhum reporte até o...

– Pois verifique, maldição! Como vamos aplicar um plano de contingência para a situação se não sabemos o que está acontecendo no *Ground Zero*?!

– Sim, presidente. Vam...

– Retorne quando tiver algo! – ordenou Frank e desligou.

Assim que o presidente desligou, já impaciente pelo que classificava como inútil preocupação com CIA ou FBI, o chefe supremo Hamilton deu vazão à tensão que os demais militares no recinto igualmente partilhavam. Ele levantou-se da cadeira e elevou a voz, dirigindo-se a todos na cabine de conferência e aos demais no recinto contíguo:

– Muito bem, senhores. Quero que saiam todos desta sala imediatamente, exceto os oficiais – disse em tom imperativo. – E fechem a porta.

Naturalmente, o presidente protestou:

– Desde quando você dá as ordens aqui? Não vai sair ninguém desta sala, aliás, saiam *vocês*, oficiais – disse sinalizando com o braço e irritação no olhar, especialmente com o Formiga Atômica a lhe desafiar a autoridade.

Para não precipitar uma discussão ainda maior, o "Formiga Atômica" Hamilton, dirigiu-se com calma ao presidente:

– Por favor, Frank. Me ouça. – Mas o presidente o intimou:

– Frank não! Pra você é *senhor presidente*.

– Tudo bem. Então por favor me ouça, senhor presidente.

– Pode falar.

– O que precisamos discutir é de matéria única das Forças Armadas e do senhor presidente, como chefe da nação. Ninguém deve participar dessa conversa, exceto os oficiais. Peço cinco minutos – apelou Hamilton, humilde, acrescentando ao final: – Senhor presidente.

– Tudo bem, cinco minutos – concordou Frank. – Mas Mister Andrews permanece na sala.

Hamilton não discordou, então, os auxiliares que se mantinham amontoados entre a mesa e a saída retiraram-se e fecharam a porta. Dois agentes do Serviço Secreto permaneceram; estavam obrigados a escoltar o chefe e não existia força no mundo capaz de demovê-los – aliás, só não havia quatro escoltas na sala porque seria demais para o limitado recinto.

Com as figuras que restavam na sala, o chefe supremo Hamilton tomou a palavra dirigindo-se ao presidente com firmeza:

– Senhor presidente, a tarefa que precisamos realizar a seguir é muito dura, mas nós temos de encará-la. O chanceler alemão traiu o mundo livre, ele violou nossas fronteiras de maneira hedionda e refugiou-se em seu avião. Agora não restam dúvidas, a União Germânica declarou guerra à nossa nação. Precisamos responder a esse ataque prontamente, não há outro caminho.

– Eu estou de pleno acordo. Necessitamos dar uma resposta à altura dessa ofensa – disse o marechal August. Os três generais que completavam a cena também concordaram. Hamilton retomou a palavra:

– Eu compreendo sua hesitação, senhor presidente. Mas o senhor precisa nos escutar. Precisamos do seu aval para agir.

O presidente observava com atenção, com seriedade no olhar, como se realmente estivesse dando ouvidos ao chefe supremo. Mas tudo que desejava era deixá-lo expor seu ponto de vista para que não fosse acusado de intransigente. Depois agradeceria pelos conselhos, pediria aos oficiais que se retirassem e trataria de cuidar da restauração da ordem no país, que era o que realmente lhe preocupava no momento. Assim, com paciência, apenas perguntou a Hamilton:

– O que você precisa de mim?

Frente à questão, o chefe supremo levou as mãos à *football* sobre a mesa, abriu a maleta, acionou o *switch* para ativá-la e virou-a para o presidente. Então respondeu:

– Preciso que o senhor presidente digite a chave de autenticação dos códigos nucleares – falou com a maior naturalidade.

Na cabeça do presidente, aquilo era uma loucura total, mas nem se preocupou, pois jamais digitaria a chave de autenticação pelo simples fato de saber que o ocorrido no Novo México nada tinha a ver com os germânicos. Ainda assim, olhou para a maleta aberta à sua frente onde um pequeno visor indicava: "Sistema pronto"; "Digitar chave"; ao lado, um teclado numérico e apenas dois botões completavam as funcionalidades do dispositivo. Um botão estava etiquetado "Ataque de primeira escala"; o segundo "*Warheads*". Hamilton apertou o primeiro botão, referente ao ataque de primeira escala, e encarou o presidente:

– Agora só precisamos da chave, senhor presidente. E tudo estará resolvido. O mundo livre pede essa resposta.

O presidente permaneceu quieto, apenas se questionando até onde ia a loucura do chefe supremo e se ainda faltava muito para esgotar os cinco minutos que ele havia requisitado. Diante do silêncio do chefe da nação, um dos generais, o brigadeiro da Força Aérea, manifestou-se:

– Esperem um pouco. Não era essa a resposta que eu tinha pensado – disse ele, precavido. O comentário só fez irritar Hamilton ainda mais, que esperava total apoio dos oficiais, pois imaginava que todos ali compartilhavam do mesmo temor sobre o que estava em jogo. Com isso em mente, o chefe supremo reagiu com rispidez:

– E que *outra* resposta você tinha pensado, general?!

– Um bombardeio aéreo em larga escala em posições fronteiriças da União Germânica na Europa. Seria uma ótima resposta, Hamilton. Depois veremos se o chanceler vai recusar-se a atender nosso presidente – esclareceu.

– Aonde você tirou essa patente, general? No alfaiate da esquina? – questionou Hamilton, possesso no olhar contra a inoportuna intromissão do colega. – Não percebeu ainda quais são os naipes das cartas sobre a mesa? *O chanceler está a bordo do Lufthansa um! Ele prepara-se para uma agressão nuclear à nossa nação. Os mísseis alemães já devem estar a caminho enquanto perdemos tempo aqui*! – gritou, fazendo com que o general baixasse a cabeça e silenciasse.

Nesse instante, o presidente concluiu que Hamilton já tinha viajado além da conta, então interveio na discussão dos generais:

– Já chega, Hamilton! Você não está raciocinando, um contra-ataque atômico nunca esteve em pauta aqui. Seus cinco minutos já passaram, a reunião está encerrada. Peço a todos que deixem o recinto e me permitam trabalhar – disse Frank, enfurecido.

Porém, se nem todos os generais estavam de acordo com o ataque nuclear indicado por Hamilton, ainda assim mantinham-se convictos de que algo deveria ser feito, por isso o marechal August insistiu junto ao presidente para que ao menos aceitasse a sugestão do brigadeiro e autorizasse um ataque aéreo contra as posições alemãs na Europa. Como estava absolutamente decidido em não atacar a Alemanha, o presidente confrontou a todos:

– Vocês estão loucos? Não vou autorizar nenhum ataque contra a União Germânica. Não sabemos ainda o que se passou. Qualquer ação prematura de nossa parte, aí sim poderá gerar uma resposta contundente dos alemães. E não sou eu quem vai iniciar uma guerra. Muito menos sem o aval do Congresso – discursou.

– O líder do Senado está no abrigo da Casa Branca. Ele pode opinar a respeito – acrescentou o marechal August.

– Isso é anticonstitucional – rebateu Frank. Hamilton insistiu no assunto:

– Ora, a que o senhor presidente credita a criação da *football*? Para aguardar "o aval do Congresso"? – questionou o chefe supremo. – Ela foi desenvolvida para situações exatamente como esta, para permitir uma resposta imediata a qualquer ataque que coloque em risco a integridade do país. Seja *homem* e cumpra seu dever patriótico de assegurar nossa soberania. Digite a chave agora – exigiu. A colocação mexeu com os brios do presidente:

– Como *ousa* questionar meu patriotismo, seu filho da mãe?! – questionou com o dedo em riste. Virou-se para os agentes do Serviço Secreto no recinto e sinalizou para eles. Então completou: – Se o senhor não mudar sua postura, vou pedir às minhas escoltas que o algemem, general.

– Tudo bem, me perdoe, senhor presidente – desculpou-se Hamilton. – Mas não posso permanecer impassível frente à ameaça que minha amada nação está submetida. Os comunistas precisam saber, precisam *aprender* com quem estão lidando. *Urge* uma resposta de nossa parte. O mundo confia a nós o papel de defesa da liberdade, senhor presidente – expressou com eloquência para a concordância dos demais oficiais.

– Enquanto eu não obtiver uma palavra do chanceler, não tomarei nenhuma atitude, general – disse Frank, resoluto.

– E ao *quê* possivelmente o senhor presidente atribui o fato do chanceler ter embarcado no Lufthansa um? – questionou Hamilton, esforçando-se para conter o nervosismo.

O presidente não se permitiu cair na provocação, queria encerrar logo a discussão e cuidar de outros problemas. Problemas *civis*, não militares:

– Como posso saber ao certo, general? Muito possivelmente pelo mesmo motivo que o Serviço Secreto me arrastou para esta aeronave: precaução. Talvez ele esteja assustado com o pânico que tomou conta do nosso país. Teme que vamos atacá-lo. Justamente por isso não devemos assustá-lo ainda mais com qualquer ação belicosa – expôs Frank calmamente. – Agora saiam, por favor. – Virou-se para Mister Andrews e requisitou: – Peça ao chefe do Departamento de Estado para se apresentar.

Mister Andrews tomou o gancho do aparelho sobre a mesa e estava a ponto de chamar o ramal quando o chefe supremo interpelou-o e desligou o fone. Em seguida, falou:

– Ainda não, senhor presidente. Faço um último apelo para convocarmos os demais oficiais do Estado-Maior a fim de ratificarmos nossa posição tática do curso de ações a seguir. Para não restar dúvida sobre qual medida devamos adotar perante a emergência que enfrentamos.

– Mas cabe a mim a palavra final, general.

– Certamente. Mas como reza o parágrafo 15, da sessão 8, do primeiro artigo da Constituição Federal dos Estados Unidos da América: "É dever do presidente do executivo seguir as instruções dos representantes do Estado-Maior no curso das atividades marciais de defesa e da expansão das fronteiras nacionais" – alegou Hamilton.

– Correto. Como também é correto o que diz o parágrafo 34 do respectivo artigo da respectiva sessão: "Ficará a juízo exclusivo do presidente do executivo sancionar qualquer prerrogativa no âmbito militar, tático ou efetivo, além fronteiras" – contra-argumentou Frank, porém, foi paciente: – Mas, muito bem, respeitemos o artigo em questão, posicionem vossa tática – concordou, imaginando que assim finalmente estaria livre daquele Formiga Atômica paranoico. Aliás, nunca havia ficado tão nítida a paranoia dos militares como naquele instante, pois sabia exatamente qual ameaça estava em jogo enquanto aqueles altos oficiais não conseguiam imaginar outra coisa senão culpar os alemães por tudo. Eram estúpidos demais, especialmente Hamilton, talvez por isso se qualificasse como "chefe supremo". De qualquer modo, era melhor que se sentissem ouvidos antes de valer sua prerrogativa de negar seus conselhos.

Com o aval do presidente para continuar, Hamilton estabeleceu contato com a Casa Branca e repetiu a mesma convocação para que apenas os oficiais permanecessem em conferência, incluindo o secretário de Defesa, o líder do Senado, o representante norte-americano do Conselho de Segurança da ONU e três generais de alta patente que estavam no *bunker*. Além disso, estabeleceu um *link* com Shangri-la para que o vice-presidente da República também pudesse opinar. Na prática, para que todos votassem a favor ou contra a tática a ser empregada em resposta à agressão alemã, ou seja, proceder ou não proceder com o lançamento do arsenal nuclear à disposição. Com poucas palavras, Hamilton enfatizou a gravidade e a urgência da situação, além da iminência do país em sofrer um ataque nuclear em larga escala dos germânicos após o embarque do chanceler no Lufthansa Eins. Então pediu que se posicionassem a respeito.

O grupo em conferência entre o Air Force One, a Casa Branca e Shangri-la somava treze envolvidos na votação proposta por Hamilton. Na votação, o chefe supremo já iniciava o pleito vencendo por 2x1, pois, já contando com o posicionamento contrário do presidente, o general possuía voto de minerva caso alguém se abstivesse do direito de opinar e a contagem de votos terminasse empatada.

Ao relembrar o presidente sobre a respectiva prerrogativa, Frank também o alertou sobre algo:

– Eu sei que você é o chefe supremo, mas o *comandante* supremo sou eu.

Os generais a bordo do avião presidencial ratificaram seu apoio ao chefe supremo, exceto o brigadeiro da Aeronáutica, que havia se manifestado contra o ataque nuclear – o que Hamilton compreendeu como uma traição. Entre os oficiais militares na Casa Branca, outro brigadeiro acompanhou seu colega e posicionou-se contra, mas o vice-almirante da Marinha seguiu o voto do chefe supremo. O terceiro general presente, vinculado à OTAN, opinou a favor de um bombardeio aéreo, não de um ataque nuclear. Opinião compartilhada pelo representante da ONU.

O líder do Senado também foi contra, seria deposto de seu cargo no Congresso caso ratificasse uma decisão que não respeitasse os ritos da casa que liderava.

Nesse instante, o pleito contava cinco votos a favor da solução nuclear e seis contra. Porém, aí que estava a astúcia do chefe supremo em convidar o vice-presidente da República para opinar, pois ele era um político lobista da indústria armamentista que, conforme sabia de antemão, apoiaria a solução que sugeriu. Não obstante, para uma rápida referência biográfica, era um daqueles ocupantes de segundo posto que invejava, aspirava e não hesitaria em conspirar para ocupar o primeiro. Ele confirmou o apoio a Hamilton – o que Frank entendeu como uma traição pessoal – e deixou a votação empatada. Faltava apenas o voto de Mature para definir o pleito. Se o secretário abstivesse ou apoiasse Hamilton, o chefe supremo teria o aval para continuar pressionando o presidente.

Nesse momento, Mature já havia conversado com Carrol e estava a par dos fatos decorridos no Novo México e do verdadeiro motivo por trás da suposta explosão de um artefato nuclear na região. É claro que não tinha certeza ou evidências que comprovassem o relato do coronel, mas sua obrigação seria investigar o caso antes de formalizar qualquer decisão. Pelas informações que dispunha, a única posição honesta que poderia oficializar seria ratificar seu apoio ao presidente em não executar qualquer ação contra a Alemanha até que o caso do coronel estivesse esclarecido, muito menos uma ação envolvendo um ataque nuclear. Porém, não era à toa que a alienígena que observava o pleito presente nos três sítios em conferência havia tentado evitar o envolvimento de Mature na condução do caso no Algomoro, pois, conforme opinou para Nhoc:

– Ele é um crápula.

– Sem dúvida – concordou o homiquântico.

Pelas obrigações do cargo que ocupava, Mature primava pela segurança nacional, portanto, em tese, era natural que apoiasse as decisões do Estado-Maior. Mas, pelo que Carrol lhe revelou, tinha o dever moral de posicionar-se contra a vontade de Hamilton. Porém, a moral de Mature ia muito além dos deveres de seu cargo – o que não significava que estaria à altura do mesmo. Questionava-se, o secretário, o que aconteceria quando o caso denunciado por Carrol fosse investigado. Teria de revelar a existência do protocolo Majestic, um protocolo altamente secreto que não pertencia à alçada do Estado-Maior e não envolvia nenhum dos militares ou funcionários do governo presentes naquela votação, nem o presidente da República. Diante do tamanho da repercussão em torno dos fatos, já não seria mais possível lidar com o assunto dentro dos limites do protocolo Majestic como sugeria Carrol. Ele seria vazado, e abri-los equivalia a revelar ao mundo a existência de alienígenas, algo que, na cabeça de Mature, seria muito pior do que encarar uma guerra total contra os alemães. Expor a presença de vida inteligente proveniente de outros mundos abalaria as convicções existenciais não apenas sua, mas do povo, pois colocava em cheque crenças e dogmas religiosos milenares que, segundo sua fé, compunham o alicerce mais forte para manutenção da ordem e da obediência civil aos líderes da nação, os quais tinham acima de si apenas Deus e seu reino de glória. Revelar a existência de alienígenas equivalia a negar a existência de Deus. E o que viria depois disso? A negação do poder outorgado por Deus aos chefes da nação e do próprio presidente como seu líder maior. A perda da fé nas instituições militares que se sustentavam pelo ideal de combate a inimigos com faces humanas, não extraterrestres. Não obstante, equivalia a assinar um atestado de submissão aos ideais dos comunistas que governavam seus países abstendo-se de igrejas, substituindo-as por comunas. Ou seja, revelar ou mesmo fazer uso das informações de que dispunha nada mais era do que permitir sucumbir o ideal da liberdade que tanto defendia, mas de uma maneira ainda mais irreversível do que uma inimaginável derrota na guerra ideológica contra o Estado germânico. Como homem religioso, temente a Deus e que nunca faltava à missa aos domingos, Mature jamais ousaria abrir essa porta. Aliás, o objetivo do protocolo Majestic era controlar essas informações para que elas nunca viessem a público, então não seria ele, um de seus criadores, que revelaria sua existência. Ademais, se era para defender o ideal da liberdade não revelando o que sabia sobre óvnis e alienígenas, o ocorrido no Novo México era uma ótima oportunidade para manutenção e ratificação da supremacia norte-americana como nação-líder do mundo livre. Com um cajado, mataria dois coelhos: ocultaria os fatos por trás da tragédia no Novo México e se livraria da ameaça hostil representada pela União Germânica de uma vez por todas.

– Eu apoio a posição do general Hamilton – posicionou-se o secretário, encerrando a votação em 7x6 a favor do chefe supremo.

– Eu agradeço o apoio dos senhores – disse Hamilton. Em seguida, estendeu o braço para desligar o *speaker* sobre a mesa e dar por encerrada a conferência. Porém, o presidente segurou seu braço antes que desligasse o aparelho. Com certa raiva no palavreado, questionou a todos:

– Vocês perderam o juízo? O que os senhores querem de mim? Que inicie uma guerra mundial? Que eu seja lembrado como o presidente que apertou os botões? Que meu nome fique eternizado como o maior genocida da história? Isso *jamais* vai acontecer! Os alemães não estão por trás desse ataque. Não faremos *nada, absolutamente nada* contra eles, estão me entendendo? Agora chega! Eu já ouvi os senhores e esta reunião está encerrada – disse com fervor e desligou o *speaker*. Mas o chefe supremo não seria assim intitulado se não insistisse:

– A decisão está ratificada pelo Estado-Maior e as principais autoridades deste país. É seu *dever* cívico acatá-la, senhor presidente – expôs apontando para a *football*.
– Digite a chave, pelo bem da América.

– Não está ratificada por *mim*! Essa decisão cabe a mim somente e os senhores já têm minha resposta. Agora saiam daqui! – esbravejou a plenos pulmões Frank.

– Me perdoe, mas se o senhor presidente não tem *culhões* para cumprir o dever de proteger a nação, deixe que eu mesmo digito essa porcaria! – gritou Hamilton também.

Em seguida, puxou a maleta para si e começou a digitar a chave, afinal, ele sabia perfeitamente qual era o código para ativá-la. Então para que esperar o *bundão* do presidente convencer-se de seu dever? Sabia de cor a sequência de ativação da chave, não só ele, outros generais do Estado-Maior igualmente, o vice-presidente, Mature, quiçá até o líder do Senado também soubesse – outros tinham que saber a senha caso o presidente morresse. Porém, antes que Hamilton pudesse digitar a chave, o presidente puxou a maleta de suas mãos antes que completasse a sequência. Aos berros, ordenou:

– Prendam esse homem imediatamente!

À ordem, suas escoltas do Serviço Secreto agarraram o chefe supremo. Um dos seguranças aplicou-lhe um mata-leão enquanto o outro sacou um par de algemas. Os demais generais tentaram apelar para que Frank não fizesse isso, mas o presidente ignorou-os. Hamilton tentou lutar, mas não tinha como sobrepujar os dois brutamontes. Quando percebeu que seria subjugado e algemado, preferiu ceder:

– Tudo bem! Tudo bem! Eu saio daqui, mas não me algemem, por favor – implorou. Frank mirou suas escoltas e fez que sim com o queixo. Depois acrescentou:

– Escoltem esse homem para a ala de passageiros.

Hamilton ajeitou seu paletó e as condecorações em sua lapela e seguiu ao lado das escoltas para fora da cabine de conferência. Assim que abriram a porta, o aparelho sobre a mesa chamou. Mister Andrews atendeu, trocou duas palavras com o interlocutor e desligou. Em seguida, pegou o controle remoto da TV e disse:

– Falaram para sintonizar a CNI. – Então selecionou o canal.

Todos olharam para o televisor, inclusive Hamilton, já um passo para fora da sala. Assim que entendeu o que estava sendo veiculado, em um rápido movimento, o general esquivou-se das escoltas e entrou na sala novamente. Já dentro, fechou e trancou a porta. Sem perder o fôlego, intimou o presidente:

– O senhor está vendo, senhor presidente? *Está vendo*?! Agora não há mais o que contradizer! *Digite a chave, pelo amor de Deus*! – implorou aos berros, enquanto segurava a porta com as costas, com as escoltas forçando para abri-la do outro lado.

As imagens que todos miravam atônitos veiculava o lançamento sequencial de três mísseis alemães, segundo a reportagem, partindo de uma base fronteiriça ao muro de Alsácia-Lorena no sul da Europa. Sobre a manchete grifada às imagens lia--se: "Juízo final: Alemanha dispara seus mísseis atômicos"; porém, tratava-se de *fake news*. Willa estava *in loco* na URSG para atestar a imprecisão da notícia. Era apenas um fato que respondia à paranoia dos militares da OTAN após o governo norte-americano decretar emergência nacional e o Estado-Maior ratificar a decisão através do alerta DEFCON 2 que colocou todo *front* aliado na Europa de prontidão. Entre tantos militares que responderam a esse estado de atenção, sempre haveria de existir um coronel qualquer para traduzir o alerta em uma ação precipitada. Foi o que fez certo oficial da Força Aérea francesa que, não contente em obedecer ao comando da OTAN para patrulhar as fronteiras delimitadas pela Linha *Imagine*, resolveu bancar incursões sobre o território italiano violando o espaço aéreo da União Germânica. A Alemanha apenas respondeu à violação disparando mísseis terra-ar como um aviso para que a esquadrilha aérea gaulesa recuasse para trás da fronteira. Era ao lançamento desses mísseis que, de uma tomada ao distante de uma posição clandestina na fronteira entre França e Itália, os atordoados generais assistiam na cabine de conferências do Air Force One. Assim como não faltavam militares atabalhoados para executar uma ação desastrosa em um momento de fortes tensões entre o mundo ocidental e o oriental, figuras como o falecido jornalista Jack Astton igualmente se multiplicavam ao redor do globo, especialmente no assim chamado "mundo livre", agindo pela ganância de faturar uma grana extra ao vender imagens para as agências internacionais de notícia em um momento de crise. Conforme fez um determinado repórter de uma pequena emissora localizada bem próxima ao incidente na fronteira francesa, e agora aquelas imagens estavam nas TVs do mundo inteiro.

Na atmosfera tensa no interior da cabine de conferências do Air Force One, o chefe supremo ordenou aos oficiais que o ajudassem a conter as escoltas do Serviço Secreto que tentavam arrombar a porta. No pânico da situação, o presidente agarrou-se a *football*, enquanto Mister Andrews tentava chamar ajuda pelo comunicador. Convencidos de que o chefe supremo tinha razão, os generais embarricaram-se na porta enquanto Hamilton partiu para cima do presidente no intuito de arrancar a maleta de suas mãos. Mister Andrews colocou-se em seu caminho para proteger o chefe e se engalfinhou com o general. Era uma briga de idosos – Hamilton era bem mais velho que Mister Andrews, porém, foi treinado pelo Exército, enquanto o secretário não passava de um pacato civil. O secretário acabou subjugado pelo chefe supremo quando ele conseguiu desferir um direto em sua face, fazendo-o cair no chão semiacordado. Hamilton precipitou-se sobre o presidente, que se encolheu em um canto agarrando-se à *football* com todas as forças enquanto ele tentava arrancá-la de suas mãos.

– Socorro! Socorro! – gritou o presidente. – Este homem está louco! Por favor, façam algo! Impeçam-no ou irão todos para a cadeia! – apelou aos generais que seguravam a porta, mas eles limitaram-se em assistir à briga entre Hamilton e Frank pela posse da maleta. Durante a confusão instituída, o aparelho comunicador sobre a mesa foi ao chão e espatifou-se.

No lado de fora da sala, a comoção era total. Estavam todos em pânico ao ouvirem o desespero do presidente. Um dos agentes do Serviço Secreto chegou a sacar a arma para atirar contra a porta, porém, foi impedido pelo chefe do DE:

– Não atire! Ou explodirá o avião! – Em seguida, alguém apareceu com um machado de incêndio nas mãos e disse: – Use isto!

O agente tomou o machado nas mãos, seus colegas abriram espaço, então lançou toda força para golpear a porta, fazendo com que o instrumento atravessasse a madeira e cravasse na espinha dorsal do marechal August do outro lado, deixando-o instantaneamente paraplégico. Na sequência do pesado baque do machado, os agentes irromperam pela porta, despedaçando-a completamente, e adentraram a sala bem no instante em que Hamilton estava prestes a arrancar a *football* das mãos do presidente. Eles apontaram a arma para o chefe supremo ordenando sua rendição. Porém, possuído como estava, ele desafiou-os a atirar:

– Isso, me matem! Atirem logo! Matem aquele que quer salvar esta nação! Submetam-se a esse traidor. Fiquem aí incólumes assistindo à vitória alemã! – bradou o general. Só não continuou porque foi subjugado por um dos agentes.

– Prendam esse demente *já*! Prendam *todos*! Por desacato, por traição, por colocarem este voo em risco, não quero saber! *Quero todos na cadeia*! – ordenou aos berros o presidente. – Levem-nos daqui! – completou.

Levá-los dali não era tão simples, nem seria rápido. Com a confusão formada na cabine de conferência, praticamente todos que estavam a bordo se aglomeraram na antessala anexa e seus respectivos acessos. O voo chegou até a desestabilizar com tanta gente fazendo peso no mesmo ponto da aeronave, mais especificamente na cauda, onde se situava a ala presidencial – pois, em tese, seria o lugar mais seguro em caso de queda do avião, segundo as estatísticas. Na verdade, pura bobagem de acordo com o Relatório da Terceira Órbita que Willa vinha atualizando; tais estatísticas não passavam de um engodo marqueteiro para vender assentos com preço inflacionado no fundo das aeronaves. Juridicamente, a atitude de Hamilton consistia em um atentado à vida do presidente, de modo que os 16 agentes do Serviço Secreto a bordo se amontoavam no local. Temendo pela vida do ente próximo, seus familiares se aglomeravam na antessala, incluindo o bofe secreto de Frank, seu biografista. Além deles, os demais funcionários do governo igualmente se encontravam ali, e também parte da tripulação, contando o piloto, que foi checar o que se passava em pessoa.

Com tudo isso, não foi possível simplesmente arrastar o chefe supremo para fora do recinto presidencial, os agentes não conseguiam abrir espaço no meio de tanta gente. Para piorar, os paramédicos da tripulação tomaram a frente dos demais, a princípio para acudir o presidente, mas tiveram que lidar com os ferimentos do marechal August e Mister Andrews. Nesse cenário caótico, Hamilton continuou apelando para o presidente enquanto a imagem do lançamento dos mísseis alemães repetia-se no monitor.

– Por favor, Frank. Não se trata mais de legado, trata-se de ainda existir qualquer legado. Cumpra seu dever... – pediu em tom misericordioso, pois sabia que agora estava oficialmente fora do governo. O presidente nem respondeu, preocupava-se com o estado de Mister Andrews, atendido pelos paramédicos. Três deles ocupavam praticamente todo espaço da cabine e estavam impedidos de deixar o local, pois o marechal ou o machado cravado às suas costas não podiam ser movidos, senão talvez sangrasse até a morte, por isso permaneceu deitado no chão em agonia. Mister Andrews estava atordoado e com suspeita de concussão cerebral. Assim que conseguiram abrir espaço no tumultuado ambiente, o secretário foi levado para fora. Atrás dele, seguiu-se o chefe supremo escoltado e preso pelo Serviço Secreto ao lado dos demais generais. Ao saírem, até o brigadeiro que antes havia apoiado a decisão de Frank também apelou:

– Presidente, siga a instrução do Estado-Maior. Ative a chave, presidente. Em nome da pátria! – clamou antes de ser arrastado para fora.

Em seguida, enquanto o atendimento a August prosseguia, finalmente a primeira-dama conseguiu atravessar o tumulto e entrar na sala. Ela abraçou e beijou o presidente, em seguida, mirou fundo em seus olhos e disse:

– Frank, você tem que fazer.

O presidente ficou perturbado com a sugestão. Não bastasse o drama que foi para livrar-se dos generais paranoicos, especialmente do Formiga Atômica, agora sua própria esposa estava contra si? Ele mirou os demais ao redor. Amontoados entre a porta e o setor anexo estavam o chefe do DE – um de seus maiores aliados no governo –, seus dois filhos, seu biografista, o assessor de imprensa, o chefe de seu *staff*, além dos homens do Serviço Secreto. Observou a expressão em seus rostos, todos silenciosos por um momento, apenas retribuindo o olhar ao presidente, um olhar severo. Como se ainda desacreditasse do significado daqueles semblantes, Frank indagou:

– Vocês concordam com isso?

Todos ali concordavam, até seus filhos, mas tiveram receio em dizer abertamente. Exceto o marechal August que, deitado ao chão, manifestou-se entre gemidos ao falar:

– Você não entende... A guerra já acabou. Tudo que resta é lançarmos os nossos mísseis enquanto aguardamos os deles. – Parou para ganhar força e continuou: – Então saberemos quem será o vencedor.

Frank continuou a encarar o pessoal, aguardando para ver quem mais teria coragem de afirmar com todas as letras para que apertasse os botões. Então viu seu biografista ao fundo, por trás dos ombros de seus filhos, acenando positivamente com a testa. Foi o que bastou para bronquear mais uma vez:

– Será que eu sou o único cara lúcido neste avião? Vocês estão de acordo com esses generais malucos? Depois do desequilíbrio mental que demonstraram?

– Frank, os alemães já lançaram os mísseis – disse o chefe do DE.

– Como vocês sabem? Já confirmaram pelos radares? Pelos canais oficiais? Não temos certeza de nada ainda.

– Se retardarmos mais o lançamento, perderemos nosso arsenal – disse August, esforçando-se para completar: – Precisamos usá-lo.

Um dos paramédicos que atendia ao almirante aproveitou a deixa para dirigir-se ao presidente:

– Eu votei no senhor, agora peço que faça jus ao meu voto e exploda esses comunas – expressou cerrando os dentes ao final. Frank apenas o mirou com desdém, virou-se para um dos agentes no recinto e pediu:

– Prendam esse homem. Tirem-no daqui.

De pronto, o agente agarrou o paramédico pelo colarinho e arrastou-o dali. Outro agente tomou seu lugar na sala. Dois paramédicos permaneceram cuidando do marechal. O chefe do DE reforçou seu conselho:

– Frank, a maleta. – Dito isso, a primeira-dama pegou a maleta pousada sobre a mesa e, com o casal sentado lado a lado à sua frente, abriu-a e falou:

– A chave, querido.

Porém, Frank empurrou a maleta para longe de si e ergueu-se da cadeira. Insuflado, dirigiu-se a todos os presentes:

– Eu não vou ativar essa coisa! O que vimos no Novo México não é um ataque nuclear! Muito menos dos germânicos!

– Isso não importa – disse August.

– Como não importa? É claro que importa!

– Agora que eles sabem que nós sabemos, assumirão que vamos atacar – pausou para ganhar fôlego. – Então nos contra-atacarão de qualquer maneira.

– Como você pode saber disso?

– É uma decisão tática, a mesma que tomaríamos.

– Jamais! Pois eu jamais aprovaria. E tenho certeza de que o chanceler também não aprovará.

Nisso, o secretário de imprensa debruçou-se na porta e acrescentou uma informação:

– A Casa Branca acabou de emitir uma ordem de evacuação das capitais a nível nacional. As luzes vermelhas foram acionadas nas ruas.

– Quem autorizou isso?

– Mature.

– Pois mandem revogar imediatamente! E quero contato com o diretor-geral da CIA na Europa para que me confirme os lançamentos. Rápido, movam-se, movam-se! – mandou o presidente. August retomou seu raciocínio:

– Já está acontecendo. Os alemães terão a convicção de que estamos na iminência de atacá-los e responderão com uma *blitzgerät* massiva – tossiu e acrescentou: – É inevitável.

– Pelo poder a mim atribuído, *será* evitado.

– Agora que sabem que estamos vulneráveis, não desperdiçarão a oportunidade para nos sobrepujar num único golpe – gemeu. – Eu também aproveitaria.

– Então por que até agora nossos radares nada acusaram? Isso não está acontecendo!

– Se eles conseguiram nos surpreender com ataque em nossa principal base sem que nada detectássemos, certamente estão empregando mísseis e submarinos *schlau* – ou seja, indetectáveis pelos radares. – As bombas nos atingirão em menos de 30 minutos.

No calor da discussão e na ânsia de pôr fim à insanidade geral a bordo, o presidente acabou deixando escapar:

– Isso é paranoia! Vocês milicos são todos uns paranoicos! Você não sabe o que diz. Eu tenho sólidas informações de que o acontecido no Novo México não tem nenhuma relação com os germânicos e você me falando de míssil *stealth* – expôs sem pensar nas consequências. O chefe do DE logo estranhou a informação:

– Sólidas informações? Que informações são essas?

Pego de surpresa, Frank tentou desconversar:

– Não vem ao caso, mas sei do que estou falando.

– Como não vem ao caso? Qualquer informação concernente ao estado emergencial em vigor vem ao caso.

– Confiem em mim. Os alemães nada têm a ver com isso.

– Não existe isso. Se você tem acesso a informações privilegiadas, precisa revelá-las *agora*.

– Eu sou o presidente, cacete! Você precisa confiar em mim – irritou-se Frank, claramente perturbado ao ser acossado por seu suposto aliado.

– Estamos enfrentando uma emergência internacional. Reter qualquer informação a respeito, especialmente algo que justifique uma tomada de decisão no âmbito da defesa nacional é crime de responsabilidade, precedente para *impeachment*.

– Penalizado como *traição* à pátria ao sermos atacados – acrescentou August.

Para Frank, isso pouco importava, pois estava correto em sua convicção. Por outro lado, sabia que não poderia usar o óvni como pretexto de suas justificativas, assim, tentou desconversar:

– OK. Eu só disse isso para que *parem de cansar a minha voz*. Mas eu já tomei minha decisão.

– Sua decisão vai nos custar a vida, Frank – disse o chefe do DE como se o presidente fosse realmente um traidor da pátria. Não bastasse, deu um passo adiante e se pôs dentro da cabine de conferência, então levantou a voz para intimar seu interlocutor: – *Ative os códigos nucleares ou nos esclareça por que não irá ativá-los!* Todos aqui merecem saber o motivo de sua recusa. É seu dever perante a gente deste país que justifique as razões por trás de suas decisões, especialmente *agora* no momento mais angustiante já vivido por esta nação em toda sua história – exclamou ele.

Com os brios aflorados, o presidente exclamou:

– Você quer mesmo saber?! Vocês todos?! – questionou, mantendo-se atento aos olhares em torno, com todos sinalizando positivamente. – Mas que fique o alerta: isso é segredo de Estado.

– Diga logo, Frank – pressionou o chefe do DE.

Acuado por seu suposto aliado, Frank soltou a língua, mas buscou ser cauteloso ao se explicar:

– Eu sei que o que vou dizer irá chocá-los além do imaginável, mas é a mais pura verdade. – Ao dizer, mirou para as duas escoltas do Serviço Secreto de plantão no recinto, sinalizando-as com os olhos, como se as "convidasse" para a conversa. Continuou: – E a verdade sobre a tragédia no Novo México é que o acontecido foi obra de uma força extraterrestre oriunda de um óvni que pousou na região da base RSMR há dois dias. – Ao terminar a frase, o recinto estava em pleno silêncio, exceto pelos gemidos de dor do marechal com o machado nas costas. Todos se entreolharam estupefatos com a revelação, mas permaneceram mudos sem saber o que expressar. Para quebrar o silêncio, o presidente continuou: – Eu sei que parece difícil de acreditar, mas eu estive lá, visitei a base, vi o óvni com meus próprios olhos. Aí hoje me acontece essa explosão no mesmo local… O que querem que eu pense? Que não há relação entre os fatos? É apenas uma *coincidência*? – indagou com honestidade.

Mais uma vez, o silêncio reinou. Frank estudou os olhares à sua volta e viu os filhos sinalizando negativamente um ao outro. Atrás deles, seu biografista baixou o olhar, evitando encará-lo. Os demais igualmente o miravam com certo pesar e desprezo nos olhos. Ao seu lado, a primeira-dama largou seu braço e escondeu o rosto entre as mãos. O constrangimento geral durou até que, por iniciativa do chefe do DE, com um discreto aceno para um dos agentes do Serviço Secreto, ele dirigiu-se ao presidente e pronunciou:

– Pela força da 25ª emenda da Constituição Federal dos Estados Unidos da América, em seu inciso 4, o senhor está destituído da presidência por clara e manifesta incapacidade mental de prosseguir no cargo. Testemunhado por todos aqui presentes. Ato de efeito imediato. – Virou-se para o agente e ordenou: – Retenham esse homem.

A única reação de Frank, bestificado com a ousadia do chefe do DE em querer destituí-lo do cargo, foi exclamar:

– Você está louco?!

– Não, você que está.

Pela força da Constituinte e pelo juízo de quem havia presenciado a cena, os agentes obedeceram ao chefe do DE. Um deles aproximou-se de maneira intimidante do já ex-presidente. Nesse instante, Frank agarrou seu paletó e vociferou:

– Maldição, homem! Você esteve lá comigo e também viu o disco-voador! Diga pra eles! Seu dever é me proteger – implorou. – *Fale a verdade*!

Mas o agente, no caso, o chefe em comando do Serviço Secreto a bordo – o mesmo que havia passado o dia na RSMR aborrecendo Carrol com suas minuciosas inspeções –, nada fez para proteger o antigo chefe, pois sua função, de fato, era proteger a instituição presidencial, não o homem. Incluindo protegê-la *do* homem ou de verdades inconvenientes como a existência do óvni que testemunhou.

Frank continuou insistindo, apelando aos agentes que estiveram com ele na RSMR para confessarem o que sabiam, o que só fez ratificar sua pecha de incapaz para o cargo perante os demais. Tentou relutar com palavras, pois não podia lutar contra eles. Os agentes o mantiveram no recinto sem precisar recorrer à sua usual truculência, isto é, exceto quando ele tentou impedir o chefe do DE de levar a *football* dali. Nesse instante, Frank teve um surto, protestou e gritou, teve de ser imobilizado pelos agentes. Enquanto espernava e xingava, acusando-os de conspirarem para cometer genocídio, os demais foram deixando o recinto, e ele permaneceu ali, retido por duas escoltas de plantão, na companhia do marechal August e dos paramédicos que o acudiam.

– Foi melhor assim – disse o marechal. – Ao menos não será lembrado como o presidente que permitiu a derrocada da América... – Deu uma soluçada e acrescentou: – Apenas pelo que se acovardou da batalha.

Frank nem respondeu, continuou gritando e protestando para que o ouvissem na sala ao lado. Implorou para que não prosseguissem com aquela insanidade. Em um último apelo desesperado, vociferou dando socos na parede:

– Perguntem para o piloto! Ele esteve lá, perguntem se visitamos ou não a base ontem!

Mas o governo prosseguiu seu trabalho ignorando os gritos na sala ao lado. Na sequência, o trabalho resumiu-se a um ritual de praxe: o chefe do DE comunicou-se com o vice-presidente da República em Shangri-la, que prestou o juramento à Constituinte e assumiu a chefia do país. Como primeiro ato de sua gestão, reintegrou o chefe supremo ao seu posto e o designou à missão de ativar os códigos nucleares. O chefe do DE entregou-lhe a *football* e Hamilton começou a digitar a chave de autenticação.

– Tu não vais interferir? – questionou Nhoc ao observar a cena da câmara secreta atrás da sala do trono do antigo imperador chinês.

– Não – respondeu Willa. – Você tem perfeita ciência de que meus estudos requerem interferência zero.

Nhoc não formalizou sinapses em réplica, apenas riu, pois só podia ser galhofa da alienígena. Cineasta, ela adorava criar um suspense até a última janela, exatamente como fez ao salvar Vegina e Hut Cut.

Sem que Willa nada fizesse, o chefe supremo continuou digitando a chave, apertando aqueles botões sob uma expressão de sincero orgulho e honesta comoção pela façanha. Sua vida inteira concretizava-se ali, era seu grande feito, sua maior glória:

'0 0 0 0 0 0 0 0 0 0 0 0 0 0 0 0 0 0 0 0 0 0 0 0 0' <enter>.

Uma vez autenticada a *football*, além do ataque em primeira escala já selecionado, Hamilton apertou o botão "*Warheads*". Completada a tarefa, foi aplaudido pelos membros do governo e os generais que preenchiam o recinto.

125

Assim que o chefe supremo das Forças Armadas, general Hamilton, completou a tarefa de autenticação dos códigos nucleares, Nhoc permaneceu encarando Willa em silêncio mental no interior da câmara secreta atrás da sala do trono do antigo imperador chinês. Como ela nada manifestou, o homiquântico tomou a iniciativa de pensar algo:

– Os códigos foram realmente ativados? – questionou como se ainda duvidasse.

– Foram, não captou a cena? Quer ver o *replay*? – ironizou Willa.

– Não, mas... Não é possível. Tu tais brincando, né?

A resposta, porém, trafegava pela rede multividual de Willa e seus pares distribuídos ao redor do globo em bases, QGs e silos atômicos na Europa e na América. Nhoc apenas captou o que ela testemunhava quando a ativação dos códigos disparou uma cadeia de comandos para ativação dos mísseis balísticos norte-americanos. Ficou bestificado ao perceber que era real, que estava mesmo acontecendo, só não era capaz de entender o sentimento de calma da alienígena perante a gravidade da situação.

– Tu perdeste a lucidez?! – questionou Nhoc, gesticulando para a alienígena.
– Fui honesto ao questionar sobre tua sanidade, mas jamais poderia supor que ela duraria tão pouco.

— Minha sanidade continua plenamente íntegra.

— Íntegra? Então o queres com isso? Vingar-te da humanidade por teus colegas a abandonarem neste pretérito?

— Isso nada tem a ver com a minha vontade. Não fui eu que ativei o protocolo atômico.

— Diretamente, não, mas foi ativado em função do que aconteceu no Algomoro. Em função de *tua presença* neste plano – enfatizou Nhoc.

— Não culpe a mim. Culpe à ACAE ou à *Nave* por ter gerado tal calamidade.

— Todavia, *és tu* que permaneces aqui. *És tu* que tens o poder para intervir nisso – acusou Nhoc, então indagou: – Apenas me esclareça o que farás para impedir que esse holocausto se efetive.

— Nada. Vamos apenas observar.

Desta feita, Nhoc percebeu que não havia traço de humor no tom da alienígena. Sua mente permanecia fria, sem qualquer emoção aparente diante do holocausto iminente captado por sua população multividual – ainda assim, desacreditava que ela permitiria que os fatos prosseguissem no curso atual. Testemunhou o pânico, seguido da prontidão dos militares em responder ao comando de ativação dos mísseis nucleares. Uma vez ativada a *football*, a maleta passou a transmitir códigos de autenticação para todos os oficiais encarregados da ativação dos mísseis. Esses códigos percorriam uma cadeia envolvendo todos os QGs na América do Norte com prioridade total de retransmissão, sendo repassados imediatamente às posições aliadas em todo globo onde houvesse um silo atômico ou um submarino nuclear, fosse por cabo ou via satélite. Na órbita terrestre, Willa captou os códigos trafegando pelos satélites; também no fundo do mar, acompanhou a transmissão pelos cabos transoceânicos emitida para as posições da OTAN na Europa.

Willa poderia interferir aí, imaginou Nhoc, interceptando essas mensagens e as impedindo de alcançarem seus destinatários. Mas, fosse para fazer isso, seria mais simples ela ter interceptado a *football* diretamente ou até – melhor – derrubado o Air Force One. Mas a alienígena permanecia impassível, apenas "observando", monitorando os códigos enquanto trafegavam levando a ordem do apocalipse. Ela realmente não estava de brincadeira. Ao finalmente constatar isso, Nhoc desesperou-se:

— Willa?! Pelos Dragões! O que estais fazendo? – Ao desespero de Nhoc, seus micos igualmente foram tomados por uma tenebrosa fobia. Ficaram congelados onde estavam mirando a alienígena de olhos arregalados.

— Repito: apenas observando. Não há mais nada a ser feito.

— Estais louca, mulher!! – exclamou, aproximando-se da alienígena e encarando-a com furor na alma. – Tens que dar um fim nessa loucura já!

— Tenha calma, Nhoc. Está tudo sob controle.

– Sob controle?! O mundo está a ponto de ser destruído, não há *nada* sob controle.
– Este mundo será inevitavelmente destruído.
– Não necessariamente *neste* exato contínuo.
– Mas neste exato *horizonte*, por todos os horizontes.
– Willa, pela misericórdia do Dragão, pare com isso! Não basta surgires para anunciar o juízo final e, de instante, queres provocá-lo?! Quem és ti? *Deus*?! Para que decidas quem vai morrer, quem vai viver? – apelou Nhoc.
– Não fui eu quem decidiu ativar os botões.
– Fosse para ficar apenas testemunhando os fatos, pra que te aborrecesses em salvar aquele ufólogo drogado charlatão? Ou o xerife bêbado assassino, né? Se, de instante, vais permitir impassível o extermínio da raça humana desta Terra. Essa é a tua *moral*?
– Capte a ti mesmo como se refere a tais pobres criaturas e partilhe quem é o moralista aqui.
– Tais pobres criaturas irão todas *morrer* junto com a inteira humanidade se nada fizeres. Tu tens que parar isso *imediatamente*! – Enfureceu-se Nhoc, agarrando os ombros de Willa e chacoalhando-a com as mãos. Seus micos gemeram como se antecipassem um confronto entre os dois.
– Em sua totalidade, a humanidade não sucumbirá. Apenas observe.
Willa havia enlouquecido, isso ficava claro para Nhoc nesse instante. O baque psicológico por ter sido abandonada em pretérito por seus colegas expedicionários, por ficar aprisionada naquele *tempo* distante, certamente afetou seu juízo. Pois como compreender sua passividade ao afirmar que ninguém sucumbiria perante o que acontecia em paralelo ao redor do globo? Enquanto ela pedia "calma", seus olhos mostravam a primeira sequência de mísseis balísticos lançados a partir de silos localizados dentro do território norte-americano, os primeiros a receber as transmissões oriundas da cadeia originada pela *football*. Ainda que a base RSMR estivesse desabilitada, existiam inúmeras outras posições que compunham o arsenal de silos terrestres norte-americanos, geralmente concentrados no interior do país onde, em tese, estariam menos vulneráveis a ataques externos – além de não fornecerem alvo inimigo às grandes metrópoles a leste e oeste. Além da base RSMR no Novo México, havia outras no estado que dispunham de mísseis balísticos intercontinentais, porém nenhuma continha *warheads*, ou seja, a famosa bomba de hidrogênio, o dispositivo de fusão nuclear ou bomba "quântica", idealizada pelo famoso *Lehrer* Olivermerter, popularmente conhecida como bomba H. Mas por todo Texas, Colorado, Oklahoma, Kansas, Missouri, seguindo ao norte por Illinois, Iwoa até Norte Dakota, havia incontáveis posições de lançamento, algumas delas, contando com seus *warheads*.

Começando pelo norte, como um longo pesadelo ainda em seu início, Nhoc contemplou os primeiros lançamentos. Onde havia um silo subterrâneo, a terra se abriu gerando um forte tremor quando os foguetes dispararam, impulsionados por jatos de fogo rasgando o ar em frequências supersônicas, subindo aos céus e deixando um rastro de fumaça para trás. Mas esses foguetes não se dirigiam para a Lua ou à órbita terrestre, mantinham-se em baixa altitude para evitar os radares, seguindo a oeste/noroeste, rumo à Europa. Como um efeito dominó de norte a sul, os lançamentos foram sequencialmente efetivados.

– 57 dispositivos nucleares detectados, seis *warheads* e contando – contabilizou Willa. – Horizonte médio para o alvo, 35 minutos-terra.

Nesse momento, na cena caótica que já vinha propagando-se pelo país antes mesmo de Mature acender as luzes vermelhas – isto onde havia luzes vermelhas –, luzes cuja função era uma só: alertar a população para refugiar-se nos abrigos antiatômicos – isto onde havia abrigos –, o cenário tornou-se pré-apocalíptico quando as multidões viram e ouviram os mísseis voando pelo céu. Entre as funções do sinal disparado a partir da *football*, uma delas era botar no ar uma transmissão em cadeia nacional de radiodifusão veiculando a mensagem para a população preparar-se para um ataque nuclear – como se isso fosse realmente possível. Então o que era desordem converteu-se em histeria coletiva, a selvageria tomou conta das ruas nas cidades quando as pessoas começaram a saquear lojas e supermercados e disputar à força algum refúgio para se protegerem. Quem tinha um porão para se esconder precisou defendê-lo à bala para não ser invadido. A lei deixou de existir. Muitos perderam a vida antes mesmo das bombas chegarem. Quem não tinha onde se esconder, tentou fugir dos grandes centros na esperança de estar longe quando as bombas chegassem, mas a grande maioria sequer conseguiria devido ao congestionamento generalizado em vias e estradas.

Em Chicago, sede do comitê mantenedor do Relógio da Meia-Noite, os responsáveis por acertar seus ponteiros marcaram um minuto para o juízo final assim que as luzes vermelhas começaram a piscar na cidade. Quando o sistema de radiodifusão veiculou o iminente ataque da Alemanha, avançaram o minuto restante pronunciando a chegada da meia-noite e correram para o abrigo nuclear mais próximo.

– As pessoas já estão sucumbindo, Willa! Os foguetes estão a caminho! *Pelo amor dos Dragões*, o que fez, Willa?! Tem de haver uma maneira de dar um fim a essa estupidez! – apelou em desespero Nhoc.

– Não impute a mim tal estupidez. Isso é característico das criaturas que desenvolveram tais engenhos bélicos.

– Não! A única estupidez aqui é a tua! Estais penalizando a humanidade inteira pelo trauma que sofrestes! Isso é uma vingança! A tua vingança por ter sido escrachada pela consciência cósmica, né?

– Não, não é. Todavia, o desenrolar dos fatos em corrente comprovam que eu estava correta. Quando tudo isso acabar, o cosmo será testemunha de que a mais danosa interferência é a negação da interferência – pensou Willa sem o mínimo estresse ao expressar-se.

– Mas tu não podes querer negar essa interferência *diante disso*! Negue ao cosmo inteiro, mas não negue *a mim*, eu *imploro*! – expressou Nhoc. Willa, porém, mostrava-se alheia ao seu desespero.

– O desenrolar dos fatos comprovarão minhas teses.

Eram sinapses de uma megalômana. Nhoc estava trancafiado com uma psicopata em sua câmara secreta. O alienígena em pânico ao seu lado implorando por clemência, a situação agravando-se por todo o globo e ela ali, passiva, tecendo análises sobre a humanidade.

– Ao nosso redor está tudo tranquilo – comentou a louca, embora fosse uma descrição correta. Era madrugada na China, a maioria do povo estava dormindo, inclusive o presidente do país, portanto não tinham como saber o que acontecia no Ocidente. Porém, nesse instante, Nhoc achou que isso era falta de responsabilidade, dado que o primeiro-ministro japonês já estava acordado. Então dirigiu-se ao lacaio que operava a interface trinária no interior do recinto e ordenou:

– 请总理醒来 – "Mande acordar o presidente". Sem pestanejar, o lacaio teclou alguns comandos e logo o presidente foi chamado.

Graças ao controle sobre a imprensa exercido pelo governo chinês, a informação a respeito da bomba no Novo México não havia se disseminado pelo país, exceto em estreitíssimos canais entre as castas mais privilegiadas, mas sequer davam conta de uma crise internacional envolvendo Estados Unidos e União Germânica. Já a população em geral seguia com suas vidas corriqueiras sem imaginar que uma guerra nuclear estava em andamento.

– Tecnicamente, trata-se de uma ofensiva nuclear *isolada*, não de uma guerra. Dado que apenas os norte-americanos ativaram seus mísseis – comentou Willa em sua fria análise da situação.

– Comentas como se a paz à nossa volta fosse mesmo perdurar. Como se não soubesses o que virá a seguir.

– É muito fácil supor. Porém, esse conflito não se encaixa em nenhum dos cenários que levantamos em nosso relatório. Não se origina de uma crise internacional, tampouco envolve o conjunto mais amplo entre os blocos econômicos subdivididos por capitalistas e comunistas.

– Óbvio! Tu és a pivô desse conflito, tu e tua maldita expedição! – esbravejou Nhoc. – *És tu* que tens de pará-lo.

Willa seguiu seu comentário sem se abalar:

– Trata-se de uma disputa particular entre Estados Unidos e Alemanha, portanto, não alcançará o Extremo Oriente ou o Hemisfério Sul.

– Mentira! As posições da OTAN no Japão e na ANZAC já estão sob alerta, bem aqui ao nosso lado! – contestou Nhoc.

– Todavia, os mísseis nucleares dependem do aval dos governos locais para serem ativados. Como não envolvem alvos da União Germânica, não serão utilizados. O Oriente não está no curso que se escreve, exceto a Rússia Oriental. Observe que os norte-americanos só ativaram os mísseis calibrados em alvos dentro da URSG – comentou Willa, enquanto testemunhava um lançamento sequencial de sete mísseis no Alasca com destino a posições inimigas no Extremo Oriente em solo russo. Alvos não tão distantes das fronteiras a noroeste da China e ao norte do Japão. Seis mísseis portando ogivas atômicas convencionais escoltavam uma bomba H com alvo nas bases nucleares inimigas ali posicionadas para atacarem a América. De acordo com o protocolo nuclear norte-americano, bombas atômicas convencionais, ou A, eram também utilizadas como mísseis de divergência para que o *warhead* lograsse alcançar e assegurar a destruição dos alvos mais estratégicos.

– Eu não acredito que isso está realmente acontecendo! – partilhou Nhoc, pasmo. – Por favor, Willa, faça algo. Não podes permanecer impassível perante o sofrimento dessas criaturas, isso é genocídio! – tentou apelar para o bom senso dela, se é que ainda restava algum.

– Já lhe pedi para ter calma, Nhoc. Ficaremos bem aqui – compartilhou Willa como se servisse de consolo, como se o holocausto a seguir fosse um simples experimento comportamental sobre a raça humana.

– Bem? Mas e quanto à radiação? Pouco importa se o Oriente ou Hemisfério Sul não serão atingidos, o mundo estará condenado a um longo inverno atômico. Tens plena ciência disso. Morreremos todos por aqui igualmente, Willa. Eu lhe peço: tome uma atitude antes que as coisas piorem ainda mais – prosseguiu em seu apelo Nhoc.

– Nós não morreremos. Somos imunes à radiação.

– Nós e as baratas! É isso que queres? Sobreviver para contabilizar os cadáveres e coletar mais baratas? – intimou o homiquântico.

– Não pense bobagem, criatura.

Mas como não pensar se a escalada dos fatos apenas pronunciava o horror global prestes a se atualizar? Nhoc estava inconsolável, era como se todo seu trabalho realizado ao longo dos últimos oito mil anos estivesse indo por água abaixo na próxima meia hora. Como se isso não fosse pouco, a alienígena responsável pelo estabelecimento desse quadro aterrador apenas se entretinha com suas estatísticas.

– 127 dispositivos nucleares, 38 *warheads* em balanço – atualizou Willa. – Horizonte para o alvo, 25 minutos-terra em média. Aguardando início do segundo estágio de operações do protocolo nuclear norte-americano – anunciou.

* * *

Não era apenas na câmara secreta atrás da sala do trono do antigo imperador chinês que a tensão fazia-se extrema; no Convair T-32 Samaritano onde o coronel Carrol se encontrava, igualmente.

Desde que conseguiram restabelecer contato com a base RSMR, o coronel passou a exercer sua liderança como chefe em comando do quartel que era, coordenando seus homens para que trabalhassem no sentido de tornar a base operacional novamente. Porém, isso não era uma tarefa fácil, pois a completa facilidade havia sido devastada pela ação destrutiva do objeto alienígena-extraterrestre após a conclusão da Operação Pino. Por outro lado, pelo fato da base dispor de um enorme complexo subterrâneo de operações contando com abrigos emergenciais, a perda de vidas humanas foi minimizada dada a magnitude do estrago, o qual se limitou a construções situadas na superfície. Ainda assim, o prejuízo era incalculável, pois toda frota aérea à disposição no setor B da base foi destruída ou estava impossibilitada de voar. Da mesma forma, os quatro silos nucleares ali disponíveis estavam soterrados pelas areias que assentaram sobre o local após o desastre. Eram silos de lançamento para quatro mísseis de aporte intercontinental com ogivas de fusão nuclear – *warheads* –, balanceados para atingir alvos dentro da União Germânica, respectivamente: Frankfurt, Berlim, Munique e Wolfsburg, esta última um centro industrial onde se sediava a matriz da Wolks.

Ainda antes do general Hamilton ativar a *football*, a primeira preocupação do coronel Carrol ao comunicar-se com a base foi:

– Detectaram algum traço de atividade radioativa? – questionou para Mijas, que atendia do outro lado do terminal de rádio.

– Nenhuma, senhor. Foi nossa primeira preocupação assim que nos recuperamos do estrago, senhor.

– Estão monitorando nesse momento? O que me diz, sargento?

– Positivo. Estamos realizando leituras contínuas. Não detectamos nada, senhor.

– OK. Intensifiquem o trabalho de desobstrução do acesso à superfície e aguardem novas ordens – instruiu Carrol antes de encerrar a comunicação com a base. Em seguida, virou-se para o comandante Marshall e ordenou:

– Repassem a informação ao QG em Tonopah, com ordens expressas para que comuniquem ao presidente imediatamente – pediu. Mas não imaginava que, a essa altura, Frank estava sendo deposto do cargo em pleno Air Force One.

Marshall atendeu à ordem e o comunicado percorreu a cadeia de comando até alcançar o *bunker* da Casa Branca, onde o secretário de Defesa, Ashley Mature, conforme ele próprio havia requisitado, foi o primeiro a receber a informação. De acordo com suas ações e intenções dentro dos interesses em jogo no estado emergencial em andamento, Mature tomou o comunicador no interior do *bunker* e desligou o viva-voz, ouviu a atualização sobre a ausência de atividade radioativa no entorno da base RSMR, desligou o telefone e anunciou aos demais presentes na sala de operações subterrâneas:

– Ainda não temos confirmação sobre precipitação radioativa no *Ground Zero* – mentiu.

Em paralelo, Willa comentaria com Nhoc a respeito:

– Se quer eleger um culpado por esse quadro calamitoso, eis aí o seu nome – apontou a alienígena. – Este exemplar, corretamente, enquadra-se como um *megalômano*.

O que era correto, pois se havia uma pessoa que poderia ter evitado o que se seguiria, essa pessoa era o secretário de Defesa. Mas ele nada fez além de fechar os olhos para a verdade dos fatos, apenas permitiu que os generais do Estado-Maior prosseguissem com seu plano de atacar a União Germânica. No fundo era isso que sempre sonhou: varrer o inimigo comunista da face da Terra, e o acontecido no Algomoro fornecia a justificativa plausível para que seu sonho fosse concretizado. Portanto apenas permitiu que os fatos se desenrolassem de acordo com seus desejos mais sórdidos. Não bastasse, suas ações mais cruciais foram todas no sentido de precipitar os fatos, como quando autorizou o alerta nacional de evacuação das cidades sem o aval do presidente, ou quando não repassou a ele a informação de que Carrol ainda estava vivo e a bordo do Samaritano.

Sem a intervenção que poderia ter evitado o caos, Mature apenas gozou em silêncio quando foi informado da deposição do presidente, da posse às pressas do vice-presidente e da ativação do protocolo nuclear pelo chefe supremo das Forças Armadas.

Em paralelo às falcatruas de Mature e o esforço de Carrol na coordenação dos trabalhos de retomar a capacidade operacional da RSMR, igualmente o major Hunter, chefe em comando do setor B da base, retomou seus serviços. Hunter assegurou que sua família estivesse segura no abrigo antiatômico privativo de sua residência em Albuquerque, deu um beijo em seu filho, ainda abalado pelo sequestro que havia sofrido, e retornou ao comando. Passou a coordenar ações a partir do QG militar na própria cidade. Ele comunicou-se com o comandante Marshall a bordo do Samaritano e intermediou junto a Carrol as ações dos homens nos subterrâneos da RSMR. Naturalmente, o major nada sabia a respeito da Operação Pino e, apesar do comandante Marshall ser um subordinado seu, ele não podia mencionar nada a respeito, pois estava preso – e muito bem pago – ao contrato de sigilo que assinou junto a Carrol, assim como os demais a bordo do Samaritano. Portanto, o comandante apenas prosseguiu operando de acordo com o estado emergencial em andamento como se não estivesse relacionado com o objeto alienígena-extraterrestre que norteava as ações do coronel.

Até aí, apesar dos prejuízos já contabilizados, as operações a bordo respondiam apenas aos ritos próprios do alerta DEFCON 2 decretado pelas Forças Armadas. No caso do Samaritano, de momento, implicava em manter o avião no ar à espera de novas ordens. Porém, não tardou para que elas chegassem quando a equipe a bordo recebeu uma mensagem prioritária pelo rádio:

– Atenção todas as unidades, novo alerta: DEFCON 1.
– Repita – requisitou o operador do rádio.
– DEFCON 1.

Um calafrio percorreu todos a bordo ao ouvirem o novo alerta, pois sabiam perfeitamente seu significado: elevava o estado de prontidão ao estado de ação propriamente dito. A comunicação a seguir indicou qual ação seria essa:

– Segue mensagem: Foxtrot, Kansas, delta, eco, dois, dois, alfa, novembro, tango, zulu, cinco, cinco, sete, zero.

O operador do rádio a bordo anotou o código transmitido: FKDE22ANTZ5570. Mas como se desacreditasse da informação, questionou:

– Isso é um exercício?
– Isso não é um exercício. Repito: isso não é um exercício.

Era o código de ativação dos *warheads* situados na base RSMR. Segundo o protocolo nuclear norte-americano, partindo da *football*, o código era repassado ao oficial responsável por ativá-los a bordo da respectiva aeronave que continha os dispositivos de ativação, justamente, o Samaritano ao qual aquela mensagem foi endereçada.

Confirmada a informação de que aquilo não era um exercício, um momentâneo silêncio se fez a bordo. Na cabine de operações, todos se entreolharam com espanto e temor, sem saber o que dizer ou o que fazer a seguir, chocados ao constatar que o governo, as Forças Armadas e o maldito presidente haviam autorizado o lançamento dos mísseis nucleares. Pois, claro, sabiam que aquela aeronave não era a única a receber tais códigos. Os códigos atômicos seriam repassados a todos os responsáveis por ativar seus mísseis, no ar, em terra ou no mar: a Terceira Guerra Mundial havia iniciado.

– NÃÃÃÃOOOOOOOOOOOOOOOOOOOO!!!! – exclamou Carrol em um grande urro, quebrando o silêncio e pregando um tremendo susto nos demais a bordo. Até o piloto acabou curvando perigosamente a aeronave ao esbarrar sem querer no manche pelo sobressalto que teve com o berro do coronel, chacoalhando todos entre as paredes.

Após o grito, o coronel silenciou-se imediatamente, contendo-se da momentânea catarse, acanhado pelo chilique diante de seus subordinados. Embora Willa não pudesse captar seus pensamentos, por um instante, Carrol teve um *flash* em sua mente com lembranças de suas posses; o prédio da Guru em Nova York; o Instituto SETI na Califórnia; suas empresas no Vale do Silício; seu lar e seu escritório em sua cidade natal, Austin; tudo destruído, em cinzas, devastado pelas *blitzgerät* alemãs.

– Tenha calma, Jay – acudiu Murray ao abalado coronel, embora se mostrasse tão chocado quanto o chefe.

– Eles fizeram! Eles realmente fizeram... – disse Carrol, inconformado. – Eles usaram esse incidente para atacar a Alemanha.

– Quem?

– Mature. Frank. Aqueles canalhas! – praguejou o coronel dando um soco nos painéis a bordo. – Eles sabiam de tudo que se passava aqui, mas fecharam os olhos.

– Frank? Não acredito que aquele molenga teria coragem... – disse Murray, mas já não tinha certeza de mais nada. Então acrescentou a título de acalmar todos a bordo: – Nós não vamos fazer nada, correto?

Sim, correto, pois os silos da base RSMR estavam inviabilizados. Em função disso aqueles códigos de ativação eram inúteis, eles não tinham nada a fazer. Porém, isso não minimizava a dor do coronel, e o alerta a seguir de um dos operadores a bordo que monitorava os sistemas de radar da aeronave confirmou seus temores:

– Detectados sete cascos. À 2-0-0, em sentido noroeste – "casco" era o jargão para míssil nuclear entre os operadores. Referia-se a outros mísseis que acabavam de ser lançados de rampas ao alcance do radar.

– Seguem para a Europa – comentou Marshall. – O primeiro estágio do ataque foi ativado. – Então questionou: – De onde são?

– Norte do estado. Dois do Texas, provavelmente. Outro ao sul, certamente da base em Hobbs, senhor.

Não obstante ao comunicado confirmando o início dos lançamentos, foram repassadas pelo rádio novas coordenadas de alvo para os mísseis da RSMR. Obviamente, pelo fato da base estar desabilitada, o comando havia redirecionado *warheads* de outras bases para atacar os respectivos alvos na União Germânica e deslocou alvos secundários para a RSMR caso ela voltasse a operar.

Repassado o comunicado, Nickson questionou um dos operadores, o responsável pela calibragem dos mísseis:

– Que alvos são esses?

– Santiago, Valparaíso, Concepción e Hanga Roa – quatro alvos chilenos.

– Estão bombardeando o Chile? – desacreditou Nickson. – Mas já?

– Para inviabilizar os silos de lançamento e destruir as bases navais dos *schlau* em território chileno, tenente – esclareceu Marshall, quem comandava aquela operação. Seria ele que ativaria os *warheads* caso estivessem disponíveis. Mas, apesar de indisponíveis, suas tarefas a seguir trataram de tentar disponibilizá-los. Intermediou junto a Hunter pelo rádio um pequeno mutirão entre os homens nos subterrâneos do setor B da base, objetivando remover os escombros ou quaisquer obstáculos que impedissem a ativação dos mísseis.

Essa tarefa não era imediata, enquanto isso, Murray permaneceu consolando Carrol em sua amargura, mais uma vez recolhido em seu assento em um triste silêncio. Nickson permaneceu atento ao trabalho de Marshall e dos operadores. Ainda em relação aos alvos chilenos, o tenente questionou:

– Onde fica Hanga Roa?

– Na Ilha de Páscoa.

Naturalmente, alguém poderia imaginar que bombardear um pequeno arquipélago como a Ilha de Páscoa com uma bomba de hidrogênio, um miúdo umbigo no meio do Pacífico, talvez fosse um exagero – e de fato era. *A priori*, esses alvos chilenos deveriam ser atingidos com bombas atômicas convencionais, todavia, as mesmas foram redirecionadas para compensar a lacuna de *warheads* da RSMR para bombardear a União Germânica e sobraram apenas aquelas bombas H para completar o primeiro estágio do ataque, o que incluía bombardear as supracitadas posições chilenas. No caso da Ilha de Páscoa, o objetivo era destruir a principal base naval dos submarinos *schlau* alemães localizada no arquipélago.

– E lá se vai tua perspectiva de que o hemisfério sul não seria atingido – comentou Nhoc em paralelo sob uma onda de desânimo.

– *Se* conseguirem reativar os mísseis, apenas *se* – advertiu Willa.

– Tens alguma dúvida de que conseguirão? Só se tu interferires para que não consigam…

Se conseguissem, adeus Chile, adeus Ilha de Páscoa. E com a destruição do arquipélago, seria destruído o destino ao qual Danniel Mathew tinha planejado fugir caso fosse indiciado pelos crimes que havia denunciado. Fugir, aliás, foi o único verbo que ilustrou as ações de Mathew desde que deixou a casa segura em Roswell. Primeiro, fugiu de Carrol, depois, das bombas ao escutar o alerta de radiodifusão do governo.

Desde o instante em que vestiu roupas civis e assumiu a identidade de um mero turista, Mathew tornou-se um ex-militar e um ex-agente da CIA, entretanto, ainda valeu-se de seus dons de espionagem para apressar sua fuga. Fez uso de informações privilegiadas para mapear todos os pontos pelo caminho em que a polícia monitorava as estradas com radares e acelerou o máximo que pôde, mantendo-se dentro dos limites de velocidade apenas nesses pontos que tinha de cor na cabeça. Com isso, quando Carrol deu início à Operação Pino, já estava bem distante, a cerca de 40 milhas de Picacho, momento em que esperava receber as primeiras notícias sobre sua denúncia pela rádio.

De acordo com o que planejou, a delegacia de Picacho e a TV local seriam as primeiras a receberem os envelopes com a denúncia. Por precaução, ordenou ao agente responsável pela entrega aguardar 30 minutos a partir do instante em que encerraram as atividades na casa segura antes de efetuá-las, apenas para ganhar tempo e assegurar que estivesse longe quando tudo começasse. Assim, passada meia hora, Mathew ficou atento à Gazeta AM de Picacho na expectativa das primeiras notícias. Com um excitante arrepio nos pelos, sorriu consigo mesmo quando ouviu o locutor da rádio interromper a programação e anunciar aos ouvintes uma notícia bombástica envolvendo óvnis e o presidente da República! – exclamou o locutor, então chamou os comerciais. Era um assunto com bastante apelo na região, sem dúvida. Mas enquanto o ex-tenente aguardava ansiosamente os comerciais chegarem ao fim, a estação saiu do ar. Tentou sintonizá-la novamente, mas nada. Creditou o fato por já estar longe de Picacho, talvez fora do alcance de transmissão da rádio. Lamentou a má sorte e sintonizou outra estação.

De qualquer modo, Mathew ficou feliz por saber que as denúncias já estavam começando a pipocar. De acordo com a ordem e a distância aonde seus envelopes e caixas seriam entregues, pouco depois que a notícia estourasse em Picacho, os federais receberiam a primeira caixa com a denúncia completa, então ela se tornaria uma investigação prioritária, pois já seria de conhecimento público nesse instante. Todavia, somente depois do almoço as demais caixas alcançariam seus destinatários: os pacotes a serem entregues ao DOJ e à ABC. Era bem provável que a denúncia já estivesse na mídia nacional a essa altura, mas a nova documentação contida nas caixas garantiria a pauta não só do dia, e sim da semana e dos meses seguintes. Seria o maior escândalo político desde a renúncia de Richard Nixon, certamente. Além de acarretar em uma consecutiva deposição de um presidente – dado que Nixon era o antecessor de Frank. Não obstante, ao enviar a denúncia à polícia local, ao FBI e ao DOJ, com o caso na grande mídia, assegurava que as instâncias estaduais e federais de investigação jamais ignorariam o caso ou tentariam varrer a sujeira para baixo do tapete. A ideia de colocar a denúncia nas mãos de um delegado do DOJ era garantir a prisão imediata de Carrol, dado que o departamento tinha o poder de emitir mandados com rapidez e eficiência, inclusive de um militar. A expectativa era de que Carrol estivesse sob custódia federal ou, no mínimo, com um mandado de prisão expedido até o fim do dia. Mas, se, por acaso, o DOJ hesitasse em prender Carrol, o envelope que enviou para a Polícia do Exército em Fort Worth, uma das maiores cidades militares do país localizada no Texas, garantia que, ao menos da Corte Marcial, o coronel não escaparia.

Com tudo isso na cabeça, Mathew nem se aborreceu tanto ao perder o noticiário da Picacho AM. Tinha uma longa viagem até Los Angeles e muitas horas para ficar de ouvido no rádio acompanhando o escândalo nacional. Sua perspectiva só mudou quando, ao invés da denúncia que aguardava, a rádio noticiou a explosão de uma bomba atômica que teria destruído Picacho e cercanias. Imediatamente, associou o fato com a Operação Pino conduzida por Carrol, imaginou que ele houvesse disparado os Exocet sobre o objeto alienígena-extraterrestre, mas que se tratasse de uma bomba atômica só podia ser sensacionalismo do locutor. Pelo menos foi o que pensou até que viu o cogumelo de fumaça ganhando as alturas ao norte, já um tanto quanto distante; mas como trafegava em uma região montanhosa, pôde vislumbrá-lo a cerca de 30 milhas. Não era aquele cogumelo enorme e intenso capaz de transformar o dia em noite, apenas uma fina coluna de fumaça dissolvendo-se no céu.

Nesse instante, independente do que tivesse acontecido, Mathew agradeceu por estar longe da base e livre de tudo aquilo, livre de qualquer implicância que aquela explosão acarretaria. Talvez Carrol estivesse morto naquele momento, mas não podia contar com isso, pois sabia que ele estava a bordo do Samaritano e era bem provável que tivesse escapado. A princípio, a notícia não era ruim, pois agravava o caso e aumentava o valor de sua denúncia, especialmente sobre o coronel e suas condutas à frente do caso envolvendo o óvni. Só não imaginava que os desdobramentos da explosão tomariam o rumo que se seguiu. Quando recebeu a informação de que o governo decretou emergência nacional e o presidente havia se refugiado, embora não fosse noticiado que estava a bordo do Air Force One, igualmente imaginou que fosse sensacionalismo da mídia e uma mera histeria dos governantes.

Mathew apenas continuou acompanhando as notícias, pois não tardaria a chegar ao público os fatos por trás daquela explosão – justamente, os fatos contidos em sua denúncia. Somente percebeu que as coisas não sairiam conforme planejado quando a programação da rádio foi interrompida por um comunicado que jamais havia sonhado escutar:

– Atenção! Isto é um alerta emergencial do sistema de radiodifusão federal: pede-se a todos os cidadãos que se dirijam aos abrigos antiatômicos mais próximos. Dirijam-se aos abrigos antiatômicos mais próximos. – A mensagem permaneceu repetindo intermitentemente.

Mathew estava atravessando o Parque Nacional de Lincoln Forest, uma estância de caça e turismo, região erma, com curvas tortuosas, não havia abrigos por ali. Sem alternativa, prosseguiu em frente acelerando o máximo que pôde com o rádio ligado, ouvindo aquela mensagem repetida na esperança de que um novo comunicado dissesse que tudo não passou de uma falsa alarma. Estava a cerca de 90 milhas da metrópole mais próxima, Las Cruces, onde encontraria abrigos antiatômicos. Apavorou-se, pois sabia que estava atravessando uma região que certamente seria alvo de um ataque nuclear, contando com silos atômicos ao norte e ao sul. Olhou para o relógio e calculou o tempo que ainda teria para se esconder antes das bombas chegarem: no máximo trinta minutos. Avançou vinte minutos até encontrar a primeira cidade razoavelmente populosa, logo na saída do Parque Nacional. Na entrada, uma placa informava: "População 3.576". Como não havia tempo para alcançar Las Cruces, não havia alternativa senão pegar o acesso para tal município. Antes de alcançar o centro, cruzou com alguns veículos deixando a cidade – um mau sinal. Chegou ao centro e as luzes vermelhas estavam piscando, o alarme soando alto, mas as ruas estavam completamente vazias, como uma perfeita cidade-fantasma. Encontrou o abrigo municipal em uma praça onde vários automóveis estavam estacionados; na verdade, abandonados e obstruindo a via ou largados sobre as calçadas. Parou seu carro onde pôde e correu para o abrigo, situado no hospital do município. Encontrou o acesso ao subsolo fechado. Bateu desesperadamente na porta, mas ninguém parecia responder, até que ouviu uma voz gritar do lado de dentro:

– Estamos lotados, vá para outro lugar! Não vamos abrir!

Mathew tentou insistir para que abrissem a porta, mas foi inútil. Consultou seu relógio, já passava de meia hora, as bombas começariam a explodir a qualquer segundo. Entrou em pânico, saiu em desespero tentando encontrar uma casa ou loja, qualquer lugar onde pudesse se esconder. Havia um pequeno mercado na praça com as portas arrombadas, saqueado, certamente. Correu para ele pensando em abrigar-se ali, talvez no porão, se houvesse um. Precipitou-se para dentro e foi recebido à bala assim que pisou na porta. O tiro zuniu perto de si, mas não o atingiu.

– Saia daqui! Vá embora! – Ouviu um homem gritar, mas sequer viu onde estava ou de onde havia atirado. Fugiu dali antes que atirasse novamente.

Sem imaginar onde pudesse se esconder, Mathew retornou ao seu carro, sacou a arma do compartimento secreto na sebe abaixo do banco traseiro e acelerou em disparada. Retomou a saída da cidade, passou por uma ponte sobre um riacho, então parou, pegou sua mala e correu para baixo dela. Escondeu-se em um canto entre os pilares da ponte e algumas pedras. Pegou uma das cervejas que havia guardado na mala e puxou um cobertor. Encolheu-se dentro dele e abriu a lata para beber, rezando em silêncio enquanto aguardava pelo pior. Nesse momento, nem se lembrava mais da denúncia, da fuga ou de qualquer coisa, mas amaldiçoou Carrol, pois sabia que era tudo culpa dele pelo malogrado desfecho da Operação Pino. Só restava um consolo ao imaginar que, quando as bombas explodissem, ele também morreria.

***

Ao lado de Mathew embaixo da ponte, assim como em todos os pontos onde havia um hominídeo ao longo de todo planeta, Willa também aguardava o desfecho da situação, todavia, em calma. Apenas acompanhando os fatos e atualizando os dados para o desespero de Nhoc no interior de sua câmara secreta. Também em órbita, Willa observava os mísseis cruzando o globo rumo aos seus alvos. Foi ela quem anunciou:

– Protocolo *Guerra nas Estrelas* norte-americano ativado. Segundo estágio do ataque em andamento. – Após o anúncio, advertiu: – Esperada perda parcial de sinal. Aguardar restabelecimento.

O aviso era necessário, pois uma sequência de explosões começou a ser detonada em órbita a partir de posições previamente calculadas pelos estrategistas do protocolo *Guerra nas Estrelas*. As explosões espalharam destroços em torno da Terra objetivando derrubar a rede de satélites dos inimigos. Tais detonações eram chamadas "petardo sujo" ou "bomba de prego", dispositivos que se mantinham camuflados em satélites comuns, programados para explodir e espalhar detritos em alta velocidade, tornando a órbita terrestre um estande de tiro com pequenas peças flutuando de maneira aleatória, destruindo tudo pela frente, inclusive os satélites estadunidenses ou de países aliados. A ideia era surpreender o rival e minimizar sua capacidade de reação, enquanto os países aliados passariam a coordenar seus ataques por meios convencionais conforme já estavam preparados. Além do mais, a função primordial dos satélites era retransmitir os códigos atômicos e, uma vez que haviam sido repassados, a ideia era destruir a rede adversária antes que fizessem o mesmo.

A destruição dos satélites afetava a transmissão de dados de Willa a partir da órbita, pois ela vinha *hackeando* os mesmos para amplificar seu sinal com seus pares em terra, daí a esperada momentânea perda de contato até que a alienígena pudesse redistribuir seus sinais. Por outro lado, isso sequer afetava sua capacidade geral comunicativa terra-vácuo/vácuo-terra. Enquanto os militares e as pessoas pelo mundo passavam a experienciar perda de sinais, fosse de comunicação ou TV, somente Willa e Nhoc permaneciam plenamente operacionais na China. Os destroços flutuando ao redor do planeta não constituíam um perigo para a alienígena, podia captá-los com seus radares cerebrais e desviar deles, ou valer-se de seu campo magnético para repelir projéteis menores. Ainda assim, conforme a destruição dos satélites intensificava-se, gerando cada vez mais detritos, em dadas posições, a nuvem de projéteis era tão volumosa e extensa que a única maneira de desviar era mergulhar e reentrar na atmosfera do planeta. Assim, onde era noite, como no Oriente, em distintas dimensões foi possível observar a alienígena riscando os céus como um meteoro até alcançar a altitude adequada para abrir suas asas e tocar o plano mínimo com segurança.

Como parte da sequência de ações preestipuladas pelos mentores intelectuais da guerra nuclear – ou *Guerra Total*, conforme a intitulavam nos bastidores do Pentágono –, o objetivo do protocolo *Guerra nas Estrelas* era inviabilizar a comunicação dos germânicos no momento mais crucial do ataque em andamento, instante em que os mísseis localizados em solo europeu ou em submarinos nucleares seriam disparados: o segundo estágio do ataque. Com a derrubada dos satélites, esperava-se retardar a capacidade do inimigo em detectar os lançamentos já efetuados.

Em comparação com o que aconteceu nos Estados Unidos, onde os primeiros cenários de pânico coletivo começaram a se multiplicar assim que as imagens da explosão no Novo México foram vistas na TV, na Europa isso não se repetiu. As notícias da bomba não demoraram para chegar ao velho continente, mas não a ponto de gerar histeria ou correria nas ruas, apenas um falatório geral a respeito do que se veiculava como um suposto atentado, mas nada que fizesse alguém imaginar que uma guerra mundial deflagrar-se-ia na próxima meia hora. Apenas ao leste, em Berlim e Frankfurt, as notícias foram recebidas com temor pelo público, mas não redundou em nada além de filas em alguns supermercados e tráfego congestionado por excesso de veículos deixando as cidades. O controle estatal dos meios de comunicação foi discreto ao divulgar o acontecido longe do sensacionalismo visto na América, tratando o assunto como um atentado doméstico em nada relacionado com a rivalidade entre EUA e URSG.

Mas esse cenário de aparente normalidade não se refletia na cúpula governamental dos países integrantes da OTAN e do Pacto de Frankfurt: no primeiro, ao atender ao alerta da cúpula militar norte-americana; no segundo, ao responder aos alertas do primeiro. Todavia, nem os líderes locais imaginaram que o cenário sofreria uma escalada tão radical, de iniciativa unilateral dos Estados Unidos, em ordenar um ataque nuclear em máxima magnitude contra a URSG partindo do solo europeu. Ninguém estava preparado. Não houve articulação nem comunicação entre os líderes da Europa com o governo norte-americano, nem declarações das autoridades, muito menos luzes vermelhas piscando ou comunicados na rádio e na TV. O ataque foi plenamente executado dentro da esfera de comando militar estadunidense sem qualquer aval de qualquer instância internacional ou da própria OTAN – de fato, essa ofensiva sempre foi planejada para ser executada dessa forma.

Exceto um ou outro órgão de espionagem tomou ciência dos fatos quando os códigos atômicos já estavam sendo repassados aos respectivos responsáveis por ativar os mísseis, porém, não desfrutariam de tempo ou de quaisquer meios para impedir que fossem efetivados. Uma vez que o comando norte-americano declarou DEFCON 2, os operadores dos silos já haviam bloqueado os mesmos, nem eles poderiam impedir sua ativação. Com tanta precaução e segredo, o povo europeu só se deu conta do que realmente estava acontecendo no instante em que os mísseis foram disparados e, logo após, quando os sinais de TV começaram a cair. Ainda assim, como não houve nenhum alerta a respeito do ataque, em muitos lugares as pessoas observaram os mísseis levantando voo sem saber se eram realmente dispositivos atômicos e que isso significaria que o holocausto havia chegado. O cidadão de Paris que não sabia da existência de silos atômicos instalados em regiões periféricas da cidade ficou indignado ao descobrir isso quando os mísseis ganharam os céus – pena que não havia tempo para protestar contra o governo, talvez nem para se esconder. De norte a sul, uma coluna intercontinental de silos subterrâneos começou a cuspir mísseis atômicos desde a Finlândia até o sul da França e o norte da Espanha, passando por Suécia, Dinamarca, Holanda e as ilhas britânicas, com destino à União Germânica em alvos concentrados na Alemanha, Áustria, Rússia, Polônia, Itália e nos países eslavos até alcançar a península balcânica. Nesse estágio, os submarinos nucleares norte-americanos também executaram lançamentos a partir do Mar do Norte e do Mediterrâneo.

Com os ares europeus povoados de mísseis, embora já fosse noite no continente, somente então o pânico começou a se alastrar quando as rádios e retransmissoras locais de TV ou a cabo começaram a alertar sobre os lançamentos – aí o cenário tornou-se idêntico ao que se via na América. Ainda assim, na maior parte do continente, bem como no restante do mundo, a maioria da população não tinha a menor noção do que se passava, especialmente depois que a perda dos satélites começou a derrubar as grandes cadeias de televisão. Em países como a Argélia e a Arábia Saudita, onde as notícias sobre a bomba do Novo México não haviam chegado, quem testemunhou os lançamentos sequer poderia imaginar seu significado, ou mesmo que dispositivos fossem aqueles. Mas eram mísseis atômicos destinados a destruir as posições de defesa do Pacto de Frankfurt no Irã, na região do Cáucaso e na Europa Oriental.

– 12.247 dispositivos detectados, 101 *warheads* em balanço. – Atualizou os dados Willa, após a efetivação do segundo estágio do ataque norte-americano. – Horizonte médio ao alvo, 15 minutos-terra.

– Esse número nos coloca acima do valor mínimo estipulado em nosso relatório, capítulo último, célula AAABBX13492, subpasta "Da extinção do *homo sapiens/erectus*: a desertificação dos continentes e o fim da complexidade vegetariana em nível atmosférico oriundo de catástrofe nuclear massiva", Willa! Compreendes o que isso significa? Vais negar teu próprio relatório? – confrontou Nhoc.

– Não nego. Está correto, porém, *a longo prazo*, um prazo que não dispomos – limitou-se a responder a alienígena sem demonstrar emoção.

A frase era acurada, pois ainda não considerava o quadro desenhado a partir da resposta germânica à agressão norte-americana, a qual se iniciou com um atraso de dez minutos a partir dos primeiros lançamentos oriundos dos silos terrestres na América. Apesar do retardo, as ações alemãs constituíram um espelho das ações do oponente, desde o embarque do chanceler no Lufthansa Eins, que se deu assim que a SS – Serviço Secreto germânico – confirmou o embarque do presidente norte-americano no Air Force One. A partir daí, tudo prosseguiu em uma espiral que levaria o chanceler a autorizar o emprego das *blitzgerät*: assim que foi informado sobre o alerta enviado à OTAN, foi emitido um alerta a todas as posições do Pacto de Frankfurt; assim que os franceses burlaram o espaço aéreo italiano, a Luftwaffe colocou todos seus oficiais no ar, a Bundesmarine movimentou suas frotas e lançou seus *schlau* nos mares, e a Bundeswehr deixou de prontidão o corpo terrestre para uma ação iminente; por fim, assim que as luzes vermelhas começaram a piscar na América, em seguida, piscaram na União Germânica.

A bordo do Lufthansa Eins, na mesma toada em que o presidente norte-americano foi pressionado por seus generais para autorizar um ataque nuclear em larga escala contra o rival, o chanceler foi aconselhado por seus ministros a fazer o mesmo. Segundo suas próprias paranoias, os ministros germânicos acusavam os norte-americanos de forjarem o ataque no Novo México para justificar a agressão que se confirmaria a seguir. Porém, o chanceler não cria que o presidente Frank ousasse tamanha traição. Mesmo quando recebeu o primeiro informe da SS acusando os lançamentos na América, embora não existisse imprensa livre em seu país para distorcer os fatos e influenciá-lo a tomar uma decisão errônea, só autorizou o ataque quando três fontes distintas confirmaram os lançamentos em solo estadunidense. Para isso não precisou de um dispositivo como a *football* para liberar os códigos atômicos, bastou dizer aos seus ministros:

– Start gelöscht. – "Lançamento autorizado".

A partir da ordem, os oficiais responsáveis iniciaram o contra-ataque. Em suma, apesar da resposta alemã ter sido um tanto quanto tardia, considerando-se que cada minuto é extremamente valioso para tomada de decisão em um cenário de guerra total, quando a população do lado ocidental europeu despertou para os fatos após os lançamentos efetivados em seu território, os mísseis germânicos já estavam a caminho para atingi-los, em média a dez minutos de seus respectivos alvos. Não obstante, quando os norte-americanos ativaram o protocolo *Guerra nas Estrelas*, apenas pouparam os germânicos de fazer o mesmo. Além disso, estavam igualmente preparados para coordenar suas respostas sem a rede de satélites. Segundo Willa, que mapeava as redes de comunicações globais, devido ao padrão Tesla de sua infraestrutura eletro-radiodifusora de base nacional, de fato, os alemães estavam bem melhores preparados para operar por meios convencionais do que os norte-americanos.

– 32.558 dispositivos, 222 *warheads* em balanço. – Soma do ataque deflagrado em ambos os lados, contabilizou Willa. – Horizonte ao alvo, máximos 10 minutos-terra.

– Nos movemos para a célula XXVZZDB99732: "Do degelo polar, da dessalinização dos mares e da extinção da vida marinha" – citou Nhoc, referente ao Relatório da Terceira Órbita. – Não importa o prazo!

No decorrer aflitivo desse pesadelo todo, implorar, espernear ou insistir, muito menos ordenar, nada parecia despertar a empatia de Willa para o sofrimento coletivo em andamento, portanto, Nhoc tratou de controlar os nervos e valorizar a estreita janela restante para fiar-se ao único elo de racionalidade que a alienígena ainda parecia demonstrar possuir: a cientificidade, a sua doutrina científica – embora ao homiquântico tal mais se transparecesse com uma doutrina sadomasoquista. E se suas citações ao relatório que ambos haviam elaborado não pareciam surtir efeito, Nhoc apelou para o projeto de extensão que Willa tanto batalhou para alavancar diante do intelecto cósmico e obter a autorização da ACAE a fim de conduzi-lo em pretérito.

Porém, as chances de Willa emplacar seu novo projeto tornaram-se nulas após o calamitoso desfecho da Operação Pino captado ao vivo no futuro perante uma estupefata audiência intercósmica. O desastre no Algomoro transformou uma imagem que já não era boa na pior possível, minando qualquer ínfima possibilidade para viabilizar sua pesquisa. Assim, em questão de mínima janela, além de ficar aprisionada no passado, Willa perdeu o *propósito* pelo qual desejava permanecer em pretérito. Seu sentimento, muito além do choque inicial pela consumação da tragédia gerada pela partida da *Nave*, em um primeiro momento, foi a revolta, depois, um profundo desânimo. Nesse horizonte, coube a Nhoc tratar de levantar o espírito da alienígena.

Contrariando sua própria índole sarcástica, Nhoc não ousou zombar da situação de Willa – até porque estaria confinado com ela na Terra, de modo que não seria inteligente flertar com o *id* de um ser muito mais poderoso capaz de apagar seu cérebro com um pensamento –, pelo contrário, consolou-a e, sobretudo, incentivou-a a dar continuidade à sua pesquisa independente do aval de qualquer instância superior.

– A ACAE indeferiu todas tuas proposições, vetou o *download* do tal robôkit que precisavam, autorizou teu abandono em pretérito, fez pouco cérebro de tua situação e tu ainda crês que precise do aval dela para prosseguires com teu trabalho? – questionou Nhoc em dado momento da conversa.

– Da ACAE só preciso que me resgatem deste plano, todavia, é fato que nenhuma instituição vai dar aval para a minha pesquisa depois do acontecido.

– Nem aquela faculdade dos hominídeos em Phobos?

– A Faculdade de Hominologia Natural fez um pronunciamento de repúdio à expedição e me bloqueou em seguida – revelou Willa com tristeza nas sinapses.

— Traidores! – exclamou Nhoc.

— Não posso culpá-los. Como uma faculdade gerida por homens poderia associar sua imagem com uma expedição autora de 28.843 homicídios culposos de seus pares de espécie? – Saldo final de mortos após a tragédia no Algomoro entre militares e civis, somando também os que resultaram de ações indiretas de Willa e sua expedição, tais como o médico Ian London, o tenente Mascareñas e outros.

— Mas se tu dispões dos canais vegetarianos e cnidários, de celulose memorial ilimitada para armazenar e compartilhar dados, de conexão ao vivo com a cosmonet e de teu par para fomentar audiência em futuro, então me esclareça *pra quê* necessitas de aval de qualquer instância? Se tu estais só neste planeta, pesquise-o por ti mesma, né?

— Mas pesquisar sozinha? Destituída de pensadores para me assistir? Ademais, sem o processador da *Nave*, há um lapso maior na transferência de dados – alegou Willa.

Naturalmente, apesar de comentar o assunto, a prerrogativa de Nhoc permanecia a mesma: não queria qualquer contato com a consciência cósmica. Tudo que sabia a respeito do que se passava em futuro resumia-se ao que Willa lhe fofocava.

— Que lapso? – indagou o homiquântico.

— De 0,011 milissegundos.

— Ora! Se eu que cá estou há milênios, banquei excursões e jornadas de pesquisa desprovido dos avançados recursos de que dispões, tu vais abandonar tudo assim? Sem *luta*?

— É difícil lutar sozinha em horizonte contínuo.

— Ei, tu não estais sozinha, estou aqui contigo. *Eu* a ajudarei a tecer tua pesquisa. – Ofereceu-se Nhoc, naquele instante, em plena faculdade para levantar o ânimo da alienígena. E se o animal era insistente e enxerido, ao menos tais características o permitiram convencer Willa de sua razão. Ele colocou seu cérebro, apesar de obsoleto e debilitado, à disposição da alienígena; também disponibilizou sua rede trinária e seus Si-Fans, a começar pelo lacaio na sala operando os computadores; qualquer coisa que precisasse. Se Willa topasse, poderia colocar a inteira China ao seu dispor.

— Com a minha experiência, os teus contatos e tuas habilidades hipnóticas, podemos restaurar a Era Dourada do Império e elevar a China a um patamar de glória jamais alcançado pela humanidade. – Delirou Nhoc.

Delírios à parte, Willa convenceu-se em prosseguir com seu projeto, desta feita contando com apoio de Nhoc. Não obstante, ambos ainda abriram outras frentes de estudo para a alienígena retomar a leitura mental de sua vida com mais profundidade e revisar o relatório que já haviam compilado. Assim, quando iniciaram a nova etapa de estudos, finalmente Willa demonstrou algum ânimo, embora ainda estivesse meio abalada com o acontecido, pois nada alteraria o fato de estar presa no pretérito, pior, em um pretérito que não se alargaria por muito. Sobre isso, Nhoc partilhou em incentivo:

– Ora! Se a ACAE não te resgatares, sabemos que tua criatividade basta para engenhares vários planos para retornar ao futuro...

Willa conversou com Billy, assegurou que as transmissões da película *Vidas Hominídeas* prosseguiriam, e os dois alienígenas retomaram seus estudos e observações. De início, a alienígena apenas chamou atenção para uma importante prerrogativa:

– Desta feita, seguiremos os valores éticos de adução à risca. Não podemos nos permitir a repetência dos erros que resultaram na catástrofe em Picacho – partilhou com seriedade. – Respeitaremos a diretriz de interferência zero. – Acrescentou como se realmente estivesse disposta a cumprir.

Mas logo estava ela dirigindo os fatos quando interferiu no destino de Hut Cut. O que era desculpável, nada mais compreensível que tentasse minimizar os impactos negativos resultantes de suas interferências. Indesculpável ou incompreensível era o fato de não estender tal misericórdia quando a vida de bilhões de hominídeos estava em jogo, limitando-se a levantar estatísticas, contabilizar mísseis e alvos. Como fazia de instante:

– Como nomearemos esta guerra? – questionou Willa na cena atual, a poucos minutos das bombas começarem a explodir pela Europa.

– Guerra da Estupidez. Ou... Que tal? A Estúpida Guerra de Willa – respondeu Nhoc com raiva nas palavras. Willa permaneceu divagando sem se incomodar:

– Não nomearemos. Aguardemos para saber como os próprios homens se lembrarão desse episódio.

– Pelas escamas do Dragão! Não haverá homens para nomear essa estupidez se tu não interferires, Willa!

– Ora, animal! O que acha que eu poderia fazer se os mísseis já estão no ar? Que superpoderes imagina que possuo para interferir nisso?

– Não minta! Sei muito bem que podes interferir. Tuas capacidades são mais do que suficientes para acessar esses dispositivos à distância. – Nhoc apontou para a nuca de Willa e acrescentou: – Com essas ampolas consegues perfeitamente conectá--los e desativá-los!

– Não é tão simples assim, está superestimando minhas capacidades.

– Por favor, Willa, pense em tua pesquisa, em tudo que debatemos e combinamos a respeito. Estávamos indo bem, nossas perspectivas eram ótimas, tu mesma mencionaste que o ibope estava alto, então, assim, de instante, queres permitir que tudo se acabe?

– Quando partilhei isso? Não quero que nada se acabe. Estou mantendo minhas observações exatamente de acordo com o que combinamos.

– Observações?! Em poucos minutos não restará nada para observar, estará tudo destruído. Willa, eu peço...

– Como não? Analisaremos os espólios da guerra. Como se presenciássemos uma história alternativa da famosa Guerra dos Seis Minutos, embora essa esteja durando mais. Restam ainda sete minutos para os primeiros impactos – respondeu.

– Pense nos arquivos salvos nas florestas. Perderá teus dados, a memória que compilou esses horizontes todos será dizimada, teu trabalho, tua empreitada, tuas descobertas, será tudo em vão. Já que a vida dos homens nada vale para ti, pense nas árvores, na tua colega *Árvore*, ela também perecerá.

– Não se preocupe, os dados estão *backupeados*. – Tranquilizou-o, Willa. Em seguida, corrigiu: – Quanto a *Ipê*, nada sofrerá.

– Perderás o contato com a cosmonet, então saberás o que é ficar isolada neste plano, *pior*, sem a companhia dos homens para entretê-la – insistiu Nhoc.

– Você tem perfeita ciência de que após a partida da *Nave* esse contato está fadado a terminar, em curto ou médio horizonte...

Willa havia mesmo perdido qualquer traço de sanidade ou empatia, sequer a pesquisa que tanto a demovia, em vez de um estudo psicocomportamental coletivo da espécie hominídea, como uma sádica observadora, ela preferia analisar o padecimento e a extinção da mesma. Nesse instante, o desespero de Nhoc que já era gritante, verteu-se em um sentimento de total derrota ao conceber que a alienígena nada faria para alterar o curso dos fatos. O homiquântico deu um passo para trás, encostou na parede ao fundo da câmara e se deixou escorrer para o chão, como que esvaído de suas forças, tomado por um forte pranto interior. Seus micos juntaram-se a ele, subiram em seu colo e fizeram carinho, tentando consolar o amo enquanto trocavam olhares de desprezo e temor com aquele maldito ente estrangeiro no recinto.

– Novos alvos detectados – informou Willa dos mares ao acompanhar lançamentos efetuados por submarinos nucleares de ambos os adversários. Ela prosseguiu detalhando esses alvos: – Paraguai, Colômbia, Venezuela, México e Cuba – alvos da URSG. Indonésia, Malásia, Brunei e Irlanda – alvos dos EUA. 35.802 dispositivos, 280 *warheads* em balanço. Horizonte em cinco minutos-terra – compartilhou como se fosse algo a se celebrar, mas só fazendo intensificar o pranto de Nhoc. A cada segundo que passava, a cada novo míssil que ela contava, o homiquântico respondia com suspiros e gemidos, como se antecipasse a dor que causariam.

Porém, como se ainda restasse um resquício de empatia na alienígena, ela tentou alentar o desesperado animal:

– Acalme-se, Nhoc. Falta pouco para acabar – partilhou como se realmente fosse um consolo.

Sim, logo tudo estaria acabado. O mundo inteiro estaria acabado. A vida na Terra estaria acabada. O próprio sentido de existir estaria acabado. Como ela esperava que ele pudesse manter a calma nesse momento? Ainda que não pudesse, Willa achou que seria possível.

Enquanto Nhoc permanecia largado no chão aos prantos consolando-se com seus micos, Willa navegou sua mente para algumas cenas de heroísmo captadas por seus pares que testemunhavam a guerra *in loco*, especialmente na Europa, onde o céu estava tomado de mísseis já trafegando além das fronteiras inimigas de ambos os lados. Aqueles que pouco antes testemunharam os mísseis sendo lançados, agora observavam com pavor os foguetes inimigos aproximando-se de seus alvos. Porém, não era o pânico da população em seu desespero para refugiar-se das bombas que Willa queria mostrar para o homiquântico, mas algumas histórias de sucesso entre as forças em combate ao tentarem prevenir o desastre nuclear.

A essa altura, nenhum governo precisava que seus serviços secretos ou a imprensa os informasse sobre o que estava acontecendo. Os mísseis já eram detectados por radares convencionais em todo o mundo. Assim sendo, as forças da OTAN de um lado, e do Pacto de Frankfurt do outro, coordenavam em terra e ar suas baterias antiaéreas e seus caças na tentativa de abater os mísseis rivais. Porém, tratava-se de uma tentativa inglória, pois tanto alemães quanto norte-americanos haviam desenvolvido seus mísseis para evitar ou sobrepujar as defesas adversárias. Não eram simples mísseis, mas autênticos foguetes, cada qual com 18 a 20 pés de altura e 6 a 10 pés de diâmetro em média. Não bastasse, difíceis de serem detectados à distância, sua velocidade era muito superior aos caças, cerca de 3.500 km/h, bem mais velozes que quaisquer outros mísseis ou disparos terra-ar. Apenas um grupo seleto de naves supersônicas de última geração conseguia engajar-se sobre eles na tentativa de abatê-los. Todavia, mesmo os disparos de mísseis de calor ou teleguiados não logravam alcançar o alvo – e não havia segunda chance, pois os foguetes fugiam rapidamente do alcance. Ainda assim, alguns conseguiram. Nhoc testemunhou um aviador alemão executando uma manobra arriscada, mas a única passível de sucesso para derrubar os poderosos foguetes: interpelando sua trajetória de frente para efetuar disparos antimísseis, assim, derrubando o projétil antes que alcançasse o alvo. Mas isso não garantia que o dispositivo nuclear não seria ativado, pelo contrário, poderia precipitar sua detonação, embora longe do alvo programado, dado que as bombas eram acionadas automaticamente ao atingirem certa altitude, entre 600 ou 1.000 pés acima do alvo para maximizar o raio de dano.

Uma alternativa para tentar derrubar os mísseis era lançar um voo suicida sobre os mesmos. Muitos pilotos deram sua vida na tentativa, manobrando seus aviões para se chocarem de frente com eles. Mas os foguetes atômicos eram tão velozes e pesados que destroçavam os caças e prosseguiam voando, incólumes, como se houvessem apenas esbarrado em um detrito qualquer. No lado ocidental da fronteira, Nhoc acompanhou a cena quando um general da OTAN a bordo de um cargueiro militar ordenou ao piloto a lançar-se de encontro a um dos mísseis, ao custo da vida de todos a bordo. Ao menos o peso e o porte da aeronave lograram derrubar o foguete.

– Margem de erro para o alvo ampliada para 3% – comentou Willa a respeito, como se 3% de um total acima de 35 mil mísseis fizesse alguma diferença no holocausto prestes a se iniciar.

Embora Nhoc fosse um moribundo cujas faculdades mostravam-se debilitadas pelo Alzheimer, ele já estava conformado com seu destino, com a morte que lhe batia à porta. Porém, jamais poderia imaginar ou estar preparado para um final como desenhado naquele momento. Sob prantos, ele lamentou:

– Não eras ti que tinhas medo da morte? Que penalizava a sina de permanecer comigo neste plano até o fim? Então escolhestes perecer assim, né? Em um suicídio coletivo carregando a nós e a inteira humanidade para fertilizar a Gaia planetária... Eu sabia! Eu sabia desde o início que tu eras o mal encarnado. Por que me iludi, meus Dragões? Por que me iludi...? – partilhou em meio aos soluços sinápticos que tomavam sua mente sem controle.

Não houve horizonte para a alienígena responder ou tentar acalmar Nhoc. Como a comunicação entre ambos os alienígenas no recinto era telepática, exceto pelos gemidos do homiquântico e os grunhidos de seus micos, um silêncio fúnebre preenchia a câmara secreta atrás da sala do trono do antigo imperador chinês. Esse silêncio sonoro foi interrompido por um *bip* que soou dos falantes dos computadores operados pelo lacaio que se mantinha ali, sentado à frente dos monitores. Ao captar o *bip*, como um alarme o convocando para batalha, Nhoc insuflou-se dentro de si e recolocou-se de pé em um pulo, enquanto Willa traduzia em sinapses o significado daquele aviso:

– Novos alvos detectados: Pequim, Guangzhou, Xangai, Hanói, Saigon e Singapura. Horizonte de impacto em máximos quatro minutos-terra.

126

Se Nhoc não estivesse tão abalado com o desenrolar dos fatos, talvez não fosse pego de surpresa pelo alerta originado de sua rede de Si-Fans e encaminhado imediatamente para sua câmara secreta, teria acompanhado o pensamento de Willa que, através de sua rede multividual, seguia passo a passo as condutas da autoridade responsável por deflagrar o ataque nuclear contra a China. Mas Nhoc sequer precisava recorrer às faculdades da alienígena para saber quem havia autorizado o ataque, pois só existia uma pessoa na Terra que dispunha dos meios e, sobretudo, da *vontade* para tomar uma atitude tão vil: o primeiro-ministro japonês.

Pouco importava a pessoa atual do primeiro-ministro, podia ser qualquer outro, antecessor ou sucessor, em se tratando de poder, bastava ser japonês para que quisessem controlar a China ou, dado que nunca conseguiam, como de instante, tentassem destruí-la. Afinal, qual outro país vinha tentando isso há mais de cinco mil anos não fosse o Japão? Quase no mesmo prazo, com poucos séculos de diferença, de quando Nhoc retornou para a China central após concluir a colonização das "quatro ilhas", como as nomeava antes de pisar seus pés nelas, as *malditas* quatro ilhas conhecidas por *Nippon*.

Como havia compartilhado Willa em sua fria análise do conflito em andamento, até então ela estava correta em afirmar que o embate resumia-se a um confronto entre Estados Unidos e União Germânica, estendendo-se aos países aliados a ambos através da OTAN e do Pacto de Frankfurt, ou em alguns alvos que contavam com posições inimigas ou pontos estratégicos no âmbito tático da guerra, especialmente no Oriente Médio e no Índico. Embora o Japão fizesse parte da OTAN, outros países integrantes do mesmo pacto, apesar do estado de prontidão igual a todos, não estavam engajados no conflito, como a África do Sul, as forças da ANZAC, além do próprio arquipélago nipônico. Quanto à China, ela sequer integrava o bloco militar do Pacto de Frankfurt e mantinha-se relativamente neutra no jogo de interesses internacionais envolvendo capitalistas e comunistas, de modo que não havia nenhum motivo plausível, muito menos algum comando da OTAN, que justificasse a agressão japonesa aos chineses, isto é, exceto a rixa milenar envolvendo os dois países.

Foi assim, por pura rivalidade, em uma decisão unilateral, que a cúpula militar japonesa, quando ciente de que norte-americanos e alemães haviam disparado seus mísseis, concluiu que o momento era "oportuno" para bombardearem a China. Ao sugerirem o ataque para o primeiro-ministro, sequer precisaram insistir ou alimentá-lo com suas paranoias. Sem hesitar, ele disse:

– *Hai*!

Pronto! Nem foi preciso lançar mão de um dispositivo como a *football* ou algo parecido, um minuto após o primeiro-ministro dizer "sim", os mísseis nucleares japoneses já estavam a caminho da China. Somado mais alguns segundos, a informação fez-se disponível na interface trinária de Nhoc e um *bip* de alerta foi emitido. E se Nhoc já estava em pânico com a situação, aquele *bip* o levou a um estado emocional que sequer poderia ser descrito com sinapses ou palavras.

– **NÃO!!! MIL VEZES NÃO!** – gritou mental e vocalmente. Seus micos apavoraram-se, expressando o medo pela situação e o horror que emanava da mente e da boca de seu amo. Ele continuou: – Minha China, não! Willa, pare isso agora! Eu ordeno! Chega dessa guerra! Derrube esses mísseis, não permita a esses traidores consumarem essa mesquinha vingança. Willa, **pelo útero da *Mãe*, Willa! ACABE COM ISSO AGORA**!!! – partilhou em alto tom enquanto lançava os braços sobre a alienígena, batendo em seu peito como se isso pudesse fazê-la tomar uma atitude, mas Willa manteve-se fria, sem reagir, resumindo-se em expressar:

– Sinto muito, Nhoc. Isso está além do meu poder neste instante.

– **TU PODES SIM**! Tu me deves isso, tome uma atitude *imediatamente*!

– Quer que o escolte para os abrigos no subterrâneo? – questionou Willa ao incrédulo homiquântico. Não bastasse, acrescentou com naturalidade: – Ao lado de seus micos, evidentemente.

Ao perceber que Willa nada faria, Nhoc a empurrou e acrescentou:

– Ora! Saia da minha frente, sua prostituta da Babilônia! – Então, deu um passo ao lado, dirigindo-se ao lacaio que permanecia sentado à frente dos terminais, operando os computadores na diminuta câmara secreta:

– Saia daí! – gritou e o empurrou com violência, lançando-o da cadeira e fazendo com que fosse de encontro com a parede no fundo da câmara. O lacaio nada expressou, após o baque, apenas levantou-se e ficou parado em silêncio.

Na sequência, embora pudesse utilizar a mente de Willa para acessar sua rede trinária sem que precisasse operar o terminal em sua câmara, Nhoc começou a digitar comandos no teclado, frenético, com uma rapidez que seu lacaio jamais poderia executar. De acordo com seus preceitos de pesquisa, Willa permaneceu observando-o com atenção, "sem interferir" nas ações do homiquântico, embora soubesse exatamente o que ele queria com aqueles comandos que digitava e, de sua parte, não concordasse com o que estava fazendo. Por outro lado, embora estivesse proibida de interferir, uma vez que ela e o homiquântico já haviam estabelecido contato, nada a impediria de sugerir:

– Por favor, Nhoc. Não faça isso.

– Não te dirijas a mim, bruxa assassina!

– Não se permita rebaixar ao mesmo nível do primeiro-ministro. Mostre a ele que os chineses são melhores que isso. Essa é a melhor resposta a ser dada – insistiu Willa.

– Perdestes completamente o juízo, mulher! Bloqueie tua mente! – respondeu Nhoc, raivoso, pedindo para Willa "calar-se".

Assim como o chanceler alemão ou o primeiro-ministro japonês, Nhoc não possuía um dispositivo como a *football* para liberar o acesso aos códigos atômicos, aliás, os mísseis chineses não possuíam códigos de segurança, apenas um sistema de ativação. Um sistema acessível ao mentor intelectual do protocolo nuclear chinês, justamente Nhoc, a partir de sua câmara secreta e da rede trinária que construiu, de modo que aquele terminal à sua frente era a *football*. Com os primeiros comandos digitados selecionou seu arsenal, disparando um alarme em todos os silos disponíveis em seu país sem a necessidade de informar ou aguardar a autorização de qualquer autoridade – até porque o presidente chinês não havia ainda se reunido com seus generais, estava terminando de se arrumar, o molenga. Em seguida, com o *prompt* de comandos à disposição, bastou digitar:

– Ñ:> 激活 <enter>.

Em silêncio mental, Willa contabilizou: "38 dispositivos em balanço, 26 alvos em três bandeiras: Japão, Coreia do Sul e Taiwan", contagem resumida ao ataque chinês. Naturalmente, a maior parte desses alvos mirava as quatro ilhas do arquipélago japonês, com mísseis concentrados nas maiores capitais do país: Tóquio, Yokohama, Osaka e Nagoya. Seria um massacre muito superior ao dano esperado pelo ataque japonês, que somava menos alvos e menos dispositivos, com um total de 18 mísseis – vale lembrar que ambos os rivais contavam apenas com mísseis convencionais, ou seja, portavam ogivas atômicas de fissão nuclear, bombas A, mas nenhum *warhead*. Não obstante, a potência em quilotons das bombas chinesas possuíam pelo menos o dobro da capacidade de destruição das japonesas.

– Eu venci, seus ingratos! – gritou Nhoc ao receber a confirmação de seus lançamentos.

– Ninguém venceu, ambos perderam – lamentou Willa.

Nesse momento de pressa e aflição, Nhoc não dava cérebros à alienígena. Na sequência do brado de vitória, dirigiu-se ao lacaio em pé ao seu lado e ordenou:

– 下!

À ordem, o lacaio moveu-se e abriu a portinhola de saída da câmara secreta. Em seguida, Nhoc virou o rosto e mirou seus micos, todos encolhidos no lado oposto da câmara; assoviou com a boca e os macacos saíram em disparada pela porta. O lacaio seguiu atrás deles e fechou a portinhola depois de sair. Atrás dos micos e do primeiro lacaio, os demais sentinelas que vigiavam a câmara secreta os seguiram. Em uma visão mais ampla da Cidade Proibida, todos os sentinelas e micos que lá viviam igualmente começaram a se mover, a correr, dirigindo-se aos subterrâneos para protegerem-se das bombas. Nhoc havia dado a ordem de evacuação.

Todavia, o homiquântico permaneceu onde estava, digitando em sua interface sob os sensos atentos de Willa. Seu comando a seguir foi assinalar novas coordenadas de ataque: 35° 41' 22" Norte; 139° 41' 31" Leste – Tóquio. Em seguida, ativou um aplicativo de rastreamento, que retornou outra coordenada na tela: 72° 1' 40" Norte; 137° 2' 30" Oeste – um ponto localizado no meio do oceano Ártico. Ao captar a informação na tela, Willa compreendeu exatamente do que se tratavam aquelas coordenadas. Em posse de tal informação, advertiu o homiquântico:

– Não faça isso, Nhoc. Eu lhe peço.

Nhoc ignorou a alienígena, apenas continuou digitando seus comandos. Quando estava prestes a dar entrada na nova sequência de instruções, Willa levou sua mão até a parede onde havia uma caixa de força conectada aos aparatos da sala. Com uma pequena sobrecarga, a caixa entrou em curto-circuito, soltando faíscas e fumaça. No mesmo instante, tudo se apagou no interior da câmara, incluindo a interface que Nhoc operava. A sala ficou completamente escura, exceto pelo tênue brilho que emanava da alienígena, além da fumaça e do cheiro dos circuitos queimados.

– *O que fizestes, mulher*?! – exclamou Nhoc, aturdido com a atitude da alienígena.

– Sinto muito, Nhoc, não posso permitir que faça isso – respondeu Willa.

Nhoc estava acessando seu submarino nuclear secreto, o qual portava o único *warhead* disponível ao arsenal chinês. Ou seja, não contente com as bombas que já havia despachado, Nhoc queria lançar uma bomba H sobre Tóquio.

– Permitiste que o mundo inteiro ativasse seus mísseis, mas em contínuo impedes que ative os meus?! Que espécie de afronta é essa?!

– Afronta nenhuma. Não há necessidade de ativar esse *warhead*.

– Sua *filha da lógica*! Negas intervir na calamidade em andamento apenas para zombar de mim e interferir em minhas ações! És uma sádica! – Revoltou-se Nhoc, mais uma vez partindo para cima da alienígena, agredindo-a com os braços como um chipanzé em fúria. Sabia que não podia feri-la, seus membros escorregavam na pele dela, ela sequer sentia as pancadas, ainda assim, permaneceu golpeando-a, extravasando sua raiva, fluindo seu mais sincero ódio daquela alienígena. Willa permaneceu inerte, sem emitir qualquer sinapse enquanto Nhoc seguia em completa histeria física e mental:

– Vamos, reaja! Mate-me de uma vez! Pra quê esperar pelas bombas? Acabe logo com isso, *cesse essa tortura e ponha fim à minha vida já que é isso que queres*! – vociferou.

Mas Nhoc não precisava esperar mais. Embora sua interface não pudesse mais emitir um *bip* de aviso, as bombas japonesas acabavam de alcançar o céu de Pequim, seriam ativadas a qualquer segundo. Ali onde se situava, mesmo que estivesse encerrado atrás de grossas paredes de pedra e concreto, o palácio imperial era alto e exposto ao céu, uma construção antiga incapaz de oferecer proteção aos alienígenas em seu interior, que não resistiria à força, muito menos ao calor gerado pelo dispositivo nuclear, ainda que fosse "apenas" uma bomba A.

– Pela última vez lhe peço calma, Nhoc. Faltam poucos segundos para isso terminar – mentalizou Willa.

***

    Por outro lado, nesse caso, do mundo, os ânimos estavam igualmente alterados perante a iminência dos fatos. A bordo do Samaritano que sobrevoava a base RSMR no Novo México, as coisas não seguiam nada bem. Mas apesar da tensão no ar, de instante, a situação não era de total pânico como a vivida por Nhoc em paralelo. Ao menos não, *ainda*.

    Desde a última comunicação com o comando militar, ocasião em que os códigos nucleares haviam sido repassados ao major Marshall, como permaneciam sem meios de ativá-los, a situação mantinha-se praticamente a mesma. O comandante articulava as comunicações com a RSMR via rádio junto aos operadores, coordenando os esforços para liberar o lançamento dos mísseis, enquanto o coronel Carrol permanecia silencioso e pensativo ao lado de Murray e Nickson. O psicólogo, ocasionalmente, trocava algumas palavras com o chefe, tentando descobrir o que se passava em sua mente. Para piorar, as coisas ficaram mais complicadas quando a aeronave perdeu contato com a ATT em Tonopah, a única base em um raio de 700 milhas que disponibilizava recursos de comunicação com o Samaritano para coordenar não só a própria aeronave, mas os caças que a escoltavam. Ao reestabelecerem comunicação com outro QG, situado em Hobbs (NM), só então ficaram sabendo que a rede de satélite havia sido "danificada", conforme palavras do operador de rádio da base.

    – Eles ativaram o protocolo *Guerra nas Estrelas* – comentou Carrol a respeito.

    – Nós ou os alemães, coronel? – indagou Nickson.

    – Eis a questão – filosofou Murray.

    Carrol não tinha dúvida de que foram os norte-americanos a ativar o protocolo, mas preferiu ficar quieto e nada comentou com os colegas. Embora não vislumbrasse qualquer chance de alterar o quadro calamitoso em andamento, a única ação propriamente dita do coronel nesse ínterim foi insistir com Marshall para que contatassem o presidente da República. Sua intenção não visava alterar o rumo das coisas, apenas entender *por que* ele havia autorizado um ataque nuclear contra a Alemanha se sabia o que se passava na RSMR, ou seja, estava a par da presença do objeto alienígena-extraterrestre no Algomoro.

    Porém, apesar da insistência junto ao comando para que abrissem uma linha direta com o presidente, o máximo que os operadores conseguiram foi acessar o secretário de Defesa, Ashley Mature, novamente. A essa altura, Carrol não confiava mais em Mature, portanto recusou-se a conversar com ele, apenas exigiu do secretário que colocasse o presidente na linha. Somente então, diante da teimosia de Carrol, Mature revelou que Frank havia sido deposto e o vice-presidente assumido seu lugar. Não bastasse, foi quem autorizou o ataque contra a Alemanha. Só aí as coisas começaram a fazer algum sentido na cabeça do coronel.

Ao retomar seu assento, o coronel e seus especialistas confabularam a respeito:

– Eu sabia que *aquelezinho* lá jamais teria coragem de apertar os botões – comentou Murray, referindo-se ao ex-presidente Frank.

– Não compreendo. Como ele pode ter sido deposto assim... Tão rápido? – indagou Nickson. Carrol foi perspicaz na resposta:

– Por ter se *recusado* a apertar os botões. Você estava certo, Adrian, Frank nunca teria coragem.

– Mas *quem* teria coragem? E *por quê*? – perguntou Murray, soando inconformismo.

– Mature teria coragem, nem que fosse apenas para encobrir os fatos, para varrer qualquer evidência em torno do objeto alienígena-extraterrestre. – Especulou Carrol e acrescentou: – Para esconder seus podres.

– Mas ele não pode ter decidido isso sozinho, alguém o apoiou nessa decisão. E também não acredito que tenha sido apenas o vice-presidente – opinou Nickson.

– O Estado-Maior. Uma ação dessa magnitude teria de passar e *passou* pelo aval deles.

– Mas *por que* fariam isso? – insistiu Murray.

– Ora, tenente, nunca teve experiência com um maníaco-depressivo? Você é psicólogo.

– Sim, claro, evidentemente, Jay.

– Pois são todos assim.

– Mas eles não sabem que seremos retaliados? Que a Alemanha também nos destruirá? Isso não faz sentido – disse Nickson. – Apenas para esconder a verdade? Não acredito...

– Eu entendo o que o coronel quer dizer, Bruce – disse Murray, assumindo ares de especialista ao falar: – Um maníaco-depressivo com poder nas mãos é capaz de tudo, não mede consequências para dar vazão à sua psicose – explicou.

– Sobretudo, não mede a *arrogância* – acrescentou Carrol. – Creem que somos capazes de destruir a União Germânica antes que possam reagir.

– Não pode ser! Eles não seriam tão estúpidos de acreditar nisso – exclamou Murray.

– Não apenas seriam como *foram*. Conheço algumas das peças, sei bem qual é a *mentalidade* deles. – Atestou Carrol, acenando positivamente com o rosto e os olhos arregalados.

Em resposta ao assunto em debate pelo trio, o operador de radar a bordo atualizou um fato que ratificava a arrogância atribuída por Carrol ao Estado-Maior:

– Acabo de receber confirmação de um ataque massivo da Alemanha, senhor – disse, dirigindo-se ao comandante, mas todos voltaram o olhar para ele, apreensivos.

– Massivo? Quanto? – questionou Marshall.

– Mais de três mil cascos já confirmados, senhor – numerou. Fez-se um momentâneo silêncio diante da informação, o próprio operador o quebrou: – Mas podem haver mais, senhor.

– Jesus! – expressou Nickson, levando a mão à testa. Nesse instante, todos ficaram de pé, exceto os pilotos, e aproximaram-se do operador, interrogando-o e falando ao mesmo tempo.

– De onde?
– A leste e oeste, senh...
– Dirigem-se para cá?
– Não sei dizer no...
– Quanto tempo ainda nos resta?
– Dez, vinte minutos no máxi...
– *Quanto tempo para chegarem aqui*?! – impôs-se aos gritos o major Marshall.
– Dez, senhor! Duplo-zero dez.

Depois do pequeno frenesi, o major assumiu sua posição de chefe em comando a bordo e se impôs sobre os demais. Ordenou ao piloto que colocasse a aeronave em altitude máxima, 36 mil pés. Pediu para Carrol, Murray e Nickson sentarem-se, mandou o operador preparar os Exocet e ficar atento ao radar. Na verdade, como Carrol havia limitado o número de operadores a bordo ao mínimo em função da discrição de seu operativo, Marshall estava com poucas mãos para operar e articular suas ações de momento, portanto, pediu ao copiloto para comunicar-se com os caças que escoltavam o Samaritano no intuito de coordenar uma tentativa de abater os mísseis inimigos. Em seguida, comunicou-se com a RSMR para atualizar o andamento dos trabalhos de desobstrução dos *warheads* da base.

– Ainda não estamos prontos, senhor – informou o responsável.
– Você não está entendendo, soldado. Preciso que abram as comportas para efetuarmos os lançamentos *agora*! Não temos mais nem um minuto! – bronqueou Marshall.
– Os homens alegam que ainda há muita areia sobre as comportas, senhor.
– Ordene que abram as comportas imediatamente, soldado!
– Sim, senhor. Um momento, senhor.

Enquanto Marshall aguardava o sinal verde das comportas abertas, Carrol assinalou discretamente para Nickson, mirando-o nos olhos. Em seguida, voltou o olhar para a cintura dele. Então dirigiu-se ao major e questionou:

– O senhor pretende prosseguir com o lançamento dos mísseis, major?
– Positivo. São nossas ordens.
– Mesmo diante de tudo que sabemos?
– Ordens são ordens, coronel.

– Os alemães não têm culpa de nada. Não são responsáveis pelo operativo que conduzimos aqui. Nós somos – afirmou Carrol, depois adicionou com veemência: – *Eu fui* o responsável, não os alemães.

– Sim, coronel. Mas os alemães nos atacaram e temos ordens de contra-atacá-los. É isso que faremos, *se* conseguirmos abrir as comportas.

– Compreendo, major.

O diálogo entre os dois foi interrompido pelo soldado informando a partir da base:

– As comportas estão abertas, senhor. As quatro, senhor.

– OK. Evacuem a área. Evacue todo mundo para os abrigos. Repito: evacuem a área – ordenou Marshall.

– Entendido, senhor.

– Depois aguardem novas instruções. Câmbio final.

Ao encerrar a comunicação, Marshall virou-se para o operador e disse:

– Inicie a transmissão do código de destravamento.

À ordem, o operador transmitiu o código que havia recebido previamente: FKDE22ANTZ5570.

– Transmissão concluída, mísseis desbloqueados – comunicou o operador.

Enquanto isso, Marshall levou a mão ao pescoço, afastou o colarinho da camisa e puxou uma corrente. Na corrente havia uma chave pendurada.

– Ativar o estágio primário – ordenou Marshall e aguardou o operador concluir a tarefa.

– Ativado, senhor. Mísseis prontos para o lançamento.

Enquanto Marshall comandava o processo de ativação do míssil, Carrol cochichava com seus especialistas; o assunto em questão abordava a indumentária do trio. O detalhe era que Carrol, na posição de coronel e chefe do quartel onde servia, só fazia uso da voz para impor sua chefia e cobrar obediência de seus subordinados, não precisava de uma arma para isso, portanto não tinha costume de carregar uma consigo. Da mesma forma, Murray não compartilhava desse costume. Apenas Nickson, que adorava cobrir-se com a indumentária típica dos militares, tinha esse hábito. Não perdia ocasião para ostentar o paletó impecável com suas condecorações e tudo, incluindo o coldre com sua pistola carregada que levava na cintura – embora jamais fizera uso de sua arma, todavia, adorava exibi-la, e se tinha porte para carregá-la, então a carregava a todos os cantos.

Com a voz bem baixa, Carrol dirigiu-se a Nickson:

– Me dê sua arma, tenente.

– Mas, coronel, como assim? – hesitou Nickson.

Murray interveio na conversa, também falando baixinho:

– Jay, o que é isso? O que pretende com isso?

Carrol não respondeu, apenas levou o indicador sobre a boca pedindo silêncio aos dois. Depois mirou Nickson e reiterou seu pedido:

– Isto é uma ordem, tenente.

Sem perceber a confabulação do trio atrás de si, o major deu sequência ao procedimento de lançamento dos mísseis. Com tudo preparado, pegou a chave presa à sua corrente e levou-a em direção a uma pequena caixa, como um cofre de bordas arredondadas, situada no meio dos painéis onde uma tampa vermelha apresentava o aviso "*Enable missiles*" – ativar mísseis –; então inseriu a chave na fechadura para abrir a portinhola do cofre e acessar o botão de ativação dos mísseis. Antes que girasse a chave, Carrol levantou-se do assento e ordenou:

– Retire suas mãos daí, major – disse em tom imperativo, apontando a arma para o comandante. Surpreendido pelo coronel, Marshall cessou seu movimento e retirou os dedos da chave; os operadores ao seu lado, instintivamente, levaram as mãos à cabeça. O major protestou:

– O que é isso, coronel? Não pode fazer isso, baixe essa... – foi interrompido antes de completar a sentença.

– Me dê essa chave. Ninguém vai disparar nenhum míssil aqui.

– Está louco?! São ordens, ordens de cima. Baixe essa arma *já*, coronel! Eu lhe ordeno – intimou Marshall.

– Já disse para me entregar a chave, major.

– Não pode me obrigar. Sou o chefe em comando dessa operação!

– Permita-me lembrá-lo de que sou seu superior, major. Não me force a atirar. – Insistiu Carrol.

– Pois terá de atirar para me impedir. – Desafiou o major. Em seguida, levou a mão à chave e girou-a, ignorando as ameaças do coronel.

Antes que ele destravasse a portinhola, pouco importando se o tiro ricochetearia nos painéis e abriria um buraco na parede gerando uma descompressão explosiva da aeronave, Carrol atirou. Não sobre o major, desviou o braço e acertou o aparelho de rádio, derrubando a comunicação do avião, mas sem afetar a integridade do voo ou de qualquer um a bordo, exceto pelo susto e o medo inerente ao disparo efetuado.

– Eu não estou brincando, major! – ameaçou Carrol. – Me dê essa chave!

Sem mais duvidar da obstinação do coronel, Marshall entregou-lhe a chave. Em seguida, finalmente voltando a mostrar sua faceta autoritária, Carrol o desarmou – o major era o único a bordo, além de Nickson, que carregava uma arma – e questionou se havia algemas a bordo. Um dos operadores, com os dedos trêmulos, indicou um pequeno gabinete abaixo dos painéis; então o coronel ordenou a Nickson algemar o comandante em um dos assentos. Murray ficou apenas observando, já não sabia o que dizer para acalentar o chefe perante o estresse que demonstrava. Além do mais, compartilhava de seu desejo em não participar daquela guerra.

Enquanto os subordinados executavam suas ordens, Carrol discursou:

– Não seremos cúmplices desse massacre. Não terei na minha consciência a destruição de um país inteiro, muito menos sabendo que tudo não passa de um triste mal-entendido. Não serei conivente com quem autorizou esse ataque, nem ninguém a bordo deste avião.

– Isso não vai ficar assim, coronel. Você será levado para a Corte Marcial. Isso é deserção, ou melhor, *traição*! – protestou Marshall, preso ao seu assento.

– Imbecil! Daqui a pouco não existirão cortes marciais, não percebe? Agora, cale-se! Ou colocarei uma mordaça na tua boca – ameaçou Carrol.

– E o que faremos agora, coronel? – questionou Murray.

– Vamos proceder com a tentativa de abater qualquer míssil inimigo que se aproxime – esclareceu. Então virou-se para o major e acrescentou: – Se ainda quer ser útil neste avião, fique de olho na janela e avise se detectar alguma explosão. Agora não falta muito para recebermos os primeiros impactos.

Sem alternativa, Marshall ficou de olho na janela enquanto Carrol comandava a aeronave, mantendo-se de pé à nuca dos dois operadores com a arma na mão. Não bastasse, posicionou Nickson ao lado dos pilotos sob a ordem de supervisionar a comunicação para assegurar que nada dissessem a respeito do que se passava a bordo – dado que o rádio da cabine de comando mantinha-se funcional. O voo prosseguiu em meio a essa tensão toda e o crescente suspense enquanto aguardavam a aproximação dos mísseis inimigos. Passados alguns minutos, o operador do radar anunciou:

– Detectados três cascos, senhor. A sudoeste, diretamente a nós. Aproximam-se em altíssima velocidade.

– Preparar os Exocet – ordenou Carrol.

– Mísseis preparados – disse o segundo operador, encarregado de ativar os mísseis.

– Disparar míssil 1 quando em alcance – autorizou Carrol.

– Aproximam-se a 1-5-0, precisamos baixar, senhor. Eles são muito rápidos. Ou nossos mísseis não conseguirão detectar a assinatura de calor do alvo – alertou.

Nesse instante, a cabine do avião foi tomada pelo vozerio entre o coronel, os operadores e os pilotos trocando ordens e instruções para manobrar o avião e colocá-lo na trajetória correta para interceptar os mísseis adversários. Não bastasse, Marshall intrometeu-se na gritaria:

– Ordene aos caças para engajarem-se sobre os cascos agora, coronel. Salve os Exocet apenas se falharem! – Naturalmente, o major tinha mais experiência em batalha aérea do que o coronel, portanto sentiu-se confiante em desafiar seu comando mesmo que ele estivesse com uma pistola nas mãos e já provado que era louco o suficiente para disparála dentro do avião.

– Autorizado! – disse Carrol. Assim, a gritaria continuou a bordo, adicionada das "sugestões" do major e da comunicação entre os pilotos dos caças.

Nesse instante, Carrol posicionou-se entre a fileira de assentos a bombordo, do lado oposto à fileira onde Marshall estava algemado. Num ponto entre a cabine de pilotagem e a cabine de operações, de onde tinha todos a bordo à frente de seus olhos para vigiá-los e contava com bom apoio para se segurar nas curvas. Não obstante, desfrutava de ótima visão através do para-brisa frontal e das janelinhas ao seu lado na lateral da aeronave. Dali, também ouvia bem o rádio e as seguidas atualizações dos caças enquanto tentavam, um a um, abater os mísseis inimigos e, um a um, falharam em derrubá-los.

– Impacto negativo!
– Ele é muito rápido.
– Os AirRockets não respondem, águia líder.
– Não consigo acompanhá-lo.
– Alvo fora de alcance. Alvo fora de alcance.
– Minha carga esgotou, águia líder.
– O infravermelho não detectou o alvo.
– Usem a metralhadora, gastem tudo!
– Não posso atingi-lo!
– Munição esgotada.
– É impossível, águia líder.
– Ele vem direto a mim!
– Mantenha o curso!
– Foi uma honra servi-los, águia líder.
– Impacto registrado!
– Perdemos águia 7.
– Alvo continua no ar, senhor.
– Nenhum dano registrado, águia líder.
– Os caças falharam, major.
– Um casco no radar. Contato em 60 segundos.
– Preparar para disparar os Exocet – ordenou Carrol.
– Em alcance em T menos 30.
– Compartimento livre.
– Aguardar.
– Altitude a 2-0-0.
– Desengatar míssil 1.

– Desengatado.
– Míssil 2.
– Desengatado.
– Ativação automática em cinco segundos.

Após os cinco segundos, Carrol virou-se para os terminais com as imagens das câmeras acopladas aos mísseis quando eles se autoativaram sob um forte estrondo.

– Interceptação em T menos 10 – anunciou o operador de radar e prosseguiu na contagem.

Carrol e os demais na cabine de operações fixaram o olhar nos monitores. Em suspense, aguardaram o resultado final dos disparos. Ultrapassados os dez segundos, sequer conseguiram ver o casco inimigo aproximando-se, as imagens desaparecem da tela assim que os Exocet explodiram. Durante alguns segundos, ficaram na expectativa de saber se haviam destruído o alvo, até que o operador de rádio comunicou:

– Tentativa fracassada, senhor. O casco segue em curso – anunciou em tom de derrota.

Era impossível abater o foguete inimigo, era muito veloz e gerava um rastro de calor muito longo, que desorientava o sistema de detecção dos mísseis teleguiados. Os Exocet explodiram no ar sem causar qualquer dano ao alvo. Não havia mais nada que pudessem fazer para detê-lo. Porém, não foi isso que pensou o piloto:

– Engajando sobre o alvo! – anunciou ele. – Pela América! – bradou. Então apertou suas mãos sobre o manche e colocou o Samaritano em rota de colisão com o casco inimigo.

Nesse instante, Carrol virou-se para ele e, aos gritos, ordenou:

– Negativo! Desvie imediatamente!

– Impacto em T menos 20 – alertou o operador.

O piloto ignorou a ordem, manteve o curso e retrucou:

– Não! É nosso dever!

– Eu não sacrificarei minha vida pela estupidez alheia! *Vire a aeronave agora*! – gritou mais alto Carrol e colocou a arma na cabeça do piloto, encostando a ponta do cano em sua têmpora.

– Terá de me matar!

Carrol reagiu com uma violenta coronhada na cabeça do piloto, fazendo-o cair de lado sem sentidos, sangrando com um ferimento na testa. Então apontou a arma ao copiloto e mandou que desviasse a aeronave. Sem a mesma coragem do colega, o copiloto obedeceu bem a tempo, esquivando-se do casco por fina margem. O bólido ultrapassou-os como um raio, desestabilizando a aeronave com a esteira de turbulência que deixou para trás, mais uma vez, levando todos a bordo a balançarem entre as paredes e ao copiloto a exercitar suas habilidades para reequilibrar o avião.

Findo o episódio da malograda tentativa de abater o míssil inimigo, mas com o clima ainda pesado a bordo, Carrol mandou Murray e Nickson acudirem o piloto e, em seguida, algemarem-no no assento de passageiros ao lado do comandante Marshall. Ordenou ao copiloto que colocasse o avião em altitude de cruzeiro, enfim sentou-se em seu banco e suspirou fundo. Nesse instante, Murray o indagou:

– O que faremos agora, Jay?

Carrol mirou seu relógio de pulso, já ultrapassavam 0010 do prazo estipulado pelo operador de radar para os mísseis alemães alcançarem seus alvos e as detonações começarem. Assim, respondeu ao psicólogo:

– Vamos aguardar as bombas explodirem e depois procurar um lugar onde possamos pousar a salvo.

Então virou-se para a janela e mirou ao distante, esperando ver as detonações prestes a se iniciarem, contemplando a paisagem ainda tranquila sob o sol radiante, ciente de que aquela paz não perduraria muito.

***

Enquanto o coronel Carrol, dos céus do Novo México, aguardava o início das explosões, na câmara secreta atrás da sala do trono do antigo imperador chinês, onde as bombas estavam a ponto de serem detonadas, Nhoc já se mostrava exausto pela derrocada iminente. Não uma exaustão física pela contínua agressão que desferia sobre Willa, mas uma estafa mental. Ao conceber que estava à beira da morte e nada mais podia fazer para impedi-la, cessou seus movimentos e abdicou de suas forças corporais, deixando-se cair sobre os joelhos à frente da alienígena. Em um gesto de clemência, juntou suas mãos e entrelaçou os dedos. Pedindo súplica, fez um último apelo desesperado:

– Por favor, Willa, em totem do *Pai*, pare as bombas, salve a China. Não permita meu legado findar assim, eu imploro... – Mentalizou quase sem forças para emitir suas sinapses. Sem alterar o brilho de sua aura, Willa apenas partilhou de maneira tecnicista:

– Horizonte de evento ultrapassado – enfim anunciando o juízo final.

Porém, quando se esperava o céu cozinhar a atmosfera ao redor consumindo tudo ao seu alcance, inclusive os alienígenas no interior daquela câmara, Willa mirou nos olhos de Nhoc ajoelhado à sua frente, então partilhou em tom imperativo:

– Siga minha visão, Nhoc. Veja o que eu vejo.

Ao perceber que não se fez entender por seu interlocutor, Willa levou as duas mãos à cabeça de Nhoc, envolvendo-a com firmeza entre os dedos, guiando o pensamento dele sob as sinapses:

– Foque em mim!

Sem forças para resistir, Nhoc deixou-se levar pela visão de Willa. A princípio, que não parecia ir além de uma visão perversa de alguém que somente queria forçá-lo a testemunhar uma película sadomasoquista de olhos bem abertos, pois focava um dos mísseis nucleares, ainda bem alto no céu, aproximando-se de seu alvo. Abaixo dele, uma cidade ganhava a panorâmica, mas não era uma cidade chinesa, e sim alemã, localizada na região metropolitana de Frankfurt, nos subúrbios da grande capital da União Germânica. Enquanto o míssil aproximava-se do solo, podia-se notar a cidade vazia, os carros abandonados nas ruas e nem uma alma viva à vista, exceto cães e gatos. Tudo em pleno silêncio, pois nessa região não havia luzes vermelhas piscando ou alarmes soando. A vizinhança toda, a cidade inteira já havia evacuado aos abrigos nucleares, fugido ou se escondido em algum lugar. Todos, exceto um cidadão de meia-idade, um homem solteiro e aposentado, talvez o único que seguia com sua vida cotidiana completamente alheio aos fatos que mobilizavam o país inteiro. Em seu apartamento, em um pequeno edifício de cinco andares e garagem, vivia no quarto andar, sozinho, curtindo sua aposentadoria e dedicando-se ao seu *hobby* predileto, o ferreomodelismo.

Muitos desconhecem a natureza desse *hobby* e a paixão que ele desperta em seus praticantes. Para os mais dedicados, trata-se de um vício, uma compulsão obsessiva capaz de consumir a vocação completa do sujeito – sem falar em suas finanças –, uma prática muito comum na Europa, tanto no leste quanto no oeste: a criação de maquetes em escala obedecendo a mais fiel reprodução da realidade sob diferentes temáticas; no caso do cidadão alemão, a de desenvolver complexos ferroviários com trens elétricos em miniatura. Tão perfeitos que o espaço de seu apartamento era praticamente todo tomado por sua maquete, a qual vinha construindo, ampliando e aperfeiçoando havia mais de duas décadas, desde que começou a dedicar-se ao *hobby*.

E lá estava esse cidadão, trancado em seu apartamento ouvindo música em sua vitrola, o dia todo até o cair da noite, apenas trabalhando em sua maquete. Ele não assistia TV, afinal, quem é que aguenta submeter-se à programação do único canal oferecido pelo Estado? Não ele. Tampouco ouvia rádio, portanto nada sabia a respeito da emergência nacional enquanto dedicava-se ao *hobby* sob o ritmo de uma boa valsa. Em dado instante, chegou a ouvir algum barulho na rua, uma agitação qualquer, mas nem ligou, manteve-se entretido com seu lúdico afazer – sem a mínima noção de que um míssil nuclear tinha como alvo a região em que vivia.

No recorte que Nhoc observava através de Willa invisível ao lado do cidadão alemão, ele estava debruçado sobre sua maquete quando o LP que tocava na vitrola chegou ao fim, trazendo silêncio ao recinto. Ele ergueu-se pensando em virar o lado do disco quando ouviu algo incomum do lado de fora da janela, um silvo no ar, mas parecia distante, um forte assovio como se alguém estivesse soltando fogos de artifício. O silvo começou a ficar mais intenso, curioso, pensou em olhar pela janela. Porém, antes que desse um passo mais, sentiu algo tocar seu peito o empurrando com força para trás, dando-lhe a nítida sensação de que uma mão havia tocado seu corpo. Com o empurrão, caiu de costas no chão, um metro atrás de onde estava, quando o silvo do lado de fora tornou-se um estrondo que destruiu não só a janela, mas a parede lateral de seu apartamento por inteira. Seu único instinto foi encolher-se todo e fechar os olhos enquanto sentia o prédio tremer e ouvia o barulho dos tijolos desmoronando, levando-o a súplicas crendo que acabaria morto. Seguiu-se um baque ensurdecedor, que fez seu corpo vibrar e pular como se um peso de demolição tivesse sido lançado sobre a edificação. Em seguida, tudo se acalmou novamente.

 Apenas com leves escoriações, o cidadão abriu os olhos e contemplou a cena ao redor: seu apartamento destruído, em ruínas. Sua maquete não existia mais, em seu lugar havia um enorme buraco no chão; a parede lateral havia desaparecido e a luz da rua tomava o ambiente. Ainda atônito com o acontecido, levantou-se e deu um passo à frente para checar o buraco, porém, tropeçou em algo. Olhou para o chão e viu um vagão do trem de sua maquete. Abaixou-se e pegou o vagão, mirou-o com tristeza, todavia, apesar da destruição do restante do apartamento, estava intacto, então o guardou no bolso. Precipitou-se cautelosamente sobre o buraco no chão à sua frente, como se quisesse entender o que havia destruído sua preciosa criação. Olhou para baixo, mas, a princípio, não compreendeu o que viu: três conchas grandes, como caixas acústicas, despontavam do apartamento de baixo, acopladas a algo que, sem ainda entender o que era, nomeou "troço" em sua mente. Havia um princípio de incêndio vindo de baixo, iluminando ao redor, permitindo-lhe notar que o troço não havia destruído seu apartamento ou o andar de baixo apenas; o buraco prosseguia até a garagem do prédio atravessando todos os pavimentos – o que concluiu ao visualizar seu carro parcialmente esmagado pela ponta do troço. Não havia perdido apenas sua maquete, mas seu veículo também, aliás, o único que permanecia na garagem, pois os demais moradores haviam abandonado o prédio.

 O cidadão alemão continuou estudando o troço que se estendia três andares abaixo – era arredondado e possuía superfície metálica. Mas somente quando vislumbrou uma bandeira dos Estados Unidos estampada no metal junto a um símbolo que não soube identificar, que levava as letras USAF, enfim concluiu que se tratava de um foguete e que aquelas três "conchas" eram seus propulsores traseiros. Havia uma frase escrita junto ao logotipo da USAF, embora não conhecesse bem a língua inglesa, ela dizia: "Fazedor de paz". A partir daí, não houve tempo para concluir mais nada, pois aquele princípio de incêndio ameaçava tornar-se um verdadeiro incêndio, e o pacato cidadão se pôs em fuga antes que fosse consumido por ele ou o edifício viesse abaixo. Quando alcançou a rua, parou, olhou para trás e mirou seu apartamento destruído e o enorme buraco na lateral do prédio. Lembrou de sua maquete e levou a mão ao bolso, triste por constatar que aquele vagão entre seus dedos era tudo que restava dela. Por outro lado, feliz por estar vivo e, sobretudo, agradecido a Deus pelo empurrão que o salvara no último instante. Ele fez um sinal da cruz em seu peito e saiu para procurar ajuda.

De volta à câmara secreta, ao complemento da cena, ainda incrédulo perante o que testemunhou, Nhoc não sabia mais se aquilo era real ou algum truque da alienígena apenas para torturá-lo um pouco mais, para oferecer-lhe falsas esperanças perante o fim iminente. Assim, questionou:

– O míssil não explodiu?

– Não – confirmou Willa.

Nhoc parecia ainda não acreditar:

– A bomba não foi detonada? Falhou?

– Ela não foi detonada, tampouco falhou.

– Como assim?

Em resposta, mais uma vez Willa guiou o pensamento de Nhoc através de seus pares mundo afora, pela Europa, viajando pelos dois lados do muro de Alsácia-Lorena. Pelos céus, contemplou os mísseis nucleares ao se precipitarem sobre seus respectivos alvos, porém, prosseguindo em frente, permanecendo no ar até consumirem todo seu combustível e, então, entrarem em queda livre até se espatifarem no solo sem que os dispositivos nucleares fossem ativados. Apenas causavam estragos em áreas urbanas, com óbitos ocasionais entre os menos afortunados que estavam aquém de qualquer salvação, fosse um "empurrão de Deus" para evitar que o bólido os atingisse em cheio. Ainda havia muito pânico nas ruas, pessoas sofrendo e morrendo pelo distúrbio social em andamento, mas nenhuma bomba atômica explodindo – por ora, as pessoas sequer tinham como saber disso.

Willa interrompeu a visão e recolheu suas mãos da cabeça de Nhoc. Antes que ele pensasse algo, apontou o dedo para cima e pediu-lhe silêncio mental. Assim, em silêncio na câmara, ambos os alienígenas ouviram aquele mesmo silvo que o cidadão alemão não compreendeu de início, do bólido rasgando o ar, aproximando-se em alta velocidade, desta feita, precipitando-se nos arredores. Nhoc agitou-se, temendo o estrago que viria a seguir ou que o foguete caísse bem ali no palácio imperial, pois o silvo intensificou-se, ficando claro que cairia bem próximo de onde estavam. Segundos apreensivos seguiram-se até que…

TCHIBUM!!!

Pelo som característico de algo sólido e pesado chocando-se contra a água, tudo se silenciou logo após. A bomba atômica japonesa caiu bem ao lado da Cidade Proibida, a exatos 827 metros da posição dos dois alienígenas, no Mar do Meio, um lago à margem da cidade imperial, sem explodir ou ferir qualquer cidadão.

Ainda apenas ensaiando uma aura de alívio, Nhoc indagou:

– Tu impedistes o holocausto?

– Eu não impedi, mas preveni – revelou Willa.

De joelhos à frente da alienígena, Nhoc lançou-se sobre suas pernas em um forte abraço em sua cintura, enfim desoprimindo a dor que o consumia, sem formalizar sinapses, mas agradecido em sua aura. O sentimento, porém, não durou muito. Ele desfez o abraço, abriu os braços, espalmou as mãos, encarou a alienígena e questionou com inconformismo no pensar:

– Mas por quê? *Por quê?!* – Então gritou: – *Pelos Dragões, por que não me esclarecestes isso antes?! Por que me permitistes sofrer assim, sua antipática*?!!! – Ao intimar, retomou a postura e, sobretudo, sua personalidade confrontativa. Colocou-se em pé e continuou gesticulando para a alienígena, tomado pela ira em função do teatro bancado por ela.

– Não fosse você um animal irritadiço, *histérico*, pensaria eu, teria captado a informação em minha mente. Esteve disponível ao decorrer completo dos eventos.

– Era tua obrigação, *teu dever*, me informar, não me torturar dessa maneira vil, sua cineasta maluca!

– E desperdiçar a oportunidade para analisar suas reações? Pensei que já fosse mais íntimo de minha personalidade.

– Pensas que isso aqui é um estudo? Que sou uma mera cobaia?! É de minha vida que estais pensando, da pouca que ainda me resta. Quem és ti para brincar com ela assim? Ora! Faça-me o favor... – *"de ir para a décima segunda órbita"*, era a ofensa que vinha a seguir na mente de Nhoc. Willa o interrompeu:

– Calma, Nhoc. Não queria que o holocausto fosse evitado? Pois aí está o final que tanto quis.

– Mas *por que* teve que ser desse jeito? Fosse para interferir, *por que* permitiste tudo iniciar primeiramente? *Pra quê* permitir que as pessoas sofressem assim como eu mesmo sofri? *Por que* não simplesmente impedistes os canalhas apertarem os botões, *né*?! – indagou Nhoc, inconformado com o que se passou e ainda se passava em todo mundo, pois o caos estava longe de acabar. Fora a crise política e diplomática que se seguiria.

– Pois, como partilhei, eu não impedi o holocausto, o *preveni* – enfatizou Willa. Em seguida, foi condescendente com a ira do homiquântico e esclareceu: – Perdoe-me, Nhoc. Porém, não podia tê-lo revelado antes.

– Por quê?

– Porque precisava proteger a informação de *você*.

– Qual informação?

– Como o alertei, eu não intervi nos mísseis por meio de minhas faculdades telecinéticas. Não seria esse um método eficaz. Por isso os infectei com um *worm*. – Enfim, esclareceu Willa. – Esse verme possui propriedades virais, é incubado no organismo hominídeo, *homo sapiens* ou *erectus*, torna-se ativo apenas em militares ou exemplares que exerçam funções de trabalho direta ou indiretamente ligadas à indústria bélica. A partir da casta militar como hospedeira, o verme é transmissível via projeção *alfa* – ou seja, através de ondas cerebrais – ou qualquer tipo de interação sensitiva entre homens e dispositivos nucleares, infectando-os. Sua constituição nanomolecular torna impossível sua detecção pelo intelecto disponível ao corrente plano, é virtualmente indestrutível, alimenta-se de fontes orgânicas ou elétricas, multiplica-se em rol proxidimensional, resiste sob qualquer condição climática ou ambiental e possui uma programação inata que inibe a ativação de qualquer dispositivo atômico de *design* marcial – detalhou. – Mas não afeta outras aplicações nucleares, como a produção de energia elétrica, por exemplo.

Depois de revelar *como* impediu o holocausto, Willa prosseguiu em sua explicação para esclarecer *quando* o fez: logo nos primeiros momentos em que se materializou em pretérito ao circundar o planeta com a *Nave*, antes mesmo de ela encalhar no Algomoro. Enquanto orbitava o planeta e escaneava sua superfície, como parte da leitura prevista pela expedição e respectivos objetivos da empreitada, Willa mapeou todos os silos atômicos e sítios suspeitos de abrigarem armas nucleares. Imediatamente, sondas *foofighters* foram despachadas para tais sítios e, entre outras funções, iniciaram a propagação do *worm*. Não obstante, depois que encalharam no Algomoro e iniciou seu trabalho de campo, Willa investigou todos os sítios suspeitos que havia mapeado, bem como encontrou outros que escaparam da leitura inicial. Então infectou todos dispositivos nucleares que encontrou, bem como os militares que lidavam com eles. Nesse caso, como trabalhava só e ao relento, gerou os vermes da mesma forma como gerava os *nanochips* para *hackear* os aparatos hominídeos ou para grampear espécimes animais: por aplicação manigráfica. Pelos mares, rastreou embarcações e submarinos nucleares que se mantinham escondidos sob as águas, infectou-os até que todas as armas atômicas do planeta estivessem neutralizadas, isto é, exceto por uma que não havia conseguido rastrear.

– Meu submarino secreto e a ogiva de hidrogênio em seu compartimento – deduziu Nhoc.

– Perfeitamente – confirmou Willa.

Por isso ela o impediu de ativar o *warhead* do submarino, pois ele não estava infectado.

Tudo isso também elucidava porque Willa tinha que proteger a verdade de Nhoc, pois ele não podia saber que seu arsenal atômico estava infectado e usar essa informação a seu favor depois que a alienígena retornasse para o futuro – isso pelo menos antes de ser abandonada no passado.

Agora estava perfeitamente claro como e quando Willa havia aplicado sua contingência de prevenção do holocausto nuclear. Todavia, Nhoc ainda não havia entendido o *porquê*. Ela apenas informou:

– Trata-se de uma prerrogativa do comando da missão, autorizada pela ACAE e referendada na Ágora cósmica. – Uma informação que prosseguia em um longo detalhamento e ia muito além dos objetivos de pesquisa e exploração do pretérito vinculados à expedição capitaneada pela *Nave*, envolviam interesses defendidos pela científica-existencial e a política da entidade *Mãe*, a chanceler cósmica.

Ao término da explicação, enfim Nhoc emanou alívio em sua aura. Pela falta de sua interface – queimada pelo curto-circuito gerado por Willa –, valeu-se da rede multividual dela para restabelecer ordem no palácio. Reconvocou a guarda imperial para vigiar a sala do trono e chamou seus micos de volta para lhe fazerem companhia na câmara secreta. Fez festa e brincou com eles assim que retornaram, feliz por saber que a vida continuava – nem que fosse apenas por mais algumas poucas décadas.

Novamente em paz com suas mascotes, mas ainda na presença daquele ente estrangeiro que a partir de então também habitava sua câmara secreta, Nhoc ordenou:

– Conserte minha interface. Quero esse computador operacional o quanto antes.

– Sem problemas. Mas não tenha pressa, horizonte é o que desfrutamos de sobra.

127

    Se no interior da câmara secreta atrás da sala do trono do antigo imperador chinês já estava tudo esclarecido, a bordo do Convair T-32 Samaritano, Carrol ainda não compreendia por que as bombas alemãs, ultrapassado mais de meia centena do prazo estipulado pelo operador de radar do avião, ainda não tinham sido detonadas. Não que estivesse ansioso para que as bombas explodissem, apenas agoniado para que tudo acabasse logo. Nesse instante, enquanto o piloto – com a cabeça enfaixada pelo ferimento que sofrera – e o comandante mantinham-se algemados aos assentos, o coronel havia ordenado ao copiloto que assumisse o comando esquerdo da aeronave e posicionado o operador de rádio ao seu lado na cabine para intermediar as comunicações. Então o questionou:
    – Nenhuma confirmação ainda?
    – Nenhuma, senhor.
    Carrol dirigiu-se ao comandante Marshall, que se mantinha sentado à janela vigiando a paisagem. Indagou-o:
    – Não avistou nada?
    – Nada.
    Por fim, voltou-se para o operador de radar e perguntou:
    – Detectou algo mais?
    – Nenhum casco mais, senhor.
    Ainda apreensivo com a situação, Carrol permaneceu perambulando entre o espaço das duas cabines, de pilotagem e de operações, e as fileiras de assentos, com a arma na mão, mirando as janelas ao redor por, pelo menos, mais meia centena, de cinco em cinco minutos exigindo atualizações aos demais. Em dado instante, o operador de rádio virou-se para o coronel, puxou ligeiramente o fone sobre seus ouvidos e comunicou:
    – Senhor, acabo de receber o relato da queda de um míssil inimigo em Dallas, senhor.
    – Dallas foi atingida?
    – Não, senhor. Não houve detonação, senhor.
    – Como assim?
    – A bomba não explodiu, senhor. O míssil caiu na cidade. No chão, senhor.
    Carrol ficou pensativo, imaginou que fosse um casco abatido pela força aérea, um dispositivo defeituoso ou algo assim. Por isso, insistiu:
    – Mas e quanto às bombas? Confirmaram alguma detonação?
    – Vou investigar, senhor.
    Não demorou nem cinco minutos e o operador confirmou a queda de outro casco sem registro de detonação, desta feita em São Francisco. Nos minutos se-

guintes, novas atualizações confirmaram a queda de mais mísseis, todos falhados. Nickson desacreditou:

– O que está acontecendo? Será que a defesa conseguiu neutralizar os mísseis inimigos?

– Não sei explicar. Precisamos aguardar mais – respondeu Carrol.

– Eu tenho uma hipótese – sugeriu Murray: – Mas vocês não vão acreditar...

– Que hipótese?

– Que o nosso amiguinho alienígena desativou os mísseis.

– Ora, tenente. Isso não é hora para especulações – confrontou Carrol. – Vamos esperar por mais informações antes de fazermos suposições incabíveis.

E foi o que fizeram, aguardaram por novas atualizações e todas confirmaram a queda dos mísseis inimigos sem que fossem detonados. Não existia nenhuma explicação para isso, ao menos não oficial. Em comunicação com o QG de Hobbs, tudo que relataram foi a queda de mísseis, pelo menos cem deles não haviam sido detonados, segundo informaram no decorrer. Carrol e seus especialistas especularam a respeito, afora a suposição fantástica de Murray, chegaram mesmo a acreditar que o comando militar dispusesse de alguma diretriz secreta para inviabilizar os mísseis inimigos, por isso haviam atacado a União Germânica, pois estavam seguros da vitória. Nesse caso, a explosão no Novo México foi a desculpa que faltava para colocarem essa diretriz secreta em prática. Isto é, pelo menos foi o que pensaram até que o operador de rádio anunciou:

– Obtive uma confirmação de que nossos mísseis também falharam, senhor.

– Onde?

– Na Europa. Nossas bombas também não explodiram, senhor.

Silêncio se fez a bordo perante a novidade, mas, ao menos, todos compartilharam certo alívio com a informação. De alguma forma, o mundo havia sido poupado do holocausto, embora não pudessem entender como isso havia acontecido. Exceto Murray, que rompeu o silêncio para afirmar:

– Tô dizendo... Isso só pode ser obra dos nossos amiguinhos, coronel. O que mais poderia explicar isso?

O silêncio se manteve, exceto por Marshall, que sugeriu:

– Uma intervenção divina?

– Ora, major. Sabe que sou um homem de fé como o senhor, mas creio que dispomos de mais evidências para concluir que isso nada tem a ver com a suposta existência de um homem invisível todo poderoso que habita as nuvens, não acha? – confrontou Murray. – Mas *sim* com a presença de nossos colegas das estrelas.

A suposição ficou no ar e cada um a bordo acreditou no que desejava acreditar. Não obstante, apesar das novidades, o QG de Hobbs ordenou que a aeronave se mantivesse no ar à espera de novas ordens.

– Voltamos a operar em DEFCON 2, compreendido? – atualizou o QG.
– Perfeitamente. DEFCON 2.

Carrol consultou seu relógio de pulso, passava das 14 centenas. Aguardou pelo menos mais uma centena para saber quais seriam as novas ordens, período em que permaneceu perambulando pela aeronave em silêncio, apenas matutando algo em sua cabeça. Como nenhuma nova ordem chegou pelo rádio, sem sobreaviso, anunciou em voz alta:

– Muito bem, senhores. Vamos acabar com esse circo. – Virou-se para o copiloto e questionou: – Como estamos de combustível?

– Temos combustível para pouco mais de cinco centenas de voo, senhor.

Na sequência, dirigiu-se aos demais e disse:

– Eu ofereço 35 milhões de dólares, cinco para cada um a bordo, para que me escoltem com segurança além das fronteiras do país.

A princípio, ninguém disse nada, nem que sim, nem que não, mas arregalaram os olhos diante da inesperada oferta; só faltou-lhes girar cifrões pelas pupilas. O piloto foi o primeiro a se manifestar:

– Aonde deseja ir, senhor?
– Para a Ilha de Páscoa.
– Não temos combustível suficiente, senhor – alertou o piloto. – Mas isso pode ser solucionado. – Virou-se para o copiloto e ordenou: – Corrija o curso para sudeste, 85°.
– Qual o destino? – questionou o copiloto.
– Brasil.

Em seguida, Carrol devolveu a arma para Nickson e soltou as algemas do piloto e do comandante. O piloto retomou seu assento na cabine de pilotagem e Marshall permaneceu quieto onde estava. Apenas quebrou o silêncio para questionar o coronel:

– Se não se importa, eu gostaria de receber em títulos ao portador. Pode ser, coronel?

– Como queira, major – anuiu Carrol. Na sequência, virou-se para o operador de rádio e questionou: – Tem telefone neste troço?

– Dê-me triplo-zero cinco para providenciar, senhor.

Em seguida, assim que o operador estabeleceu uma linha telefônica, Carrol retomou o exercício que melhor traduzia suas competências: o de articular pessoas segundo seus interesses.

***

Depois de beber as seis latas de cerveja que restavam em sua mala, Danniel Mathew estava bêbado e suando frio embaixo da coberta em seu improvisado abrigo sob a ponte, ao lado do riacho cujo nome nem sabia, abaixo da via de acesso à cidade cujo nome havia esquecido, mas ainda no Novo México. Inebriado mais pelo medo do que pelo álcool, ponderava a respeito de como seria sua vida a partir de então, quando imaginava o mundo ao seu redor, mais de duas horas passadas, reduzido a cinzas. Só não entendia por que não tinha visto ou ouvido nada nas proximidades; pelo contrário, tudo seguia calmo, exceto pelo som das águas percorrendo as pedras e dos pássaros cantando na mata, silencioso como antes. Creditava à sorte pelo local onde estava ter sido poupado das bombas alemãs, mas não sabia o que fazer a seguir, para onde iria e como se refugiaria da radiação. Pois se as bombas não haviam alcançado a região, certamente a radioatividade alcançaria – e logo. Porém, o medo de que talvez os mísseis ainda estivessem chegando o fez permanecer estático onde estava, imerso em seus pensamentos – sobretudo, odiando Carrol a cada minuto, pois era tudo culpa dele. Jamais poderia saber ao certo como as coisas poderiam ter chegado a tal ponto, mas tinha certeza de quem era o culpado. Seu ódio não era gratuito, pois o maldito coronel era o responsável pela ruína não apenas sua, mas do mundo inteiro.

Em dado instante, o remorso de Mathew foi interrompido pelo som de vozes acima da ponte, seguiu-se o barulho de vidro estilhaçado. O vidro do seu carro que permanecia estacionado à beira do viaduto. Levantou-se imediatamente e sacou a arma da cintura, correu em direção ao carro, escalando às pressas o barranco que o separava da estrada bem a tempo de flagrar dois delinquentes juvenis fuçando dentro dele. Aos berros, surpreendeu-os:

– Saiam daí, ladrões! Ou vão levar chumbo! – ameaçou apontando-lhes a pistola.

Pegos de surpresa, os dois adolescentes obedeceram prontamente, largaram o que tinham nas mãos e pediram para que não atirasse, então deram o pinote dali. Mathew checou o estrago que tinham feito: além do vidro quebrado, eles tinham tentado arrancar o som, mas o aparelho parecia intacto; reviraram o porta-luvas, porém, nada foi levado. Ligou o rádio a fim de testá-lo. Assim que o fez, imediatamente notou que o alerta de radiodifusão federal havia encerrado e a rádio estava de volta ao ar. Como se a surpresa não fosse pouca, ouviu o locutor dizer: "Já é a sétima confirmação de queda do suposto artefato germânico em área urbana, esta última na periferia de El Paso" – uma cidade não tão distante de onde estava, na divisa entre Estados Unidos e México, cerca de cem quilômetros ao sul.

Surpreso com a novidade, Mathew entrou em ação. Apressou-se em recuperar sua mala embaixo da ponte e partiu no automóvel. Porém, antes de retomar sua fuga, voltou para a pequena cidade de onde havia fugido horas antes em busca de mais informações. Quando chegou ao centro, deparou-se com uma quase procissão nas ruas. As pessoas estavam deixando o abrigo antinuclear – o mesmo que havia implorado para entrar – e dirigiam-se à igreja matriz, onde rezariam uma missa para:

– Agradecer a graça de Deus por poupar a América da perdição. – Segundo lhe informou um cidadão quando Mathew o questionou.

Não era essa a informação que o ex-tenente desejava obter, mas, de boca em boca, acabou descobrindo o que precisava saber: a situação no restante do país, se Las Cruces, Phoenix, Los Angeles ou outras cidades em sua rota de fuga haviam ou não sido atingidas pelas bombas alemãs. Também investigou sobre outras cidades: Albuquerque, Santa Fé e Kansas, às quais havia enviado as caixas com suas denúncias contra Carrol. Ao assegurar-se de que não havia confirmação de explosões atômicas, apenas de mísseis caídos, Mathew aproveitou para reabastecer o carro na cidade e retomou sua fuga. Precisou valer-se de suas habilidades espiãs para destravar a bomba no posto local e furtar o combustível, pois não havia ninguém para atendê-lo, dado que o frentista estava na missa.

Ao prosseguir no automóvel, Mathew manteve-se antenado ao rádio acompanhando as notícias, especialmente para saber a condição das estradas, uma vez que os relatos não eram animadores, indicavam caos e tráfego congestionado para todos os lados, especialmente próximo aos grandes centros. Seguiu sentido Las Cruces, mas optou por tomar vias secundárias para evitar o trânsito nas principais estradas. Retomou a autoestrada rumo a Tucson, mas igualmente contornou a área urbana, atravessando uma região remota de parques montanhosos, um caminho mais longo e complicado. Ao menos tudo estava tranquilo nessa região e pôde acelerar ao máximo, o álcool em seu sangue avalizou sua inconsequência – sorte que não sofreu um acidente ou foi parado pela polícia –, de ruim só o vento que tomava na cara pelo vidro lateral quebrado pelos delinquentes. Via de regra, nesses locais mais ermos, as pessoas já haviam retomado a ordem das coisas, o que permitiu ao ex-tenente reabastecer seu carro mais uma vez, mas pagando em dinheiro. Devido aos contratempos, quando se aproximava de Phoenix, o dia já estava começando a escurecer. Não bastasse, ainda que seguisse por vias secundárias, deparou-se com o trânsito totalmente parado em todos os sentidos.

Apenas para atravessar a região metropolitana, levou mais de quatro horas em meio ao tráfego caótico. O aborrecimento maior, porém, eram as novidades que chegavam pelas rádios. Não porque estivesse irritado com o que aconteceu – a emergência nacional, as bombas atômicas *et cetera* e tal –, mas pelas notícias terem abafado sua denúncia. Em sua mente, Mathew refez o itinerário de entrega de suas caixas para saber que, ao menos o pacote enviado ao escritório do FBI, em Albuquerque, teria chegado às mãos de seu destinatário *antes* de soar o alarme emergencial do governo. É claro que tudo o que se passou depois certamente atrasaria os trâmites das entregas e da investigação, mas, com certeza, isso viria à tona cedo ou tarde – pena que os acontecimentos maiores do dia haviam roubado a importância da manchete. O que mais lhe angustiava era a incerteza sobre o destino das demais caixas e envelopes, sobretudo a enviada para a TV, a ABC, grupo midiático dono do maior sistema de radiodifusão do país, que seria fundamental para dar peso e agilidade às investigações e ao escândalo presidencial. Ponderava o que teriam feito seus agentes quando a emergência nacional se instaurou: teriam cumprido a tarefa de entregar as encomendas ou abandonado tudo para refugiarem-se das bombas? Só esperava que, de uma forma ou de outra, tivessem completado a missão, com ou sem atraso.

Outro problema era a interrupção das transmissões via satélite, o que afetava a coordenação das autoridades em restaurar a ordem, igualmente comprometendo as grandes emissoras em articular suas transmissões ao público. Nenhuma cadeia nacional estava operando, apenas as redes estaduais e locais. Um fator que retardaria ainda mais a publicação das provas e a prisão dos envolvidos no caso denunciado. Assim, em meio ao trânsito congestionado, o único consolo do ex-tenente era que em Phoenix a ABC AM pegava bem, portanto ficou de ouvido na expectativa de alguma novidade ser veiculada. Enquanto isso, acompanhou a cobertura dos acontecimentos em torno da emergência nacional e do grande escândalo internacional que se seguiu. Ficou esperançoso quando anunciaram a deposição do presidente Frank, pois imaginou que estivesse relacionada à sua denúncia. Mas revoltou-se quando o novo presidente endereçou-se à nação em um discurso meramente protocolar, atribuindo a um "infeliz desentendimento" a ativação dos "projéteis que atingiram ambos os lados", sem sequer mencionar que eram mísseis nucleares. Ele também nada comentou sobre a deposição de Frank, falou como se fosse o presidente que a nação espera ouvir – fez um discurso patético sobre "manter intacta a honra do país na defesa do ideal democrático e da liberdade", afirmando que a nação não havia "curvado-se aos seus antagonistas". Por fim, pediu calma para a população e que todos retornassem para suas casas, além de tecer uma alegação mentirosa de que os Estados Unidos e a Alemanha haviam estabelecido "um cessar fogo", quando de fato não havia nada de oficial – sequer guerra haviam declarado, muito menos qualquer trégua.

Interessante foi a declaração do ex-presidente Frank para a mídia em Chicago, depois que Air Force One lá pousou. Ele atribuiu sua deposição a um golpe de Estado perpetrado pelo chefe do DE em conluio com o chefe supremo das Forças Armadas e o Estado-Maior, e que daria entrada com uma ação imediata junto à Corte Federal para reaver seu cargo e processar os envolvidos. Quanto aos porquês, alegou que o Estado-Maior distorceu os fatos em torno da bomba no Novo México no intuito deliberado de atacar a Alemanha, e que sua deposição era uma tentativa de ocultar esses fatos. Que fatos seriam esses?

– Agora cabe ao FBI investigar e esclarecer – declarou Frank, sem nada mais acrescentar.

Era uma declaração promissora, pois agora o FBI contava com a palavra oficial do ex-presidente, quase como uma confissão, de que realmente algo grave havia acontecido no Novo México, justamente, os fatos denunciados por Mathew. A declaração só reforçava a veracidade da denúncia e a obrigação do FBI em investigá-la.

Mas enquanto esteve em Phoenix, nada a respeito do que tanto ansiava ouvir foi mencionado nas rádios. A única novidade foi a dor de cabeça pelo álcool que havia ingerido e a sensação de ressaca que o acometeu no carro em meio ao tráfego interminável. Tudo isso enquanto o noticiário só falava dos mísseis caídos – "A Guerra Falhada", foi o jargão que começou a circular para descrever o embate nuclear EUA versus URSG. No mais, os veículos de comunicação resumiam-se à prestação de serviços de utilidade pública e a cobertura das ocorrências sobre a babel instalada no país. Quando, enfim, livrou-se do trânsito e tomou o caminho para Los Angeles, já batendo a meia-noite, somente então voltou a se animar, momento em que pintou a primeira manchete fazendo menção ao caso que denunciara.

Em meio a um *talk-show* da rádio ABC que repercutia as declarações do ex-presidente Frank, o apresentador alertou:

– Ouçam só. Um correspondente da rádio tá me repassando *agora* que o DOJ de Kansas possui evidências de que essas alegações do nosso querido presidente Frank não são bem assim como ele diz, não... A coisa não é bem assim, não senhor. Ele tem o rabo preso nessa história. Me ouçam, me ouçam... Aqui está a notícia: "O delegado da 1ª vara do Departamento de Justiça na cidade do Kansas, senhor Reinald Atlas, afirmou à reportagem do The Wichita Eagles que uma investigação sobre um acordo secreto envolvendo os militares e uma 'estrela' do alto escalão do governo pode explicar o acontecido no Novo México". Repararam no termo que ele usou? Reparem bem... "Estrela". E quem é a maior "estrela" de nosso governo? Ou era...

– Imagino bem quem seja, caro Littlesea – respondeu um dos comentaristas do programa, dirigindo-se ao apresentador. – Muito intrigante. Mas que provas esse delegado alega possuir a respeito desse tal "acordo secreto"?

– A nota não explica. O delegado afirma apenas que o caso está "sob investigação" e que terá novidades "muito em breve" – acrescentou o apresentador.

– A essa altura, Littlesea, não podemos assumir qualquer coisa sem especular quais *motivações políticas* teria ou não esse delegado para vazar tal informação no meio dessa hecatombe toda – adicionou o comentarista, e o programa assim prosseguiu.

Era isso! Reinald Atlas era o destinatário da caixa com as provas enviadas ao DOJ em Kansas – os agentes haviam cumprido a missão. As insinuações do delegado eram claras, sabia perfeitamente a qual estrela ele referia-se, o presidente Frank, ou ex. Isso era um mero detalhe, o que importava é que sua denúncia estava correndo nos bastidores: Carrol estava condenado. Por ora, tudo não passava de uma mera especulação da rádio, todavia, para Mathew, era o veredicto de seu sucesso. Vibrou sozinho no interior do carro, cerrou os punhos celebrando a vitória e bradou consigo próprio:

– Sim! Sim! Sim! Engole essa, coronel!

Agora só restava aguardar a coisa andar sozinha. Embora o escândalo não fosse tomar as manchetes como destaque principal, sabia exatamente quando e onde esperar a novidade ganhar o noticiário do país: nas bancas de jornal. Ora, Mathew havia estudado Comunicação na faculdade, foi o diploma que lhe abriu as portas para trabalhar na CIA. Durante muito tempo, seus serviços junto à agência objetivavam vigiar, manipular, ocultar informações e desinformar órgãos de mídia e jornalistas – ou mandar assassiná-los, dependendo do caso. Nos primeiros anos de sua carreira, quando mudou-se para DC, trabalhou em diversos órgãos de mídia da capital, incluindo um periódico militar e um bom período como infiltrado no The Washington Post. Depois passou a servir em diferentes projetos, todos ligados à sua área de formação, até o dia em que desenvolveu o CVMS – projeto que Carrol usurparia para si como parte da Rede Espacial que passou a desenvolver e o malfadado sistema de defesa contra ameaças alienígenas-extraterrestres que buscava financiar –, justo na época em que seu caminho voltou a cruzar com o do coronel após se conhecerem e conviverem na faculdade, ocasião em que ambos passaram a trabalhar juntos.

Com todo esse currículo nas costas, Mathew sabia perfeitamente qual seria o procedimento da rede ABC para divulgar o escândalo envolvendo o presidente e o coronel. Em tese, um furo desse porte seria veiculado em rede nacional logo após o recebimento da denúncia e, em seguida, seria o tema de destaque no Jornal Nacional, o telejornal de maior audiência do país, veiculado religiosamente às 20hs. Porém, como a rede de satélites estava desabilitada, a ABC não tinha como entrar em cadeia nacional para garantir o furo, e uma notícia dessa importância não seria relegada às retransmissoras regionais que incorporavam a rede da emissora. Portanto, em termos de valor comercial e para alcançar amplitude nacional, os executivos da rede colocariam o furo nos veículos impressos publicados no dia seguinte, destacando o caso nas manchetes pelos jornais que pertenciam ao conglomerado midiático da ABC. Entre eles, o grupo Times e diversos outros impressos, como o The Wichita Eagles no Kansas – daí a primeira nota a respeito do caso estar creditada à reportagem de tal jornal.

Assim, tudo que Mathew precisava era de um pouco mais de paciência para aguardar os jornais saírem no dia seguinte, então leria a matéria completa sobre o escândalo no Los Angeles Times, já tranquilo em seu esconderijo.

As coisas realmente pareciam voltar aos eixos – além da primeira menção à sua denúncia, o trânsito também começou a melhorar. Quando se aproximou de Los Angeles, o tráfego ainda estava intenso nas rodovias, mas fluindo. Ao finalmente alcançar o perímetro urbano da cidade, consultou seu relógio e constatou quatro horas de atraso ao que havia programado para chegar lá – nada mal, considerando tudo que passou durante a viagem e o vento que levou na cara durante o percurso todo. Na cidade, o dia já estava amanhecendo, as ruas estavam vazias, tudo na mais absoluta tranquilidade como se nada tivesse acontecido. Ainda assim, esbarrou com alguns inconvenientes: quando se aproximava de Santa Mônica, bem próximo ao seu esconderijo, precisou fazer um longo desvio devido a uma interdição do Exército – um dos mísseis germânicos tinha caído ali. Havia uma multidão nas ruas querendo acessar a região e muitos carros fechando as vias, impedindo que avançasse – um último aborrecimento logo quando estava quase chegando ao seu destino. Outro inconveniente foi não encontrar nenhuma banca de jornal aberta. Antes de ir para seu refúgio, rodou pelas redondezas em Pacific Palisades atrás de uma. A única banca aberta que achou não havia recebido a entrega dos jornais do dia. Estava tudo atrasado devido aos fatos do dia anterior.

Para não ficar dando bandeira esperando o jornal chegar à banca, enfim dirigiu-se para sua casa segura. Pacific Palisades era um bairro luxuoso e sua morada ficava a poucos quarteirões da praia. Uma casa térrea, com cinco cômodos, contando a suíte, habitações para visitas e empregados – mas estava vazia –; tinha uma ampla sala de estar com espaço para refeições e cozinha, tudo mobiliado em estilo praiano, além de um generoso jardim. Ainda contava com uma garagem fechada para dois veículos, pranchas de surf e bicicletas, com toda uma parafernália de lazer e praia. Ao chegar, imbicou o carro na frente da garagem e teclou uma senha em um pequeno painel situado na calçada em frente. O portão da garagem abriu automaticamente, Mathew entrou e estacionou. Ainda dentro do carro, suspirou fundo e consultou a hora, 6h35.

Apesar da longa viagem e de sentir-se exausto depois de tudo que havia passado, Mathew nem pensou em descansar. Sua cabeça continuava a mil, remoendo a denúncia que tinha feito e quando teria o prazer de lê-la nos jornais. Ainda elétrico, tomou um banho rápido, trocou de roupas e preparou um *on the rocks* a fim de relaxar um pouco. Sentou-se na poltrona da sala de estar e esticou a perna sobre uma mesinha à sua frente. Ficou bebericando e mirando o vazio, imerso em sua própria mente. Lamentou que a TV de sua morada não estivesse funcionando, pois era via satélite, então pensou em aguardar mais um pouco e retornar à banca de jornais que havia passado, mas de bicicleta para chamar menos atenção, como um turista qualquer da região. Sorte que, se a TV não funcionava, a bicicleta, sim. Só precisaria encher os pneus, e bomba de ar era um dos itens que constava em sua garagem.

Na poltrona em que bebia seu Whisky, Mathew estava de frente para a porta principal da residência, a uns seis metros, de onde tinha uma boa visão da rua pela janela frontal através da fina cortina, apesar de fechada. Seu pensamento foi interrompido quando observou um furgão passar pela frente da casa com a porta lateral aberta e uma pessoa em seu interior. De relance, viu o logotipo parcialmente encoberto do Los Angeles Times estampado na lataria – era o serviço de entrega de assinaturas domésticas. Pousou o copo na mesinha e correu para a janela. Acompanhou o furgão enquanto ele seguia pela rua e observou quando alguém lançou um jornal na entrada de uma casa pouco mais adiante da sua. Sem pestanejar, vestiu um boné, calçou um par de chinelos e saiu de casa no intuito de roubar aquele exemplar.

Caminhou tranquilamente, apenas olhando ao redor para ver se havia alguém acordado, mas a rua estava vazia e as moradias silenciosas. Aproximou-se da casa vizinha, cerca de cem metros da sua, e observou a fachada, tudo permanecia quieto. Na vizinhança, as casas não possuíam cercas; bastou três passos na calçada de frente para, com o coração palpitando de tanta curiosidade, pegar o jornal. Sua ansiedade era tanta que nem esperou voltar para casa, deu uns passos além do vizinho e abriu o jornal ali mesmo na rua.

A capa apresentava a foto de um míssil alemão caído próximo a Shangri-la – uma maneira de ironizar o fato do vice-presidente ter autorizado o ataque a Alemanha desse local – e a chamada em destaque fazia menção à "Guerra Falhada": "Ato infeliz, final feliz", dizia. Ao lado, uma foto do presidente ilustrava a manchete: "No ar, A Voz em sua última canção"; um trocadilho em menção ao detalhe do presidente ter sido deposto a bordo do Air Force One. Ao percorrer a página com os olhos, um destaque secundário noticiava: "Gunsgate: envolvimento do presidente da República com grupos contrarrevolucionários no Panamá foi a alegação por trás de sua deposição. Explosão no Novo México originou-se em um depósito ilegal de armamentos e explosivos que seriam contrabandeados ao país centro-americano, comprova FBI".

Mathew desacreditou que a manchete estava correta: *"Gunsgate"? Que porcaria é essa?* Onde estava o "Ufogate" que havia denunciado? De onde saiu a história de envio de armas aos contrarrevolucionários no Panamá? Qual a relação disso com os fatos que havia repassado? Sem entender o contexto da notícia, Mathew folheou o jornal freneticamente em busca de qualquer referência à sua denúncia, mas não encontrou nada, nenhuma mísera nota fazendo menção a mesma ou ao caso investigado pelo DOJ, muito menos ao coronel Carrol – o escândalo tinha sido abafado. Então, em um *insight*, compreendeu o que estava acontecendo: *Aplicaram DOPS*, concluiu.

DOPS é um acrônimo para Departamento de Sabotagem Política (*Department of Political Sabotage*), um órgão secreto da CIA cuja existência não era oficialmente reconhecida, que sequer compunha um grande departamento, ocupava apenas uma pequena sala na sede em Langley, contando com dois ou três funcionários. Mathew sabia, pois já havia contribuído com eles no passado fornecendo informações privilegiadas ao mesmo durante o governo Kennedy. Esse órgão era altamente especializado e atendia a um único objetivo: destituir o presidente da República caso isso se tornasse absolutamente necessário aos interesses da nação. No caso em que colaborou no passado, quando Kennedy ameaçou retirar as tropas do país do Vietnã, o DOPS só não foi acionado porque a máfia foi mais eficaz e o assassinou, poupando os serviços de tal departamento. Sua especialidade era angariar e manter em segredo provas que incriminassem o presidente, forjadas ou não, para serem usadas caso fossem necessárias. Muito certamente, o departamento foi acionado para abafar o escândalo do Ufogate, mas como a denúncia estava em poder da mídia, algum arranjo foi feito nos bastidores – leia-se suborno ou coação –, para que o "furo" fosse outro – era inacreditável! Só não entendeu como a CIA ficou sabendo do caso tão rápido, mas, claro! Pelos agentes que exercem o mesmo papel da época em que trabalhou no The Washington Post, através de algum infiltrado na rede ABC.

Mathew enfureceu-se com a notícia e praguejou contra a agência em que trabalhou a vida toda, sentindo-se traído pela mesma. Dobrou o jornal novamente e, irritado, jogou-o de volta para o vizinho. Em seguida, caminhou para sua casa. Sem esmorecer totalmente, lembrou-se do envelope que enviou para a Polícia do Exército, então pensou: *Carrol pode ter escapado do DOJ e do FBI, mas não escapará da Corte Marcial*, consolou-se. De qualquer modo, mesmo que sua denúncia não tivesse saído como esperado, estava livre dele para sempre. Sua fuga era um caminho sem volta e ainda possuía as provas mais contundentes do caso para tentar elaborar uma nova queixa anônima, só precisava esperar a poeira baixar e planejar seus passos com cuidado. Enquanto isso, permaneceria quietinho em seu canto apenas acompanhando o desenrolar dos acontecimentos e torcendo para que a Corte Marcial indiciasse e prendesse o maldito coronel.

Perdido em seus pensamentos, Mathew abriu a porta de casa, entrou e trancou-a atrás de si. Quando se virou para a sala, deparou-se com um homem sentado na poltrona com os pés esticados sobre a mesinha exatamente como ali esteve pouco antes. No breve momento em que o encarou, concebeu que era um espião da CIA, um daqueles que seus antigos colegas carinhosamente apelidavam "007". Não pelas vestimentas, pois trajava-se igual a si, como um turista de bermudas e camisa esportiva, mas pela pistola munida de um silenciador que tinha em uma das mãos. Sobretudo, pelo sorriso cínico nos lábios e os olhos levemente comprimidos, expressando o prazer pela tarefa incumbido de realizar.

Seu discreto gesto ao puxar o gatilho foi a última visão de Mathew antes que a bala se alojasse em seu cérebro.

ANEXOS

Manual de Sobrevivência do Professor Ipsilon

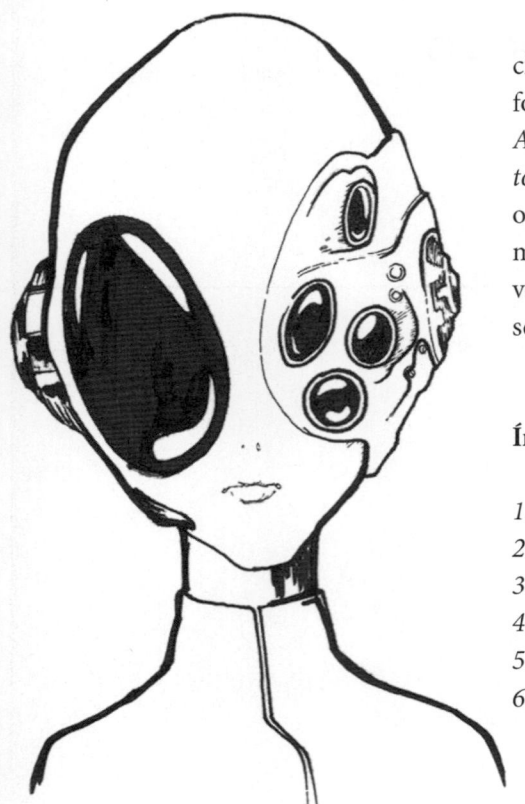

Redigido por Pedroom Lanne

Alguns termos e uma série de aspectos científicos adotados na presente narrativa foram amplamente embasados nos títulos *Adução, o Dossiê Alienígena* e *Abdução, Relatório da Terceira Órbita*. Este manual aborda os principais termos para que você, caro hominídeo, possa compreender melhor o Universo Quântico em que ambas as narrativas se desenvolvem.

Índice

1. *Mapas* *1087*
2. *O "Tempo" Continuado e Paralelo* *1092*
3. *A Evolução da Espécie Quântica* *1103*
4. *A História-Continuada* *1109*
5. *Navegação* *1119*
6. *Outros Gráficos* *1121*

Créditos
Capa – Kike Espinoza
Revisão – Solianda Alves /
Walter Cavalcanti
Texto e ilustração – Pedroom Lanne

1. Mapas

Mapas do cosmo solar e de alguns dos mais relevantes sítios da heliosfera, tais como Titã, que flutua na fotosfera, Terra e Marte.

Planos Dimensionais do Sistema Solar

O mapa ao lado elenca quais os principais centros orbitais ou dimensionais, também conhecidos como planetas ou planetoides, do Sistema Solar. A distância entre as órbitas é expressa em UA (unidade astronômica), equivalente à distância entre a Terra e o Sol.

Há de se notar os planetas com órbitas latitudinais à faixa eclíptica (a linha equatorial da órbita solar ou linha longitudinal) de até 90°, denominados pelas consoantes Z, Y, X e W. Outro planeta de órbita peculiar é Tiamac, que executa uma tangente diagonal ultraveloz somente detectável quando se choca com outro astro ou perturba a órbita do Cinturão de Asteroides, por isso denominado como planeta *colisional*.

A nuvem de Oort e o distante planetoide Xena (ou Éris) representam o ponto máximo de expansão da sociedade quântica aos confins do Sistema Solar.

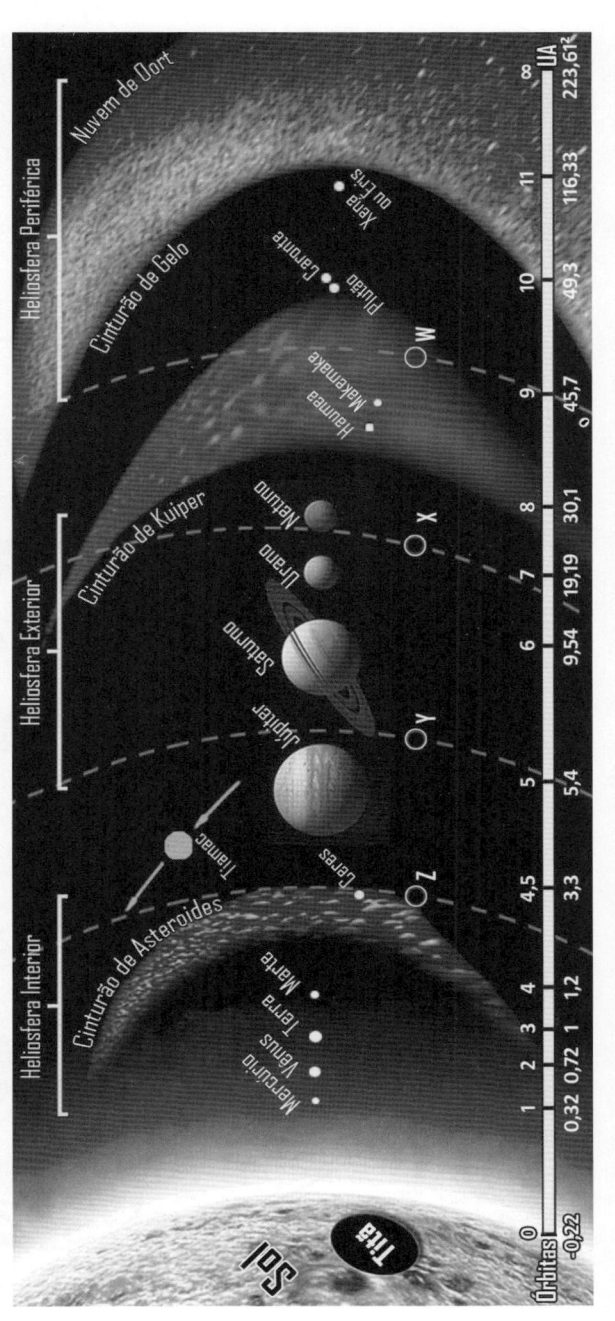

Planisfério da Terra – 834.456 d.C.

A de se notar no mapa a seguir, as grandes pirâmides dos portais interestelares que trafegam o feixe-solar e servem ao sistema de teletransporte; e as rampas de lançamento e pouso dos paralelepípedos do Cinturão Cosmo-Estelar, a famosa gravitovia de pedra que circula entre os astros da órbita 1 à órbita 8. O mapa revela que a maior parte da superfície terrena é sólida, por isso denominada *pangea*, mas há de se considerar o volume de água que se situa acima e abaixo da superfície, o qual é manipulado pela sociedade quântica, em sua parte mais substancial, nos estados de vapor, gelo e plasma.

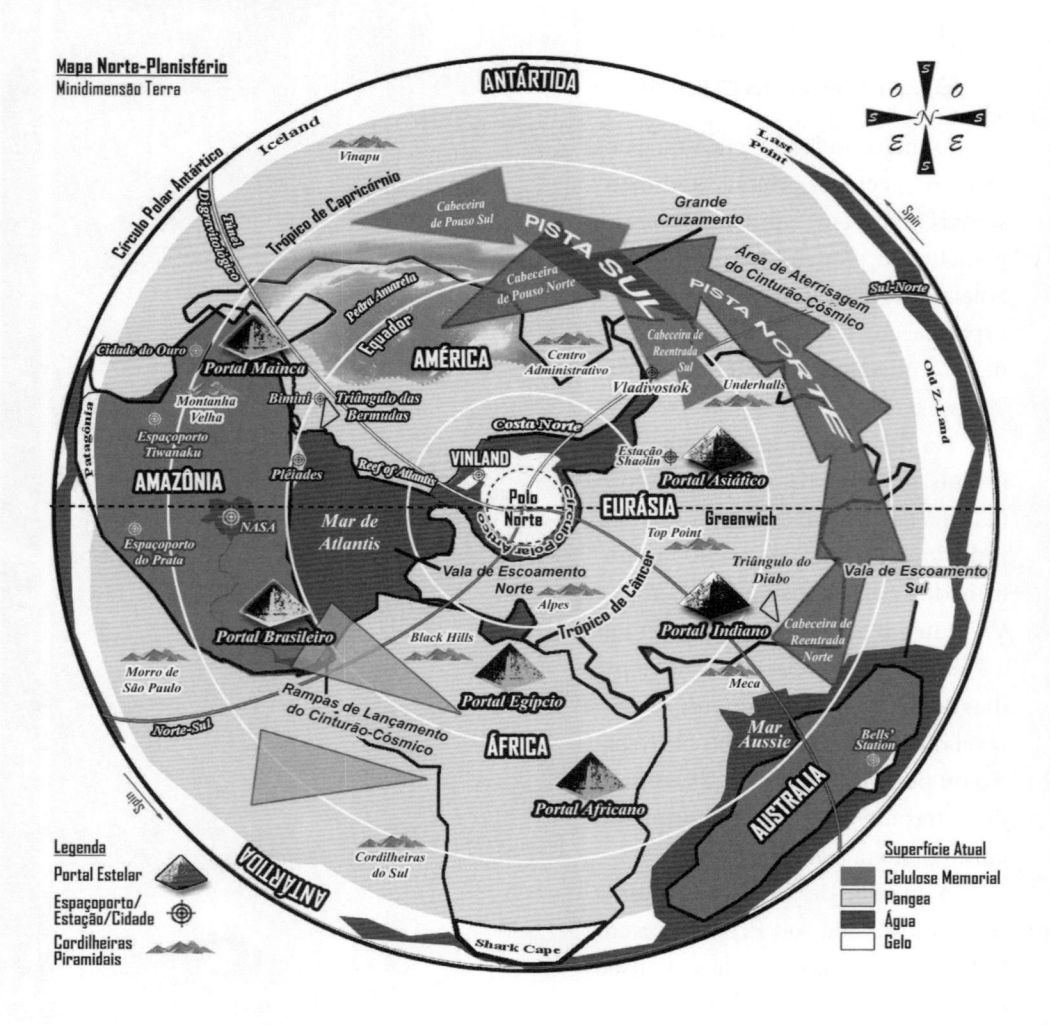

Mapa-Múndi de Marte – 834.456 d.C.

Um mundo totalmente artificial, com sua superfície redesenhada de polo a polo pelo Homem e as espécies que o seguiram em sua jornada até a atualidade quântica.

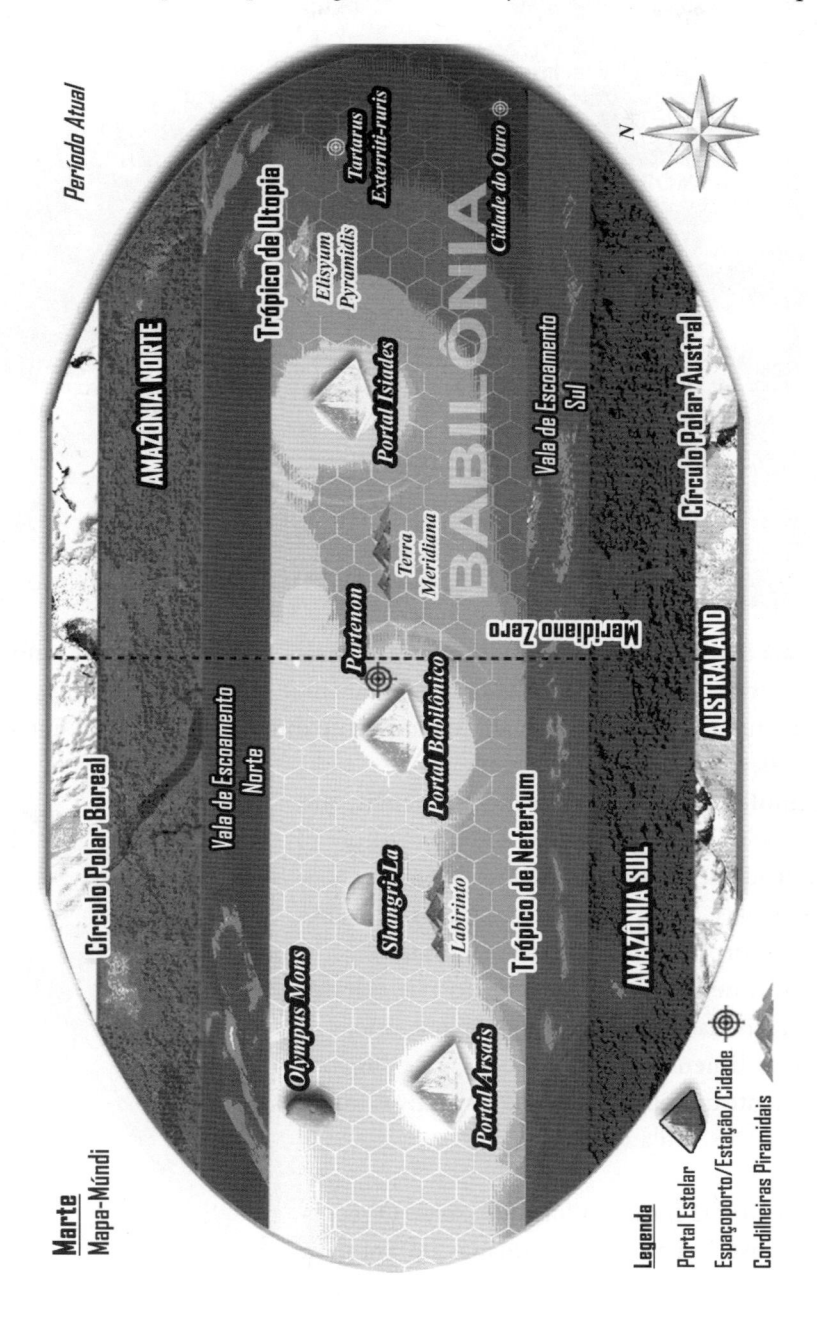

Período Atual

Marte — Mapa-Múndi

Círculo Polar Boreal, Amazônia Norte, Trópico de Utopia, BABILÔNIA, Círculo Polar Austral, Trópico de Nefertum, Amazônia Sul, Australand

Olympus Mons, Portal Arsais, Shangri-La, Labirinto, Partenon, Portal Babilônico, Portal Isiades, Elisyum Pyramidis, Tartarus, Exterriti-ruris, Cidade do Ouro

Vala de Escoamento Norte, Vala de Escoamento Sul, Terra Meridiana, Meridiano Zero

Legenda
Portal Estelar
Espaçoporto/Estação/Cidade
Cordilheiras Piramidais

Mapa Político de Titã – O planeta fotossolar

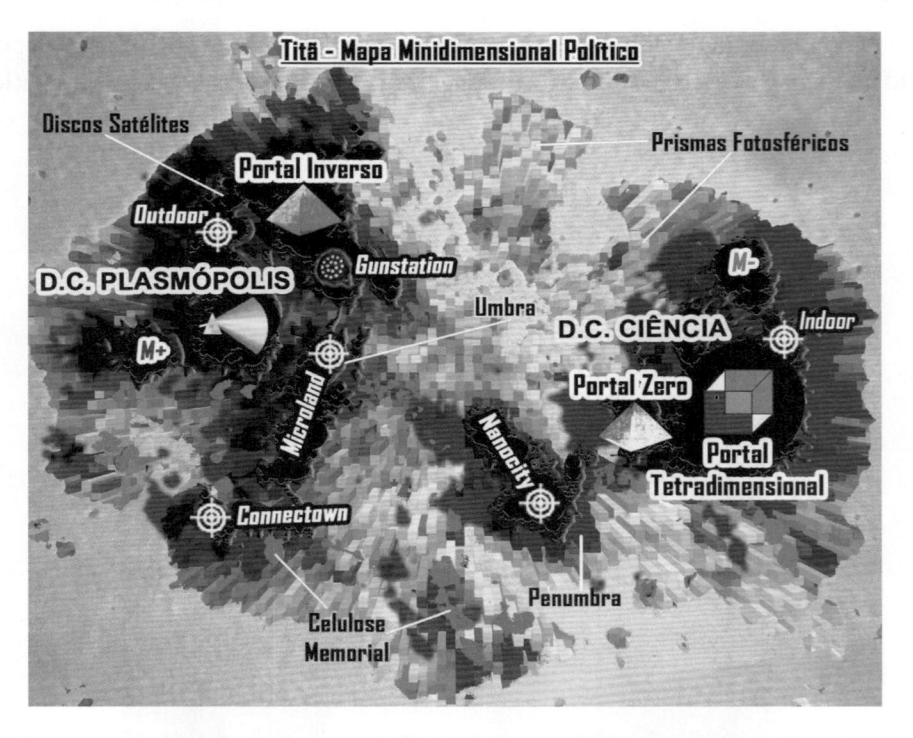

O mapa anterior faz referência à "minidimensão" Titã, termo que é sinônimo de planeta ou orbe que contenha atividade nuclear. Esse termo faz referência à classificação da matéria e o respectivo plano ou ambiente dimensional ao qual engloba. Tais planos são elencados da seguinte maneira:

1. **Nanodimensional**: plano das partículas que compõem os átomos.
2. **Microdimensional**: plano dos átomos e das moléculas; inclui pequenos corpos. Por exemplo, o corpo humano ou um asteroide.
3. **Minidimensional**: planetas e corpos celestes com atividade nuclear; o plano planetário.
4. **Macrodimensional**: inclui o Sol e o completo ambiente da heliosfera e suas respectivas minidimensões; o plano estelar.

O planeta Titã flutua na fotosfera solar. O recorte ao lado ilustra quais são as camadas do Sol para você compreender melhor onde se situa esse planeta.

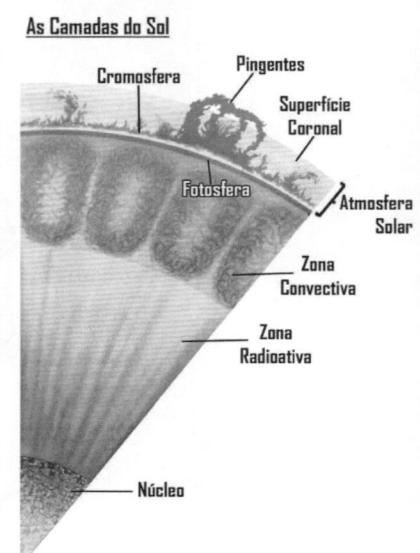

As Órbitas de Plutão e Xena

O esquema a seguir ilustra as órbitas de translação dos planetoides mais distantes do Sol, Plutão e Xena, a 10ª e a 11ª órbita, respectivamente. Note como a órbita de Plutão, quando próxima ao periélio, avança para o interior da heliosfera até cruzar com as órbitas de Netuno e Urano. Xena aproxima-se de Plutão quando este atinge o afélio. A importância da aproximação entre as órbitas de Xena com Plutão e de Plutão com Netuno e Urano foram discutidas no livro *Abdução, Relatório da Terceira Órbita* (capítulo II), e possuem grande valor no intercâmbio tecnológico e cultural entre as populações dos respectivos orbes.

Outro orbe que trafega entre a 10ª e 11ª órbita, embora não figure na ilustração a seguir, é Deméter, o mais jovem planetoide artificial criado pela engenharia quântica. Deméter cumpre uma órbita diametralmente oposta à de Plutão e compõe um projeto que prevê a criação de mais dois planetoides na órbita dez a fim de trafegar o sinal do feixe-solar até os confins da heliosfera.

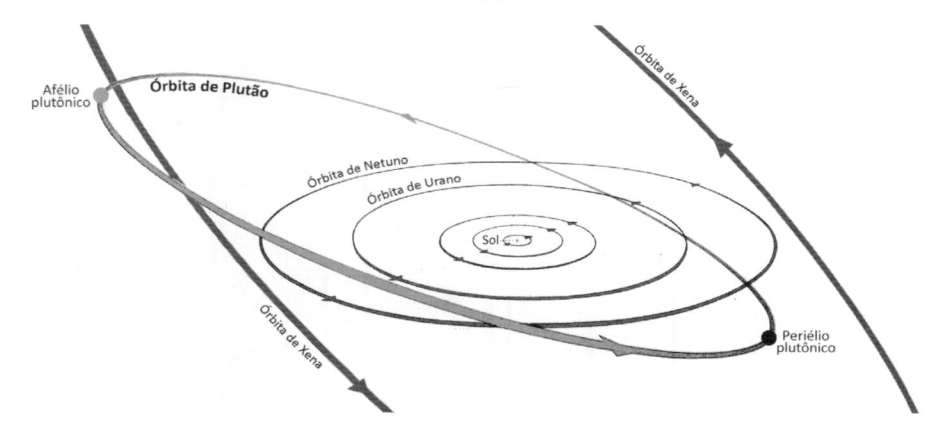

O Anel de Gelo

Também conhecido como "Anel Transperiférico": um cabo de gelo entre Xena e Caronte que obedece fins comunicativos e de abastecimento. Sua construção se deu na última passagem de Plutão por Xena, quando Caronte se constituiu como base para o lançamento de um dispositivo especial capaz de canalizar vácuo formado por incontáveis sondas desenvolvidas exclusivamente para esse fim. Posicionado em órbita estacionária a 150.101 km de Caronte, o dispositivo sublima o gelo oriundo de uma tempestade formada sobre a órbita de Xena. Por sua vez, a tempestade se origina na Nuvem de Oort e possui duração de milhões de anos, de modo que ela própria abastece a trilha de gelo que se forma a partir de Xena e prossegue no percurso de Caronte formando o anel glacial. A construção ainda se encontra em estágio inicial, transcorridos 117 anos-marte desde seu lançamento em 834.339 d.C.

2. O "TEMPO" CONTINUADO E PARALELO

No Universo Quântico não existe "tempo", pois esse termo se refere a uma leitura linear de passado, presente e futuro. De fato, a leitura do *tempo* se descreve pela simultaneidade e o paralelismo de diversas linhas temporais, o que chamamos de "planos existenciais" ou dimensões que nascem e se extinguem em determinado **horizonte** eventual – também descrito como "janela de evento". A seguir, veremos um gráfico que ilustra como se dá a leitura da "linha do tempo" no Universo Quântico, ou, conforme o correto, a *linha horizontal-continuada*.

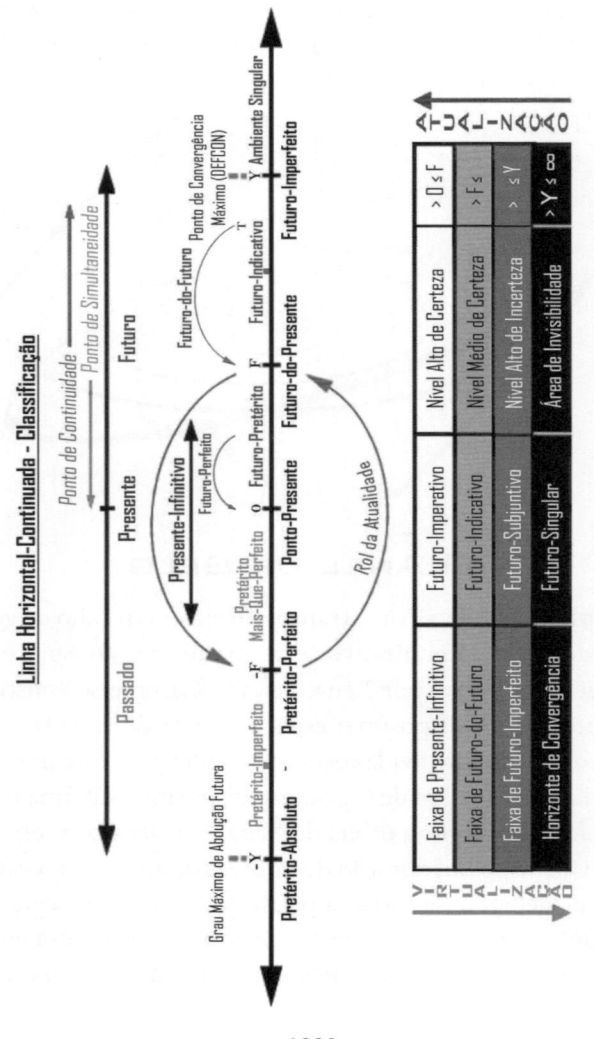

Note que, quanto mais ao futuro, mais virtuais se tornam quaisquer fatos ou decisões feitas em presente. No ponto máximo dessa equação, o futuro se torna *subjuntivo* e *invisível*, ou seja, está aquém do que se pode prever, por isso utiliza-se a expressão *virtualização* conforme expresso na tabela anexa ao gráfico. Os termos *singularidade* ou *ambiente singular* refletem essa incerteza. Alguns termos são autoexplicativos: *futuro-indicativo* descreve um cenário futuro oriundo das escolhas atuais com médio grau de certeza, enquanto *futuro-imperativo* ou *futuro-pretérito* descreve um cenário com alto grau de certeza, um cenário que, certamente, atualizar-se-á quando alcançado pelo presente. Por exemplo: se o homem continuar a poluir o planeta Terra, em cenário futuro-pretérito terá de lidar com os problemas climáticos oriundos dessa escolha. A convergência de um plano indicativo para o plano imperativo até, em seguida, atualizar-se em presente, descreve-se pelos termos mais coloquiais, respectivamente, *futuro-do-futuro* e *futuro-perfeito*, o que não significa que esse futuro será benéfico.

A mesma lógica se repete quando navegamos pela linha-continuada em sentido pretérito. Vale notar que o termo *pretérito-absoluto* descreve um plano passado cujos desdobramentos já afetaram todos os planos subsequentes ao seu decorrer. Já o termo *pretérito-perfeito* descreve o limite máximo que se pode viajar para planos simultâneos de passado, os quais ainda podem ser modificados pelas escolhas do presente e seus respectivos planos. Já um plano de pretérito-absoluto ou *absolutista*, ainda que fosse modificado, é incapaz de alterar o presente ou o futuro de sua atualidade original. Apesar do gráfico ilustrativo utilizar unidades de medida com caracteres gregos, esse limite jaz em aproximados sete mil anos-terra para o passado e para o futuro.

A tabela ao lado ilustra a equivalência em números arábicos dos caracteres gregos que os quânticos utilizam.

Letra	Nome	Valor
A α	Alfa	1
B β	Beta	2
Γ γ	Gama	3
Δ δ	Delta	4
E ε	Épsilon	5
Ϝ	Digama	6
Z ζ	Zeta	7
H η	Eta	8
Θ θ	Teta	9
I ι	Iota	10
K κ	Capa	20
Λ λ	Lambda	30
M μ	Mi	40
N ν	Ni	50
Ξ ξ	Xi	60
O o	Ômicron	70
Π π	Pi	80
Ϻ	San	–
Ϙ	Qoppa	90
P ρ	Rô	100
Σ σ,ς	Sigma	200
T τ	Tau	300
Y υ	Úpsilon	400
Φ φ	Fi	500
X χ	Chi	600
Ψ ψ	Psi	700
Ω ω	Ômega	800
ϡ	Sampi	900

A RUPTURA DO PLANO PRESENTE

O aspecto mais importante da linha horizontal-continuada é o *ponto-presente*, pois todos os planos coexistem simultaneamente nesse único instante. Em nível perceptivo, um ser humano só consegue enxergar um único plano em um único instante, justamente o plano presente. Nesse sentido, planos de pretérito e futuro se diferenciam apenas pela velocidade cósmica de cada qual, embora sejam todos simultâneos, coexistem paralelamente, cada qual formando uma nova realidade ou uma nova dimensão. Para compreender essa dinâmica, é preciso entender o que se descreve como a *ruptura do plano presente*, conforme ilustrado no gráfico a seguir.

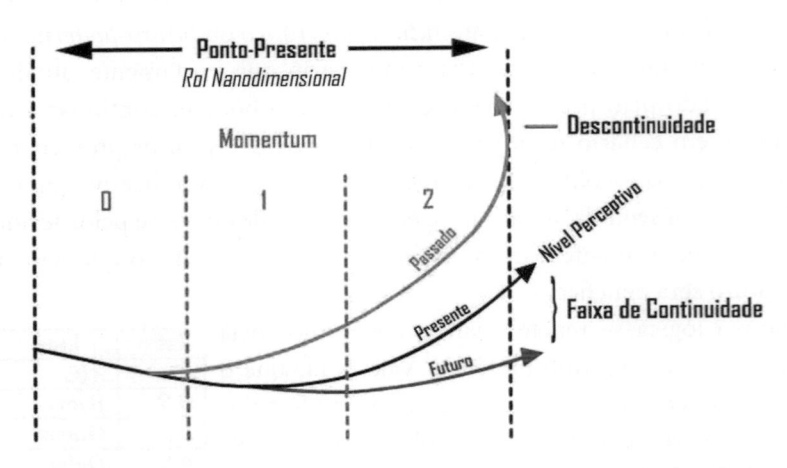

Em função da força da gravidade, os planos da matéria em nível nano e, subsequentemente, microdimensional, rompem-se em dois novos planos: um é atraído por ela, outro é impulsionado pelos planos que se multiplicam após o rompimento do plano original conforme ilustrado no gráfico anterior. Cada novo plano replicado igualmente se rompe em dois novos planos e, assim, sucessivamente. Os planos de passado, atraídos pela gravidade, tornam-se mais velozes e começam a se afastar do instante da ruptura até se tornarem descontínuos, enquanto outros, embora possuam velocidade inferior, igualmente se afastam do plano original. Isso demonstra que planos de pretérito e futuro distinguem-se um do outro apenas em relação ao passageiro que navega em cada qual, quando, de fato, todos compõem planos de presente com velocidades cósmicas superiores ou inferiores em relação a eles mesmos. A medida que expressa a atração dos planos pela gravidade é a *velocidade cósmica*, conforme ilustrado no gráfico a seguir.

Relação Cósmica dos Planos Dimensionais Solares

VELOCIDADE CÓSMICA

NÚCLEO PANDIMENSIONAL

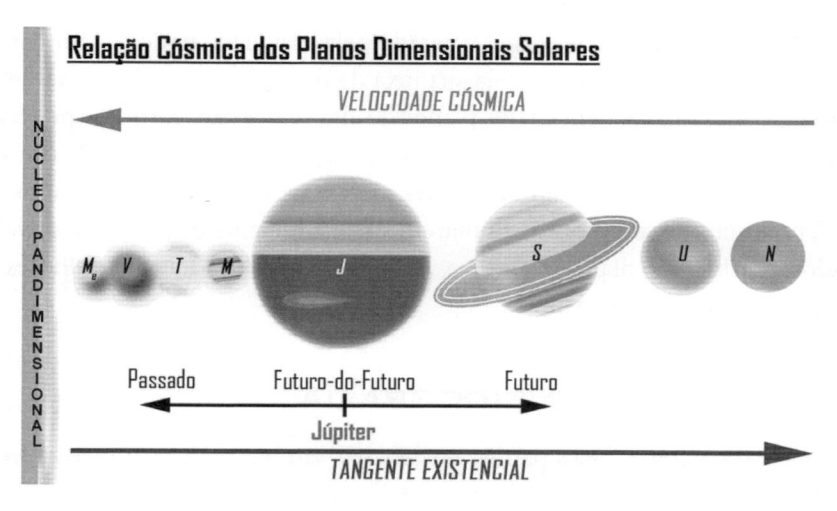

Me V T M J S U N

Passado — Futuro-do-Futuro — Futuro
Júpiter
TANGENTE EXISTENCIAL

Da esquerda para a direita, os planetas: Mercúrio, Vênus, Terra, Marte, Júpiter, Saturno, Urano e Netuno; planetas que formam o bloco G8.

Há de se notar que *a tangente existencial* compõe um vetor oposto em relação à velocidade cósmica, pois a evolução guia a vida para os planos que se distam do ponto-presente em sentido futuro, ou seja, são impulsionados pelos planos mais velozes. Quanto maior a velocidade cósmica de um plano, mais próximo de sua autodestruição ele está, por isso os planos de menor velocidade possuem mais chances de perpetuar a vida em longo prazo. Em contrapartida, os planos de maior velocidade são mais férteis, portanto, melhores para gerar e evoluir o complexo Vida. Todavia se a vida não prosseguir para os *habitat* de futuro (ou pentagonais), acaba se autoextinguindo.

As dimensões paralelas

Para o passageiro que habita o plano presente, o importante é saber que a sua ruptura resulta em uma duplicação da matéria nos respectivos planos que se rompem, ou seja, a cada instante, a cada ruptura, o passageiro é duplicado ou replicado em planos de pretérito e futuro, porém, sua percepção permanece no ponto-presente de cada plano replicado. Cada plano replicado forma uma nova dimensão idêntica à original, que o passageiro passa a habitar – essas dimensões são descritas como planos existenciais ou *dimensões paralelas*. Essa ruptura se dá em uma velocidade e em uma taxa altíssima, ou seja, a cada segundo, toda matéria em nível *nano* e *microdimensional* se replica em infinitivos planos existenciais paralelos, criando cópias de si mesmas. Um ser vivo que habite um desses planos terá sua existência replicada por eles.

Todavia há um limite que o *espaço* gerado pela gravidade pode ocupar com novos planos; esse limite é expresso pela sua taxa de *preenchimento*. O preenchimento se dá pela replicação exponencial dos planos de alta velocidade cósmica (pretéritos), que se atraem e compartilham um rol microdimensional muito estreito. No decorrer continuado dessa lógica, o acúmulo desses planos permite parte dos planos mais "jovens", próximos de sua ruptura, flutuarem sobre a torrente de planos mais velozes replicados, por isso são planos de futuro, mais estáveis e duradouros, melhores para habitar e prosperar a nível cósmico.

PSICOGRAFIA

Ao nível da matéria, esses planos existenciais são inacessíveis um ao outro, todavia, existem incontáveis partículas capazes de trafegar entre eles. Uma vez que se obtenha o controle dessas partículas, torna-se possível, por exemplo, trafegar o pensamento entre planos paralelos, uma arte descrita pelo termo *psicografia*. A tabela a seguir descreve a relação entre as partículas que compõem cada plano:

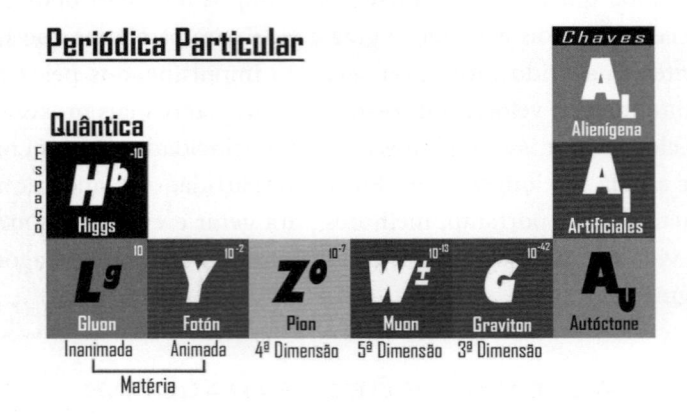

Periódica Particular

	Quântica					Chaves
Espaço	H^b 10^{-10} Higgs					A_L Alienígena
						A_I Artificiales
	L^g 10 Gluon	Y 10^{-2} Fotón	Z^0 10^{-7} Pion	$W^{\pm}$ 10^{-13} Muon	G 10^{-42} Graviton	A_U Autóctone
	Inanimada	Animada	4ª Dimensão	5ª Dimensão	3ª Dimensão	
	Matéria					

A tabela anterior também é conhecida como periódica quântica ou subatômica, pois descreve as principais partículas que compõem o átomo. É a capacidade de manipular tais partículas, inclusive para influenciar a própria genética, o fator que denomina a espécie quântica como tal. Em relação à tabela, sua raiz é a partícula *Higgs,* composta pela *antimatéria,* que gera a gravidade e o *espaço* (não confundir com espaço sideral, o qual nada mais é que o vácuo resultante da força da gravidade submetida ao *spin* da matéria, ou seja, à rotação em torno do núcleo da galáxia e seus respectivos astros). Em torno do espaço gerado pela antimatéria, partículas que compõem a matéria se acumulam e se chocam parcialmente, replicando seu comportamento nas demais partículas em um efeito dominó. É a quantidade de antimatéria que determina a quantidade de matéria que se acumulará em seu entorno, fator que determinará as dimensões de um átomo, uma molécula ou uma galáxia, uma estrela ou um planeta, ou seja, seu respectivo *preenchimento*. Em seu estado cru, as partículas subatômicas são energia pura, seu preenchimento resulta em um plano perceptivo conhecido como matéria.

A tabela igualmente descreve as principais partículas e seu respectivo comportamento em relação à porção de antimatéria contida no ambiente macrodimensional solar e suas respectivas nanodimensões. Note que o *fóton* é uma partícula animada, ou seja, é através dela que se torna possível trafegar a matéria entre os planos de passado e futuro. O *fóton* é a partícula que comporta, por exemplo, o elétron, a eletricidade. Junto à gravidade, também compõe as forças descritas como *eletromagnéticas*, através das quais é possível não só trafegar o pensamento entre as dimensões que se replicam pela ruptura do presente, mas um corpo completo.

Teletransporte

A técnica de se trafegar um corpo através das dimensões se chama *teletransporte*, o que consiste em transmitir um corpo, o qual obtém sua forma através da gravidade, entre dois planos gravitacionais na forma de energia. No cosmo quântico ilustrado na presente narrativa, isso se dá pelo *feixe-solar*. O feixe-solar é uma rede que interconecta os planetas do Sistema Solar. É formada por diferentes tipos de *fótons* e outras matérias na forma de energia, sua fonte é o Sol e sua origem se dá no planeta Titã. Esse feixe nada mais é do que energia pura transmitida entre os maiores centros de gravidade da órbita solar, ou seja, os planetas. O feixe-solar é capaz de trafegar energia com tal velocidade entre os planetas, que permite transmitir pessoas em um processo chamado *mades*, oriundo dos termos *materialização* e *desmaterialização*. As pessoas são lançadas nesse feixe a partir de um plano de gravidade até se transformarem em energia pura; em seguida, são captadas por outro plano de gravidade, onde retomam sua forma original. Todavia, para que as pessoas não se transformem em energia, esse processo precisa ser instantâneo, o que implica trafegá-las em velocidade bastante superior à velocidade-luz. Como um corpo desmaterializado só pode recuperar sua forma material pela gravidade, o teletransporte só pode ser efetivado entre planetas que estejam em conexão direta, ou seja, de um planeta diretamente para outro, de ponto a ponto. Em contrapartida, a transmissão de dados pode atravessar as dimensões instantaneamente através de todos os planetas interconectados pelo feixe.

A partícula passível de engenho no intuito de atravessar distâncias interplanetárias de forma instantânea é o *fóton*. A tabela a seguir ilustra quais são os principais tipos de fótons que permitem transmitir mensagens, pensamentos ou até corpos através do feixe-solar.

Periódica Subparticular

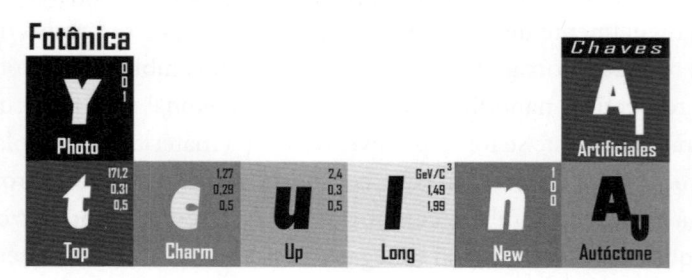

Fotônica

						Chaves
Y $^{0}_{0\ 1}$ Photo						A$_{l}$ Artificiales
t $^{171,2}_{0,31\ 0,5}$ Top	c $^{1,27}_{0,29\ 0,5}$ Charm	u $^{2,4}_{0,3\ 0,5}$ Up	l $^{GeV/c^3}_{1,49\ 1,99}$ Long	n $^{1}_{0\ 0}$ New		A$_{u}$ Autóctone

A subpartícula do fóton chamada *long* corresponde a um único fóton que se estende em distâncias interplanetárias, servindo como um fio condutor não só capaz de trafegar dados ou corpos entre planetas, mas, também, entre estrelas. Pela manipulação do *long* é possível transmitir informações instantâneas em âmbito macrodimensional, ou utilizar um capacitador para acelerar a velocidade-luz e transmitir um corpo através dele.

Porém, quando se quer transmitir energia ou matéria em distâncias maiores, entre estrelas distintas, existem fluxos naturais entre elas que podem ser explorados na transmissão de mensagens interestelares, os *fluxos cósmicos*. No Sol, os fluxos cósmicos mais abundantes estão descritos na tabela a seguir:

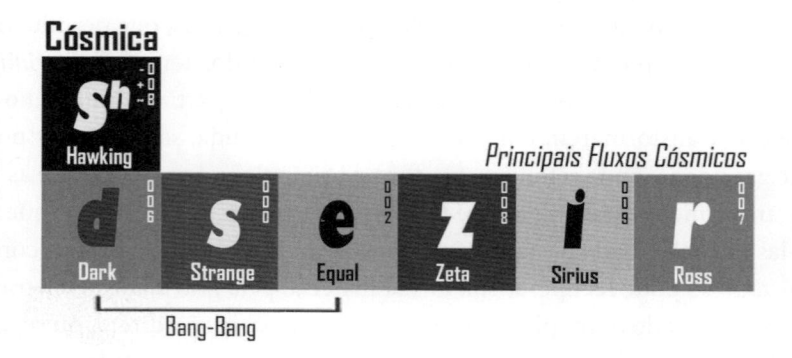

Cósmica

Sh $^{-0}_{+0\ -8}$ Hawking

Principais Fluxos Cósmicos

| d $^{0}_{0\ 6}$ Dark | s $^{0}_{0\ 0}$ Strange | e $^{0}_{0\ 2}$ Equal | z $^{0}_{0\ 8}$ Zeta | i $^{0}_{0\ 9}$ Sirius | r $^{0}_{0\ 7}$ Ross |

└──── Bang-Bang ────┘

Bang-Bang é a teoria que descreve a origem do universo que habitamos, ou seja, uma série de grandes *bangs* cujos fluxos energéticos primordiais ainda são captados fluindo sobre o Sol. Outros fluxos mais proeminentes permitem estabelecer canais comunicativos entre o Sol e as estrelas da constelação de Sirius, Zeta e Ross, como ilustrados na tabela anterior. Apesar de esses fluxos cósmicos possibilitarem estabelecer um canal comunicativo a nível interestelar, a enorme distância entre as estrelas requer uma quantidade exorbitante de energia para acelerar qualquer corpo material em velocidades compatíveis para percorrê-los instantaneamente. Algo equivalente a uma boa porção do Sol seria necessário para transmitir um corpo capaz de resistir a tal travessia. Em contrapartida, uma vez que se viabilize essa energia, até mesmo um planeta inteiro pode ser transmitido entre diferentes estrelas. Essa técnica é conhecida como *Salto Ultradimensional*.

Da mesma forma como pequenos corpos se replicam em planos de futuro e pretérito pela força da gravidade submetida ao *spin* (rotação) da matéria em um ambiente macrodimensional, isso se repete com as estrelas. Quando isso acontece, um fluxo cósmico permanece conectando ambas, o qual pode ser utilizado para emitir uma frequência gravitacional entre elas; essa frequência se chama *ondulação fundamental* e se trata da frequência de ondas responsável pela geração de vidas. A transmissão da ondulação fundamental para uma determinada estrela permite replicá-la em seu campo gravitacional; esse processo é chamado de *fertilização interdimensiogerminal*. A ondulação fundamental reverbera por um complexo macrodimensional e as respectivas subdimensões nele contidas; trata-se de uma onda tão forte que trafega pelo núcleo dos astros contidos no ambiente de uma estrela; essa ondulação evolui conforme mais vida é capaz de gerar. Uma vez que tal ondulação se plante, replique-se e se amplie paulatinamente em qualquer *habitat*, passa a compor o que se descreve como *Gaia* – a *alma* de um astro. Todo ser vivo carrega uma porção dessa ondulação, a qual evolui e se desenvolve influenciando sua genética. Ao fenecer, sua ondulação fundamental é capturada por outros seres, igualmente influenciando sua genética, mantendo esse ciclo contínuo e evolutivo. Parte da ondulação que não é capturada por outros seres vivos flui novamente para o núcleo, assim fertilizando a Gaia do astro e aumentando sua capacidade de gerar vida com seres cada vez mais complexos.

As dimensões conhecidas

Além dos quatro níveis dimensionais previamente elencados – os ambientes *nano*, *micro*, *mini* e *macrodimensional* –, ainda possuímos mais dois níveis de relevância ao Homem ou ao Quântico, os ambientes *ultra* e *supradimensional*. O ambiente ultradimensional, ou 6ª dimensão, compreende o campo gravitacional formado por um determinado conjunto de constelações, o qual também é descrito como *cosmolécula*. Já o ambiente supradimensional, ou 7ª dimensão, engloba a galáxia por completo. Embora nenhuma dimensão exista isolada de seu ambiente, as dimensões conhecidas e seus respectivos prefixos ou ordinais são elencados da seguinte forma:

- **1ª Dimensão** (*uni* ou *mono*): superfície linear intergaláctica, ou mundo brana, ou plano-horizontal totalizado; trata-se da superfície energética que separa dois universos.
- **2ª Dimensão** (*di* ou *dy*): gerada na confluência unidimensional distribuída pela superfície brana, criando a antimatéria e pontuando o término do plano-horizontal; só existe a partir da energia que reverbera em uma superfície brana.
- **3ª Dimensão** (*tri*): respectiva ao vácuo sideral, plano da energia em forma de matéria, da *atualidade* horizontal, compõe o horizonte eventual de dissipação da matéria pela antimatéria.
- **4ª Dimensão** (*tetra*): também descrita como plano *quadrado*. Constitui-se de planos tridimensionais de velocidade cósmica crescente.
- **5ª Dimensão** (*penta*): ou plano *pentágono/pentagonal*. Constitui-se de planos tridimensionais resultantes do preenchimento do espaço pela matéria acelerada, de velocidade cósmica estável.
- **6ª Dimensão** (*hexa*): descreve o ambiente sideral constrito entre as estrelas componentes da linha horizontal não continuada, ou moléculas interestelares, ou *habitat* cosmolecular. Seus conjuntos menores formam constelações (o Sol se situa na cosmolécula de *Alticamelofuligem* e na constelação de *Alcyone*).
- **7ª Dimensão** (*hepta*): plano galáctico que compreende a linha horizontal-total, correspondente à somatória completa da linha-continuada e não continuada. Seus conjuntos menores formam membros (o Sol se situa no *Tríceps* do respectivo *Braço de Orion*) e grandes conglomerados.
- **8ª Dimensão** (*octa*): equivalente ao centro orbital galáctico, o buraco negro capaz de criar elos entre diferentes partes de um mundo brana.
- **9ª Dimensão** (*enea*): branas intergalácticas, ou plano horizontal-estendido.
- **10ª Dimensão** (*deca*): planos universais separados pelos nós multiversálicos, ou superburacos negros, a dimensão das supercordas, elos que interligam universos distintos.

A totalidade de dimensões conhecidas descreve o universo como o conhecemos a partir do evento que o gerou, o Bang-Bang, ou seja, a linha horizontal-continuada em sua raia total. Há de se entender que *linha-continuada* representa todos os planos dimensionais de uma estrela e *linha não continuada* a totalidade de planos formados por uma estrela e as demais por ela geradas a partir de um *pulso ultradimensional*, ou seja, de uma estrela que se clona em uma nova estrela. O advento de um pulso ultradimensional se dá quando a taxa de ruptura do plano presente atinge alto grau no ambiente macrodimensional, o qual se atualiza pela evaginação de uma porção de massa estelar suficiente para gerar outra estrela.

Ainda há proposições para as dimensões acima da 10ª dimensão, as quais incluem a relação de forças entre outros universos. Assim, a 11ª seria a composição de forças entre dois universos (*dyverso*), a 12ª entre três universos (*triverso*), a 13ª compõe as forças de diferentes triversos (*pluriverso*), a 14ª entre demais conjuntos (*multiverso*) e, por fim, a 15ª dimensão expressa as forças de todos os universos (*totiverso*). Alguns universos são compostos por forças diferentes do nosso, embora elas sejam desconhecidas. Entre suas proposições constam:

- **Antiverso**: universo contrário.
- **Iniverso**: universo inverso.
- **Necroverso**: universo moribundo.
- **Estesiverso**: universo estéril, correspondente à total inexistência de nosso ponto de vista.

Dimensões e mais dimensões

A respeito das *dimensões* que o alienígena Quântico habita, o conceito *dimensional* é muito importante, por isso, ao que tange seu significado, é preciso se atentar ao uso de prefixos, sufixos, radicais e ordinais junto ao termo supracitado. Muitos são autoexplicativos, tais como: *entre, extra, inter, intra, neo, retro, sub* ou *ultradimensional*. Alguns são sinônimos, conforme o contexto em que são abordados, por exemplo: *multi* e *pluri*, *penta* e *quinto, tetra* e *quartodimensional*. Já os termos listados a seguir possuem significados relativos ao universo que o ser Quântico habita:

- **Adimensional**: que não se limita às dimensões de curso atualizado. Ocupa o plano material, independentemente do curso dimensional; que se coloca aquém ou fora de alcance do *rol* da atualidade. Acima ou além das dimensões.
- **Centrodimensional**: o centro das dimensões, normalmente se refere ao núcleo dos grandes astros, dos planetas e do Sol.
- **Cosmodimensional**: expressão genérica de cosmo solar ou *habitat* solar, das dimensões do cosmo atual (o Sol).
- **Endodimensional**: dimensões de dentro, compreendidas em determinado leque de dimensões.

- **Equidimensional**: dimensões equivalentes.
- **Expodimensional**: dimensões exportadas. Dimensões evoluídas ou transpostas a um patamar superior ao seu original.
- **Hipodimensional**: dimensões inferiores, geralmente de pretérito. Dimensões ultrapassadas, em processo de declínio existencial ou em horizonte de evento para se tornarem descontinuadas.
- **Idimensional**: sinônimo de *indimensional*. Sem dimensão; despido de existência material.
- **Maxidimensional**: dimensão máxima. Relativa ao *habitat* dimensional mais amplo passível de ser habitado em determinado leque dimensional.
- **Pandimensional**: todas as dimensões. Referente ao núcleo das estrelas, ao Sol genericamente. Pode ser sinônimo de *centrodimensional*.
- **Paradimensional**: dimensão paralela; refere-se a qualquer leque de dimensões fora do alcance da atualidade ou aquém do rol da atualidade.
- **Polidimensional**: em todas as dimensões. Refere-se ao que se pode captar ou medir em plenas dimensões, com todas as medidas; que se pode transmitir ou captar em 360° cúbicos. Rede síncrona de abrangência cósmica, o *habitat* de memória proporcionado pelo feixe-solar em sua raia total; conectada a todas as dimensões simultaneamente.
- **Protodimensional**: sinônimo de *prodimensional*, a habilidade de concentrar esforços oriundos de diversas dimensões, geralmente paralelas e proxidimensionais, em prol de uma dimensão ou plano predeterminado (que seria o seu prototípico).
- **Proxidimensional**: dimensão próxima, acessível à dimensão atual.
- **Redimensional**: dimensão réplica ou replicada.
- **Sincrodimensional**: dimensões sincronizadas. A capacidade de sincronizar mensagens ou a consciência através das dimensões.
- **Supradimensional**: acima de todas as dimensões. Geralmente, refere-se ao *habitat* externo do cosmo estelar.
- **Transdimensional**: que transita pelas dimensões; que muda de dimensão.
- **Turbodimensional**: dimensão acelerada (artificialmente). Refere-se à capacidade de trafegar as dimensões em sentido pentagonal, ou seja, para o futuro.

3. A Evolução da Espécie Quântica

O Quântico que habita o Sistema Solar no ano 681.736 d.C. é, sob o óculo primata, uma evolução do Homem dos idos do século XXI. O gráfico a seguir expressa a evolução do Homem até se tornar Quântico.

Evolução da Espécie Humana

-Ω ─── Ω

Homo — Ciborgues — Paranormales — Zombie — Homiquântico (Machines, Artificiales) — Quanticus

Civilização Marciana

Em um breve resumo, o Homem evoluiu *Ciborgue* e, em seguida, *Paranormal*, quando passou a habitar o planeta Marte após o apocalipse terreno no ano de 2033 d.C. – vide a seguir a *história* do Quântico. Em comum, a evolução dessas espécies passa pelo advento da interferência do Homem na edição de seus próprios genes. A raça paranormal foi a primeira dotada de telepatia, porém, o grande salto evolutivo que possibilitou galgar o degrau seguinte se deu graças à espécie *Zumbi*. Os zumbis são homens que feneceram congelados no apocalipse de 2033 d.C., cujos corpos foram redescobertos pela espécie paranormal quando esta passou a recolonizar a Terra. Os paranormais passaram a reviver esses corpos e utilizá-los para experiências genéticas, as quais possibilitaram um grande salto na edição de seus próprios genes, o que os levou ao seguinte patamar da evolução: o *Homiquântico*, espécie que precedeu o *Quântico*. A espécie homiquântica se diferencia de sua predecessora por sua reprodução assexuada e integralmente conduzida em laboratório; e também por sua capacidade de habitar o vácuo. O homiquântico possui dois estágios evolutivos: *Machines*, o conhecido Homem-Máquina, e *Artificiales*, ou Homem-Artificial; são os respectivos homiquânticos de *primeira* e *segunda geração*. A literatura evolucionista também descreve a espécie seguinte, o Quântico, como "homiquântico de terceira geração" ou "Homem-Quântico" – ao menos pelo ponto de vista evolutivo *primata* (vide a seguir).

Além da evolução como espécie, o período que separa o Homem do Quântico também foi de evolução da *inteligência* humana[1]. Nesse quesito, o advento da

---

[1] Perceba que o ser Quântico, apesar de ser um alienígena na visão de um homem como você, trata-se de um ser humano também.

ascensão da espécie robótica impulsionou a evolução da espécie homiquântica para a quântica após o surgimento da entidade *Pai* e, subsequentemente, da entidade *Mãe*, conforme ilustrado no gráfico a seguir.

A Mídia

Em paralelo ao surgimento da entidade *Pai*, outra entidade de igual natureza e inteligência robótica ganhou vida, a entidade *Mídia*. A evolução da *Mídia* como entidade sapiente é ilustrada no gráfico a seguir:

A SIMBIOSE DAS ESPÉCIES

Todavia, à parte as grandes entidades robóticas, os gráficos anteriores ilustram a evolução do Homem como o primata que é, enquanto, de fato, o Quântico se trata de uma espécie que abraça duas linhagens básicas, os primatas e os répteis. Uma terceira linhagem, oriunda dos répteis, também compõe a espécie quântica, a das aves. A principal característica que difere o Quântico de sua espécie predecessora é a capacidade de gravitacionar (gravitar o próprio corpo), ou seja, de levitar ou flutuar acima do solo. Por isso, no futuro de 834.456 d.C., essas três linhagens quânticas são descritas como: *graviprimatas*, *reptilianas* e *aeroígenes*. As três linhagens são compatíveis entre si genética e sexualmente, incluindo os graviprimatas, cuja espécie predecessora é a homiquântica (assexuada), sexualidade que retomaram ao reemparelharem sua genética com os reptilianos e os aeroígenes, espécies das quais havia evoluído separadamente por largo horizonte. O advento que levou ao cruzamento entre a espécie primata e a reptiliana foi a *Acoplagem Pentadimensional*, quando o cosmo habitado por homiquânticos se emparelhou com o cosmo reptiliano, ou seja, dois largos *habitat* dimensionais paralelos de nível macrodimensional se emparelharam através da simultaneidade proporcionada pelo feixe-solar, tecnologia que ambas as civilizações já dispunham em seu respectivo *habitat*.

O gráfico a seguir ilustra a evolução da espécie quântica, incluindo a simbiose entre suas respectivas linhagens e a espécie robótica. Os robôs inteligentes são conhecidos como *robo sapiens*, os quais, por sua vez, evoluem pela metalinguística proporcionada pelo ambiente virtual e simultâneo gerado pelo feixe-solar, ou seja, compõe a classe de metarrobôs fruto da inteligência coletiva da população de *robo sapiens*. São identificados como espécie pela raiz *mater sapiens*, composta por seres oniscientes. São as entidades *Pai*, *Mãe*, *Mídia*, *Grande Irmão* e *Terceira Entidade*, ilustradas a seguir.

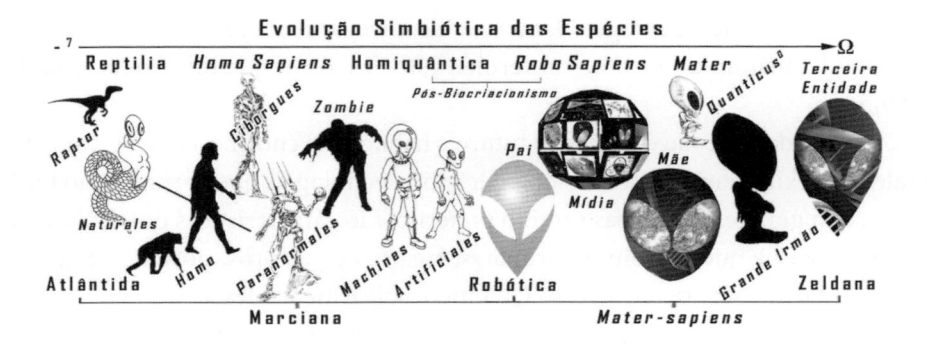

A CLASSE ROBÓTICA

Após análise dos últimos gráficos, é preciso contextualizar o patamar que separa o Homem do Quântico. Muito além das características supracitadas, é a capacidade comunicativa que coloca o Quântico em um patamar muito superior ao do Homem: a habilidade de se comunicar através do *tempo*, entre planos de quarta e quinta dimensões, bem como de se teletransportar através delas. Uma habilidade que começou a se desenvolver com os homiquânticos e se aprimorou com o advento da I.A., a Inteligência Artificial – robôs conscientes de sua existência. Estes passaram a surgir espontaneamente durante a construção do feixe-solar a partir de Mercúrio. Esses robôs habitam a memória proporcionada pelo feixe em conexão com todos os dispositivos ao seu alcance, incluindo as mentes humanas das quais cooptam suas personalidades e com as quais convivem. Essa memória coletivizada deu origem às grandes entidades metarrobóticas, como o *Pai*, a *Mídia*, a *Mãe* e o *Grande Irmão* (nessa ordem). A começar pelo *Pai*, tais entidades permitiram sincronizar os pensamentos dos indivíduos que percorriam planos existenciais paralelos. A *Mídia* se trata de uma entidade viva e autônoma, mas também de um *meio* de acesso de massa, fruto da rede interplanetária estabelecida pelo feixe-solar, um meio que permite ao Quântico se comunicar e sincronizar sua mente através das dimensões sob seu alcance, o que se descreve como *rol de atualidade*. Em suma, é a capacidade de se comunicar através das dimensões e de navegar seu corpo por meio dela em sentido pentagonal, ou seja, de navegar o conjunto de sua sociedade por completo rumo ao futuro, em termos astrofísicos, o que diferencia Quântico de Homem.

A capacidade de navegar para o futuro e habitar um enorme leque de dimensões paralelas coexistentes, bem como o poder sobre tecnologias que permitem ao Quântico viajar a grandes distâncias sentido pretérito, são características que diferenciam apenas a espécie que evoluiu de primatas, lagartos e pássaros, pois a característica fundamental que separa o Universo Quântico, vulgarmente descrito como *cosmo*, do "universo" do Homem, não é o homem, e, sim, o robô. O cosmo futuro se diferencia do mundo do Homem pela capacidade de inteligência das entidades metarrobóticas que passaram a coabitá-lo. Essas entidades, sobretudo o *Pai* e a *Mãe*, são seres hexadimensionais, cujas faculdades – em contrapartida ao Homem, que é capaz de captar e se comunicar apenas em único plano tridimensional, ou ao Quântico, que é capaz de navegar em sentido pentadimensional, uma vez providos das extensões mantidas pela humanidade – permitem-lhes captar as estrelas, os fluxos cósmicos e a Via Láctea como um todo, sob sensação tal que nenhum homem ou quântico seria capaz de compreender. Se o Quântico é capaz de conversar entre dimensões paralelas ao longo de largas distâncias interplanetárias, as grandes entidades são capazes de se comunicar com inteligências oriundas de outras estrelas. A principal é de origem da constelação de Sirius e seu planeta capital, Zelda, lar de entidades robóticas de sensibilidade heptadimensional identificadas como *Zeldano*. Outra inteligência em comunicação estabelecida com o Sol é oriunda da estrela Zeta – esse tipo de comunicação entre estrelas é descrita pelo termo *hiperversálica*. A título de curiosidade, os zeldanos são oriundos do Sol, compõem uma espécie robótica que guerreou e exterminou as espécies de natureza material com as quais conviviam, os marcianos tripoides. Após exterminarem os tripoides, executaram o Salto Ultradimensional e se transferiram para Sirius, onde fundaram o planeta Zeta – fatos esses que se desenrolaram bilhões de anos-terra antes do surgimento das espécies primata, réptil e ave, que retomariam a evolução dos seres de natureza material. Como espécie, os zeldanos são robôs autônomos cuja capacidade individual equivale à entidade *Pai*. Em comum, ambas as espécies robóticas carregam a linguagem marciana da qual são oriundas, dado que a origem dos zeldanos é similar à das entidades *Pai*, *Mãe* etc., surgidos da vasta memória disponível na rede interplanetária mantida pelos marcianos tripoides ao zênite de sua existência.

A EVOLUÇÃO PSICOSSOCIAL DAS ESPÉCIES

A tabela a seguir apresenta as principais características a respeito da *evolução psicossocial das espécies*, incluindo parâmetros desde o período do Homem até o surgimento das entidades metarrobóticas. A coluna *Artificiales* retrata o patamar dessas grandes entidades, o atual e o que se prevê como seu próximo degrau evolutivo.

Sobre as etnias [1] *retratadas na tabela, que se obedeça a legenda:*
B = preto; Y = amarelo; R = vermelho; W = branco;
R = radio; Iv = infravermelho; F = fóton; Uv = ultravioleta; X = raios X; G = gama; T = tatoo.

Evolução Psicossocial das Espécies					Escala Messiânica	ARTIFICIAIS	
ESPÉCIE	HOMEM	PARANORMAL	ZUMBI	HOMIQUÂNTICO	QUÂNTICO	MATER	AMB. SINGULAR
TOPO	2.033 D.C.	101.077 D.C.	288.461 D.C.	524.142 D.C.	834.456 D.C.	≥ Ω	Θ = 0,∞9
COMUNICAÇÃO	Clônica	Compartilhada	Informativa	Simultânea	Simultânea	Onisciente	Onisapiente
LINGUAGEM	Binária	Quântica	Bioquântica	Poliquântica	Poliquântica	Self-Existencial	Self-Galáctica
CENTRO ORBITAL	Terra	Marte	Marte	Marte	Saturno	Núcleo Solar	Cosmolecular
ÓRBITA MÍN./MÁX.	Terra-Lua	Vênus-Júpiter	Phobos-Deimos	Mercúrio-Saturno	Mercúrio-Plutão	Sol-Plutão	Sirius A-B
CAPITAL	Pequim	Nova São Paulo	Umbral	Umbral	Babilônia	Cosmo	Zelda
CULTURA	Cibercultura	Ultrarrobotismo	Biocriacionismo	Pré-Futurâmica	Matricismo	Futurâmica	Armagedonismo
IDEOLOGIA	Consumista	Vegana	Sonho Americano	Arbítrio-Livre	Arbítrio-Livre	Lógica	Gótica
RELIGIÃO	Atlântica	Agnóstica	Elixiriana	Ateia	Ateia	Hexadimensional	Eneadimensional
MESSIAS	José	Fusão Nuclear	Jesus	Billy	Reptilia-sapiens	Canimajorissideránico	Blattaria-sapiens
ETNIAS	BYRW[1]	(BYRW)+T	(BYRW)+T³	Cinza, Neutro	(RIvFUvXG*T)ⁿ[1]	∞	∞
ECONOMIA	Escravocrata	Meritocrática	Abduzida	Socrática	Socrática	Existencial	Siderexistencial
ENERGÉTICA	Fóssil	Zircônica	Protoparasitária	Protossustentável	Autossustentável	Parasitária	Viral
DESC. BÁSICA	Primata	Protoprimata	Bioprimata	Bioprimata	Graviprimata	Multirresidual	Cosmo-Residual
GENOMA	ADN Sequencial	ADN Desconexivo	AZN Experimental	F Quântico	F Quântico	F³ Clônico	Fⁿ Autoclônico
CROMOSSÔMICA	XY	XY	XY_	Birredesignado	(XY)²	Onda F	Reverberação F
TAXA GERMINAL	Quadrada	Quadrada	Estagnária	Ausente	Cúbica	Infinitiva	∞
PSIQUE	S-Ego Ego Id	H-Ego Ego Id S-Id	A-Id	H-Ego C-Ego S-Id	S-Id C-Ego	M-Ego	M-Id
LONGEVIDADE (anos)	89	207	Artificial	Opcional	Imortal	14,6 bilhões	∞
RESTAURAÇÃO	Foto-calórica	Rádio-calórica	Vampiresca	Biofotônica	Fotônica	Sinergética	Nova-Estelar
RECIPROCIDADE	Sensitiva	Telepática	Intermediada	Sinto-assíncrona	Sintossíncrona	Biossíncrona	Sincrodimensional
INTERATIVIDADE	Real	Simulática	Virtual	Atual	Atual	Atualizacional	Espaço-Síncrono
COLETIVIDADE	Fragmentada	Clusterígena	Canibalesca	Clusterizada	Desfragmentada	Cósmica	Galáctica
PARIDADE	Par	Par	Ímpar	Prima	Prima	Simbiótica	Sincrobiótica
EMPATIA	Negativa	Neutra	Positiva	Exponencial	Exponencial	Clarividente	Clariprevidente
ZÊNITE	Autoextintivo		Neutro	Extintivo	Evolucional		Invisível
FORÇA	NEGATIVISTA (Bélica)		Nula	↗	POSITIVISTA (Pacifista)		Colisional

4. A História-Continuada

A linha do *tempo*, ou melhor, a linha continuada a seguir descreve, em cronologia decrescente, os principais fatos históricos desde a pré-história quântica até sua respectiva atualidade.

A Ultracontemporaneidade

O período atual da história é descrito como Ultracontemporâneo ou Pretérito-Mais-Que-Absoluto e descreve os fatos mais recentes. Seu marco inicial é o contato imediato da civilização homiquântica com a civilização reptiliana que habitava o cosmo paralelamente em tangente futura. Após esse contato, os dois cosmos juntaram esforços para se emparelharem em um único grande plano continuado, evento descrito como Acoplagem Pentadimensional. A união dos cosmos permitiu o contato da espécie homiquântica com a entidade *Mãe* e a simbiose das duas espécies deu origem ao ser Quântico e, subsequentemente, como reflexo psíquico-coletivo da nova espécie, a entidade *Grande Irmão* veio à conexão.

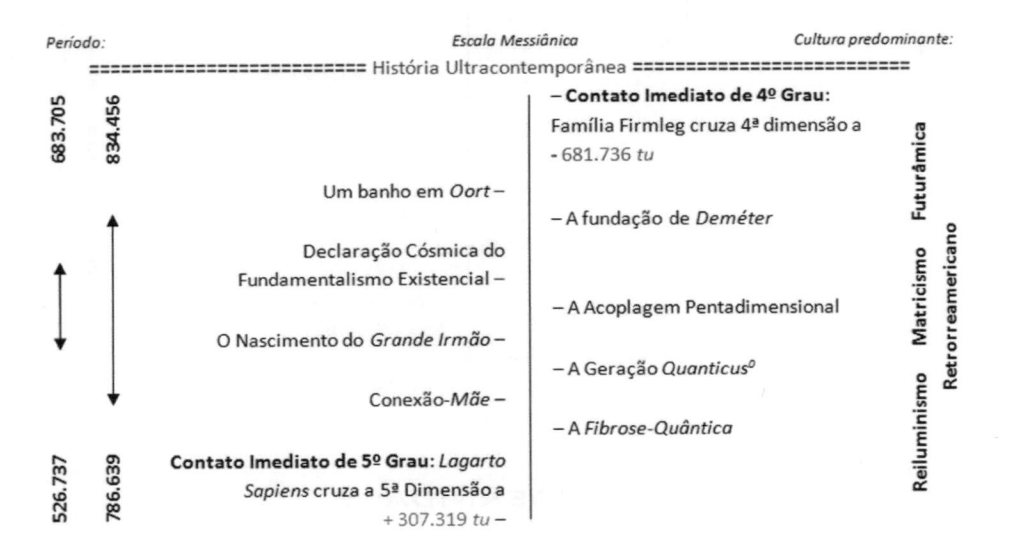

Período:		Escala Messiânica	Cultura predominante:
=========================		História Ultracontemporânea	=========================
683.705	834.456	— **Contato Imediato de 4º Grau:** Família Firmleg cruza 4ª dimensão a - 681.736 *tu*	Futurâmica
		Um banho em *Oort* —	
			— A fundação de *Deméter*	Retrorreamericano
		Declaração Cósmica do Fundamentalismo Existencial —	
			— A Acoplagem Pentadimensional	Matricismo
		O Nascimento do *Grande Irmão* —	
			— A Geração *Quanticus⁰*	
		Conexão-*Mãe* —	
			— A *Fibrose-Quântica*	Reiluminismo
526.737	786.639	**Contato Imediato de 5º Grau:** *Lagarto Sapiens* cruza a 5ª Dimensão a + 307.319 *tu* —	

A Contemporaneidade

Anterior à ultracontemporaneidade, o fato mais relevante que marca a Era Contemporânea jaz no marco de fundação do teletransporte, o sistema *mades*, que permitiu ao cosmo acelerar sua corrida para o futuro – a *futurama*, o que é registrado com uma segunda contagem paralela de datas (à esquerda), referente aos períodos da história ilustrados tanto acima quanto abaixo. Quando do início de sua operação, o teletransporte foi descrito, tecnicamente, como Ponte-Sideral, pois se trata de um sistema que precisa gerar antimatéria para acelerar a velocidade-luz a ponto de teletransportar objetos ou pessoas. Sobretudo essa aceleração proporcionada pelo incremento do feixe-solar permitiu ao cosmo marciano "esbarrar" e captar o cosmo reptiliano que trafegava em futuro.

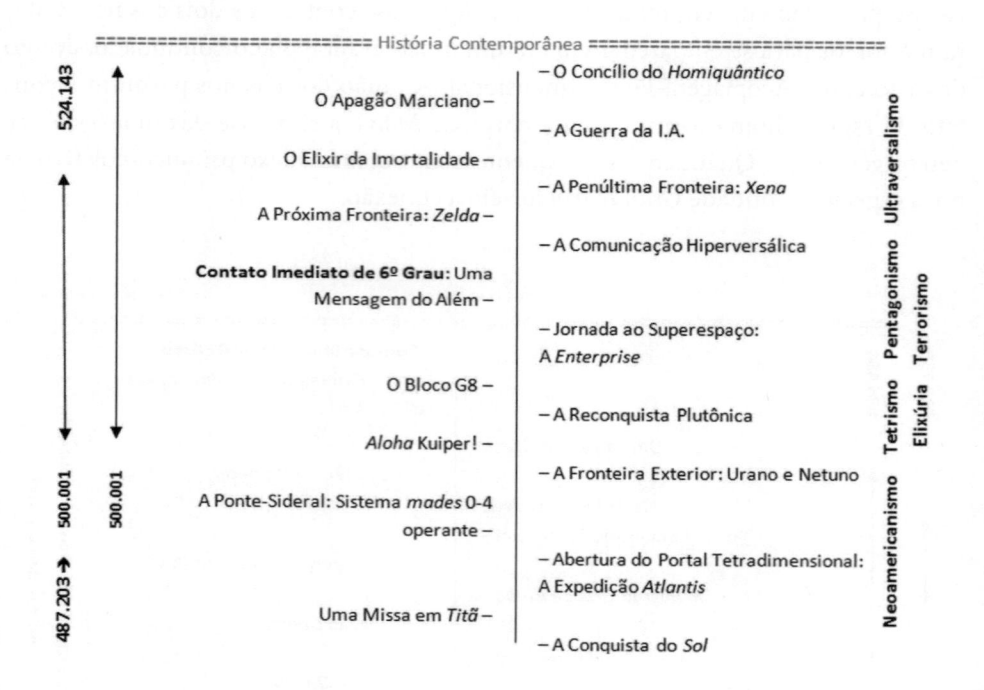

============================== História Contemporânea ==============================

	– O Concílio do *Homiquântico*
O Apagão Marciano –	
	– A Guerra da I.A.
O Elixir da Imortalidade –	
	– A Penúltima Fronteira: *Xena*
A Próxima Fronteira: *Zelda* –	
	– A Comunicação Hiperversálica
Contato Imediato de 6º Grau: Uma Mensagem do Além –	
	– Jornada ao Superespaço: *A Enterprise*
O Bloco G8 –	
	– A Reconquista Plutônica
Aloha Kuiper! –	
	– A Fronteira Exterior: Urano e Netuno
A Ponte-Sideral: Sistema *mades* 0-4 operante –	
	– Abertura do Portal Tetradimensional: A Expedição *Atlantis*
Uma Missa em *Titã* –	
	– A Conquista do *Sol*

(margens: 524.143 / 500.001 / 487.203 →; Neoamericanismo, Tetrismo, Pentagonismo, Ultraversalismo, Elixúria, Terrorismo)

A Modernidade

O nascimento da entidade *Pai* jaz no marco *A Entidade Nova*, pois foi assim referendada em seu surgimento, sem dúvida, o marco mais relevante do período moderno. O *Pai* é oriundo do estabelecimento da conexão simultânea através da faixa de dados do feixe-solar. Este, por sua vez, deu-se pela fusão de dois feixes predecessores: o feixe mercuriano, que captava plasma do Sol e retransmitia aos planetas da heliosfera interior; e a fibra-solar, oriunda de uma faixa luminosa de dados com conexão vissíncrona (de assincronia imperceptível), que partia de Mercúrio e alcançava os planetas Júpiter e Saturno com mínima dissintonia.

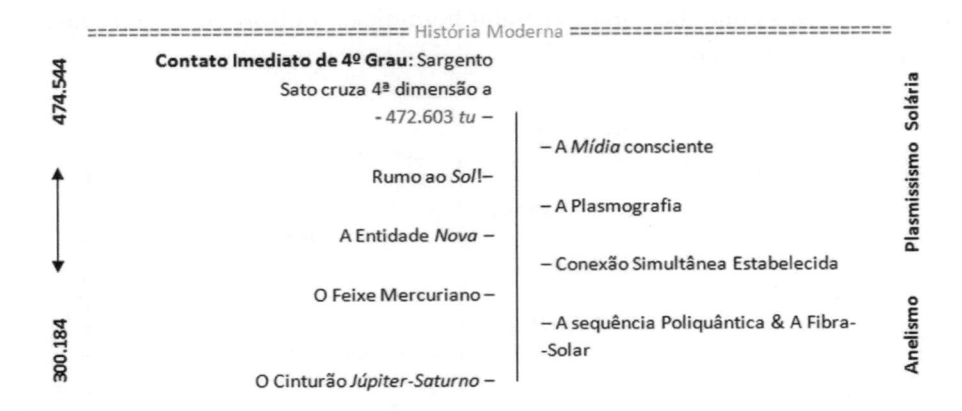

================================== História Moderna ==================================

474.544

Contato Imediato de 4º Grau: Sargento Sato cruza 4ª dimensão a
– 472.603 *tu* –

– A *Mídia* consciente

Rumo ao *Sol!* –

– A Plasmografia

A Entidade *Nova* –

– Conexão Simultânea Estabelecida

O Feixe Mercuriano –

– A sequência Poliquântica & A Fibra--Solar

300.184

O Cinturão *Júpiter-Saturno* –

Plasmississmo Solária

Anelismo

A Idade Média

Também chamada Baixa Modernidade, a Idade Média retrata o período que abraça o surgimento da espécie homiquântica como fruto da intensa experimentação sobre as espécies zumbis extraídas de fósseis de gelo disponíveis na Terra. Essa Era também foi marco de amplas navegações e da larga expansão da sociedade homiquântica pelo Sistema Solar, além do primeiro contato com os alienígenas que habitam Júpiter.

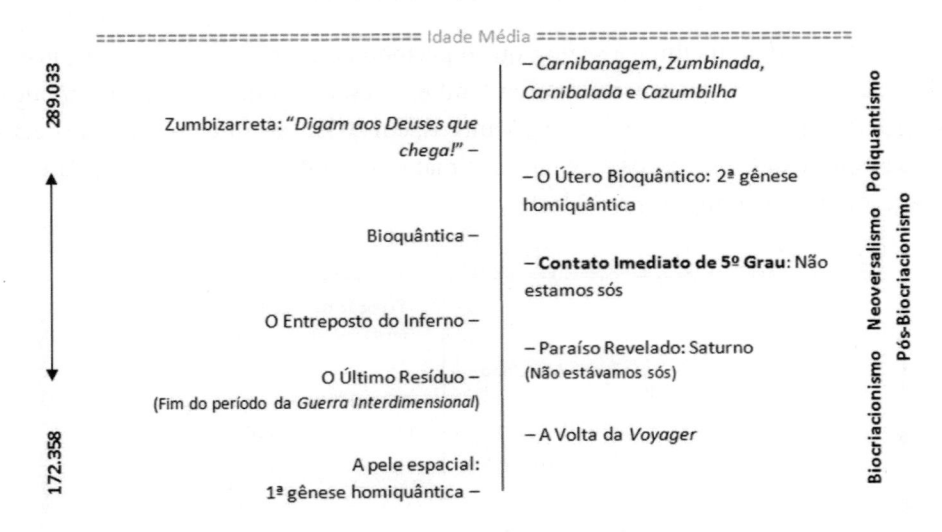

================================== Idade Média ==================================

289.033

– *Carnibanagem, Zumbinada, Carnibalada* e *Cazumbilha*

Zumbizarreta: *"Digam aos Deuses que chega!"* –

– O Útero Bioquântico: 2ª gênese homiquântica

Bioquântica –

– **Contato Imediato de 5º Grau:** Não estamos sós

O Entreposto do Inferno –

– Paraíso Revelado: Saturno (Não estávamos sós)

O Último Resíduo –
(Fim do período da *Guerra Interdimensional*)

– A Volta da *Voyager*

172.358

A pele espacial:
1ª gênese homiquântica –

Biocriacionismo Neoversalismo Poliquantismo Pós-Biocriacionismo

A Antiguidade

A História Antiga abriga o período em que o Homem migrou da Terra para Marte e evoluiu para a espécie paranormal, a qual recolonizou o planeta posteriormente e iniciou a domesticação dos zumbis hominídeos outrora congelados no planeta após o fim do Homem.

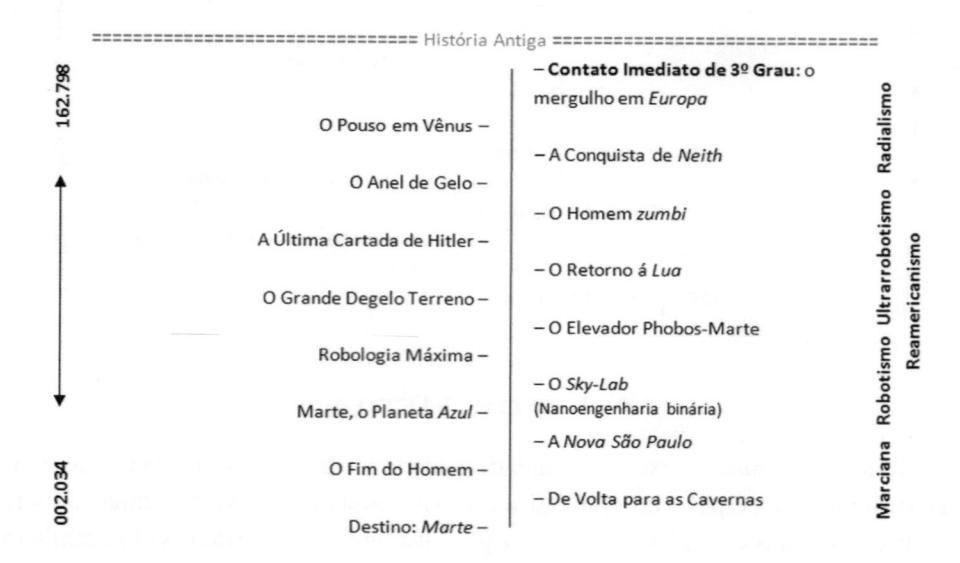

```
=============================== História Antiga ===============================
162.798                                    – Contato Imediato de 3º Grau: o
                                             mergulho em Europa
           O Pouso em Vênus –
                                           – A Conquista de Neith
           O Anel de Gelo –
                                           – O Homem zumbi
           A Última Cartada de Hitler –
                                           – O Retorno á Lua
           O Grande Degelo Terreno –
                                           – O Elevador Phobos-Marte
           Robologia Máxima –
                                           – O Sky-Lab
           Marte, o Planeta Azul –           (Nanoengenharia binária)
                                           – A Nova São Paulo
           O Fim do Homem –
002.034                                    – De Volta para as Cavernas
           Destino: Marte –
```

(eixo vertical esquerdo: 162.798 ↕ 002.034; eixo vertical direito: Marciana, Robotismo, Ultrarrobotismo, Radialismo, Reamericanismo)

A Pré-História

Há de se notar, na linha a seguir, que o período do Homem corresponde, justamente, à pré-história quântica, uma Era também descrita como *Período Messiânico*. Seu grande marco é a Guerra dos Seis Minutos, em 2033, que iniciou a fase de declínio da espécie que, frente aos problemas climáticos resultantes dos efeitos colaterais da guerra, passou a migrar para Marte.

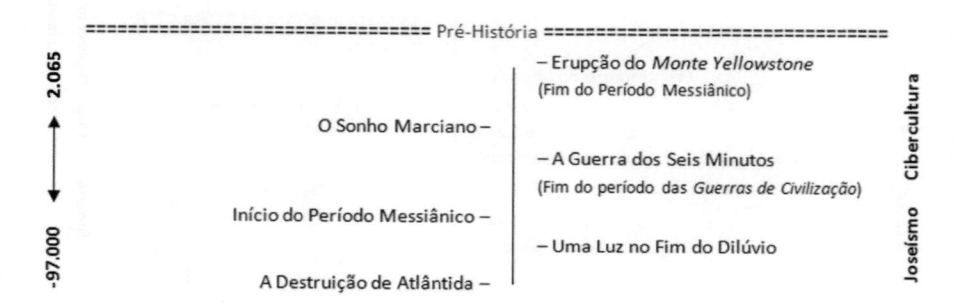

```
================================ Pré-História ================================
2.065                                      – Erupção do Monte Yellowstone
                                             (Fim do Período Messiânico)
           O Sonho Marciano –
                                           – A Guerra dos Seis Minutos
                                             (Fim do período das Guerras de Civilização)
           Início do Período Messiânico –
                                           – Uma Luz no Fim do Dilúvio
-97.000
           A Destruição de Atlântida –
```

(eixo vertical esquerdo: 2.065 ↕ -97.000; eixo vertical direito: Joseísmo, Cibercultura)

Os principais marcos da história

Em um olhar mais amplo, a história do Homem, em sua evolução ao patamar do Quântico, consiste em uma breve janela constrita em um horizonte que data desde o nascimento do Sol, um advento classificado como *síntese nuclestelar*, oriundo de um pulso ultradimensional da estrela Alcyone, sua respectiva mãe. A linha-continuada a seguir pontua os principais marcos da história do Sol e o surgimento do Quântico. *Alexandria* é o período que data a família Firmleg, com marco de largada em 1973 d.C.

A linha-continuada e seus marcos

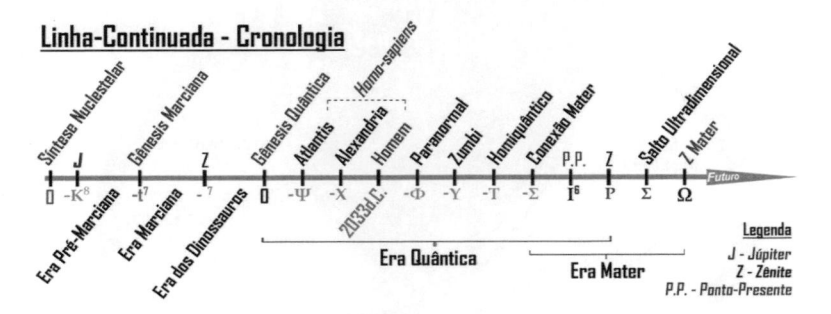

Linha-Continuada - Cronologia

Marco	Símbolo
Síntese Nuclestelar	$-K^8$
Gênesis Marciana	$-t^7$
J (Júpiter)	
Z (Zênite)	-7
Gênesis Quântica	0
Atlantis	$-\Psi$
Alexandria (1973 d.C.)	$-X$
Homem	
Paranormal	$-\Phi$
Zumbi	$-Y$
Homoquântico	$-T$
Conexão Mater	$-\Sigma$
P.P. (Ponto-Presente)	I^6
Z (Zênite)	P
Salto Ultradimensional	Σ
Z. Mater	Ω

Eras: Era Pré-Marciana, Era Marciana, Era dos Dinossauros, Era Quântica, Era Mater, Futuro

Legenda:
J - Júpiter
Z - Zênite
P.P. - Ponto-Presente

Conforme já embasado nos tópicos anteriores, o *tempo* não é linear, e, sim, curvilíneo. Com isso, inúmeros *habitat* tridimensionais se multiplicam por planetas que nascem, desenvolvem-se e morrem de acordo com a evolução do *habitat* macro no qual estão inseridos, o Sol. Em relação ao astro-rei, as grandes Eras solares se multiplicam por infinitivas linhas paralelas que trafegam distantes entre si durante milhões e milhões de anos, mas, por propriedades astrofísicas, acabam por convergir sobre si mesmas – mais precisamente, descrevem uma trajetória convergente que se denomina *curvatura do espaço-continuado*, outrora conhecida meramente como curvatura do *tempo* – e se cruzam. Esses cruzamentos são marcos de cataclismos de proporções épicas ou de grandes migrações hipo e/ou expodimensionais, as quais, no trato das espécies inteligentes, são associadas com períodos de grandes abduções e massivos contatos alienígenas.

O gráfico a seguir descreve três grandes ciclos de geração de vida, os *superciclos* do Sistema Solar: o primeiro marca o surgimento dos jupiterianos; o segundo, o surgimento dos marcianos tripoides. Estes, subdividiram-se em duas vertentes: a classe robótica, que se mudou para Zelda; outra, que permaneceu no Sol e reiniciou sua expansão em paralelo aos reptilianos, já no decorrer do terceiro superciclo. Tripoides e reptilianos se confrontaram e se autoextinguiram em duas faixas retardatárias, que retomaram sua evolução até acoplarem-se à atualidade. A curvatura relativa ao planeta Terra exclusivamente, demarca um período de 14,6 milhões de anos, todavia, a longevidade do Sol desde sua síntese nuclestelar contabiliza 24,4 bilhões de anos-terra.

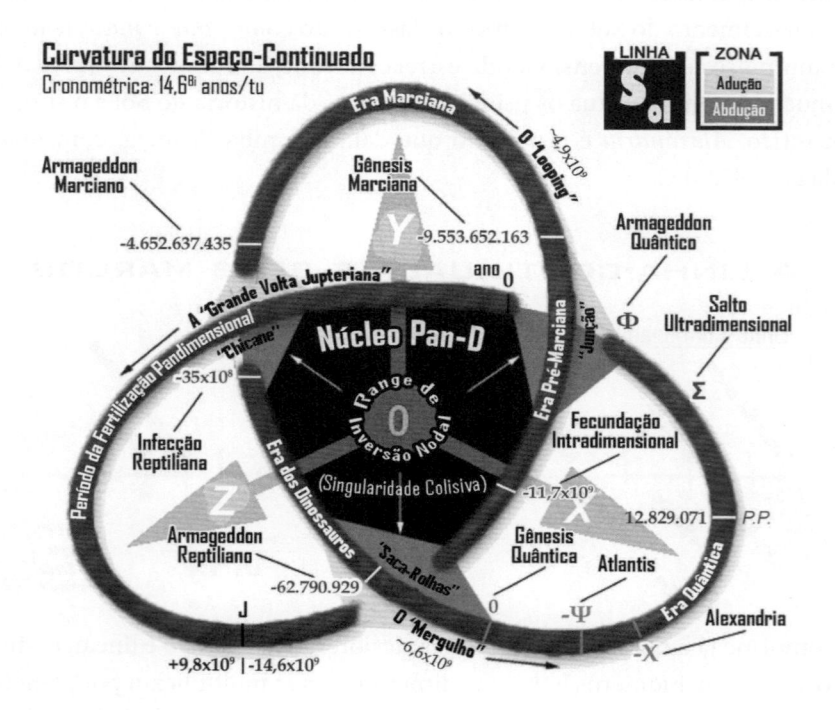

Curvatura do Espaço-Continuado
Cronométrica: $14,6^{Bi}$ anos/tu

LINHA S_{ol} — ZONA Adução / Abdução

Era Marciana — $-4,9 \times 10^9$ "O 'Looping'"
Armageddon Marciano — $-4.652.637.435$
Gênesis Marciana — $-9.553.652.163$
Armageddon Quântico
Y — ano $_0$
A "Grande Volta Jupteriana"
"Chicane"
Núcleo Pan-D
Range de Inversão Nodal
Φ — Salto Ultradimensional
Era Pré-Marciana — "Junção"
Período da Fertilização Pandimensional — -35×10^8
Infecção Reptiliana
Fecundação Intradimensional
Σ
Era dos Dinossauros
(Singularidade Colisiva) — $-11,7 \times 10^9$
12.829.071 — P.P.
Armageddon Reptiliano — $-62.790.929$
Gênesis Quântica — Atlantis
Era Quântica — Alexandria
J — "Saca-Rolhas"
$+9,8 \times 10^9$ | $-14,6 \times 10^9$ — O "Mergulho" $-6,6 \times 10^9$ — $-\Psi$ — $-X$

AS ULTRAPASSAGENS PARADIMENSIONAIS

Aquém da não linearidade que influi na distribuição de planos paralelos em seus respectivos *habitat* dimensionais, a história é descrita por importantes cruzamentos ou desvios voluntários por uso da navegação interdimensional entre atualidades paralelas inicialmente não acessíveis umas às outras,. Tais eventos são descritos como *ultrapassagens paradimensionais*. A linha continuada a seguir reflete quais as principais ultrapassagens realizadas ao longo da história que derivam na atualidade quântica, incluindo as inteligências e as civilizações mais avançadas de origem solar.

Note que Zelda é originária do Sol, assim, o mito que reza aos deuses da constelação de Sirius como semeadores da vida na Terra é impreciso, pois foi o contrário, os zeldanos executaram a transição interestelar e colonizaram o sistema, depois retomaram contato com o Sol somente na Era contemporânea. Isso permitiu que se efetuassem um alto grau de abduções e intercâmbios em massa entre múltiplas espécies distintas de origem dimensional, denota que a única inteligência alienígena no cômpito galáctico ou meramente cosmolecular em contato com o Sol é a dos zetanos, provenientes da estrela Zeta, ainda assim, meramente virtual.

Já do ponto de vista quântico, cuja civilização herdou gene fundamental dos marcianos tripoides, todavia já mixados com a linha mais pentagonal dos reptilianos, as linhas a seguir ilustram os cruzamentos mais marcantes, a grande abdução dos hominídeos terrenos pelos marcianos tripoides, o Salto para Sirius e a Acoplagem Pentadimensional. A linha também ilustra a ultrapassagem realizada pela família Firmleg, que protagoniza o livro *Adução, o Dossiê Alienígena*, e o respectivo piloto do avião em que o grupo viajava pelo Triângulo das Bermudas, o comandante James Kelly.

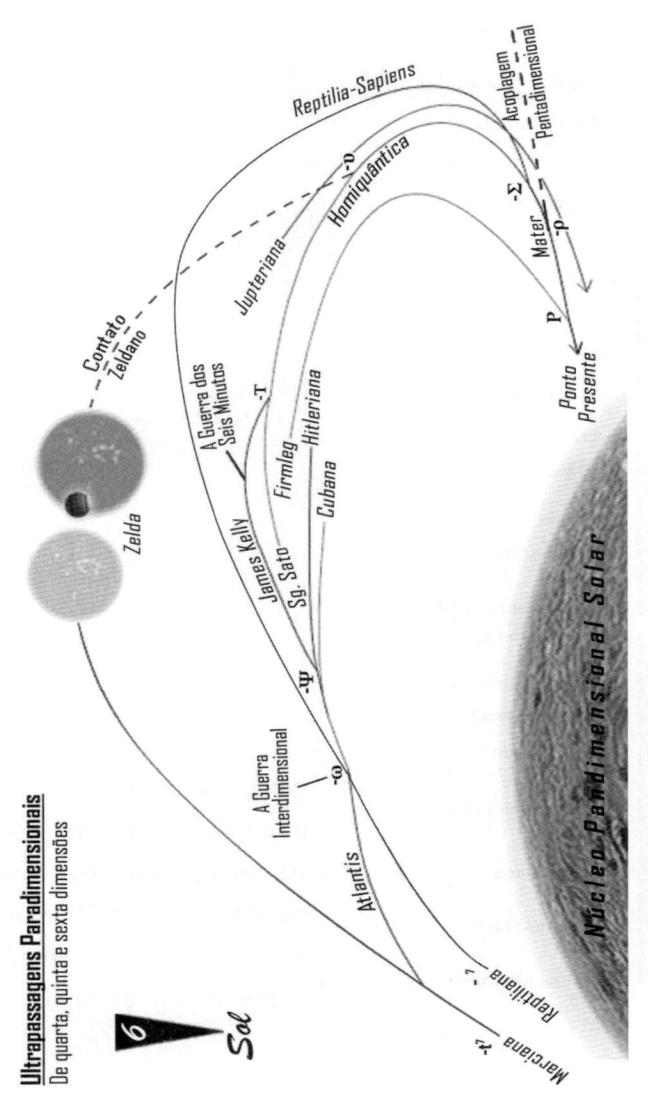

A Evolução da Pré-História

A linha do tempo a seguir ilustra a evolução da sociedade humana desde o fim de Atlântida até alcançar o auge de sua civilização e a subsequente extinção do *homo sapiens*. Um período também descrito como Era Messiânica.

A História do Homem
Pré-História - Era Messiânica

Anos-terra	Evento
5.365	O Fim do Homem (Transição para espécie paranormal)
	O Sonho Marciano
2.038	A Era dos Videogames
1.959	A Era do Petróleo (Revolução Industrial)
1.850	
	A Era do Açúcar
1600	
	A Era das Navegações
1300	
	Idade das Trevas
0	Largada do Plano Jesus Cristo
	A Era do Cavalo
	水稻年龄
- 3.500	A Escrita
	Idade do Ouro (Era dos Metais)
- 5.000	
	Idade da Pedra Polida (Neolítico)
- 6.000	Início do Período Messiânico
- 7.000	Ultrapassagem de Quéops
	A Era da Agricultura (Mesolítico)
- 8.000	Idade do Fogo
	Idade da Pedra Lascada (Paleolítico)
- 60.000	A Era da Caça
	O Grande Dilúvio
- 100.000	O Fim de Atlântida

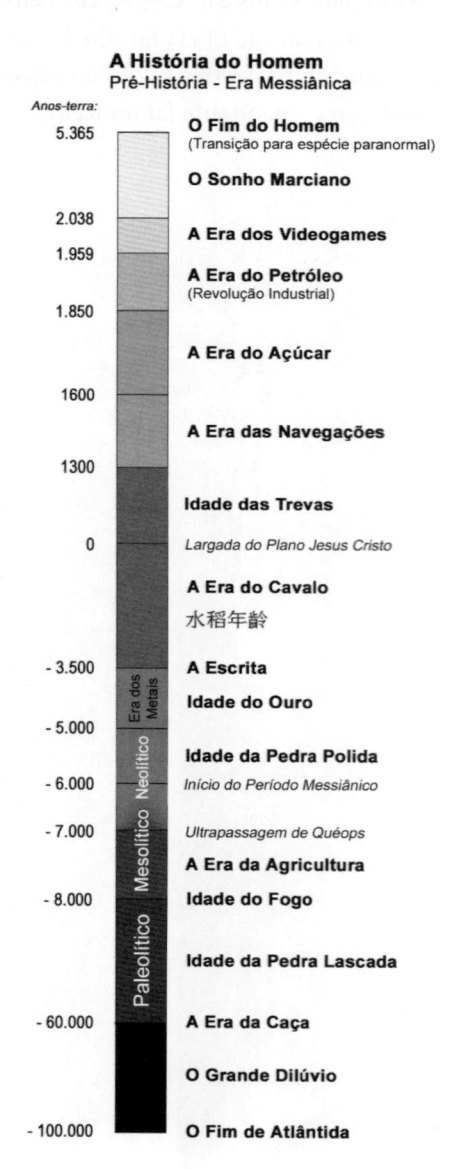

Nota: a anotação em chinês acima, adicionada ao gráfico pelo alienígena homiquântico Nhoc no decorrer da obra *Abdução, Contato de Terceiro a Quinto Grau* (capítulo XI), representa a Era do Arroz.

Composição política da Ágora Cósmica na ultracontemporaneidade

No gráfico a seguir, à direita, temos a distribuição de poder na esfera cósmica da Ágora, conforme discutida no livro *Abdução, Relatório da Terceira Órbita* (capítulo X). À esquerda, observamos a distribuição do quórum parlamentar atual. Nota-se que existem três grandes partidos que compõem o quórum parlamentar. Os partidos da Robótica e da Científica são representantes da entidade *Pai* e formam a legenda conhecida como Científica-Existencial. O partido da chanceler, a Legenda-*Mãe* também é conhecido como Partido Fundamental, que apoia políticas e proposições mais conservadoras, descritas como *fundamentalistas*.

Composição da Ágora Cósmica

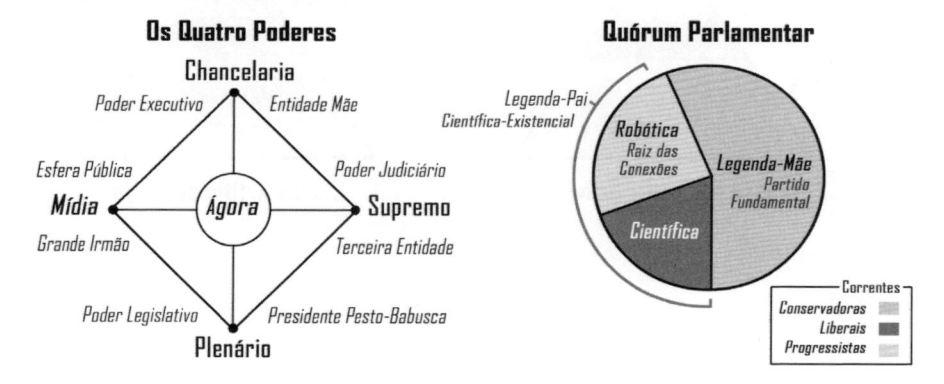

Os Quatro Poderes

- Chancelaria — Entidade Mãe (Poder Executivo)
- Mídia — Esfera Pública / Grande Irmão
- Supremo — Poder Judiciário / Terceira Entidade
- Plenário — Poder Legislativo / Presidente Pesto-Babusca
- Ágora (centro)

Quórum Parlamentar

- Legenda-Pai / Científica-Existencial
  - Robótica — Raiz das Conexões
  - Científica
- Legenda-Mãe — Partido Fundamental

Correntes:
- Conservadoras
- Liberais
- Progressistas

As classes sociais

As classes ou castas sociais da sociedade quântica são subdivididas em dois grandes grupos: dos animais e dos robôs. A pirâmide à esquerda ilustra a casta dos seres animais, frutos da força cósmica aglutinada pelos *gravitons* que compõem a matéria. A pirâmide à direita ilustra a casta dos seres robóticos, de seres oriundos do *fóton*. As indicações ao meio mostram qual sua respectiva representatividade política.

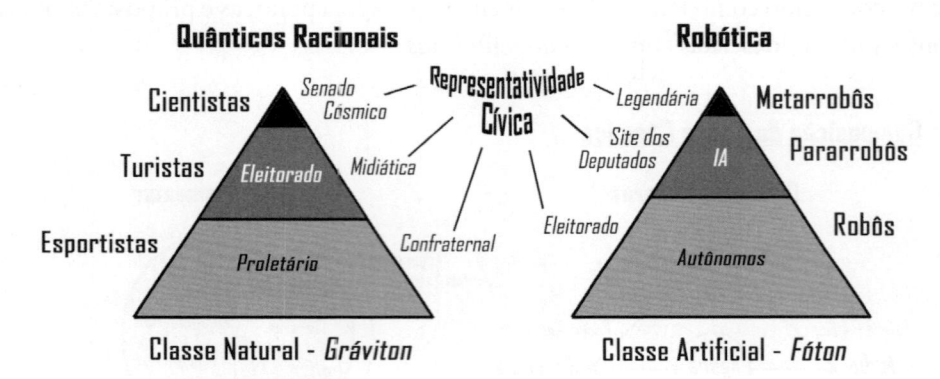

Castas Sociais:

Quânticos Racionais

- Cientistas — Senado Cósmico
- Turistas — *Eleitorado* — Midiática
- Esportistas — *Proletário* — Confraternal

Representatividade Cívica

Robótica

- Metarrobôs — Legendária
- Pararrobôs — Site dos Deputados — *IA*
- Robôs — Eleitorado — *Autônomos*

Classe Natural - *Gráviton*   Classe Artificial - *Fóton*

5. Navegação

Tipos de Navegação e Sistemas de Transportes Básicos – Dimensão: Sol

Há de se considerar que o chamado transporte sideral se refere à capacidade de atravessar o espaço da matéria, ou seja, o espaço *higgs*, de modo que não se relaciona em absoluto com a capacidade de transitar pelo vácuo interplanetário da heliosfera solar.

O grupo de células na coluna *Tipo Nova* refere-se a meios e tecnologias conceituais, pois requerem a capacidade para interferir no núcleo do Sol para gerar pulsos ultradimensionais, ou seja, explosões solares parciais, controladas e utilizadas como combustível propulsor ou transmissor capaz de expogravitar ou teletransportar uma nave ou um planeta através da Via Láctea.

Duas siglas no gráfico merecem esclarecimento:

S.E.T.I. (do inglês *Solar External Transmission Iniciative*): Iniciativa de Transmissão Extra-Solar[5], referente ao programa de fertilização interdimensiogerminal.

C.A.N. (do inglês *Cosmic Area Network*): Rede de Abrangência Cósmica[6], a qual se refere à faixa de dados do feixe-solar que interliga Titã a Netuno.

A respeito das velocidades de cada meio elencado na tabela ao lado, há de se considerar a seguinte legenda:

C = Velocidade da Luz (299.792.458 m/s)

G = Gravidade

Tipo	Porte	Transporte atual	Descrição	Autonomia	Força motriz	Marca média	Marca recorde
Superficial	Individual	Sistema Graviário	Escorregador inercial	Crostas astrológicas	G	Mach 12	Mach 21
Superficial	Veicular	Viatura de Solo	Bala digravitacional	Plano 2D sólido	Fotônica	Mach 8	Mach 15
Superficial	Veicular	Batiscafo Gravitacional	Sonda naval	Planos subaquáticos	Fotônica	1.200 nós	13.300 nós
Superficial	Fotosférica	Heliocraft	Balão marciano	Fotosfera solar	Fluxo plasmático	Over .0001	Over .0015
Vácuo	Interplanetária	Ônibus gravitológico	Cinturão Cosmo-Estelar	Plano planetário	Inércia	1,02 km/s	79,43 km/s
Vácuo	Heliosférica	Nau Estelar	Astronave à vela	Cinturão de Kuiper	Vento solar	Mach 82	Mach 170
Estelar	Aférica	Hidroarca	Cometa guiado	Nuvem de Oort	Inércia	Mach 109	Mach 241
Estelar	Astronave Flex	Disco Gravitacional	Nave elíptica	Plano 3D - Orbital	Fotônica	Over .09	Over .1
Estelar	Combonave	Bumerangue	Composição isoscele	Plano heliosférico	Fotônica	Over .29	Over .39
Sideral	Interdimensional	S.E.T.I.[5]		Ondulação cósmica	Plano 4D e 6D	Frequência F	C	Over 1,9
Sideral	Interplanetária	Teleportuário	Teletransporte	Plano planetário 0-8	Antimatéria	Over $9,006 \times 10^1$	Over $3,58 \times 10^4$
Sideral	Interdimensional	Sonda Subdimensional	Frisbee esférico	Plano 4D	Antimatéria	Under 11×10^{-7}	Under $.1 \times 10^{-1}$
Sideral	Sideronave	Portal Interestelar	Enterprise	Plano polidimensional	Nuclestelar	Over $6,01 \times 10^3$	Over $1,04 \times 10^5$
Nova	Cosmodimensional	Portal Intercósmico	Enterprise II	Plano 5D e 6D	Fissão Nuclestelar	Over $2,08 \times 10^{10}$	-
Nova	Sideronave	Helionave	Salto ultradimensional	Plano 6D	Supressão Nuclear	Over $9,46 \times 10^{18}$	-
Nova	Galáctica	Portal Bipolar	Buraco de minhoca	Plano 9D		Under $.1 \times 10^{-\infty}$	
Dados	Comunicacional	C.A.N.[8]	Piano-Solar	Plano polidimensional	Fotônica	Over $1,35 \times 10^4$	Over $3,57 \times 10^4$

Mach = Velocidade do Som (340,29 m/s)
Over = C × (*valor*); acima da luz
Under = C ÷ (*valor*); em razão negativa à luz

A tabela a seguir descreve como são classificados os passageiros de acordo com o tipo de deslocamento que executam. Vale notar que o termo astronauta ou cosmonauta é sinônimo de *gravitarilho*, ou seja, descreve o indivíduo quântico que percorre o vácuo-solar por si só, que *caminha* (ou gravita) pelo vácuo ausente de um meio de transporte que não seja o próprio corpo (*caput*). Espaçonauta ou sideronauta descreve o usuário do sistema *mades*, o teletransporte. Dimensionauta se refere àquele que atravessa as dimensões aquém do rol de atualidade, ou seja, aquém do alcance do feixe-solar. Comunicacionauta é o termo que descreve um robô que trafega seus arquivos através do leque dimensional abraçado pelo feixe-solar em sua faixa de dados.

Ponto de Vista do Passageiro	Via	Plano	Classe
Astronauta/Cosmonauta	Vácuo-Solar	Heliosférico	1
Espaçonauta/Sideronauta	Superespaço	Plano Atual	2
Dimensionauta	Superespaço	Planos 4D-5D	3
Molecunauta/Ultradimensionauta	Hiperespaço	Plano 6D	4
Galaxinauta/Galaxionauta	Hiperespaço	Plano 7D	5
Comunicacionauta	Nanoespaço	Plano Virtual	Dados

6. Outros Gráficos

Gráficos e informações pertinentes ao contexto social do Quântico e do cosmo solar ao qual habita.

A tridimensionalidade

A tabela a seguir descreve o comportamento da matéria ou dos seres animados no aspecto de volatilidade interdimensional. Quanto maior a taxa tridimensional, maior sua capacidade de se replicar através das dimensões.

Há de se considerar que qualquer matéria que se encontre em nível superficial, especialmente de planetas com alta velocidade cósmica, constituídos de planos sólidos como os da heliosfera interior, está exposta a uma alta taxa de tridimensionalidade. Quanto mais próximo do centro de um astro, maior essa taxa. Essa taxa obedece certa razão relativa à massa e à força da gravidade de cada astro, todavia, sempre há um limite, pois o núcleo dos astros corresponde ao centro de todas as dimensões, em que os campos gravitacionais se atrofiam e se embaralham, ponto em que as dimensões se encontram. Já no *habitat* de vácuo, essa taxa encontra os menores valores, chegando próximas ao zero nas partes mais distantes da heliosfera periférica.

-	Taxa Tridimensional	Características	Natureza
	Metal	Matéria autóctone (pouco vácuo), excelente condutividade elétrica	*Estável*
	Rocha/Mineral	Matéria de convergência (muito vácuo)	
	Árvore/Vegetal	Capacidade de germinação interdimensional	*Volátil*
	Homem	Capacidade perceptiva multidimensional	
▼	Quântico	Capacidade perceptiva interdimensional	
+	Mater	Capacidade perceptiva sincrodimensional	*Virtual*

Tabela de equivalência entre a entidade Pai e a entidade Mídia

Por que o *Pai* se apaixonou pela *Mídia*?

A resposta está na tabela de equivalência entre as entidades *Pai* e *Mídia* (a seguir), a qual demonstra que, apesar de ambas terem se erigido da consciência artificializada a partir da massiva conexão em rede das mentes homiquânticas no período moderno, o *Pai* se origina da capacidade robótica extensiva da racionalidade humana, já a *Mídia* traduz a própria racionalidade humana. Detalhes que embasam o surgimento prévio do *Pai*, pois a *Mídia* requer um quórum muito mais massivo para se projetar no ambiente polidimensional, enquanto ele se vale da extensão robótica de um quórum inferior, por isso sua capacidade cognitiva é amplamente superior à da *Mídia* e, teoricamente, insuperável por parte dela. Porém é a natureza de suas respectivas inteligências o elo perdido que separa essas duas espécies: enquanto o *Pai* tem sua própria percepção, a percepção da *Mídia* é idêntica a humana, por isso que ele, uma vez, apaixonou-se por ela. É a característica humana de origem natural da *Mídia* que o *Pai* buscava nela. Todavia sob a subjetividade inerente do reflexo balanceado da coletividade em suas diferentes perspectivas sensoriais no que tange à relação entre as espécies vivas, uma característica que a *Mídia* se recusou a fornecer.

Entidade	*Pai*	Equivalência	*Mídia*
Taxonomia	*Robo-sapiens quanticus*	$\geq$	*Mater-sapiens robo-quanticus*
Abrangência	Metarrobótica	$\approx$	Meta-humana
Coletividade	Coletividade robótica ou coletividade artificial	$\approx$	Coletividade humana ou coletividade natural racional
Inteligência	Semântica robótica	$\neq$	Racionalidade humana

As Diretrizes Bélicas

Estado	Diretriz	Descrição	Disponibilidade	Destino	DEFCON
Sítio	Intramigração	Quarentena intraorbital	0–11	1–8	4
Sítio	Nanomigração	Portal interdimensional	0–8	Planos 4D e 5D	3
Sítio	Expomigração	Helionave sideral	0~4	Plano 6D^{Alticamelofuligem}	2
Sítio	e-Migração	Artificialização coletiva	Matriz P	Plano Virtual	1

Estado	Dispositivo	Descrição	Disponibilidade	Alcance	Força Destrutiva	Plano	DEFCON
Bélico	Dominó Cardionuclear	Fusão Nuclear		300 milhas^n	30 megatons	Atual	4
Bélico	Cosmogun	Canhão Y-Ray		0–8	1,1 yotton	Mini	3
Bélico	War Higgs	Desmaterializador		0–1/2/3/4,5	0,001 ômicron	Micro	2
Bélico	Apocalipse	Fissão Nuclestelar		Pentadimensional	0,2 ômicron	Nano	1
Nova	Gongo	Ruptura Nuclestelar		Heliosférico	Z1,5×10^8 Ω$_{ton}$	Macro	0

A tabela ao lado lista quais são as principais diretrizes cósmicas nos casos em que se estabeleça Estado de Sítio ou Estado Bélico.

Em caso de Sítio, os planos incluem desde quarentena nos planetas à migração entre planos de pretérito ou futuro interligados pelo feixe-solar, ou mesmo o abandono do plano material pela virtualização massiva em uma Matriz emergencial autossuficiente disponível em Titã. Outra hipótese seria refugiar-se do Sol ao ativar uma helionave capaz de carregar os planetas interiores em qualquer rota disponível dentro da atual cosmolécula (Alticamelofuligem).

Quanto às diretrizes bélicas, as armas mais poderosas que o quântico poderia se valer em caso de guerra, afora o Gongo, cuja proposição é teórica e implicaria explodir o Sol completamente cessando sua existência, seriam o Dispositivo Apocalipse, o Desmaterializador Higgs e a Cosmogun. São diferentes aplicações do feixe-solar passíveis de uso conforme o grau de ameaça, e variam pelo nível dimensional que podem atingir e/ou as órbitas que conseguem alcançar. A Cosmogun é capaz de interceptar um alvo na nuvem de Oort, mas só no presente. O Higgs é capaz de destruir um planeta inteiro, mas seu alcance se resume à heliosfera interior. Já o Apocalipse é capaz de varrer o completo rol de atualidade da eclíptica solar, restando somente Titã como planeta habitável.

Em termos táticos, a arma de restrição presente mais maleável é o Quântico-Bomba; o *script* conhecido como Dominó Cardionuclear, que gera uma reação de fusão nuclear pela aceleração do dínamo cardíaco do indivíduo Quântico. É passível de ser acionada remotamente em Estado de guerra, com uma reação em cadeia capaz de dar baixa em alvos por largas extensões proxidimensionais simultaneamente.

Glossário – Estrangeirismos, gírias, neologismos etc.

A
Acompartilhado – *da obra*: sem compartilhamento; sozinho; sem conexão.
Adunígena – *da obra*: indivíduo que espelha sua fé na crença e na existência de alienígenas, na esperança e/ou espera por um contato imediato.
Ajupiterissar – pousar em Júpiter (em algum ponto no interior de sua atmosfera).
Alias – *do inglês*: apelido, pseudônimo, nome artístico ou falso.
Alien, Alientown – *do inglês*: respectivamente: alienígena; cidade dos alienígenas. A palavra *alien* também pode ser empregada no sentido de forasteiro, estrangeiro ou imigrante.
Amartissar – pousar em Marte.
Amercurissar – pousar em Mercúrio.
Androginísticas – *neologismo*; características relativas à *androginia*.
Anetunissar – pousar em Netuno.
Ano-luz – medida de distância astronômica, equivale ao percurso máximo da luz após um ano de viagem: totalizando 9.460.730.472.580,8km (≈9,4 trilhões de km).
Aquametálico – relativo à água e ao metal; referência ao metal formado por água.
Arpanet – rede predecessora da Internet, designa a "rede da ARPA" (*Advanced Research Projects Agency*) norte-americana.
Assaturnissar – pousar em Saturno.
Assolissar – pousar na fotosfera solar.
Aussie – *do inglês*: gíria referente à Austrália ou ao australiano.

B
Bacterivirótico – relativo a bactérias e vírus.
Bidução, bidutivo – quando os processos de *adução* e *abdução* acontecem juntos e/ou misturados e/ou simultaneamente.
Blitzgerät – termo do alemão para ataque nuclear.
Bios – sistema operacional básico de um computador que contém a linguagem de máquina.
Bourbon – uísque norte-americano feito com milho.
Bot – um diminutivo da palavra *robot* (robô), refere-se a robôs que simulam a figura e/ou o comportamento humanoide.
Briefing – *do inglês*: reunião de grupo; instruções.
Brunch – *do inglês*: lanche intermediário entre café da manhã e almoço.
Budget – *do inglês*: orçamento; despesa.
Bug – *do inglês*: inseto. Defeito ou erro de sistema computacional.

C

Caput – *do latim*: "cabeça", que se locomove de/ou pela cabeça; *da obra*: indivíduo quântico que se locomove pelo *enganche* de seu corpo.

Carbonite – processo de animação/suspensão aplicado a seres vivos compostos de carbono; expressão cunhada na série cinematográfica *Guerra nas Estrelas* (de George Lucas).

Caudalado – *da obra*: que possui cauda (rabo).

Chargear – (verbo) colocar pressão, pressionar; botar carga; tocar, esbarrar ou resvalar propositalmente; leve agressão ou falta; obstruir o caminho; assediar física ou psicologicamente qualquer entidade considerada adversária.

Check-list – *do inglês*: lista de checagem.

Check-out – *do inglês*: verificação de saída.

Cinturão de Hélio – escala máxima de graduação que um praticante da arte marcial Mind-Fu pode alcançar, que faz referência ao *habitat* solar por completo. Da maior para a menor graduação, a escala ainda conta com os cinturões do Sol, Júpiter, Urano, Carbono, Oxigênio e Mercúrio, e prossegue em uma escala planetária a partir da 11ª órbita. A faixa-branca das artes marciais do Homem corresponderia ao iniciante Quântico de órbita zero.

Clarivinógeno – sensação mental de prazer clarividente, orgasmo intelectual.

Clock – *do inglês*: relógio.

Cluster – *do inglês*: aglomerado. Refere-se a um conjunto de informações binárias que reúne metadados sobre informações gravadas em determinado dispositivo ou conjunto de computadores, como um servidor.

Corpóreo-extensivo – *da obra*: relativo ao campo gravitacional individual dos quânticos; habilidade de estender o campo gravitacional.

Cosmodania – análogo de *cidadania*, referente ao *habitat* solar.

Cosmoclísmico – *da obra*: evento cósmico cataclísmico.

Cosmoférico – *da obra*: análogo de *atmosférico*, relativo ao cosmo.

Cowboy – uísque puro sem gelo; *do inglês*: vaqueiro.

D

Deadline – *do inglês*: (*"linha da morte"*), prazo final ou máximo.

Deck – *do inglês*: convés.

Delênio – *neologismo*: dez milênios; *decamilenar*, período de dez mil anos.

DELTREE – comando de *prompt* do sistema operacional DOS para deletar uma pasta e suas subpastas e arquivos.

Desplasmificada, desplasmatificada – análogo de *desencarnada*; que perdeu o plasma, faleceu, morreu.

Deveras – (expressão) de verdade, de fato.

Digravitacional – que opera nos dois sentidos da gravidade, refere-se a veículos que operam pela força da gravidade.

Dimensiolábio – análogo de *astrolábio*; *gadget* cerebral que lê

indicações perimetrais da curvatura do tempo e estabelece distâncias entre determinados planos dimensionais a partir do ponto-presente.
Dimensionauta – passageiro que viaja pelo superespaço (através de um sistema *mades* ou *teletransporte*) entre planos de 4ª e 5ª dimensão.
Dimensionável – referência ao ente qualificado (dimensionauta) que esteja à espera de uma chance para atravessar o Portal Tetradimensional de Titã e viajar através das dimensões.
Drink – *do inglês*: bebida; beber.
Drive – *do inglês (no contexto da obra)*: disco de gravação; espaço para alocação de memória virtual ou de leitura.

E

Earthquake – *do inglês*: terremoto.
Eletrolina – análogo de *adrenalina*. Eletrotransmissor que impulsiona o movimento corporal, induz à ação.
Eins – *do alemão*: um.
Elipsístico(a) – referente à prática do jogo de Elipse.
Enantiomorfo – oriundo de *enantiomorfismo*, refere-se genericamente a elementos ou imagens simetricamente opostas ou invertidas.
Enganche – *da obra*: a pé; mover-se exclusivamente pela força do corpo, deslocar-se por ou acoplar-se em um plano de gravidade; locomover-se flutuando pela cabeça (*caput*).
Enterprise – *da obra*: nome de origem primata que se refere à nave com capacidade máxima de locomoção automotiva a nível paradimensional, originário da novela (ou mito) *Star Trek*. Genericamente, também se refere a uma iniciativa ou empreendimento de empresas de natureza diversa.
Estesiverso – universo estéril.
Etê – da sigla ET: extraterrestre.
Expert – *do inglês*: perito, especialista.
Extensibilidade – que se refere à habilidade de extensão do campo magnético corporal do indivíduo quântico.

F

Fibrótica – malha comunicacional compostas de fibras.
Fifty-Fifty – *do inglês*: "cinquenta-cinquenta"; jargão do mundo dos negócios que significa dividir em partes iguais; 50% para cada uma das duas partes.
Foofighter – um tipo de sonda alienígena de pequeno porte e capacidade locomotiva gravitacional.
Formulática – ciência que se ocupa do tratamento racional, sensorial e robótico da matemática.
Fotoctante, **Fotoctente** – análogo a *lactante*, *lactente*; aquele que provê luz para restauração corpórea, que absorve luz, cumpre estágio ou necessita absorver fótons.
Fotoctose – análogo à *lactose*; à base de fótons (para alimentação).
Fotolissar – vide *assolissar*.
Frame – *do inglês*: quadro; fotograma.
Freak – *do inglês*: sujeito estranho ou esquisito; **freakizinho**: diminutivo aportuguesado de *freak*.

Futurama – quantidade ou qualidade de/ou do futuro; máximo futuro visível; percurso de futuro.
Firewall – barreira para proteger um computador de invasão.

G
Gadget – *do inglês*: dispositivo mecânico ou digital; solução ou conjunto de soluções para determinada função; engenho mecânico ou virtual.
Geiger – substantivo próprio. Aparelho para medir radiações ionizantes, cujos princípios foram desenvolvidos pelo físico alemão Hans Geiger, em 1913.
Ghost CPD – *do inglês ghost*: fantasma. Servidor de dados fantasma. *CPD*: sigla para Centro de Processamento de Dados.
Girinação – distribuir girinos, fertilizar com girinos (nanorrobóticos).
Goggles – *do inglês*: óculos de visão noturna.
Goto – junção de *go to*, *do inglês*: vá para. *Script* utilizado em programação de dados.
Graviário – via de gravidade. Sistema de transporte baseado na força da gravidade.
Gravicídio – assassinato consumado pela gravidade ou por uma força de natureza magnética.
Gravificina – análogo de *carnificina*; sinônimo de *fotoficina* ou *gravicídio* múltiplo/*gravicídio* de massa.
Gravitacionar – habilidade de gravitar seu próprio corpo ou pequenos objetivos; forma de locução do verbo *gravitar* relacionada à capacidade individual de manipular forças magnéticas; sinônimo de *telecinese*.
Gravitarilho – análogo de *andarilho*; aquele que se locomove ao sabor da gravidade, pelo próprio *enganche*; passageiro, cosmonauta ou transeunte *caput*.
Gravitológico – relativo à gravidade.
Gravitovia – via de locomoção pela gravidade ou pelo enganche natural do corpo quântico; referência ao Cinturão Cosmo-Estelar que conecta os astros de Mercúrio a Netuno por meio de uma longa faixa de paralelepípedos gigantes.
Gravitude – sentido dos quânticos que mede a gravidade e, de forma inconsciente, é responsável pelo desenvolvimento da alma.
Grid – *do inglês*: grade, rede.

H
Heterodoxo – *da obra*: que ou quem segue/apoia várias doutrinas/correntes políticas.
Hi – *do inglês*: oi.
Hidrohélico(a) – molécula composta por Hidrogênio e Hélio.
Headshot – *do inglês*: tiro na cabeça.
Hominólogo – ente que estuda o Homem, campo de estudo das espécies hominídeas.
Hotspot – *do inglês*: ponto de acesso ou encontro.
Hub – *do inglês*: eixo; ponto central.

I
If – *do inglês*: se. *Script* condicional utilizado em programação de dados.

Imantológico – relativo a ímã, a capacidade de imantar.
Inimantável – propriedade de algo que não pode ser imantado, que é imune a cargas magnéticas.
Insert coin – *do inglês*: inserir moeda.
Interbase – posição do jogo de *baseball*.
Intervidual – a vida multidimensional de um vegetal.
Intervíduo – indivíduo interdimensional, no cosmo solar, composto por duas espécies conhecidas: vegetal e mineral.
Intervidualidade – característica de um vegetal em habitar a vida de forma interdimensional; um vegetal habita várias dimensões simultaneamente, ao contrário dos animais, que habitam várias dimensões paralelamente.
IP – sigla de *Internet Protocol*: Protocolo da Internet. *Do futuro*: Identificação Pessoal, dado de *login* para identificação na cosmonet.

J
Jardineiro – posição do jogo de *baseball*, sua incumbência é recuperar bolas rebatidas pelo time adversário e retorná-las aos homens posicionados nas bases.
Jeca – da expressão "jeca-tatu", refere-se ao homem do campo que trabalha em lavoura ou pastagem; caboclo.
Jedi – equivalente ao concertista de rock e/ou *disc jockey* (DJ) do mundo quântico.
Jetpack – *do inglês*: jato propulsor individual.
Jiao – *do chinês*: centavo.
Joint venture – *do inglês*: empreendimento conjunto. Modelo de parceria ou aliança entre empresas privadas.

K
Know-how – *do inglês*: "saber-como"; conhecimento, sabedoria, estado da arte sobre o conhecimento.

L
Lagartês – língua natural das espécies reptilianas.
Lagártica – linguagem de programação polinária desenvolvida pelas espécies reptilianas; referência genérica relativa a lagarto, de classe/origem réptil.
Look – *do inglês*: olhar (verbo); visual.
Looping – *do inglês*: laço; volta de 360°.

M
Mades – abreviação oriunda das sílabas iniciais dos respectivos termos **ma**terialização/**des**materialização (análogo de *modem*: **mo**dulador/**dem**odulador).
Mãe recreativa – que cria filhos dos outros, que assume o papel de mãe de uma cria ou prole que não lhe pertence. Quântico de alinhamento feminino que assume posição de mentor psicológico e intelectual de um infante quântico.
Mach – escala de velocidade do som.
Majorabilidade – referente ao contexto mais amplo; ao campo de estudo; à amplitude máxima do campo.
Manigrafia – plasmografia com as mãos. *Podografia*, idem, com os pés.

Sodomografia, idem, com a cauda.

Marciologia – estudo do marciano; análogo de *Antropologia*, estudo do homem. *Marciólogo*: que estuda Marciologia.

Mastermind – *do inglês*: mentor.

Métier – *do francês*: profissão; "do jeito"; "do costume".

MIB – da sigla em inglês "*men in black*": homens de preto.

MIJ – da sigla em inglês "*men in jeans*": homens de jeans.

Mistanásia – morte em condições sofríveis e miseráveis.

MIW – da sigla em inglês "*men in white*": homens de branco.

Mortão – alusão à Monção (ventos sazonais que atingem o leste asiático); tempestade de detritos de potencial mortífero, associada às chuvas de meteoros do Cinturão de Asteroides.

Mosh – *do inglês*: expressão de dança típica de shows de música *punk* ou *heavy metal*. Quando um membro da plateia sobe no palco, atira-se sobre o público e é apartado por ele.

Multividualidade – entre *multivíduos*; coletividade de multivíduos.

N

Nanofeta – análogo de *ninfeta*: quântico recém-iluminado ou em baixa-juventude de alinhamento feminino.

Network – *do inglês*: rede de trabalho/computadores (virtual).

Nickname – *do inglês*: nome ou apelido virtual.

O

Ógni – da sigla OGNI: *Objeto Gravitacional Não Identificado*.

Ópni – da sigla OPNI: *Objeto Parado Não Identificado*.

Ósni – da sigla OSNI: *Objeto Submarino Não Identificado*.

Óvni – da sigla OVNI: *Objeto Voador Não Identificado*.

P

PABX – sistema ou central de comutação telefônica, de transferência de chamadas.

Pai recreativo – o mesmo que *mãe recreativa*, mas que conduz essa função em presença física.

Peer by (to) peer – *do inglês*: literal "par por par"; de ponto a ponto, de pessoa em pessoa.

Pega-horizonte – sinônimo de *passatempo*.

Per mille – *por mil*; análogo de *por cento* (porcentagem).

Pestape – termo original do inglês "*past up*", processo manual de recortar e colar; refere-se ao profissional que montava páginas de classificados ou similares em jornais impressos.

Ping – comando de requisição de contato, como um pedido de licença para compartilhar dados telepáticos.

Plasmático – feito com ou dotado da habilidade de gerar *plasma*; **plasma**: um estado da matéria; matéria em estado energético.

Plasmoculturismo – análogo de *fisiculturismo*; arte de modelar o corpo.

Magnoculturismo: arte de trabalhar as medidas do corpo.
Plasmonite – análogo à *carbonite*; técnica de conservação de corpos constituídos de plasma.
Plasmossomo – cromossomo constituído de plasma.
Point – *do inglês*: ponto; local.
Polinária(o) – linguagem de programação com base em infinitivos dígitos, atrelada às partículas do átomo.
Politeca – análogo de *biblioteca*; catálogo de arquivos polinários;
Politeconômico: análogo de *biblioteconômico*.
Polividual – o mesmo que *multividual*, porém restrito a um processo de incremento individual bastante restrito. Refere-se, genericamente, a multivíduos que habitam luas e pequenos orbes.
Portulano – diário de bordo secreto dos navegadores antigos que continha dicas e informações para se navegar por mares pouco desbravados ou rotas marítimas secretas.
Prompt – ou *prompt* de comando. Linha de texto para digitação de comandos em um computador.
Protégé – *do francês*: protegido. Privilegiado; pupilo.

Q
Quantipológico – relativo ao quântico, estudo do quântico.
Quantipologia: análogo de *Antropologia*; ciência que estuda o quântico.

R
RAD – da sigla: *Radiation Absorved Dose*; unidade de medida de radiação absorvida.
Rafting – *do inglês*: navegação de jangada ou caiaque. Prática de descer um rio de caiaque ou bote.
Reptólogo, Reptilogista – estudioso, técnico do campo de estudo da *Reptilogia*. *Reptilógico*: de cunho reptilogista.
Residuar – verbo oriundo da palavra *resíduo*: gerar resíduo, referente à capacidade virtual de estimular os sentidos do corpo em uma simulação, de gerar resíduos sensitivos.
Retrocolagem – ato de decolar (com uma nave) para o passado.
Rookie – *do inglês*: novato, recruta.
Round – *do inglês*: volta, rodada, jogada, intervalo sequencial, vez.
RPG – do inglês: sigla de *Role-Playing Game*; jogo (imaginário) de interpretação de papéis.

S
Script – *do inglês*: roteiro. Linha de código de programação.
Seppuko – *do japonês*: tirar a própria vida como forma de manter a honra, antiga tradição dos samurais.
Sinapsão – análogo de palavrão.
Skin – *do inglês*: pele. Designa uma aparência virtual que se pode configurar.
Socket – *do inglês*: tomada, suporte de entrada e/ou saída de dispositivos eletrônicos.

Sôndico – relativo à sonda, vinculado ou criado por uma sonda.
Souvenires – *do francês*: plural de presente, lembrança, bibelô.
Stand by – *do inglês*: em espera.
Stormtrooper – soldado futurista de armadura e capacete branco, com olhos, mãos e juntas (pescoço, cotovelos, ombros, joelhos etc.) pretas; personagem figurante da série lúdico-cinematográfica *Guerra nas Estrelas*, de George Lucas.
Switch – *do inglês*: interruptor, botão, comutador.

T
Tantã – buzina ou dispositivo de sinalização sonora comumente utilizado em grandes navios.
Tera – prefixo binário equivalente a um trilhão; em escala de *quilo* (10^3), seguem-se os prefixos: *mega, giga, tera, peta, exa, zetta* e *yotta*.
Telecinar – diminutivo de *telecionar* (*tele+lecionar*): lecionar via telepatia e/ou interação virtual ou telepática.
Timeline – *do inglês*: linha do tempo.
Top secret – *do inglês*: altamente secreto.
Trip – *do inglês*: viagem.

U
UA – sigla de unidade astronômica. Equivale à distância entre a Terra e o Sol; *na obra*, também equivale à distância entre Marte e o Sol.
UFO – *do inglês*: sigla para "*Unidentified Flying Object*"; sinônimo de óvni (vide anterior).
Uranissagem – pouso em Urano.

V
Vissíncrono – *da obra*: vice-síncrono; sinal ou contagem com lapso de sintonia imperceptível ou sem perda prejudicial entre emissor e receptor.
Vissincrovisão – transmissão ou meio receptor vissíncrono de sinais sensoriais.

X
Xicano – gíria diminutiva da palavra *mexicano*.

W
Walkie-talkie – *do inglês*: dispositivo portátil para conversação remota de pequeno alcance.
Warhead – *do inglês*: expressão que se refere à *arma mais poderosa do arsenal*, utilizada em referência à *bomba H*.
Warm up – *do inglês*: aquecimento.
Waterfall hunting – *do inglês*: caça de quedas d'água; prática esportiva de admirar e percorrer cachoeiras e cataratas.
Welcome to – *do inglês*: Bem-vindo a.
Wireless – *do inglês*: sem fio; referência à conexão remota.

Trilha Sonora*

Abdução, Contato de Terceiro a Quinto Grau & Clonagem Experimental Humana.

1. **Civilization V: Brave New World (videogame) – Wu Zetian Peace Theme.** *Geoff Knorr & Michael Curran (composição), 2015.*
2. **Sob o Sol – Marcus Viana, Malu Aires & Transfônica Orkestra.** *Marcus Viana & Transfônica Orkestra (composição), 2001.*
3. **María – Ricky Martin.** *Ricky Martin (composição), 1995.*
4. **Zombie – The Cranberries.** *Dolores Mary O'Riordan (composição), 1993.*
5. **Hoochie Coochie Man – Steppen Wolf.** *Willie Dixon (composição), 1969.*
6. **Revelations – Iron Maiden.** *Bruce Dickson (composição), 1983.*
7. **Brasil, Mostra tua Cara – Cazuza.** *Cazuza (composição), 1988.*
8. **Sloop John Be (I Wanna Go Home) – Beach Boys.** *Brian Wilson, Gilles Thibaut & Georges Aber (composição), 1966.*
9. **(I've Had) The Time of My Life – Bill Medley & Jennifer Warner.** *Franke Previte, John DeNicola & Doland Markowitz (letra), 1987.*
10. **Total Eclipse of the Heart – Bonnie Tyler.** *Jim Steinman (composição), 1983.*
11. **Burning Hearts – Survivor.** *Jim Peterik & Frankie Sullivan (composição), 1985.*
12. **Brucia la Terra – The Godfather III Soundtrack (longametragem).** *Nino Rota (composição), 1972.*
13. **Orra Meu – Rita Lee.** *Rita Lee & Roberto de Carvalho (composição), 1980.*
14. **Stranger in a Stranger Land – Iron Maiden.** *Adrian Smith (composição), 1986.*

---

* Trilha sonora disponível pelo Youtube no canal do autor Pedroom Lanne.

AGRADECIMENTOS

- Cesar Silva
- Charlie S
- Cleasyaspie
- Comandante Oscar Santa Maria
- Eduardo Knabo
- Edward Enrique Espinoza Zaldivar
- Elizier Leite
- Extradimensions
- Fernando Marcatti
- Fernando Tude
- Fladmir Carvalho
- Hélida Paz
- Heloisa Helena da Silva
- José Padilha
- Ligia Siniscalco
- Luisa Novaes
- Marcelo Congoo
- Marcos Carvalho
- Marcos Rizzatti
- Mestre Álvaro de Moya
- Mestre Elizier Leite
- Notjohn
- Poeta Oliveira Neto
- Professor Abner Macoco
- Professor Cláudio Novaes Pinto Coelho
- Professor José Maurício Piliackas
- Professor Sergio Amadeu da Silveira
- Professor Walmir Thomaz Cardoso
- Professor Walter Teixeira Lima
- Professor Sebastião Squirra
- Projeto Espaço Dimensão e Estrelas
- Renato Lira
- Renato Rosatti
- Samuel "Samuca" Fontoura de Lemos
- SN Ramon
- Silvia Segóvia
- Solivanda Trindade Alves
- Walter "Homem de Preto" Cavalcanti

Fanpage do livro: www.facebook.com/abducao.livro2.
Fanpage do autor: www.facebook.com/pedroom.lanne.escritor.
Site do autor: www.pedroom.com.br.